Burger: Renaissance · Humanismus · Reformation

FRANKFURTER BEITRÄGE ZUR GERMANISTIK

Herausgegeben von

Heinz Otto Burger
und
Klaus von See

Band 7

Heinz Otto Burger

RENAISSANCE · HUMANISMUS · REFORMATION

Deutsche Literatur im europäischen Kontext

RENAISSANCE
HUMANISMUS
REFORMATION

DEUTSCHE LITERATUR IM EUROPÄISCHEN KONTEXT

von

HEINZ OTTO BURGER

VERLAG GEHLEN · BAD HOMBURG V. D. H. · BERLIN · ZÜRICH

© 1969 by Verlag Dr. Max Gehlen · Bad Homburg v. d. H. · Berlin · Zürich
Alle Rechte vorbehalten
Printed in Germany
Herstellung: Dr. Alexander Krebs · Bad Homburg v. d. H. · Weinheim (Bergstr.) · Hemsbach (Bergstr.)

Allegorisches Titelbild zu einem verlorenen Ludus des Konrad Celtis
(Holzschnitt von Hans Burgkmair nach Angaben des Dichters, 1506)

VORWORT

Die drei Grazien
(Ausschnitt aus dem Exlibris von Cuspinianus)

Die Wissenschaft von der deutschen Literatur — wie ein Tummelplatz karambolierender Mini- und Pseudoautomobile mutet sie manchmal an. Seitab liegt bis jetzt noch das Gebiet, das kulturgeschichtlich mit den Begriffen Renaissance, Humanismus, Reformation umgrenzt wird. Literaturgeschichtlich ist weder die Ältere noch die Neuere Germanistik dafür zuständig, so hat es in unserer Wissenschaft ein wenig den Reiz des Niemandslandes bewahrt. Das gilt zumindest für alles, was lateinisch geschrieben ist. Sucht aber der Literarhistoriker den Zeitraum zwischen „Mittelalter" und „Neuzeit" als Einheit zu begreifen und ebenfalls mit den Begriffen Renaissance, Humanismus, Reformation zu operieren, so erhält gerade das lateinsprachliche Schrifttum eine Schlüsselstellung. Der am wenigsten unserer Kenntnis erschlossene Bergrücken bildet das Rückgrat der Landschaft.

Natürlich dürfen Worte wie Niemandsland oder Neuland nur in sehr relativem Sinn verstanden werden. Die Quellen sind hier teilweise schwer zugänglich, vor allem aber blieben die Forschungsresultate weithin Geheimwissen der Spezialisten. Diese haben im 19. Jahrhundert Beachtliches geleistet und neuerlich füllen sich die Reihen wieder. Gleichsam während des Intervalls veröffentlichten WOLFGANG STAMMLER und GÜNTHER MÜLLER 1927 ihre Gesamtdarstellungen *Von der Mystik zum Barock, 1400—1600* bzw. *Deutsche Dichtung von der Renaissance bis zum Ausgang des Barocks.* So verdienstvoll sie damals waren und so wichtig sie noch immer sind — Stammlers „Stoffbuch" wurde 1948 bibliographisch ergänzt —, nach vierzig Jahren sollten sie überholt werden, schon um die rege Forschung im Ausland, besonders in Amerika, zu nutzen. Unter anderer Perspektive als mein eigener Versuch stehen die Kapitel von FRIEDRICH RANKE und SIEGFRIED BEYSCHLAG in den *Annalen der deutschen Literatur,* 1952, ²1962 und erst recht der 4. Band der *Geschichte der deutschen Literatur,* Volk und Wissen, Volkseigener Verlag, Berlin 1961.

Wie das ganze Werk, ist hier auch der Band, der von 1480 bis 1600 reicht, „nach Art eines Handbuchs" angelegt. In seiner Titelei erscheinen die Gesamtherausgeber, das vierköpfige Kollektiv für Literaturgeschichte, mit JOACHIM G. BOECKH zusammen als Verfasser, außerdem nennt sie einen achtköpfigen Wissenschaftlichen Beirat und sieben weitere Gutachter. Nur so, in einem Handbuch zum Nachschlagen, einer Kollektivarbeit oder, wenn das besser klingt, einem Teamwork von wenigstens zwanzig Wissenschaftlern läßt sich heute ein Überblick über die Literatur „zwischen Mittelalter und Neuzeit" geben — der Meinung sind auch alle Spezialisten und Perfektionisten. Trotzdem halte ich es mit WOLFGANG VON GOETHE, der in seinen offenbar wenig bekannten, aus dem Manuskript gedruckten Studien über die fragliche Zeit, Goethe nennt sie die Zeit des Cardinals Bessarion, erklärt: „In jedem Augenblicke der Forschung kann man zwei Arten von Büchern schreiben, solche, die bisher gewonnene Resultate zusammenfassen und zu einem harmonischen anmutenden Ganzen verarbeiten, und solche, die alle bisherigen Arbeiten auf demselben Felde nur als Vorarbeiten behandeln und sich auch selbst nur wieder als Vorarbeiten hinstellen."

Muß man daraus auf ein striktes Entweder-Oder schließen? Das Exlibris des deutschen Humanisten JOHANNES CUSPINIANUS zeigt uns drei nackte, stämmige Frauenzimmer, die mit einem Rad ballspielen. Die eine gibt es: *Do*, die andere wirft es zurück: *Refero*, die dritte fängt bloß auf: *Accipio*. Vermutlich dachte der Gelehrte, als er den Holzschneider instruierte, an Stellen aus einem SENECA-Traktat *De beneficiis*, wonach bei Wohltaten die Partner sich wie beim Ballspiel aufeinander abstimmen müssen, zum Wohltun wie drei Grazien rechtes Geben, Empfangen und Wiedergeben gehören. Der Holzschnitt eint beide Bilder und überträgt sie auf die Wissenschaft. So jedenfalls möchte ich das Exlibris deuten. Wissenschaft lebt aus dem Zusammenspiel von Geben und Wiedergeben. Das Empfangen scheint sich von selbst zu verstehen. Aber gerade die Personifikation des *Accipio* bildet den Mittelpunkt der Allegorie. Ohne die Figur, die verlangend ihre Arme nach dem Rad ausstreckt, gäbe es keine Gruppe, käme kein Spiel der Grazien zustande. Mit anderen Worten: der Austausch von Kenntnissen zwischen Spezialisten summiert sie, führt aber zu leerem Wissenschaftsbetrieb, wo nicht jene dritte „Person" sich einschaltet, deren Funktion das *accipere* ist oder einfach das *interesse*, das Dazwischen- oder Dabeisein. Auch jemand außer den Forschern muß an der Forschung Interesse nehmen.

Die zwei Möglichkeiten für ein Buch, die es nach Wolfgang von Goethe jederzeit gibt, suche ich zu verbinden, indem ich mein Buch in den ständigen Progreß der „Vorarbeiten" hineinstelle und zugleich, statt auf ein Stoff- oder Handbuch, auf ein „harmonisches anmutendes Ganzes" ausgehe. Vielleicht reizt es ein paar Leser, die Rolle der dritten Grazie zu übernehmen.

INHALTSVERZEICHNIS

rung an das andere Mittelalter / Gabriel Biel bekennt sich zur Devotio moderna / Über Macht und Nutzen des Geldes / Erste Autobiographie eines Bürgers / Liederbuch der Clara Hätzlerin / Rosenplüt: das bürgerliche Leistungsprinzip / Ich tu, was ich mag — Heimburgs und Luders Tod 1472 / Arenga: Höhepunkt von Karochs Dichtung — Klerikersöhne / Das dritte Rom — Regiomontanus in Nürnberg / Eyb widmet Nürnberg sein Ehebüchlein / Eybs krönender Abschluß: Spiegel der Sitten, 1474 / Steinhöwels krönender Abschluß: Esopus / Abschluß Wyles: Gesamtausgabe der Translatzen / Pantschatantra, Heldenbuch und Buch der Abenteuer / Bordesholmer Marienklage

Rudolf Agricolas Anfänge, 1474 / Johannes Heynlin und seine Schüler 1474 in Basel / Johannes Reuchlins Anfänge: Wörterbucharbeit / Humanistische Euphorie bei Agricola / Wessel Gansforts Fahrt auf dem Rhein: Kampf mit der Melancholie / Toposlehre / Vivo — ich lebe! / Heynlin und Biel in Wirtemberg / Biel: affective mysticism oder affective rhetoricism? — Jakob Wimpheling / Das Verhältnis Luthers und Zwinglis zu Wessel Gansfort / Psychoanalytische Gespräche im Kloster Aduard / Diagnose der Neuzeit: geschäftige Indifferenz / Scala Meditationis als Psychagogik / De Inventione Dialectica 1479 als Psychagogik / Via antiqua gegen via moderna / Einheit von inventio dialectica und inventio rhetorica / Loci zum Finden rationaler wie affectiver Argumente / Karoch: Seelendiätetik — Gansfort: affective rhetoricism / Die erste Humanistenkomödie, 1480 — Spiel von Frau Jutten / Johann von Soest in Heidelberg / Versifizierte Autobiographie / Johannes Herolt: das bürgerliche Leistungsprinzip / Der Kanzler Johann von Dalberg / Italienreise 1482 / Das Verhältnis Luthers zu Gabriel Biel / Alexander Hegius in Deventer / Hegius: das humanistische Lustprinzip — Agricola in Heidelberg / Die Methode der studia humanitatis / 1485

Der Pauker von Niklashausen / Conradus Celtis Protucius / Ode an Apollo, 1486 / Griechenland und Germanien / Widmung der Ars Versificatoria / Dichterkrönung 1487 / Celtis in Ferrara und Florenz — Kosmischer Eros / Celtis in Rom / De Puella Romae Reperta / Die Römische Akademie / Pomponianer / Numina nostra / Celtis in Krakau / Callimachus Experiens und die antike Skepsis / Hasilina von Rzytonic / Sexus und voluptas mundi / Desiderius Erasmus Roterodamus / De Contemptu Mundi, 1490: mönchische voluptas / Christentum gleich Epikuräertum / Nichts ist fröhlicher als wahre Frömmigkeit / Das Jahr 1492 / Celtis in Ingolstadt / Der Gipfel menschlichen Glücks / Convertite vos, Germani! / Die ersten Rhetoriken in deutscher Sprache / „The Renaissance was the age of memorising" / Lokalisierte Bilder als Gedächtnishilfe / Imaginäre Häuser / Einprägsame Bilder / Das As der Gedächtniskünstler / „Drum soll der Sänger mit

I NEUE LAIENBILDUNG UND NEUE LAIENFRÖMMIGKEIT IM 14. JAHRHUNDERT

In Frankfurt am Main einigten sich 1308 an einem Novembertag die im Bartholomäusdom zur Königswahl versammelten Kurfürsten auf den Grafen Heinrich von Lützelburg oder Luxemburg, dessen Muttersprache das Französische war. Zwei Jahre später ritt König Heinrich VII. an der Spitze eines kleinen Heeres über den Mont Cenis nach Italien, wo es harter Kämpfe und zäher Verhandlungen bedurfte, bis er in Rom im Sommer 1312 aus der Hand eines päpstlichen Legaten die Kaiserkrone empfing. Der Papst selbst residierte seit 1309 in Avignon. Als Heinrich dann schon im Sommer 1313 starb, wurde im Dom zu Pisa der letzte deutsche König und Kaiser beigesetzt, der noch einmal die mittelalterliche Reichsidee hatte rein verwirklichen wollen, von keinem gläubiger gefeiert und schmerzlicher beklagt als dem Dichter der „Göttlichen Komödie".

Die Stadtstaaten Oberitaliens, einschließlich der Toscana und Umbria, lebten bereits in einer anderen Zeit. Politik und Wirtschaft hatten sich hier aus jahrhundertealten Bindungen gelöst. Vergebens kämpften die deutschen Kaiser um ihre Lehenshoheit, der stadtsässige Adel, in Ghibellinen und Guelfen aufgespalten, riß die Macht an sich, und weil die grandi bei den grassi, den wohlhabenden Kaufleuten, Rückhalt suchen mußten, gewannen die wirtschaftlichen Interessen immer stärkeres Gewicht. Welche Verfassung auch jeweils zustandekam, in jeder civitas gab es über kurz oder lang ein straff organisiertes Rechnungs- und Finanzwesen, ein bezahltes stehendes Heer und eine auf der Universität geschulte Bürokratie. Diese neue *civiltà* — Zivilisation — mit ihrem praktischen Rationalismus wird zum Vorbild Europas werden.

Florenz, das gegen 100 000 Einwohner zählte und 80 Bankhäuser besaß, war die reichste unter den Städten. Um zu lernen, wie man lateinische Urkunden, Briefe und Reden aufsetzt, studierten die künftigen Kommunalbeamten die ars dictaminis oder ars notaria, die in Bologna schon um 1230 Boncompagno da Signa als rhetorica novissima vortrug. Den Stil Ciceros erklärte er für gänzlich antiquiert und unbrauchbar in der Praxis der „Notare". Aber Brunetto Latini († 1295), Kanzler, d. h. Leiter der Kanzlei, und somit oberster „Notar" der Republik Florenz, rehabilitierte Cicero. Dieser sei die wahre Quelle der Eloquenz. Durch Latini wurde Dante in die Rhetorik eingeführt und nebst vielen anderen auch ein Ser Petracco, der dann wie Dante wegen seines Ghibellinentums die Heimatstadt verlassen mußte. Nach kurzem Aufenthalt in Arezzo, wo ihm 1304 ein Sohn geboren wurde, fand Petracco an der Kurie in Avignon eine Anstellung. Den Knaben schickte er bei einem italienischen Landsmann im nahen Carpentras, jenseits der Rhône, am Fuß des Mont Ventoux, zur Schule, und Francesco — er änderte später den Familiennamen um des Wohlklangs willen in Petrarca — scheint hier um 1313 die

Knabe beim Lesen Ciceros
(Nach einem Fresko; Vincenzo Foppa, ca. 1427 bis ca. 1515, zugeschrieben)

erste für sein Leben entscheidende Erfahrung gemacht zu haben. Nehmen wir *1313* — das Todesjahr Heinrichs VII. — auch in dieser Hinsicht als Epoche an!

Petrarca berichtet selbst, er habe in einem Alter, da andere sich an Fabeln ergötzen, mit glühendem Kopf Schriften Ciceros gelesen. Eigentlich verstanden habe er sie allerdings nicht: *sola me verborum dulcedo quaedam et sonoritas detinebat* — nur eine gewisse Süßigkeit und Klangfülle der Worte fesselte mich[1].

Kein Zweifel, daß der Knabe, wie seit Jahrhunderten Brauch war, laut gelesen hat. Petrarca ist niemals davon abgegangen. Deshalb konnte er in ,De eloquentia' (Ep. Fam. I, 9) erklären: „Die Worte streicheln wie Heilkräfte die Ohren, und indem sie mich zu öfterem Lesen gleichsam durch die Gewalt einer inneren Süße reizen ... verwandeln sie das Innere." Was den Knaben an Cicero faszinierte, lag nicht im einzelnen Wort, sondern im Rhythmus und in der Melodie der Perioden. Der akustische Reiz geht dabei in den stilistischen über. Nur so können Worte „das Innere verwandeln". Der Neunjährige, durch Vater Petracco auf Cicero vorbereitet, wird etwas dieser Art empfunden haben. Als Petrarca seine Erinnerung an Carpentras auf die Formel *verborum dulcedo et sonoritas* brachte, hatte er sich längst Ciceros Gesichtspunkte und Ausdrucksweise angeeignet und variierte dessen *gravi ac suavi commotus oratione*. Dürfen wir Petrarca deshalb nicht glauben, daß ihm schon als Knaben an Cicero die Macht der Sprache aufging und er von hier in das Wesen antiker Redekunst oder Eloquenz und in den Sinn ihrer Kunstlehre, der antiken Rhetorik, eindrang? Entdeckung der Sprache und Entdeckung der Antike sind für Petrarca identisch.

Wie sein Cicero-Erlebnis in Carpentras hat er später auch das Erlebnis auf dem über Carpentras sich erhebenden Mont Ventoux stilisiert[2]. Den 26. April 1336 will Petrarca als historisches Datum verstanden wissen. Erstmals habe an diesem Tag ein Mensch nicht aus praktischen Motiven einen Berg bestiegen, sondern „einzig aus der Begierde — cupiditas —, die ungewöhnliche Höhe dieses Flecks Erde mit eigenen Augen kennenzulernen". Nach dem „ungeheuren Unterfangen" sei er staunend auf dem Berg der Winde gestanden, wo der Blick südwärts bis zur Bucht von Marseille, nordwärts bis zu den Bergen um Lyon reicht. Schließlich aber habe er AUGUSTINS ,Confessiones' aus der Tasche gezogen, „ein faustfüllendes Bändchen allerwinzigsten Formats", und „zufällig" das 10. Buch aufgeschlagen. Darüber wurde sich Petrarca bewußt, nihil praeter animum esse mirabile ... in me ipsum interiores oculos reflexi. Entdeckung der Welt und Entdeckung des Menschen, die Michelet-Burckhardtsche Renaissance-Formel, würde bei Petrarca zwei gegensätzliche Intentionen, eine extravertierte und eine introvertierte, bezeichnen.

In der Berufung auf Augustin steckt etwas von jener Laienfrömmigkeit, die sich seit dem 13. Jahrhundert ebenso in Italien wie in Deutschland ausbreitete. Je mehr das Geld seine Macht offenbarte, desto tiefer grub es den Gegensatz von Reichtum und Armut ins Bewußtsein. Den vielen, die sich zur Armut verdammt fühlten, traten andere zur Seite, die in der Geldgier eine Gefahr für den inneren Menschen erkannten und sich freiwillig der Armut verschrieben. Am stärksten wirkte FRANCESCO D' ASSISI, 1187—1226, il poverello. Der Zivilisation hält er die *imitatio Christi* entgegen: ein Leben in Armut und Demut, Leidenswilligkeit und brüderlicher Liebe zu aller Kreatur. Freilich beugte sich Franziskus am Ende der Autorität des Papstes, als dieser das Armutsgebot für die Franziskaner aufhob und sie den alten Orden der Kirche gleichstellte. Doch ein Teil der Brüder leistete Widerstand, so daß der Orden im Lauf des 13. Jahrhunderts in zwei Parteien zerfiel, die kirchlichen Konformisten oder „Konventualen" und die außerkirchlichen, ja antikirchlichen „Spiritualen". Christlichkeit und Kirchlichkeit deckten sich in der Folgezeit nicht mehr.

Gegen die Franziskaner-Spiritualen erließ 1323 Papst Johannes XXII., selbst eines der größten Finanzgenies der Geschichte, von Avignon aus das Decretale ,Cum inter nonnullos', das die Lehre von der vorbildlichen Armut Christi und seiner Apostel als künftig ketzerisch verurteilte. Mehr denn alle faktischen Mißstände hat dieses Decretale von 1323 der Kirche und speziell der Kurie den Vorwurf eingebracht, sie hätten Christus an den Mammon oder, wie es in Deutschland heißt, den *pfennig* verraten. Immer wieder wird im 14., 15. und 16. Jahrhundert darauf Bezug genommen, so daß die Laienfrömmigkeit von hier einen ihrer stärksten Antriebe erhielt.

17

Die Laienchristen zitierten mit Vorliebe das Johannes-Evangelium: nisi quis *renatus* fuerit denuo, non potest videre regnum Dei (Joh. 3,3) und: nisi quis *renatus* fuerit ex aqua et spiritu sancto, non potest introire in regnum Dei (Joh. 3,5). Der Begriff der Wiedergeburt, so alt wie das Christentum und noch sehr viel älter, scheint besonders durch die Franziskaner-Spiritualen aufs neue ein Grundbegriff abendländischen Denkens geworden zu sein[3].

In Italien entstanden die zwei umfassendsten Parolen der Zeit: *civiltà* für eine neue Laienbildung, *rinascità* zunächst für eine neue Laienfrömmigkeit. Mit seinen Carpentras- und Mont Ventoux-Erlebnissen, einerlei wie sehr sie stilisiert sind, nahm Petrarca auf eine ganz persönliche Weise an der Bildungs- wie an der Frömmigkeitsbewegung teil.

Auch in Deutschland wuchs die Unzufriedenheit mit den wirtschaftlichen, kirchlichen und staatlichen Verhältnissen. Tagtraum weiter Kreise des Volkes wurde die Wiederkehr des letzten großen Staufers, den die Sage während der hundert Jahre seit seinem Tod mehr und mehr zum Retter aus den Bedrängnissen der Gegenwart, zum Kaiser der Endzeit verklärte. Dieses Hoffen auf den *Fridericus redivivus* bezeugt u. a. die Chronik des von 1340—48 in Lindau im Bodensee ansässigen Franziskaners JOHANN VON WINTERTHUR, wo es heißt: „In diesen Tagen verbreitete sich bei zahlreichen Leuten jedes Standes die Meinung, daß Kaiser Friedrich, der zweite dieses Namens, in größter Machtfülle wiederkehren werde, um den völlig verschlechterten Zustand der Kirche zu reformieren. Die Leute, welche diese Meinung vertreten, fügen hinzu, daß er notwendig kommen müsse, auch wenn er in tausend Stücke zerschnitten oder zu Asche verbrannt worden wäre, weil das Gottes unabänderlicher Ratschluß sei ... Nach dieser Meinung wird er, sobald er vom Tode auferstanden und auf die Höhe seiner Herrschermacht zurückgekehrt ist, die armen Frauen und Jungfrauen reichen Männern zur Ehe geben und umgekehrt ... und allermänniglichen sein volles Recht zuteil werden lassen. Die Geistlichen wird er heftig verfolgen, daß sie ihre Tonsuren, wenn sie sonst keine Kopfbedeckung haben, lieber mit Kuhmist verdecken werden, als ihre Tonsuren zu zeigen ...“[4].

Seit *1348* überflutete dann mehrere Jahre lang eine Pestwelle nach der andern Europa; in Deutschland soll allein der Franziskanerorden 30 000 Brüder durch sie verloren haben. Da konnten sich die wenigsten mit dem Erzählen pikanter Novellen gegen das Grauen abschirmen, wie es die Florentiner Damen und Herren, angeblich 1348, in Boccaccios ‚Decamerone' taten. Vielmehr trieben Todesangst und Furcht vor dem Anbruch des Jüngsten Gerichts zahllose Menschen an den Rand der Verzweiflung. Um das Heil auf eigene Faust zu gewinnen, nahmen sie ihre Zuflucht zum *Geißlertum*, das in den Pestjahren 1348/49 solche Ausmaße erreichte, daß geistliche und weltliche Instanzen scharf dagegen einschritten.

In der Regel, und alles geht hier geregelt vor sich, ziehen die Laienbruderschaften für 33$\frac{1}{2}$ Tage, was der Zahl der Lebensjahre Jesu entsprechen soll, unter einem selbstgewählten Führer auf Geißlerfahrt. Nicht um Ausbrüche ekstatischer

18

Religiosität handelt es sich dabei, sondern um eine neue gottesdienstliche Ordnung, die sich die Laien selbst geschaffen haben, mit Laienbeichte, Laienabsolution und wohl auch Laienpredigt. Deshalb der Vorwurf der Ketzerei. Die deutschen Geißlerlieder, die z. T. aufgezeichnet wurden, gehen auf einfache, volksliedhafte Formen wie Ruf- und Fahrtlied zurück[5].

PETRARCA verlor durch die Pest von 1348 die Geliebte, Madonna Laura in Avignon. Er selbst hielt sich damals in Italien auf, und so mußte ihn sein bester Freund benachrichtigen, sein „Socrates", der Deutsche bzw. Niederländer LUDWIG HEYLIGER aus Beeringen, der zur Kapelle des Kardinals Colonna in Avignon gehörte[6].

Mit 33 Jahren war Petrarca erstmals in Rom gewesen. Der Anblick der Trümmerstätte scheint ihm die Sprache verschlagen zu haben. Als er jedoch Rom 1341 zum zweiten Mal sah, bewältigte er das Ungeheure mit einem neuen Geschichtsbild. Deambulabamus Romae soli, schreibt er Kardinal Colonna am 30. November 1341 und erinnert ihn an die Gespräche, die sie auf dem Dach der Diokletiansthermen miteinander führten. Theodor A. Mommsen hat diesen Brief ausführlich kommentiert. Daran knüpfen wir an[7].

Jahrhundertelang galt es für selbstverständlich, daß Christi Geburt die Wende der Zeiten aus Dunkelheit zum Licht gebracht habe. In den Augen Petrarcas verteilten Licht und Dunkel sich auf einmal ganz anders. Während ihm die Zeiten römischer Größe hell erstrahlen, bricht die Nacht herein, als man, wie Petrarca sagt, in Rom Christus zu verehren begann und römische Kaiser zu ihm beteten. Petrarca scheint es ähnlich gegangen zu sein wie später Edward Gibbon, der seine ,History of the Decline and Fall of the Roman Empire' konzipierte, als er im ehemaligen Jupiter-Tempel auf dem Kapitol Franziskaner die Vesper singen hörte. Hatte nicht Konstantin der Große kurz vor seinem Tod die Taufe empfangen und gleichzeitig das Reich an seine Söhne aufgeteilt? Das bedeutete das Ende des Imperiums, 337. Ein Jahrtausend des Dunkels, der tenebrae, lag zwischen damals und Petrarcas erstem Rombesuch, 1337. Ohne gegen die Heilsgeschichte, die Christi Geburt zum Angelpunkt hat, im geringsten zu polemisieren — der Brief an Colonna schlägt sogar sehr christliche Töne an —, stellt ihr Petrarca ein säkulares Geschichtsbild aus der Perspektive Roms an die Seite. Quid est enim aliud omnis historia quam Romae laus? Erwin Panofsky meint zu Petrarca: „Indem er behauptete, daß die römischen Heiden im Licht, die Christen aber im Dunkel gewandelt seien, stürzte er die Deutung der Geschichte nicht weniger um, als das hundert Jahre später Copernicus mit der Deutung des physikalischen Weltalls tun sollte"[8].

Petrarca hegte dabei die Hoffnung, das millennium tenebrarum seit 337 werde über kurz oder lang überwunden werden. Ein Jahr nach seinem ersten Rom-Erlebnis begann er ein lateinisches Epos zu schreiben, das Scipio Africanus, den Sieger von Zama, zum Helden hatte. Diese ,Africa', 1343 abgeschlossen, hielt er

stets für das Unterpfand bleibenden Ruhms. Am Ende apostrophiert der Dichter
sein Werk: Auf dich, wenn du mich lange überlebst, wie ich hoffe und wünsche,
warten vielleicht bessere Zeiten. Dieser Letheschlummer, das Vergessen einstiger
Größe, kann ja nicht immer dauern. Nachdem das Dunkel glücklich verjagt ist,
werden unsere Enkel in den reinen Glanz von ehemals zurückkehren — *remeare
ad purum priscumque iubar*.

Die Antike, wie sie Petrarca vorschwebte, schloß offenbar Ostrom und speziell
Griechenland ein, und es fragt sich, ob nicht überhaupt die remeatio-Idee ihren
Ursprung bei den Rhomäern, d. h. in Byzanz, hatte. Noch immer bildete Unteritalien
den Brückenkopf zwischen Ost und West. Petrarca nennt es *italica Graecia*. Die
Forschungen von Gerhard Rohlfs[9] zeigen, daß in einigen Ortschaften Unter-
italiens Reste der griechischen Sprache sich bis heute erhalten haben. Ob das, wie
Rohlfs wahrhaben will, auf die Zeiten der Magna Graecia zurückgeht, ist nur
deshalb kontrovers, weil das 7. und namentlich das 8. Jahrhundert viele Tausende
von Griechen aus dem byzantinischen Reich nach Kalabrien brachte. Über die
Klöster des Heiligen Basilius blieben diese ständig in enger Verbindung mit
Byzanz. Michael Psellos, der um die Mitte des 11. Jahrhunderts die antiken Studien
in Byzanz neu belebte und zur Deutung christlicher Dogmen Platon und Plotin
heranzog, fand seinen bedeutendsten Schüler in dem aus Kalabrien stammenden
Johannes Italus. Die beiden präludierten die sogenannte „komnenische Renaissance", die zeitlich mit der französischen „Renaissance des 12. Jahrhunderts" zusammenfällt. Von einem Jünger des Johannes Italus wird berichtet, daß er eines
Nachts lange in Adorantenhaltung auf einem weit ins Meer hinausragenden Felsen
gestanden habe und sich dann mit dem Ruf „Nimm, Poseidon, mich auf!" in die
Tiefe stürzte. Kenneth M. Setton[10] fühlt sich bei dieser Szene an die Altertums-
schwärmerei des italienischen Quattrocento erinnert. Aber da wurden die alten
Götter nicht derart ernstgenommen, auch wenn Mistra auf der Peloponnes, wo
der Geist des Kalabresen Johannes Italus und seiner Anhänger weiterlebte, zum
Vorbild sowohl der Florentiner als auch der römischen Akademie des Quattrocento diente. Von ihnen wiederum leiten sich die sodalitates in Deutschland ab,
namentlich die Gründungen des KONRAD CELTIS, der behauptete, er stamme als
Mainfranke selbst aus einer *germanica Graecia*.

Wenn Petrarca gelegentlich voll Verehrung von Platon sprach, gründete sich
seine unmittelbare Kenntnis außer auf die ersten 53 Kapitel des ‚Timaios', die
schon im 4. Jahrhundert von Chalcidius übersetzt worden waren, allein auf die
beiden Dialoge ‚Menon' und ‚Phaidon' in der lateinischen Übersetzung des Kalabresen Henricus Aristippus. Über diesen seinen Landsmann wirkte der Platonismus des Johannes Italus auf Italien zurück. Erst durch Ficino kamen Aristipps
Wort für Wort-Versionen außer Kurs. Aristipp, Archidiakon von Catania, war
Kanzler König Wilhelms I. von Sizilien. Anläßlich einer Gesandtschaftsreise nach
Konstantinopel schenkte ihm Kaiser Manuel eine griechische Handschrift des

‚Almagest' von Ptolemaios. Die Übersetzung, die er anfertigen ließ, blieb, zusammen mit einer fast gleichzeitigen Übersetzung aus dem Arabischen, dreihundert Jahre gültig, d. h. bis der Byzantiner Bessaríon die Deutschen PEUERBACH und REGIOMONTANUS mit der Abfassung einer *Epytome* beauftragte.

Die Einzigartigkeit Kalabriens zeigt sich am deutlichsten daran, daß im ganzen Abendland nur dort griechisch gedichtet wurde. Seit 1951 kennen wir aus dem 13. Jahrhundert einen Kreis von Kalabresen, die nach Art der Byzantiner in griechischen Versen Christentum und Griechentum miteinander verschmolzen, wobei ihnen die Bücherschätze von San Niccolo di Casole zugute kamen[11]. Als 1480 eine türkische Flotte das Kloster zerstörte, befand sich das Griechentum Unteritaliens längst in starkem Rückgang, aber noch 1367 konnte Petrarca einem Adlatus, der Griechisch lernen wollte, raten, statt nach Byzanz, nach der „italica Graecia" zu gehen.

Ihm selbst war Griechenland in dem Kalabresen Barlaam von Seminara begegnet, der wie einst Johannes Italus in Byzanz eine entscheidende Rolle spielte. Der Basilianermönch gehörte dort zu den Protagonisten des Streits um den sogenannten Hesachysmus. Dabei warf jede Partei der anderen vor, sie halte es mit den *Hellenizontes*, den Philhellenen, die gleich Michael Psellos und Johannes Italus eine Rückkehr zum antiken, vorchristlichen Hellas betrieben. Barlaam genoß als Theologe und Philosoph — er verfaßte beispielsweise eine ‚Ethica secundum Stoicos' — wie als Mathematiker und Astronom großes Ansehen, doch der ständig wachsende Nationalismus in Byzanz, der ihn als Ausländer, Westler, Collaborateur mit den Lateinern diffamierte, trieb ihn schließlich zur Emigration[12]. An der Kurie in Avignon erhielt er 1342 einen Lehrauftrag für Griechisch, und so bot sich auch Petrarca Gelegenheit, bei ihm Sprachunterricht zu nehmen. Über die Elementarkenntnisse ist Petrarca nicht hinausgelangt.

Er hatte Barlaam schon 1339 kennengelernt, als dieser in kirchenpolitischer Mission sich in Avignon aufhielt. Wenn es stimmt, daß Barlaams Schrift ‚Contra primatum papae' mit dem Adressaten Franciscus keinen anderen als Petrarca meinte[13], müssen sich die beiden sehr nahe gekommen sein. Barlaam zeigte dem fünfzehn Jahre Jüngeren seine Bücher, vor allem die Werke Platons, und gab ihm dabei vermutlich Einblick in die griechisch-byzantinische Gedankenwelt. Das fiel in die Zeit zwischen dem ersten und zweiten Rom-Besuch Petrarcas, in der sich sein neues Geschichtsbild entwickelt zu haben scheint. 1341 führte ihn dann der Weg nach Rom über Neapel, wo ihm König Robert für die Dichterkrönung auf dem Kapitol einen Purpurmantel schenkte. Robert war der Herrscher Kalabriens, und sein Hof pflegte kaum weniger als die Basilius-Klöster den Kontakt mit Byzanz. Erhebt sich da nicht die Frage, wieweit Petrarcas Wunschbild der *remeatio ad Romae purum priscumque iubar* durch die *remeatio*-Bestrebungen in Byzanz angeregt wurde?

Petrarca entwarf ein dreiteiliges Geschichtsbild: *iubar* ging den *tenebrae* voran und wird ihnen auch wieder folgen: *remeare, remeatio* sind Petrarcas Termini für die zweite Zeitenwende. Schon Cola di Rienzo bevorzugte im Anschluß an die Terminologie der Franziskaner-Spiritualen das Wort *renasci,* wenn er die Erneuerung Roms propagierte. Von einem *renasci* der antiken Literatur scheint erstmals um 1400 ein Franzose, Nicolaus de Clemengiis (Clémanges), gesprochen zu haben[14]. 1469 findet sich dann auch, in lateinischer Form, der Name „Mittelalter" belegt[15]. Aber erst seit der Weltgeschichte von Christoph Cellarius, die 1685—96 erschien, setzte sich die Dreiteilung allgemein durch; das Werk trägt den Titel: *Historia universalis, in antiquam, medii aevi ac novam divisa.*

Giorgio Vasari hat *rinascità* zum Epochenbegriff der Kunstgeschichte gemacht, als er 1550 in ‚Le vite de' più eccellenti Pittori, Scultori e Architetti' mit den Fresken von Cimabue und Giotto für die Grabeskirche des Heiligen Franziskus — frühes 14. Jahrhundert — die rinascità der italienischen Kunst beginnen ließ. Er meinte damit ihre Verjüngung. Während Voltaire bei Franz I. und seiner Zeit von *la renaissance des lettres jusqu' alors méprisées* spricht[16], zielen Balzac[17] und Ruskin[18] mit dem Renaissance-Begriff wieder auf eine kunstgeschichtliche Periodisierung. Endgültigkeit als Name für den Übergang vom „Mittelalter" zur „Neuzeit" gaben ihm Jules Michelet, indem er 1855 die ‚Histoire de France au seizième siècle' im Untertitel *Renaissance* nannte, und erst recht Jacob Burckhardt, der 1860 ‚Die Kultur der Renaissance in Italien' veröffentlichte. Beide umschreiben Renaissance als Wiederentdeckung der Welt und des Menschen.

Immer aufs neue abgewandelt, bestimmen *remeatio*-Idee und Idee der *historia tripartita* bis heute unser Geschichtsbild. Das ist um so erstaunlicher, als die beiden ja zunächst eine politische Prophezeiung, eine politische Geschichtsideologie darstellten, die an der Wirklichkeit scheiterte. Die Verantwortung für das Scheitern tragen „die Deutschen".

Nach dem Tod Heinrichs VII. waren die Kronen, die er nur wenige Jahre getragen, dem Hause Luxemburg verlorengegangen. Wohl aber hatte Hein-

Kaiser Karl IV.
(Büste am Triforium des Prager Domchors, 1379/93)

rich seinem vierzehnjährigen Sohn die Erbtochter der Przemysliden vermählen und ihn am selben Tag mit dem Königreich Böhmen belehnen können. Sein Enkel, nun nicht mehr ein kleiner, namenloser Graf im Moselgebiet, sondern als König von Böhmen der mächtigste Reichsfürst, holte sich 1346 die deutsche Königskrone zurück und einige Jahre später die Kaiserkrone. Der Dreißigjährige wurde nicht wie üblich in Frankfurt am Main, sondern in Rense zum deutschen König gewählt, und seine Krönung erfolgte, statt im Aachen Karls des Großen, zum ersten und bisher einzigen Mal in Bonn: beides fast Zeichen, daß mit KARL IV. alles anders werden sollte. Wie die Kirche vom Westen, von der Rhône, wurde nunmehr das Reich vom Osten, von der Moldau aus regiert. Aber der neue König der Deutschen auf dem Hradschin zu Prag, der künftige Kaiser, schien, gemessen an dem Wunschbild des Fridericus redivivus oder auch nur verglichen mit seinem Großvater Heinrich VII., kaum etwas von einem König und Kaiser an sich zu haben. Klein und leicht gebückt, einen dunklen Vollbart um Kinn und Mund, pflegte er ohne Schmuck, ohne Waffen aufzutreten, kein Held oder großer Herr, auch kein Ideologe, sondern ein Rechner von eminenter Klugheit, ein Mann fast bürgerlichen Zuschnitts; den Kaufmann auf dem Thron hat man ihn genannt.

Schon als Markgraf von Mähren und Statthalter des Vaters im Königreich Böhmen hatte Karl begonnen, den Hradschin wiederherstellen und eine neue Bischofskirche in Prag, den Veitsdom, errichten zu lassen. Nachdem er König von Böhmen und deutscher König geworden war, nahm er den Aufbau der Prager Neustadt jenseits der Moldau in Angriff und ließ die Kleinseite mit der Altstadt durch die Karlsbrücke, ein technisches wie künstlerisches Meisterwerk, verbinden. 1348 gründete Karl in Prag die erste deutsche Universität. Deren Kanzler wurde der Erzbischof von Prag, Ernst Malowetz von Pardubitz, der bedeutendste Ratgeber des Königs.

Die Leitung der Bauten erhielt PETER PARLER aus Schwäbisch-Gmünd mit seinen Söhnen. Aus dieser Werkstatt gingen später auch die Büsten des Kaisers und seiner Familie, der kaiserlichen Beamten und der Dombaumeister hervor, die am Chortriforium von St. Veit Aufstellung fanden. Zum erstenmal wurden hier Lebende oder jüngst Verstorbene, die jedermann kannte, wirklichkeitsgetreu abgebildet. So beginnt mit diesen *Triforiumsbüsten* — 21 sind uns erhalten — die eigentliche Porträtkunst des Abendlands, ein Zeichen für das neuerwachte Interesse an der Individualität. Gleichzeitig entstanden in London die ‚Canterbury Tales' von Chaucer — 21 sind uns erhalten — mit ihren individuellen Porträts. Unter ihnen befindet sich Chaucer selbst, wie unter den Büsten Peter Parler. Und sogar der Kaiser hat uns eine Art Selbstporträt hinterlassen: einen lateinischen Bericht über sein Leben bis zum Jahr 1346. Diese *Vita Caroli IV* ist die erste Autobiographie eines deutschen Königs und Kaisers. Da sie streckenweit auf regelmäßig geführten Tagebüchern fußt, schildert sie im ganzen wirklichkeitsgetreu die Ereignisse, freilich nicht so sehr der politischen wie der persönlichen Geschichte Karls[19].

23

Das Amt des Hofpoeten versah in Prag fünfzehn Jahre lang, 1346—1361, der Spruchdichter HEINRICH VON MÜGELN, ein Sachse aus Pirna, der sich als Laie eine gelehrte Bildung oder, besser gesagt, Halbbildung zugelegt hatte. Aufschluß- reiche Arbeiten über ihn verdanken wir in jüngster Zeit Karl Stackmann und Johannes Kibelka[20].

Von jeher lebten Spruchdichter und Geistliche auf Kriegsfuß miteinander, weil die Spruchdichter den Anspruch erhoben, Laienprediger zu sein. Heinrich von Mügeln, getragen von der Welle neuer Laienfrömmigkeit, trieb den Anspruch auf die Spitze: Würde die Kirche niedergerissen werden, „uß wares sanges zimmer / des tumes (Domes) buw sich snelle formet wider".

Für die Prager Hofgesellschaft suchte Heinrich die mittelalterliche Spruchdich- tung mundgerecht zu machen, indem er die vulgären Themen und Motive, Formen und Worte der Fahrenden Sangesmeister ausmerzte. Eine Erneuerung glaubte er mit Hilfe der Rhetorik durchführen zu können. Wiederholt wird *her Tullius* erwähnt, der das Feld mit 60 *colores rhetorici* — 36 *colores verborum*, Wortfiguren, und 24 *colores sententiarum*, Sinnfiguren — bestellt habe. Heinrich denkt an die fälschlich Cicero zugeschriebene *Rhetorica ad Herennium*; sie wurde als Ergän- zung zu ‚De inventione' aufgefaßt und hieß deshalb ‚Tullii rhetorica secunda'. Man könnte versucht sein, das starke Hervorheben der Rhetorik und insbesondere Ciceros mit modernem Einfluß zu erklären, aber die ‚Rhetorica ad Herennium', vier Jahrhunderte völlig vergessen und erst 350 n. Chr. aus einer afrikanischen Bibliothek ans Tageslicht gezogen, galt seit dem 13. Jahrhundert in Europa als Autorität. Daß ein Spruchdichter jetzt so nachdrücklich darauf pochte, mag immer- hin eine Modegeste sein.

In praxi knüpfte Heinrich von Mügeln an Konrad von Würzburg und Heinrich von Meißen genannt Frauenlob an. Seinen Stil kennzeichnen am auffallendsten die zweigliedrigen Kurzmetaphern, die durch Genitiv-Umschreibung zustande kommen. Sie begegnen fast in jedem Vers. Um immer aufs neue ein Abstractum und ein Concretum zu verbinden, gibt Heinrich bald dem einen, bald dem andern Genitivform. Die Satzführung kann beim Abstractum oder beim Concretum oder teils beim einen, teils beim andern liegen; außerdem gefällt sich Heinrich in freier Wortstellung. Dadurch wird das Verständnis des Satzes oft äußerst schwierig, wenn nicht unmöglich, jedenfalls können sich mehrere Deutungen er- geben. Den Sinn des Satzes zu verschleiern, um die Aussage zurücktreten zu lassen, scheint der ornamentalen Stilabsicht Heinrichs zu entsprechen.

Seine Sprüche und vollends die kunstvoll-künstliche, z. T. mathematisch er- klügelte Fügung mehrerer Sprüche zu einem „ticht" sind an bewußter Artistik nicht mehr zu überbieten. Mit einem voll entfalteten ornamentalen Manierismus endet die „blümende" oder „ferbende", colorierende Stilrichtung des Mittelalters.

Was jenseits der Alpen seit Brunetto Latini sich vollzieht, die Neuentdeckung CICEROS, ist der Umschlag solcher *ars ornandi* in *ars movendi*. Für sie gibt Cicero in ‚Orator' (XXI, 69) eine bündige Definition: Erit igitur eloquens ... is qui in foro causisque civilibus ita dicit, ut probet, ut delectet, ut flectat. Probare necessitatis est, delectare suavitatis, flectere victoriae; nam id unum ex omnibus ad obtinendas causas potest plurimum. In ‚De oratore' und ‚Brutus' heißt die Dreiheit in der Regel: docere (statt probare), conciliare (oder delectare) und movere (oder permovere, vehementer movere, statt flectere). Die Eloquenz hat es aufs *docere* abgesehen, aber es gibt für sie kein rechtes docere ohne *conciliare* und *movere* — kein fruchtbares Lehren, ohne zugleich eine sanfte Wirkung auf das Gefühl und eine starke auf die Leidenschaften auszuüben.

Die große Stunde solcher Eloquenz kam an *Pfingsten 1347.* Wieder einmal tobten in Rom Straßenkämpfe zwischen den Anhängern der beiden mächtigsten Adelsgeschlechter, Orsini und Colonna. Währenddessen saß in einer Seitengasse in der armseligen Trattoria, die einem gewissen Lorenzo gehörte, der zwanzig- bis fünfundzwanzigjährige Sohn des Schankwirts, Nicolao, ein stellenloser Notar, hinter historischen Scharteken. Gäste und Nachbarn pflegten den Vater mit Rienzo, den Sohn mit Cola zu rufen. Er war ein Phantast, dieser COLA DI RIENZO, und so zeugten, während sich draußen die Römer gegenseitig die Schädel einschlugen, in seinem Hirn die Bücher das Bild der ehemaligen Hauptstadt der Welt in glühenden Farben. *Remeare,* raunte ihm eine Stimme ins Ohr, *remeare ad Romae purum priscumque iubar*! Damit vermischten sich andere Stimmen: *Nisi quis renatus fuerit* ... Als erstes mußte die korrupte Adelsherrschaft gestürzt, das Volk befreit werden. Seiner hinreißenden, für den Notarberuf geschulten Rednergabe bewußt, rief Cola di Rienzo Pfingsten 1347 das Volk auf dem Kapitol zusammen, und nach stundenlangem, immer wieder von Jubel unterbrochenem *probare, conciliare, permovere* übertrug ihm das Volk diktatorische Gewalt. Nicolaus clemens et severus, libertatis, pacis iustitiaeque tribunus et sacrae Romae rei publicae liberator nannte sich Cola.

Bis nach Vaucluse, dem „geschlossenen Tal" der Sorgue bei Avignon, drangen die Fanfarentöne vom Kapitol und weckten das Echo: Salve noster Brute, noster Camille, noster Romule! Petrarca, entschlossen, dem Tribun seine Feder zur Verfügung zu stellen, eilte nach Rom. Doch unterwegs kam ihm die Kunde entgegen, daß Cola vor dem Adel hatte kapitulieren müssen und in die Berge zu den Franziskaner-Spiritualen geflüchtet war.

Herrschaft läßt sich nicht auf Reden gründen, mochte der König an der Moldau argumentieren. Unter anderen Verhältnissen geboren und aufgewachsen, wäre aus ihm sicher kein Tribun geworden, sondern einer, vielleicht der tüchtigste, unter den vielen gewiegten Händlern und Wechslern, die damals wie in den italienischen auch in den deutschen Städten anfingen, ihr Glück, d. h. ihr Geld, zu machen. In Straßburg beispielsweise hatten sich die Merswin — was nicht Meerschwein, aber Schwarzes Schwein bedeutet — schon durch den Tuchhandel ein Vermögen erworben, als der junge Rulman dem Geschäft auch noch eine Wechsel-

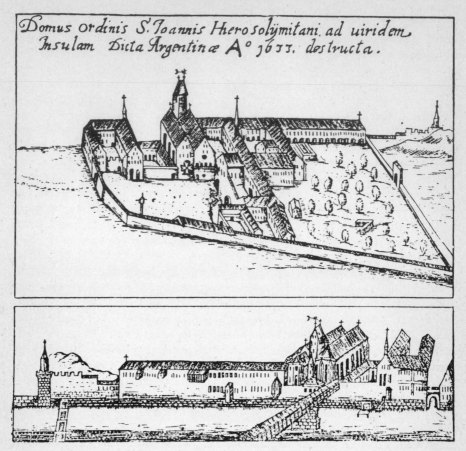

Domus ordinis S. Joannis Hierosolÿmitani. ad uiridem
Insulam Dicta Argentinæ A° 1633. destructa.

Kloster St. Johann auf dem Grünenwörth in Straßburg (1633 zerstört)

bank angliederte und es auf diese Weise um 1340 zu nie geahntem Reichtum
brachte.

Da freilich geschah 1347 das Überraschende, daß RULMAN MERSWIN mit vierzig
Jahren sich vom Geschäft zurückzog, weil er beschlossen hatte, der Welt abzu-
sagen und ein Gott wohlgefälliges Leben zu führen. Nur daß, wer aus dem Haus
,Zum Schwarzen Schwein' stammt, das Managen sowenig wie die Katze das
Mausen lassen kann. Durch geschickte Winkelzüge brachte Rulman das ehemalige
Benediktinerkloster auf dem Grünenwörth bei Straßburg in seinen Besitz, um
dort ein Pfründhaus für einzelstehende oder pflegebedürftige Personen, wohl-
gemerkt aus vornehmen und finanzkräftigen Familien der Stadt, einzurichten.
Während er zur Betreuung der Pfründner Johanniter heranzog, behielt er die

Rechnungsführung in eigener Hand. Wichtiger noch war ihm, geistlichen Einfluß auf die Klosterinsassen und über sie auf die Frommen der engeren und weiteren Umgebung zu gewinnen. Schier unentwirrbar verknäueln sich weltliche und geistliche Interessen. Frömmigkeit und Pfiffigkeit, Fürsorge und Geschäft, Drang zur Mission und zur Macht unter e i n e m Hut: das ist Rulman Merswin.

Glaubhaft kann er nur als Mittler eines Größeren erscheinen, des geheimnisvollen GOTTESFREUNDES AUS DEM OBERLAND. Von ihm erhält Rulman seine Weisungen, um sie weiter zu geben. Schon Tauler, versichert er, wurde durch diesen Gottesfreund bekehrt, dessen Einfluß bis in den Orient reicht. Rulman steht mit ihm durch einen Boten in Beziehung, der des Nachts aus dem Oberland, der Schweiz, herüberwandert und Briefe und Traktate bringt. Auch Briefe an andere gehen durch die Hand Rulmans. Niemand sonst hat den Boten jemals gesehen. Kein Wunder, daß die Johanniter auf dem Grünenwörth neugierig und argwöhnisch wurden und insgeheim eine Expedition ausschickten, in der Schweiz nach dem Gottesfreund zu fahnden. Sie kehrten unverrichteter Dinge zurück[21].

Inzwischen hatte sich COLA DI RIENZO nach Böhmen durchgeschlagen und erschien im Juli 1350 hilfeheischend am Hof KARLS IV. in Prag. Stärkere Gegensätze lassen sich kaum vorstellen als dieser Feuerkopf und der unansehnliche, kühl berechnende König, der während seiner Audienzen mit einem kleinen Messer an Weidenruten schnipfelte. Marquis Posa vor Philipp II. könnte man so spielen, samt des Königs halblauter Zwischenbemerkung: „Sonderbarer Schwärmer". In der Sprache Colas heißt das, wenn er sich selbst kennzeichnet, somniator. Es gelang ihm nicht, den König für die *renovatio Romae* zu gewinnen, trotzdem fand Karl an der großartigen Suada, der ebenso temperament- wie kunstvollen Eloquenz des Gastes Gefallen. Erst recht war der Hofstaat entzückt, nicht nur die Damen, auch die Schranzen, die Beamten, selbst die Kirchenfürsten klatschten Beifall. So hatte man diesseits der Alpen noch nie alle Register des *probare, conciliare, movere* ziehen hören.

Den stärksten Eindruck machte Cola bei den Schreibern der Hofkanzlei, den Notaren. Sie sahen in ihm einen ihresgleichen, der wunderbare Schicksale hinter sich und wohl ebenso vor sich hatte. Protonotar war JOHANN VON NEUMARKT, auf lateinisch Johannes Noviforensis, ein deutscher Bürgerssohn aus Hohenmaut in Böhmen. Er führte seinen Namen nach einer Pfarrpfründe, die er in Neumarkt bei Breslau besaß.

„Köstliche Minuten, qualvolle Stunden", soll Kaiser Wilhelm I. über die Opern Richard Wagners geurteilt haben. Auch Karl IV. begann bei „Rienzi" heimlich zu gähnen. Zudem fürchtete er politische Verwicklungen, und so wurde „der letzte der Tribunen" erst auf Burg Raudnitz an der Elbe in ehrenvolle Haft gesetzt, später nach Avignon abgeschoben. Als Cola ein zweitesmal die Herrschaft in Rom an sich zu reißen suchte, erschlug ihn der populus Romanus und ließ den Leichnam durch Juden auf einem Haufen Disteln verbrennen.

Unter den Deutschen hat Cola di Rienzo insgesamt zwei Jahre gelebt und sie während dieser Zeit durch das Pittoreske seiner Person, seine Reden und Briefe fasziniert. Er war 1350 der erste bedeutende Sendbote der Neuen Rhetorik in Deutschland[22].

Noch solange Cola von Burg Raudnitz aus dem König ständig in den Ohren lag, er müsse nach Rom ziehen, ging im Frühjahr 1351 ein erstes Schreiben PETRARCAS ein, das ebenfalls für die *renovatio Romae* warb. Der König blieb taub, doch seiner Hofkanzlei traute er offenbar nicht zu, einen Brief an Petrarca mit dem angemessenen *cultus rhetoricus* beantworten zu können. So mußte ausgerechnet Cola die Absage verfassen. In der Folge wechselten Petrarca und der König mehrmals Briefe, und auch JOHANN VON NEUMARKT, der 1353 Bischof von Leitomischl und Chef der Hofkanzlei wurde, trat mit dem berühmten, von ihm abgöttisch bewunderten Italiener in Verbindung. Als Karl 1354 endlich über die Alpen zog, um sich in Rom die Kaiserkrone zu holen, begleitete ihn sein Kanzler, und sie trafen in Mantua mit Petrarca zusammen. *Quasi in aurea saecula per portas intravi paradisi et poma aurea undique recreaverunt*, schrieb Johann aus Italien: Es war, als träte ich durch die Pforten des Paradieses ins Goldene Zeitalter, und goldene Früchte wuchsen überall.

Die Kaiserkrönung wurde an *Ostern 1355* vollzogen. Noch ehe die Sonne des Krönungstages unterging, kehrte der Kaiser Rom den Rücken und führte sein Heer wieder heim, ohne in die Kämpfe zwischen Ghibellinen und Guelfen, Colonna und Orsini, überhaupt in die politischen Verhältnisse Italiens eingegriffen zu haben. Das war das Klügste, was er tun konnte, aber die auf Kaiser Karl ihre Hoffnungen gesetzt hatten, fanden sich genarrt.

Mit der nordwärts entschwindenden Staubwolke der kaiserlichen Reiter zerstob der Traum von einer politischen *remeatio ad Romae iubar*. Die Hohnverse, die Petrarca hinterherwarf, konnten das Schicksal nicht wenden. Wie der Römische Volkstribun hatte auch der Römische Kaiser versagt. Die remeatio ad purum priscumque iubar wird in Zukunft mehr und mehr auf die *reparatio studiorum humanitatis* eingeschränkt werden: der „Humanismus" als reine Bildungsbewegung ist eine Konsequenz des Geschehens von 1347 und namentlich 1355. Insofern hat der in Bonn gekrönte deutsche König, der Römische Kaiser deutscher Nation — gerne möchte man sagen: haben „die Deutschen" — beträchtliches Verdienst an der Entstehung des Humanismus.

Merkwürdigerweise löste sich in jener Staubwolke nicht auch das Bild der *historia tripartita* auf. Ein Abglanz der ursprünglichen *remeatio*-Idee blieb am Humanismus haften. Aus dieser Mitgift stammt ein gut Teil seiner Brisanz.

Johann von Neumarkt, nunmehr kaiserlicher Kanzler, hat offenbar im Lande, wo die poma aurea, die Goldorangen, glühen, das *Buch der Liebkosung* geschrieben, eine Übersetzung des pseudoaugustinischen ‚Liber soliloquiorum animae ad Deum' — Selbstgespräche der Seele mit Gott. So bringt er 1355 die erste Verdeutschung neuen Stils nach Hause[23].

Sie ist in Prosa abgefaßt, und Prosa — nach vorn gerichtete (pro vorsa) Rede — kennt im Gegensatz zum Vers, der sich zu sich selbst zurückwendet (vertere), keine regelmäßige Wiederkehr rhythmischer Abläufe. Der Rhythmus oder, lateinisch, Numerus der Prosa ist grundsätzlich regellos. Trotzdem hat die Rhetorik für den Periodenbau gewisse rhythmische Gesetze entwickelt. Im Innern des Satzgefüges blieb die Freiheit im allgemeinen gewahrt, aber für Satzanfang und Satzende oder für das Ende bestimmter Satzteile, Kola, bildete sich eine Typik heraus. Beim quantitierenden Rhythmus der Antike kann es nur um Typen des Nacheinander von Längen und Kürzen gehen. Doch irgendwann in der „Spätantike" tritt anstelle des quantitierenden das akzentuierende Prinzip, und nun kommt es am Satz- und Kolonende auf die festgelegte Folge nicht mehr langer und kurzer, sondern betonter und unbetonter Silben an. Korrekt spricht man beim Quantitieren von *clausula*, beim Akzentuieren von *cursus*. Besonderer Beliebtheit erfreute sich die einmalige oder mehrmalige Folge von betont / unbetont / unbetont — betont / unbetont — betont / unbetont, gelegentlich mit freiem Auftakt: der sogenannte *cursus velox*: ágere nímis dúre — fructíferum vére pácis. Diesen cursus hat um 1088 der Leiter der päpstlichen Kanzlei, ein Johannes Gaetanus, der später selbst Papst wurde, für den Periodenbau der Kurie verbindlich gemacht. Möglichst viele Sätze sollten mit dem cursus velox schließen, den man — niemand weiß warum — auch *cursus Leoninus* nannte. Johann von Neumarkt setzte ihn für die Prager Kanzlei durch und verwandte ihn bei seinen eigenen Übersetzungen.

Die Kunst besteht darin, den Grundtypus, ohne ihn aufzugeben, immer wieder leicht zu variieren, ihn klang- und sinnvoll zu umspielen. Ein Beispiel aus dem ‚Buch der Liebkosung': „Wenn aber nu kúmmt des vulkúmmen ist / so wird vernícht, das uns teíl ist / wenn wir mit óffenbarner ántlußtz / Deín antlußtz scháuen wérden". Derart gelesen, daß der cursus velox als Grundrhythmus festgehalten wird, gewinnen die Satzteile nicht nur Klang, sondern auch eine gewisse Ausdruckskraft, d. h. im ersten Kolon müssen die Akzente auf „kummt" und „kummen", in den zwei letzten Kola einmal auf „antlußtz", das andere Mal auf „Dein" fallen.

In der Verfeinerung und Belebung des cursus wie auch in der syntaktischen Spannung der Perioden, in den Bildern und dem übrigen ornatus macht sich die Anregung der Italiener geltend. Der Rahmen der Schulrhetorik, der *ars ornandi*, wird nicht gesprengt, aber es findet doch eine Annäherung an die *ars movendi* statt.

Mitunter meint man, ein Stück aus einem Prosahymnus auf die Würde des Menschen zu lesen: „der mensch . . . ist auch niht geleich den engeln, sunder hoher wenn di engel, wenn der mensch ist got und got ist mensch, niht der engel". Die erste deutsche Übersetzung neuen Stils schlägt, ihrer Vorlage folgend, hier einen Ton an, der im Humanismus mächtig anschwellen wird.

Mit einer weiteren Übersetzung, von drei anonymen *Briefen über den Heiligen Hieronymus*, öffnete Johann dem neuen Hieronymuskult — 1344 eingeleitet durch den ‚Hieronymianus' des Giovanni d'Andrea[24] — die Schleuse nach Deutschland.

Jener letzte Schimmer klassischer Tradition, der auf dem Werk des Dalmatiners lag, erschien den zur Antike Rückkehrenden wie ein Silberstreifen der Verheißung. Auch die deutschen Humanisten werden Hieronymus von Stridon als Schutzpatron wählen. Die Edition seiner Briefe ist eine der bedeutendsten Leistungen des ERASMUS.

Prachthandschriften für den Kaiser und andere fürstliche Gönner und zahlreiche einfache Handschriften aus höfischen und klösterlichen Kreisen — auch *Gebete* hat Johann übersetzt — belegen, wie sehr man im 14. Jahrhundert an der neuen deutschen Kunstprosa Johanns von Neumarkt Gefallen fand.

Trotzdem verbot ein Erlaß des Kaisers vom 17. Juni 1369 jede Bibelübersetzung und befahl, religiöse Traktate, die in der Volkssprache abgefaßt waren, einzuziehen. Der Kaiser wollte der Gefahr begegnen, daß damit die Laienfrömmigkeit instand gesetzt würde, sich aus der Vormundschaft der Priesterkirche zu lösen. Unbeabsichtigt hat Karl IV. 1355 Anstoß gegeben zur Entstehung des „Humanismus", dagegen ist seine Absicht, eine Entwicklung, die schließlich zur „Reformation" führte, schon im Keim zu ersticken, gescheitert. Auch Karl IV. verrechnete sich, wenn er meinte, seine Rolle in der Geschichte selbst wählen zu können.

Als Petrarca trotz der höhnischen Invektiven, die er dem Kaiser beim Abzug aus Italien 1355 nachgesandt hatte, ein Jahr später die Stirne besaß, mit einer Mailänder Gesandtschaft in Prag zu erscheinen, wurde er vom Kaiser ehrenvoll empfangen, ja Karl suchte ihn zu halten und wiederholte 1361 noch zweimal seine Einladung. In diesem Jahr hat Heinrich von Mügeln Prag verlassen, offenbar sollte der Italiener ihn ersetzen. Wäre Petrarca dem Ruf Karls IV. gefolgt, so hätte schon er von Prag aus eine ähnliche Rolle für Deutschland spielen können, wie sie nun Enea Silvio Piccolomini vorbehalten blieb, der achtzig Jahre später in Wien zur Hof- und Reichskanzlei gehörte.

Auf Eneas Wirken ist hier noch nicht einzugehen. Sein Amt forderte, daß er das Latein der offiziellen Schriftstücke stilistisch redigiere. Wien knüpfte damit an die Tradition an, die Johann von Neumarkt unter dem Einfluß Colas di Rienzo und Petrarcas in Prag begründet hatte. Um die lateinische, aber auch die deutsche Kanzleisprache in Redewendungen, Periodenbau usw. dem *cultus rhetoricus* der Italiener anzugleichen, ließ Johann Formularien, Muster, fertigen und zu einer *Summa cancellariae Caroli IV* zusammenfassen. In der rhetorischen Retorte schuf die Kanzlei ein von der lebendigen Umgangssprache abgehobenes Kunstlatein und Kunstdeutsch.

Gleichsam ein Nebenprodukt war die Vereinheitlichung der „frühneuhochdeutschen" Schriftsprache, dadurch bedingt, daß die schlesischen und andere Kanzleien im deutschen Osten dem Beispiel Prags folgten. Für den Lautstand wurde das leicht österreichisch gefärbte Ostmitteldeutsch der Prager Hofgesellschaft maßgeblich. Deshalb aber mit Konrad Burdach die neuhochdeutsche Schriftsprache aus der Kanzlei Johanns von Neumarkt hervorgehen zu lassen, heißt, einen komplexen Vorgang, den erst Martin Opitz zum Abschluß brachte, zu sehr simplifizieren[25].

HEINRICH VON MÜGELN hatte schon in den fünfziger Jahren die *Evangelien* verdeutscht und glossiert, wofür er sich in zwei kurzen Streitschriften den Theologen gegenüber rechtfertigte. Die zweite Schrift entstand, nachdem er aus Prag weggegangen war, vermutlich in Krems an der Donau. Das deutet auf eine Beziehung Heinrichs zu den häretischen Laiengemeinschaften, die in Ober- und Niederösterreich — ein Beispiel ist Krems — eigene Schulen unterhielten[26].

1369 hat Heinrich dann im Auftrag Kaiser Karls die große Exempelsammlung des VALERIUS MAXIMUS aus der römischen Geschichte, *De Factis Dictisque Memorabilibus Libri IX,* ins Deutsche übersetzt (gedruckt 1489). Sie war von Dionysius de Burgo kommentiert worden, d. i. jener Francesco Dionigi von Borgo San Sepolcro, an den Petrarca seinen Brief über die Besteigung des Mont Ventoux adressierte. Fra Dionigi, bedeutend älter als Petrarca, sein Landsmann aus der Toscana, lehrte lange Jahre an der Hochschule Neapels und hat wohl König Robert auf den Gedanken gebracht, Petrarca zum Dichter krönen zu lassen. Für den böhmischen Hof waren deshalb die berühmten Valerius Maximus-Bücher ein Stück von der Welt um Petrarca. Was die Übersetzung anlangt, so zitiert Heinrich den Brief des HL. HIERONYMUS an Pammachius, wo aus der Horazischen Mahnung „Nec verbum verbo curabis reddere, fidus interpres" (De arte poetica V. 133 f.) eine Antithese wird: „Ego enim non solum fateor, sed libera voce profiteor me in interpretatione (Übersetzung) Graecorum ... *non verbum e verbo sed sensum exprimere de sensu"*[27]. Vielleicht hatte Johann von Neumarkt als Verehrer des Hl. Hieronymus Heinrich auf diesen locus classicus hingewiesen. Während aber Johann die Hieronymus-Maxime einigermaßen beherzigte, nahm Heinrich in praxi die Gegenposition ein. Im deutschen Frühhumanismus lautet die Alternative dann *sin uz sin* oder *wort uz wort:* hie WYLE, dort STEINHÖWEL und EYB.

Für die deutsche Sprachgeschichte würde es schwerlich viel bedeuten, wenn sich PETRARCA in Prag hätte festhalten lassen. Für die deutsche Geistesgeschichte ist er ohnedies von ausschlaggebender Bedeutung. Nicht zuletzt mit der wohl wichtigsten seiner zahlreichen Streitschriften, abgefaßt 1362 angeblich während einer Schifffahrt auf dem Po. Petrarca betitelte den Traktat *De sui ipsius et multorum aliorum ignorantia:* Über seine eigene Unwissenheit und die der vielen anderen[28]. Dem „verrückten, heulenden Pöbel", der nur Aristoteles gelten läßt, wird vorgeworfen: „Da wissen sie nun viele Dinge über Tiere, Vögel und Fische, wieviel Haare der Löwe im Scheitel trägt und wieviel Federn der Falke im Schwanz ... Sie wissen, wie die Elefanten sich begatten ... und daß das Krokodil als einziges unter allen Tieren die obere Kinnlade zu bewegen vermag — was alles gewiß zu einem großen Teile falsch ist ... und wenn es auch wahr wäre, so würde es doch nichts zu einem seligen Leben vermögen. Denn ich bitte dich, was nützt es, die Natur der Tiere ... zu kennen und dafür die Natur des Menschen, seinen Zweck, seine Herkunft und sein Endziel nicht zu kennen oder gar zu mißachten? ... Ich habe, wenn ich mich

31

nicht täusche, alle ethischen Bücher des Aristoteles gelesen ... ich bin dadurch gelehrter, aber nicht besser geworden ... Es ist ein großer Unterschied, ob ich etwas weiß ... oder ob ich nach ihm strebe. ARISTOTELES lehrt uns, ich leugne es nicht, was Tugend ist, aber jene überzeugenden und begeisternden Worte, die uns zur Liebe der Tugend und zum Haß des Lasters bewegen, durch die der Geist entzündet und angefeuert wird, kennt er nicht oder doch nur selten. Wie häufig können wir sie dagegen bei den Unsrigen finden ... besonders bei CICERO ..."

Wir erinnern uns an Ciceros Definition der Redekunst als *ars docendi, delectandi et movendi*. In ‚Brutus' (Kap. L, Abschn. 187/88) heißt es: *fidem facit oratio* und mit Bezug auf den Hörer: *credit eis quae dicuntur ... ducitur oratione*, zu Deutsch: indem die Eloquenz beim Lehren das Gefühl und die Leidenschaften anspricht, weckt sie Glauben und lenkt die Menschen. *Ars docendi* als *ars movendi* ist Seelenführung, Psychagogie, nicht Philosophie oder Wissenschaft.

Der Mensch muß und kann, und er will auch innerlich bewegt werden. Dieses Moment erhält so starken Akzent, daß gelegentlich die *motio* sich von der *doctrina* fast emanzipiert. Sie scheint dann Selbstzweck zu sein. Die Rede erfüllt den Hörer mit Lust — *quasi voluptate quadam perfunditur* —, weil er „gaudet dolet, ridet plorat, favet odit, contemnit invidet, ad misericordiam inducitur, ad pudendum, ad pigendum; irascitur miratur, sperat timet; haec perinde accidunt, ut eorum qui adsunt mentes verbis et sententiis et actione (Gestikulation) tractantur" (‚Brutus', L, 188). Freilich darf um der eigenen wie des Hörers Würde willen ein Redner hier nicht zu weit gehen. Er muß das Ziel, die Menschen zur virtus zu führen, sich bewußt halten.

In diesem Sinne meint Petrarca sein Bekenntnis zu Cicero in ‚De ignorantia'. Aristoteles aber, insonderheit die aristotelischen Scholastiker, überschüttet er mit Haß und Verachtung. Wo es darum geht, wieviel Haare der Löwe im Scheitel und wieviel Federn der Falke im Schwanz trägt, will er gerne unwissend heißen, wissend aber, besser gesagt, weise möchte er sein in Fragen menschlicher Tugend und menschlichen Seelenheils. Damit öffnet sich hinter Petrarcas Traktat über zweierlei Unwissen der Horizont abendländischer Geistesgeschichte.

Der Blick fällt zuerst auf SOKRATES, von dem XENOPHONS *Memorabilien* berichten, daß er nicht erörterte, wie der sogenannte, von den Philosophen so genannte, Kosmos entstand, vielmehr diejenigen Toren hieß, die sich um solche Dinge bemühten. Ob diese denn die menschlichen Angelegenheiten schon zur Genüge erkannt zu haben meinten? Wer die menschlichen Dinge studiert, glaubt, was er dabei lernt, sei für ihn und für andere nützlich. Die Naturphilosophen und Naturforscher hingegen erwarten gar nicht, daß ihre Erkenntnis der Ursachen von Wetter, Winden, Wasser usw. sich irgendwie anwenden lasse[29].

ARISTOTELES zufolge macht das gerade die Würde der Wissenschaft aus. Die *Metaphysik* beginnt mit dem Satz: „Alle Menschen verlangen, weil es in ihrer Natur liegt, nach Wissen. Daraus ergibt sich, daß wir nicht eines Nutzens wegen forschen, sondern wie ein Mensch, von dem wir sagen, daß er ein freier Mensch sei ..." Obwohl CICERO sich an einigen Stellen auch in dieser Hinsicht als Erbe des Aristoteles erweist, gab er dem Sokrates-Bild Xenophons die bleibende Kontur: Sokrates habe „als erster die Philosophie vom Himmel herabgerufen, in den Städten heimisch gemacht, in die Häuser eingeführt und sie genötigt ..., den Unterschied von Gut und Böse zu erforschen" (Tusc. V, 10). SENECA, der so gut wie Cicero die Unterscheidung der Stoa zwischen sittlich irrelevantem Wissen über die Natur und sittlich relevanter Weisheit kennt, bezeichnete die litterarum inutilium studia als *Graecus morbus.*

In den *Metamorphosen* des APULEIUS taucht dann, von einem Einzelfall abgesehen, erstmals das Wort *curiositas* auf, das über AUGUSTINUS zu einem Kardinalbegriff im Lasterkatalog der christlichen Theologie wurde, austauschbar mit *experiendi noscendique libido*[30]. Petrarca fühlte sich Augustin fast ebenso wie Cicero verbunden. Sein Motiv, den Mont Ventoux zu besteigen, war einzig die Wißbegierde, dann aber belehrten ihn Augustins ‚Confessiones‘ nihil praeter animum esse mirabile ... in me ipsum interiores oculos reflexi.

Nicht weniger als Augustinus hatte Irenäus gegen die curiositas geeifert. Den Gnostikern warf er die *subtilitates* ihrer Fragen vor. Als ob es sich lohne zu wissen, wieviel Haare ein Mensch auf dem Kopfe hat! Bei Petrarca werden daraus Haare des Löwen und Federn des Falken. Tertullianus und Lactantius formulierten ganz ähnlich wie Petrarca: Quid ergo quaeris quae non potes scire, nec, si scias beatior fias? ‚De sancta simplicitate scientiae inflanti antiponenda‘ nennt Petrus Damiani eine seiner Streitschriften. *Sancta simplicitas* oder auch *sancta rusticitas* und *pia ignorantia* sind Gegenbegriffe zu *curiositas.* —

In der auf Aristoteles fußenden Scholastik reißt dann die Tradition ab, die wir bis zum Sokrates-Bild Ciceros und Xenophons zurückverfolgten. Daneben läuft ein anderer Traditionsstrang, die Antithese von Wißbegierde und Frömmigkeit mit der von Philosophie und Rhetorik verbindend; mehr oder minder geht erstere in letzterer auf. Das Motto gibt statt des ersten Satzes der Aristotelischen *Metaphysik* der erste Satz der Aristotelischen *Rhetorik*: die Rhetorik ist der Gegensatz (ἀντίστροφος) zur Dialektik. ISOKRATES, der Rhetoriker, hatte παιδεία als τῷ λόγῳ καλῶς χρῆσθαι, das Wort schön zu gebrauchen wissen, bestimmt. Solche Bildung unterscheide den Menschen vom Tier, den Griechen vom Barbaren. Durch die Kunst des Redens seien Städte und Gesetze, Handwerk und alle Künste, die menschliche Kultur entstanden. Das impliziert, daß Redekunst *ars movendi* ist. Indem er sie als Bildung des wahren Menschen pries, trat Isokrates in Widerspruch zu seinen großen Zeitgenossen Platon und Aristoteles, und fortan zieht sich der Antagonismus zwischen Rhetorik und Philosophie, im Untergrund schwelend oder in offene Feindschaft ausbrechend, durch die gesamte abendländische Geistesgeschichte.

In dem für unsere Renaissance-Vorstellung so bedeutsamen VII. Band von Michelets ‚Histoire de France‘ findet sich der erstaunliche Satz: Cette ère (la renaissance) eût été certainement le douzième siècle si les choses eussent suivi leur cours naturel. Die Dinge nahmen einen natürlichen Lauf, jedenfalls in den Augen Charles Homer Haskins'[31], der eine „Renaissance des 12. Jahrhunderts" entdeckte. Es könnte so scheinen, und mir scheint, daß es manchem so schien, als habe bereits Nicolaus de Clemengiis diese Entdeckung gemacht, da er um 1400 in einem seiner Briefe schrieb: Diebus autem Bernhardi nostri coepit in Galliis simul cum fervore religionis stylus coli et resurgere, multique ... illa aetate eloquentiae hic studuerunt plurimaque valde utilia et memorabilia scripserunt[32]. Mit „Bernhardus noster" ist aber nicht Bernhard von Chartres († 1130) gemeint, der Leiter der dortigen Philosophenschule, um den sich die neuplatonische „Renaissance des 12. Jahrhunderts" kristallisierte, sondern sein — und Abaelards — Zeitgenosse BERNHARD VON CLAIRVAUX (1090—1153), werden doch in Nicolaus' Brief außer Bernhardus noster zwar Hildebert von Le Mans, aber auch die venerabiles abbates cluniacenses Odilo (994—1084), Hugo (1049—1109) und Petrus (1122—57) aufgeführt sowie Hugo von St. Victor zu Paris, der Freund Bernhards von Clairvaux, mit seinen Schülern Richard von St. Victor und Alanus ab Insulis, der 1202 in Clairvaux starb; selbst Ivo von Chartres (1040—1117) hat mit dem anderen Bernhard kaum etwas zu tun. Nicolaus dachte nicht an die „Renaissance des 12. Jahrhunderts" im Sinne von Charles Homer Haskins, vielmehr an die „Mönchstheologie", wie sie Dom Jean Leclercq, Bénédictin de Clervaux, unter dem bezeichnenden Titel ‚L'Amour des Lettres et le Désir de Dieu' dargestellt hat[33]. Für die Zeit vom 8. bis 12. Jahrhundert spricht Leclercq von der Koexistenz eines scholastischen bzw. vorscholastischen und eines monastischen Mittelalters. Während vorscholastische und scholastische Theologen nach dem Wesen Gottes fragten — quaeritur Deus et cognoscitur —, verlangten die Mönchstheologen, Gott zu erfahren: desideratur Deus et agnoscitur: quantum amas, tantum nosti. Ihren Höhepunkt erreichte die abendländische Mönchstheologie im 12. Jahrhundert mit Bernhard von Clairvaux.

Nicolaus de Clémanges lehrte um 1400 in Paris zugleich Theologie und Rhetorik und konnte sich rühmen, in Frankreich die lange begrabene Eloquenz zu neuem Leben erweckt zu haben. Diese war aber nach seiner Ansicht nur allenfalls zweihundert Jahre im Grab gelegen. Tatsächlich hat in der Mönchstheologie erst der Sieg der Scholastik im 13. Jahrhundert die „Sprache der oratores und poetae" mit der „Sprache der Metaphysiker und Logiker" aus dem Feld geschlagen. Das dokumentieren Kommentare wie Predigtsammlungen[34].

Die Sprache Bernhards, des Doctor mellifluus, ist durchaus rhetorisch, und weder Petrarca noch die Humanisten des 15. Jahrhunderts hätten ihr Spracherlebnis schöner und treffender zum Ausdruck bringen können als durch Übertragung bzw. Rückübertragung von Sermones de diversis XXIV ins Profane[35]. Der Passus bezieht sich auf Lukas 11,28 — selig sind, die das Wort Gottes hören und bewahren — und lautet: Primum quidem sonans in auribus animae vox divina, conturbat, terret, dijudicatque: sed continuo, si non avertis aurem, vivificat, liquefacit, calefacit, illuminat, mundat ... Si audieris vocem Filii Dei, vives. — Die voluptas, zu der nach dem obigen Cicero-Zitat die rhetorischen Wirkungen sich summieren, heißt Bernhard — mit Bezug auf den sermo efficax der Heiligen Schrift — schlechthin *vita*.

Seine Darlegungen über zweierlei Wissen in den *Sermones in Cantica* (Predigten über das Hohe Lied)[36] stimmen mit Petrarcas Traktat Über zweierlei Unwissen merkwürdig überein. Sollte darauf noch niemand hingewiesen haben? Bernhard unterscheidet zwischen Belehrt- und Angerührtwerden. „Die Belehrung, *instructio*, macht wissend, die Berührung, *affectio*, weise. Wie die Sonne nicht alle wärmt, denen sie scheint, so gibt die Ewige Weisheit vielen Belehrung, was zu tun sei, ohne sie dafür zu entflammen. Es ist etwas anderes, ob man wertvolle Wahrheiten kennt, oder ob man sie besitzt ... Dasselbe gilt für die Kenntnis von Gott und die Gottesfurcht: nicht das Wissen macht weise, sondern die Furcht, die ans Herz rührt. Wen sein Wissen aufbläht, heißt der zu Recht ein Weiser? Nur wer ohne jede Weisheit ist, kann die als Weise bezeichnen, die von Gott wissen, aber nicht als Gott ihn verehren ... Ich stimme dem Urteil des Apostels zu, daß ihr Herz steinern sei (Röm. 1,21). Wahrhaftig, die Furcht Gottes ist der Weisheit Anfang: die Seele schmeckt Gott nicht, ehe Gott sie anrührt, um ihr jene Furcht zu geben. Es genügt nicht, daß er sie unterrichtet. Wenn du Furcht hast vor der Gerechtigkeit Gottes und vor seiner Macht, dann kennst du den Geschmack des gerechten und mächtigen Gottes, denn Furcht ist Schmecken. Und das Schmecken (*sapor*) macht den Weisen (*sapientem*) aus, wie das Wissen den Wissenden und Gelehrten, der Reichtum den Reichen ...“

Die Übereinstimmung mit Petrarcas Traktat geht mitunter bis in den Wortlaut. Vollends wenn man aus ,De ignorantia‘ noch hinzunimmt: „Es ist besser, um einen guten und frommen Willen sich zu bemühen als um einen fähigen und klaren Verstand ... Die haben Unrecht, die ihre Zeit damit verbringen, die Tugend kennenzulernen, statt sie zu erwerben. Erst recht gilt das für die, die ihre Zeit vergeuden, Gott kennenzulernen, statt ihn zu lieben. Es ist in diesem Leben unmöglich, Gott völlig kennenzulernen; fromm und brennend ihn zu lieben, ist möglich.“

Dom Leclercq nennt Bernhards Kommentar zum Hohen Lied das Meisterwerk der mittelalterlichen Mönchsliteratur und sieht in dem Passus über zweierlei Wissen einen genialen Ausdruck dessen, was die Mönchstheologie von der scholastischen Theologie trennt. Antischolastische Mönchstheologie wie antischolastischer Humanismus berufen sich auf Augustin; über den Antignostiker sind sie mit der sokratischen und isokratischen Tradition verbunden.

Während des Mittelalters hat nur die Antischolastik, sei es in Chartres, sei es in Clairvaux, an der antiken Literatur wirklich festgehalten. Die Scholastik hat sie, fast allein Aristoteles als Logiker ausgenommen, mehr oder minder verächtlich abgetan. Schon JOHANN VON SALISBURY, der in Chartres studierte und 1180 dort als Bischof starb, klagt in *Entheticus sive de dogmate philosophorum*: „Einst gefiel, was die Alten gut gesagt hatten, heute gefällt nur noch das Neue. Wer sich mit

Künsten und Literatur beschäftigt, gilt als Versager in der Diskussion, denn ein Anhänger der Alten kann kein Logiker sein. Man feiert ARISTOTELES und hat für CICERO nur Verachtung und für alles, was die besiegten Griechen den Römern schenkten. Nichts gilt als die Logik!" Diese Stelle wird von Leclercq im Zusammenhang mit der Mönchstheologie angeführt[37]. Die Parallele zwischen ‚Entheticus', was nach Clement G. J. Webb mit ‚Equidem nescio' — Fürwahr ich weiß nicht — gleichbedeutend ist, und Petrarcas ‚De ignorantia' brauchen wir nicht expressis verbis zu ziehen.

Daß zumindest sein Ideal der vita solitaria aus dem Mönchtum stammte, war sich Petrarca bewußt, schrieb er doch eigens ‚De otio religiosorum'. Michael Seidlmayer[38] unterstreicht Petrarcas Ausdruck „eine Art von Hafen" für Vaucluse: ihn habe schon Gregor der Große gebraucht. „Und deutlich genug trägt ja dieser ‚Hafen' den Stempel seiner Herkunft aus der halb eremitenhaften, halb mönchischen Lebensform des geistigen Mittelalters an der Stirn." Der Satz ist nicht eben schön, aber, worauf es einem seriösen Forscher allein ankommen darf, richtig. Zu ergänzen wäre freilich, daß Gregor das spezifische Vokabular der Mönchstheologie geschaffen hat.

Mit der Klage des Johann von Salisbury klang das 12. Jahrhundert aus. Auftakt zum 13. bildete die Eroberung des byzantinischen Reichs, soweit es nicht schon in die Hände der Türken gefallen war, durch die Franken, d. h. die französischen Barone, auf dem sogenannten vierten Kreuzzug. Aus der ungeheuren Kriegsbeute, die sie beim Fall Konstantinopels 1204 machten, stammen beispielsweise die antiken Bronzerosse an San Marco in Venedig, ein anderes Paradestück aber gelangte nach Paris: ein griechischer Text von ARISTOTELES' *Metaphysik*. Das Werk wurde hier ins Lateinische übersetzt und entfaltete eine so „ketzerische Begeisterung", daß es durch die Synode von Paris 1215 verbrannt, sein Besitz und sein Studium unter Strafe der Exkommunikation gestellt wurden[39].

ALBERT VON BOLLSTÄDT und mit ihm THOMAS VON AQUINO haben dann Aristoteles rehabilitiert. 1255 machte der Papst die Kenntnis des Aristoteles zur Voraussetzung für den Magistergrad der Universität Paris. Damit war der Weg endgültig freigegeben, die Aristoteles-Übersetzungen zu nutzen, die im Lauf des 12. Jahrhunderts entstanden waren und teils unmittelbar auf die griechischen, zum größeren Teil auf arabische Texte zurückgingen. Am stärksten wirkte die Ergänzung des *Organon* durch die vier als *Nova Logica* zusammengefaßten Schriften, unter denen sich auch die *Topica* befand. Ohne aristotelische Logik oder Dialektik schien jetzt keine Wissenschaft mehr möglich zu sein. Die großen spekulativen Systeme der Scholastik wurden mit ihrer Hilfe konstruiert, und so zog sie auch in die Theologie der Kirche ein. Im Unterricht mußten die *auctores* fast überall den *artes* gegenüber vollends kapitulieren. Da Thomas die Rhetorik natürlich der Logik nachordnete, fiel in den Bereich der ersteren, wie schon bei Aristoteles, statt der Wahrheit nur die vermutende Wahrscheinlichkeit, *coniecturalis probabilitas*.

Petrarca hatte die Scholastik so dicht vor Augen, daß ihm alles andere verdeckt wurde und sie den ganzen Zeitraum zwischen Antike und Gegenwart auszufüllen schien. Dabei setzten selbst im 13. Jahrhundert Alexander von Hales und Bonaventura von Bagnorea die Mönchstheologie fort. Alexander, der die sogenannte Ältere Franziskanerschule begründete, läßt als Weisheit, sapientia, nur eine theologia gelten, quae perficit animam secundum affectionem movendo ad bonum per principia timoris et amoris[40]. Ebenso bekämpft sein größter Schüler, Bonaventura, zwar nicht Aristoteles, aber die auf ihn sich gründende Verselbständigung der Spekulation. Er schreibt einen Traktat ,De reductione artium ad theologiam'. Wenn die Grammatik vom richtigen Formulieren einer theologischen Erkenntnis handelt, so geht es in der Dialektik oder Logik um den Glauben an diese Erkenntnis und in der Rhetorik um die entsprechenden Affekte, um das movere ad amorem vel odium per sermonem ornatum[41]. — CICERO, wie schon erwähnt, wurde durch Brunetto Latini wieder zu Ehren gebracht.

Petrarcas Traktat über zweierlei Unwissen von 1362 erscheint uns nach diesem Exkurs in Antike und Mittelalter geladen mit den Spannungen, die einst bei den Griechen durch die Entdeckung der Wissenschaft als Wissen um des Wissens willen entstanden waren und seitdem das Kraftfeld geistigen Lebens in Europa bilden: Wissenschaft und auf der anderen Seite sittliche Einsicht, Wissenschaft und fromme Bescheidung, Wissenschaft und innere Erfahrung. So gesehen, widerlegt gerade Petrarca selbst seine These von einer Unterbrechung der Kultur durch ein millennium tenebrarum. Da aber die remeatio-Idee ihre Faszination behauptete, ohne nach 1355 noch politisch realisierbar zu sein, wird weithin die remeatio ad Romae iubar durch die reparatio studiorum humanitatis ersetzt. Aus der neuen Geschichtsideologie entpuppt sich ein neues Bildungsprogramm. „Neu" insofern, als es aufs neue die alten Gegensätze europäischer Überlieferung zum Austrag bringt; sie lassen sich der Antithese *philosophia — rhetorica* oder *scientia — rhetorica* unterordnen, diese als *ars movendi* verstanden. Ein solches Bildungsprogramm zeichnet sich in Petrarcas Unterscheidung zwischen dem eigenen Unwissen und dem Unwissen der Gelehrten ab. Obgleich der Ausdruck studia humanitatis noch fehlt, hat der Achtundfünfzigjährige bei seiner Kahnfahrt auf dem Po die *Magna Charta des Humanismus* konzipiert.

In Deutschland nimmt die Entwicklung zunächst einen anderen Weg. Die neue Fassung, in die um 1375 ein Anonymus das mittelniederländische Tierepos ,Van den Vos Reinaerde' gebracht hat, ist wohl bezeichnend für das Bürgertum, nicht bloß der Niederlande, sondern Deutschlands durchweg. Eine Parodie auf die höfische Welt um 1200 stieß bei diesem Publikum ins Leere, und verstohlene, humorvolle Sympathie für den Erzschelm konnte nicht mehr mit Einverständnis rechnen. *Reinarts Historie*, die Bearbeitung und Fortsetzung des ,Reinaerde', machte aus dem Schelm einen Sünder und klagte, wie sich das jetzt gehörte, über die moralische Verderbnis der Zeit.

Auf dem gleichen Boden erwuchs die *Devotio moderna* als eine neue Form der Laienfrömmigkeit[42]. Ihr Stifter, GEERT GROOTE, geboren 1340 in Deventer, ist rund ein Menschenalter jünger als Petrarca. Gleich Franziskus von Assisi und Rulman Merswin hatte ihn ein wohlhabender Tuchhändler gezeugt, so studierte der „betuchte" Geert ohne Hast in Paris die Rechte. Zu seinen zahlreichen Freunden, scheint es, gehörte der Theologe HEINRICH EGER aus KALKAR im Herzogtum Cleve. Nach der Heimkehr gewann Groote bald solches Ansehen, daß ihn die Stadt 1367 mit Verhandlungen an der Kurie in Avignon betraute. Im übrigen sagte man dem jungen Groote nicht nur zahllose Liebesabenteuer nach, sondern auch, daß er sich der Magie ergeben habe. Als die Freunde aus der Pariser Studentenzeit wieder zusammentrafen, war aus Geert ein bedeutender Jurist, ein leidenschaftlicher Forscher auf allen Wissensgebieten, zudem ein Lebemann, aus Heinrich ein Kartäusermönch, Prior des Klosters Monnikhuizen bei Arnheim, geworden. Tag und Nacht diskutierten die beiden, mit dem Resultat, daß Groote schließlich den äußeren Menschen dem inneren — *homo interior* oder *homo devotus* — opferte und ebenfalls die Kutte nahm. 1377 trat er ins Kloster Monnikhuizen ein. Das Tagebuch, das er hier zu führen begann, bildet vermutlich den Kern der ‚Imitatio Christi' des Thomas a Kempis.

Einen Nachklang der Gespräche Heinrichs von Kalkar mit Groote meinen wir in dem Satz zu Beginn von Buch I, Kap. 2 zu vernehmen: Omnis homo naturaliter scire desiderat: sed sine timore Dei: quid importat? Der schon oben zitierte erste Satz der *Metaphysik* des ARISTOTELES — in lateinischer Übersetzung: *Omnes homines natura scire desiderant* — wird hier aufgenommen und widerlegt. Thomas von Aquino hatte ihm zugestimmt, ja, ihn „zu einem der schlechthin gültigen und in vielfacher Argumentation genutzten Prinzipien des scholastischen Denkens erhoben"[43]. Deshalb sieht Groote jetzt sowohl in der Philosophie als auch in der scholastischen Theologie die *curiositas* am Werk, eine Ausgeburt der *superbia*. *Interius simplificari*: innerlich einfältig werden soll der Christ. Einer der beliebtesten Topoi der Mönchstheologie ist das Pauluswort 1. Korinther 8,1: *scientia inflat*: Wissenschaft bläht auf. Dieser scientia begegnet sie mit der Forderung der *simplicitas* und *humilitas* nach dem Vorbild Christi. In der ‚Imitatio Christi' (III, 54) wird es heißen: Natura appetit scire secreta et nova audire, vult exterius apparere et multa per sensus experiri ... sed gratia non curat nova nec curiosa percipere quia totum hoc de vetustate corruptionis est ortum. Wir kennen durch unseren Exkurs die Geschichte dieser Haltung und ihrer Begriffe.

Groote will sie — in anderer Weise als Petrarca — der Laienwelt vermitteln. Deshalb verläßt er 1379 das Kloster und beginnt, als Wanderprediger unter den Laien für die *imitatio Christi* zu werben. Groote muß eine zwingende Redegabe besessen haben, denn überall in den Niederlanden bildeten sich Gemeinden, die ihm anhingen.

Sein elterliches Haus in Deventer hatte er schon 1374 einigen armen Frauen überlassen, damit sie religiöser Andacht und Werken der Nächstenliebe sich widmen könnten; des Tages Notdurft sollten sie mit ihrer Hände Arbeit verdienen. Nun legte Groote eine genaue Ordnung für diese „Schwestern vom gemeinsamen Leben" fest. Unter den vielen, die er dann auf seinen Predigtfahrten zu Anhängern gewann, stach ein junger Theologe, FLORENTIUS RADEWIJNS, hervor, der eben erst von der Universität Prag zurückgekehrt war. Nachdem Radewijns in Deventer ein Pfarrhaus erhalten hatte, pflegten sich die Anhänger von Grootes Neuer Frömmigkeit — devotio moderna — dort zu versammeln, und bald wurde es zu einem Haus der „Brüder vom gemeinsamen Leben": Broderschaft vant' gemeene leven. Die Arbeit der Brüder bestand vornehmlich im Bücherabschreiben und Bücherbinden. Über welche breite Bildung Radewijns verfügte, zeigt seine Schrift ‚Omnes, inquit, artes'[44].

Der Vergleich mit den Pfründnern auf dem Grünenwörth drängt sich auf. Von der Devotio moderna der Niederlande haben diese nicht weiter Kenntnis genommen, hielt sie doch der Gottesfreund aus Oberland genug in Atem. Nachdem RULMAN MERSWIN 1382 im Alter von 75 Jahren gestorben war, legte NIKOLAUS VON LÖWEN, ehemals Handlungsgehilfe im Hause Merswin und nun Johanniter des Grünenwörth, aufgrund von Rulmans Nachlaß Memorialbücher und ein Briefbuch an. Durch Abschriften daraus verbreiteten sich die Briefe des Gottesfreundes und ebenso Traktate, die unter seinem und Merswins Namen gingen, über ganz Süddeutschland. Spuren dieser Laienfrömmigkeit, deren Gläubige jetzt auch selbst Gottesfreunde hießen, reichen bis ins 16. Jahrhundert.

Erst kurz bevor man den 500. Geburtstag Rulman Merswins hätte feiern können, gelang Heinrich Suso Denifle der Nachweis, daß es bei dem „Gottesfreund aus Oberland" um eine Mystifikation, einen mehr oder minder frommen Betrug sich handelte[45]. Das Schrifttum, das bei den Gottesfreunden umging, braucht deshalb noch nicht einmal aus Rulmans Feder zu stammen. Nach Karl Rieder[46] hat es vielmehr großenteils erst Nikolaus von Löwen zurecht gemacht. Dieser wäre dann, dem Dialekt nach, ebenfalls ein Elsässer gewesen. Was er mit Löwen zu tun hatte, ist unbekannt. Er starb 1402 als Priester auf dem Grünenwörth. Für seine Elaborate, die er als Schriften Rulmans oder des „lieben, sunderlich verborgenen Gottes friunt in öberlant" ausgab, benutzte Nikolaus offenbar anonyme Traktate, die er in Rulmans Nachlaß gefunden hatte. Keinesfalls kommt für die angeblichen Autographen des Gottesfreunds ein Schweizer in Betracht, ihr Deutsch ist unverkennbar auf künstliche und fehlerhafte Weise schwyzerisch eingefärbt.

Wem nun auch der größere Anteil an dem Kompaniegeschäft zufällt, Rulman oder Nikolaus, beide spekulierten darauf, daß eine mit gefühlsseliger, gedankenflacher Redseligkeit umspielte Fiktion wie der geheimnisvolle Gottesfreund aus Oberland das Bürgertum anziehen werde, dessen religiöses Bedürfnis in der Kirche kein Genüge fand und deshalb nach einer eigenen Laienfrömmigkeit verlangte. In der Welt der Phantasie ist ein unfaßbarer und dennoch sich kundgebender Gottesfreund nicht allzu fern von dem toten Kaiser beheimatet, dessen Wiederkunft verheißen wird; andererseits konnte die Bewegung der Gottesfreunde ihre Kraft aus demselben Impuls ziehen wie die Geißlerbewegung: *nulla salus intra ecclesiam;* bringt man schließlich vom bürgerlichen Geschäftsleben her Fähigkeit und Lust zum geschickten Kalkulieren und Manipulieren mit und überträgt das nach der Abkehr von der Welt auf Imponderabilien, so sind alle Voraussetzungen gegeben für die *pia fraus* von Rulman Merswin und Erben. Das Licht, das von ihr auf die Situation zu Ende des 14. Jahrhunderts fällt, macht sie historisch bedeutsam.

Als GEERT GROOTE zwei Jahre nach Rulman Merswin *1384* starb, wurde sein Werk von FLORENTIUS RADEWIJNS weitergeführt. Thomas a Kempis berichtet, Radewijns habe jede Eigenwilligkeit verurteilt und völligen Konformismus zur Grundforderung der devotio moderna gemacht: In omni opere suo et moribus suis studeat se quilibet communitati conformare . . . et *non sit singularis.*

Für diejenigen, denen es nicht genug war, als Laien ohne Gelübde im Brüderhaus zu leben, gründete er 1386 mit päpstlicher Genehmigung das im Geiste der devotio moderna reformierte Augustinerchorherrenstift Windesheim bei Zwolle. Ein um 1456 von Johannes Busch abgefaßtes ‚Chronicon Windheimense‘ verzeichnet erstmals den Ausdruck *devotio moderna*[47]. Mit der Zeit entstanden weitere solche Klöster, die sich 1395 in der Windesheimer Kongregation zusammenschlossen. Zu ihnen zählte Agnetenberg, wo dann Thomas a Kempis lebte.

Schon wiederholt haben wir *De imitatione Christi et contemptu omnium vanitatum mundi* zitiert, obwohl die vier durch einen Kopisten unter diesem Titel vereinigten libelli erst viel später, wahrscheinlich zwischen 1414 und 1425, von THOMAS HEMERKEN aus Kempen bei Köln (geb. 1379 oder 1380) im Kloster Agnetenberg niedergeschrieben wurden[48]. Unermüdlich als Schriftsteller wie als Abschreiber — allein die Bibel hat er viermal in toto abgeschrieben —, erreichte THOMAS A KEMPIS ein Alter von über 90 Jahren. Sein Grabstein trägt die hübsche Inschrift: In omnibus requiem quaesivi et non inveni nisi in een huechsken met een buexken. Nusquam tuta quies nisi cella, codice, Christo. Daß er die ‚Imitatio Christi‘ verfaßt habe, ist immer wieder angezweifelt worden, aber keiner von den 35 Gegenvorschlägen vermochte restlos zu überzeugen. Wahrscheinlich bildet das Tagebuch, das Geert Groote seit 1377 in lateinischer Sprache geführt hatte, Keim und Kern des Werkes[49]. Nach Grootes Tod gelangten seine Aufzeichnungen an Heinrich Eger aus Kalkar, der sie redigiert zu haben scheint. HEINRICH VON KALKAR hätte damit *1384* für den Nachlaß Grootes eine ähnliche Aufgabe übernommen, wie sie Nikolaus von Löwen seit *1382* am Nachlaß Merswins durchführte. Nur daß ihm Fälschungen und Bauernfang völlig fernlagen[50].

Heinrich genoß im Kartäuserorden hohes Ansehen und starb 1408 „im Geruch der Heiligkeit“. Für ihn als Redaktor der ‚Imitatio Christi‘ spricht vor allem eine gewisse Übereinstimmung des Stils mit Regeln, die er in seinem *Loquagium de rhetorica* — Plauderei über die Rhetorik — aufgestellt hat. Die Urfassung der ‚Imitatio‘ aus Grootes Feder können wir freilich nur nach niederländischen und nieder-

deutschen Übersetzungen, die in Brüder- oder Schwesternhäusern vom gemeinsamen Leben angefertigt wurden, einigermaßen rekonstruieren. Diese sind älter
als die lateinische Fassung des Thomas a Kempis und zeigen im Gegensatz zu
ihr auffallend lange Sätze. Bei Thomas werden die Perioden mit einem wohl-
durchdachten Interpunktionssystem in kurze Sätze nach Art der Psalmen und der
kirchlichen Liturgie gegliedert, jeder endend in einem bestimmten Rhythmus,
einem *cursus* oder einer *clausula*. Dasselbe gilt für eine andere lateinische Fassung,
die sogenannte P-Fassung aus einem Kartäuserkloster, die Thomas zeitlich vor-
ausliegt. Weil der kleingliedrig rhythmisierte Satzbau den Regeln im ‚Loquagium
de rhetorica' entspricht, glaubt man die P-Fassung dem Kartäuser Heinrich von
Kalkar zuerkennen und ihn als den entscheidenden Redaktor der ‚Imitatio Christi'
ansprechen zu dürfen. Die clausulae, die sich z. T. bei Thomas wiederfinden,
geben der Sprache der ‚Imitatio Christi' ihren wohllautend ausgewogenen und
einprägsamen Rhythmus: Valde immundus es tu: qui talia infers auribus meis.
Was Dom Leclercq von der Mönchstheologie sagt[51], gilt ebenso hier: „Cette
théologie apporte moins des lumières spéculatives qu'un certain goût ... Elle aura
pour résultat de provoquer un certain contact avec Dieu, un profond attachement
à Dieu, car ces nuances, entre bien d'autres, sont impliquées dans le mot *affectus*
qu'emploie ici Bernard." Die ‚Imitatio Christi' bezeichnet das bündig als *totum
suum affectum in Deum trahere*.

Zusammenfassend läßt sich mit einiger Gewißheit sagen: ihre Entstehung und
ihren Gehalt verdankt die ‚Imitatio Christi' Geert Groote von Deventer, ihre
sprachliche Ausformung Heinrich Eger von Kalkar, ihre Verbreitung Thomas
Hemerken von Kempen, der wohl nur eine neue Abschrift gefertigt hat, wobei er
manches kürzte, anderes breiter ausführte oder leicht änderte. Das genügte, um
das Werk, das er vorlegte, als eigene Arbeit bezeichnen zu können. Ein Anonymus
vom Niederrhein hat 1434 für seine deutsche Übersetzung des ersten Buches eine
andere Vorlage benützt. Die Fassung des Thomas a Kempis aber mit den auf ihr
fußenden Übersetzungen in sämtliche Kultursprachen machte die ‚Imitatio Christi'
zu einem fast bis heute niemals vergessenen und niemals veralteten Erbauungsbuch christlicher Laien, welcher Konfession oder Denomination sie auch angehörten.

Möglich ist es, wenn auch nicht wahrscheinlich, daß ein großer Unbekannter „aus Niederland", der sowohl Groote als auch Eger nahestand, die wesentliche
Leistung vollbrachte. Die Wissenschaft konnte bisher ihn weder eliminieren wie
den „Gottesfreund aus Oberland" noch identifizieren wie den „Mönch von Salzburg".

Unter dem Namen DER MÖNCH VON SALZBURG bringen die Monsee-Wiener
und ein paar kleinere Handschriften etwa hundert mit Melodien versehene Lieder
vom Ende des 14. Jahrhunderts[52]. Den Prior Hermannus im Benediktinerkloster
St. Peter in Salzburg, mit dem der „Mönch" 1864 identifiziert worden war, er-

setzte 1934 Romuald Bauerreiß durch den 1364—75 als Abt von St. Peter bezeugten JOHANN VON ROSSESS[53]. 1941 hat dann Herta Noack[54] zwei verschiedene Liedtypen des „Mönchs" herausgestellt, am deutlichsten bei den geistlichen Liedern und hier wieder bei den Hymnenübersetzungen aus dem Lateinischen. Das eine Mal hat es der Übersetzer unverkennbar auf ein gutes, jedenfalls gut verständliches Deutsch abgesehen, das andere Mal auf möglichste Treue gegenüber dem Original. Während er dort wie Johann von Neumarkt nach dem *sin uz sin* des Horaz bzw. Hieronymus verfährt, dolmetscht er hier *wort uz wort* wie Heinrich von Mügeln. Kein Zweifel, daß man sich in Deutschland schon im letzten Viertel des 14. Jahrhunderts der beiden Übersetzungsmöglichkeiten bewußt war.

Konsequenterweise aber spaltet Herta Noack den „Mönch von Salzburg" mitten durch, indem sie es für den einen Liedtyp bei der Verfasserschaft des Johann von Rossess beläßt, den andern jedoch dem Salzburger plebanus, d. h. Leutpriester, MARTIN KUCHLMEISTER zuweist. Die Lieder des Benediktinerabts und des Weltgeistlichen wurden für Pilgram II., 1365—1395 Fürsterzbischof von Salzburg, in einer gemeinsamen Handschrift aufgezeichnet.

Rossess hielt sich bei der Hymnen-Übersetzung an Wortfolge und Satzbau der Vorlagen, nicht selten kehren sogar die lateinischen Worte, gleichsam als Fremdworte, wieder. Ob man dieses „Deutsch" verstand, darum scheint er sich wenig gekümmert zu haben. Die alten Hymnen der Kirche fielen wohl für ihn unter die scripturae sanctae, deren Gestalt nach Hieronymus als ein mysterium bewahrt bleiben muß. Vor allem ihren vollen Klang und ihre feierliche Gebärde suchte er zu erhalten. Auch Rossess hätte sagen können: verborum dulcedo quaedam et sonoritas me detinebat. Und von Mönchslippen würde ein solches Bekenntnis weniger überraschen als aus Laienmund, seit uns der Ordensbruder des Johann von Rossess, Jean Leclercq, versicherte, die mittelalterlichen Mönche seien keine Pedanten gewesen — also auch nicht als Übersetzer —, sondern hätten „intensiv gelebt", weil aber die Askese jeden sinnlichen Genuß verbot, hätten sie um so mehr die schöne Sprache geliebt, den Wohllaut ihrer Liturgie[55].

Den Weltgeistlichen Kuchlmeister bezeichnen die Urkunden auch als intrusus, Günstling, des Fürstbischofs. Er scheint in Salzburg nebenbei das Amt des Hofpoeten versehen zu haben. Gelegentlich gab ihm Pilgram den Auftrag, in seinem Namen ein geliebtes E — eine Eva, Emma oder wie immer sie hieß — zu besingen: *an das allerliebste schönste weib im Frödensaal*. Im Vorübergehen erhaschen wir einen Blick in das Leben der Hohen Geistlichkeit; wir verstehen, daß die Laien Ärgernis nahmen und sich auf eine Frömmigkeit extra ecclesiam angewiesen fühlten.

Wo er als Leutpriester geistliche Themen aufgriff, dichtete Kuchlmeister im Ton der Laienfrömmigkeit. Das menschlich Rührende, das rührend Menschliche stimmte ihn fromm. Er läßt Maria singen: *Joseph, lieber Joseph mein, hilf mir wiegen mein Kindelein*. Und lateinische Hymnen transponiert er ins Deutsch-Gemütvolle. Venter puellulae vaiulat, secreta prae non noverat — daraus wird:

„Das sie empfieng das Kindelein, das truog verholn die maget rein". Um dieselbe Zeit, wohl etwas früher, kam in Deutschland das Vesperbild auf, die Darstellung der Gottesmutter mit dem toten Sohn auf dem Schoß[56].

Geistliche Lieder und Hymnen in deutscher Sprache blieben zumeist anonym. Unter der Kapuze des „Mönchs von Salzburg" werden auf einmal, wenn es kein Trugbild ist, gleich zwei Verfasser sichtbar[57].

HUGO, Chef des gräflichen Hauses MONTFORT-BREGENZ im Vorarlberg, sollte es rechtens bei der ars ornandi haben bewenden lassen, spukt er doch als „der letzte Minnesänger" in der Literaturgeschichte. Seinerzeit rangierte Graf Hugo VIII., nicht ganz an der Spitze, unter den vornehmsten und mächtigsten Herren des Reichs. Aber mit dem Minnesang hat er im wesentlichen schon gebrochen. Montfort ist kein großer Formkünstler mehr, und statt einer unnahbaren Dame, wie Tradition und Konvention es forderten, besingt er die eigene Gattin. Als ihm der Tod 1400 Gräfin Clementine raubte, kam seine Klage von Herzen, im beweglichen Ton den Liedern Kuchlmeisters verwandt.

Neuen Anlauf nahm die Lyrik mit einem Tiroler, Herrn OSWALD VON WOLKENSTEIN, zwanzig Jahre jünger als Hugo von Montfort, nicht halb so vornehm, aber als Poet um ein Vielfaches begabter[58]. Sein abenteuerliches Leben ist fast populär geworden seit dem Buch Beda Webers ‚Oswald von Wolkenstein und Friedrich mit der leeren Tasche', Innsbruck 1850. Gerne hätte der eine oder andere auch Wolkensteins eigene Reisenotizen eingesehen, auf die sich Weber für seine farbige Schilderung beruft, aber sie waren seit 1850 verschollen. So wurde mit der Zeit der Zweifel wach, ob es die „Reisenotate" jemals gegeben habe. Norbert Mayr ist dieser Frage mit großer Gründlichkeit nachgegangen[59]. Daß Weber die Reisenotate einfach erfunden habe, können wir nicht annehmen, schließlich war er ein renommierter Historiker, zudem Geistlicher und lebte nicht wie der Johanniter Nikolaus von Löwen im 14., sondern im 19. Jahrhundert. Weber spricht von kurzen Schlagworten mit Jahreszahlen. Dergleichen, meint Mayr, wird ihm vorgelegen haben, aber die Notizen stammten schwerlich von Oswald selbst, eher von einem Nachfahren; die Familie beschäftigte sich in späteren Jahrhunderten sehr intensiv mit ihrem ruhmreichen Ahnen. Aus diesen Aufzeichnungen dürfte Weber unter Zuhilfenahme von Oswalds Liedern und verschiedenen Geschichtswerken sein Bild aufgebaut haben. Es stimmt in vielen Punkten sicher nicht mit der Wirklichkeit überein und bedarf der Korrektur nach den Angaben Norbert Mayrs.

Oswald wurde wahrscheinlich 1377 in Schloß Schöneck im Pustertal geboren, einen Teil seiner Kindheit verbrachte er auf Burg Wolkenstein am Ausgang des Grödener Tals. Dem noch nicht zehnjährigen Knaben schoß in der Fastnacht ein Spielkamerad mit dem Bolzen ein Auge aus, daher die Einäugigkeit der Porträts. Kurz danach, 1387, verließ Oswald die Heimat: *Ich wolt besehen, wie die welt wer gestalt*, sagt er später in einem seiner berühmtesten Lieder. Zweifellos bildete der Wunsch, die Welt kennenzulernen, die *curiositas*, Weltneugier, ein Grundmotiv im Leben Wolkensteins. Er war sich dessen bewußt und fähig, es auszudrücken. Deshalb darf man Wolkenstein einen Renaissance-Charakter im Sinne Jacob Burckhardts nennen, für den Renaissance „Entdeckung der Welt und des Menschen" bedeutet. Ja, Wolkensteins Wort „Ich wolt besehen, wie die welt wer gestalt" drückt noch mehr aus: der Mensch begreift jetzt sich selbst im Verhältnis zur „Welt" als Gesamtheit des irdischen Außer-Ich wie umgekehrt diese „Welt" im Verhältnis zum menschlichen Ich.

Der zehnjährige Oswald allerdings ist wohl nicht, um die Welt zu erfahren, von Wolkenstein durchgebrannt. Sein Vater wird ihn, wie es Brauch war, zur Ausbildung einem Ritter als dessen Knappen übergeben haben. Die drei Pfennige im Beutel und das Stücklein Brot, von denen das Lied spricht, will Mayr nicht als kärgliche Wegzehrung eines kleinen Vagabunden, sondern als symbolische Mitgabe von seiten der Eltern verstanden wissen. Oswald kam dann ungewöhnlich weit in der Welt herum und mußte harte Strapazen durchmachen. Das Leben eines Edelknappen kennt nicht die Verweichlichung der bürgerlichen jeunesse dorée. Erst nach dreizehn Jahren — 1400 — war Oswalds Lehrzeit abgeschlossen. Sollte er wirklich, wie er behauptet, bis nach Persien gelangt sein, hätte er dort noch Hafis begegnen können, der 1390 starb.

Johann von Tepl; Wolkenstein und Wittenwiler; das Konzil in Konstanz

Als Wolkenstein auszog, war *Wenzel*, der älteste Sohn Karls IV. — seit dessen Tod 1378 — deutscher König. Nun aber hörte Wolkenstein bei seiner Heimkehr, daß die Kurfürsten soeben Wenzel für abgesetzt erklärt und RUPRECHT VON DER PFALZ mit dem Beinamen *Clem*, d. h. der Klemme, Karge, Einfache, zum König gewählt hatten. Die Approbation durch den Papst erreichte erst in langwierigen Verhandlungen Ruprechts Rat, der Heidelberger Theologieprofessor MATTHÄUS VON KRAKAU; er war in Krakau als der Sohn eines deutschen Stadtschreibers geboren. Matthäus schrieb danach einen Traktat *De squaloribus curiae Romae*, über den Unrat am römischen Hof, „die weitaus glänzendste publizistische Leistung der deutschen Schultheologie". Hier findet man, stellt Gerhard Ritter fest[1], schon das ganze Arsenal von *gravamina*, womit die Publizisten des 15. und 16. Jahrhunderts zum Kampf gegen Rom sich rüsteten. Den Stil kennzeichnet Ritter als stürmisches, klangvolles Pathos, das durch seine springende Lebendigkeit selbst den heutigen Leser noch packe. Inmitten der schwerfälligen Schulrhetorik wirke dieser Stil völlig überraschend.

Matthäus, der später Bischof von Worms und Kardinal wurde, hat nicht etwa an der mittelalterlichen Schulrhetorik eine Bluttransfusion mit der Neuen Rhetorik der Italiener vorgenommen, sondern als „Redner von Natur" eigenes Blut ihr eingespritzt. Cola di Rienzo war seit 1354, Petrarca seit 1374 tot. Das geistige Erbe Petrarcas verwaltete jetzt der fast siebzigjährige LINO COLLUCCIO SALUTATI aus Valdinievole, seit 1375 Staatskanzler von Florenz, und man kann ohne Übertreibung sagen, daß erst durch ihn Petrarca zum Heilbringer einer neuen Zeit erhoben wurde. Aus dem Freundeskreis stand Salutati der vierzig Jahre jüngere LEONARDO BRUNI ARETINO, später selbst Kanzler der Signoria, am nächsten. In dessen zweitem *Dialogus ad Petrum Paulum Histrum* — das ist Pier Paolo Vergerio aus Istrien — kommt zwischen *1403* und *1405* erstmals wieder seit der Antike der Ausdruck *studia humanitatis* vor. Bruni sagt von Petrarca: Hic vir studia humanitatis, quae iam extincta erant, reparavit. Ein für allemal hat er damit Petrarcas historischen Ort bestimmt[2].

Was unter den studia humanitatis verstanden wurde, entnehmen wir Brunis Brief an seinen Schüler Tito Strozzi: „In der Kenntnis der Dinge, die Leben und Sitten angehen und darum humanitatis studia heißen, weil sie die Menschen vervollkommnen und schmücken sollen (perficiant atque exornent), suche dir eine reiche und allseitige Bildung zu erwerben und übergehe nicht, was zur Führung, Verschönerung und zum Wert des Lebens gehören könnte." Petrarcas ‚De ignorantia' von 1362 klingt hier an und leise auch das „andere Mittelalter". Bernhard von Clairvaux und Konrad von Hirsau rühmten die scientia litterarum quae ornat animum[3]; zumindest Johann von Salisbury war durch seinen ‚Polycraticus' den Florentinern bekannt[4]. Frei nach Petrarca fährt Bruni fort: „Lies also jene Schriften, die nicht nur belehren können, sondern auch von glanzvoller Diktion sind . . . wie die Schriften CICEROS und derjenigen, die ihm nahekommen, wenn es deren welche gibt."

Von Cicero übernahmen die Florentiner den Ausdruck studia humanitatis, und sie kannten die Erklärung, die AULUS GELLIUS (2. Jh. n. Chr.) dazu gibt: „Cicero, Varro, überhaupt die älteren Autoren verwenden das Wort humanitas nicht wie die neueren im Sinne von φιλανθρωπία (Menschenliebe), sondern für παιδεία (Erziehung, Bildung)." Nach ISOKRATES, an den Cicero sich hält, hieß παιδεία — Bildung —, das Wort schön zu gebrauchen wissen. Der gebildete Mensch — homo civilis in Gegensatz zum homo naturalis — ist der Sprache, der schönen Rede mächtig und empfänglich für sie. Um den Sprachsinn zu wecken, zu pflegen, zu betätigen, treibt man studia humanitatis. Mit diesem Bildungsprogramm ziehen Salutati, Bruni und ihr Freundeskreis in Florenz die Konsequenz aus Petrarcas Schrift ‚De ignorantia', die wir deshalb die Magna Charta des Humanismus nannten.

Das Wort Humanismus ist freilich erst eine Prägung des frühen 19. Jahrhunderts. Für die Literatur- und Geistesgeschichte hat ihm Georg Voigt dieselbe Endgültigkeit verschafft wie Jacob Burckhardt dem Wort Renaissance. Voigts Standardwerk ‚Die Wiederbelebung des classischen Altertums oder das erste Jahrhundert des Humanismus' erschien 1859[5], ein Jahr vor ‚Die Kultur der Renaissance in Italien'.

Den „Humanisten" kannte man schon zu Ende des 15. Jahrhunderts. Im Studenten-Slang der italienischen Universitäten hieß analog zu den Vertretern der alten Disziplinen, dem legista, canonista, artista, der Professor der studia humanitatis und bald auch deren Student ein umanista[6]. Rhetorik und studia humanitatis decken sich bei ihm, deshalb wird, um ein deutsches Beispiel etwas jüngeren Datums anzuführen, laut Senatsprotokoll der Universität Freiburg der Magister Gundelfingen verpflichtet ad legendum in arte oratoria sive studiis humanitatis[7].

Wir fragten uns, ob es wohl bloßer Zufall sei, daß Petrarca ausgerechnet zur Zeit, als er die remeatio-Idee konzipierte, durch den Kalabresen Barlaam engeren Kontakt mit Byzanz hatte, wo die remeatio zur Antike schon seit langem diskutiert wurde. Dieselbe Frage taucht auf, wenn sich nun die Florentiner gleichzeitig für die reparatio studiorum humanitatis, d. h. die Erneuerung der rhetorischen παιδεία im Sinne des ISOKRATES, und für die Vorlesungen des byzantinischen Rhetors MANUEL CHRYSOLORAS begeistern. Wie Barlaam einen Lehrauftrag für griechische Sprache in Avignon, so erhielt 1396 Chrysoloras dank der Initiative Salutatis einen Lehrstuhl für Griechisch in Florenz. Und offenbar ist das erste griechische Manuskript in Italien, das aus dem 14. bzw. 15. Jahrhundert stammt,

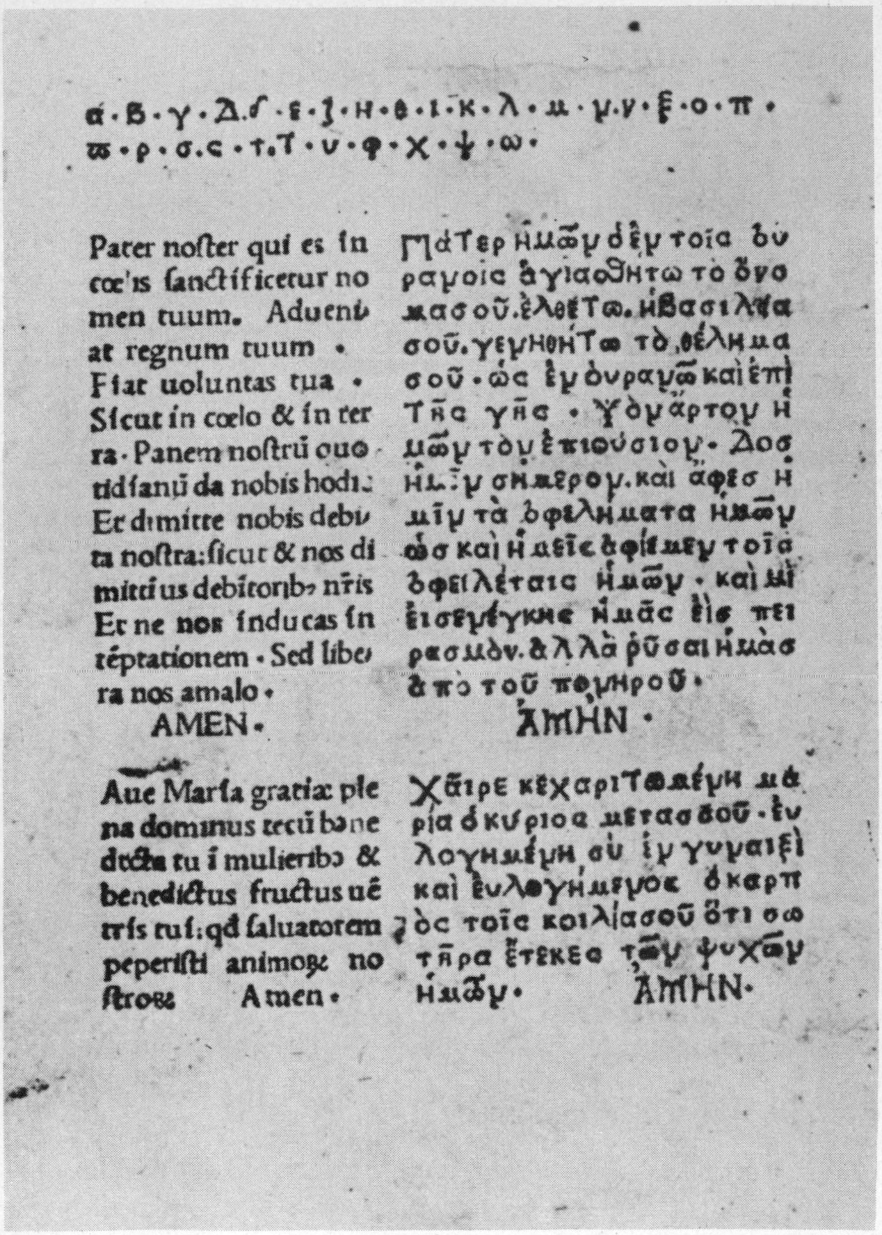

α · β · γ · Δ · ſ · ε · ϳ · η · θ · ι · κ · λ · μ · ν · γ · ξ · ο · π ·
ϖ · ρ · σ · ϛ · τ · Τ · υ · φ · χ · ψ · ω ·

Pater noſter qui es in
cœ'ıs ſanctificetur no
men tuum. Advent
at regnum tuum ·
Fiat uoluntas tua ·
Sicut in cœlo & in ter
ra · Panem noſtrũ quo
tidſanũ da nobis hodı·
Et dimitte nobis debı
ta noſtra:ſicut & nos di
mitti us debitoribȝ nr̄is
Et ne nos índucas ín
teptationem · Sed libe
ra nos amalo ·
    AMEN ·

Πάτερ ἡμῶν ὁ ἐν τοῖς οὐ
ρανοῖς ἁγιασθήτω τὸ ὄνο
μα σοῦ. ἐλθέτω. ἡ βασιλῆα
σοῦ. γεννηθήτω τὸ θέλημα
σοῦ · ὡς ἐν οὐρανῷ καὶ ἐπὶ
τῆς γῆς · τὸν ἄρτον ἡ
μῶν τὸν ἐπιούσιον · Δος
ἡμῖν σήμερον. καὶ ἄφες ἡ
μῖν τὰ ὀφελήματα ἡμῶν
ὡς καὶ ἡ μεῖς ἀφίεμεν τοῖς
ὀφειλέταις ἡμῶν · καὶ μὴ
εἰσενέγκης ἡμᾶς εἰς πει
ρασμόν. ἀλλὰ ῥῦσαι ἡμᾶς
ἀπὸ τοῦ πονηροῦ ·
    ΑΜΗΝ ·

Aue Marſa gratiæ ple
na dominus tecũ bane
dicta tu í mulieribȝ &
benedictus fructus uē
tris tuſ.qd ſaluatorem
peperiſti animoȝ no
ſtroȝ   Amen ·

Χαῖρε κεχαριτωμένη μα
ρία ὁ κύριος μετασοῦ · εὐ
λογημένη σὺ ἐν γυναιξὶ
καὶ εὐλογημένος ὁ καρπ
ὸς τοῖς κοιλίασοῦ ὅτι σω
τῆρα ἔτεκες τῶν ψυχῶν
ἡμῶν ·   ΑΜΗΝ ·

Eine Seite aus den um 1400 verfaßten ‚Erotemata' des Manuel Chrysoloras
(1484 in Venedig gedruckt)

eine von Chrysoloras gefertigte Kopie nach Isokrates[8]. Enea Silvio hat gewiß nicht bloß den griechischen Sprachunterricht im Auge, wenn er 1443 in einem Brief an Sigmund von Tirol nach Petrarca als den zweiten und noch wichtigeren Lehrer des neuen Stils Chrysoloras anführt; vor allem denkt er wohl an die kleine griechische Grammatik (Flexionslehre), die *Erotemata*, die Chrysoloras in Florenz schrieb und womit er die Grundlage für die Griechischstudien der kommenden Jahrhunderte schuf. Immer wieder gewinnen wir den Eindruck, daß für den Humanismus, wo nicht das Licht, so doch der zündende Funke aus dem Osten kam.

Wer mit Isokrates auf die Rhetorik schwört, ist überzeugt, daß nur ein rhetorisch gebildeter Mensch richtig zu reden bzw. schreiben und richtig zu hören bzw. lesen und somit richtig zu leben vermag. Weil er durch Rede sich innerlich bewegen läßt und andere innerlich bewegt, ist er ein lebendiger Mensch. Drohen die rhetorischen studia humanitatis unterzugehen, ertönt der SOS-Ruf nach reparatio. Wir deklarieren das als *Humanismus*. Aber wäre nicht das Wort *Renaissance* ebenso am Platz? „Wiedergeburt der Antike" — damit wird nur ein Toter zum revenant. Daß der Mensch nach seiner leiblichen auch eine geistige Geburt erfahren haben müsse, um wahrhaft lebendig zu sein, ist der ursprüngliche Sinn von *renasci*. Geben wir also dem Renaissance-Begriff, der sich nun einmal dank dem Ruf und Rang Jacob Burckhardts im historischen Denken festgewurzelt und schließlich zu einem Allerweltsbegriff ausgewachsen hat[9], die ursprüngliche Bedeutung von *renascentia hominis* zurück; darunter aber wäre nichts anderes als *vivescentia hominis* zu verstehen, denn die Wiedergeburt soll ja den Menschen erst wirklich lebendig machen. Die Termini Humanismus und Renaissance treffen hier zusammen.

Trotzdem lassen sich die beiden nicht beliebig auswechseln. Wohl ist Humanismus auch Renaissance, aber nicht umgekehrt Renaissance auch Humanismus. Im Laufe des 14. Jahrhunderts brach an allen Ecken und Enden das Verlangen hervor, auf dieser Erde nicht bloß da zu sein, sondern intensiv zu leben: in der verschiedensten Weise suchte man die *renascentia sive vivescentia hominis*. Die neue Laienbildung gipfelte im Humanismus, gleichzeitig entwickelten, wie schon seit langem die Mönche, jetzt auch die Laien oder ihre geistlichen Sachwalter eigene Formen der vita devota, eine neue Laienfrömmigkeit, und andere, werden wir sehen, fanden in schier unerschlossenem Neuland Wege zum „Leben". So heißt die Epoche als Ganzes zu Recht „Renaissance". „Humanismus" bezeichnet ein wesentliches Stück, doch außer dieser *Humanistischen Renaissance*, die von Italien auf Deutschland übergriff, gab es eine Vielfalt deutscher *Eigenrenaissance*.

Überraschenderweise leuchtet schon an der Jahrhundertschwelle auch in Deutschland für kurze Zeit meteorhaft eine Humanistische Renaissance auf. In dem böhmischen Städtchen Saaz an der Eger entsteht 1401 „die schönste und merkwürdigste deutsche Prosadichtung vor Goethes ‚Werther'", des JOHANN VON TEPL Streitgespräch *Der Ackermann aus Böhmen*.

Sechzehn Handschriften und siebzehn Drucke zeugen von seiner großen Beliebtheit im 15. und 16. Jahrhundert. Später haben es Gottsched, von der Hagen, Gervinus, Wackernagel u. a. gerühmt, doch erst Konrad Burdach verdankt es die volle Würdigung. Im Rahmen seines monumentalen, fast monströsen Lebenswerks, ‚Vom Mittelalter zur Reformation', behandelte Burdach Johanns schmales Büchlein während der Jahre 1917 bis 1932 in vier Büchern von je vielen hundert Seiten Umfang[10].

Johannes Teplensis wurde um 1350 in dem deutsch-böhmischen Dorf Tepl geboren und war wohl nach dem Studium an der Universität Prag einige Zeit unter Johann von Neumarkt in der Prager Hofkanzlei tätig. 1378 bestellte ihn die Stadt Saaz

Johann von Tepl vor dem Hl. Hieronymus
(Votivbild seines St. Hieronymus-Offiziums, 1404)

zum notarius civitatis, fünf Jahre später auch zum rector scolarum an der Lateinschule, weshalb er in der älteren Literaturgeschichte — bis 1933 — im allgemeinen Johann von Saaz heißt. Drei Jahrzehnte hat er in Saaz gewirkt, bis er 1411 eine Berufung als Erster Ratsschreiber nach Prager Neustadt erhielt, wo er 1414 starb. Er soll noch die Akten zu dem Prozeß des Johannes Hus vorbereitet haben.

Während man früher die Klage des Ackermanns um den Tod seiner Frau in unmittelbaren Zusammenhang mit dem Tod von Johanns eigener Frau am 1. *August 1400* brachte, hält man dieses biographische Faktum nicht mehr für wichtig, seit Konrad Josef Heilig 1933 in Freiburg einen Brief aus der Feder Johanns aufgefunden hat. Das lateinische Schreiben, zu datieren auf den Vorabend des Bartholomäustags *1401*[11], beginnt: Grato gratus, suo suus, socio socius, Petro de Tepla Iohannes de Tepla, civi Pragensi civis Zacensis ... : „Seinem lieben Gefährten Peter von Tepl, Bürger in Prag, sendet sein lieber Gefährte Johann von Tepl, Bürger in Saaz, ein Zeichen aufrichtiger Zuneigung ... Und weil Ihr jüngst von mir begehrt habt, vom Acker rednerischer Anmut — *ex agro rhetoricalis iucunditatis* — mit Neuem beschenkt zu werden, so widme ich Euch

49

dieses frisch vom Amboß kommende, ungestalte und bäurische Gebilde aus deutschem Sprachstoff."

Darin werde, heißt es weiter, ein Streitgespräch gegen das unvermeidliche Schicksal des Todes geführt, wobei alles Wesentliche der Wohlredenheit in Erscheinung trete. „Hier wird ein langer Stoff kurz behandelt, ein knapper verlängert, es findet sich vollendeter wie unvollendeter Periodenbau, Mehrdeutigkeit, Sinngleichheit ... Satzglieder, Satzteile, Sätze und Perioden treiben in neuartigen Fügungen ihr Spiel, ... die Metapher wird zu Dienst verpflichtet, der Wortführer beginnt den Streit und wird nachgiebig gemacht, die Ironie lächelt überlegen, Wort- und Satzfiguren und Tropen tun ihre Schuldigkeit. Noch vieles andere, beinahe das gesamte Rankenwerk der Wohlredenheit, soweit es in dieser ungelenken Sprache gedeihen kann, wird hier gepflegt, und ein aufmerksamer Leser wird es wahrnehmen ...".

Demnach will Johann von Tepl mit seinem Streitgespräch zwischen dem Ackermann und dem Tod ein Probestück rhetorischer Kunst liefern, wie sie Johann von Neumarkt in Böhmen heimisch gemacht hatte. Sein Bemühen um Vollständigkeit der Stilmittel erinnert an den Prager Hofpoeten Heinrich von Mügeln oder an den 1369 bezeugten Lateinschulrektor MAGISTER DYBINUS, Verfasser einer *Oratio de sancta Dorothea a Dybino rethore* (sic!) *compilata omnibus coloribus verborum et sententiarum ut apparet adornata*[12]. Arthur Hübner[13] findet noch andere Übereinstimmungen mit Heinrich von Mügeln und weist, im Widerspruch zu Burdach, vor allem auf die herkömmlichen Elemente der Ackermann-Dichtung hin: Sprichwörter, Fabeln, Volkslieder usw.[14]. Aber das Sprichwort erfährt in der Folgezeit gerade bei den Neuerern eine starke Aufwertung, das Zitieren und Assoziieren von sprachlich Vorgeprägtem wird so sehr zu ihrer Kunst gehören, daß mitunter fast der Eindruck eines Mosaiks oder einer Montage entsteht. Mag ,Der Ackermann aus Böhmen' vieles Überkommene mit sich führen, Johann von Tepl sucht es einem andern Stilwillen dienstbar zu machen als Heinrich von Mügeln. Ihm schwebt bei allen Künsteleien doch ein gewisses Ebenmaß statt krauser Ornamentik und bei allen Spielereien doch eine unmittelbare Wirkung auf die Affekte der menschlichen Natur, eine *ars movendi* vor.

Der hochartifizielle Charakter seines Werks schließt nicht aus, daß der Dichter Gefühle und Gedanken stilisierte, die ihn am Totenbett der eigenen Frau überkommen hatten. Jedenfalls rang er, wie mir scheint, mit dem Widerstreit zwischen zwei Möglichkeiten menschlichen Verhaltens zum Dasein; auch der Tod, nicht nur der Ackermann, personifiziert eine Perspektive des Menschen. In dieser Auffassung bestärkt mich die jüngste einschlägige Arbeit: Gerhard Hahn, Die Einheit des Ackermann aus Böhmen, 1963.

Von Konrad Burdach ausgehend[15], zeigt Hahn, daß Johann direkt oder indirekt die unter SENECAS Namen überlieferte Schrift ,De remediis fortuitorum' gekannt haben muß. Das ist „eine Reihe von Dialogen, in denen jeweils ein Sprecher einen Schicksalsschlag beklagt (Tod, Armut, Blindheit usw.), während ein anderer, zweifellos der Philosoph, Klagegrund und -berechtigung rational hinwegargumentiert"[16]. Der sechzehnte Dialog behandelt die Situation des Witwers: uxorem bonam amisi. In der späteren Tradition erhalten die Gesprächspartner Namen wie Timor und Securitas, Homo und Securitas oder Sensus und Ratio; PETRARCAS ,De remediis utriusque fortunae' nennt sie Dolor und Ratio. Immer wird die Situation „von zwei Seiten aus ergriffen: durch den Affekt (timor, dolor, verallgemeinert sensus, verpersönlicht homo als ,natürlicher', unphilosophischer Mensch) und durch die Vernunft (ratio, mit größerem ethischen Akzent securitas)". Ebenso spricht in Johanns Discertatio aus dem Ackermann der *Affekt*, aus dem Tod die *Ratio* des Menschen.

Das Büchlein umfaßt 33 Kapitel — wieder nach der Zahl der Lebensjahre Jesu, eine heilige Zahl — und schließt im 34. mit einem Gebet, das z. T. wörtlich aus dem 34. Kapitel von NEUMARKTS ,Buch der Liebkosung' entnommen ist. Im ersten Teil des Ganzen, einschließlich Kapitel 16, klagt der Ackermann um seine tote Frau und klagt deshalb den Tod vor Gott an. Der Tod beruft sich auf Naturgesetz und Naturrecht; hier gibt es keine Ausnahme. Im zweiten Teil geht der Tod weiter und bestreitet dem menschlichen Dasein jeden Sinn. Weisheit und Kunst, Schönheit und Liebe sind vergänglich, eitel, im Grunde nichts: ein mittelalterliches *memento mori*. Aber die Lehre, die der Tod für den Menschen aus dem *contemptus mundi* zieht, ist eher stoisches Ethos als christlicher Glaube. Der Vernunft, die sich durch die Erkenntnis des Naturgesetzes über das individuelle, subjektive Gefühl ins Objektive zu erheben vermag, entspricht eine Sittlichkeit, die Freude wie Schmerz unterdrückt und so die Seele mit Gleichmut wappnet. Der Tod vertritt die Haltung der Ratio und der Apathie.

Dagegen rühmt der Ackermann die Schönheit des Lebens sowie des Menschen, dieses „lieblichen Kloßes", und besonders das Eheglück: „Heil, Selde und Gelücke stunden mir bei durch iren willen", sagt er von seiner Frau. „Wünnesam, lustsam, fro und wolgemut ist ein man, der ein biderb weib hat, er wandere, wo er wander ... Irdischer freuden sint gewaltig die frauen ... Was weiß davon ein tummer man, der aus disem jungbrunnen nie hat getrunken? ..." Der Ackermann setzt der Gleichmütigkeit die Wohlgemutheit entgegen. Er will nichts von Ratio und Apathie wissen, weil er um eine Lebenserfüllung in der Freude am Schönen dieser Welt, an den Frauen, an seiner Ehefrau weiß. So ist er freilich auch dem Leid ausgesetzt und kann, wenn es ihn trifft, nur klagen und anklagen. Zum Leben als Möglichkeit, von der Freude innerlich ergriffen und bewegt, erhoben und beseligt zu werden, sagt der Ackermann Ja, und er verteidigt dieses Leben gegen die klare, kalte Vernunft, die es auf Begriffe bringt und auf Gesetze zurückführt und das Ergriffensein zur Torheit stempelt.

Am Ende fällt Gott das Urteil: „Klager, habe ere, Tod, habe sige!" Wenn früher (25. Kapitel) der Ackermann dem Tod vorgeworfen hatte: „wie ... uneret ir den werden menschen, Gotes aller liebste creatüre", so spricht der Schöpfer jetzt dem Menschsein des Ackermanns eine Ehre zu, die ihm auch der Tod — obwohl faktisch

Sieger — nicht nehmen kann. Wer die Wahrheit besitzt, ist damit nicht entschieden. Der Gegensatz der beiden Ansichten über das Leben, der beiden Wertungen, um die der Streit ging, und der beiden Möglichkeiten des Menschseins, der einen, die der Ackermann vertritt, der anderen, die der Tod vorschlägt — dieser Gegensatz bleibt bestehen.

Zwar kann der Ackermann nicht mit dem Dichter gleichgesetzt werden, aber dessen Sympathie gehört ihm unverkennbar. Durch den Ackermann wird das stoische Ideal des vernünftig überlegenden, den Gefühlen überlegenen Menschen, für das der Tod eintritt, mit einem völlig anderen Menschenbild, einem der Freude aufgeschlossenen und dem Leid ausgesetzten, innerlich bewegten, lebendigen Dasein konfrontiert. In derselben Richtung auf die Affekte und Emotionen hin weicht die Neue Rhetorik von der Rhetorik des „Blümens" ab: Lebens- und Redestil bedingen sich wechselseitig.

Trotzdem entscheidet Gott ja durchaus nicht eindeutig zugunsten des Ackermanns. Das Streitgespräch ist von Beginn statt auf Entscheidung oder Versöhnung auf ständiges Sichsteigern der Gegensätze angelegt. Und der Leser wird in diesen Prozeß mit hineingenommen. Das ist die künstlerische Absicht des Johann von Tepl und seine künstlerische Leistung. Sonst verstünde er sich nicht auf die *ars movendi*.

Vielleicht darf man den ‚Ackermann aus Böhmen' von 1401 mit einer gleichzeitig entstandenen Figurengruppe im Turm des Straßburger Münsters vergleichen. ULRICH VON ENSINGEN, der seit 1399 den Nordturm bis zum Helmansatz aufführte, brachte im Innern acht Gestalten an, eine vielleicht ihn selbst darstellend, so wie sich unter den Triforiumsbüsten des Prager Doms auch die Peter Parlers befindet. Von diesen Figuren sagt Wilhelm Pinder in seinem Buch ‚Die Kunst der ersten Bürgerzeit[17]: „Alle starren und staunen aufwärts — nach der Turmspitze, die über ihnen geplant war . . . Diese Figuren vertreten nicht das Bauwerk, sondern den Betrachter, sie sind Wege, nicht Teile des Zieles für den Blick. Wenn in Laon, Bamberg oder Naumburg Tiergestalten von den Türmen blickten, so gehörten sie dem Bauwerke innerlich selber an, sie waren in seiner Front! Der Turm blickte auf uns herab mit seinen Gestalten — jetzt blicken wir zum Turm." Den Betrachter durch Figuren, die seine Haltung repräsentieren, ins Bau- oder Kunstwerk hereinnehmen, bedeutet einen ungeheuren Einbruch in dessen bisherige Abgeschlossenheit, die den Beschauer überhaupt nicht anerkannte. Etwas Ähnliches geschieht bei Johann von Tepl. Indem der Dichter sein Thema — das wahre Selbstverständnis des Menschen — im Dialog zweier Figuren entwickelt, zeigt er dem Leser nicht „Teile des Zieles", er personifiziert und rhetorifiziert vielmehr die „Wege", damit der Leser sie mitvollziehe. Die Figuren des ‚Ackermann' präfigurieren gleichsam auch schon den Leser, ganz ähnlich wie die Straßburger Figuren den Beschauer.

Ulrich von Ensingen konnte den Münsterturm nicht vollenden, die Figuren starrten jahrhundertelang nach einer Spitze, die nur geplant war. Das „Ziel" der Betrachtung fehlte — vielleicht ein höchst sinnvoller Zufall. Denn obwohl Johann von Tepl sein Werk vollenden konnte, gibt es das „Ziel" auch hier nicht. Was wir als das richtige Selbstverständnis des Menschen anzusehen haben, bleibt am Ende offen. Und das ist kein Zufall. Die *ars movendi* gipfelt in der *discertatio*, im Streitgespräch, das den Hörer oder Leser zwingt, dem jeweils Redenden zuzustimmen und sich mit ihm zu identifizieren, wobei — movendi causa — die Spannungen und Gegensätze ständig gesteigert werden.

In Grenzfällen kann es scheinen, die „Bewegung" sei Selbstzweck. Das trifft auf den ‚Ackermann' gewiß nicht zu. Ernsthaft werden hier Möglichkeiten des Menschseins durchgespielt. Johann von Tepl liefert nicht bloß, angeregt durch Johann von Neumarkt, eine Stilübung, sondern gestaltet zugleich als Dichter das Thema seiner Zeit, die *humanitas*.

Altmodisch wirkt dagegen der aus Südbaden stammende Ministeriale am erzbischöflichen Hof in Köln HANS VON BÜHEL oder HANS DER BÜHELER. Im Westen Deutschlands ist noch nichts von der Neuen Rhetorik oder gar von einer Humanistischen Renaissance zu merken. Wie Hugo von Montfort in der Lyrik, setzt Hans von Bühel in der Versepik die Tradition der Ritterdichtung fort. Für *Die Königstochter von Frankreich*[18], die uns allein interessiert, besaß er eine französische Vorlage. Wir kennen sie nicht, aber in Frankreich wie in Deutschland war der ursprünglich orientalische Stoff wiederholt bearbeitet worden. Erich Scheunemann verglich deshalb Bühels Fassung mit ‚Mai und Beaflor', der Fassung eines Anonymus um 1260[19]. Dabei wies er einen starken Wandel der Denkweise nach, der sich auch in der Sprache niedergeschlagen hat. Während für den Dichter des 13. Jahrhunderts das Eingreifen Gottes zugunsten der unschuldig verstoßenen Frau außer Zweifel steht, weil Helfen zum Wesen Gottes gehört, hat Bühel um 1400 diese Gewißheit verloren. Gott kann helfen — wenn er will; ob er will, bleibt den Menschen verborgen, bis die Hilfe Tatsache geworden ist. Der Anonymus motiviert also von der Idee her, der Idee Gottes, und gebraucht dementsprechend mit Vorliebe Konsekutivsätze, Hans von Bühel dagegen motiviert aus dem Wollen und Handeln des Menschen, wieweit Gott als Helfer wirkt, muß sich erst erweisen; so gibt Bühel der Finalkonstruktion gegenüber der konsekutiven den Vorzug.

‚Die Königstochter von Frankreich' trägt dieselbe Jahreszahl 1401 wie ‚Der Ackermann aus Böhmen'. Ungefähr gleichzeitig entstand auch die Figurengruppe im Turm des Straßburger Münsters. Die drei sonst völlig verschiedenen Kunstwerke verbindet, scheint mir, eines: die neue Richtung ihrer Struktur. Der Künstler gestaltet statt von einer vorgegebenen Idee h e r , einer Idee Gottes, des Menschen, des Münsters, auf eine Idee h i n , also nicht „*konsekutiv*", sondern „*final*". Die Idee kann gegeben sein, dann aber tritt die Haltung zu ihr im Werk in den Vordergrund; oder sie wird im Werk noch gesucht, dann macht sich die Bewegung des Subjekts zum Objekt, seine finale Bewegung, erst recht darin geltend. Die Umdrehung beträgt nicht 180 Grad, aber eine gewisse Umkehr in der

53

Struktur ist bei der ‚Königstochter' unverkennbar und am ‚Ackermann' ganz evident. Sie entspricht dem Unterschied der Neuen Rhetorik als *ars movendi* von der herkömmlichen *ars ornandi* und ebenso der Neuen Frömmigkeit als *imitatio Christi* von der *institutio ecclesiae*.

Auf imitatio Christi zielt die *Devotio moderna* der Niederlande. Florentius Radewijns in Deventer, der Schüler Geert Grootes, war am 24. März 1400 gestorben. Bei seinem Nachfolger in der Leitung der Brüder und Schwestern vom gemeinsamen Leben erschien im *Juni* ein etwa dreißigjähriger Priester aus Münster in Westfalen und bat, ins Brüderhaus aufgenommen zu werden. Der Name, den er angab, HEINRICH VON AHAUS, bezeichnete nicht allein seine Herkunft aus einer westfälischen Grafschaft, sondern auch die illegitime Abstammung vom dort regierenden Grafen. Seine Bitte wurde erfüllt, und schon im nächsten Jahr tauchte Heinrich wieder in Münster auf, wo er nach dem Vorbild von Deventer ein Brüderhaus gründete. Das Gleiche unternahm er wenige Jahre später in Köln. Während die Grafen von Ahaus im Mannesstamm ausstarben und ihr Land an den Bischof von Münster fiel, griff dank der Tatkraft des Bastards die Devotio moderna seit *1401* aus dem entlegenen Tal der Yssel auf Westfalen und auf das nördliche Rheinland über. Bald wird sie ganz Deutschland erfaßt haben. An den verschiedensten Orten entstehen Häuser der Laienbrüder vom gemeinsamen Leben, so in Osnabrück und Hildesheim, in Kassel, Marburg, Wiesbaden, Butzbach bei Mainz und Königstein im Taunus, auf dem Einsiedel bei Tübingen, in Erfurt, Magdeburg, Rostock und anderwärts[20]. Die „Fraterherren" beschränkten sich nicht mehr auf die Arbeit in der Schreibstube und in der Buchbinderei, sondern schlossen ihren Häusern Internatsschulen oder Schülerheime an. Die bedeutendsten Schulen wurden Deventer, Münster und Schlettstadt, aber die Streuung reichte bis Kulm in Westpreußen. Ohne diese Schulen wäre es unvorstellbar, wie die Devotio moderna im gesamten deutschen Bürgertum Wurzel fassen konnte. In Deventer sollen sich zeitweilig 2200 Schüler aus allen Teilen des Reichs zusammengefunden haben; Nikolaus von Kues (geboren *1401*) und Erasmus von Rotterdam, um nur die beiden Größten zu nennen, besuchten diese Schule.

Vor allem der Laie soll durch Kontemplation der Lebens- und Leidensgeschichte Christi aus einem *homo exterior* zum *homo interior* oder *homo devotus* werden, der in seinem Lebenswandel Christus nachfolgt, auf Güter und Ehren verzichtet, Demut und tätige Nächstenliebe übt. Das heißt — ohne Ekstase oder Vision — einswerden mit Christus. Von radikaler Bildungsfeindschaft kann keine Rede sein. Selbst die Handarbeit in den Bruderhäusern galt ja in erster Linie dem Buch. Das „Buch der Bücher" wurde von Fraterherren wie Augustinerchorherren immer wieder abgeschrieben. Mancher bemühte sich zugleich um die Herstellung eines besseren Bibeltextes oder um eine Übersetzung und Auslegung, so daß man geradezu von einem Biblizismus der Devotio moderna gesprochen hat. Er schloß eine Mittlertätigkeit für das Schrifttum der Antike nicht aus.

Wenn die Fraterherren sich des Laien-Schulunterrichts annahmen, ging es, in bewußtem Gegensatz zu den scholastischen Scholarchen, weder um Wissensstoff noch um scharfzüngiges Spekulieren und Disputieren über quaestiunculae, sondern um das, was dem Menschen, „seiner Natur und seinem Werke", dient. Dem „inneren Menschen" aber, meinten sie, tue das geschriebene Wort ebenso not wie das gesprochene, weil beide Geist und Seele lebendig machen, lebendig erhalten und lenken. Trotz dem Widerspruch zwischen *imitatio Christi* und *imitatio auctorum, homo devotus* und *homo civilis, humilitas* und *humanitas* ergibt sich aus der gemeinsamen Aversion gegen die Scholastik, speziell ihre dialektische Methode, eine Affinität zwischen Devotio moderna und Humanismus, und kann es bei beiden zu ähnlicher Wertung des Wortes kommen[21].

Opto magis sentire compunctionem quam scire definitionem, heißt es im 1. Kapitel des I. Buches der ‚Imitatio Christi'. Das ist die Art, wie sich seit je die Mönchstheologie von der scholastischen Theologie abgesetzt hat. Schon Gregor der Große gebrauchte den aus der Medizin übernommenen Terminus *compunctio*[22]. Unter *compunctio cordis* versteht er den heftigen Stich oder Stachel der Furcht und Reue, mehr noch der Sehnsucht nach Gott, der Liebe zu ihm, der Versenkung in Gott: compunctio desiderii, amoris, contemplationis. Ohne compunctio wird der Mensch hart und gefühllos, *obdurescit,* sie aber macht ihn weich und innerlich lebendig: *emollit, vivescit.* Der angeführte Satz der ‚Imitatio Christi' wendet sich ebenso gegen stoische Apathie wie gegen scholastischen Rationalismus. In Frankreich wird compunctio mit piqûre übersetzt und so dem Wortschatz der vie dévote einverleibt werden. Larochefoucauld ironisiert die Frommen, wenn er die nonchalance des Weltmanns mit dem Satze „Ça ne me pique pas" zum Ausdruck bringt. —

Was echte imitatio Christi sei, darum ging es auch in einem Traktat, den erstmals Martin Luther 1516 zum Druck gebracht hat. Der Handschrift folgend, nennt er ihn „Eyn geystlich edles Buchleynn. von rechter underscheyd und vorstand. was der alt und new mensche sey, Was Adams und was gottis kind sey. und wie Adam ynn uns sterben und Christus ersteen sall". 1518 veranstaltete Luther eine zweite Ausgabe, deren Titel beginnt: „Eyn deutsch Theologia . . ."[23]. Im Vorwort schreibt er, daß ihm „nechst der Biblien und S. Augustino nit vorkummen eyn buch, dar auß ich mehr erlernet hab und will, was got, Christus, mensch und alle ding seyn". Ein Augsburger Nachdruck vom gleichen Jahr 1518 heißt sich *Theologia Teütsch.* Das ist der seitdem übliche Titel, falls man nicht vorzieht, vom FRANCKFORTER zu sprechen, weil eine Sammelhandschrift der Stadt- und Universitätsbibliothek in Frankfurt am Main, datiert auf 1497, das Büchlein mit den Worten einleitet: „Hier hebet an der franckforter und seit gar hohe und gar schone dink von einem volkomen leben". Sonst erfahren wir über den Verfasser bloß, daß er „eyn priester und ein custoß yn der deutschen hern hauß zu franckfurt" gewesen sei. Die Burg, die zur hessischen Ballei des Deutschritterordens zählte, lag jenseits der Mainbrücke, in Sachsenhausen.

Wie Merswin und Nikolaus von Löwen stand auch der Franckforter unter dem Einfluß Taulers. Im Frankfurter Codex und ähnlich in einem St. Gallener heißt es: „Das buchlein hat der almechtig ewig got usz gesprochen durch einen wisen, vorstanden, warhaftigen, gerechten menschen sinen frunt" bzw. „freuntt". Mindestens die Abschreiber gehörten demnach zum Kreis der Gottesfreunde. Es ist aber nicht unwahrscheinlich, daß schon der Deutschordenspriester an der Sachsenhäuser Mainbrücke, der sein Büchlein deutsch, also für Laien schrieb, zu Rulman Merswin und dem Johanniterpriester auf dem Rheinwörth bei Straßburg Beziehungen, sei es auch nur mittelbarer Art, unterhielt. Dem Schrifttum der Gottesfreunde in einem weiter gefaßten Sinn können wir die ‚Theologia Teütsch' wohl zurechnen. Sie erscheint dann als dessen hoch überragender Gipfel.

Im 54. Kapitel gibt der Franckforter eine Anleitung zur Kontemplation mit dem Ziel eines vollkommenen Lebens, wie es Jesus den Jüngern verheißen habe: wahre Ruhe, Frieden der Seele. „Wer im an Gott begnugen lat, der hat genung". Es ist die Sünde des Menschen, daß er „ich" und „mein" sagt, alles auf sich selbst statt auf Gott bezieht. Deshalb muß der Mensch eine *kehre* vollziehen, eine radikale Umkehr, und gleich Christus, mit ihm und in ihm von sich selbst lassen. Gelassen, selbst-los muß er sich in den Willen Gottes schicken. Und wenn Gott ihn seiner Unwürdigkeit wegen in die Hölle versetzen sollte, wird ein Christ, in dem Adam gestorben ist, auch die Verdammnis als Gottes Willen gläubig hinnehmen, ohne in seiner Liebe nachzulassen. Das ist wahre Gottesfreundschaft.

Der Franckforter greift Gedanken von Tauler, gelegentlich wohl auch von Meister Eckhart auf. Aber die Vorstellung der *amicitia Dei* ist ja sehr viel älter. Sie geht auf Joh. 15,15 und Jakobus 2,23 zurück und findet sich beispielsweise auch in den ‚Munimenti fidei' des Goten Witiza, der unter Ludwig dem Deutschen als Benedikt von Aniane die erste Klosterreform im Reich durchgeführt hat. Im Grunde gehört die ‚Theologia Teütsch' zu den Ausläufern jener Mönchs-Theologie, die über Jahrhunderte hin mit der vorscholastischen und scholastischen Theologie wetteiferte, bis diese dank Thomas von Aquino sich in der Kirche durchsetzte. Die Laienfrömmigkeit des 14. und 15. Jahrhunderts aber, von der Kirche unbefriedigt, knüpfte an die Mönchs-Theologie an. In deren Sinne heißt es in der ‚Theologia Teütsch': Was „ûswendig der sêle" bleibt, macht „nimmer sêlik". Alles kommt darauf an, daß „der mensch im erfûre, erlernete und erkenne, wer er wêre, wie und was sîn eigen leben wêre und ouch was got in im wêre und in im wurkete."

Es hieße, die Gottesfreunde, mit Einschluß des Franckforters, völlig verkennen, sähe man in ihnen mystische Pantheisten. Wiederholt distanziert sich der Franckforter aufs schärfste von der unkirchlichen und antikirchlichen, weil pantheistischen Mystik der sogenannten *Brüder und Schwestern des freien Geistes*. Diese „falschen frien geiste ... wollen nimant volgen und ligen ûf irem eigen sinne ... Si wollen eins ganges gein himel faren, das doch Kristus nicht tet" (13. Kapitel). Es handelt sich dabei um keine feste Organisation, aber vom 13. bis ins 16. Jahrhundert tauchten immer wieder einzelne mystisch-pantheistische Freigeister auf und scharten Jünger um sich. Weil die Kirche sie hart verfolgte, blieb diese Art Laienfrömmigkeit eine Untergrundbewegung, schwer faßbar für die Kirche und erst recht heute für den Historiker. Insgeheim scheinen die Freigeister großen Einfluß gehabt und sich da und dort auch unter die Gottesfreunde eingeschlichen zu haben. Literarhistorisch bedeutsam wird ihre Haltung erst mit Sebastian Franck, der 1534 sein Hauptwerk, die deutsch abgefaßten ‚Paradoxa‘, im Untertitel Teutsche Theologei nennt. Kurz vor seinem Tod paraphrasierte Franck auf lateinisch die ‚Theologia Teütsch‘ des Franckforters. Ein Decretum Sacrae Congregationis von 1612 verbot „libellum inscriptum Theologia Germanica quocumque idiomate . . . impressum.“ Die Censura hatte es als „libellum pestilentissimum“ bezeichnet. Noch erhellender ist wohl die Tatsache, daß die Begründer des Pietismus, Johann Arndt und Jakob Philipp Spener, sich der ‚Theologia Teütsch‘ erinnerten. Dem Gegensatz von scholastischer Theologie und Mönchstheologie entspricht innerhalb des Luthertums der Widerstreit zwischen orthodoxer und pietistischer Theologie: Was „ûswendig der sêle“ bleibt, macht „nimmer sêlik“. —

Die Bibliographie Georg Barings, die von 1516 bis 1961 reicht, führt 190 Ausgaben der ‚Theologia Teütsch‘ an; 124 sind in deutscher, 22 in englischer Sprache gedruckt, auch auf Russisch, Chinesisch und Japanisch erschien je eine. Als Motto zitiert Baring einen Satz aus Egon Friedells ‚Kulturgeschichte der Neuzeit‘: „Dieses kleine . . . Werk ist in der Tat ein solches, das jedermann . . . nicht bloß lesen, sondern sorgfältig studieren, innerlich nacherleben, am besten Wort für Wort auswendig lernen sollte, denn es ist eines der leuchtendsten Dokumente menschlicher Höhe und Tiefe, Größe und Demut.“

Wenn die Kirche — diese Überzeugung zog nach 1400 immer weitere Kreise — nicht gänzlich zerbrechen sollte, bedurfte sie dringend einer „Reform an Haupt und Gliedern“. War von 1309 bis 1377 Avignon die Papstresidenz gewesen, so gab es nun seit 1378 — dem Todesjahr Karls IV. — in Avignon wie in Rom einen Papst: das Schisma hatte begonnen. Einsichtige forderten deshalb, daß ein Konzil zusammentrete. Als „erste klare Manifestation der konziliaren Idee“ bezeichnet Hermann Heimpel den Dialog *De modis uniendi et reformandi ecclesiam, 1410*, den er DIETRICH VON NIEM (Nieheim) zuschreibt, einem Westfalen, der in der päpstlichen Kanzlei, teils in Avignon, teils in Rom, jahrzehntelang einflußreiche Posten innehatte[24]. An leidenschaftlicher lateinischer Beredsamkeit mit Matthäus von Krakau wetteifernd, ruft Dietrich von Niem die gesamte Christenheit, Lebende wie Tote, zum Kampf gegen die Spaltung der Kirche und die Korruption des Klerus; jedes Mittel soll recht sein, selbst Gewalt und Betrug.

Praktisch zählte Dietrich vor allem auf den deutschen König. Nach dem Tod Ruprechts von der Pfalz 1410 erlangte 1411 SIGMUND, Kaiser Karls jüngster Sohn, die Krone: aufs neue ein Luxemburger. Er war 1368, wohl gleich seinem Bruder Wenzel in der Burg über Nürnberg, von Karls dritter Gattin geboren wor-

König Sigmund
(Um 1430 gemalt; Wien, Kunsthistor. Museum)

den, einer hünenhaften pommerschen Fürstentochter, die Hufeisen zerbrechen und Panzerhemden zerreißen konnte. Das gab einen Herrscher, wie ihn das Volk sich vorstellte, anders als Wenzel und Ruprecht Clem, aber auch als Karl IV. selbst. Stattlich und schön, gewandt in allen ritterlichen Künsten, schlagfertig mit dem Wort und redebegabt, dazu ein Lebemann, der Frauen jeder Art zu schätzen wußte, machte er vor allem auf das Bürgertum großen Eindruck. Gerade weil er nicht, wie scheinbar Karl, von ihrer Art war, bewunderten sie ihn und hingen ihm an.

OSWALD VON WOLKENSTEIN, der es auch nach 1400 nicht lange auf seinen Felsennestern aushielt, zog jetzt statt als Knappe als Ritter durch die Welt, Ruhm, Abenteuer und klingenden Lohn zu suchen. Während einer Atempause spann sich ein halb spielerisches, halb ernstes Liebesverhältnis zu der achtzehnjährigen Frau eines Brixener Bürgers an, auf deren kapriziösen Wunsch Oswald um 1410 an einem Kreuzzug ins Heilige Land, besser gesagt, einer Wallfahrt oder schlichtweg einer Palästina-Reise teilnahm. Sie bedeutet eine Epoche, weil jetzt der Dichter in dem Dreiunddreißigjährigen sich selbst fand. Das Lied der Überfahrt beginnt:

> Var, heng und laß, halt in der maß
> bis das du vindst die rechten sträß
> . . . .
> In Suria (Syrien) stet mein gedanck . . .

Überraschend die 2. Strophe:
> Die brüff ze hant, ker in levant
> und nim ze hilf an allen tant
> der wint ponant mitten in den poppen.
> Des segels last zeuch an dem mast
> hoch auf den giphel, vach den gast,

timun halt vast und la das schiff nicht noppen.
Maistro provenz hilft dir vordan
mit gunst des kluegen elemente trumetan,
grego, der man, vor dem so muestu orzen.
Katza, potzu, karga behend
mit der mensur und nach des kimpas firmament,
dem magnet lent, levant la dich nicht forzen ...

Einige nautische Ausdrücke und fremdsprachliche Brocken werden greifbar, das übrige mutet wie Nonsense-Dichtung an. Wer sich aber die Mühe nicht verdrießen läßt und eine Findigkeit wie Norbert Mayr entwickelt, faßt selbst in dem Vers *Katza, potzu, karga behend* einen Sinn. Katza hat nichts mit Katze zu tun, sondern ist wohl der Imperativ des italienischen cazzare = anziehen, festziehen. Potzu entspricht im venezianischen Dialekt dem gemeinitalienischen bogga = Tau oder Seil. Karga muß wieder als Imperativ, und zwar zu caricare = etwas mit möglichster Kraft tun, verstanden werden. „Katza, potzu, karga behend" heißt demnach: zieh schnell das Tau so kräftig an als möglich. In ähnlicher Weise entschlüsselt Mayr auch andere Verse. Wolkenstein sucht, nachdem er in der ersten Strophe Abschied genommen hat, in der zweiten das Geschrei einzufangen, das ihn auf dem venezianischen Wallfahrerschiff umschwirrte. Das Lied war wohl zuerst für die Fahrtgenossen bestimmt, die darin mit Vergnügen ihre eigenen Eindrücke wiederfanden, dann aber auch für Männer, die sonst einmal eine Seefahrt mitgemacht hatten, sich nun daran erinnert fühlten und den Stubenhockern auseinandersetzten, wie es auf See zugeht. Ohne jedes Vorwissen kann man mit dem Lied nichts anfangen, aber alles braucht man nicht zu verstehen. Oft bildet der Dichter nur um des Tones willen neue Worte. Auch den Schiffspassagieren waren die nautischen Fachausdrücke der Italiener und ihre Kommandos, für die Matrosen aus

Oswald von Wolkenstein
(Aus Oswalds Liederhandschrift 1432; Innsbruck
Universitätsbibliothek)

59

Deutschland mit deutschen Worten vermengt, schlechterdings unverständlich. Dieses Kauderwelsch gehörte zu einer Fahrt übers Mittelmeer. Deren Sprachatmosphäre suchte Wolkenstein in einem dichterischen Klanggebilde wiederzugeben. Obwohl die Worte gewiß nicht anmutig und würdig, sondern rauh und für den Fremden fast komisch anzuhören waren, wirkten sie auf Wolkenstein in mutatis mutandis ähnlicher Weise wie Ciceros Perioden auf den jungen Petrarca und kirchliche Hymnen, wenn er die Ratio ausschaltete, auf Rossess; d. h. in all diesen Fällen ist Sprache nicht so sehr Sinnzeichen oder, wie bei Mügeln, sinnverschlüsselndes Ornament, als vielmehr Lautgebärde, die innere Bewegung rhythmisch und melodisch, kaum aber logisch artikuliert. Wolkenstein hebt den Klangkörper durch mehrstimmigen Gesang mit Instrumentalbegleitung noch besonders hervor, was schon der Mönch von Salzburg so gehalten hatte.

Weit hübscher als *Die Seefahrt* ist Wolkenstein später ein Mailied geglückt, *Das Vogelkonzert*, in dessen Klängen und Rhythmen er die Stimmen von Kuckuck und Nachtigall, Lerche, Rabe und anderen Vögeln aufs köstlichste nachahmt. Er kannte natürlich das südfranzösische Virelais. —

Wolkenstein mochte sich darüber mokieren, daß mancher zu Reichtum gekommene Bürger nun mit ritterlichen Allüren auftrat. So hatte der Bozener Patrizier NIKOLAUS VINTLER die verfallene Ritterburg Runkelstein am Eingang ins Sarntal gekauft, um sie für sich restaurieren zu lassen. Kurz nach 1400 entstanden hier die berühmten Fresken mit Szenen aus den Ritterepen um Iwein, Parzival, Tristan und Isolde[25]. Ein Neffe dieses ersten Romantikers der Ritterzeit, HANS VINTLER, scheint realistischer in die Welt geschaut zu haben. Er war Pfleger des herzoglichen Gerichts auf dem Ritten — damals schon der Sommerfrischenberg der reichen Bozener — und kritisierte von dort seine Zeit in einem riesigen Lehrgedicht *Die pluomen der tugent*, abgeschlossen 1411[26]. Das Werk hieße besser Die pluomen des lasters oder Die Blumen des Bösen, so düster malt Hans Vintler in zehntausend schwerfälligen Vierhebern die Gegenwart. Statt Liebe blüht Leid, statt Friede Zorn, statt Milde Geiz usw. Vintler hält sich bei seinem Tugend- und Lasterkatalog an ein italienisches Vorbild aus dem 14. Jahrhundert, wo er davon abweicht, klagt er seine bürgerlichen Standesgenossen am härtesten an, vor allem der Prahlsucht, der Prachtsucht und Putzsucht, kaufen sie doch nun sogar Burgen. Seine Lehre zielt statt auf ritterliche mâze auf bürgerliche mäßigkeit: „das man hat in allen sachen mitterung / zwischen ze wenig und ze vil / wan übermâz wüstet alle spil" — ein ferner Nachklang der Nikomachischen Ethik des Aristoteles. Dem stoischen Menschenideal folgend rät Vintler, an nichts zu sehr Anteil zu nehmen. Johann von Tepl war da anderer Meinung.

Vintler führt unter den Tugenden auch die Weisheit, unter den Lastern die Torheit auf. Ende des Jahrhunderts wird Sebastian Brant im ‚Narrenschiff' Tugend mit Weisheit, Laster mit Torheit identifizieren; Sünder sind Narren. Daß über das Jahrhundert hinweg ein Zusammenhang zwischen Vintler und Brant besteht, zeigt ein Augsburger Druck der Vintlerschen ‚Pluomen der tugent' von 1486, der erstmals ein Bild des Narren mit Eselsohrenkappe, Schellengewand und Narrenkolben bringt, wie es der Verfasser des ‚Narrenschiffs‘ und seine Illustratoren vor Augen haben[27].

Ganz neu ist die Gleichung Tugend = Weisheit, Laster = Torheit gewiß nicht. Als Beispiel aus dem 14. Jahrhundert kann ein lateinisches ‚Speculum sapientiae‘ dienen, das zu Anfang des 15. Jahrhunderts in Pottenstein am Rande des Wiener-walds durch den dortigen Pfarrherrn in deutsche Prosa übertragen wurde. ULRICH VON POTTENSTEIN, der mancherlei schrieb, hatte bei seinem *Spiegel der Weisheit*[28] das Glück, unter den ersten zu sein: außer Ulrich Boners *Edelstein* (ca. 1345) gab es bislang keine Fabelsammlung auf Deutsch. Dem rhetorischen Stil seiner Vorlage suchte er gerecht zu werden, indem er Synonyma paarte oder häufte, Epitheta reihte, auch von lateinischen Partizipial- und Ablativkonstruktionen Gebrauch machte etc. Um etwas vom *cursus* des Latein spüren zu lassen, gab er seinen Sätzen einen rhythmischen Ablauf, der selbst im Innern regelmäßig zwischen Hebung und Senkung wechselt. An der Donau wie am Niederrhein — Heinrich von Kalkar — treffen wir das Bemühen, mit rhetorischen Mitteln eine deutsche Kunstprosa zu schaffen. In Böhmen ist man unter italienischem Einfluß am weitesten fortgeschritten. Vorherrschend freilich blieb die Versform.

Hatte der ältere Vintler durch Fresken, mit denen er seine Burg Runkelstein ausschmücken ließ, jene Zeit sich zurückrufen wollen, da die Wartburg strahlender Mittelpunkt der höfischen Ritterkultur und Ritterdichtung gewesen war, so gingen die Rittersöhne der Wartburg jetzt nach Eisenach hinunter in die Schule des JOHANNES VON CROZCEBORG, ROTHE genannt. Priester und zugleich Ratsschreiber in Eisenach, geschäftsfreudig und geschäftstüchtig wie nur irgendein Straßburger oder Bozener Kaufmann, war Rothe schließlich Chorherr an St. Marien geworden, wo er bis zu seinem Tod 1434 die Stiftsschule leitete. Unter seinen Schriften befinden sich neben der *Thüringer Chronik*, die Novalis für ‚Heinrich von Ofterdingen‘ auswertete, eine *Vita der Heiligen Elisabeth* und ein *Lob der Keuschheit*, beide gereimt, sowie ein Lehrgedicht in rund viertausend ebenfalls kreuzweis gereimten Versen, das man als *Ritterspiegel* bezeichnet[29]. Es dürfte um *1415/16* aus Rothes Lehrtätigkeit hervorgegangen sein und sich in erster Linie an die Söhne des Adels aus Eisenach und Umgebung richten. Von *minne* und *êre* ist diesen Rittersöhnen gegenüber bei Rothe nicht mehr die Rede, die alten Werte *zuht* und *triuwe*, *mâze* und *staete* gelten bloß noch als Anstandsregeln. Man muß um des Nutzens willen sie befolgen. Der Eisenacher Schulmeister von 1400 erinnert an den Zittauer Schulmeister Christian Weise von 1700 und an dessen Ideal des „politischen" Menschen, d. h. des Menschen, der in der Gesellschaft vorankommen will. Um zu gefallen, bedarf er des Anstands im Benehmen und einer gewissen moralischen Anständigkeit. Er dient sich selbst, indem er der Gesellschaft dient. Bei Rothe heißt das *der gemeine nutz*. Auf praktischer Lebenstüchtigkeit liegt der Nachdruck. So wendet sich Rothe gegen die Fehdesucht des Adels und gegen das Raubrittertum und empfiehlt den angehenden Rittern, um nicht wirtschaftlich und sittlich

Initiale der Handschrift von Wittenwilers ‚Ring'
(Meiningen, Bibliothek)

zu verkommen, Pferde- und Viehzucht und Handel zu treiben. Am Fuß der Wartburg werden die Ritter jetzt in der Schule zu bürgerlichem Arbeitsethos erzogen.

Die Bürger selbst zu erziehen, war der Vorsatz jenes HAYNRICH WITTENWYLÄR, der uns das Monstrum, halb Lehrgedicht, halb Verserzählung von epischem Ausmaß, *Der Ring*, hinterlassen hat. Für eine Datierung fehlen feste Anhaltspunkte; terminus ad quem dürfte *1418* sein. Ebenso sind wir für die Person des Verfassers auf Mutmaßungen angewiesen. Der zweifellos beste Kenner des ‚Ring', Edmund Wießner, schreibt diesen einem Wittenwiler in Lichtensteig in der Schweizer Grafschaft Toggenburg zu. Dagegen plädiert neuerlich die Mehrzahl der Forscher für einen Magister Heinrich von Wittenwil, der 1387 eine Urkunde in Konstanz unterzeichnete und 1395 in einer anderen als notarius publicus und advocatus Curiae Constantiensis erscheint[30]. Es gibt genug Möglichkeiten, sich auch bei ihm die Dialekt- und Lokalkenntnisse zu erklären.

Der Ring-Dichter hätte dann demselben Berufsstand angehört wie der Ackermann-Dichter und die Träger der *civiltà* in den ober- und mittelitalienischen Städten und hätte sein Werk in Konstanz etwa zur Zeit des Konzils abgefaßt. Weiteren Kreisen scheint ‚Der Ring' nicht bekannt geworden zu sein, bis Ludwig Bechstein die offenbar einzige Handschrift in Meiningen entdeckte und 1851 in der Bibliothek des Litterarischen Vereins in Stuttgart zum Druck brachte[31]. Die Keimzelle der Dichtung bildete ein 670 Zeilen zählender Schwank nach der Art Neidharts von Reuental. Daraus entwickelte Wittenwiler ein Epos von nahezu 10 000 Versen. Es gliedert sich in drei Teile, die in der Handschrift durch besondere Initialen voneinander abgesetzt werden. Der erste Teil soll von der *hübschichait* oder Höfischkeit, der zweite von der *manneszuht*, der dritte von der *frümchait* handeln. Quer durch diese Dreiteilung geht eine Zweiteilung zwischen Unterhaltung, *törpel-*

leben, und *ernst,* d. h. Lehre; die Handschrift markiert sie, wenn auch nicht ganz konsequent, durch den Wechsel zwischen grünem und rotem Strich am Rande. Die lehrhaften Partien sind Personen der unterhaltenden Erzählung in den Mund gelegt. Ohne letztere, entschuldigt sich der Verfasser, fände die Lehre keine Leser. Wir wollen ihm das gerne glauben, obwohl wir die Überzeugung haben, daß Wittenwiler der geborene Erzähler ist. Eine überquellende Erfindungsgabe verbindet er mit ungewöhnlichem Sprach- und Reimtalent.

Im Gegensatz zu Wittenwiler als Epiker hält sich der Didaktiker sprachlich wie sachlich im Rahmen des damals Üblichen. Wenn der *ernst* darauf abzielt, wie sich der Mensch *gen der welt* zu verhalten habe (V 23), so meint Wittenwiler nicht praktische Laienfrömmigkeit, Dienst am Nächsten, sondern praktische Bürgertugend, Lebenstüchtigkeit. Der äußere Anstand spielt dabei, wie sich schon bei Rothe zeigte, eine gewichtige Rolle. Auch die *weishait* als *ertzetugent* rückt unter den bürgerlichen Gesichts-

punkt, so daß Tugend und Weisheit, Sünde und Narrheit fast Synonyma werden; das gleiche bahnte sich bei dem Pottensteiner und bei Vintler an.

Um seine Lehre unterhaltsam zu machen und anschaulich zu demonstrieren, was die Worte Tugend, Weisheit, Lebenstüchtigkeit und Anstand bedeuten, wählte Wittenwiler das bewährte Mittel des Gegenbildes. Die Ritterkultur hatte das Bauernleben zum Gegenbild gehabt, das kann der Konstanzer Notar übernehmen und auch die bürgerliche Kultur, die *civilitas,* im törper- und geburenwesen — *rusticitas* — widerspiegeln. Erst das Bürgertum des 18. Jahrhunderts, der zweiten Bürgerzeit, wird seine eigenen Werte nicht mehr bloß einerseits dozieren, andererseits am Negativ illustrieren; sofern es aber zur Konfrontierung eines Negativs bedarf, wird statt des Bauern der Adlige dafür her-

Federzeichnung in der Handschrift von
Wittenwilers ‚Ring‘

63

halten müssen, der sich inzwischen aus einem Ritter in einen Hofmann des absoluten Fürsten verwandelt hat. Nicht mehr von dem Stand unter ihm, sondern
vom höheren Stand hebt sich dann das Bürgertum ab.

Macht jedoch nicht bereits Wittenwiler auch von dieser zweiten Möglichkeit
der Grundierung Gebrauch? Als Erzähler beginnt er mit einem Bauernturnier, bei
dem die Bauern auf Ackergäulen und Eseln sitzen, als Helme Körbe über die Köpfe
gestülpt, als Speere Ofenrohre schwingend. Das Turnier gehört zur Werbung des
Lappenhausener Bauerntölpels Bertschi Triefnas um das geile Mätzli Rüren-
zumpf. „Vor Adel war sie lahm und krumm . . . Und wie ein Mausschwanz
war ihr Zopf. An ihrer Kehle hing ein Kropf, herunterbaumelnd über'n Bauch.
Der Buckel wölbt' sich gleich der Glocke . . . Die Augen strahlten herrlich nebelig,
der Atem schmeckte köstlich schwefelig . . ." usw. Alles wird aufgeboten, um in
Umkehrung des ritterlichen Schönheitsideals die angesungene „Dame" als Aus-
bund von Häßlichkeit und Widerlichkeit erscheinen zu lassen.

Besonders im ersten Teil des Buches, der *von der hübschichait* handelt, macht
sich Wittenwiler über die Bauern lustig, weil sie Ritter nachäffen. Damit aber
verspottet er zugleich die ritterlichen Formen. Indem er das Bauerntum travestiert,
parodiert er das Rittertum. Der lachende Dritte ist das Bürgertum.

Daß man selbst in der Schlacht ritterliche Spielregeln einhielt, wie es um die
Zeit, als ,Der Ring' entstand, der Deutschorden 1410 bei Tannenberg praktizierte,
kann ein Bürger niemals begreifen. Statt aus der Verstörung und Verwirrung, die
ein nächtliches Unwetter beim Gegner hervorgerufen hatte, Nutzen zu ziehen, ließ
der Hochmeister den Polen und Litauern erst in aller Form durch zwei Herolde mit
bloßen Schwertern den Kampf ansagen und gab ihnen so die Frist, sich wieder
zu fassen und zu ordnen. Diese Ritterlichkeit des Ulrich von Jungingen brachte
dem Orden die vernichtende Niederlage ein.

Im Kernstück des ,Ring', dem zweiten Teil, *von der manneszuht*, wird
Bertschis Hochzeit mit Mätzli als eine zucht- und schamlose Fresserei, Sauferei,
Tanzerei geschildert. Großartig weiß der Dichter den wilden Tanz im Trubel der
Worte zu vergegenwärtigen. Der Rausch, der die Tänzer packt, reißt ihn selbst
und seine Leser mit. Fischart hat Wittenwiler hier kaum übertroffen. Dann entwickelt sich im dritten Teil des ,Ring' aus dem Fest eine Rauferei und schließlich
ein grotesker Krieg, an dem Russen und Türken, Zwerge, Riesen, Hexen und
Recken der Heldensage teilnehmen. *Von der frümchait* handelt dieser Teil,
sofern Bertschi Triefnas, der sich während der Schlacht in einem Heuhaufen versteckt hielt, am Ende in den Schwarzwald wandert, um dort, wie später Simpli-
cissimus, als Einsiedler das Ewige Leben zu erwerben.

Das well uns auch der selbig geben
der wasser aus dem stain beschert
hat und auch ze wein bekert! Amen.

Das Werk heißt ‚Der Ring‘:

> Wan es ze ring umb uns beschait
> der welte lauff und lert auch wol,
> was man tuon und lassen schol.

So geht es rund, das ist der Welt Lauf, meint der Titel. So lebt man, und wie anders sollte man leben! Wittenwiler beschränkt sich nicht auf die Ständesatire:

> Er ist ein gpaur in meinem muot,
> der unrecht lept und läppisch tuot.

Der Bauer repräsentiert den triebhaften, von blinden Affekten bestimmten und deshalb läppischen Menschen jedweden Standes. Die Bauernsatire schließt eine Rittersatire in sich und zielt darüber hinaus auf eine allgemeine Narrensatire.

An verschiedenen Stellen scheint der Dichter weniger wirkliche Bauern, die zeitweilig Ritter mimen, als Fastnachtsnarren vor Augen zu haben. So erklärt sich wohl auch die Aufdringlichkeit des sexuellen Moments. Uralte heidnische Fruchtbarkeitsriten, die von der Kirche verdammt worden waren, leben in den Fastnachtsbräuchen weiter und wirken, durch sie vermittelt, verwandelt, fast bis zur Unkenntlichkeit entstellt, auf das Treiben der Bauern-Narren im ‚Ring‘.

Obwohl sie Wittenwiler als blöd, unflätig, viehisch verhöhnt, hat er offenkundig Lust am Schildern ihres lauten, wüsten Treibens, an ihrer dampfenden, stinkenden, läppischen Lebenskraft. Er genießt die Wonnen der Gewöhnlichkeit mit, ohne freilich seine Distanz völlig aufzugeben. Überlegene Verachtung für die über alle Stränge schlagende Vitalität der „anderen“ und fast neidische Bewunderung mischen sich. Das ist bürgerliche Fastnachtsstimmung.

Gelegentlich rüttelt der Dichter voll Übermut an den Pfeilern seines Gebäudes und verrät die bloße Fiktion. Als man den Dorfschreiber um seinen Rat fragt, ob Bertschi und Mätzli sich heiraten sollen, erklärt er:

> ir habt gereimet und geticht,
> chluogeu sach wil reimens nicht;
> wer mag ein disputieren
> mit gmessner red florieren?

In der Tat spricht der Schreiber dann Prosa (3520 ff.). Damit tritt diese Figur aus der Vers- und Reimdichtung heraus und nimmt ihr gegenüber Stellung. Die Illusion wird zerstört und die Geschlossenheit des Kunstwerks, ähnlich wie bei den acht Plastiken im Straßburger Münsterturm, aufgebrochen. Durch eine Bresche können Figuren des Werkes scheinbar aus ihm heraustreten, oder kann umgekehrt der Betrachter scheinbar hineingenommen werden. Ob man sagt, der Schreiber betrachte das Werk von außen, oder der Betrachter tauche als Schreiber im Werk auf, macht keinen Unterschied. Nur ergibt sich beim ‚Ring' nicht mehr als ein komischer Effekt.

Von gleicher Art wie die Glosse des Schreibers ist die Bemerkung einer anderen Person, sie könnte von der Armut noch eine Menge erzählen, aber dann würde das Buch zu dick werden (3484). Und mitten in der Schlachtschilderung von anno dazumal erwähnt der Dichter einen Mann, der offenbar sein eigener Zeitgenosse, ein persönlicher Freund oder Feind war: auch Herr Büggel von Ellerpach hätte mitgekämpft, wenn er schon gelebt hätte (8031). In solchen, freilich seltenen Einschlägen „romantischer Ironie" zeigt sich auch bei Wittenwiler jene Umstrukturierung des Kunstwerks, die anläßlich des Bühelers zur Sprache kam.

Charakteristischer für den ‚Ring' ist die erwähnte Faszination wider Willen, das Ineins von Ekel und Lust an der ungehemmten Vitalität und den starken Affekten. Die Orgie des tobenden Hochzeitstanzes bringt diese Stimmung am stärksten zum Ausdruck. Hier sammelt sich — mitgerissen und mitreißend — Wittenwilers ganze dichterische Kraft. Und wenn die Hypothesen stimmen, klang, während er schrieb, von der Straße der Volksfesttrubel herauf, der in Konstanz am Rande des Konzils entstanden war.

Neuerlich bekämpften einander nicht mehr bloß zwei, sondern drei Päpste. JOHANN XXIII. stellte sich in den Schutz KÖNIG SIGMUNDS, der ihn veranlaßte, auf *November 1414* ein Konzil nach Konstanz einzuberufen. Erst im *April 1418* wurde es beendet. Den äußeren Verlauf des Konzils hat ein Konstanzer Kollege Wittenwilers, der bischöfliche Notar ULRICH VON RICHENTHAL in seiner deutsch abgefaßten, tagebuchartigen *Chronik* geschildert[32]. Stärker auf die kirchenpolitischen Fragen ging des DIETRICH VON NIEM *Historia de vita Iohannis XXIII. pont.* ein. Dietrich, den wir schon als Verfasser des Dialogs ‚De modis uniendi et reformandi ecclesiae' kennenlernten, hat König Sigmund in die Rolle des advocatus ecclesiae gedrängt. Daß schließlich das Konstanzer Konzil zustande kam, geht guten Teils auf sein Konto. 1417 widmete dann ein Augustiner aus Osnabrück, DIETRICH VRYE, dem König die in Konstanz nach dem Vorbild von Boethius' ‚De consolatione philosophiae' abgefaßte Schrift *De consolatione ecclesiae*; Christus und die Kirche halten als Bräutigam und Braut Zwiesprache über die Nöte der Zeit.

Fast über Nacht ist die kleine Reichsstadt am Bodensee zur Metropole der abendländischen Kirche und, solange der König sich hier aufhält, auch zur Metropole des Reichs geworden. Bei kaum 10 000 Einwohnern hatte sie weit mehr als 20 000 Fremde unterzubringen und zu verköstigen. Allein die Universität Paris wurde durch 200 Doktoren vertreten, die JOHANNES GERSON anführte. Dessen ‚Opusculum tripartitum' hat in Konstanz, wie man mutmaßt, einem „vielleicht deutschen" Dominikaner als Grundlage für seine bald weit verbreitete *Ars moriendi* gedient[33]. Aber zunächst war die ars vivendi Trumpf. Mehr als 700 Dirnen wurden registriert, Händler, Handwerker und Wechsler schlugen ihre Buden auf, und Fahrendes Volk jeder Art schnappte nach den Brosamen, die von der Herren Tische fielen. Wer nicht bis zu Papst Johann oder König Sigmund vordrang, erwischte noch allemal einen der 300 Kardinäle, Bischöfe, Äbte, einen Herzog oder Grafen oder sonstwen aus dem Schwarm von Klerikern und Laien der verschiedensten Ränge. Mindestens konnte er später damit angeben, daß er zugegen war, wie JOHANNES HUS und HIERONYMUS VON PRAG auf dem Scheiterhaufen brannten, wie FRIEDRICH VON ZOLLERN mit der Mark Brandenburg belehnt wurde, oder wie die Herolde vor dem Kaufhaus an der Konstanzer Lände einen Colonna als MARTIN V. zum neuen Papst ausriefen.

Hinter geschlossenen Türen verhandelte man über die Anklagen, die ein rabiater Dominikaner gegen die Brüder vom gemeinsamen Leben erhoben hatte. Er ging so weit zu behaupten, der Verzicht auf weltlichen Besitz komme bei jedem, der nicht Mönch sei, dem Selbstmord gleich. Die Sache der Brüder führte u. a. HEINRICH VON AHAUS, den Johannes Gerson unterstützte. Nach Beendigung des Konzils wurde in Rom die Anklage endgültig abgewiesen, sogar als ketzerisch verdammt; die Brüder und Schwestern vom gemeinsamen Leben erhielten 1431 ihre offizielle Anerkennung durch den Papst[34].

Auch den Fahrenden Sangesmeister MUSKATBLÜT zog es 1415 nach der Konzilstadt[35]. Er stammte aus der Gegend von Bamberg, wo er um 1385 geboren sein dürfte. Marienlieder, Minnelieder, didaktische und politische Sprüche und Gedichte vortragend, begegnet er bald in Frankfurt, bald in Nürnberg, in Mainz und nun in Konstanz. „Item 1 guldlin dem Muskatblüt", das ist in einem Geschenkverzeichnis der Stadt Nürnberg die früheste urkundliche Erwähnung. Wie Heinrich von Mügeln und die meisten der Fahrenden Sangesmeister pochte Muskatblüt gegenüber den *dommen laien* auf sein Gelehrtenwissen. Er kennt aber auch den Lauf der Welt und will die Welt bessern, denn *alle dinge sind worden schlecht*. Schuld trägt besonders die ständig wachsende Macht des Geldes. Muskatblüt apostrophiert den *pennyg*:

> sich wer dich nit gehaben kan
> den siet man smelichen an
> wo er steit bi den richen!
> Wer pennyge hat der hat nu ere,
> were er dan ye gewesen
> ein reubere und ein wucherere.

Im Gegensatz zu Johannes Rothe in Eisenach mahnt Muskatblüt den Adel, an den alten Werten festzuhalten oder zu ihnen zurückzukehren.

Er muß aber an die Häuserwand sich drücken, wenn plötzlich ein Reitertrupp übers Pflaster klirrt, an der Spitze GRAF HUGO MONTFORT-BREGENZ, „der letzte Minnesänger". Als Wappen trägt er auf seinem Schild in Silber eingelegt die rote dreilappige Lehens- und Blutfahne der Tübinger Pfalzgrafen, von denen sein Geschlecht abzweigte.

Die zahllosen Tanzböden, Badestuben und Weinschänken in Konstanz und in weitem Radius um Konstanz herum waren dem Grafen widerlich. Oswald von Wolkenstein, der zu den Zaungästen des Konzils gehörte, fühlte sich dort in seinem Element. Der Ausspruch „Denk ich an den Bodensee, tut mir schon der Beutel weh" ist nicht erst von heute, sondern stammt aus einem der Lieder Wolkensteins: *Do ich gedacht an Podensee, / Ze stund tet mir der peutel we.* Obwohl er nun schon bald das Schwabenalter erreichte, besaß Ritter Oswald Vitalität und Temperament genug, um die ritterlichen Lebensformen wie die ritterlichen Liedformen immer wieder zu sprengen, die „Welt" in sich, sich in der „Welt" zu erfahren und erfahrbar zu machen.

König Sigmund, etwa zehn Jahre älter als Wolkenstein, hatte Gefallen an dem Tiroler und übernahm ihn Anfang 1415 in seine Dienste. Der Bildung nach stand der Sohn Karls IV. den italienischen Humanisten näher. Sigmund war aufs sorgfältigste erzogen worden und beherrschte angeblich sieben Sprachen. Trotzdem hörte er wohl mit Verwunderung von den Leseabenden, die in Konstanz stattfanden und hauptsächlich von Engländern besucht wurden: ein italienischer Bischof, Giovanni Bertoldi da Serravalle, übertrug hier das Werk eines gewissen Dante, eine *Divina Commedia*, in lateinische Hexameter, um es dann des langen und breiten — ein volles Jahr hindurch — zu erläutern.

Was hatte man Sigmund in Prag nicht alles von Cola di Rienzo und Petrarca erzählt! Nun lernte er im Gefolge des Papstes außer Dietrich von Niem auch Männer wie Leonardo Bruni, Pier Paolo Vergerio und Gian Francesco Poggio Bracciolini kennen. Die beiden ersteren hatten einst in Florenz im Kreis um Salutati zu den eifrigsten und bedeutendsten Schülern des Manuel Chrysoloras gehört, der jetzt ebenfalls in Konstanz weilte, aber schon am 15. April 1415 starb. Wenige Tage zuvor, am 6. April 1415, war das Dekret ‚Sacrosancta' ergangen, die Suprematie des Konzils, auch dem Papst gegenüber, zu deklarieren. Man hat dieses Dekret von Konstanz mit starker Übertreibung als „das wohl revolutionärste offizielle Dokument der Weltgeschichte" bezeichnet[36]. Chrysoloras, der längst zur Kirche Roms konvertiert war, wurde in einer Kapelle des Dominikanerklosters beigesetzt. Das Kloster hat sich zum komfortablen Insel-Hotel verwandelt — für die Gäste des Konzils etwas zu spät —, aber noch heute findet sich dort die von Vergerio abgefaßte Grabschrift. Ihr ist wohl zu entnehmen, daß nach der Flucht Johannes' XXIII. im März 1415 eine Papstkandidatur des Griechen in Frage stand. Schließlich war auch Johanns Vorgänger Petros Philargi, der als Alexander V. ein paar Monate lang die Tiara trug, ein Grieche gewesen. Derselbe Gedanke, einen byzantinischen Humanisten zum Haupt der römischen Kirche zu machen, tauchte nach der Eroberung Konstantinopels wieder auf, und es fehlte wenig, daß die Wahl im Konklave für Bessarion aus Trapezunt statt für Enea Silvio Piccolomini entschieden hätte.

Vergerio erhielt 1415 fast gleichzeitig mit Wolkenstein eine Anstellung am Hof König Sigmunds. Ihn empfahl vor allem sein *De ingenuis moribus et liberali-*

bus studiis adolescentiae liber, geschrieben zwischen 1400 und 1402 als Erziehungs-
programm für einen Knaben aus der Familie Carrara, der Stadtherren Paduas[37].
Dieser Traktat ist neben Leonardo Brunis, des anderen Chrysoloras-Schülers, oben
zitiertem Brief an einen jungen Strozzi das erste pädagogische Manifest aus dem
Geiste der Florentiner studia liberalia oder studia humanitatis. Die *vita liberalis*
rühmend, legen die Florentiner und so auch Vergerio mehr Nachdruck auf die
vita activa als die *vita contemplativa*. Wer sich nur den Wissenschaften hingebe,
könne darin sein Glück finden, aber der Stadt und dem Staat nütze er wenig. Nicht
als ob der *homo civilis* die Literatur mißachten dürfte, sie bewahrt seinen Geist vor
Abstumpfung, stärkt das Gedächtnis — *memoria* ist fast wichtiger als *acumen
ingenii* — und stimuliert vor allem das Verlangen nach *virtus* und *gloria* durch
imagines.

Auch über den Kreis hinaus, der an der sanctitas sanguinis, der Heiligkeit
adligen Geblüts, teilhat, soll nicht Wissen, sondern Bildung von Charakter und
Benehmen das Erziehungsziel sein. Insofern ist Vergerios Traktat ein humanistisches Gegenstück zur bürgerlichen Moraldidaxe in Wittenwilers ‚Ring'. Er propagiert einen neuen Gesellschaftsstil: *ingenui mores*, edle Sitten, gute Umgangs-
formen, machen den Eindruck von *gravitas*, Würde, und *facilitas*, Anmut, ohne
nach der einen oder anderen Richtung zu übertreiben; sie erwecken infolgedessen
Bewunderung, *admiratio*, und Gefallen, *iucunditas*. Die Maßstäbe dieses new way
of life entsprechen den rhetorischen Stilbegriffen. Klar und eindeutig zieht damit
Vergerio die Linie aus, die von der Neuen Redekunst als ars movendi über die
Idee der studia humanitatis zu einer Neuen Lebenskunst, dem humanistischen
Lebensstil führt.

‚De ingenuis moribus ... liber' hat Castigliones ‚Libro del Cortegiano' den
Weg bereitet, wurde aber auch selbst noch gedruckt und als Buch bis ins 17. Jahrhundert wiederholt aufgelegt.

Da ebenso Vergerio wie Wolkenstein in Konstanz zum Gefolge des Königs
zählten, müssen die beiden sich kennengelernt haben. Daß sie etwas miteinander
anzufangen wußten, ist höchst zweifelhaft. König Sigmund scheint in der Tat
den neuen Lebensstil angestrebt zu haben. Wo es ihm darum zu tun war, erweckte er, anders als der Vater, den Eindruck von Anmut und Würde. Thomas
Wolf rühmt noch 1508, lange nach Sigmunds Tod, in einem Psalmenkommentar
ihm nach, er habe gleich Moses vita activa und vita contemplativa ins rechte Verhältnis gebracht. Offenbar galt Sigmund später, zu Recht oder Unrecht, als Musterbeispiel für die Lehren Vergerios; Wolf waren sie durch Jakob Wimpheling vermittelt worden. Vita activa und vita contemplativa sind Termini geistlicher Herkunft und setzen ursprünglich Weltleben und mönchisches Leben von einander
ab. Obwohl Vergerio den solitarius Petrarcas nicht mehr für voll nimmt, bleibt in
seinem Ideal das „andere Mittelalter" aufgehoben.

WOLKENSTEIN hielt weder auf Anmut noch auf Würde und forderte nicht selten
durch rauhbeiniges Auftreten den Spott der Höflinge heraus. Wenn der einäugige

Tiroler gar zu singen anfing, dürfte Vergerio ähnlich empfunden haben wie Leonardo Bruni, den auf seinem Weg nach Konstanz das ohrenbetäubende Jodeln der Tiroler erschreckte.

Johann XXIII. wurde Ende Mai 1415 vom Konzil für abgesetzt erklärt und sogar aus der Liste der Päpste gestrichen. Erst mehr als 500 Jahre später wagte ein großer Papst, den verfemten Namen wieder aufzunehmen, um sich mit dieser symbolischen Geste zur konziliaren Idee zu bekennen. Die Sekretäre des abgesetzten Papstes nutzten ihre unfreiwillige Muße, indem sie die Umgegend von Konstanz nach Handschriften antiker Autoren durchstöberten. Das größte Finderglück bewies POGGIO BRACCIOLINI. Er entdeckte in St. Gallen, wo nur mehr der Fürstabt, Freiherr Heinrich von Gundelfingen, zusammen mit dem Propst den Konvent bildete, u. a. das erste vollständige Exemplar von QUINTILIANS *Institutio oratoria*[38]. Damit trat für den Humanismus neben die Rhetorik Ciceros gleich gewichtig die Quintilians, die noch weit stärker das affektive Moment betont und so vollends die ars rhetorica zur ars movendi machte.

Als Poggio einen Ausflug nach Baden in der Schweiz unternahm, wußte er sich vor Staunen kaum zu fassen. Die Italiener hatten sich das Leben bei den Barbaren ganz anders vorgestellt. Daß in Konstanz während des Konzils internationale Verhältnisse herrschten, war nicht weiter überraschend. Aber nun schien es Poggio, wie er Niccolo Niccoli am 18. Mai 1416 schreibt[39], als ob Venus aus Cypern nach Deutschland übergesiedelt sei. „Mit solcher Hingabe halten die Leute hier die Bräuche der Venus und verkörpern von Kopf bis Fuß deren Laszivität. Da sie bestimmt nichts über die Ausschweifungen Eliogabals gelesen haben, muß man annehmen, sie seien von der Natur selbst belehrt und von ihr auch hinreichend ausgestattet worden ... Männer und Frauen baden gemeinsam, nur durch Holzwände voneinander getrennt, durch deren zahlreiche Luken man sich zutrinken, sich unterhalten und anfassen kann, was auch häufig geschieht." Im Bad wird oft getafelt, wobei der gedeckte Tisch auf dem Wasser schwimmt. Man wirft sich Münzen und bunte Blumensträuße zu, Flötenblasen und Zitherspielen, Singen und Lärmen erfüllt die Luft. Hinter dem Ort liegt eine große Waldwiese. Die nicht baden, tanzen hier, singen oder machen Spiele mit schellenverzierten Bällen. Auch „Nonnen oder, zutreffender gesagt, Lebedamen aus den Klöstern" kann man begegnen, ebenso Äbten, Mönchen und Weltgeistlichen, die sich das Haupt bekränzen, mit den Weibern zusammen baden und „die ganze Religion dabei vergessen". „Für mich ist dieser Platz wie der Ort, an dem der erste Mensch erschaffen wurde, der Garten der Lüste — *voluptates* —, den die Juden Eden nennen. Denn macht die Lust wirklich das Leben glücklich, so weiß ich nicht, wo dies besser geschehen könnte als hier, wo nichts zu einer vollkommenen, alles umfassenden Lust fehlt."

Hätten Poggio, Vergerio oder einer der andern Humanisten — auch für Johann von Tepl gilt es — Wittenwilers ‚Ring' einsehen können, der heiße Atem der Lebensgier und Lebenslust, der ihnen daraus entgegenschlug, hätte sie schockiert. Das Bauern-Epos, der Ackermann-Dialog und nun Poggios Brief sind völlig verschieden stilisiert, aber jedesmal mit der Absicht, Freude und Lust am irdischen Dasein als Intensität des Lebens hochzuspielen. Sie müssen damit einen Zug, eine Tendenz in Deutschland getroffen haben, die sich, wenn überhaupt auf einen Begriff statt in Bilder, am ehesten auf den Begriff der *vivescentia hominis* bringen läßt.

Der Poggio-Brief geht weiter: Oft beneide ich die Deutschen und verwünsche unser verkehrtes Wesen: *et nostras execreor perversitates, qui semper quaerimus, semper appetimus, qui coelum, terras, mare pervertimus ad pecuniam eruendam, nullo quaestu contenti, nullo lucro* (Gewinn) *satiati*. Die Deutschen dagegen leben zufrieden in den Tag hinein, feiern die Feste, wie sie fallen, begehren nicht Reichtümer, die ihnen nichts nützen ... Stößt ihnen ein Unglück zu, tragen sie es guten Muts. Ihr Reichtum ist das Sprichwort *vixit, dum vixit bene*.

Poggio deutet die Rastlosigkeit, die in der italienischen civiltà die Menschen befallen hat, als unersättliche Geldgier. Nach Muskatblüt waren die Deutschen der ersten Bürgerzeit nicht weniger hinter den „pennygen" her. Es handelt sich um ein durchgehendes Kennzeichen der Zeitwende, an der ja der Frühkapitalismus entstand. Doch nicht bloß insofern greift Poggios Kritik zu kurz. Er banalisiert das Motiv der Zivilisation, das er als erster mit seitdem zu Topoi gewordenen Ausdrücken beschrieben hat. *Semper quaerimus, semper appetimus, coelum, terras, mare pervertimus* — dieses Phänomen läßt sich nicht allein als Jagd nach dem Geld erklären, obwohl der *appetitus pecuniae* eine große Rolle dabei spielte. Die *curiositas non contenta finibus suis* bildete ein ebenso starkes Motiv. In GERSONS ‚Lectiones duae contra vanam curiositatem' wird sie deshalb aufs neue angegriffen, zusammen mit *appetitus propriae excellentiae* und *singularitas*, der Originalitätssucht.

Poggio meidet grobschlächtige Worte wie Sünde und Narrheit und spricht stattdessen von Perversität, wobei er geistreich nostras perversitates mit pervertimus coelum, terras, mare in Zusammenhang bringt. Trotz allem Neid auf die Naivität der Deutschen läßt sich in seinem Lob ein herablassender Ton nicht überhören. Wittenwilers zwiespältige Haltung zum geburenwesen, *rusticitas*, kehrt hier in sehr viel subtilerer Weise wieder, fast schon die Ironie der Erasmischen ‚Laus stultitiae' vorwegnehmend. Poggio reflektiert auf das Entweder-Oder, das menschlichem Dasein sich stellt, auch wenn es nicht über die Erde hinausgreift: Leben als Auskosten der Gegenwart oder Leben als ständiges, von keiner Gegenwart zu stillendes Weiterdrängen zu mehr und Anderem, Neuem. Das zitierte Sprichwort „vixit dum bene vixit" setzt die Ackermann-Frage voraus: was heißt leben? Die Antwort, die es mit Epikur darauf gibt, faßt nicht völlig den Sinn von Poggios Brief. Dessen Ton entspringt einem unterschwellig bleibenden Wissen um die Ablösung des Lebens, ob es nun „pervers" oder „naiv" sich geriert, von jedem anderen Ziel als dem seiner eigenen Intensität — *vivescentia*.

Auch der Neuen Lebenskunst, die Vergerio propagierte, fehlt ja eine inhaltliche Ziel- und Sinngebung. Sie wird mit Stilbegriffen, Anmut und Würde, gekennzeichnet. Besondere Weisen der Lebendigkeit, darauf kommt es dem Humanisten an. Bei den Deutschen, wie sie Poggio schilderte, bei Wolkenstein und Wittenwiler bricht in ganz anderer Weise, mehr oder minder als Entfesselung, derselbe Wille zur Lebendigkeit hervor. In Konstanz trafen sich demnach Vertreter einer *Humanistischen Renaissance* und einer deutschen *Eigenrenaissance*. Es mutet wie eine symbolische Geste an, daß König Sigmund seine Gunst Pier Paolo Vergerio wie Oswald von Wolkenstein schenkte.

Wir wissen außerdem Heinrich von Ahaus in Konstanz. Das legt uns die Frage nahe, ob nicht auch die Devotio moderna ein Stück Eigenrenaissance darstelle. Jedenfalls zielt ihr Bekenntnis zur compunctio cordis auf vivescentia.

Vom König einer Gesandtschaft nach Spanien und Portugal beigegeben, hatte WOLKENSTEIN das Konzil schon 1415 für längere Zeit verlassen. Anschließend ritt er im Gefolge des Königs nach Paris. Als er dann zum Bodensee zurückgekehrt war, lernte er die vornehme und reiche, sicher auch schöne Margarete von Schwangau kennen, die er im Herbst 1417 als Gattin auf sein Schloß Hauenstein heimführte. Gegen vierzig Lieder aus den Jahren 1414—1417 steckten im Gepäck, derbe Sauf- und Liebeslieder, aber auch fromme Marienlieder und zärtliche Lieder an Gretli, die künftige Gattin. Fremdsprachige waren darunter und sogar polyglotte, aus verschiedenen Sprachen gemischte.

Vor den Konzilsjahren hatte sich Wolkenstein an den Kämpfen zwischen dem Tiroler Adel und Herzog Friedrich IV., seinem Landesherrn, dem „Friedrich mit der leeren Tasche", beteiligt. Als er nun heimkehrt, kommt es zum offenen Krieg. Oswald und seine beiden Brüder Michel und Lienhart verteidigen mit Erfolg die Feste Greifenstein bei Bozen. Darauf nimmt ein Hohn- und Siegeslied Bezug, das man sich heute ebenso wie das ,Vogelkonzert' und neun andere Lieder Wolkensteins am besten auf einer Schallplatte der Deutschen Grammophon-Gesellschaft anhört. Als Klanggemälde steht der *Kampf um Greifenstein* der ,Seefahrt nach dem Heiligen Land' besonders nahe.

Weit weniger glücklich für Oswald als der Krieg gegen Herzog Friedrich verlief eine Auseinandersetzung um die Hauensteinschen Güter, die er im Condominium mit einem anderen Adligen besaß. Dieser lockte Oswald 1421 in eine Falle, warf ihn ins Burgverlies und ließ ihn foltern. Seitdem hinkte der Einäugige. Dann wurde er an Herzog Friedrich nach Innsbruck ausgeliefert, wo er viele Monate gefangen lag, bis endlich König Sigmund im Dezember 1423 seine Freilassung erzwang. Oswald begleitete den König noch 1432 auf dessen Heerfahrt nach Rom, kehrte aber, ehe das Ziel erreicht war, wieder um und verbrachte den Rest seiner Tage im wesentlichen in der Einsamkeit von Burg Hauenstein[40].

Die Lebensfülle der Wolkensteinschen Lieder sickerte langsam aus. Das schon (S. 43) zitierte Lied beginnt: *Ich han gelebt ... mit toben, wüten, tichten, singen mangerlai* und fährt fort *in urtail, rat vil weiser hat geschätzet mich ... ich, Wolkenstein, leb sicher klain vernünftiklich.* Sogar der König schätzte seinen Rat, und doch lebte Wolkenstein wenig vernünftig. Das sind die beiden Pole dieses Menschentums. Wenn der Dichter im Reuelied sagt, sein *schallen liederlich* habe gefallen, meint er zugleich seine klangvollen Lieder und seine laute Liederlichkeit, sein ungezähmtes Sich-Gehenlassen. Neubildungen wie hier das vom Substantiv „Lied" abgeleitete Adjektiv „liederlich" oder das Verb „ernsten" als Antithese zu „scherzen", samt der Ambiguität, die auf diese Weise das Wort „liederlich" erhält, solches Spiel mit der Sprache gehört wie der Klangreiz zur Kunst Wolkensteins.

In der Musik werden von ihm erstmals in Deutschland zwei- und dreizeitige Takte nebeneinander verwendet. Wenn er sie gar, wie des öfteren geschieht, in den beiden Hälften einer Strophe gegeneinander setzt, entstehen faszinierende Spannungen. Die mensurale, wertmäßige Notation der Franzosen, die noch heute gilt, kannte in Deutschland schon der Mönch von Salzburg, aber sinnvoll wurde sie erst durch den Rhythmuswechsel Wolkensteins. Wichtiger noch ist, daß Wolkenstein in der Mehrstimmigkeit weit über die primitiven Ansätze des Mönchs hinausging. Indem er zunächst französischen und italienischen Kompositionen deutsche Texte unterlegte, schuf er Vorbilder, nach denen er selbst und die folgenden Generationen in Deutschland auch eigene mehrstimmige Sätze komponierten. „Die Duette *Sag an herzlieb* und besonders *Stand uf Maredel* sind Kompositionen, die den Höhepunkt der damaligen Kunst erreichten."

Wir besitzen Wolkensteins Lieder samt Notation in einer ersten Handschrift von 1427 (Wien) und einer zweiten, redigierten und ergänzten, von 1432 (Innsbruck). Beide bringen auch ein Porträt: die frühesten deutschen Dichter-Porträts. Wir denken dabei an die Prager Triforiumsbüsten, mit denen ein Menschenalter zuvor die Porträtkunst des Abendlands nach der mittelalterlichen Pause neu begonnen hatte. Besonders eindrucksvoll ist das Brustbild des einäugigen Wolkenstein in seinem fünfundfünfzigsten Lebensjahr, 1432. Es verrät Kraft und Entschlossenheit, herrischen Trotz, aber auch daß dieser Mann ehedem *ein der erdenlust geselle* war. Noch deutlicher sprechen die rund 130 Lieder, mit denen uns der Dichter ein Selbstporträt hinterlassen hat, so rückhaltlos und individuell, daß es für Deutschland gleichfalls ein Novum darstellt.

Ohne zurückzukommen auf die deutsche Eigenrenaissance mit ihrer Entdeckung der Welt und des Menschen und ihrer Art von vivescentia, sei daran erinnert, daß die Lebensspanne Wolkensteins — 1377 bis 1445 — fast genau sich deckt mit der FILIPPO BRUNELLESCHIS — 1377 bis 1446 —, die Abfassung seiner ersten Liederhandschrift 1427 mit den Fresken MASACCIOS in der Brancacci-Kapelle, die der zweiten 1432 mit DONATELLOS *David* zeitlich zusammenfällt. Diese drei, Brunelleschi, Masaccio und Donatello, eröffnen die italienische Frührenaissance.

Im Augenblick, da Oswald von Wolkenstein 1432 sein dichterisches Schaffen abschließt, tritt für die deutsche Literaturgeschichte eine andere Generation auf den Plan. Es sind die nun schon im neuen Jahrhundert, jedenfalls an dessen Schwelle — „um 1400" — Geborenen, die ihre Lehrjahre gerade hinter sich haben, als wiederum ein Reformkonzil, diesmal nach Basel, einberufen wird.

Seite aus Oswald von Wolkensteins Liederhandschrift 1432
(Universitäts-Bibliothek Innsbruck)

Cusanus, Enea Silvio, Heimburg; Kaspar Schlick und Hugo Scheppel

DIE ALTE VND ERSTE STAT BASEL

Älteste Stadtansicht von Basel (um 1450)

Weil das Konzil von Konstanz zwar das Schisma aufgehoben, im übrigen aber für die Kirchenreform keine wesentlichen Ergebnisse gezeigt hatte, mußte nach dem Konstanzer Decretum ‚Frequens' Papst MARTIN V. auf *Sommer 1431* ein neues Konzil nach Basel berufen. Dessen Zusammentritt hat er nicht mehr erlebt. **Nachfolger** war inzwischen EUGEN IV. geworden. In Erinnerung an die vier Jahre Konstanz herrschte eine nicht unbegreifliche Konzilsmüdigkeit; hätte man geahnt, das neue Konzil werde sich beinahe zwanzig Jahre hinziehen, wäre es vollends zum Alp geworden. Auch so fehlten bei der Eröffnung in Basel sämtliche Bischöfe. Erst im Lauf der Monate füllten sich langsam die Bänke des Münsters. Die Franzosen und Engländer kamen zum Teil unmittelbar vom Scheiterhaufen der Jeanne d'Arc in Rouen, andere, Italiener wie Deutsche, warteten mindestens das *Frühjahr 1432* ab.

75

Der Papst erschien gar nicht, dagegen tauchte sporadisch KÖNIG SIGMUND auf, nachdem er im Mai 1433 in Rom zum Kaiser gekrönt worden war. Für gewöhnlich ließ er sich vertreten, vor allem durch den Augsburger Bischof PETER VON SCHAUMBERG[1]. Den Kurfürsten-Erzbischof von Mainz vertrat sein Generalvikar, der Doctor utriusque iuris GREGOR HEIMBURG[2], den Kurfürsten-Erzbischof von Trier der Doctor iuris canonici NIKOLAUS CRYFFS, der sich nach seinem Geburtsort Kues an der Mosel meist NICOLAUS CUSANUS nannte[3]. Übrigens weilte auch KONRAD WITZ aus Rottweil seit 1431 in Basel, um hier die Tafeln des Heilsspiegel-Altars zu malen. Die Leitung des Konzils lag bei dem erst dreiunddreißigjährigen — „um 1400" geborenen — Kardinal GIULIANO CESARINI in besten Händen. Er war ein humanistisch hoch gebildeter Mann von hinreißender Beredsamkeit.

Da Papst Eugen dem Konzil mißtraute, erklärte er es nach wenigen Monaten für aufgelöst. Doch die Konziliaren dachten gar nicht daran auseinanderzugehen, sondern beriefen sich auf das Konstanzer Decretum ‚Sacrosancta' und zitierten den Papst im *April 1432* nach Başel. Zur Rechtfertigung ihres Vorgehens verfaßte NICOLAUS CUSANUS *1432/33* eine Schrift *De concordantia catholica*. Daß er dabei u. a. den ‚Defensor pacis' (1326) des Marsilius von Padua benützte, der als ketzerisch verurteilt worden war, gestand er ebenso wenig ein wie ehedem Dietrich von Niem[4].

Nikolaus, der Sohn des Moselschiffers Henne Cryffs (= Krebs), war 1401 in Kues zur Welt gekommen; Kues liegt auf dem linken Ufer der Mosel, Bernkastel gegenüber. Der Protektion durch den Grafen Theodorich von Manderscheid hatte es der Junge zu danken, daß er die Schule der Fraterherren in Deventer besuchen durfte. Der Geist dieser Schule, die von Geert Groote gestiftete Devotio moderna, prägte den Kusaner. Obwohl er während seines Studiums, erst in Heidelberg, wo er 1416 als Nicolaus Cancer de Coecze immatrikuliert wurde, dann in Padua, sich vor allem der Mathematik und Astronomie widmete, promovierte er am Ende bei Giuliano Cesarini in Kirchenrecht. So konnte er, nach Deutschland zurückgekehrt, in Mainz den ersten Prozeß übernehmen — und glänzend verlieren. Es ist für das Temperament des jungen Cusanus bezeichnend, daß er sofort den verhaßten Kram hinwarf, Mainz den Rücken kehrte und rheinabwärts nach Köln fuhr, um hier das Theologie-Studium zu beginnen. 1427 treffen wir ihn wieder als Stiftsdekan von St. Florian in Koblenz.

Cusanus dankte diese Stellung nicht zuletzt der Fürsprache des Kardinals Giordano Orsini, dem er aus deutschen Klosterbibliotheken Handschriften der Antike beschaffte. Dabei entdeckte Cusanus *1427* über die neun bekannten Plautus-Komödien hinaus zwölf weitere, die längst als verschollen galten, wie *Menaechmi* und *Miles gloriosus*. — Im *Februar 1432* sandte ihn der Erzbischof von Trier, Ulrich von Manderscheid, nach Basel[5].

Mit der Schrift ‚De concordantia catholica', die er Kardinal Cesarini und König Sigmund widmete und wohl am *7. November 1433* dem Konzil vorlegte, geht Nicolaus Cusanus weit über Dietrich von Niem hinaus. Er baut den konziliaren Gedanken in ein System ein, das theologischen Tiefsinn mit politischer Umsicht verbindet. Cusanus zielt nicht allein auf die reformatio der Kirche, sondern auch auf die reformatio des Reichs und auf das richtige Verhältnis zwischen beiden: das erst ist die concordantia catholica. Die ecclesia ipsa, die wahre, heilige Kirche als Gemeinschaft der Gotteskinder, das corpus Christi mysticum, soll auf Erden in der ecclesia coniecturalis zur Darstellung kommen, d. h. in der Kirche als einem Versuch, sich der ecclesia ipsa nach Kräften anzunähern. Ebenso hat das imperium auf seine Weise die ecclesia ipsa, das corpus Christi mysticum, zu verwirklichen. Unter klarer Scheidung der Kompetenzen erfüllen Kirche und Reich ihre Aufgaben in Konkordanz miteinander.

Die Gewalt, die in der Kirche der Papst, im Reich der Kaiser ausübt, ist ihnen durch die Konzilien bzw. die Reichstage übertragen worden, ihre Maßnahmen bedürfen deshalb der Zustimmung dieser Gremien. Kirche und Reich sieht Cusanus gleichsam als konstitutionelle Monarchien. Damit die Reichstage, in denen der Adel, die Geistlichkeit und auch das Stadtbürgertum vertreten sind, ihrem Willen Nachdruck geben können, sollen sie über einen Reichsschatz, der vor allem aus Zöllen aufzubringen ist, und ein kleines, aber schlagkräftiges stehendes Reichsheer verfügen. Sie sollen regelmäßig jedes Frühjahr und jeden Herbst am selben Ort, einer Art Reichshauptstadt, zusammentreten; Cusanus schlägt Frankfurt am Main vor.

So überzeugend dieses Reformprogramm entworfen war, es blieb ein Stück Papier. Am Ende des Jahrhunderts hat Berthold von Henneberg, der große Reichskanzler König Maximilians, darauf zurückgegriffen, aber auch er konnte nicht viel mehr als ein Reichskammergericht durchsetzen, das erst in Frankfurt, dann in Wetzlar seinen Sitz hatte und allmählich im Papier erstickte.

Den Programmen und Gutachten anderer Konziliaren ging es ähnlich wie der ,Concordantia catholica'. Am stärksten in die Zukunft wirkte die Flugschrift eines Außenseiters, der 1433 eine kurze lateinische „Anzeige" an das Konzil richtete, dieses Avisamentum concilii Basiliensis dann aber zu einem Aufruf in deutscher Sprache an die gesamte Christenheit Deutschlands umwandelte. Ihm gab er 1439 den Titel Reformatio Sigismundi. Am Himmelfahrtstag 1413 früh am Morgen, so berichtet der Anonymus, vernahm König Sigmund eine Stimme, die ihm zurief: „Sigmundt, stant auff, bekenne got, berait einen wegk der gotlichen ordenung, halb (denn) alles geschrieben recht hat gebrechen an gerechtigkeit. du magst es aber nit volbringen, du bist woll ein wegbreyter des der nach dir komen soll." Sigmund erinnert sich nun der Mißstände der Zeit und seiner eigenen Bemühungen, sie abzustellen, und entwickelt ein Reformprogramm. Der verheißene Retter wird ein Priesterkönig mit dem Namen Friedrich von Lantnaw sein.

Schon daß die Flugschrift nach 1439 wiederholt von anderen überarbeitet wurde, beweist ihre Durchschlagskraft. Während sich die Urfassung am besten aus einer

Handschrift erschließen läßt, die Heinrich Koller 1952 in der Weimarer Staatsbibliothek aufgefunden hat, ist uns die erste Redaktion von *1440* in 12 Handschriften und in 13 Drucken der Jahre 1476 bis 1720 erhalten.

Die Frage nach dem Verfasser der ‚Reformatio Sigismundi‘ konnte bisher keine überzeugende Antwort finden. Selbst Karl Beer, dem wir die beste Edition (1933) verdanken, ist mit seiner These nicht durchgedrungen, der Autor sei ein Friedrich Winterlinger aus Rottweil, Notar des Bischofs von Basel; Beer teilt hier das Los des ‚Ring‘-Editors Edmund Wießner[6].

Allgemein gilt die ‚Reformatio Sigismundi‘ als die bedeutendste revolutionäre Flugschrift des 15. Jahrhunderts. „Die Trompete des Bauernkriegs“ nannte sie Friedrich von Bezold. Das forderte nicht so zu Widerspruch heraus wie das oben zitierte Urteil über das Decretum ‚Sacrosancta‘ 1415, erscheint jedoch unhaltbar, nachdem 1960 Lothar Graf zu Dohna in eingehender Interpretation den durchaus nicht revolutionären, vielmehr konservativ-reformatorischen Charakter der Flugschrift aufgezeigt hat[7]. Ihr berüchtigtes *slach iederman zue*, angeblich ein Aufruf zu bewaffnetem Losschlagen, meint nur, jedermann solle, wenn die Zeit kommt, sich zur Partei des Priesterkönigs schlagen; und jene *kleinen*, die besonders angesprochen werden, sind nicht die kleinen Leute nach heutigem Sprachgebrauch, sondern die Kleinen, die nach dem Wort des Heilands den Kindern gleichen, die geistlich Armen, Demütigen. Durch die ganze Schrift zieht sich als roter Faden der Gedanke der Ordnung. Sie ist von Gott gesetzt und mithin virtuell vorhanden, aber sie muß immer aufs neue realisiert werden. „Diese Verwirklichung der gegebenen Ordnung ist Reformatio, Erneuerung als Wiederherstellung des guten Alten, das Grundanliegen nicht nur der RS, sondern der deutschen Reformliteratur zwischen Schisma und Reformation überhaupt“[8]. Für Dietrich von Niem heiligte freilich der gute Zweck auch Mittel der Gewalt und des Betrugs.

Weniges in der ‚Reformatio Sigismundi‘ erscheint uns originell. Warum hat gerade sie, fragen wir uns, ein so langhinhallendes Echo gefunden? „Die RS allein vermochte es, die Menschen des 15. und angehenden 16. Jahrhunderts, die der sterilen Aufzählung von Gravamina und der hausbackenen oder theoretischen Besserungsvorschläge müde waren, unmittelbar anzusprechen“. Dieses unmittelbare Ansprechen macht die Eigenart und die Kraft der Flugschrift aus. Im Grunde wird „immer der einzelne Mensch angesprochen; seine Buße nur kann zur Reform führen, ja, sie i s t wesentlich die Reform“. Darum heißt es: „Gedenke jedermann, welche Geduld Gott mit uns hat, dem wir alle Tage so aufs höchste zuwider sind. Bekehren wir uns! Es ist Zeit. Wir raten es auch. Wenn wir uns bekehrten, kehrte alle Welt uns nach.“ „O, liebe Christen, laßt es euch zu Herzen gehen!“ Mit diesem bewegenden Ton hat die ‚Reformatio Sigismundi‘ die Menschen innerlich getroffen. Des Cusanus ‚De concordantia catholica‘ gibt sich daneben als eine „akademische“ Abhandlung, die über den Menschen, nicht zu ihm spricht. Von der Neuen Rhetorik, in der Kardinal Cesarini und mancher andere Humanist unter den Konziliaren glänzte, wußte der Verfasser der ‚Reformatio

Sigismundi' nichts, und doch, wie Matthäus von Krakau und Dietrich von Niem auf Lateinisch, meisterte er auf Deutsch die *ars movendi*.

Daß die Bundschuh-Verschwörer unter seinem Einfluß gestanden seien, bestreitet Graf Dohna[9]. Die communis opinio bringt vor allem das fünfmalige Abbeten des Paternoster und des Ave Maria bei den Rezeptions-Zeremonien des Bundschuh in Zusammenhang mit einer ähnlichen Forderung der ‚Reformatio'. Aber während es dort sich um einen Verschwörerpakt handelt, möchte die ‚Reformatio' die Laienfrömmigkeit intensivieren, den Laien zu regelmäßiger innerer Sammlung anhalten.

Die ‚Reformatio Sigismundi' ist keine Trompete des Aufruhrs, eher eine Glocke, die Sturm läutet, ohne den Einklang mit der *Imitatio Christi*, die ein anderer Anonymus *1434* ins Deutsche umgoß, schrill zu zerreißen.

Die Konziliaren in St. Marien hörten in der Regel nur auf elegantes Latein, wie es die Neue Rhetorik vorschrieb. NICOLAUS CUSANUS mußte sich für sein Latein und für das Latein seiner Quellen entschuldigen. In der Einleitung zur ‚Concordantia catholica' schreibt er: „Wir sehen, daß alle großen Geister mit größtem Eifer auf die Werke des Altertums zurückgehen. Allseits ergötzt man sich offenkundig an Sprache, Stil und Wesensart der Alten. Besonders tun das die Italiener. Sie können ... von der eigenartig beredten lateinischen Sprache nicht genug bekommen. *Nos vero Alemanni* ... Wir Deutschen jedoch vermögen bloß mit größter Mühe Latein zu sprechen. Es ist, als ob unsere Natur Widerstand leisten wollte. Die übrigen Völker mögen sich darum nicht wundern, wenn sie im Folgenden die unbekannten Zeugnisse einwandfreier Gewährsmänner lesen, daß viele nicht in so gutem Latein abgefaßt sind ... Alles, was von mir herangezogen wurde, stammt aus den ursprünglichen, alten Quellen. Niemand möge sich durch den kunstlosen Stil vom Lesen abhalten lassen. Ohne Aufputz wird der herrliche Sinn offenbar und läßt sich in einfacherer Sprache, vielleicht mit weniger Genuß, aber umso deutlicher erkennen."

Cusanus ist zweifellos von der Redekunst der Italiener beeindruckt, doch denkt er gar nicht daran, ihnen deshalb Elogen zu machen wie einst Johann von Neumarkt. Sein Sekretär berichtet, Cusanus habe von den poetae et oratores nicht viel gehalten. Das Lob, das ihnen die ‚Concordantia' spendet, klingt denn auch leicht ironisch, jedenfalls geht Cusanus sofort in Abwehrstellung: einfache Sprache bringe den Sinn deutlicher zum Ausdruck als kunstvolle Rede. Das ist eine unhumanistische, fast antihumanistische Behauptung. Dafür weiß Cusanus mit den Humanisten sich einig, wenn er auf Alter und Echtheit seiner Quellen pocht. Das Latein, das er schreibt, ist ein abstraktes Gelehrtenlatein, eher scholastisch als humanistisch, aber immer wieder scheint ihm das Temperament durchzugehen, dann sprudelt es aus ihm heraus, er apostrophiert den Leser mit Ausrufen und Fragen und statt in glatten Perioden eine Schreibe anzufertigen, spricht er in Anakoluthen, zwar korrekt, was die lateinischen Vokabeln anlangt, doch im

Grunde deutsch. Den Italienern, die Kaiser Sigmund sein corruptum latinum
ankreideten, wird auch das Latein, das der Vertreter von Kurtrier, der anerkannt
Klügste unter diesen Deutschen, sprach und schrieb, nicht sonderlich gefallen
haben.

Gott als König des Olymps zu bezeichnen, solche modischen Floskeln überließ
er dem Kanzler des Pfalzgrafen und Kurfürsten bei Rhein. Aber deshalb war dieser geistliche Herr noch lange kein Humanist. Man wußte, daß er LUDWIG VON AST
hieß, dem deutschen Adel entstammte und als Dompropst in Worms zugleich die
Funktionen eines Vizekanzlers der Universität Heidelberg ausübte; das Kanzleramt, das vor allem in der Aufsicht über die Prüfungen bestand, hatte der jeweilige
Bischof von Worms inne.

Eher als das Latein der Sachwalter von Kurtrier und Kurpfalz goutierten die
Italiener das Latein des kaiserlichen Gesandten PETER VON SCHAUMBERG sowie des
kurmainzischen Vertreters Doctor GREGOR HEIMBURG. Dieser war nahezu gleich
alt mit Doctor Nicolaus Cryffs alias Cusanus. „Um 1400" in der Reichsstadt
Schweinfurt am Main geboren, hatte auch er die Universität Padua besucht, sich
aber strenger als Cusanus auf Jura konzentriert. So verlor Cusanus gegen ihn
den ersten und einzigen Prozeß seines Lebens, was er zum Anlaß nahm, die
Jurisprudenz mit der Theologie auszutauschen. Vom Humanismus blieb Heimburg
nicht unberührt, jedenfalls zitiert er oft und gern Cicero, Terenz, Juvenal und in
lateinischer Übersetzung sogar Platon. Als literarum expers wollte er nicht angesehen werden. Enea Silvio Piccolomini schreibt später einmal an Heimburg
(31. 1. 1449): „Du hast den Juristen und den Deutschen in Dir überwunden, und
man merkt Dir etwas von italienischer Rede und Beredsamkeit an." Danach stellt
Enea freudig fest *Revixit eloquentia* und fährt fort: „Die Beredsamkeit blüht
freilich am meisten bei den Italienern. Ich hoffe, in Deutschland wird es in Zukunft ebenso sein, wenn Du und Deinesgleichen nicht nachlassen, in der Redekunst
fortzufahren und sie hochzuhalten". Bloße Schmeichelei war das offenbar nicht.
Auch Martin Mair, einer der bedeutendsten Staatsmänner des 15. Jahrhunderts,
rühmte Heimburgs Redekunst: „In Euch strahlte diese Zierde des menschlichen
Geistes in so einzigartiger Weise, daß es einem Wunder gleicht, wie das, was in
erster Linie vom Verstande ausgeht, dank der Menge der Argumente, der kunstvollen Überredungsmittel und der Durchschlagskraft der Zitate im Glanz der
Redekunst aufleuchtet"[10]. Als Heimburg am 29. November 1432 zum ersten Mal
vor das Konzil trat, hielt er eine weit ausgreifende Prunkrede, worin unter Berufung auf den „herrlichen Homer" das Konzil mit Agamemnon, die Kurfürsten mit
Achilles verglichen wurden[11]. Später besaß Heimburg nicht mehr den Ehrgeiz, es
den Italienern in Rhetorik gleichzutun. Aber ihm als Mainfranken waren Redelust
und Rednergabe angeboren, und freilich hatte er in Padua auch eine rhetorische
Ausbildung erhalten. — Wir werden sehen, wie er den Sprachgestus der ‚Reformatio Sigismundi' weiterführen wird.

Von Heimburgs Erscheinung und Persönlichkeit zeichnet uns Piccolomini ein sehr anschauliches Bild: „Es war aber Gregor ein schöner Mann, hochgewachsen, mit blühendem Gesicht, lebhaften Augen, kahlköpfig. Seine Redeweise wie seine Bewegungen hatten etwas Unbeherrschtes. Eigenwillig wie er war, hörte er auf keinen anderen und lebte nach seiner Art, die Freiheit über alles stellend, so denn auch anstößig im Betragen, ohne Schamgefühl und zynisch . . . (In Rom) pflegte er nach der Vesper am Monte Giordano sich zu ergehen, schwitzend und als verachte er zugleich die Römer und sein eigenes Amt. Mit überhängenden Stiefelschäften, offener Brust, unbedecktem Haupt, aufgekrempelten Ärmeln kam er mißvergnügt daher, ständig auf Rom, den Papst und die Kurie wie auf die Hitze Italiens schimpfend." Ähnlich wird Heimburg des Sommers schon in Basel dahergekommen sein. Bei den Verhandlungen auf dem Konzil bemühte er sich aber noch um einen Ausgleich mit dem Papst.

Wie in Konstanz Wolkenstein, fiel in Basel Heimburg dem Kaiser auf. Die selbstsichere, laute Ungebundenheit dieser Männer scheint bei Sigmund Vertrauen erweckt zu haben. So übernahm er jetzt den Doctor in seine Dienste. Doch das tat nur ein halbes Jahr gut. Schon am 4. Februar 1435 schwur Heimburg in der Ratsstube zu Nürnberg in die Hand des Bürgermeisters einen „gelehrten Eid", durch den er sich der Reichsstadt „als Jurist und Diener" verpflichtete. Er blieb das, mit längeren Unterbrechungen, bis 1461.

Durch Heimburg erst lernte die konservative Reichsstadt die Geistigkeit des Humanismus näher kennen. Das bezeugt u. a. die noch kurz vor seiner Ankunft entstandene Erzählung *Grisardis* von ERHART GROSS[12]. Die Familie Groß gehörte dem Nürnberger Stadtpatriziat an und hatte im 14. Jahrhundert, ähnlich wie anderwärts die Merswin oder Vintler, vor allem durch Geldgeschäfte eine bedeutende Stellung erlangt. Der Schultheiß und Ratsherr Konrad Gross stiftete 1332 das schöne Heiliggeist-Spital, dem König Sigmund, der auf der Burg in Nürnberg geboren worden war, 1424 die Reichskleinodien zur Aufbewahrung anvertraute; sie blieben dort bis 1796. Während Konrad, zu seiner Zeit wohl der bedeutendste Nürnberger, charakteristisch ist für die Laienfrömmigkeit des damaligen Patriziats mit ihrer „Werkgerechtigkeit"[13], wurde Erhart Mönch im Kartäuserkloster zu Nürnberg, wo er neben zahlreichen Erbauungsschriften *1432* die Erzählung ‚Grisardis' verfaßte. Wie so viele der „um 1400" Geborenen mag auch er Italien besucht haben, und hier hat man ihm wohl die Griseldis-Geschichte erzählt, der Boccaccio Novellenform gab. Im gleichen Jahr *1432* taucht sie auch schon in Westpreußen auf, in dem zu einer Enzyklopädie ausgeweiteten Ehetraktat *Labyrinthus vitae coniugalis* von KONRAD BITSCHIN aus Danzig, Stadtschreiber zu Kulm[14].

Erhart Groß weiß recht lebendig nachzuerzählen. Da redet er beispielsweise den Leser an: „Was meinstu, wie dye groß menig volks do gedacht haben, do die den fürsten allein sahen geen in des armen mannes hewßlein?" Aber vom Geist des Humanismus hat dieser Nürnberger so wenig wie der Danziger verspürt.

Die Geschichte der Frau, die fälschlich des Ehebruchs beschuldigt wird und später ihre Unschuld nachweisen kann, interessierte die beiden Deutschen, nicht wie Boccaccio und Petrarca als psychologischer Fall, sondern als erbauliches Exempel: „Wo sein nun in unseren zeiten der fürsten kinder und nicht allein die allein, sunder auch gemeiner leut, also reyne?" Ebenso fehlt jede Ahnung der Neuen Rhetorik. In Nürnberg hat sie erst Heimburg bekannt gemacht, auch wenn er darauf wie auf so vieles andere schimpfte, weil ihm Gesinnung mehr galt als Stil, sei es Sprachstil oder Lebensstil.

In Basel beherrschte der Präses des Konzils, KARDINAL CESARINI, die Rhetorik am brillantesten. Mit der Zeit erwuchs ihm jedoch aus den Reihen der Sekretäre in dem jungen ENEA SILVIO PICCOLOMINI[15] ein Rivale. Dieser war 1405 in einem Flecken bei Siena als ältestes von 18 Kindern eines aus der Stadt verbannten und nun gänzlich verarmten Adeligen geboren worden. Er begann in Siena Jura zu studieren und wetteiferte mit seinem Studiengenossen BECCADELLI PANORMITA, dem Verfasser des berühmt-berüchtigten ‚Hermaphroditus', in mehr oder minder frivolen Versen. In Florenz legte er sich dann auf die studia humanitatis, bis ein durchreisender Bischof, der noch einen Sekretär brauchte, den Siebenundzwanzigjährigen 1432 nach Basel mitnahm. Diese Epoche im Leben von Enea Silvio bedeutet zugleich eine Epoche der deutschen Literaturgeschichte, denn mit Enea kam, zweiundachtzig Jahre nach Cola di Rienzo, zum zweiten Mal ein Italiener über die Alpen, der nicht bloß wie die Besucher von Konstanz beim Vorübergehen da und dort eine Anregung gab, sondern lange Zeit mitten unter den Deutschen lebte und bei ihnen Propaganda für den Humanismus trieb. Der Ersthumanismus in Böhmen war eine kurze Episode am Ostrand des Reiches gewesen, die Hussitenkriege scheinen ihn vollends ausgetilgt zu haben. Seit Enea Silvio jedoch riß die Entwicklung des Humanismus in Deutschland nicht mehr ab, bis er in den Reformations-Kämpfen seinen Eigenwuchs verlor.

Auf dem Konzil setzte sich Enea zunächst so eifrig wie Cusanus für die kirchliche Reform und für den konziliaren Gedanken ein, und er blieb länger dabei. Anders als in Konstanz gab in Basel der Niedere Klerus den Ton an, was zur Folge hatte, daß von Session zu Session das Konzil radikaler wurde und sich die Besonnenen allmählich zurückzogen. Papst wie Konzil wollten mit der griechisch-orthodoxen Kirche über eine Union verhandeln, stritten aber, wer die Verhandlungen führen und wo sie stattfinden sollten. Als es darüber im *Mai 1437* zu besonders unwürdigen Auftritten im Münster kam — beide Parteien sangen jede für sich das Te Deum und suchten sich gegenseitig zu überschreien —, reiste Cesarini ab, und ihn begleitete, nicht Piccolomini, aber CUSANUS, der sich entschlossen hatte, mit dem bisher so hart befehdeten Papst Eugen seinen Frieden zu machen. Bei Felix Hemmerli, dessen böse Zunge wir noch kennenlernen werden, und anderen Konziliaristen hieß Kardinal Giuliano Cesarini fortan Julianus Apostata secundus.

Eugen IV. war schon 1434 vor den Colonna aus Rom geflohen und hatte seine Residenz nach Florenz verlegt, wo der Bankier der Kurie, Cosimo Medici, als pater patriae regierte und die Stadt mit den schönsten Kunstwerken schmücken ließ. Da stand nun Donatellos ‚David mit dem Hirtenhut' von 1432, das Kloster San Marco erfüllten Fra Angelicos Engelsgestalten, Brunelleschi aber schuf die gewaltige Kuppel des Doms, Luca della Robbia die Marmorkanzel mit den Reliefs tanzender und musizierender Knaben, Ghiberti die Bronzetüren am Baptisterium. Als der Papst 1436 den Dom weihte, sang ein Chor Dufays Motette *Nuper rosarum flores*.

Leon Battista Alberti hatte in Florenz 1435 den Traktat *Della pittura* begonnen, der zum ersten Mal die Grundbegriffe der Rhetorik — *inventio, dispositio, elocutio* — auf die Malerei übertrug[16]. Auch diese ist eine *ars movendi*: durch Figurengestik und Farbenkomposition muß der Beschauer innerlich bewegt werden. Vielleicht kannte Alberti die Stelle bei Quintilian, wo als Beweis für die Macht der Gesten die Malerei angeführt wird, die mit ihnen *sic in intimos penetrat adfectus, ut ipsam vim dicendi nonnumquam superare videatur*. Die Affinität zwischen einzelnen Farben gilt es nach Alberti psychologisch auszunutzen. Rosa mit Grün und Himmelblau wirkt zugleich groß und lebendig, Weiß neben Aschgrau und Krokusgelb stimmt heiter etc.[17].

In Rom war inzwischen der Friede durch Giovanni Vitelleschi mit brutaler Gewalt wiederhergestellt worden. Vitelleschi ist für diese Zeit eine vielleicht charakteristischere Figur als Fra Angelico: vom Räuberhauptmann stieg er über den Condottiere zum Erzbischof und Kardinal auf. Doch Papst Eugen trug kein Verlangen, nach Rom zurückzukehren, sondern residierte weiterhin im Kloster Sta. Maria Novella in Florenz, wo sich Cusanus ihm unterwarf und nun den Auftrag erhielt, den Kaiser sowie den Patriarchen von Byzanz mit ihren höchsten Würdenträgern zum

Nicolaus Cusanus
(Stifterporträt auf dem Kreuzigungsbild im St. Nikolaus-Hospital in Kues; Meister des Marienlebens, tätig zwischen 1463 und 1480)

Unionskonzil abzuholen. Da die Byzantiner der Einladung des Papstes folgten, sollte dieses in Ferrara, nicht in Basel stattfinden.

Cusanus traf erst nach der übrigen Gesandtschaft *Anfang Oktober 1437* in Konstantinopel ein. Das gleiche Schiff brachte den Bruder des byzantinischen Kaisers, Konstantin Paläologus, der auf der Peleponnes, im sog. Despotat Morea, regierte. Er war wohl begleitet von seinem obersten Beamten, dem Philosophen Gemistos Plethon.

Den *27. November 1437*, zur Stunde des Sonnenuntergangs, lichteten die venezianischen Segler mit KAISER JOHANNES VIII. PALÄOLOGUS und siebenhundert Byzantinern an Bord ihre Anker. Am *8. Februar 1438* landeten sie in Venedig. Auf dieser Fahrt über das Mittelmeer hat Cusanus den Grundgedanken seiner Philosophie gefaßt. Als er später die Schrift ,De docta ignorantia' Kardinal Cesarini widmete, schrieb er: „Empfange nun, was ich auf verschiedenen Wegen suchte, aber nicht eher fand, als bis ich auf dem Meere, aus Griechenland zurückkehrend, ich glaube durch ein Geschenk von oben, vom Vater des Lichts, von dem alles Beste kommt, darauf geführt wurde, daß ich das Unbegreifliche auf unbegreifliche Weise auffasse, in dem Wissen des Nichtwissens, durch Hinausgehen — per transcensum — über die unzerstörbaren Wahrheiten, wie sie auf menschliche Weise gewußt werden." Das ist die Konzeption jener ständig transzendierenden Philosophie, in der, was wir deutsche *Eigenrenaissance* nennen, gipfelt.

Die siebenhundert Byzantiner, nachdem sie ausgebootet waren, glaubten, in die Heimat zurück versetzt zu sein. Mit dem neu erstandenen Dogenpalast und San Marco dahinter begrüßte sie auf lateinischem Boden eine Fata Morgana von Byzanz. Danach freilich war es wie ein Gang unterm caudinischen Joch, in Prozession durch das Domportal einzuziehen, über dem als Trophäen der Eroberung Konstantinopels durch die Lateiner die vier antiken Bronzerosse prunkten.

Die bittere Erinnerung wich in Ferrara einem phantastisch kühnen Entwurf. Kurz vor dem Eintreffen des Paläologen-Kaisers hatte man in Italien die Nachricht vom Tod KAISER SIGMUNDS erhalten. Mit ihm war am *9. Dezember 1437* die Luxemburgische Dynastie erloschen. In Ferrara kam deshalb der Gedanke auf, es nicht bei einer Union der Kirchen bewenden zu lassen, sondern die vor elfhundert Jahren — 337 — zerbrochene Einheit des Römischen Reichs wiederherzustellen. Der Papst sollte das *imperium occidentale*, wie einst von den Römern auf die Deutschen, jetzt von den Deutschen auf die Rhomäer oder Griechen übertragen und so aufs neue mit dem *imperium orientale* vereinen[18]. Das war die umfassendste, die einzig folgerichtige Konzeption von Renaissance als *remeatio ad Romae purum priscumque iubar*. Petrarcas Bild, hundert Jahre früher, nach seinem ersten Besuch in Rom *1337* konzipiert, scheint neben ihr eine Halbheit zu sein.

Der Traum von *1438* hat sich erst recht nicht verwirklicht. Es blieb beim Traum — dem letzten euphorischen in der Agonie des Griechentums. Schnürten doch die Türken Byzanz immer enger ein. Mit Grauen lasen die Ernüchterten in der überhellen Luft Ferraras an allen Mauern das Menetekel.

Für den Westen begann *1438* mit ALBRECHT II. aufs neue die *1308* durch Parricidas Mord an Albrecht I. abgerissene Folge deutscher Könige und Kaiser aus dem Hause Habsburg. Sie wird bis zum Ende des „Heiligen Römischen Reichs deutscher Nation" 1806 nicht mehr unterbrochen werden.

„Nation" war, ebenso wie „Humanist", ursprünglich ein Studentenwort. Die weitgehende Selbstverwaltung der Studenten an der Universität gliederte sich unter geographischem Gesichtspunkt, wobei zur *nacio Germanica* nicht bloß die Deutschen, sondern ebenso Ost- und Nordeuropäer zählten. Nach dieser Einteilung erfolgten auf Wunsch König Sigmunds auch die Abstimmungen auf dem Konstanzer Konzil. Als aber im *Oktober 1438* die *gravamina nacionis Germanicae*, die fast alle schon Matthäus von Krakau zusammengestellt hatte, durch den Reichstag zu Nürnberg erstmals offiziell bei der Kurie vorgebracht wurden, betraf das nur die Deutschen. Und mit dem bald gängigen Schlagwort „gravamina nacionis Germanicae" setzte sich „nacio Germanica" als Name des deutschen Volkes allgemein durch. Ende des 15. Jahrhunderts wird er wie mit „gravamina" auch mit der schon Mitte des 13. aufgekommenen Formel „sacrum Romanum imperium" eine ständige Verbindung eingehen, so daß man von jetzt an vom *Heiligen Römischen Reich deutscher Nation* spricht[19].

Einer der ersten, die für Deutschland und die Deutschen durchweg die antiken Bezeichnungen *Germania* und *Germani* brauchten, scheint KASPAR SCHLICK gewesen zu sein. Dieser wahrte als Kanzler die Kontinuität in der Führung der Reichsgeschäfte über die Epoche von *1437/38* hinweg. Weder Albrecht II. noch dessen Nachfolger Friedrich III. konnten Schlick entbehren. Ein zeitgenössischer Chronist, EBERHARD WINDECK, Verfasser der sogen. *Denkwürdigkeiten zur Geschichte Kaiser Sigmunds*[20], schreibt: „Gehorte iemand daß eines burgers sun zu deutschen landen si so mächtig worn?" Denn Schlick war der Sohn eines Kaufmanns und Ratsherrn in Eger. Auch er gehörte zu den „um 1400" Geborenen; als genaues Geburtsdatum nimmt man 1396 an. Da die deutschen Professoren und Studenten 1409 der Hussiten wegen von Prag nach Leipzig ausgewandert waren, studierte der junge Schlick wie die meisten Deutschböhmen an der hier neu gegründeten, in der Thomasschule untergebrachten Universität. Schnell machte er dann bei der königlichen Kanzlei Karriere. Schon 1429 erhielt er die Stelle des Vizekanzlers. In dieser Funktion begleitete er 1431/33, zusammen mit Wolkenstein, König Sigmund auf dessen Zug nach Rom zur Kaiserkrönung. Für Wolkenstein war es die letzte große Ausfahrt. 1432 ließ er die endgültige Handschrift seiner Lieder fertigen und fügte ihr das wohl in Italien gemalte Brustbild bei. Als der neugekrönte Kaiser 1433 in Basel einzog, fehlte der Südtiroler, dagegen ritt an der Spitze von Sigmunds Gefolge der Böhme Schlick, der jetzt Graf von Bassano hieß. Hätte Schlick die geistlichen Weihen besessen, so hätte man ihn wie einst seinen Landsmann Johann von Neumarkt zum Erzbischof machen können, aber Schlick war der erste Laie im Kanzleramt, so blieb nur die weltliche Standeserhöhung. Graf ist noch nicht genug, seit 1437 zählt Schlick als Burggraf von Eger und

Elbogen zu den Reichsgrafen und kann infolgedessen sogar eine Verwandte des Kaisers, die Tochter des Herzogs von Oels und Wohlau, heiraten. Ende des gleichen Jahres 1437 starb Sigmund, aber Schlick blieb auch weiterhin, fast bis zu seinem Tod 1449, im Amt.

Eberhard Windeck hat recht, zu diesem Lebenslauf eines Bürgers, zumal eines bürgerlichen Laien, gibt es keinen Präzedenzfall in Deutschland. Auch nur denkbar ist eine Gestalt wie Kaspar Schlick erst seit der Zeit Karls IV. Wo ein Kaiser sich als Bürger gibt, kann auch ein Bürger eine Herzogstochter freien. Mit Herrn Vintler auf Runkelstein läßt sich Reichsgraf Schlick ganz und gar nicht vergleichen, eher noch mit dem „Befreier Roms", dem Kardinal und beinahe Papst gewordenen Räuberhauptmann Vitelleschi. Eine wirkliche Parallele bietet Nicolas Rolin, der mächtige Kanzler Herzog Philipps des Guten von Burgund, auch er *venu de petit lieu*. In den italienischen Stadtstaaten mit ihren Notaren, Condottieri und Bankiers und mit Familien wie die Medici liegen die Dinge anders. Aber es kennzeichnet die Situation im gesamten Abendland, wenn Ende des Jahrhunderts Jacobo de Vio aus Gaetano, der Begründer des Neuthomismus — als Kardinal Cajetan ging er auch in die Reformationsgeschichte ein — bei Thomas von Aquino bemängelte, daß dieser kein Sonderrecht der natürlichen Begabung kenne. Hervorragende Eigenschaften, *virtutes*, befähigen und berechtigen, meint Gaetano, zum Hinauswachsen über den Stand, in dem einer geboren wurde. Gaetano spricht hier von *singulares homines*. Einem solchen gebührt nach dem Naturrecht — naturali aequitate debetur — ein seiner Tüchtigkeit entsprechender Stand — superior status consonans suae virtuti — und Herrschaft über die anderen — regimen aliorum[21].

Nicht bloß die Kirche, erst recht der Adel, speziell der Hochadel, muß jetzt mit den *singulares homines* rechnen. Während man in Eisenach die Rittersöhne bürgerlich erzog, drangen die Bürgersöhne in den Hochadel ein und rissen das regimen aliorum an sich. Man staunte über solche „Kerle", das Wort im anerkennenden wie im abfälligen Sinn genommen, und besonders die Damen fühlten sich von ihnen zugleich degoutiert und fasziniert. Etwas scheint das auch die Reaktion der ELISABETH VON LOTHRINGEN, GRÄFIN VON NASSAU-SAARBRÜCKEN gewesen zu sein. Die Tochter Herzog Friedrichs V. von Lothringen war ungefähr gleich alt wie Schlick. Als Teenager wurde sie 1412 dem Grafen Philipp von Nassau-Saarbrükken, einem Urenkel des deutschen Königs Adolph von Nassau, vermählt. Nach seinem Tod übernahm die junge Witwe anstelle der unmündigen Söhne die Regierung. Das war 1429, als eine andere Lothringerin, das siebzehnjährige Bauernmädchen Jeanne d'Arc, das von den Engländern belagerte Orléans entsetzte und Karl VII. in Reims zum König von Frankreich krönen ließ — die große Wende in der Geschichte des Hundertjährigen Krieges. Elisabeth führte schon im folgenden Jahr einen Grafen von Blamont als Prinzgemahl heim. Ein bleibendes Verdienst um das Saarland hat sie sich damit erworben, daß unter ihrer Regierung mit dem Steinkohlenbergbau begonnen wurde. Am Hof zu Saarbrücken pflegte sie ein reges geistiges Leben, wofür Nancy, die Residenz des herzoglichen Oheims Karl von Lothringen, und mittelbar der burgundische Hof in Dijon, an dem Karl erzogen worden war, das Vorbild abgaben. Was das heißt, wissen wir aus Huizingas ‚Herbst des Mittelalters'. Karl von Lothringen hatte den deutschen König Ruprecht von der Pfalz zum Schwiegervater und René den Guten, Grafen der Provence, nominellen König von Sizilien und Jerusalem, zum Schwiegersohn; Saarbrücken stand also über Nancy auch mit den „Musenhöfen" in Heidelberg und Aix-en-Provence in Verbindung. Es kommt noch hinzu, daß Elisabeths Bruder dem Dichterkreis angehörte, den Karl von Orléans auf Schloß Blois an der Loire versammelte.

Ihre Mutter hatte sich eine Reihe französischer Heldenepen des 14. Jahrhunderts aus dem Sagenkreis um Karl den Großen, sehr späte Chansons de geste, abschreiben lassen. Sie gingen als Heirats- oder Erbgut an Elisabeth, und Mitte der dreißiger Jahre fand die Gräfin Muße, vier davon ins Deutsche zu übersetzen. Bei den Franzosen galten damals schon die dérimeurs oder prosificateurs als besonders chic. Diese Mode er-
leichterte, ja ermöglichte der Lothringerin das Übersetzen: Verse brauchte sie nicht zu zimmern.

Nach Elisabeths Tod errichteten ihr die Söhne nicht bloß ein Grabdenkmal in der Stiftskirche St. Arnual, sondern ließen auch drei Prachthandschriften ihrer Verdeutschungen herstellen. Die Tochter, Margarethe von Rodemachern, lieh diese an Freunde und Verwandte aus, und so gerieten Kopien Anfang des 16. Jahrhunderts in die Hände von Druckern, die nach Vorlagen für zugkräftige Volksbücher stöberten. Drei Arbeiten der Gräfin fanden infolgedessen als Paperbacks Verbreitung. Noch zur Zeit unserer Klassiker und Romantiker lockten am Messestand die zerfledderten Groschenhefte zahlreiche Leseratten an[22].

Gräfin Elisabeth von Nassau-Saarbrücken
(Grabmal in St. Arnual in Saarbrücken)

87

Loher und Maller hat das seltsamste Los gehabt. Dieses Reckenepos ließ Herzogin Margarethe von Lothringen, Elisabeths Mutter, erst aus dem Lateinischen ins Französische rückübersetzen, Gräfin Elisabeth verdeutschte es, und nachdem es 1514 Volksbuch geworden war, bearbeitete es Dorothea Schlegel.

Man darf mit gewissen Vorbehalten Wolfgang Liepe folgen und bei Elisabeth von Nassau die Geschichte des Prosaromans in Deutschland beginnen lassen. Die wenigen Vorläufer braucht man deshalb nicht zu unterschlagen: den Prosa-Lanzelot aus der ersten Hälfte des 13. Jahrhunderts, das etwa 150 Jahre jüngere ‚Buch von Troja‘ des Nördlinger Ratsherrn Hans Mair und schließlich Bruchstücke einer niederdeutschen Prosaübersetzung der Chanson de geste über Girart de Roussillon, um 1400. Der Lothringerin war das alles unbekannt. Sie war französisch erzogen worden und knüpfte selbständig an die französische Literatur an.

Das Handlungsgefüge der späten Chansons de geste ist in der Regel mehr oder minder gleich. So auch bei *Herzog Herpin, Sibille, Loher und Maller,* die Elisabeth übersetzte. Verleumdung durch böswillige Neider führt zur Verbannung von Held oder Heldin durch Karl den Großen, am Ende aber erfolgt eine glanzvolle Rehabilitation. Maßlos aufgeschwemmte Episoden werden dabei ineinandergeschachtelt. Nur *Hugo Scheppel* (im Volksbuchdruck, 1500, *Hug Schapler*) weicht vom Schema ab. Ihn hat Elisabeth zuletzt vorgenommen, und so kam ihm die Schulung an den früheren Arbeiten zugute. Im Satzbau löst sich Elisabeth etwas vom Zwang der französischen Quelle, und ihr Ausdruck wird ein wenig nuancierter. Doch liegt es an der Verschiedenheit der Originale, daß nur allenfalls bei ‚Hugo Scheppel‘ gesagt werden kann, mit ihm beginne die Geschichte des deutschen Romans.

Der Held ist Hugue Capet, der sagenhafte Stammvater der Kapetinger, auf Deutsch: Hugo Scheppel. Als illegitimer Sohn eines Edelmanns aus dessen Liaison mit einer Metzgerstochter kam Hugo zur Welt und steigt nun in einem Leben voll unvergleichlicher Kampfes- und Liebesabenteuer zum Gatten der letzten Karolinger-Tochter und damit zum König von Frankreich empor. Der Metzgersenkel begründet die neue Dynastie der Kapetinger.

Von seiner Kampfart sagt der französische Hofmeister: „Ich kenn in wol, er hat huet auff dissen Tag manchem sin Leben genummen; er ist von Metzlers Geschlecht von siner Mueter, er hat gewenet er sy under den Fleichbencken." Und Hugos Mannen eifern ihm nach. Nicht mehr der ritterliche Zweikampf, sondern der Massenkampf wird geschildert, wo man Menschenfleisch „verschroddet als man des swinen fleisch tut". Die Königin-Witwe zeichnet Hugo u. a. dadurch aus, daß sie bei einem Festmahl in Paris ihm einen Pfauen vorsetzen läßt. Nur ungern tritt sie den Recken, der so von Kraft strotzt, an ihre Tochter Merie ab. Als die Prinzessin ihm erstmals begegnet, heißt es: „Sie stund uff gegen Hugen und bot im ir Handt und besach den iungen Man von unden bis obnen uß und begund, in heymlich lieb zehaben und gedacht in ir selbs: Ach wer es Gottes will, daz ich ein sollichen süberlichen Man zu eym Gemahel het". Elisabeth hat nicht übel Deutsch gelernt: den jungen Mann „von unten bis oben aus besehen", heißt, daß die Prin-

Miniatur in der Prachthandschrift des ‚Hugo Scheppel', um 1465
(Die Königin von Frankreich läßt Scheppel einen gebratenen Pfauen auftragen;
Hamburg, Stadtbibliothek)

zessin ihn mit den Augen verzehrt, sich an ihm nicht sattsehen kann. Von feineren seelischen Regungen ist, der Chanson entsprechend, nur höchst selten einmal im Roman die Rede, aber das Sinnliche weiß Elisabeth, wenn auch auf stereotype Weise, auszudrücken. Ihr Lieblingswort ist *gryseln.* Immer wieder gryselt jemand das Blut vom Scheitel bis in die Zehen, er oder sie bekommt eine Blutwallung, sei es in Lust oder Schrecken. Die erotischen bzw. sexuellen Gewagtheiten der Chanson mildert Elisabeth, aber dadurch geht auch der Ton eleganter Frechheit verloren, den manche Stellen im Original zu besitzen scheinen, und es bleibt nur die Kraftmeierei übrig. Zur Liebe genügt, daß eins im andern ein sauberes Manns- oder Weibsbild erblickt. Nach Hugos Thronbesteigung tauchen denn auch aus den verschiedensten Himmelsrichtungen zehn Bastardsöhne auf, um sich ihrem reüssierten Vater bekannt zu machen. Die jungvermählte Königin meint ironisch: „fürwar, Herr Hug, hie sieht man wol, waz Mans ir gewesen sint; ir habet üwer Teyl nit versumpt. Schouwent hie, dise zehen Gesellen sint all üwer Sün, wa habent ir die Döchter verborgen, ist es nit ein subtiliche Zucht, sehent nun zu!" Hugo wird „schamrot sollicher Reden".

Fast so wichtig für seinen Aufstieg wie die Mannhaftigkeit war die Tatsache, daß ihm ein reicher Metzgersonkel ein Heer besoldet hat. Metzger Symon sah darin eine zwar ungewöhnlich riskante, aber eventuell auch ungewöhnlich rentable Kapitalsanlage, womit er nicht fehlkalkulierte, denn König Hugo macht ihn am Ende zu seinem Kanzler. Die Rolle, die jetzt der *Pfennig* auf allen Gebieten spielt, können die Chansons-Dichter des 14. Jahrhunderts nicht mehr übersehen, und noch weniger die Gräfin, deren Initiative das Saarland seine wirtschaftliche Bedeutung verdankt.

Von den Rittern am Karolinger-Hof wird Hugo als *gebure* bezeichnet. Das Wort kennen wir. Schon Wittenwiler meinte damit nicht nur den Bauer nach Beruf und Stand, sondern jeden von Bildung unbeleckten, tölpelhaft-vitalen Menschen. Aber wie hat Wittenwiler, trotz einem gewissen Vergnügen an der deftigen Vitalität, die „Bauern" ausgespottet! In der Chanson und im Roman ist davon wenig zu spüren. Das *geburenwesen* findet offenbar selbst beim regierenden Hochadel Anklang. Die vornehmsten Damen Europas bestaunen „gryselnd" das brutale Draufgänger- und Kraftmeiertum eines Scheppel. Ohne diese Preisgabe der alten Adelswerte hätte auch Schlick, so klug und gebildet er war, in der Tat ein *homo singularis,* nicht seinen sagenhaften Aufstieg nehmen können.

Wann Elisabeth ‚Hugo Scheppel' schrieb, wissen wir nicht genau. Datiert ist nur ‚Loher und Maller' auf 1437. ‚Herpin' und ‚Sibille' gingen voraus, ‚Hugo Scheppel' entstand danach. Er dürfte also 1437 begonnen und etwa 1439 vollendet worden sein. 1437 hat Kaiser Sigmund seinen Kanzler Schlick in den Reichsgrafenstand erhoben und gleichzeitig die Ehe zwischen dem Bürgerssohn und einer dem Kaiserhaus verwandten Prinzessin gestiftet, die sehr wohl auch einen Herzog von Lothringen oder Grafen von Nassau hätte heiraten können. Die Geschichte von Scheppel und der Karolinger-Prinzessin war um 1437 höchst aktuell.

Es darf daran erinnert werden, daß der gleichfalls „um 1400" geborene HANS MULTSCHER 1437 den *Wurzacher Altar* schuf: mit ihm trat in der Kunst, wie man gesagt hat, plötzlich ein derb und roh zupackender Plebejer auf, ein *gebure*. Die Menschen, die Multscher malte, sind gemeines Volk, indem er sie aber in Mienen und Gesten charakterisierte, erwies Multscher sich als großer Künstler. Das kann von Elisabeth gewiß nicht behauptet werden. Das Gemeinsame, Zeitsymptomatische ist nur, daß beide, der Maler wie die schriftstellernde Gräfin, sich auflehnen gegen das traditionelle Idealisieren und an einem bewußt übertreibenden Naturalismus Gefallen finden. Aus dieser Situation entsteht in der deutschen Literaturgeschichte der Prosa-Roman, auch wenn zunächst nur späte Chansons de geste eingedeutscht wurden. Lust am Kraftvoll-Abenteuerlichen verbindet sich mit Lust am Desillusionieren: der zweifache Impetus macht hier das Wesen des Romanhaften aus. Die Versform fallen zu lassen, ist nur folgerichtig.

„Romane" in solchem Sinn entsprechen der Zeitenwende, an der sich die bisherigen Lebensordnungen mehr und mehr dem Illusions- und Ideologieverdacht aussetzen, und vieles für unmöglich Gehaltene auf einmal möglich wird. ‚Hugo Scheppel' bestätigt die Romantheorie von Georg Lukács, daß im Epos der abgeschlossene Kosmos, Ordnung und Gesetz literarischen Ausdruck fänden, der Roman hingegen Ausdrucksmittel des offenen Kosmos, der Freiheit, der unbegrenzten Möglichkeit sei.

Zum Romanhaften des ‚Hugo Scheppel' gehört auch das spezifisch neuzeitliche Wunder. Was die Neuzeit als Wunder bestaunt, hat mit dem Seelenheil nichts zu tun, sondern ist „Erfolg" — das ungewöhnliche Gelingen der Lebensbemächtigung und Lebensmeisterung, letzten Endes einfach die Lebensintensität. Gleich Wittenwilers ‚Ring' und Wolkensteins Lyrik verstehen wir auch ‚Hugo Scheppel' als ein Phänomen deutscher *Eigenrenaissance*. Deutsch heißt in diesem Falle nur, daß ‚Hugo Scheppel' nach Sprache und Wirkung der deutschen Literaturgeschichte angehört.

Das Konzil, das eine Union der griechisch-orthodoxen mit der römisch-katholischen Kirche herbeiführen sollte, war in Ferrara am *19. April 1438* eröffnet worden. Rund ein Jahr später folgten die Konziliaren der wiederholten Einladung von COSIMO MEDICI nach Florenz. Unter der neuen Domkuppel BRUNELLESCHIS fand am *6. Juli 1439* die letzte offizielle Zusammenkunft statt.

Von der Einholung des Paläologen-Kaisers durch Cosimo Medici und seine Söhne ließ BENOZZO GOZZOLI, damals ein Augenzeuge, sich zu den farbenprächtigen Fresken in der Hauskapelle des Palazzo Medici inspirieren. PISANELLO hielt das vornehm-schwermütige Antlitz des Kaisers auf einer Medaille fest. Die Gäste in griechischer Sprache zu begrüßen, hatte der Kanzler der Republik, LEONARDO BRUNI, übernommen. Nirgendwo sonst im westlichen Europa hätte sich dafür ein Mann in dieser Stellung gefunden, Bruni aber war nicht umsonst vor vierzig Jahren der Schüler des Manuel Chrysoloras gewesen. Jetzt suchten die italienischen

Humanisten in erster Linie die Bekanntschaft des fast achtzigjährigen GEORGIOS GEMISTOS PLETHON[23].

Da es in der Ostkirche keinen Zölibat gibt, spielten hier lange Zeit die Priesterfamilien eine ähnliche Rolle für die Kultur wie später in Deutschland die evangelischen Pfarrhäuser. Bei Plethon, der aus einer Priesterfamilie Konstantinopels stammte, fühlt man sich an Nietzsche erinnert, denn auch Plethon war in radikalem Bruch mit seiner Herkunft zum entschiedenen Gegner des Christentums geworden und entwickelte einen eigenen Zarathustra-Mythos. Doch, anders als Nietzsche, blieb er nicht auf das Bücherschreiben angewiesen, sondern wirkte vor allem von Mensch zu Mensch. Er besaß die Möglichkeit, nach seinen Ideen eine Jüngerschar heranzubilden und sogar ein Staatswesen aufzubauen. Ob in den Gang der Geistesgeschichte Plethon oder Nietzsche mächtiger eingriff, wäre hier eine müßige Frage, die Assoziation soll nur den Raum und den Maßstab für Plethons Figur andeuten.

Seit etwa 1400 lebte dieser in Mistra auf der Peloponnes, wo die Franken einen Hügel vor der Felswand des Taygetos befestigt hatten und nach dem Untergang des lateinischen Kaisertums eine Stadt entstanden war. Sie wurde um die Mitte des 14. Jahrhunderts Hauptstadt des selbständigen Despotats Morea, Residenz eines Fürsten aus dem Kaiserhaus von Byzanz, erst der Kantakuzenoi, dann der Palaiologoi. Über sich die ehemalige Zwingburg der Lateiner als Zeugen einer Erniedrigung und einer Not, die jeden Augenblick wiederkehren konnten, unter sich die Ruinen von Sparta, ständig an das alte Griechenland erinnernd, begann man in Mistra von Wiedergeburt zu träumen. Kirchen und Klöster prägten das Gesicht der Stadt, dennoch stiegen aus dem Eurotas-Tal noch einmal die Götter Griechenlands herauf. Christus mit ihnen zu versöhnen, gelang so wenig wie in den Späten Hymnen Hölderlins, die uns Norbert von Hellingrath — Sohn einer Prinzessin Cantacuzène — entdeckt hat. Plethon nahm für die alten Götter Partei. Ihr Wesen suchte er philosophisch zu begreifen, und zwar durch einen Zarathustra-Mythos, d. h. eine von ihm konstruierte esoterische Tradition, die er mit Zoroaster, nach Psellos der Verfasser der sogen. ‚Oracula Chaldaica', beginnen ließ. Eumolpos als Stifter der Eleusinischen Mysterien, König Minos von Kreta und Lykurgos hatten an dieser „Tradition" teil, aber auch die medischen Magier und Hermes Trismegistos, der Ägypter[24]. Sie gipfelte in Orpheus und in Pythagoras, Platon, dem Neuplatonismus. Plethons *Nomoi* enthielten laut Inhaltsverzeichnis eine Theologie „nach Zoroaster und Platon", eine Ethik „nach denselben Weisen, sowie nach den Stoikern" und eine Politik „nach dem Muster von Sparta und mit Gedanken Platons unterbaut". Im Rahmen der Theologie sind ein heidnisches Priestertum und eine Liturgie aus Gebeten und Hymnen an die Götter Griechenlands vorgesehen. Wir besitzen bloß knappe Auszüge der ‚Nomoi', weil das Werk nach Plethons Tod durch den Patriarchen von Konstantinopel verbrannt wurde. Als Ratgeber des Kaisers und oberster Beamter des Despotats Morea hat Plethon sogar die Möglichkeit gehabt, seine Lehren einigermaßen zu

ΠΑΛΑΤΙΑ ΤΩΝ ΠΑΛΑΙΟΛΟΓΩΝ ΕΝ ΜΥΣΤΡΑ.   ΑΝΑΠΑΡΑΣΤΑΣΙΣ

Paläologenpalast in Mistra
(Rekonstruktion des im 15. Jahrhundert erbauten Ostflügels)

realisieren. Nicht nur, wie in der Zeit des Johannes Italus, hob da und dort auf einsamer Klippe ein schwärmerischer Adorant die Hände zu Poseidon; rund ein halbes Jahrhundert, bis die Türkenflut sie überschwemmte, herrschte auf der Peloponnes noch einmal der Geist der griechischen Antike. Statt Rhomäer wie im übrigen Reich nannte man sich hier mit Stolz Hellene. Die platonische Akademie, die Kaiser Justinian 529 in Athen geschlossen hatte, wurde im Paläologen-Palast von Mistra wiedereröffnet.

Unvermutet begegnete nun den Hellenen, die im *Frühjahr 1439* nach Florenz kamen, dort eine gewisse Vertrautheit mit Platon und zugleich der brennende Wunsch, tiefer in seine Philosophie eingeführt zu werden. Am Rande des Konzils scheinen lange Gespräche über Platonismus und Aristotelismus stattgefunden zu haben. Der spanische Kardinal Torquemada, der nur, wenn es ums Fegfeuer ging, den Mund auftat, sah dazu ebenso scheel wie der Patriarch von Konstantinopel. Die Byzantiner hatten eine ganze Bibliothek mitgebracht, herrliche Ausgaben von Platon und Aristoteles, aber auch solche von Plutarch und anderen Schriftstellern der Antike. In Cosimos Haus hielt PLETHON eine Reihe von Vorträgen *De mysteriis Platonicis*, d. h. über die esoterische Tradition, sein Lieblingsthema. Wir erinnern uns an die Vorträge bei den Konstanzer Konziliaren über Dantes „Divina Commedia". Der Unterschied, damals DANTE, jetzt PLATON, ist außerordentlich bezeichnend; warum hätte ich sonst die Leseabende des Giovanni Bertoldi da Serravalle anzuführen brauchen? Plethon hinterließ den stärksten Eindruck mit seiner Konfrontierung von Platon und Aristoteles. Dieser Vortrag wurde wohl, gleich den anderen, sofort von einem Dolmetscher ins Lateinische übertragen, jedenfalls brachte man ihn zweisprachig zu Papier. Der Traktat verwickelte Plethon später in eine heftige Fehde mit dem Patriarchen Scholarios, der sich dabei über die Platonbegeisterung der italienischen Humanisten mokierte: sie verstünden von Philosophie soviel wie Plethon von der Tanzkunst, ließen sich durch Platons „Muse" gefangennehmen und könnten sich nicht vorstellen, daß Philosophie etwas anderes als Grammatik und Beredsamkeit sei.

Cusanus hat allem nach unter vier Augen die italienischen Humanisten ähnlich beurteilt. Sollten trotzdem PLETHON und CUSANUS bei ihrer monatelangen gemeinsamen Seefahrt und zuvor in Konstantinopel, danach in Venedig einander nichts zu sagen gehabt haben? Es scheint so. Wie der Mensch das Unbegreifliche auf unbegreifliche Weise erkenne, war damals die große Frage für Cusanus. Der Meister von Mistra, der aus Mythen und Begriffen einen Himmel baute, gab darauf keine Antwort. Wohl im Leib, sicher nicht im Geist fuhren die zwei Theologen und Philosophen mit demselben Schiff.

Beim Konzil sprach auf seiten der Byzantiner der Metropolit von Nicäa, BESSARION — Βηςςαρίων (!) —, am nachdrücklichsten und geschicktesten für die Union. „Um 1400" in der Gelehrtenstadt Trapezunt am Südufer des Schwarzen Meeres geboren, wurde er Basilianer-Mönch, wie einst Barlaam, aber auch schon früh Mitglied der Akademie in Mistra. Seinem Lehrer Plethon persönlich und weitgehend sogar dessen Ideen hielt er lebenslang die Treue. Allgemein galt Bessaríon als einer der besten Kenner Platons. Daß schließlich beim Konzil das Unionsdekret *Laetentur coeli* zustandekam, ist wesentlich sein Verdienst.

Der Papst dankte es Bessaríon mit der Ernennung zum Kardinal der römisch-katholischen Kirche. Als *Latinorum graecissimus, Graecorum latinissimus*, nach Lorenzo Valla, wohnte Bessarion im Herzen Roms an der schmalen Passeggiata Archeologica, die vom Platz um das Colosseum zur Via Appia Antica führt. Mit seinem langen Bart, den buschigen Brauen und dem griechischen Gewand soll er Malern des öfteren als Modell für den Heiligen Hieronymus gedient haben. Bessarion schrieb, umgeben von der größten und wertvollsten Sammlung griechischer Codices, die in Europa vorhanden war, u. a. vier Bücher *In calumniatorem Platonis*, Gegen den Verleumder Platons, Georgios von Trapezunt; K. M. Setton zählt Gregor zu den Jüngern des Aristoteles, who dipped their pens into vitriol when they defended him against Plato. Die Schrift Bessarions, ins Lateinische übersetzt, wurde 1469 gedruckt und soll die ernsthafte Auseinandersetzung mit Platon stärker beeinflußt haben als jedes andere Werk des 15. Jahrhunderts. Auch Bessarion freilich sah Platon im Lichte des Neuplatonismus[25].

Da sich das Unionsdekret im Osten praktisch nicht durchführen ließ, liegt wohl die Hauptbedeutung des Florentinums darin, daß es endgültig die griechische Antike, speziell den neuplatonisch verstandenen Platon, in den Gesichtskreis des Westens rückte. Welches Gewicht wir der Begegnung Petrarcas mit Barlaam in Avignon beimessen dürfen, ist ungewiß, aber mindestens zweimal hat Byzanz den

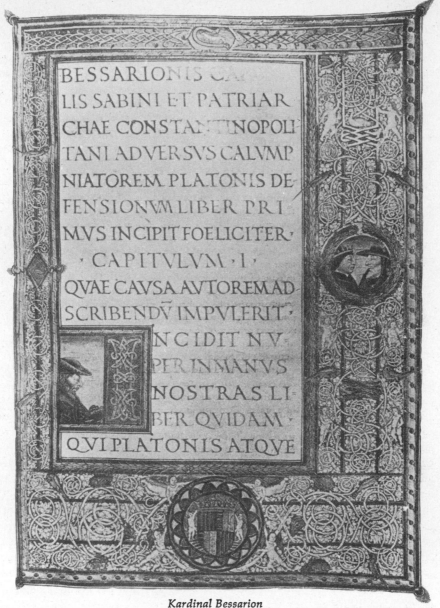

BESSARIONIS CA[...]
LIS SABINI ET PATRIAR
CHAE CONSTANTINOPOLI
TANI ADVERSVS CALVMP
NIATOREM PLATONIS DE-
FENSIONVM LIBER PRI
MVS INCIPIT FOELICITER·
·CAPITVLVM·I·
QVAE CAVSA AVTOREM AD
SCRIBENDV IMPVLERIT·
[I]NCIDIT NV-
[PER]IN MANVS
NOSTRAS LI-
BER QVIDAM·
QVI PLATONIS ATQVE

Kardinal Bessarion
(Einzelbildnis und Doppelbildnis mit König Ferdinand von Neapel auf dem Titelblatt
von ‚Adversus calumpniatorem Platonis', nach 1470; Gioacchino de Gigantibus,
d. i. vermutlich Joachim Ries aus Rothenburg o. T., 1460/64 Schreiber und
Miniator im Dienste Pius II.; Paris, Nationalbibliothek)

Weg des abendländischen Humanismus entscheidend bestimmt: als Chrysoloras und als Plethon und Bessarion unter die Italiener traten.

CUSANUS, der schon Mitte 1438 nach Deutschland zurückgekehrt war, predigte zu *Weihnachten 1439* in Augsburg über den Text *Ein Tag ist uns leuchtend auf- gegangen ... Gott schuf den Menschen.* Weihnachten feiern, bedeutet für Cu- sanus, feiern, daß Gott seine Schöpfung im Menschen und den Menschen in Christus vollendet hat. Nicht etwa von der Sünde des Menschen und davon, daß Gott ihretwegen sich selbst zum Menschen erniedrigte, spricht Cusanus, vielmehr von der Größe des Menschen, die in Christus Wirklichkeit wurde. Anstelle der Sünde tritt bei ihm das innere Ungenügen. Poggio kennt es nur in säkularisierter, „pervertierter" Form: semper quaerimus, semper appetimus ... ad pecuniam eruendam. Der Kusaner versteht wie der Franckforter Ungenügen und Genügen geistlich, weitet aber die Deutung ins Anthropologische und Kosmologische. „Der Geist des Menschen ... verlangt über sich hinaus und weiß nichts, das ihn sättige, außer der Unsterblichkeit, die das ewige Leben und die ewige Weisheit ist." Wenn der Mensch dieses Genügen fände, wäre zugleich „das Endziel aller Dinge, ihr Ruhepunkt und ihr Sabbath", erreicht. Sie sind schon gefunden und erreicht in Christus. Das feiern wir an Weihnachten.

Cusanus führt dann aus: „Die Menschheit Christi ist keine andere als die eines jeden früheren, gegenwärtigen oder künftigen Menschen ... präge dir ein, daß Christus mit der Natur der Menschheit, durch welche alle Menschen Menschen sind, in Eines zusammentrifft ... er ist die wesenhaft-tiefste Innerlichkeit eines jeden ... die ... wahrste und vollkommenste Menschheit aller Menschen. Der- jenige Mensch also, der Christus anhängt, der hängt seiner eigenen Menschheit an, auf daß er so mit Christus eines sei wie Christus mit Gott. Jeder, der Christus anhängt und nicht irgend etwas anderem, sondern in seiner Menschheit, welche auch die Christi ist, geeint ist, hat darum seine Schuld bezahlt, findet Rechtferti- gung, wird zum Leben erweckt ... Sieh, welch große Mysterien in den Worten Christi liegen ... wir müssen dahin gelangen, daß die Laute vernommen werden, müssen durch Glauben und Frömmigkeit dahin gelangen; dann werden wir er- leuchtet, und dann werden wir von seiner Fülle empfangen ..."[26].

Cusanus betont das credo ut intelligam, wobei intelligere heißt, die Worte Christi verstehen, sich erfüllen lassen von seinen Worten über die wahre Mensch- heit oder Menschlichkeit, das *humanum*, das im menschgewordenen Christus und allen Menschen dasselbe ist, den Menschen zum Menschen macht. Cusanus kann gewiß kein Humanist im Florentiner Sinn heißen, hergeleitet von den studia humanitatis, aber seine Christologie kreist zusammen mit der Anthropologie um einen Humanismus eigener Art. —

Weil er die Gedanken, die ihn seit der Fahrt übers Mittelmeer beschäftigten, endlich niederschreiben wollte, zog sich Cusanus nach Kues in die Stille des unmit- telbar am Moselufer gelegenen elterlichen Hauses zurück. Wenige Tage nachdem die in Frankfurt versammelten Kurfürsten am 2. *Februar 1440* Herzog Friedrich von Steiermark als FRIEDRICH III. zum deutschen König gewählt hatten, beendete am 12. *Februar 1440* Cusanus den Traktat *De docta ignorantia* und widmete ihn wie auch den in kurzem Abstand folgenden zweiten Traktat *De conjecturis* dem Kardinal Cesarini.

In der Widmung von ‚De docta ignorantia' rechtfertigt er seine Arbeit damit, daß ausgefallene Dinge, selbst wenn sie ungereimt wären, uns innerlich zu bewegen pflegen: *rara quidem, et si monstra sint, nos movere solent.* Cusanus hätte sich dafür auf Aristoteles, etwa ‚De memoria et reminiscentia' oder auf den betreffenden Kommentar des Albertus Magnus berufen können; in letzterem heißt es lakonisch: *mirabile plus movet quam consuetum.* Diesen

Herzog Friedrich von Steiermark,
seit 1440 König Friedrich III.
(Graz, Landesgalerie)

Gedanken verwendet Cusanus für eine nicht ganz ernst gemeinte Bescheidenheitsfloskel gegenüber dem Humanisten Cesarini. Spielt da ein wenig Ironie herein, weil der Gedanke ja zur Zeit höchst aktuell war in der Neuen Rhetorik, der *ars movendi?*

Den Gegensatz zur *curiositas* — wir sprachen von ihr — bildet bei Augustin die *docta ignorantia*, ein Begriff, den er der falschen Übersetzung der Septuaginta von Jesaja 7,9 verdankte. Der Titel des Cusanus-Traktats lautet auf Deutsch „Von der gelehrten Unwissenheit" oder treffender „Vom wissenden Nichtwissen". Im II. Buch, das über das Universum handelt, findet sich in Kapitel 11 und 12 die These — lange vor Copernicus und Giordano Bruno —, daß die Erde sich bewege und das Weltall unendlich sei. Wir werden darauf zurückkommen. Die viel gewichtigeren Darlegungen über die *coincidentia oppositorum* in Kapitel 4 hat man auf die verschiedenste Weise übersetzt und interpretiert, ich schließe mich Paul Wilpert an[27]. Wenn Cusanus vom absolut Größten und absolut Kleinsten spricht, hat er eine Seinsmetaphysik im Sinn, für die das Absolute — Gott — sich vom

97

Relativen, der geschöpflichen Welt, dadurch unterscheidet, daß es das, was es sein kann, auch wirklich ist. Cusanus nennt deshalb später das Absolute, mit einer sehr „barbarischen", unhumanistischen Neuprägung, *possest*; *posse* und *esse*, möglich und wirklich sein, werden in ein Wort zusammengefaßt. Das Geschöpf vermag nicht zugleich seine größte und seine kleinste Möglichkeit zu verwirklichen, sondern entweder die eine oder die andere. Das Absolute aber besitzt die absolut größte und absolut kleinste Möglichkeit und verwirklicht auch beide. Insofern fallen im Absoluten die Gegensätze von *maximum* und *minimum*, aber auch von Möglichkeit und Wirklichkeit, Nichtsein und Sein zusammen.

Cusanus, der schon in Padua lieber Mathematik und Astronomie als Kirchenrecht studiert hatte, verdeutlicht seine Gedanken gerne durch mathematische oder geometrische Beispiele. Unablässig sucht er zu demonstrieren, daß wir an das Absolute, Gott, nur in der Weise unbegreiflichen Begreifens herankommen, daß wir es in dieser Weise aber tun. Die Methode unbegreiflichen Begreifens, das *incomprehensibiliter attingere*, führt er uns vor. Der Mensch hat sich immer aufs neue das Absolute, Gott, als *coincidentia oppositorum* zu vergegenwärtigen, das macht das Wesen der *docta ignorantia* aus. Coincidentia oppositorum und docta ignorantia sind also nicht bloß Denk-Resultate und philosophisch-theologische Lehrstücke für Cusanus, sondern weit mehr Korrelate innerhalb eines Denk-Vorgangs.

Nach ‚De coniecturis' — Von den Vermutungen oder Von den Mutmaßungen — schließt *intellectus,* die Vernunft, in sich *ratio* als die Fähigkeit begrifflicher Unterscheidung und *intelligentia*, die Fähigkeit, diese Unterscheidungen mittels Vergleichen oder „Symbolen", vornehmlich aus Mathematik und Geometrie, zu übersteigen, um so zu Konjekturen, Mutmaßungen, zu gelangen. „Da präzise Erkenntnis der Wahrheit unerreichbar ist, stellt jede positive Behauptung des Menschen über das Wahre eine Mutmaßung, *coniectura*, dar. Die Einheit der unerreichbaren Wahrheit wird somit in mutmaßlicher Andersheit — *alteritate coniecturali* — erkannt" (I, 2). Verzichtet hier die Philosophie nicht auf *veritas*, um für sie — ähnlich wie die Rhetorik — *verisimilitas* einzutauschen? Soll ja doch das Operieren sowohl mit dem verisimile als auch mit coincidentia oppositorum und coniectura kein gegenständliches Wissen schenken, sondern die „Innerlichkeit" mobilisieren. Ganz abgesehen von der Erkenntniskritik, daß es unmöglich sei, das Absolute dingfest zu machen, erscheint Cusanus, nicht viel anders als Petrarca und Bernhard von Clairvaux, jedes dingliche Wissen tot. Seine *docta ignorantia* setzt er damit, analog zu Petrarca, als die *sui ipsius ignorantia* von der *multorum aliorum ignorantia* ab. Auch wenn sie nicht rhetorisch vorgeht, sondern spekulativ und immer auf das Absolute zielt, ist des Cusanus docta ignorantia eine *ars movendi*. Der Neuen Rhetorik gesellt sich die Neue Theologie.

Im ersten Traktat heißt es: *Desiderium autem nostrum intellectuale est intellectualiter vivere ... continue plus in vitam et gaudium intrare*: es ist unser intellektuelles Verlangen, intellektuell zu leben und so ständig mehr Leben und Freude zu gewinnen. Schon bei der Devotio moderna war der erste Satz aus des Aristoteles ‚Metaphysik' zu zitieren: *Omnes homines natura scire desiderant.* Während Thomas von Aquino ihn akzeptierte, wurde er von Geert Groote einer Kritik unterzogen. Nach Thomas macht die intellektuelle Operation das Wesen des Menschen, seinen Unterschied von allen anderen Wesen aus. Jedes Wesen aber verlangt, sich in der ihm eigenen Weise zu betätigen, hier seine Vollkommenheit zu erreichen und mit seinem Prinzip einzuwerden. D. h. für den Menschen, daß er einswerden will mit dem absoluten, göttlichen Intellekt. Die Erfüllung seines Verlangens nach Erkenntnis bedeutet ihm höchstes Glück. An solche Gedanken von Thomas und Aristoteles, das griechische Erbe, das auch bei Augustin zutage tritt, knüpft Cusanus an, wenn er das menschliche Wesen von seinem *desiderium*, seinem Glücksverlangen, her bestimmt und dieses mit dem Erkenntnisverlangen gleichsetzt. Daß es dabei nicht so sehr auf die Resultate als vielmehr auf den Prozeß ankommt, auf die Denkbewegung, in der sich der menschliche Geist entfaltet, steigert, vervollkommnet und gleichsam selbst genießt, hat ebenfalls seinen Vorgang bei Thomas und bei Aristoteles, für den das Gelingen jeder kontemplativen Operation von *gaudium* begleitet ist[28]. Wenn Aristoteles in der ‚Nikomachischen Ethik' (1177 a 26) das Leben des Wissenden für lustvoller als das des Suchenden erklärt, streitet er nicht ab, daß auch Suchen lustvoll sei. Seneca freilich formuliert: Non discere debemus ista, sed didicisse. Das hätte Cusanus nicht mehr unterschrieben, seit er die Freude, das Glück oder Vergnügen, statt wie in der Augsburger Weihnachtspredigt als einen status der Ruhe, als motus und activitas verstand. Hatte er dort dem Hunger „Sättigung", dem Ungenügen des Menschen das Genügen der mit Christus identischen „Innerlichkeit" und der ganzen Schöpfung ihren „Sabbath" in Aussicht gestellt, so erscheint ab ‚De docta ignorantia' das Ungenügen fast schon als Eigenwert. Am schönsten drückt sich das in der Schrift *De quaerendo Deum* (1445) aus: „Unser Intellekt hat die Kraft des Feuers in sich, und zu nichts anderem ist er in diese Welt gesandt worden, als daß er aufglühe und zur Flamme werde". Flamme sein im Sinne des *intellectualiter vivere* muß der Mensch. Damit erfüllt er seine Aufgabe, lebt und freut sich seines Lebens. Das *plus et plus intelligere*, der Vorgang des Erkennens, macht Leben und Freude des Menschen aus, dessen eigentliches Menschsein, *humanitatem*.

Cusanus verabsolutiert — wenn wir spitz formulieren — die Intensität der *vita intellectualis*, ähnlich wie das Wittenwiler, Wolkenstein, die Gräfin Elisabeth mit der *vita vitalis* tun. Indem die Neue Theologie als eine spekulative ars movendi mit der Neuen Rhetorik, auf die sich die Humanistische Renaissance gründet, konform geht, stellt sie zugleich ein Gegenstück zu der *Eigenrenaissance* in Epik und Lyrik dar.

Christus, in ‚De docta ignorantia' die Verkörperung der humanitas summa et perfectissima, muß nach Cusanus auf Erden keineswegs in allem vollkommen gewesen sein, nur *in respectu intellectus*, in Hinsicht des Intellekts. Auf diese Weise perfectissimus et altissimus in natura humanitatis, war Christus unitissi-

99

mus divinitati, und so ist nach dem Maß eigener, hinter Christus freilich weit zurückstehender perfectio intellectualis jeder Mensch *humanatus deus*. Höher läßt sich vom Menschen, speziell dem Intellekt des Menschen, nicht reden. In der Cusanischen Christologie tritt der Kreuzestod als Sühne für die Sünde des Menschen völlig zurück hinter der intellektuellen Vollendung und Vergöttlichung des Menschen in Christus. Bei dem Größten, der aus der Schule von Deventer hervorging, ist die *indocta pietas* in eine *docta ignorantia*, die imitatio Christi als Gebot der *humilitas* in den Preis der *humanitas* umgeschlagen.

Der anfangs der schroffste Widersacher Papst Eugens gewesen war und mit seiner ,Concordantia catholica' die Superiorität des Konzils ideell neu unterbaut hatte, verteidigte jetzt als „Herkules der Eugenianer" vor den Reichsfürsten die päpstlichen Rechte gegenüber dem Konzil. Auf die ,Concordantia' berufen sich nurmehr die Feinde des Cusanus, zu denen auch ENEA SILVIO PICCOLOMINI gehört. Dieser war inzwischen vom Schreiber über den Korrektor zum Abbreviator, zum Oberabbreviator und Siegelbewahrer des Konzils aufgerückt, und als *1440* das Konzil einen neuen Papst, FELIX V., wählte, stellte sich Piccolomini diesem letzten Gegenpapst, den die Geschichte kennt, als Sekretär zur Verfügung. Wohl im *November 1440* verfaßte er einen *Libellus dialogorum de generalis concilii autoritate et gestis Basileensium*. Ein fingierter Dialog zwischen Cusanus und dem päpstlichen Sekretär Stefano Caccia wird von Enea mit einem dritten Sekretär belauscht und glossiert. Cusanus muß am Ende sich geschlagen geben — ein Wunschtraum des Enea. Nach einiger Zeit gab im Gegenteil er sich geschlagen.

Auf dem ersten Reichstag, den Friedrich III. zum *Frühjahr 1442* nach Frankfurt am Main berief, trafen Cusanus und Enea wie auch Schlick, Cesarini, Heimburg wieder zusammen. Monatelang verhandelte man über die Stellung des Reichs in der Kirchenfrage und über die Reichsreform, ohne sich zu einem wesentlichen Beschluß durchzuringen. Enea stellte derweilen fest, daß Frankfurt, ebenso wie Konstanz, eine Stadt von 10 000 Einwohnern war, während Straßburg 20 000, Köln 30 000 zählte, daß es 1410 sein Stadtgebiet gegen die Taunusritter mit einer großen Landwehr befestigt und 1411 den Kaisersaal im Römer ausgebaut hatte, wohl auch, daß die Sachsenhäuser andere Menschen sind als die Frankfurter; jedenfalls nennt Enea in seiner ,Europa' (1458) erstmals den Main die Grenze zwischen superiores Germani und inferiores Germani: das älteste Zeugnis für die Mainlinie.

Eine kurze Unterbrechung in das diplomatische Seilziehen brachte die Krönung Friedrichs III. in Aachen am *17. Juni 1442*. Um dieselbe Zeit erreichte Enea über den Erzbischof von Trier, Jakob von Sirck, dem Friedrich III. seine Wahl zum König und Felix V. seine Wahl zum Papst zu danken hatte, für sich die Dichterkrönung. Am *27. Juli 1442* empfing Enea vor den im Kaisersaal versammelten Fürsten und Prälaten aus der Hand des Königs den silbernen Lorbeer. Diese Dichterkrönung auf dem Römerberg in Frankfurt erfolgte fast genau hundert

HIC AENEAS AFOELICE ·V· ANTIPAPA LEGATVS AD FEDERICV M

Dichterkrönung des Enea Silvio
(aus den Fresken von Bernardino Pinturicchio in der Dombibliothek zu Siena, 1502—1508)

Jahre nach der Petrarcas auf dem Kapitol in Rom 1341. Es war die erste in Deutschland: ein spektakuläres Bekenntnis zum italienischen Humanismus.

Nun setzte, wie lange vor ihm schon Heimburg und Cusanus, auch Piccolomini sich von Basel ab. Im *Januar 1443* wurde er an die Reichskanzlei verpflichtet, die 1440 von Prag nach Wien verlegt worden war. Der Kanzler Graf Schlick will gleich seinem Amtsvorgänger hundert Jahre früher, Johann von Neumarkt, die lateinischen Schriftstücke nach der Neuen Rhetorik redigieren lassen und betraut mit dieser Aufgabe den poeta laureatus Senensis. Mehr als ein Jahrzehnt wird Enea Silvio in Wien bleiben, so daß er insgesamt einundzwanzig Jahre unter den Deutschen lebte und auf sie einen weit nachhaltigeren Einfluß ausüben konnte, als das Cola di Rienzo und Petrarca mit ihren Besuchen und Briefen gelungen war. Nicht als ob Enea am Hofleben Gefallen gefunden hätte. Die Sekretäre müssen zusammen aus demselben unsauberen Holzbecher ihren sauren Wein trinken, bei Tisch dürfen sie nicht sprechen, und oft genug schlafen sie auf Stroh oder im Heu. Alles schwer erträglich für einen Mann, der von sich sagte: Sum poeta nec stoicus. Aber sein Ehrgeiz hielt Enea am Hofe fest, und auch der kulturellen Sendung, als „Licht in der Finsternis" zu wirken, war er sich sehr bewußt. Bei lateinischen Gesprächen, in Basel, in Wien und auf zahllosen Reisen — Gesprächen, die nicht selten zu Ansprachen wurden — und ebenso in lateinischen Briefen, die häufig wie Sendbriefe von Hand zu Hand gingen, glänzte Enea mit gelehrtem Wissen, Weltkenntnis und rhetorischer Kunst. Lange Strecken der Briefe bestritt er allerdings mit mehr oder minder wörtlichen Entlehnungen aus der antiken Literatur; so brachte er beispielsweise Horazische Oden in Briefform[29]. Er pries die Städte, die er auf seinen Reisen durch Deutschland kennenlernte, wegen ihrer Schönheit und ihres Reichtums, aber im allgemeinen kamen die Deutschen schlecht weg. Der Adel sei zu Roheit und Völlerei abgesunken und ahne nichts von jener feineren Bildung, die sowohl den italienischen Adel als auch das italienische Bürgertum, namentlich in der Toscana, auszeichne. Marstall und Weinkeller schätzten die Deutschen wie die Italiener Bibliotheken. Professoren und Magister der deutschen Universitäten fand Enea in scholastische Irrgänge verrannt, entweder Träumereien oder dürren Spekulationen hingegeben. Am *5. Dezember 1443* schickte er aus Prag einen längeren *Lehrbrief* über die studia humanitatis an den sechzehnjährigen HERZOG SIGMUND VON TIROL, der als Mündel des Königs am Wiener Hof erzogen wurde, und bei dem Enea den Mentor spielen sollte[30]; Sigmund war der Sohn von „Friedrich mit der leeren Tasche" († 1439), dem Todfeind Wolkensteins. *Omnis bene vivendi norma literarum studio continetur*: die Norm der Lebenskunst ist im Studium der Literatur zu finden, lautet Eneas Wesensbestimmung der *studia humanitatis*, die Petrarca und Chrysoloras angefacht hätten. Natürlich versteht er unter Literatur die antike, speziell rhetorische Literatur, hieß es doch in einem früher zitierten Brief an Heimburg: Revixit eloquentia. Durch sie wird ein Mensch *peritus*, gebildet, nicht bloß *doctus*, gelehrt. Enea übernimmt von Vergerio das Florentiner Ideal der Synthese von *vita activa* und *vita con-*

templativa: „Die sind alles Lobens und Rühmens wert, die dem Staatswesen dienen und die Wissenschaften nicht vergessen . . ., den Genuß der Ruhe mit dem Vorteil der Tätigkeit verbinden." Immer wieder kommen die Humanisten auf dieses Thema zurück. Als locus classicus gelten Cristofero Landinos ‚Disputationes camaldulenses' um 1480, wo es von Federigo da Montefeltre (1444–1482) heißt: „Du bist der einzige, in dem wir beide Lebensarten vereinigt sehen." Was Kaiser Sigmund nachgesagt und Herzog Sigmund vorausgesagt wurde, hat wohl der Herzog von Urbino in der Tat erreicht.

Die Reaktion des jungen Habsburgers auf den Appell, studia humanitatis zu treiben, mag Enea im ersten Augenblick verblüfft haben: Sigmund bat den berühmten Briefschreiber, ihm ein Muster für Liebesbriefe aufzusetzen. Doch der Italiener zeigte Verständnis und entwarf einen petrarkistischen Liebesbrief Hannibals an Lucretia von Epirus[31]: „Was soll ich von den Korallenlippen und Kristallzähnen sagen und allen Teilen Deines Mundes, dem die Worte wie flüssiger Honig entquellen. Und von da kommt auch jenes Lachen, das mir bis ins innerste Herz dringt. O der Glückliche, der in diese Lippen wird beißen, solche Wangen wird abküssen dürfen, der Dein Kinn und Deinen Hals, weißer als skythischer Schnee, wird berühren können . . . Ich bitte ja nicht, daß Du liebst, Du sollst Dirs nur gefallen lassen, daß man Dich liebt . . . Lebe recht wohl, mein Seelchen, meine Lust, mein Herzchen. Datum." Ob Sigmund aus dem Brief Nutzen zog, wissen wir nicht. Wenn er schließlich vierzig uneheliche Kinder zu versorgen hatte, dürfen wir wohl nicht Eneas Briefkunst die Schuld oder das Verdienst zuschreiben. Er selbst besaß nur zwei uneheliche Kinder.

Daß der Herzog lange wenigstens physisch bei guten Kräften blieb, dankte er in vorgerückten Jahren seinem Leibarzt Doktor Johannes Hartlieb, der ihm Badekuren in Gastein verordnete. *1444* war Hartlieb noch Leibarzt Herzog Albrechts III. von Baiern-München und schrieb für dessen Söhne, ähnlich wie Enea für Sigmund, eine Art Fürstenspiegel. Nach des Archipresbyters Leo ‚Historia de preliis' (10. Jh.) erzählte er ihnen auf Deutsch die sagenhaft ausgeschmückte Geschichte Alexanders des Großen. Die Knaben stammten aus Albrechts zweiter, standesgemäßer Ehe, das einzige Kind aus erster Ehe hat später Hartlieb zur Frau erhalten, Sibille, die Tochter von Agnes Bernauer. Gleich dem ‚Hugo Scheppel' der Gräfin Elisabeth wurde seit 1472 auch Doktor Hartliebs *Buch der Geschicht des großen Alexanders* zu einem beliebten Volksbuch[32].

Enea Silvio weilte im *Herbst 1444*, nunmehr als königlicher Rat, auf dem Reichstag zu Nürnberg. Wieder ging es um die Beilegung des Kirchenkampfes. Die Reichsstände nutzten die Gelegenheit, dem König harte Vorwürfe zu machen, weil die französischen Söldner, die Armagnacs, die er gegen die Eidgenossen angeworben hatte, nach ihrem Erfolg beim Siechenhaus zu St. Jakob an der Birs ins Elsaß eingefallen waren und hier furchtbare Greuel verübten. Die Eidgenossen wurden von Schwyz angeführt, während Zürich im Bund mit König und Adel stand. Ein Domherr am Großmünsterstift, Felix Hemmerli-Malleolus, feierte deshalb in einem *De nobilitate et rusticitate dialogus*[33] jenen Sieg vom *August 1444* als Wiederholung des Siegs über die Hunnen 444. Auf dem Reichstag brandmarkte man die Armagnacs mit gutem Grund als Hunnen, Hemmerli sah Hunnen in den Eidgenossen, speziell den Schwyzern. Er kannte nur das Freund-Feind-Verhältnis, und ganz anders als Wittenwiler oder Gräfin Elisabeth scheint er kein aus Abscheu und Bewunderung gemischtes „gryseln", sondern eindeutiges Grausen vor dem „geburenwesen", einen schier physischen Widerwillen gegen die nach Milch und Mist riechenden „Kuhmelker" empfunden zu haben. Der Züricher Patriziersohn gefiel sich deshalb in snobistischer Verehrung des blauen Blutes. Das Adelsprädikat „Baron" leitet er von barrus, der Elefant, ab, weil der Adelige unter den Menschen ebenso hervorrage wie der Elefant unter den Tieren. Die Gründung der Eidgenossenschaft ist nach Hemmerli ein frevlerischer Abfall vom Adel. Mit immer neuen Argumenten spielt er im Dialog zwischen Bauer und Edelmann gegen die *rusticitas*, die er mit *ruditas*, Roheit, gleichsetzt, die *nobilitas* aus. Der Bauer kommt wenig zu Wort, um so mehr läßt sich der Ritter in Abschweifungen gehen.

Hemmerli-Malleolus (geboren 1388) war Doctor decretorum von Bologna, dennoch schrieb er kein Humanistenlatein. Die Obliegenheiten eines Chorherrn beschränkten sich darauf, daß er siebenmal des Tags, insgesamt vier Stunden, an den kanonischen Horen teilnahm, die übrige Zeit gehörte dem Studium. „Gesanges, gemeldes und aller künsten hüpskait ist er gewesen ein großer liebhaber und wolt auch von jeglicher kunst möglichst viel begreifen", so kennzeichnet Niklas von Wyle in der IX. Translatze seinen Landsmann. Dieser selbst schreibt, natürlich lateinisch: „Unter den Klerikern der Diözese Konstanz hat gegenwärtig keiner mehr Bücher als ich ... Außer den [rund 40] von mir selbst verfaßten Schriften habe ich über 500 Bände und Traktate in meinem Studierzimmer stehen, dazu kommt noch eine Menge von allen Seiten aus Kirchen und Klöstern geliehener sehr alter Schriften." Zwischen den Büchern, Pulten, Karten, Tafeln und Tischen aber bauten Vögel ihre Nester. Keiner Mücke tat Hemmerli etwas zuleid, nur die menschliche „plebs" machte ihn streitsüchtig und bitterböse: *rustica gens optima flens, pessima gaudens.* — Wie kann man am ‚Ring' Gefallen finden!

Sebastian Brant hat 1497 *Clarissimi viri Felicis Hemmerlin varie oblectationes,* Ergötzlichkeiten, herausgegeben, darunter auch einen *Processus judiciarius coram Deo* gegen die Schweizer Eidgenossen. Besonders ergötzlich ist hier ein Festmahl im Himmel geschildert. Moses schleppt Tische aus Zedernholz heran, Isaak bringt Brennholz und Abraham das Feuer, Esau sorgt für das Wildbret, Fische steuern die Jünger bei, Martha bedient, David schlägt die Harfe usw. Coena finita omnes placidam capiebant quietem. Solus Imperator somnum hac nocte non vidit oculis suis. Kaiser Karl der Große findet keinen Schlaf, weil er anderntags die Anklage gegen die Schweizer zu erheben hat. Bei der Verhandlung werden dann *orationes* τὸ ἦθος *exprimentes* gehalten. Obwohl da und dort fast Vorspiel zu Gottfried Kellers ‚Legenden', ist das Ganze doch „voll Bitterkeit und schmeckt nach Salz".

Ähnlich wie mit den Schwyzern verfuhr Hemmerli mit den Bettelmönchen und anderen, die seinen Widerwillen hervorriefen. Als das Maß voll war, werden wir sehen, mußte er die Rechnung mit Zins und Zinseszins begleichen. Da half auch nichts, daß ihn der König und ebenso Herzog Albrecht von Österreich zu seinem Kaplan, der Markgraf von Baden zu seinem Rat ernannt hatte.

Friedrich III. leistete in allen Dingen höchstens passive Resistenz. Schon die Streitigkeiten auf dem ersten Reichstag, den er abhielt, verleideten ihm die Reichstage so, daß er siebenundzwanzig Jahre lang keinen mehr besuchte. Dagegen fand ENEA SILVIO, sein Geheimer Rat, in Nürnberg die Anregung, eine Dirnenkomödie nach Terenzschem Muster zu schreiben. Diese *Chrysis* blieb nur in einer einzigen Handschrift erhalten und wurde 1939 erstmals gedruckt[34]. — Dyophanes: Ich werde noch im Schoß meines Mädchens schlafen wollen, wenn es nach Ziege riecht. Theobolus: Wen die Liebe zu einer Dirne drängt, und er zeigt es ihr, der ist verlorener als die Verlorenen im Styx. — Auch zu mehreren Traktaten, so *De miseriis curialium*[35], Über das Elend der Hofleute, vor allem aber zur *De duobus amantibus historia*, gewöhnlich als ‚Euryalus und Lucretia' zitiert, gab das Jahr 1444 den Impuls[36]. Briefe zwischen den zwei Liebenden sind ein tragendes Formelement in der Novelle des Epistolographen.

CUSANUS ging würdigeren Liebhabereien nach als Enea. Er kaufte sich in Nürnberg einen dickleibigen astronomischen Folianten, der später mit allen Schätzen, die er besessen, an das von ihm gestiftete St. Nikolaus-Hospital in Kues fiel. Wohl behütet als *Codex 211*, liegt er noch heute bei den alten Männern, die im Hospital ihren Lebensabend verdösen. Seit 1847 zählt er zu den größten Kostbarkeiten der Bibliothek. Damals entdeckte man in dem von Cusanus 1444 erworbenen Codex eine längere eigenhändige Notiz über die Bewegung der Erde und über ihren Ort, der nicht im (exakten) Mittelpunkt der Welt sei[37]. Hatte man jetzt nicht einen neuen schlagenden Beweis in Händen, daß Cusanus schon das Kopernikanische Weltbild voraussah? — Wenn man wüßte, welchen Stellenwert solche Gedanken bei ihm einnehmen[38]! Auf jeden Fall zog er damit Folgerungen aus metaphysischen Prämissen und hat also den von der Metaphysik festgelegten Rahmen der Astronomie nicht aufgebrochen, sondern bloß mit Scharfsinn und Kühnheit ausgeweitet, so daß die Forschung größeren Spielraum erhielt. Man kann schwerlich mehr sagen als, Cusanus habe, ohne sich dessen bewußt zu sein, der Astronomie die Möglichkeit zur Entwicklung auf das Kopernikanische Weltbild hin verschafft[39].

Ohne Mutmaßungen kommen wir auch bei ENEAS Novelle von 1444 nicht aus. Den Stoff lieferte wohl eine Erzählung Kaspar Schlicks. Daß die Piccolomini von Siena stammten, mag den Kanzler an die schönen Monate erinnert haben, die er dort 1432 verbrachte. Auf dem Zug zur Kaiserkrönung hatte König Sigmund, wegen der Krise zwischen Papst und Konzil und weil ihm das Geld ausgegangen war, fast ein Jahr lang in Siena Hof gehalten. Der vierundsechzigjährige König litt an Gichtschmerzen und kam sich „wie ein Gefangener im goldenen Käfig" vor, der dreiundfünfzigjährige Oswald von Wolkenstein benützte die Gelegenheit, sich für seine Liedersammlung porträtieren zu lassen, der sechsunddreißigjährige Kaspar Schlick aber knüpfte ein Liebesverhältnis mit der Frau eines Sieneser Patriziers an. Sicher war Piccolomini die Familie bekannt. Zu guter Stunde erzählte ihm der Kanzler sein Erlebnis, und Enea machte daraus eine Novelle von der Macht der Liebe. — So ungefähr dürfen wir uns die Entstehung vorstellen.

Ähnlich wie im Fall des ‚Ackermann aus Böhmen' findet man es heute „belustigend naiv", wenn man dem Dichter seine Behauptung, hinter den ficta stünden facta, gutgläubig abnimmt. „Nein, das ganze Spiel mit der ‚wahren Geschichte' ist nichts als die übliche Tarnung der Fiktion, als der herkömmliche, unumgängliche ‚Nachweis' der Zeugenschaft, die ‚adtestatio rei visae' im Sinne der literarästhetischen Tradition." So Walther Pabst in seinem Buch ‚Novellentheorie und Novellendichtung', 1953. Das Kapitel ‚Die Historia de duobus amantibus im Zwielicht der Topoi'[40] schließt: „Ein köstliches, labyrinthisch verschlungenes Spiel war es, der Tradition der Prologtopoi folgend Vorwände und Namen zu **erfinden**, ein ebenso reizvolles, geistreiches Spiel aber auch, diese Fiktionen zu durchschauen. Autor und Leser begegneten sich darin auf der Basis heiterer Bildung und Belesenheit." Daß Enea die beiden Einleitungsepisteln zu seiner Historia auf Topoi aufbaut, wird nach Pabsts Hinweis niemand mehr übersehen können. Aber **wieso** genoß der Leser des 15. Jahrhunderts, der mit den Topoi vertraut war und infolgedessen Eneas Angaben als schmückende Fiktionen durchschaute, den Reiz eines labyrinthisch verschlungenen Spiels? Würde das nicht vielmehr voraussetzen, daß Fiktives und Faktisches hier durcheinandergehen? Können die Topoi anders eine „Zwielichtigkeit der ganzen Historia" hervorrufen? So wenig wie der Historiker, dem Pabst mehr Vernunft zutraut als dem Literarhistoriker, wird dieser Eneas Historia als „biographisches Dokument" nehmen, und das war sie natürlich auch für den Leser des 15. Jahrhunderts nicht. Aber Episteln und Historia umgekehrt bloß als Fiktion begreifen, hieße ja, über Pabsts erhellende These vom „Spiel des Zwielichts" den Scheffel stülpen.

Schauplatz der Novelle ist Siena, der Held ein Ritter im Gefolge König Sigmunds. Daß die Geschichte 1432 spielt, ergab sich daraus von selbst. Der Ritter heißt allerdings nicht Kaspar, sondern Euryalus, der Patrizier wird Menelaus, wie Helenas Gatte, seine schöne Ehefrau aber Lucretia genannt. Zwischen Euryalus und Lucretia entsteht Liebe auf den ersten Blick. Durch eine Kupplerin schickt Euryalus einen Brief, den Lucretia zerreißt und ins Feuer wirft; nachdem die Kupplerin gegangen ist, sucht sie dann die Fetzen aus der Asche wieder zusammen. Sie beantwortet auch den Brief, verweist Euryalus seine Liebe und wechselt doch weitere Briefe und sogar Geschenke mit ihm. Als Lastträger verkleidet kommt Euryalus zu Lucretia ins Haus. Aber da wird ihr Gatte angemeldet, Lucretia gelingt es gerade noch, den Liebhaber zu verstecken. Menelaus ist gekommen, ein Dokument zu suchen. Euryalus wird von Angst und Reue gepackt. Nach der ersten, noch zeitgenössischen Übersetzung des Niklas von Wyle sagt sich der schlotternd zerknirschte Euryalus in der Nische: „Was sint die fröiden diser liebe? die so hoch und türe gekouft werden. diesz ist ain kurtze wollust, und ain aller lengstes schmertzen. O belüden wir uns des von wegen des himelrychs ... Ist aber daz der göter hilff mich hier von erlöset. kain liebe tuot mich yemer mer widerumb also instricken ... niemant mag mir gehelffen dann allain du min got."

Lucretia gelingt es, die Entdeckung zu verhüten. Menelaus geht ab, und sie ruft nach dem „honigsüßen" Euryalus. „Ihr Mund lächelte süß und schüchtern, und ihre Brüste wogten und bebten vor Verlangen." Da sind alle Ängste und Gelöbnisse vergessen, Euryalus erliegt aufs neue den Reizen Lucretias: „Solch große Furcht und Schrecken ist mir nie mehr begegnet, aber du bist würdig, deretwegen solches gelitten wird. Es wär auch nicht billig, daß jemand solch süß Küssen und Halsen umsonst zustehen sollten. Ja, ich habe ein so köstliches großes Gut noch nicht teuer genug erkauft."

Die Macht der Sinnenliebe auch hier — wieviel dramatischer aber ist die Handlungsführung, wieviel subtiler sind Psychologie und Ironie des Enea, der aus der Schule Boccaccios kommt, verglichen mit Elisabeth von Nassau-Saarbrücken und ihren Vorlagen. Auf die Zwiespältigkeit des menschlichen Herzens gründen sich Psychologie, Dramatik und Ironie von Eneas Novelle. Das erscheint uns ebenfalls etwas schematisch. Dennoch möchte man im Hinblick auf die Gestaltung der Euryalus-Novelle kaum glauben, daß diese mit dem Scheppel-Roman, wie auch das Decameron mit Elisabeths Vorlagen, beinahe gleichzeitig entstanden ist. Man kann daran ermessen, was der italienische Humanismus für die Literaturen Europas bedeutete.

Viele Einzelzüge wären hervorzuheben. So beispielsweise, daß Euryalus, ein offenbar humanistisch gebildeter Christ des 15. Jahrhunderts, in seiner Not zunächst von der Hilfe der Götter spricht, dann aber, als ihm das Wasser am Halse steht, auf einmal betet: „Niemand mag mir helfen denn allein du, mein Gott". Freilich, kaum ist die Gefahr vorüber, triumphiert sofort aufs neue die Macht der Liebe, und an die Stelle Gottes tritt die Natur: „Es ist ein wundersam Ding, daß die Natur so viel Recht und Gewalt gegeben hat der Liebe im menschlichen Gemüt."

Weit stärker noch als der Mann zeigt sich die Frau der Gewalt der Liebe ausgeliefert. Nachdem Lucretia zum ersten Mal Euryalus begegnet ist, sagt sie sich: „Schlag nur, du Unselige, die empfangenen Flammen aus deinem keuschen Herzen — ja, könnte ich, so wär ich nicht sich und krank, wie ich bin. Neue (d. h. fremde) Kraft und Macht ziehen mich in ein ander Leben." Dagegen halte man die Wirkung Hugos auf die französische Königstochter! Enea nahm den Monolog Medeas bei Ovid (Metamorph. VII, 17 ff.) zum Vorbild.

Seine Lucretia weiß von Anfang an: Wenn wir Frauen lieben, dann völlig und für immer. Nicht so der Mann. Viele Male noch können sich die Verliebten aneinander erfreuen, aber als Euryalus weiterziehen muß nach Rom, will Lucretia ihn begleiten, und er lehnt ab. Auf seiner Heimfahrt sehen sie sich bloß von ferne wieder. Das bricht Lucretia das Herz. „Als er vernahm, daß sie gestorben sei, ist er mit großem Schmerz betrübt worden und legte weinbare, leidsame Kleider (Trauerkleider) an, und niemand konnte ihn trösten, bis ihm der Kaiser eine Jungfrau von edelster Geburt, hübsch, keusch und weise, in der Eh' tät vermählen." Wir wissen, daß es bei Schlick eine Prinzessin von Oels war.

Die Liebe zwischen Euryalus und Lucretia erscheint somit am Ende auch als eine seelische Bindung, wovon der Scheppel-Roman nichts enthält. Bei Euryalus tritt das nach Lucretias Tod in empfindsamer Weise zutage. Lucretia aber erfuhr die Liebe als eine so übermächtige Gewalt, daß der ganze Mensch ihr auf Gedeih und Verderb, Leben und Tod ausgeliefert ist.

In diesem Bild der Liebe liegt über das Künstlerische hinaus die geistesgeschichtliche Bedeutung der Wiener Novelle von Enea Silvio. Wie ein Naturvorgang entwickelt sich die unerlaubte Liebe zweier Menschen, sie wird damit als eine Art Naturgesetz und Naturrecht anerkannt, ja verherrlicht. Menelaus heißt „würdig, daß seine Ehefrau ihn betrog", weil er als bürgerlicher Philister nicht um die Macht und um den Adel der Liebe weiß, gegen die ein Mensch nichts auszurichten vermag.

Bei Johann von Tepl war es der Tod, der auf das Naturrecht pochte, aber im Grund beanspruchte es auch der Ackermann für die Liebe. Ein Menschenalter danach, um 1433, machte die Rehabilitierung der sinnlichen Lust durch Lorenzo Vallas ‚De voluptate' großes Furore. Enea, der diese Schrift zweifellos kannte, mag sich bei der Erzählung Schlicks daran erinnert haben, wie Lorenzo Valla das illegitime Liebesverhältnis dem Ehemann gegenüber für souverän erklärte, das Gefallen, das zwei Menschen aneinander finden, höher stellte als die legitime Bindung: Si mulier mihi et ego mulieri placeo, quid tu tamquam medius nos derimere conaberis? — Wenn die Frau mir gefällt und ich der Frau gefalle, was wirst du unternehmen, uns wie einer, der dazwischen steht, zu trennen? Es wäre sicher falsch übersetzt und dennoch eine Interpretation im Sinne Vallas und Eneas, wollte man den störenden Dritten als *medius* im Sinne der Mittelmäßigkeit verstehen. Denn gleich der Tatkraft und dem Glück erhebt auch die Liebe zum *homo singularis*.

‚De duobus amantibus' wurde in Deutschland dank der Übersetzung des Niklas von Wyle 1462, nach der ich zitierte, weitesten Kreisen zugänglich. Eine italienische Übersetzung kam erst fünfzehn Jahre später heraus, Frankreich folgte 1493, England 1550 oder 1560. Die Wirkung auf die deutsche Literatur zeigt sich schon in einer Neufassung des ‚Hug Schapler' 1537. Wo das Volksbuch von 1500 ein Liebesabenteuer Hugs kurz „erzählt" mit dem Satz: „Und gewann eins Ritters Tochter so lieb in dem Land zu Hennegau, so das sie ward von im eins Kinds schwanger", da „schildert" der Redaktor von 1537 in großer Breite: „... ward eines mächtigen Ritters Tochter so in inbrünstiger Liebe gegen ihn entzündet, daß sie weder Tag noch Nacht Ruh noch Rast mochte haben, derhalben sie mancherlei Gedanken hätt, wie sie mit Fug zuwegen möcht bringen, daß ihr der Hug zuteil würd. Und auf eine Nacht sie eine ihrer getreuen Dienerin' abfertiget mit einem geschriebnen Brief, welcher unter anderem inhielt also: Und du allerliebster Hugo, auf diesen Tag ist mein Herz mit Venus Pfeil getroffen, und in ganzer Lieb gegen dir entzündt, also daß ich keine Nacht ohn dich schlaf; darumb: Frau Glück ist dir jetzund vor der Thür, nimm sie an, auf daß sie dir nicht ungünstig werde..." Es folgt eine lange Beschreibung des Gemachs, in dem sich die beiden treffen, dann heißt es: „Was da für Freud gewesen sei bei ihnen zweien, giebt allen Liebhabern und Buhlern zu disputieren, dann mir solches nit möglich ist auszusprechen; ich glaub aber nit, daß größer Wollust und Freud sei gewesen bei Euriolo und Lucrecia... Und (daß ichs nit zu lang mach) so gingen sie zuletzt zu Bett, und ward ihnen die Nacht sehr kurz." Richard Benz[41] kommentiert: „So geht es unmerklich von der alten sachlichen Abenteuergeschichte durch solche Erweiterung und Hinzuerfindung zur ganz freien Erfindung — zum modernen Roman im eigentlichen Sinne."

Ähnlich wie später in Goethes ‚Werther', fanden die Zeitgenossen in Eneas ‚Euryalus und Lucretia' die Liebe auf eine neuartige Weise dargestellt, die bei vielen dem eigenen, bisher noch ungeklärten und ungeformten, deshalb auch nicht anerkannten Erlebnis entgegenkam: Liebe als eine Schicksalsmacht, die den Menschen beseligt und quält, ja ihn vernichten kann, ihn aber damit auszeichnet vor den stumpfen Philistern. Enea Silvio hat zum großen Mythos der Liebe in der Literatur nicht sehr viel weniger beigetragen als Goethe. Und wir möchten aufgrund einer freilich oft widerlegten Maxime annehmen, daß hier auch die künstlerische Qualität der beiden Werke von 1444 und 1774 eine Rolle spielte, war doch jedes zielbewußt durchgeformt im Sinne der *ars movendi* seiner Zeit. Das „labyrinthisch verschlungene Spiel" mit wirklichen Geschehnissen, 1772 in Wetzlar, 1432 in Siena, fügte für Leser, die einigermaßen, aber doch nicht völlig Bescheid wußten, und das waren die meisten, den Reiz der „Zwielichtigkeit" hinzu.

Nicht einmal die Entschuldigung Eneas in dem Einleitungsbrief an Mariano Sozzini vom *3. Juni 1444,* weil er noch mit nahezu vierzig Jahren ein so „verliebtes Werkchen" schuf, ist nur Topos. Ein Werk wie ‚De duobus amantibus' hat Enea nie wieder geschrieben. Dagegen bestellte er sich nach der Rückkehr vom Reichstag im *Oktober 1444* aus Prag eine Bibel: „Ich bin schon ein alter Mann, die weltlichen Bücher passen nicht mehr für mich, und ich finde kein Vergnügen mehr daran." In der Tat beginnt Enea mit seinem vierzigsten Lebensjahr eine neue Periode des Daseins. Die bisherige schließt er *1445* glanzvoll ab mit einer sogenannten *Disputatio de quolibet* in der Aula der Wiener Universität. Der König, Herzog Sigmund von Tirol und der ganze Hofstaat wohnten dem Schauspiel bei, wie ihr Geheimer Rat mit den Professoren der Universität einen Redekampf aufführte und sie durch seine elegante Eloquenz bloßstellte. Drei Fragen wurden disputiert, als erste, ob man *prudentia*, Klugheit, und *scientia moralis*, Moralphilosophie, gleichsetzen könne. Der Humanist bestritt es mit der These, prudentia, d. h. *prudentia moralis*, mache den Menschen gut und glücklich, *scientia moralis* aber nur wissend. Das ist der Trumpf, den seit eh und je die Rhetoriker gegen die

Philosophen für die *sapientia* ausspielten. Die Karten jeder *scientia* sticht nach humanistischer Meinung Petrarcas Magna Charta. Enea legte diese in der Fassung der Florentiner, Salutatis, Brunis, Vergerios, auf den Tisch. Darin war das religiöse Moment fast ausgelöscht zugunsten der Moral und letzten Endes der Politik. Salutati kannte nicht mehr wie Petrarca eine *docta pietas*, dafür aber eine *docta virtus*: durch studia humanitatis an der Antike entzündete Tugend. Vita solitaria, contemplativa, speculativa mag vornehmer sein als vita activa, der menschlichen Gesellschaft ist diese notwendiger. Nunquam privatum esse sapientem, behauptet Bruni. Ideal bleibt natürlich das et-et. Unter *vita activa* verstanden die Florentiner, Cicero und Augustin folgend, Ausübung der Tugend, so manifestiert sich in ihr die *prudentia moralis*, während *vita contemplativa* dem Grund der Dinge nachfragt — *curiositas*! —, und *scientia moralis* über Moral nur wie Aristoteles philosophiert. Von solchen Vorstellungen ging Enea aus, wenn er, nicht etwa *sapientia*, sondern *prudentia* und *scientia* miteinander verglich.

Cusanus legte den Akzent auf die vita contemplativa und also statt auf das moraliter auf das intellectualiter vivere. 1445 leitet er in dem Dialog *De non aliud* (Kap. 24) sogar das Wort *theos* mit Albertus Magnus von *theorein* ab: sehen, schauen, videre, intelligere. Gott ist nichts Seiendes, Gegenständliches, Objektives, er ist reine Subjektivität, nämlich Sehen und Erkennen, das die Welt schafft. Der Mensch hat daran teil, sofern er intellectualiter vivit.

Natürlich wirft Enea den deutschen Universitäten vor, sie trieben bloß Wissenschaften und nicht die studia humanitatis, die zu echter Klugheit führen. Eine Universitätsreform tat demnach schon 1445 dringend not.

In der hohen Politik gab es — 1445 — dringendere Probleme, und Enea hielt die Zeit für gekommen, sich endlich auf seiten Papst Eugens zu stellen, wie Cusanus schon neun Jahre früher getan hatte. Zusammen mit dem Kanzler gelang ihm die Aussöhnung zwischen König und Papst. Dem Konzil bot sich eine letzte Chance, als im *September 1446* auf dem Reichstag in Frankfurt die Kurfürsten dem Papst, vertreten durch Cusanus, entgegentraten. Ihre Sache führte vor allem Gregor Heimburg. Aber Enea, der mit Kaspar Schlick und Peter von Schaumberg zur Gesandtschaft des Königs gehörte, konnte, unterstützt durch Markgraf Albrecht von Brandenburg — den Beinamen Achilles erhielt er durch Enea —, den „Kurverein" sprengen und so dem Konzil den Todesstoß versetzen. Auf dem Römerberg in Frankfurt, der für seine Dichterkrönung die Kulisse abgegeben hatte, stellte Enea im Kampf gegen Heimburg die kirchliche Herrschaft Roms wieder her.

Eneas oben zitiertes Bild von Heimburg, wie er mißmutig, auf Papst und Kirche schimpfend, durch Rom stapft, erinnert an den Sommer 1446, als die beiden dort Vorverhandlungen zum Frankfurter Reichstag führten. Enea selbst besaß jetzt, seit 1445, die Priesterweihe. Seine Absage an Frau Welt war dem Vierzigjährigen nicht allzu schwer gefallen, denn auch ihm ging nicht alles nach Wunsch. Am *8. März 1446* klagt er: „Ich gestehe, ich bin es satt und bin unmutig, Venus macht mir übel — plenus sum, stomachatus sum, Venus nauseam (*nausée*) mihi

Päpstliches Zeremoniell
(aus: Patricius Piccolomineus, Sacrarum Caeremoniarum sive Rituum Ecclesiasticorum
S. Rom. Ecclesiae libri tres, Venedig 1542)

facit. Meine Kräfte erschlaffen, ich bin ein räudiger Hund (canis aspersus sum) mit ausgetrockneten Sehnen, morschen Knochen und faltigem Leib. Ich kann keiner Frau mehr zur Lust sein, und keine Frau kann mir noch Lust bereiten — nec ulli ego feminae possum esse voluptati nec voluptatem mihi afferre femina potest. Meine Keuschheit ist fürwahr — hercule — kein sonderliches Verdienst, denn, um es offen einzugestehen, mehr meidet Venus mich, als daß ich sie scheue."

Die schönen Tage, da er nach dem Vorbild des Properz eine „Cinthia" besang oder von „Glicerion" als animula und cordulum, seinem Seelchen und Herzchen, sprach, gehörten der Vergangenheit an. Als zwei Mißmutige trafen in Frankfurt Heimburg und Enea aufeinander. Dieser hat aber aus dem Altern die richtige Folgerung gezogen. Zwei Jahre nach der Weihe zum Subdiakon wird er schon für seine diplomatischen Verdienste von Papst Eugen IV. — kurz vor dessen Tod — zum Bischof von Triest eingesetzt.

Mit NICOLAUS V. besteigt 1447 erstmals ein Vertreter des Humanismus den päpstlichen Thron — eine Epoche für den Humanismus wie für das Papsttum. Welches Aufheben jetzt von der Rhetorik gemacht wird, zeigt sich, als die Florentiner Gesandtschaft eintrifft, dem neuen Papst zu huldigen. Gegen allen Brauch empfängt sie Nicolaus im Freien, damit möglichst viele Menschen die Rede Manettis anhören können. „Und nach der Rede beglückwünschte man die Florentiner, als hätten sie Pisa und sein Dominium erobert."[42] Das Basler Konzil, das unter dem Druck König Friedrichs nach Lausanne auswich und dessen Gegenpapst endlich resignierte, wählte 1449 auch seinerseits Papst Nicolaus V. Damit löste es nach fast zwanzigjähriger Dauer (1431—1449) sich auf.

So hatte man allen Grund, das in regelmäßigen Abständen wiederkehrende Jubeljahr der Kirche 1450 ganz besonders zu feiern. Zu den neuernannten Kardinälen gehörte der Bischof von Augsburg, PETER VON SCHAUMBERG, der sich in seiner Dankrede an den Papst glaubte kurz fassen zu können, mit der Begründung: Si potatores laetantur bonitate Falerni, / Sic et dictatores gaudent brevitate moderni. Der Fischerssohn aus Kues hatte schon 1448 den roten Kardinalshut empfangen, nun wurde er zum Fürstbischof von Brixen erhoben. Der Sproß der aus ihrer Heimatstadt Siena vertriebenen Piccolomini konnte 1451 dort als Bischof einziehen. Offensichtlich bevorzugte der neue Papst die Humanisten. Nach Entwürfen Battista Albertis begann er, anstelle der alten Constantinschen Basilika den Petersdom und den Vatikanpalast bauen zu lassen. Der Vatikan sollte der größte Palast der Welt werden und so die Macht des Papstes, vor allem gegenüber den Konzilien, betonen: er ist schließlich auf 1100 Räume angewachsen. Die erlesene Büchersammlung, die Nicolaus, als er noch Hauslehrer war, sich am Munde abgespart hatte, konnte er nun gewaltig vermehren und damit den Grundstock zur Bibliotheca Vaticana legen.

ENEA hatte im Februar 1450 noch einmal eine Art humanistischen Fürstenspiegel verfaßt, diesmal nicht für Herzog Sigmund, der inzwischen die Herrschaft in Tirol angetreten hatte, sondern für ein anderes Mündel Friedrichs III., den nachgeborenen Sohn König Albrechts II. aus dessen Ehe mit einer Tochter Kaiser Sigmunds, LADISLAUS POSTHUMUS, nominellen König von Ungarn und Böhmen[43]. Ein König, wird dem zehnjährigen Knaben bzw. seinen Erziehern eingeprägt, soll sich körperlich ertüchtigen, mehr aber noch braucht er die sapientia und die virtus, die ihn die studia humanitatis lehren. *Illiteratus rex, coronatus asinus.*

Die Hauptquelle, aus der Enea schöpfte, ist Quintilians ‚Institutio oratoria'. Sie wird ergänzt durch Plutarchs Schrift über die Kindererziehung und natürlich durch den Brief des Basilius ‚Ad adolescentes, quomodo possint ex gentilibus (heidnischen) libris fructum capere'. Neben den antiken Dichtern, Rednern und Historikern und abgesehen von Basilius werden allein Augustin, Hieronymus und die historischen Bücher der Bibel zur Lektüre für Ladislaus empfohlen. Sämtliche Wissenschaften — disciplinae — hängen miteinander zusammen — concatenatae sunt —, und zwar im Zeichen, nicht etwa der Theologie, sondern der Philosophie. Der Dialektik gegenüber hat jede ihre eigene Methode zu wahren, sonst kommt es zu fatalen Irrtümern, wie Enea an einem geometrischen Beispiel zeigt, das er Quintilian entlehnte. Die Urfeindschaft zwischen Dialektik und Rhetorik bricht immer wieder auf.

Kaiserin Eleonore wird später Eneas ‚Tractatulus' der Erziehung ihres Sohnes Maximilian zugrunde legen. Der Verfasser war ihr wohlbekannt, hat er sie doch 1452 als Gesandter Friedrichs III. in Portugal abgeholt und am Stadttor Sienas dem Gemahl zugeführt. Enea begleitete das Paar dann zur Kaiserkrönung, die am 19. März 1452 in Rom erfolgte. Seit zwanzig Jahren war der Senese nurmehr zu flüchtigen Besuchen in politischer Mission über die Alpen gekommen. Nun sah er, wie nicht allein die Wortkunst, sondern auch die bildenden Künste überall in voller Blüte standen. Hatte nicht Boccaccio[44] den schon von Dante gerühmten Giotto mit fast denselben Worten als Erneuerer der Malerei bezeichnet, die er sonst für den Erneuerer der Eloquenz, Petrarca, brauchte? Es lag nahe, die Gleichung zu ziehen. In einem Brief an NIKLAS VON WYLE schreibt Enea 1452[45]: Mirabile dictu est, dum viguit eloquentia, viguit pictura, sicut Demostenis et Ciceronis tempora docent ... Cum illa revixit, haec quoque caput extulit ... Post Petrarcham emerserunt litterae post Jotum surrexere pictorum manus; utramque ad summam iam videmus artem pervenisse. Indem er unter dem Begriff *revixit* die künstlerische Entwicklung seit Jotus, d. i. Giotto, der literarischen seit Petrarca zuordnete, nahm Enea Silvio den rinascità-Begriff Vasaris, aus dem sich unsere Vorstellung von Renaissance entwickelte, um hundert Jahre vorweg. Zugleich überrundete er schon in gewisser Hinsicht Vasari, der ja seinen Begriff auf Architektur und Bildhauerei samt Malerei einengte. Begann seit der Kaiserkrönung Karls IV. *1355* sich die *reparatio studiorum humanitatis* von Petrarcas Idee einer allgemeinen *remeatio ad Romae purum priscumque iubar* abzulösen, so verband 1452, als Friedrich III. zum Kaiser gekrönt wurde, Enea Silvio erstmals *reparatio studiorum humanitatis* mit *resurrectio picturae* und konzipierte damit die Idee einer literarisch-künstlerischen „Kultur der Renaissance in Italien".

CUSANUS behielt trotz seiner regen Tätigkeit auf kirchenpolitischem Gebiet erstaunlicherweise immer Kraft und Zeit übrig, seine philosophisch-theologischen Arbeiten zu fördern. So verfaßte er u. a. 1447 eine Abhandlung *De genesi*, worin er unumwunden zugesteht, die Schöpfungsgeschichte der Bibel erscheine „absurd", man müsse sie aber, heißt es weiter, als Wort Gottes hinnehmen und so lange bedenken, bis ihr eigentlicher Sinn — mysteria secretiora — sich einem erschlösse. Cusanus gibt dann eine philosophische Deutung der Genesis. Kein Wunder, daß ihn die Theologen angriffen. Seinen bedeutendsten wissenschaftlichen Gegner fand er in dem Heidelberger Professor der Theologie JOHANNES WENCK aus Herrenberg, der auch kirchenpolitisch auf der anderen, konziliaren Seite stand.

Wenck gehörte zu den führenden Vertretern der sogenannten *via antiqua*, die über Occams Nominalismus, die *via moderna*, auf Albertus und Thomas zurückgehen wollten: gleichsam eine vierte Restaurationsbewegung, nun aber innerhalb der Scholastik, neben Devotio moderna, Humanismus und Ritterromantik. So engen Kontakt aber Devotio moderna und Humanismus haben, dessen Verhältnis zu via antiqua und via moderna wechselt je nach den persönlichen Beziehungen. Seit Gerhard Ritters ‚Studien zur Spätscholastik'[46] kann man nicht mehr mit Heinrich Hermelink[47] und Albert Hyma[48] auf eine besondere Affinität zwischen via antiqua und Humanismus erkennen. Scholastik, ob sie bei den moderni sich kritisch-subtil, bei den antiqui reaktionär-doktrinär gibt, ist im Grundsätzlichen Antipode des Humanismus, dessen Feind schlechthin.

Auch von Cusanus mußten sich die antiqui distanzieren. Wenck rügte in der Schrift *De ignota litteratura*[49] seine Verstöße gegen den Aristotelischen Satz vom Widerspruch und seinen angeblichen Pantheismus; klar erkannte er, wo die Wurzel von Cusanus' Denken lag, die er nicht verstand und nicht verstehen wollte, die für ihn die Wurzel alles Übels war, weil sie das Fundament der Scholastik ins Wanken brachte: die Lehre oder eigentlich der Wille, sich dem *plus et plus intelligere*, nicht als Fortschritt, sondern als Fortgang zu verschreiben. Cusanus argumentierte damit, daß eine präzise Erkenntnis der Wahrheit unerreichbar sei, und optierte deshalb für den *processus* oder *motus* unbegreiflichen Begreifens. Wenck hielt ihm entgegen: Wenn die Wahrheit unerreichbar — inattingibilis — bliebe, so wäre jene geistige Bewegung — motus ille intellectualis — ohne Ziel und also keine Bewegung — et per consequens non motus —, vielmehr unendlich und zwecklos, was die Vernunft zur Unvernunft stempeln würde (S. 29). Der Sinn für die Verabsolutierung der vita intellectualis oder m. a. W. für eine spekulative ars movendi fehlte Wenck, aber er sah, daß darin das Wesentliche der Neuen Theologie des Cusanus bestand.

Cusanus, der inzwischen Kardinal geworden war, erwiderte 1449 Wenck mit einer *Apologia doctae ignorantiae*. „Fast alle, die sich dem Studium der Theologie widmen, schließen sich an bestimmte feste Überlieferungen, *positivas traditiones*, und ihre Formen an und meinen, sie seien Theologen, wenn sie zu reden wissen wie andere, die sie sich zu Autoritäten gemacht haben": tunc se putent theologos esse, quando sic sciunt loqui ut alii, quos sibi constituerunt auctores. Die *docta ignorantia* vergleicht Cusanus mit der Kenntnis eines Sehenden von der Helligkeit der Sonne im Unterschied zum Wissen, *scientia*, das ein Blinder davon hat. Der Blinde meint, durch Hörensagen das Phänomen zu kennen, ist aber völlig ahnungslos; der Sehende dagegen kann zwar nicht sagen, wie groß die Helligkeit sei, muß vielmehr gestehen, er wisse es nicht, aber das Wissen um diese Unwissenheit schließt die Erfahrung der ungeheuren Helle als *veritas personalis* in sich. Wie Petrarca unterscheidet Cusanus zwischen positiver und negativer Unwissenheit, wesentlichem und unwesentlichem Wissen. Wesentliches Wissen ist für ihn Wissen im Nichtwissen. Zwei Dialoge *De sapientia* und je ein Dialog *De mente* und *De staticis experimentis*, alle vier zwischen *Juli* und *September 1450* niedergeschrieben und zusammengefaßt unter dem Titel *De idiota*, setzen sich dann u. a. auch mit den Humanisten auseinander.

,Der Laie über den Geist', De mente[50], beginnt: „Zur Zeit, als viele Menschen des Jubiläumsjahres halber ... nach Rom strömten, konnte man — so wird erzählt — einen Philosophen, der unter allen lebenden Philosophen hervorragte, auf der Tiberbrücke treffen, wie er sich voll Staunen die Vorübergehenden besah. An ihn wandte sich ein wißbegieriger Redner, der an der bleichen Gesichtsfarbe, dem bis zu den Knöcheln reichenden Mantel und anderen Merkmalen ... erkannte, wen er vor sich hatte. Er grüßte mit großer Freundlichkeit und fragte den Philosophen, was ihn denn an diese Stelle banne. Der Philosoph antwortete: Das Staunen ... Wenn ich sehe, wie hier eine unzählbare Menschenmenge aus aller Welt eng gedrängt vorüberflutet, so staune ich, daß so viele verschiedenen Körper von ein und demselben Glauben beseelt sind ... Der Redner: Es ist sicher ein Geschenk Gottes, wenn die Laien durch den Glauben klarer begreifen als die Philosophen mit dem Verstand."

Die beiden suchen dann einen Laien auf, der zuvor mit dem Redner zwei Dialoge ,Über die Weisheit' geführt hatte. Sie finden ihn im Kellergeschoß eines Hauses Löffel schnitzend, und es entwickelt sich ein Dialog zwischen dem Philosophen und dem Laien.

Als der humanistische Orator feststellt „du scheinst ... ein Anhänger des Pythagoras zu sein", antwortet pauper idiota, der Laie: *Nescio, an Pythagoricus vel alius sim. Hoc scio, quod* (daß) *nullius auctoritas me ducit, etiam si me movere temptet.* Innerlich zu bewegen, war ja das Ziel der Neuen Rhetorik wie der studia humanitatis. Der Idiota — das Ideal des Cusanus — will aber keinen autoritativen auctores folgen, auch wenn sie ihn zu bewegen suchen, sondern der eigenen Vernunft.

An einer anderen Stelle fragt der Orator: Quomodo ductus esse potes ad scientiam ... cum sis idiota? — Idiota: Non ex tuis sed ex Dei libris. — Orator: Qui sint illi? — Idiota: Quos suo digito scripsit. — Orator: Ubi reperiuntur? Idiota: Ubique. — Die ganze Schöpfung Gottes dient dem Laien als Lehrbuch. Darin erkennt er Gott. *Quid est mundus nisi invisibilis Dei apparitio, quid Deus nisi visibilium in-*

visibilitas (‚De possest'). D. h. nicht nur, daß Gott in der Welt in Erscheinung tritt, er ist vielmehr der Akt des Ansichtigwerdens, des Sehens als schöpferische Leistung, wie schon der Dialog ‚De Deo abscondito' 1445 darlegte. Der Mensch hat teil an ihm, wenn er intellectualiter vivit.

„Unser Geist", heißt es in ‚De mente', „ist zunächst einem Schlafenden ähnlich, bis er durch das Staunen, welches uns am sinnlich sich Zeigenden aufgeht — *admiratione quae ex sensibilibus oritur* —, erweckt wird; alsdann gerät er in Bewegung, *movetur*, und findet durch die Bewegung seines geistigen Lebens in sich selbst das, was er sucht." Die Wahrheit liegt *in motu vitae intellectivae*. Während Petrarca bei seinem Carpentras-Erlebnis und Petrarcas Jünger bei ihren studia humanitatis von der Sprache ausgehen, beginnt Cusanus, wie Aristoteles in seiner Metaphysik, mit dem Staunen über die Welt. Am Staunen entzündet sich die Sehnsucht, d. h. Verlangen und Leidenschaft nach echtem Wissen, nach Weisheit, *desiderium sapientiae* als *affectus mentis*. Dieser *motus affectuosus mentis* aber ist nichts anderes als ein ständig neues Gewahrwerden dessen, was *in omni cogitatione incognibilis* und *in omni eloquio inexpressibilis* bleibt, m. a. W. das Wissen des Nichtwissens, *docta ignorantia*.

Cusanus bemüht sich, das konkreter auszudrücken. Die von der Wahrheit dem Hörensagen nach reden, ohne sie selbst geschmeckt zu haben, *qui verbo tantum et non gustu loquuntur*, sind keine wahren Weisen, denn für die Weisheit und aus ihr und in ihr ist alles inneres Schmecken. Die etymologische Verwandtschaft von *sapientia* mit *sapor* soll darauf hinweisen, daß nur die persönlich erfahrene Wahrheit, *veritas personalis*, weise macht. Cusanus unterscheidet scientia und sapientia, nicht wie Enea scientia und prudentia, und stimmt in das Gebet ein, das angeblich der Heilige Ambrosius der Allerheiligenlitanei hinzugefügt hat: *A dialecticis libera nos, Domine!* So betete das „andere Mittelalter" der *admirantes et stupentes* im Gegensatz zu den *doctores*. Schon hier wurde sapientia von scientia abgehoben und sapientia mit sapor in Zusammenhang gebracht. Das Wortspiel findet sich sowohl in dem Passus aus den Sermones Bernhards, der als Parallele zu Petrarcas ‚De ignorantia' zitiert wurde, als auch in den erwähnten ‚Munimenti fidei' des Benedikt von Aniane. Gregor der Große u. a. kannten gleich Augustin das palatum cordis, den Gaumen des Herzens. Der von uns immer wieder zu Hilfe gerufene Dom Leclercq bezeichnet als die beiden tragenden Themen in der monastischen Lebenskonzeption einmal die vita solitaria mit otium, quies, vacatio und zum andern, sogar an erster Stelle, den Vorgeschmack des Himmels, wobei das Vokabular dem Bereich der Sinne, vor allem des Geschmackssinns entlehnt werde[51].

Natürlich muß es bei dem Lehrer des wissenden Nichtwissens am Ende heißen: veritas ipsa, quia in altissimis habitat, non est omni sapore gustabilis, ingustabiliter ergo gustatur. Aber hier begnügt er sich nicht mit dem Paradox, die Vorstellung des Schmeckens assoziiert vielmehr die des Riechens. Neben die Begriffe *sapor* und *gustus* tritt der Begriff *odor*, und so kann Cusanus den Vorgeschmack jenes unschmeckenden Schmeckens der absoluten Wahrheit, das uns im Jenseits zuteil werden wird, mit dem Geruch eines Duftes vergleichen, quasi sicut odor quidam dici potest praegustatio ingustabilis. Dieses Riechen des Duftes der Wahrheit als ihr unschmeckbarer Vorgeschmack reizt immer aufs neue das am Gewahrwerden der Welt entzündete desiderium sapientiae, das Verlangen, die Sehnsucht und Leidenschaft, die unsere innere Bewegtheit, unser geistiges Leben ausmachen. Sicut enim odor . . . nos allicitit ad cursum . . . ita aeterna et infinita sapientia . . . nos allicitit . . . ut mirabili desiderio ad ipsam feramur. Von einer wunderbaren Sehnsucht werden wir immer weiter getragen. *Et dulce est . . . continue ascendere . . . hoc est continue felicius vivere.*

Obwohl Cusanus schon im Schlußkapitel des I. Buches der ‚Docta ignorantia‘ und vollends in seinem ‚Idiota de sapientia‘ Ausdrücke der areopagitischen Mystik verwendet, negiert er nicht nur die affirmative, scholastische, sondern ebenso die negative, mystische Theologie. Gott bleibt et in omni affirmatione inaffirmabilis et in omni negatione innegabilis. Es geht uns mit ihm wie dem Liebenden mit dem Geliebten: Über *sapor* und *odor* hinaus reicht noch das Bild des *amor*: Haec est gaudiosissima comprehensio amantis, quando incomprehensibilem amabilitatem amati comprehendit . . . Haec est gaudiosissima incomprehensibilitatis comprehensibilitas et affectuosa docta ignorantia, cum haec scit suo modo et tamen nescit in praeciso. In diesem Vergleich mit der Liebe, die wächst und ständig beglückender wird, je mehr der Liebende begreift, wie unbegreiflich die Liebenswürdigkeit des Geliebten ist, gelang Cusanus die schönste Veranschaulichung der docta ignorantia und dessen, was er mit intellectualiter vivere meint.

Alles in allem bilden des Cusanus Dialoge zwischen Idiota und Orator in ‚De sapientia‘ bzw. ‚De mente‘ das große Gegenstück zu Petrarcas ‚De sui ipsius et multorum aliorum ignorantia‘. Sie entsprechen der Magna Charta der Neuen Rhetorik und Humanistischen Renaissance von seiten der Neuen Theologie — widersprechen ihr mit vollem Bewußtsein.

Dennoch ist des Cusanus ‚De sapientia‘ unter dem Namen Petrarcas im 15. und 16. Jahrhundert populär geworden. Um 1473 erschien ein Traktat ‚De vera sapientia‘, den man Petrarca zuschrieb und in sämtliche Ausgaben seiner ‚Opera omnia‘ aufnahm: er verbindet mit Petrarcas Dialog ‚De sapientia‘ aus ‚De remediis utriusque fortunae‘ das I. Buch von ‚De sapientia‘ des Cusanus.

Jugend Albrecht von Eybs und seiner Generation; Spätzeit der Basler Konziliaren

Bamberg, Karolinenplatz 1 — das vornehmste Privatgebäude auf dem Dom-berg — trägt das Wappen der Familie von Eyb; jahrhundertelang gehörte es dem jeweiligen Inhaber des in der Familie erblichen, mit einer hohen Pfründe dotierten Sitzes im Domkapitel. Der Bau hatte ursprünglich das Aussehen einer spät-gotischen Wohn- oder Stadtburg und schloß unmittelbar an die Burg der Bischöfe an. Im Inneren gab es einen Saal mit Fresken, die Renaissancemotive darstellten, den Tierkreis, die sieben Planeten, das Glücksrad, die Parzen und den Tod.

Sie hatte ALBRECHT VON EYB anbringen lassen, der 1420 auf Schloß Sommers-dorf bei Ansbach geboren wor-den war und sieben Jahre in Italien, zu Pavia, Bologna, Padua, juristische Studien und studia humanitatis betrieb, ehe er im *Sommer 1451* mit einer Wagenladung Bücherkisten nach Franken heimkehrte, um in Bamberg seiner Residenzpflicht als Domherr zu genügen[1].

Die Einführung in die studia humanitatis verdankte er be-sonders GIOVANNI LAMOLA, des-sen Vorlesungen er zusammen mit HANS PIRCKHEIMER aus Nürnberg 1448 in Bologna ge-hört hatte. Lamola war ein Schüler GUARINO GUARINIS, und so macht sich im deutschen Frühhumanismus gleichzeitig mit Eneas Einfluß, ja eigentlich noch vor ihm, der Guarinos gel-tend.

Guarino Guarini, wie er nach seinem Vater, oder GUA-RINO VERONESE, wie er nach sei-ner Geburtsstadt hieß, hatte in Florenz mit Salutati, Bruni, Ver-

Holzschnitt in Albrecht von Eybs ‚Spiegel der Sitten' (Druck von 1511)

gerio die Vorlesungen des Manuel Chrysoloras besucht und war, als dieser in die Heimat zurückkehrte, ihm nach Konstantinopel gefolgt. Fünf Jahre lebte er dort als Schüler und Famulus im Hause des Chrysoloras. Vor allem dessen Unterrichts-methode machte er sich zu eigen. Gelegenheit, sie zu praktizieren, fand er schließlich in Ferrara, wo er 1429 von Niccolò d'Este III. als Lehrer des Lateinischen und Grie-chischen für seine zahlreichen Bastardsöhne verpflichtet wurde. Den ältesten, Lio-nello d'Este, der nach des Vaters Tod die Herrschaft übernahm, brachte Guarino so weit, daß er ihn als einen der gebildetsten Fürsten der Zeit herausstellen konnte. Das kam auch dem eigenen Ruf zustatten. Schüler aus ganz Europa sam-melten sich in Ferrara um seine cathedra der Rhetorik und Poetik in der Universi-tät und als contubernales in seinem Haus. Neben Vittorino da Feltre in Mantua und Alexander Hegius in Deventer galt und gilt Guarino Veronese als der be-deutendste Schulmann des 15. Jahrhunderts. Obwohl er die Deutschen verachtete, läßt sich die unmittelbare und mittelbare Wirkung von Guarino, damit aber auch von Chrysoloras, auf die Geschichte des Humanismus in Deutschland durchaus der Enea Silvios an die Seite stellen.

„In der Universität", heißt es bei Georg Voigt[2], „pflegte er gleich des Morgens nach der Messe zwei Lectionen zu halten, die eine über Virgilius oder sonst einen Dichter, die andere meistens über Cicero. Nach dem Mittagessen gab es wieder lateinische oder griechische Vorlesungen, oder es wurden Disputationen abgehal-ten. Bei jenen scheint die sachliche und verbale Interpretation der Autoren die Oberhand behauptet zu haben. Zumal die Aeneis wurde nach allen Richtungen erklärt, in jeder Einzelheit erläutert, natürlich auch der Geheimsinn ihrer Erzäh-lungsstücke aufgewiesen. Aber auch die Bedeutung einzelner Wörter wurde durch-gesprochen, ihre Herstammung und Schreibung und wie sie sich im Gebrauche von Synonymis unterscheiden. Und das alles wurde von den Hörern mit fliegender Feder zu Papier gebracht. Die sorgfältige Specialerklärung, die nichts übergehen, nichts dunkel lassen wollte, sie machte Guarino's akademischen Ruhm aus."

In derselben Weise wie Chrysoloras und Guarino lehrte in Bologna Giovanni Lamola, zu dem Albrecht von Eyb und mehr noch Hans Pirckheimer eine Zeit-lang in engem Schüler-Lehrer-Verhältnis standen. Lamola formuliert es in einem Brief an Pirckheimer mit den Worten: quid enim voluptatis in me sit, non minus tibi libenter inpartiebar, quam tu id pergrate exciperes[3]. An die Stelle von *gaudium* tritt jetzt das Schlagwort *voluptas*.

Pirckheimers große Handschriftensammlung, soweit sie aus der Bibliothek des Thomas Howard, Earl of Arundel — Karl I. nannte ihn seinen vornehmsten Unter-tanen — ins Britische Museum gelangt ist, enthält von Guarino 67 Nummern, mehr als von jedem anderen Autor, und als umfangreichsten Codex einen *Vergil*, den Pirckheimer eigenhändig abgeschrieben und in der Art Guarinos kommentiert hat. Fünfmal so viel Raum wie der Text beanspruchend, bildet dieser Kommentar „ein wahres Handbuch der Altertumswissenschaft" und rückt Hans Pirckheimer „in die vorderste Reihe der deutschen Frühhumanisten".

Albrecht von Eyb war bei seiner Rückkehr nach Deutschland knapp über dreißig. Warum es wieder ausschließlich als Stilübung nehmen, wenn er im ersten Frühjahr, das er in seinem Domherrenhof in Bamberg verbrachte, einen *Tractatus de speciositate Barbarae puellulae* schrieb, einen Traktat über die Anmut des Mädelchens Barbara? Damit beginnt im *Mai 1452* der deutsche Frühhumanismus. Vom gleichen Domberg wird 1797 die Frühromantik ausgehen[4].

Wir wissen durch Eyb selbst, daß er in Bologna oft bis in die tiefe Nacht hinein mit einem Wittelsbacher Prinzen, dem späteren Erzbischof Johann von Münster, Gespräche *de arte bene loquendi* führte. Diese gingen vermutlich aus von den Grundsätzen QUINTILIANS, die schon seit dem 12. Jahrhundert im rhetorischen Schulunterricht maßgeblich waren; Poggios Fund von 1417 hatte die ,Institutio oratoria' auch den Humanisten wieder interessant gemacht. So stellt sich dem Redner eine dreifache Aufgabe: *docere* (probare), *delectare* (conciliare) und *movere*. Dabei hat er drei Arten der Rede zu unterscheiden: *genus demonstrativum* (epideixis), *genus deliberativum* oder *suasorium* und *genus iudiciale*. Der Vorgang des Redens besteht in fünf Akten: *inventio, dispositio, elocutio, memoria, pronuntiatio*, und jede Rede gliedert sich in sechs Teile: *exordium, narratio, partitio, confirmatio, reprehensio, conclusio* oder *peroratio*. Aber dieses vierfache Schema muß nun mit Leben erfüllt werden.

Sicher kannte Eyb die Euryalus und Lucretia-Novelle, und ENEA mag ihm bei seinem Tractatus die Feder geführt haben. Aber obwohl er da und dort „non de me dico" — ich sage das nicht von mir — einflicht, möchten wir glauben, Herr Albrecht habe für eine kleine Bambergerin Feuer gefangen. Nachdem er die besten Jugendjahre in Italien verlebt hat, findet er, auch die Barbaren-Mädchen besitzen ihre Reize. Vielleicht soll das der Name Barbara andeuten.

Jedenfalls baut Eyb seinen tractatus als Lobrede auf. Sie beginnt mit einer Frühlingsschilderung, ohne daß der Vergleich zur aufkeimenden Liebe gezogen wird. Nach den Regeln der Rhetorik ist das ein *exordium separatum*, eine mit dem Hauptteil nicht näher verbundene Einleitung, die das Gefallen und Wohlwollen der Leser, *delectationem et benevolentiam*, zu wecken hat, indem sie sanfte Affekte erregt; in der griechischen Rhetorik heißen die sanften Affekte ἤθη, die heftigen Leidenschaften πάθη. Eyb hält sich bei seiner Einleitung an einen rhetorischen Topos, doch schwingt wohl auch ein wenig eigenes Erleben mit. Deutlicher spürt man das im Schlußteil, *peroratio*, wo *pathos*, Leidenschaft, zu Wort kommen und den Leser bewegen soll: *movere*. Der Mittel- und Hauptteil zwischen dem ethischen exordium und der pathetischen peroratio wirkt weniger lebendig, er ist epideiktischer Art, d. h. er stellt lobend oder tadelnd, hier natürlich lobend, etwas zur Schau, *epideixis*, er beschreibt, dem Titel gemäß, die speciositas puellulae Barbarae. Dabei nimmt sich Eyb Eneas Schilderung der Lucretia zum Vorbild, rühmt die fadengerade Nase, welche die rosigen Wangen genau in der Mitte teilt, die wohlgeordneten Zähne, den Glanz der Kehle und pectus amplum, den breiten Brustkorb, wo an beiden Seiten wie punische Äpfel die Brüste schwollen, papillae quasi duo punica poma ex utroque latere tumescebant. Eyb will, wie fünfzig Jahre früher Johann von Tepl, ein Probestück rhetorischer Stilkunst geben, aber wenn man ehedem zu viel vom eigenen Erlebnis hermachte, braucht man heute nicht das Mädelchen mit dem Bad auszuschütten: warum soll in Bamberg keine puellula speciosa vorhanden gewesen sein?

Lieber verzichten wir darauf, für bare Münze zu nehmen, was Eyb in einer anderen kleinen Schrift den Bambergerinnen insgesamt nachsagt. Diese Schrift, ebenfalls mit der Jahreszahl *1452*, trägt den Titel *Appellatio mulierum Bambergensium*, Anklage von seiten der Bamberger Frauen. Hier hat sich Eyb ein Werkchen LEONARDO BRUNIS zum Vorbild genommen. Wir begegneten Bruni im Kreis um Salutati in Florenz, als apostolischem Sekretär in Konstanz und wieder in Florenz bei der Begrüßung des Kaisers von Byzanz. Mit seiner ‚Oratio Heliogabali‘, Rede Kaiser Heliogabals, *1407*, versetzt er sich zur Abwechslung in die Gesellschaft nackter Dirnen. Heliogabal spricht sie als commilitones an und preist sie ob ihrer ars meretricia, ihrer Buhlkunst. Er kann hier mitreden, war er doch selbst einst Buhlknabe gewesen. Dann gibt er seine Absicht kund, Gesetze zu erlassen, wonach alle Weiber Gemeinbesitz würden, weil die Ehe eine martervolle Einrichtung sei. Am Ende fordert er seine commilitones auf, nicht erst die Initiative der Männer abzuwarten, sondern selbst die Dinge in die Hand zu nehmen. „Jede Scham ist nur Furchtsamkeit und mangelndes Selbstvertrauen.“

Dieses wackere Werkchen, das der Staatskanzler von Florenz recreandi ingenii causa ridens ludensque dictavit und vor den severiores geheim hielt, nur den urbaniores unter dem Siegel der Verschwiegenheit mitteilte, scheint unserem urbanen Domherrn besonderen Spaß gemacht zu haben. Worte und ganze Sätze pickt er sich heraus, setzt sie wie ein Mosaik neu zusammen und paßt sie in einen anderen Rahmen. Bei Eyb klagen die Frauen Bambergs vor Gericht — appellatio — gegen ihre Männer, von denen sie in jeder Hinsicht schlecht behandelt würden, obwohl sie nach den Gesetzen Kaiser Heliogabals lebten. Daß Eyb das Ganze als Gerichtsverhandlung aufzieht, dürfte er vom Fastnachtsspiel übernommen haben.

Sicher war diese Stilübung nur für die Herrenrunde der urbs, der Domburg, bestimmt, nicht für die civitas unten an der Regnitz. An sie wandte sich Herr von Eyb mit einem dritten Opusculum des Jahres *1452*: *Ad laudem et commendationem Bambergae civitatis oratio*, Rede zum Lob und zur Empfehlung des Bamberger Gemeinwesens. Nach dem Muster des italienischen Städtelobs werden die Landschaft um Bamberg, die Stadt und die Menschen darin, vor allem, und nun um ihrer Ehrbarkeit willen, die Bamberger Frauen gepriesen. Eyb liefert damit ein Gegenstück zu Brunis ‚Laudatio florentinae urbis‘ (*1403/04*) und zugleich, unbewußt, zu HANS ROSENPLÜTS deutschem *Spruch von Nürnberg*, der *1445* entstanden war. Diesem ging eine anonyme *Sag von Nürnberg* um rund zwanzig Jahre voraus, trotzdem hat möglicherweise GREGOR HEIMBURG den Nürnberger Gelbschmied und städtischen Büchsenmeister auf das beschreibende Städtelob als eine neue Dichtungsgattung des italienischen Humanismus hingewiesen. Eyb imitierte offenbar einen Lobpreis des BALTHASAR RASINUS auf Pavia[5].

Daß der Domherr von Eyb die üppigen Weinberge dahin deutet, Bamberg sei dem Bacchus heilig, verblüfft ein wenig, eher hätten wir erwartet, von der Heiligkeit Kaiser Heinrichs, der den Dom stiftete, zu hören. Recht geschickt, wenn auch leicht gewagt, mutet die Spielerei mit antiken Gottheiten in einer Abendmahlspredigt an, die Eyb am *Gründonnerstag 1452* hielt. Sie ist eine Prunkrede, wie sie im Buch steht, im Lehrbuch der Rhetorik. Mit rhetorischem Ornatus wird bei dieser *Laudatio de divinissimo eucharistiae sacramento* nicht gespart, und sogar ein paar Hexameter hallen durchs Kirchenschiff. Eyb verkündet der Gemeinde, Brot und Wein, die wir Ceres und Bacchus verdankten, wandle die Konsekration zu Leib und Blut Christi.

Der an italienische Luft Gewöhnte scheint in Deutschland nicht wieder warm geworden zu sein. Was verstand man hier von Bacchus und Ceres oder von Heliogabal und dessen Kommilitoninnen! Nach gut einem Jahr, im *Winter 1452*, zieht es Eyb schon wieder südwärts, nach Bologna, la città dotta, la città grassa, la città delle belle donne.

Sogar delle donne dotte begegneten dort Eyb unter den Portici. Die Stadt gehörte zum Kirchenstaat, und 1450—55 nahm KARDINAL BESSARION die Rechte des Papstes wahr; als er ein Luxusverbot erließ, das natürlich besonders die Frauen traf, hielt *1453* die Gattin eines der Senatoren, NICOLOSIA SANUDA, eine flammende Protestrede, und zwar auf lateinisch. Albrecht von Eyb hat dieses *Lob der Frauen* in seiner ,Margarita poetica' zitiert, Niklas von Wyle es verdeutscht.

Eine Schwalbe macht noch keinen Sommer, möchte man mit Bezug auf Eyb sagen. Trotzdem erscheint es nicht mehr

Erzherzogin Mechthild
(Grabmal in der Tübinger Stiftskirche, vermutlich von Hans Multscher zu Lebzeiten Mechthilds geschaffen)

zeitgemäß, wenn ihm und seiner puellula Barbara RITTER HERMANN VON SACHSEN-
HEIM mit Brinhild der Mohrenfrau folgt. Die beiden treten in Rottenburg am
Neckar auf, wo die Enkelin eines Papstes residiert, jenes Herzogs Amadeus von
Savoyen, der 1439 durch das Basler Konzil als Felix V. zum Gegenpapst eingesetzt worden war und 1449 abdankte; Enea Silvio hat ihm eine Zeitlang als
Apostolischer Sekretär gedient. *Mechthild* stammte über die Mutter von ihm ab,
ihr Vater war Ludwig der Bärtige, Kurfürst von der Pfalz. Im üblichen Alter von
fünfzehn Jahren hatte man Mechthild mit einem Grafen von Wirtemberg-Urach
vermählt. Dem Stammhalter, den sie ihm gebar, vererbte sie offenbar den üppigen
Haarwuchs des Großvaters, so daß er, freilich erst viel später, Eberhard im Bart
genannt wurde. Früh verwitwet, heiratete sie in zweiter Ehe ERZHERZOG ALBRECHT
VON ÖSTERREICH, den Bruder Friedrichs III., der jetzt, seit März 1452, die Kaiserkrone trug. Die Enkelin des Papstes wird Schwägerin des Kaisers. Irgendwie ist in
diesen Familien jeder mit jedem verwandt. Sie repräsentieren die Einheit Europas.

Albrecht regierte in Vorderösterreich, wozu u. a. der Breisgau mit Freiburg
und die Grafschaft Hohenburg mit Rottenburg am Neckar gehörten. Er wird als
gewalttätig und verschwenderisch geschildert. Vielleicht liegt hier der Grund, warum
Enea Silvio seinen Brieftraktat ,Über das Elend der Hofleute' Johann von Aich
widmete zur Zeit, als dieser in Albrechts Diensten stand. Jedenfalls war die Ehe
zwischen Albrecht und Mechthild von Anfang an für beide wenig erfreulich,
deshalb zog sich die Erzherzogin nach kurzer Zeit auf ihren künftigen Witwensitz
in Rottenburg zurück. Im Volkslied wird sie als das leichtlebige Fräulein von
Österreich besungen. Mit ihrem regen geistigen Interesse trug die Pfälzerin entscheidend bei zur Stiftung sowohl der Universität Freiburg durch Erzherzog
Albrecht 1457 als auch der Universität Tübingen durch Graf Eberhard im Bart
1477. Ihre Residenz in Rottenburg machte sie für die Jahre *1452* bis *1482* zum
geistigen Mittelpunkt in Südwestdeutschland[6]. Sie schrieb nicht selbst wie Elisabeth von Saarbrücken, aber sie zog zahlreiche Schriftsteller an ihren Hof, so
besagten Hermann von Sachsenheim[7].

Die Sachsenheim waren eine schwäbische, allem nach sehr gesunde Adelsfamilie, ansässig im heutigen Groß-Sachsenheim bei Vaihingen an der Enz. Hermann zählte gerade neunzig Jahre, als er *1453* seine erste Dichtung, *Die Mörin*,
der Tochter Ludwigs des Bärtigen und Mutter Eberhards im Bart widmete[8]. Er
schrieb noch fünf Jahre rüstig weiter, bis er in der Stuttgarter Stiftskirche seine
Ruhe fand. Geboren ist Sachsenheim 1363, d. h. fast sechzig Jahre vor Albrecht
von Eyb und selbst noch vierzehn vor Oswald von Wolkenstein. Höchstwahr-
scheinlich ist auch Heinrich Wittenwiler, der Dichter des ,Rings', jünger als der
Verfasser der ,Mörin'. Handelte es sich um eine bloße Kuriosität, dürften wir uns
nicht dabei aufhalten. Aber die Geburtsdaten erklären zu einem gewissen Grad,
daß Sachsenheim es noch einmal mit dem höfischen Epos, genauer gesagt, der
episch erzählten Minneallegorie versucht hat.

Wittenwilers ‚Ring' bleibt auf dem Gebiet des Epos die letzte schöpferische Leistung, freilich als Parodie zum höfischen Epos. Was Thomas Mann vom Roman im 20. Jahrhundert sagt — daß er nur noch als Parodie möglich sei —, gilt im 15. Jahrhundert für das Epos. Das ist der Fall Wittenwiler. Gräfin Elisabeth übersetzte einige bereits depravierte Reckenepen Frankreichs: ein Versuch, der den deutschen Roman vorbereitete, wenn man diesen nicht überhaupt, was durchaus plausibel erscheint, mit ‚Hugo Scheppel' beginnen läßt und die Linie dann bis zu ‚Felix Krull' auszieht, den man sonst nur mit dem pikarischen Roman in Verbindung bringt. Sachsenheims Minneallegorie ‚Die Mörin' scheint einen Anachronismus darzustellen, z. T. erklärlich aus dem Patriarchenalter — und selbst dieses Wort untertreibt ja noch — des Autors. Doch kam Sachsenheim einer Zeitströmung entgegen, die weiter verbreitet war als der Humanismus, jener Ritterromantik, die in Burgund die imposantesten Formen annahm. Der Hohe Orden vom Goldenen Vlies, den Philipp der Gute 1429 stiftete, wurde in Deutschland mehrfach nachgeahmt. Aber auch Burg Runkelstein gehört in diesen Zusammenhang. Die deutsche Ritterromantik wird gipfeln in der Selbststilisierung Kaiser Maximilians I.

‚Die Mörin' ist eine Reimpaardichtung von über 6000 Versen. Den Rahmen bildet eine Gerichtsverhandlung auf Cypern, im Reich der Venus und ihres Gemahls Danhauser, Tannhäuser. Eine schöne Mörin oder Mohrin mit dem ja nicht sehr orientalischen Namen Brinhild klagt den Dichter, das Ich der Verserzählung, an, er habe die Treue gebrochen, die er im Heiligen Land ihr schwur, deshalb muß er sich nun mit seinem Anwalt, dem Getreuen Eckhart der Dietrichsage, verteidigen. In diesem Rahmen bringt Sachsenheim eine bunte Fülle von Episoden und lehrhaften Gesprächen unter. Manches wirkt auch hier parodistisch, vor allem vergleicht das Ich der Erzählung sich selbst und was ihm zustößt ständig mit Personen und Geschehnissen aus der älteren Literatur: ein bewußtes Spiel mit der Tradition.

In seiner zweiten Verserzählung, *Die Grasmetze*[9], gibt sich Sachsenheim als Nachfolger Neidharts, an den ja auch Wittenwiler anknüpfte. Die höfische Welt wird mit der Welt der geburen konfrontiert. Der Dichter tritt jetzt als ein alter Geck auf, der in gedrechselten Wendungen seine Minne einer grasmähenden Bauerndirne — deshalb ‚Grasmetze' — anträgt. Sie erwidert mit Derbheiten, und als er schließlich gewaltsam den Minnelohn rauben will, geht dem Alten die Kraft aus. Er ist leider kein Hugo Scheppel.

Seine relative Rüstigkeit scheint der Dichter dem regelmäßigen Spazierengehen zu verdanken, denn auch in der letzten Verserzählung, *Das Sleigertüechlin*[10], wiederum der Erzherzogin gewidmet, macht er auf dem Spaziergang eine neue Bekanntschaft. Diesmal trifft er nicht eine dralle Bauerndirne, sondern einen zartbesaiteten Standesgenossen, der ihm tief bekümmert seine Lebensgeschichte erzählt. Der Jüngling hat eine Pilgerfahrt ins Heilige Land hinter sich, die er auf Wunsch seiner Dame antrat. Beim Abschied schenkte sie ihm ein mit Blutstropfen aus ihrer weißen Brust betupftes Schleiertüchlein. Es folgt der Reisebericht, wie ihn Sachsenheim von einem Pilger gehört haben mag. Als der Ritter bei der Heimkehr den Tod seiner Dame erfuhr, brach er zusammen, vor dem Äußersten konnte ihn nur seine Mutter bewahren. Die Tröstung des jungen Herrn durch die Mutter bildet den Höhepunkt der Erzählung. Nun aber hat ihn der Schmerz aufs neue übermannt. Der Dichter sucht ihn aufzurichten, da werden sie durch Diener gestört, und man verabschiedet sich in zeremonieller Weise. Nicht von einem Kreuzzug ins Heilige Land, sondern von einer Gesellschaftsreise, wie sie auch Wolkenstein auf Wunsch der Geliebten unternahm, ist die Rede gewesen, der junge Ritter zeigte keine Spur von einem Helden, ein weichlicher, weinerlicher Knabe, der sich nur seufzend zur Fahrt in die Fremde entschloß.

Hermann von Sachsenheim wollte wie Hans von Bühel — der Württemberger und der Südbadener waren sich hier einig — im traditionellen Stil weiterdichten, aber fast wider Willen kam er mit seiner ‚Mörin' und vollends mit den späteren Werken davon ab; die Ritterromantik hielt dem Wandel der Zeit nicht stand. Als Minneallegorie beabsichtigt, wurde ‚Die Mörin' Sachsenheim unter den Händen zu einem Spiel mit literarischen Motiven, zur Parodie. Der aufgeschwemmte Wechselbalg hat ihn dann wohl nicht befriedigt. So trat er mit ‚Die Grasmetze' in die Fußstapfen Neidharts, und dieser Weg war noch gangbar. Dem Gegensatz von Ritterallüren und bäurischer Ungehobeltheit vermochte Sachsenheim dadurch einen gewissen Reiz abzugewinnen, daß er zugleich Alter und Jugend konfrontierte und so dem Ganzen eine persönliche Note gab, Selbstironie anklingen ließ. Die Erzherzogin und ihr Hofstaat haben das zweifellos herausgehört. Daß er über sich selbst lachen konnte, bringt auch uns, wenn nicht die Dichtung, so doch den Dichter etwas näher. Am Ende kapitulierte er mit dem ‚Sleigertüechlin' vor der bürgerlichen Empfindsamkeit. Insofern kann man in der Folge der Werke sogar etwas wie eine innere Entwicklung sehen, eine Auseinandersetzung des greisen, aber deshalb noch nicht stumpfen Ritters mit seiner Situation zwischen gestern und heute. Der Humanismus freilich bleibt außer Sichtweite.

Von den Herren WIERICH VON STEIN und HANS VON HELMSTADT, die ebenfalls dem Dichterkreis in Rottenburg angehörten, kennen wir nur die Namen. Herr JAKOB PÜTERICH VON REICHERTSHAUSEN ist zu Sachsenheims Lebzeiten kaum ein Sechziger, so müssen wir uns bei ihm noch ein paar Jahre gedulden, bis er den Pegasus besteigt.

Mit den Musenhöfen an Saar und Neckar wetteiferte am Inn eine dritte große Dame, die Gemahlin HERZOG SIGMUNDS VON TIROL. Als er in Wien erzogen wurde, hatte der Herzog Enea Silvio um ein Muster für Liebesbriefe gebeten; mag sein, daß er nach diesem petrarkistischen Muster dann auch an Eleonore Stuart schrieb. Trotzdem kann die Tochter König Jakobs I. von Schottland kaum geglaubt haben, es handle sich um eine Liebesheirat, als man sie mit sechzehn Jahren dem Habsburger vermählte. Die Ehe entwickelte sich fast ebenso unglücklich wie Mechthilds Ehe mit Erzherzog Albrecht, weshalb auch Eleonore sich den

Künsten, speziell der Literatur, zuwandte. Und gerade die Ausländerinnen greifen selbst zur Feder, wohl in der Absicht, beim Übersetzen Deutsch zu lernen: so Elisabeth von Lothringen, Gräfin von Nassau-Saarbrücken, so auch ELEONORE VON SCHOTTLAND, HERZOGIN VON TIROL. Ähnlich wie Elisabeth wählte diese ein französisches Versepos des 13. Jahrhunderts, das in Frankreich zu Anfang des 15. in Prosa aufgelöst worden war. Als Eleonore nach Innsbruck geholt wurde, konnte sie noch kaum ein Wort Deutsch, wenige Jahre später, etwa *1453*, hat sie *Pontus und Sidonia* fertig. Die fünfzig Ladies, die ihren Hofstaat bilden, finden die Geschichte *wonderful*. Für die Volksbuchfabrikanten wird sie ein Bestseller werden, der nicht nur Hartliebs ,Alexander', sondern selbst ,Hug Schapler' den Rang abläuft. Die ersten vier Drucke datieren sich 1483—1498, der große Erfolg aber fällt in die Jahre 1548—1670. Fischart, Moscherosch, Gryphius lasen das Volksbuch. 1792 wurde es zum letzten Mal aufgelegt[11].

Pontus ist der Sohn des christlichen Königs von Galizien (in Spanien). Als die Türken das Reich erobern, wobei sie den König erschlagen, gelingt dem Knaben die Flucht auf einem Schiff, und nach vielen Gefahren landet er in Britannien, d. h. in der Bretagne. Hier wächst Pontus, ohne daß man um seine Herkunft weiß, zu einem strahlend schönen Ritter heran. „Er was der Bast und Volkommest von Zucht, Leib und Gestalt, den man die zeit mocht vinden... Und ye mer man in ansah, ye lieplicher was er anzesehen. Und was die Red überal allein von jm." Kein Wunder, daß auch Sidonia, die Tochter des Königs, vor Begierde nach Pontus entbrennt. Sie möchte ihn sehen und besticht den Seneschall, ihr den jungen Mann zuzuführen. Am Fenster erwartet sie mit der Zofe sein Kommen. Die Zofe bemerkt ihn zuerst: „Fraw, er ist nit ein Man, sunder ein Engel; wann ich hab kein Menschen Creatur nie so hübsch gesehen. Got hat in mit seiner eigen Hand gemachet." Das hört sich an, als kenne die Zofe den Begriff *hantgetât* und jene alte Lehre, daß Gott den Menschen *manu*, nicht wie die übrige Kreatur *iussu* geschaffen habe. Pontus und Sidonia verlieben sich ineinander, wobei im Unterschied zu Hugo und seiner französischen Königstochter auch das Herz mitspricht. Sie könnten zusammen glücklich werden, da verleumdet man — so geht es ja auch in den meisten Romanen der Elisabeth — Pontus am Hof, und er zieht verbittert ab. Erst nach sieben Jahren will er zurückkehren. In England zeichnet er sich vor jedem anderen Ritter aus, weshalb ihm der englische König seine Tochter anträgt. Doch Pontus will Sidonia treu bleiben, und als er hört, sie müsse den Verleumder Gendolet ehelichen, eilt er in die Bretagne. Er kommt noch gerade recht zur Vorfeier der Hochzeit. Unerkannt erschlägt er Gendolet beim Turnier und gibt sich dann durch einen Ring Sidonia zu erkennen. Die beiden werden vermählt, aber bevor sie die Ehe vollziehen, will Pontus das väterliche Erbe zurückerobern. Nachdem das vollbracht ist, wirken Pontus und Sidonia, in glücklicher Ehe verbunden, segensreich für ihre Völker.

In der Welt dieses Romans spiegelt sich nicht wie im ,Ring' und in ,Hugo Scheppel' das geburenwesen. Pontus ist kein Parvenu, sondern ein Königssohn, wenngleich ohne Reich und ohne Gut. Auch er muß erst selbst sich durchsetzen. Doch er schafft es nicht mit brutaler Gewalt wie Scheppel. Außer seinem kleinen Bauch, der wiederholt gerühmt wird, und seiner sonstigen Engelsschönheit besitzt er Frömmigkeit und alle Tugenden. „Und man kunde, auch dieselben Zeit demütigern, lieplichern und waichmütigern Man nicht finden." Trotzdem geht es bei den breit geschilderten Zweikämpfen und Massenschlachten fast so roh und unritterlich zu wie in ‚Hugo Scheppel'. Der pennyng klimpert, wenn der König der Bretagne, nachdem Pontus ihm von der Eroberung Galiziens durch die Türken erzählt hat, vor allem bedauert, daß nun die guten Geschäftsbeziehungen zu diesem Reich zerstört seien. Andererseits erklärt sich der englische König bereit, die Hand seiner Tochter auch einem Helden niederer Herkunft zu geben, denn alle Menschen stammten ja von Adam und Eva ab. Und Pontus warnt einmal vor leichtfertigen Kriegen, weil darunter besonders die Armen litten. All das sind einigermaßen moderne Züge. Sie erklären sich zumeist aus dem Einsickern bürgerlicher Wertungen und Stimmungen. Mit seiner Weichmütigkeit, die an mehreren Stellen betont wird, seiner Empfindsamkeit — etwas, das Hugo völlig abgeht — erscheint Pontus wie ein Verwandter des jungen Ritters bei Hermann von Sachsenheim und, in sehr viel entfernterem Grad, auch des Euryalus.

Während Eleonore den Schicksalen von Pontus und Sidonia nachging, lag ihr Gatte in heftiger Fehde mit dem neuen Fürstbischof von Brixen, KARDINAL CUSANUS, um die Rechte von Staat und Kirche in Tirol. Die Sache des Herzogs führte der beste Anwalt in Deutschland, wo es einen Kampf gegen die Kirche auszufechten galt, GREGOR HEIMBURG. Zwar sehnte sich Cusanus manchmal nach einer stillen Zelle bei den Freunden im Benediktinerkloster am Tegernsee, aber dem Kampf wich er nicht aus. Und mitten in der vita activa vermag er sich immer wieder auf die vita contemplativa zu sammeln. Auch den Kardinal in der Bischofsburg zu Brixen beschäftigt dann wie die einsame Herzogin jenseits des Brenners, in der Hofburg zu Innsbruck, die Frage: Was ist Liebe? Freilich stellt er sie als Theologe und Philosoph. Er korrespondiert darüber mit dem Abt des Klosters Tegernsee, Caspar Ayndorffer, dem er am 22. *September 1452* schreibt, zum Affekt der Liebe könne man bloß durch Wahl bewegt werden, wählen aber bloß, was man als gut erkannt habe, deshalb gebe es keine Liebe ohne Erkenntnis: Impossibile est enim affectum moveri nisi per dilectionem, et quicquid diligitur non potest nisi sub ratione boni diligi. Der Gedanke, der aus Augustins ‚De trinitate' stammt und von Bonaventura wie Thomas bejaht wurde, scheint dem, was Cusanus in ‚De idiota' über die Liebe sagte, zu widersprechen. Aber der Widerspruch löst sich auf: natürlich meint Cusanus die Gottesliebe, und, wenn wir auch wissen, daß Gott das summum bonum sein muß — deshalb wählen und lieben wir ihn —, so vermögen wir doch Gott nicht zu erkennen. Damit fallen in der Gottesliebe die Gegensätze von Wissen und Nichtwissen zusammen, sie erweist sich als *affectuosa docta ignorantia*.

Dem Abt und den Brüdern vom Tegernsee widmete Cusanus 1453 die Schrift *De visione Dei sive de icona*, Über das Sehen Gottes oder über das Bild; „Gottes" ist genitivus subiectivus und obiectivus. Cusanus legte in Kopie ein Bild Rogiers van der Weyden bei, das Gott darstellen soll, und empfahl, es an die Wand zu heften. Jeder Betrachter, wo er auch stehe, werde die Augen Gottes auf sich gerichtet sehen. Das veranschauliche Gottes unbegreifliche Allgegenwart. Wichtiger noch ist Cusanus, daß die Augen auf jeden Betrachter verschieden blicken. In seiner Meditation und Meditationsanleitung spricht er zu Gott: „Wer mit liebevollem Antlitz dich anschaut, wird auch dein Antlitz nicht anders als liebreich finden. Wer dich mit Unwillen anschaut, wird auch dein Antlitz gleichfalls unwillig finden. Wie dem fleischlichen Auge, wenn es durch ein rotes Glas schaut, alles rot erscheint, bei einem grünen Glase alles grün, so beurteilt das

Bild des Allsehenden, das Cusanus den Mönchen vom Tegernsee schickte
(Wahrscheinlich Selbstbildnis Rogiers van der Weyden; Kopie auf einem flämischen Gobelin; Bern, Histor. Museum)

geistige Auge, verdüstert durch Beschränktheit und äußere Einwirkung, dich, das Objekt des Geistes, nach der Natur dieser Beschränktheit oder Einwirkung"[12]. Der Vergleich mit dem roten und grünen Glas wird in der Nachfolge Kantscher Erkenntnistheorie immer wieder auftauchen, bei Novalis, Brentano, Kleist u. a. Cusanus fährt fort: „Würde ein Löwe dir, Gott, ein Antlitz geben, so würde es wie das eines Löwen ausfallen, bei dem Stiere wie das eines Stiers, bei dem Adler wie das eines Adlers." Das kommt fast an Ludwig Feuerbach heran: „Der Mensch schuf Gott nach seinem Bilde". Aber Cusanus macht dabei nicht halt. Er glaubt an die Realität Gottes und daß der Mensch in seinem subjektiven Bild von Gott sich an diese Realität herantaste. Wir brauchen die Bilder, um sie schließlich — nicht zu früh, warnte der Franckforter — hinter uns zu lassen. „O Herr, wie wunderbar ist dein Antlitz. In allen Gesichtern scheint das Gesicht aller Gesichter wider, verschleiert und wie in einem Rätselbild." Es läuft auf die docta ignorantia hinaus.

Reinhold Schneider bekennt in einem Brief vom 13. August 1953: „Ich kann mich nicht trennen von Nicolaus von Cues' Schrift ‚Über Gottes Sehen'. Weniges ist mir seit Jahren so nahe gekommen als Antwort auf das im Ganzen wie im Persönlichen Widerfahrene." Und er zitiert aus dieser Schrift: „Du (Gott) hast mich ermutigt, mir selbst Gewalt anzutun, weil die Unmöglichkeit mit der Notwendigkeit koinzidiert. Hier habe ich die Stelle gefunden, wo du geoffenbart erscheinst." Mut haben oder Mut fassen, sich selbst Gewalt antun, heißt hier, wissen, daß es ebenso notwendig wie unmöglich ist, Gott zu erkennen. Insofern koinzidiert die Unmöglichkeit mit der Notwendigkeit, und eben in dieser oder hinter dieser Koinzidenz offenbart sich Gott; sie ist, nach Cusanus, die Mauer des Paradieses, in dem Gott wohnt. Seine Existenz als Mensch auf das gründen, was man, um überhaupt leben zu können, unbedingt wissen muß, nicht nur wissen müßte, und schlechterdings nicht wissen kann, heißt, an Gott glauben. Reinhold Schneider fügt dem Cusanus-Zitat hinzu: „Wenn wir von diesem Gottesbild das Menschliche, das Persönlichste, aber auch das Große, Kirche und Staat, bestimmen wollen, wie es doch sein muß, wenn dieses Bild wahr ist, wohin müßten wir dann kommen?"

Man darf wohl Cusanus nicht allzu sehr auf die docta ignorantia als eine Selbstvergewaltigung festlegen. Nach seinen Aussagen über dulcedo, gaudium et felicitas doctae ignorantiae scheint es nicht, daß er sich zur Paradoxie und zum Wagnis des Glaubens gezwungen habe. Er war kein Mensch von der Gewaltsamkeit und Gewaltigkeit Luthers, Cusanus meditierte, spekulierte, intellectualiter vixit. Darin lag für ihn die Erfüllung menschlichen Daseins im metaphysischen wie psychologischen Sinn.

Eher als an Luther möchte man an Lessing denken, speziell an die berühmte ‚Zweite Duplik': „Wenn Gott in seiner Rechten alle Wahrheit und in seiner Linken den einzigen immer regen Trieb nach Wahrheit, obschon mit dem Zusatz, mich immer und ewig zu irren, verschlossen hielte und spräche zu mir: Wähle! Ich fiele ihm in Demut in seine Linke und sagte: Vater, gib, die reine Wahrheit ist ja nur für dich allein!" Lessing kannte sicher ebenso wie Cusanus Augustins ‚Contra Academicos'. Während es in der Nikomachischen Ethik heißt: „Dem Wissenden ist das Leben lustvoller als dem Suchenden", erklärt Augustin, er halte für Weisheit nicht bloß das Wissen jener menschlichen und göttlichen Dinge, die zu einem seligen Leben gehören, sondern auch das liebende Suchen danach; das erstere sei die Sache Gottes, das letztere des Menschen Teil; im Wissen bestehe die göttliche, im Suchen die menschliche Seligkeit[13]. Noch Wilhelm von Humboldt knüpfte, bewußt oder unbewußt, an Augustin an, wenn er in seiner Denkschrift von 1810 schrieb, man sehe leicht, „daß bei der inneren Organisation der höheren wissenschaftlichen Anstalten Alles darauf beruht, das Prinzip zu erhalten, die Wissenschaft als etwas noch nicht ganz Gefundenes und nie ganz Aufzufindendes zu betrachten, und unablässig sie als solche zu suchen". Bis zum Hochschuldebakel von 1969 blieb dieses Prinzip der deutschen Universität erhalten.

Lessing und Wilhelm von Humboldt haben den Gedanken Augustins anders weitergeführt als Cusanus mit seiner docta ignorantia, der Ausgangspunkt aber ist derselbe.

Staunen, Sich-Wundern sieht auch Descartes in der Abhandlung ,Les passions de l'âme' als die ursprünglichste menschliche Leidenschaft an: admiratio heißt sie 1450 bei Cusanus, admiration 1649 bei Descartes. Fichtes ,Grundlagen der gesamten Wissenschaftslehre' lassen alle Tathandlung mit dem „Sehnen" beginnen; mirabile desiderium, sagt Cusanus. — Das muß hier genügen, um wenigstens anzudeuten, wie sehr die beiden Schriften ,De idiota' und ,De visione Dei' als Urkunden — im eigentlichen Wortsinn — des modernen Denkens gelten können.

1450, als ,De idiota' geschrieben wurde, hatte das Basler Konzil sich aufgelöst, und Nikolaus V. begann mit dem Bau des Vatikans als Repräsentation der Papstkirche. Eben da gab Cusanus dem Laien, der sich keiner Autorität beugen will, das Wort. Zu den Mönchen am Tegernsee gelangten dann fast gleichzeitig der Cusanische Traktat ,De visione Dei' und aus Italien die Kunde, daß die Türken am 29. Mai 1453 Konstantinopel erobert hatten. Kaiser Konstantin XII., mit dem Cusanus einst nach Konstantinopel fuhr, war gefallen. Am 8. Juli traf die Nachricht in Rom ein.

Es ist bezeichnend, wie verschieden ENEA SILVIO und CUSANUS reagierten. Der Humanist klagt in einem Brief vom 21. Juli 1453 in wohlgeformter Sentenz: Nunc ergo et Homero et Pindaro et Menandro et omnibus illustrioribus poetis secunda mors erit, nunc Graecorum philosophorum ultimus patebit interitus. Er trauert um den Verlust der antiken Handschriften, hatte doch Laurentius Quirinus dem Papst gegenüber behauptet, in Konstantinopel seien 12 000 Codices zugrunde gegangen. Ein Jahr später, Ende September 1454, hielt Enea auf dem Reichstag in Regensburg als Bevollmächtigter des Kaisers eine zweistündige Rede, worin er einen neuen Kreuzzug gegen die Türken forderte. Sie beginnt: „Constantinopolitana clades (Niederlage) Turcorum grandis victoria, Graecorum extrema ruina, Latinorum summa infamia fuit . . ." Den Deutschen wird mächtig geschmeichelt, vor allem ihre Kriegstüchtigkeit herausgestrichen. Aber der Reichstag ließ sich dadurch nicht zu einem Kreuzzug bewegen. Auch wenn Cicero und Demosthenes die Sache vertreten hätten, meint Enea, wären die harten Herzen nicht zu rühren gewesen. So tröstet er sich mit dem Achtungserfolg in humanistischen Kreisen. Abschriften der Regensburger Rede gingen von Hand zu Hand, und man konnte sich nicht genug tun, dieses angebliche Meister- und Musterstück der Rhetorik, seine Präzision und Eleganz, den Aufbau in Gegensätzen und Steigerung, den nachdrücklichen Rhythmus zu bewundern. Der Vergleich mit Reden Ciceros erschien recht und billig. — Erst im Mai 1455 hat Enea Deutschland, wo er 23 Jahre lang im Sinne des Humanismus wirkte, endgültig verlassen.

CUSANUS, der schon früher, auf seinen Reisen als päpstlicher Legat, erfolglos für den Kreuzzug geworben hatte, verfaßte *1454* — das war seine Reaktion auf den Fall Konstantinopels — eine Schrift über Glaubensfrieden oder Glaubenseinigkeit: *De pace seu concordantia fidei.* Darin läßt er von der Vision eines Konzils im Himmel erzählen, das Gott einberufen hat, damit man sich auf *una religio in varietate rituum,* eine gemeinsame, wenngleich den Unterschied der Riten wahrende Weltreligion, einige. Gott wurde zu diesem Schritt durch einen Geisterboten veranlaßt, der ihm die bei der Eroberung Konstantinopels geschehenen Greuel schilderte und hinzufügte: „Du ... bist es, der in den verschiedenen Religionen in verschiedener Weise gesucht und mit verschiedenen Namen genannt wird, weil du in deinem wahren Wesen unbekannt und unaussprechlich bist, denn du, der du die unendliche Kraft bist, bist nichts von dem, was du geschaffen hast, noch kann das Geschöpf den Begriff deiner Unendlichkeit fassen. So verbirg dich nicht länger, Herr, und zeige dein Antlitz." Damit ist die echt Cusanische Ausgangsposition für das Religionsgespräch gegeben, bei dem außer Christus, Petrus und Paulus je ein Jude, Grieche, Araber, Türke, Deutscher und andere mehr das Wort ergreifen. Es gilt, den gemeinsamen Wahrheitsgehalt aller Religionen herauszuschälen. Am reinsten zeigt sich dieser in der christlichen Religion, obschon ihn auch hier *opiniones et coniecturae flexibiles* überlagern, *quae variantur ex tempore.* Die fünf christlichen Grundlehren handeln von der Dreieinigkeit und von Gott dem Schöpfer, von der Menschwerdung Gottes, dem Kreuzestod Christi und dem ewigen Leben. Darüber hinaus befaßt sich das Konzil etwas ausführlicher nur noch mit der Rechtfertigung und mit den beiden Sakramenten der Taufe und der Eucharistie. Wie nicht anders zu erwarten, deutet Cusanus jeden Lehrpunkt in philosophisch-spekulativer Weise. Er macht ihn gleichsam zu einem Postulat der Vernunft, der in abgewandelter, entstellter Form auch bei den anderen Religionen gültig sei. Wo diese sich mit den christlichen Lehren nicht in Einklang bringen lassen, widersprechen sie der Vernunft.

Die Anpassung der Glaubensartikel an die Philosophie geht so weit, daß beispielsweise der Gottessohn erklären kann, passender für die Dreieinigkeit als die Namen Vater, Sohn und Heiliger Geist seien die Bezeichnungen *id, idem* und *identitas.* Zur Frage des ewigen Lebens äußert sich der Deutsche, ein Cusanus-Deutscher. Für ihn gibt es nur die Seligkeit der vollen Erkenntnis. Die grobsinnlichen Freuden im Paradies, wie Mohammed sie ausmalt, müssen deshalb similitudinaliter verstanden werden. Mohammedanische Huris würde ein Deutscher, auch wenn er dem Laster des Fleisches ergeben ist, nicht einmal auf Erden für begehrenswert halten.

Sünde deutet Cusanus als Verstoß gegen die göttliche Vernunft und damit gegen das wahre Selbst des Menschen. Dieses fordert nicht ein bestimmtes Tun oder Lassen, kennt keine Regeln, aber weiß um die *nobilitas* Gottes und antwortet ihr mit eigener *nobilitas.* Eine aristokratischere, noblere Auffassung vom „Bund" zwischen Gott und Mensch kann es nicht geben. Neben dem Kirchenfürsten, der sich dem höchsten Herrn als ein Herr verbunden weiß, wirken die Humanisten mit ihrem Stolz auf die natura bene condita hominis oder dignitas hominis fast wie entlaufene Lakaien. Ihren Adelsanspruch vertritt BUONACCORSO DE MONTESAGNO in *De nobilitate*. Der Geist der Sterblichen, heißt es hier, sei rein und frei, habe Sinn für Vornehmheit und Niedrigkeit, nobilitatem ignobilitatemque; was diese beste und hervorragendste Gabe der Menschlichkeit anlange — in hoc optimo et praestantissimo munere humanitatis —, könne keiner gegen die Freigebigkeit der Natur aufbegehren[14]. — Die Munifizenz der Natur also hat den Menschen ein Sensorium fürs Vornehme geschenkt. Ist das Adel? Basiert er nicht vielmehr, wie Cusanus meint, auf gegenseitiger Noblesse? Nur ein Herr macht Herren. In solcher Begegnung liegt die Möglichkeit menschlicher Würde und auch menschlicher Sünde.

Kein Thema rührte stärker an das empfindliche Selbstbewußtsein der Humanisten als die Frage nach der *nobilitas*. In der Regel wurde sie damit beantwortet, daß nicht das Blut, sondern Gesinnung und Bildung den wahren Adel ausmachten. FELIX HEMMERLI hielt das für leere Prätension. Längst aber lauerten seine zahlreichen Feinde auf eine Gelegenheit, Rache zu üben. Sie bot sich, als 1454 in Zürich ein Versöhnungsfest mit den Eidgenossen gefeiert wurde. Reden genügten wohl am Ende nicht mehr, die Stimmung forderte ein drastisches Zeichen der neugeschlossenen Freundschaft. Was lag näher als den Schwyzern für die Schmach, die ihnen vor zehn Jahren durch Hemmerlis *De nobilitate et rusticitate dialogus* angetan worden war, den berühmt-berüchtigten Chorherrn am Großmünsterstift zu opfern? Man holte ihn von Büchern und Vögeln weg und brachte ihn auf die Burg der Konstanzer Bischöfe, Gottlieben, wo einst auch Hus, Hieronymus von Prag und Papst Johann XXIII. gefangenlagen. Nach kurzem Prozeß wegen seiner Kritik an der Kirche wurde Felix Hemmerli den Franziskanern in Luzern zu lebenslänglicher Haft übergeben.

Sechzig Jahre später, am 1. Januar 1514, feiert Zürich mit dem *Spiel von den alten und jungen Eidgenossen*[15] die Schweizer Demokratie, speziell die Bedeutung, die für sie das Bauerntum hat.

De pace seu concordantia fidei — sobald man die Schrift des CUSANUS auf dem Hintergrund von Hemmerlis Schicksal sieht, wird man gewahr, wie wenig sich die weitherzige Toleranz des Kardinals mit den repressiven Praktiken der Kirche deckte. Selbst die Lehren über den Erlösertod, die Rechtfertigung, die Sakramente, schiebt Cusanus an den Rand, alles übrige, wo es nicht die fünf Grundlehren betrifft, wird unter die jeweils nach der Zeit flexiblen Meinungen und Mutmaßungen oder die variablen Riten verwiesen. Bei ihnen kann es jede Religion halten, wie sie für gut hält. Das Konzil im Himmel endet mit: *conclusa est concordia.* Nach dem Befehl des Königs aller Könige sollen die Teilnehmer nun ihre Völker zur Anerkennung bewegen und mit deren Vollmacht, potestas, ausgestattet bei einer neuen Zusammenkunft in Jerusalem — nicht etwa in Rom — auf die *una religio in varietate rituum* ewigen Frieden stiften.

Der Schluß verrät den Kirchenpolitiker, der über die potestas Bescheid weiß. Trotzdem wird Cusanus nicht an eine Verwirklichung seiner Idee der Weltreligion geglaubt haben. Den Traktat deshalb nur als Propagandaschrift für die Toleranz anzusehen, dürfte ihm aber nicht gerecht werden. In der als Vision eingekleideten Utopie enthüllt uns der Kardinal seine wahre Überzeugung. Sie stimmt, wenigstens eine Strecke weit, mit der Gemistos Plethons überein. Georgios von Trapezunt will mit eigenen Ohren gehört haben, wie Plethon in Florenz die Erwartung äußerte, in wenigen Jahren werde eine und dieselbe Religion überall in der Welt anerkannt werden. Als Georgios fragte, ob er die christliche oder die mohammedanische Religion meine, habe Plethon geantwortet: keine von beiden.

Man hat bei Cusanus an Leibniz und Hegel erinnert[16], lieber denken wir wieder an Lessing, besonders an ‚Die Erziehung des Menschengeschlechts'. 1787 brachte Johann Salomo Semler, der eine „theologia liberalis" vertrat, ‚De pace fidei' erstmals in deutscher Übersetzung heraus. Er modifizierte den Traktat durch Zusätze und Erläuterungen, aber, alles in allem genommen, erschien diesem bedeutendsten protestantisch-rationalistischen Theologen wieder höchst aktuell, was ein Kardinal der römischen Kirche im 15. Jahrhundert geschrieben hatte. —

Einen weit härteren Schlag als für Cusanus und Enea bedeutete die Nachricht vom Fall Konstantinopels für Bessarion, den Byzantiner unter den römischen Kardinälen. Dagegen mußte sein Lehrer Plethon, „der größte Grieche seit Plotin", wie er von Bessarion genannt wurde, die Katastrophe nicht mehr erleben. Er war 1452 in Mistra gestorben. Den Söhnen kondolierte der Kardinal in den Formeln der heidnischen Liturgie, die Plethon geschaffen hatte. Die Seele ihres Vaters werde sich nun den Göttern des Olymps in mystischem Tanze zugesellen[17]. Das will doch wohl mehr bedeuten als die Götternamen in den Dichtungen beispielsweise des Albrecht von Eyb. Seltsame Kardinäle und Bischöfe, Dom- und Chorherren!

Papst Nikolaus gab die Parole aus, Rom werde die Siege der Türken damit beantworten, daß es Griechenland für die Latinität durch einen Übersetzungsfeldzug erobere. Nunc ergo — um Eneas Worte abzuwandeln — Graecorum poetarum et philosophorum ultima patebit revivescentia. Der Papst als Humanist hielt es mit Lorenzo Valla, der 1444 in der Praefatio seiner ‚Elegantiarum latinae linguae libri' aus der Enttäuschung von 1355 die Konsequenz gezogen hatte, Italien müsse die remeatio ad Romae purum priscumque iubar oder — in anderer Terminologie — die translatio imperii statt auf kriegerischem und politischem Wege durch seine Sprache erreichen: Ibi namque Romanum imperium est, ubicunque Romana lingua dominatur.

Die echte Romana lingua, hatte Valla betont, kann man nicht nach den Regeln der Grammatik lehren und lernen, sondern bloß am Vorbild der großen Schriftsteller der Antike. Damit eröffnete er aufs neue den Kampf hie artes, hie auctores. Für den Elementarunterricht mochte die Ars minor des Aelius Donatus

,Doctrinale' des Alexander von Villa Dei
(Erste Seite einer Handschrift des 14. Jahrhunderts; Rom, Nationalbibliothek)

(ca. 350 n. Chr.) unentbehrlich sein. Kurz und klar, in Frage und Antwort vermittelte sie die Formenlehre. Die Weiterbildung geschah aufgrund der *Ars maior* oder *Ars grammatica* von Donatus, mehr noch anhand der *Institutio de arte grammatica* von PRISCIANUS, der um 500 in Konstantinopel gelehrt hatte. Auch das mochte hingehen. Seit dem 13. Jahrhundert aber galt das *Doctrinale Alexandri Galli* als Standardwerk, um 1199 von dem Normannen ALEXANDER VON VILLA DEI, Villedieu, in 2645 leoninischen Hexametern abgefaßt[18]. Die Versform sollte das Auswendiglernen erleichtern, erschwerte jedoch zugleich das Verständnis. Muster fehlten fast ganz. Das ‚Doctrinale‘ zielte viel mehr auf ein logisches, scholastisches als auf klassisches Latein. Wenn die Humanisten Italiens, an ihrer Spitze Lorenzo Valla, nun *artes* und *regulae* durch *imitatio* der antiken *auctores* ersetzt sehen wollten, wurde jener jahrhundertelange Gegensatz wieder aktuell, der in der Forschung unserer Tage mit dem Namen Eduard Norden verknüpft ist[19]. Im 13. Jahrhundert repräsentierten ihn vor allem die Schulen von Paris und Orléans. Ecce quaerunt clerici Parisii artes liberales, Aureliani auctores, schrieb um 1230 der Mönch Helinand. In der ungefähr gleichzeitigen ‚Bataille des set ars‘ des Henri d'Andely kämpfen die Pariser unter der Fahne der Logik und führen in einem Faß die sieben freien Künste mit sich, die Orleanisten dagegen haben um das Banner der Grammatik Homer und Horaz, Vergil, Terenz u. a. gesammelt. Letztere verlieren die Schlacht, aber der Dichter hofft auf eine Zukunft, wo die *auctores* wieder denselben Rang einnehmen werden wie zur Zeit seiner Geburt[20]. Mit dem Humanismus des 15. Jahrhunderts erfüllte sich diese Hoffnung.

Eneas Wirksamkeit in Wien und seinem Auftreten unter Allerhöchster Protektion 1445 in der Aula der Universität wäre es wohl zuzuschreiben, falls tatsächlich schon PHILIPP MAUTTER von Stockerau und PAUL SWICKER von Bamberg ihre Wiener Vorlesungen über die pseudo-ciceronianische ‚Rhetorica ad Herennium‘ und über Terenz in humanistischem Geiste gehalten hätten. Der Humanismus hätte damit *1451* erstmals an einer deutschen Universität Eingang gefunden. Dritter im Bund soll der Klosterneuburger Chorherr Magister WOLFGANG WINT-HAGER gewesen sein, der kurz nach Swicker in einer Vorlesung über Terenz diesen ebenfalls gegen „rabuli et rapidi" in Schutz nahm. Wie alle Fortschrittlichen, und zwar seit Jahrhunderten, berief sich Winthager auf Basilius des Großen Schrift ‚Ad adolescentes ...‘; das Bild der Bienen, die von sämtlichen Blüten Honig sammeln, war längst ein Topos geworden[21], womit jeder Apologet der heidnischen Autoren die Gegner schlagen zu können glaubte.

Wahrscheinlich hat doch wieder ein Italiener den Humanismus contra bannum an der Wiener Universität eingeschmuggelt. *1452*, als neben dem Dom in Bamberg das erste Fähnchen des deutschen Frühhumanismus gehißt wurde, begann in Wien der Franziskaner GUILELMUS SAVONENSIS (Lorenzo Guglielmo Traversagni aus Savona)[22] privatim seine humanitatis studii lecturas vor einem Kreis wissensdurstiger Studenten. Unter ihnen stach ein Oberösterreicher, nicht mehr ganz jung, Georg Aunpeck, hervor. Der Name hört sich schlecht an und ist schwer zu schreiben, so nannte er sich nach seinem Geburtsort GEORG VON PEUERBACH (Burbachius). Als ein Siebzehnjähriger war er 1440 an der Artistenfakultät zum Magister promoviert worden und hatte sich dann besonders auf die Astronomie geworfen, die in Wien dank Heinrich Hainbuche genannt von Langenstein, einem Hessen († 1397), und Johann Wissbier von Schwäbisch-Gmünd († 1442) intensiver als an irgendeiner anderen deutschen Universität betrieben wurde. Bindeglied zwischen Johann Wissbier alias Johannes de Gamundia und Georg von Peuerbach scheint ein Wielant von Stuttgart gewesen zu sein. Rund zehn Jahre studierte Peuerbach in Ferrara, Bologna, schließlich Padua, dozierte aber dabei auch schon über Astronomie. 1450 lebte er offenbar in Rom im Hause des Kardinals CUSANUS. Dieser dürfte Peuerbach in seinem naturwissenschaftlichen Interesse bestärkt haben. Um dieselbe Zeit wie Albrecht von Eyb kehrte der ungefähr gleichaltrige Peuerbach nach Deutschland zurück und nahm nun in Wien sowohl mit dem Sienesen ENEA als auch mit dem Savonesen GUILELMUS Verbindung auf. Ihnen als Humanisten war die Naturwissenschaft ein Buch mit sieben Siegeln. Davon verstanden sie nichts und wollten sie nichts verstehen. Im Sinne Petrarcas bekannten sie sich zur ignorantia auf diesem Gebiet, beriefen sich wohl gar auf Augustins Verdikt gegen die curiositas. Den Astronomen machten sie damit nicht irre. Peuerbach traute sich zu, auf zwei Schultern Wasser zu tragen.

Im Sommer 1453 disputierte Guilelmus „in alma universitate Vienensi" über die ‚Rhetorica ad Herennium' im Anschluß an den Kommentar des Guarino Veronese. Mitten hinein schlug wie ein Blitz die Nachricht vom Fall Konstantinopels. Am 25. Juni 1453 hatte Guilelmus fünf Dialoge An mortui lugendi sunt an non, Ob die Toten zu beklagen sind oder nicht, abgeschlossen. Zu den Dialogpartnern gehören Winthager und Peuerbach. Die Trostgründe, die vorgebracht werden, vermögen allenfalls zu überzeugen, keinesfalls zu überraschen. Nur e i n Zug, freilich der Rhetorik entnommen, fällt auf: dem Italiener selbst und Peuerbach verschlägt das Weinen fast die Stimme. Das wird für ein Zeichen von humanitas erklärt, denn der Wilde, der gebure — homo silvestris —, läßt sich durch nichts innerlich bewegen. Die Weisen des Altertums und ebenso Christus am Grabe des Lazarus haben Tränen vergossen. Zwar darf man sich nicht gehenlassen, sondern muß in der Trauer Maß halten, aber die stoische apatheia lehnt der Humanist ab[23]. Schon bei Johann von Tepl war das der Fall gewesen, und Enea Silvio hatte von sich selbst gesagt: Poeta sum, non stoicus. Ohne Gefühl und ohne Leidenschaft gibt es keine humanitas, wie könnte sonst die humanistische Rhetorik ethe und pathe wecken wollen? In Eneas ‚De duobus amantibus' zeichnet die starke Liebesleidenschaft Euryalus und Lucretia vor dem Ehemann aus, nach Guilelmus muß der Mensch das Leid tief empfinden und mit Tränen trauern können. Die Eigenrenaissance ersetzt das eine durch bäurische Vitalität, das andere durch bürgerliche Sentimentalität. Doch Peuerbach, aus den Gedichten zu schließen, kannte auch die Kehrseite, er wußte durch Erfahrung: Ein leichtbewegtes Herz ist ein elend Gut auf der wankenden Erde.

1454 las er zum erstenmal in Wien, und zwar über die ‚Aeneis' des Vergil: *sunt lacrimae rerum.* Es folgten als Themen Juvenal, Horaz, die ‚Rhetorica ad Herennium'. Außer ihm selbst, berichtet Peuerbach, hielt von den 85 Magistern der Artistenfakultät nur JOHANN MANDL aus Amberg humanistische Vorlesungen. Die beiden wollten *a faecibus,* von den Abwässern, *ad fontes,* zu den Quellen, hinführen. Als Astronom wies Peuerbach sich mit den *Theoricae Novae planetarum 1454* aus. Im gleichen Jahr wurde er Hofastrolog des vierzehnjährigen KÖNIG LADISLAUS von Ungarn und Böhmen, für den Enea 1450 den Lehrbrief über die studia humanitatis geschrieben hatte.

Zum Erzieher war neben KASPAR WENDEL, wohl auf Eneas Empfehlung, JOHANN TRÖSTER bestellt worden, ein Geistlicher, der gleich Mandl aus Amberg stammte und in der Wiener Hofkanzlei mit Enea zusammen gearbeitet hatte. Dieser schreibt, Tröster mache zunächst einen etwas unbeholfenen Eindruck, er spreche nach deutscher Art schwer und langsam, sei aber klug und kenntnisreich. In Rom schloß der Baier mit JOHANN ROT Bekanntschaft, einem Schwaben, der sich rühmte, Schüler von Lorenzo Valla zu sein, und ebenfalls zu Eneas Vertrauten zählte. GREGOR HEIMBURG erklärte mit deutlicher Spitze gegen die Humanisten in einem Brief an Rot vom *6. März 1454,* ein Redner brauche nicht wie die Bienen möglichst viel zu sammeln, sondern müsse wie die Seidenwürmer aus sich selbst einen Faden spinnen. Die Basilius-Bienen sind auch Heimburg angeflogen, doch er wäre nicht Heimburg gewesen, wenn er nicht nach ihnen geschlagen hätte. Reden, erklärt er, und ficht damit erst recht die communis opinio an, sei keine *ars,* vielmehr wie alles Große *natura.* Nicht als ob nicht auch er hätte zitieren können. Heimburg holte sich Hieronymus heran, der einmal zugibt — fateor —, manchen Menschen wohne eine solche Kraft inne — tantam vim inesse —, daß ohne jede Ausbildung — absque litteris et doctore — sie mehr als die Gelehrten und Redner vermöchten. Hieronymus zitiert seinerseits den römischen Komödiendichter Lucius Afranius, auf den er offenbar in des Gellius ‚Noctes Atticae' gestoßen war. Das kam Heimburg sehr zupaß: niemand, heißt es bei Afranius, wird weise in menschlichen Dingen durch Bücher, durch Rhetorik und Dialektik; Taten und Ereignisse muß man sich einprägen, um gefährlich leben zu können: *sunt pericula rerum.* Bücher und Magister ergötzen einen bloß, wie im Schauspiel oder im Schlaf, mit leeren Worten und Bildern. Gestützt auf die Autorität von Hieronymus, Afranius, implicite Gellius, stellt Heimburg *sapientia* gegen *scientia,* aber die *sapientia rerum humanarum,* die er meint, will nichts von den *studia humanitatis* oder von der *sapientia* des Cusanischen *idiota* wissen. Statt der Gesetzmäßigkeit der Natur, auf die bei Johann von Tepl der Tod des Menschen verweist, gilt es, die Zufälligkeit der Geschichte zu erkennen. Den Hieronymus- und Afranius-Zitaten fügt Gregor Heimburg hinzu: „Ich sage dir, daß all dieser Dinge — humanarum rerum — Lehrmeister *fortuna* ist, die nicht nach Recht und Billigkeit, sondern nach Laune erhöht, wem sie wohlwill — fortuna, quae non ex bono et aequo, sed pro libitu celebrat, cui favet[24].

Heimburg hält es für gescheiter, Rechtswissenschaft als Rhetorik zu treiben, worauf ROT in seinem Antwortbrief, *Rom, 16. Mai 1454,* erwidert: Gehe ab, mein Gregor, von deiner Meinung und gib zu, daß deine gähnende und einschläfernde Rechtswissenschaft unseren humanitatis studiis weit nachzustellen ist. — Der Humanist argumentiert natürlich wie Heimburg mit dem Gegensatz von Lebendigkeit und Schläfrigkeit und verweist auf Cicero, der von der Jurisprudenz gesagt haben soll, sie sei derart simpel und langweilig, daß auch bei lebhafter Beschäftigung mit ihr die Verdauung nur wenig angeregt werde. — Zu anderen Zeiten hätte man es ebenso schlecht verdaulich gefunden, daß Rot für seinen Brief Poggios ‚Historia tripartita de conviviis‘ ausschrieb, aber dergleichen war wie bei Enea auch bei den deutschen Frühhumanisten gang und gäbe, und Heimburg hielt es ja selbst durchaus nicht immer mit dem Seidenwurm, der den Faden aus sich heraus spinnt[25].

Rot amtete eine Zeitlang als Kanzler des KÖNIGS LADISLAUS und wurde schließlich Bischof von Breslau; die eherne Platte auf seinem Grab im Breslauer Dom schuf PETER VISCHER. Es scheint ein Lieblingsgedanke Enea Silvios gewesen zu sein, aus dem vielversprechenden jungen Ladislaus, der nicht so sehr in die Art der Habsburger, jedenfalls des „schläfrigen“ Kaiser Friedrich, als die seines Luxemburgischen Großvaters, des höchst aufgeweckten Kaiser Sigmund, schlug, einen Herrscher nach humanistischem Ideal heranzubilden. Ladislaus war jetzt schon zum König von Ungarn und Böhmen gekrönt und würde in Zukunft vielleicht noch weitere Kronen tragen. Enea hatte ihm seinen Lehrbrief über die studia humanitatis gewidmet, nun machte er seinen ganzen Einfluß geltend, Ladislaus mit Männern zu umgeben, auf die er als Humanist sein Vertrauen setzte. Es waren in Deutschland erst wenige: da er Pirckheimer und Eyb wohl nicht persönlich kannte, nur Peuerbach, Tröster und Rot. Juristischer Berater des Königs wurde *1454* GREGOR HEIMBURG, sein Hofdichter *1455* MICHEL BEHEIM, ein Fahrender Sangesmeister von der Art Heinrichs von Mügeln[26]. Die beiden, Heimburg und Beheim, folgten Ladislaus *1457* nach Ungarn, wo der Siebzehnjährige einer Pest oder, wie man argwöhnte, einem Gift erlag. „Unschuldig verhauchte er seinen Geist und floh aus diesem eklen Leben mit einem Seufzer zu den Schatten“ — so Heimburg in seiner Gedenkrede auf Ladislaus. Der Lehrbrief Eneas diente, wie gesagt, später als Leitfaden für die Erziehung von Kaiser Maximilian.

JOHANN TRÖSTER schrieb *1454* ‚Über das Heilmittel gegen die Liebe‘, *De remedio amoris*[27]. Im Einleitungsbrief, datiert auf *2. Juli 1454,* dankt er Johann Rot für die Anregung. Den Titel übernahm er von Ovid. Im übrigen wählte Tröster die Gesprächsform und als Ort den Kaiserhof in Wien. Der von Liebe gepeinigte Philostratus macht den Anfang mit einem langen Selbstgespräch, bis mehrere Herren von einer Sitzung beim divus imperator kommen, darunter Enea Silvio und mit ihm „der gelehrte Böhme, der die Sterne mißt und den Willen der Parzen erforscht“, der kaiserliche Hofastrologe Johann Nihil, sowie der königlich ungarische Hofastrologe Peuerbach. Die Herren tragen so ernste Mienen zur Schau, daß Philostratus sie nicht anzusprechen wagt. Erst beim letzten faßt er sich ein Herz und bittet Eudion Noricus, d. i. Tröster, um seinen Rat. Er wird auf das Gebet zur Jungfrau Maria und auf die eigene Willensanstrengung hingewiesen. Sicher nicht für diesen Rat, aber für Thema und Stil seines Dialogs ist Tröster stark ‚De duobus amantibus' verpflichtet. Er weiß durch Enea: Amor, der wildeste der Götter, ergreift nur von edlen Menschen Besitz, und so erfahren sie die Gewalt der bittersüßen Liebe: *initium amoris est principium doloris*. Natürlich sucht sich Tröster in bilderreicher Sprache hervorzutun, dazu plündert er die antike Mythologie. Auch nachdem uns Albrecht von Eyb an manches gewöhnt hat, verblüfft der Vergleich der Jungfrau Maria, der Helferin aus Liebesnot, mit Alkmene, weil sie ihren Sohn ja nicht vom Gatten, von Amphitryon alias Joseph, sondern von Zeus alias Heiligem Geist empfangen habe — „Ach!"

Während uns in Tröster, der am Ende seines Lebens Domherr in Regensburg wurde[28], ein persönlicher Schüler Eneas begegnet, Eyb und andere mindestens den Schriftsteller Enea kannten, war der etwas ältere PETER LUDER aus Kislau bei Heidelberg von Enea wohl unabhängig[29]. Auch er hielt sich viele Jahre in Italien auf und holte sich in Rom, Padua, Verona und vor allem bei GUARINO GUARINI in Ferrara seine humanistische Bildung.

> Primus ego in patriam mecum, modo vita supersit,
> Jonio rediens deducam vertice Musas

heißt es in den ‚Georgica' von Guarinos Lieblingsdichter Vergil; Luder „imitiert" das in seiner ‚Elegia ad Panphilam':

> Primus ego in patriam deduxi vertice Musas
> Italico mecum, fonte Guarine tuo.

Eine Zeitlang gehörte Luder als „Schildträger" dem Hofstaat des Dogen Francesco Foscari an. Wenn das kein bloßer Ehrentitel war, so hatte Luder mit vielen anderen *scultiferi* dem Dogen bei Tisch in Livrée aufzuwarten, ihn bei Ausritten zu begleiten und sonstige Funktionen im Hofzeremoniell zu erfüllen[30]. Bald zog er aufs neue von Stadt zu Stadt und von Universität zu Universität, ebenso lernend wie lehrend, ein Vagant, der überall Bacchus und Venus reichlich Opfer spendete. Seine Briefe — der lateinische Briefwechsel gehört ja zur Daseinsform des Humanisten — berichten über das Wanderleben und seine Freuden mit fast zynischer Offenheit. *1456* gelangte Luder nach Heidelberg, wo ihn sein Pfälzer Landesherr, KURFÜRST FRIEDRICH DER SIEGREICHE, Bruder der Erzherzogin Mechthild, einige Jahre festhielt, damit er an der Universität mit ihren 100 bis 200 Studenten das Küchenlatein ausrotte und klassische Autoren interpretiere. Die Heidelberger Universität war vom Humanismus bisher nicht unberührt geblieben. Seit *1450* wirkte als *columna universitatis* der Kanonist DR. JOHANNES WILDENHERTZ aus

Fritzlar in Hessen; velut de spi-
nis rosa floruit, meinte der Rektor, Lic. theol. Jodocus Eichmann, in seinem Nachruf 1460.
Er nennt Wildenhertz humanarum artium in hac nostra universitate primum expositorem
(Vermittler) und erklärt: seit
seinem Italienaufenthalt — Wildenhertz hatte in Ferrara, der
Wirkungsstätte GUARINOS, promoviert — eam doctrinam secu-
tus est, quam humanitatis studia
appellamus[31]. Ein in Bologna
promovierter Mediziner, ER-
HARD KNAB aus Zwiefalten, ver-
fertigte in Heidelberg 1453
ein *Aggregatorum rhetoricae.*
Schon mit der Anstellung Luders dürfte es in Zusammenhang stehen, daß 1456 die Artistenfakultät ermächtigt wurde,
aus dem Nachlaß des ehemaligen Wormser Bischofs und
Kanzlers der Universität Hei-

Kurfürst Friedrich der Siegreiche von der Pfalz
(Heidelberg, Kurpfälzisches Museum)

delberg, LUDWIG VON AST — wir trafen ihn auf dem Basler Konzil —, zahlreiche
Abschriften nach Cicero, Quintilian, Seneca, Terenz, Valerius Maximus, Petrarca
usw. zu kaufen.

Luder kündigte *Anfang Juli 1456* am Schwarzen Brett an: Dominus Frydericus
princeps Rheni gloriosissimus, Romani imperii vicarius, veterum virtute nulli
secundus, maiorum suorum vestigiis inherendo, senatus sui saniori usus consilio
latinam linguam iam pene in barbariem versam atque perlapsam restaurare suo in
gymnasio cupiens, studia humanitatis, id est poetarum, oratorum ac hystoriagra-
phorum libros publice legi instituit atque decreto suo sanccivit[32]. Was Wildenhertz
wohl im Rahmen des Triviums nebenbei betrieb, wurde durch Erteilung eines
speziellen Lehrauftrags an einen offenbar Nichtgraduierten zu einem eigenen Fach
erhoben. Als Antrittsvorlesung hielt Luder am *15. Juli 1456* eine Lobrede auf die
studia humanitatis, für die er sein Kollegheft aus den Vorlesungen Guarinos ver-
wertete. Luder unterscheidet drei genera studiorum humanitatis: historiale, ora-
torium und poeticum. Die Geschichte, indem sie Heldentaten schildert, reizt den
Leser, *si quid virile in eo est, ad talia quoque perficienda.* Von den Rednern lernen
wir *quam facillime auditores nostros hinc quidem ad indignacionem, ad odium,*

ad tristiciam, ad lacrimas, hinc vero ad misericordiam, ad amorem, ad gaudium, ad risus et impellere et provocare. Doch erst die Poesie lehrt uns *tropos et figuras omnemque ornatum ac oracionis suavitatem.* Natürlich beruft sich Luder auf Basilius Magnus, auf die vierte Ekloge Vergils etc. Wie Guarino vergleicht er den Orator und seine Macht über die Affekte dem Neptun in Vergils ‚Aeneis‘, der einen Sturm besänftigte[33]. Im ersten Heidelberger Semester las Luder dann über Valerius Maximus und über die satirischen Episteln des Horaz, in den folgenden Semestern über Cicero, Terenz und Seneca, mit sehr persönlicher Anteilnahme und deshalb mit besonderem Erfolg auch über Ovids ‚Ars amandi‘. Eine Rhetorik-Vorlesung Luders, die in Heidelberg entstand, wurde nach seinem Tod mehrmals gedruckt. Unter dem Titel *Ars oratoria* oder *Tractatus de arte oratoria* erschien sie während der Jahre 1485—1501 in Deventer, Paris, Basel und Leipzig. Zu den Wiegendrucken zählt außerdem ein von Luder eingeleiteter und dabei fälschlich Petrarca zugeschriebener Brieftraktat über Zeichensetzung, *Ars punctandi.* Luder versichert, in wenig mehr als einer Stunde könne man hier alles Nötige über Komma, Kolon, Fragezeichen usw. lernen[34].

Selbst ein ewiger Student, mied Luder im allgemeinen die professoralen Kollegen und wurde noch mehr von ihnen gemieden. Doch fand er außer beim Kurfürsten besonders natürlich bei Wildenhertz, aber auch bei den Schwaben Jodocus Eichmann aus Calw und Johannes Wenck aus Herrenberg, dem Gegner des Cusanus, Unterstützung. Wesensverwandt war ihm der Hofkaplan des Kurfürsten, MATTHIAS WIDMANN aus Kemnat in der Oberpfalz. Luder nennt ihn amoris meretricis peritissimum, den Erfahrensten in der käuflichen Liebe. Aus den Klagen über Podagra und Chiragra zu schließen, kann MATTHIAS VON KEMNAT auch als vini peritissimus gelten. Am wohlsten fühlte sich Luder im Kreis junger Studenten — Studentinnen gab es ja noch nicht —, die von ihm die ars amandi, überhaupt die neue Lebenskunst in praxi lernen wollten. Bürger und Bürgersfrauen sahen entsetzt diesem ausgelassenen Treiben zu. Erstmals nimmt man sich nicht nur erotische Freiheit, was zu jeder Zeit geschah, sondern fordert sie auch quasi programmatisch. Fast scheint es, die Heidelberger Studentenromantik habe schon damals Wurzel geschlagen, der Ruf Alt-Heidelbergs gehe bis auf die Zeiten von Luder zurück. Jedenfalls wurde nun auch in Deutschland der Humanismus, bisher eine literarische Strömung von nicht allzu großer Gewalt, zu einer eigenen Lebensform, besonders an den Universitäten.

Dagegen, wissen wir, liebäugelte das deutsche Stadtpatriziat mit der ritterlichen Lebensform. In gleichem Maße, wie die Ritter innerlich zu Bürgern, wurden die Bürger äußerlich zu Rittern. Gewiß nicht überall, aber beispielsweise in Bern. Da gab es u. a. die Familie ZIGERLI, die um die Mitte des 14. Jahrhunderts aus dem Simmental in die Stadt gezogen war und um die Mitte des 15. hier bereits den zweitreichsten Mann stellte. Der hieß nun freilich nicht mehr Zigerli, denn schon der Vater hatte sich den Beinamen VON RINGOLTINGEN zugelegt, er selbst, nachdem er dreimal Schultheiß gewesen, gab das „Zigerli“ vollends auf. Sein Sohn

THÜRING bekleidete viermal das Schultheißenamt, dazu eine Menge von Ehren-
ämtern. Wen anders als einen Ringoltingen konnte man zum Pfleger des Münster-
baus wählen? Aber das einst so große Familienvermögen zerrann wieder in
dieser dritten Generation, der keine weitere mehr folgte. Der letzte Ringoltingen
hatte eine Passion für die Ritterbücher und schriftstellerte sogar selbst. Am
29. Januar 1456 beendete er die deutsche Prosabearbeitung eines französischen
Versgedichts aus dem 14. Jahrhundert. Thüring wollte nur „die Substanz der
materyen" fassen. Die jüngste, sehr einsichtige Arbeit über seine *Melusine* spricht
von einem „antirhetorischen Affekt"[35]. Im Stil unterscheidet sich das Werk des
nobilitierten Bürgers nicht wesentlich von den Übertragungen der Fürstentöchter
Elisabeth und Eleonore. Und auch *Die schöne Melusine* wurde ein beliebtes Volksbuch, im Gegensatz zur zweiten, anonymen Verdeutschung von *Pontus und
Sidonia*, die um dieselbe Zeit entstand[36].

In Rom hatte 1455 nach dem Tod Nikolaus' V. das Konklave sich lange Zeit
nicht entscheiden können zwischen dem Byzantiner Bessarion und dem Spanier
Alfonso Borja. Am Ende ging Alfonso als PAPST CALIXTUS III. aus der Wahl hervor — der erste Spanier und der erste Borgia unter der Tiara. Mit spanischem
Glaubenseifer betrieb Calixtus den Kreuzzug, zumal seit Mechmed II. 1456 Athen
erobert hatte. Das Bauen an der Peterskirche und am Vatikanpalast wurde eingestellt, stattdessen schuf Calixtus eine päpstliche Flotte, die 1456 in See stach,
den griechischen Archipel vor den Türken zu schützen; vom „Übersetzungsfeldzug" hielt er wenig. Als täglichen Mahnruf an die Christenheit führte er mit Bulle
vom 29. Juni 1456 das Mittagläuten der Kirchenglocken ein.

Was sind denn die Werte des Abendlandes, die wir gegen den Osten verteidigen sollen? fragten manche murrend, Männer vom Schlage des Verfassers der
‚Reformatio Sigismundi', die überall Korruption witterten. Aus dieser Stimmung
heraus schrieb in Nürnberg, wo besonders Gregor Heimburg die Kritik wach
erhielt, 1456 der städtische Büchsenmacher HANS ROSENPLÜT *Des Turken vas-
nachtspil*[37]. Rosenplüt, der Verfasser des ersten Städtelobs in Deutschland, ist
auch der erste mit Namen bekannte Verfasser von Fastnachtsspielen; und obwohl
die Tradition weit ins Mittelalter zurückreicht, hat es das Fastnachtsspiel als politische Satire vor 1456 nicht gegeben[38]. Bei uns ist der Teufel los, meint Rosenplüt,
trotz allem Reformgerede werden Kirche und Staat mit ihm nicht fertig — so
laßt uns den Teufel durch Beelzebub austreiben! In Rosenplüts Fastnachtsspiel
erhofft sich die Nürnberger Bürgerschaft vom Großtürken, daß er in Deutschland
Ordnung schaffe, denn im türkischen Reich kennt man keinen Wucher und keine
Bestechlichkeit der Richter, während im christlichen deutschen Reich adlige Stra-
ßenräuber, Fürsten und Pfaffen, falsche Richter und ungetreue Amtleute den gemeinen Mann bis aufs Blut peinigen. Rosenplüt ist gewiß kein Agent aus dem
Osten gewesen und alles andere eher als ein ideologischer Fanatiker und Dem-
agoge. Er gibt ein Fastnachtsspiel, das auf einem witzigen Einfall gründet. Aber
dieser Einfall verrät doch, ebenso wie die Überarbeitungen der ‚Reformatio Sigis-

mundi', eine bitterböse Unzufriedenheit mit den oberen Ständen. Beabsichtigt oder unbeabsichtigt hat das Spiel eine, heute würde man sagen, subversive Tendenz: auch der Kreuzzug, den man überall predigt, soll nur dazu dienen, daß alles beim alten bleibt, mag deshalb der Türke willkommen sein!

In Nürnberg hatte schon vor Jahren der Kardinallegat Cusanus zum Kreuzzug gemahnt. Auf den Reichstagen setzte vor allem Enea Silvio seine Eloquenz dafür ein; wir erinnern uns an die berühmte Regensburger Rede und deren praktischen Mißerfolg. Nun läuft unter Papst Calixtus die Kreuzzugspropaganda auf vollen Touren, und zum *Jahresende 1456* wird ENEA in den Kardinalsrang erhoben. Der Bischof von Siena hatte sich den roten Hut lange gewünscht, aber kurz nachdem er ihn empfangen, schreibt er in einem Brief: „Wir sind jetzt bettelarm und beginnen schon zu spüren, was Elend bedeutet." Die Ernennung war nicht wie bei Feldmarschällen mit einer Dotation verknüpft, der neue Kardinal mußte im Gegenteil riesige Sporteln entrichten. Dem mittellosen Piccolomini verlieh deshalb der Papst das Recht, in den reichen Diözesen Köln, Mainz und Trier alle frei werdenden Pfründen bis zum jährlichen Betrag von 2000 Gulden in Anspruch zu nehmen. Solche Reservationen waren üblich, erregten aber jedesmal in den betroffenen Diözesen Ärgernis. Der Erzbischof von Mainz gab im *August 1457* seinem Kanzler MARTIN MAIR, dem Schüler Gregor Heimburgs, Auftrag, ein Protestschreiben an die Kurie aufzusetzen und bei dieser Gelegenheit alle im Vorjahr auf dem Kurfürstentag in Frankfurt zusammengestellten gravamina zur Sprache zu bringen. KARDINAL PICCOLOMINI antwortete mit einem 151 Seiten langen Brief, datiert auf *1. Februar 1458*. In den Brief sind u. a. fiktive Dialoge eingeflochten, in denen der Adressat, Martin Mair, selbst das Wort ergreift. Das Ganze stellt einen für die Öffentlichkeit bestimmten Traktat dar und erhielt später (gedruckt 1496) den Titel *De ritu, situ, moribus et conditione Theutoniae descriptio*, Beschreibung von Deutschlands Art, Lage, Sitten und Zustand[39]. Nach des Tacitus ‚De origine et situ Germaniae' ist Eneas Traktat die erste ausführliche und einigermaßen verläßliche Schilderung von Deutschland. Wir nennen ihn der Einfachheit halber *Theutonia*. Daß Enea sich darin auf Tacitus bezieht, macht seine besondere Bedeutung aus.

1425 hatte Poggio durch einen Hersfelder Mönch erfahren, im Kloster Fulda liege eine Handschrift — die noch bis heute einzige — der Taciteischen ‚Germania'. Spätestens 1455 wurde sie nach Rom gebracht, und hier lernte sie Enea kennen. Die ‚Germania', erklärt Enea, zeige gleich Cäsars ‚Bellum Gallicum', wie arm und rückständig Deutschland gewesen sei, ehe es unter den Segnungen der römischen Kirche aufblühte. Die Deutschen hätten also gar kein Recht und gar keinen Grund, sich bei der römischen Kurie zu beschweren, als ob deren finanzielle Forderungen Deutschland ruinierten. Das Bild, das Enea vom heutigen Deutschland zeichnet, indem er sich auf eigene Erfahrungen während eines mehr als zwanzigjährigen Aufenthalts beruft, ist vielleicht allzu vorteilhaft ausgefallen, weil Enea zeigen wollte, was dank der römischen Kirche aus dem Deutschland des Tacitus geworden

sei. Nichtsdestoweniger besitzen seine Schilderungen vom Reichtum der deutschen
Städte, von ihren großartigen Gebäuden, ihren sauberen Straßen, dem Wohlleben
der Bürger hohen kulturgeschichtlichen Wert. Fast beiläufig erwähnt er, daß nach
Tacitus die alten Germanen keinen Luxus und keine Geldgier kannten: „Das ist
zu loben und unseren Sitten vorzuziehen." Solche Stellen griffen die deutschen
Humanisten freudig auf, und als sie später bei Tacitus noch mehr Lobendes über
die Sittenstrenge der Germanen fanden, verfestigte sich die Gegenüberstellung
germanischer Tugend und welscher Sittenverderbnis zum nur allzu gängigen
Topos. Enea hatte unmittelbar angefügt: „Alles war grauenhaft, alles abscheu-
erregend, alles roh und barbarisch, und, um es beim rechten Namen zu nennen,
tierisch." Das konnte in einen anderen Topos münden. Es entbehrt nicht der Ironie,
daß Enea, der so lange der Apostel des italienischen Humanismus in Deutschland
gewesen war, am Ende mit seiner ‚Theutonia' die Humanisten Deutschlands auf
die ‚Germania' hinwies, wo sie statt der Antike eine andere, ihre eigene große
Vergangenheit erblickten. Enea wollte den Deutschen ihre Verpflichtung Rom
gegenüber vor Augen führen und weckte in den deutschen Humanisten erstmals
das nationale Selbstbewußtsein. Neben CICERO hat von sämtlichen Autoren der
Antike TACITUS den deutschen Humanismus wohl am stärksten beeinflußt.

Augsburg wird von Enea besonders gerühmt. Natürlich
ohne Erwähnung der Meistersingerschule, die uns — als erste
in Deutschland — für das Jahr
1449 bezeugt ist. Nicht mehr
um Fahrende Sangesmeister
gleich Heinrich von Mügeln,
sondern um Singende Hand-
werksmeister handelt es sich
hier. Sie setzen sich ebenso entschieden von den „Herren" wie
von den „Pfaffen" ab. Namentlich kennen wir zunächst nur
einen ULRICH WIEST[40]. Wenn
Augsburg um dieselbe Zeit den
Humanismus rezipierte, dankt
er das nächst PETER VON
SCHAUMBERG, der in der Bi-
schofspfalz residierte und 1450
von Papst Nikolaus in die Germania purpurata eingereiht
worden war, dem Patrizier SIG-
MUND GOSSENBROT[41]. Dieser

*Sigmund Gossenbrot empfängt von
Sigmund Meisterlin dessen Augsburger Chronik
(Miniatur in Meisterlins Chronik, 1457)*

hatte die studia humanitatis wohl während seines Jura-Studiums in Wien kennengelernt. Heimgekehrt, gründete er mit dem Stadtarzt HERMANN SCHEDEL und einem Benediktinermönch SIGMUND MEISTERLIN zusammen eine Art humanistische sodalitas, die sich der besonderen Gunst des Kardinals erfreute. In Gossenbrots Auftrag verfaßte Meisterlin eine 1457 abgeschlossene *Chronographia Augustensium.* Gossenbrot widmete sie dem Kardinal, den er nach Humanistenbrauch mit „Du" statt mit „Ihr" anredet. Für dieses *tibizare* beruft er sich aber nicht auf Cicero, sondern macht mit Eleganz daraus eine Huldigung: so spreche man ja auch zu Gott, cui tu magna virtutum excellentia appropinquas. Den eigenen Namen ins Lateinische zu übersetzen, versagt er sich; wenn er ihm lateinischen Klang geben will, unterschreibt er Cossimprot. Daß die Söhne es dereinst mit der neuen Bildung leichter haben sollen als der Vater und daß er sie deshalb frühzeitig nach Italien schicken wird, versprach ihnen Gossenbrot schon an der Wiege. Sie studierten dann bei Guarino Guarini in Ferrara. Was den Bastarden des Hauses Este recht ist, kann einem jungen Gossenbrot aus Augsburg nur billig sein.

Ein Brief Gossenbrots an KONRAD SÄLDNER vom 24. April 1457 scheint nicht erhalten zu sein, wohl aber besitzen wir die Antwort vom *19. September 1457*[42]. Der Professor alter Schule, der Scholastiker, vermißt bei den *idiotis dictis poetis* das gediegene Wissen; mit den Poeten alias Idioten — Laien, Dilettanten — sind natürlich die Anhänger der studia humanitatis gemeint, die sich selbst als poetae bzw. oratores bezeichneten.

Im nächsten Brief erklärt sie Säldner für Affen, weil sie die antiken auctores imitieren. Er klagt, seit in der Artistenfakultät, dem allgemeinen Grundstudium, poetische Lässigkeit oder Schöngeisterei, *ignavia poetica,* sich eingenistet habe, kämen die Studenten gar nicht mehr oder nur sehr spät zum eigentlichen Fachstudium. Wenn Säldner über die Poeten loszieht, klingt es, als spräche ein Wissenschaftler von Literaten oder Feuilletonisten. Und eine gewisse Verwandtschaft besteht ja zwischen der im Rahmen der studia humanitatis neu belebten Eloquenz und unserem Feuilleton. Beide sind, verglichen mit sachbezogener Wissenschaft, vor allem publikumsbezogen, suchen sich mit dem Hörer oder Leser ins Einvernehmen zu setzen, seine Zustimmung zu wecken, ihn zu bewegen, daß er für eine vom Redenden oder Schreibenden vertretene Ansicht Partei ergreife.

Von den Bruni und Poggio, Valla und Guarino, die Gossenbrot in den Himmel hebe, will Säldner noch nie etwas gehört haben, oder, wenn schon, will er nichts von ihnen wissen. Den Enea Silvio Piccolomini freilich, der volle 12 Jahre in der Reichskanzlei tätig war, kennt er nur allzu gut. Bereits der erste Brief bezeichnet es als eine Schande, daß Menschen, die nicht einmal in den sieben freien Künsten sich auskennen, mit Lorbeer bekränzt werden. Das geht auf die sogen. Dichterkrönung Enea Silvios in Frankfurt am Main. Die Universität forderte ja schon für den Magistergrad die Kenntnis der sieben freien Künste, und selbst der Meistertitel der Fahrenden Sangesmeister setzte, wie sie behaupteten, diese Kenntnis voraus.

Der zweite Brief Säldners trägt das Datum des 17. *August 1458*. Zwei Tage später vertauschte Enea den schlichten Silberlorbeer mit dem dreifachen Goldreif, der Tiara. Wie man diese Nachricht in Theologenkreisen aufnahm, läßt sich denken.

Am *6. August 1458* war Calixtus III. gestorben. Über den Nachfolger konnten sich die achtzehn Kardinäle, unter ihnen Bessarion, Cusanus, Petrus von Schaumberg und Piccolomini, wieder lange nicht einigen. Schließlich gab der vierundzwanzigjährige Kardinal Rodrigo Borja, der Neffe des Calixtus, später Papst Alex-

Papst Pius II.

ander VI., den Ausschlag. Am *19. August 1458* fiel die Wahl gegen die Stimme Bessarions auf Enea Silvio Piccolomini, der sich seit seiner Krönung am *3. September 1458* Pius II. nannte. Die Gegner hatten vor allem ausgesetzt, er sei einseitig deutschfreundlich. Und mindestens dem Kaiser gegenüber hatte er sich selbst wiederholt als deutschen Kardinal bezeichnet. Den Namen Pius II. wählte er, um damit die Absage an sein früheres, allzu weltliches Leben und allzu heidnisches Schreiben zu bekunden, aber zugleich auch in Anlehnung an den „pius Aeneas" Vergils. Die beiden Motive widersprechen einander: die Zweideutigkeit des Mannes findet in dem Namen Pius II. ihren bündigen Ausdruck. Es gehörte zum damaligen Brauchtum, daß nach dem Ruf „Habemus papam" der populus Romanus den bisherigen Wohnsitz des neuen Papstes stürmen und plündern durfte; bei Piccolomini fand er nichts Brauchbares, er konnte nur antike Manuskripte und antike Marmorbilder zerstören.

Erst 1445 hatte Enea die geistliche Laufbahn eingeschlagen, die ihn 1458 auf den Stuhl Petri führte. Seine Saat in Wien ist inzwischen aufgegangen. Hatte Enea 1445 bei seiner Disputation in der Aula noch gerügt, daß die deutschen Universitäten den studia humanitatis keinen Raum gönnten, so ist das besser geworden, vor allem seit GEORG VON PEUERBACH 1454 mit einer Aeneis-Interpretation seine Vorlesungen über lateinische Klassiker begann. Als Peuerbach am *6. Dezember 1458* in der Aula das Wort ergriff, berief er sich auf Musarum princeps quondam

Aeneas laureatus ex reverendissimo nunc factus Pius sanctissimus; man kann sich Papst Pius schlecht als Apollon Musagetes vorstellen. Peuerbach hatte die Aufgabe, bei einer der turnusmäßig wiederkehrenden disputationes de quolibet — sie wurde diesmal von dem Theologen KONRAD SÄLDNER, Gossenbrots Freund und Opponenten, geleitet — die Frage zu beantworten, ob Fabeln (fabulae) und Gleichnisse (similitudines) allein zur Moral- und Naturphilosophie oder auch zur Dicht- und Redekunst paßten. Er hielt keine Prunkrede, sondern einen wissenschaftlichen Vortrag, in dem er sich um klare, knappe Definitionen bemühte. Rhetor heißt, wer die Rhetorik lehrt, orator, wer ihre Vorschriften ausführt. Nunc de poetica aliquid dicamus. Hier unterscheidet Peuerbach nicht zwischen Poetik und Poesie. In der Dichtkunst sieht er die Urform der Philosophie, die prima philosophia. Nachdem er die verschiedenen genera poetarum gemustert hat: heroici, tragoedi, comoedi, satirici, lyrici, elegiaci, faßt er das Resultat in den Satz: *Est enim poetae ut ea quae vere gesta sunt in alias species obliquis figurationibus cum decore aliquo conversa traducat, virtutem laudando, vitia fulminando.* Wir denken an die seit Nicolai Hartmann wieder gängige Unterscheidung zwischen intentio recta und intentio obliqua. Der Dichter, meint Peuerbach, muß die Wirklichkeit nicht direkt, sondern indirekt ansprechen, in Redefiguren ästhetischer, „schmückender" und ethisch akzentuierender, „lobender oder tadelnder" Art. Dichtkunst und Redekunst lassen sich eine ohne die andere nicht richtig verstehen und ausüben. Beide brauchen Fabeln und Gleichnisse, weil diese schmücken (*ornare*) und am besten überreden (*persuadere*), bewegen (*movere*), Glauben wecken (*fidem facere*). *Quid enim magis movere potest hominem quam similitudo?*

Peuerbach wußte in seiner *Positio sive determinatio de arte oratoria sive poetica*[43], Wien 1458, Substantielleres zu sagen als Peter Luder in der Laudatio auf die studia humanitatis, Heidelberg 1456. Aber den Begriff studia humanitatis nahm er nicht in den Mund, wie er überhaupt, abgesehen von dem Hinweis auf Enea Silvio, der vor einem Vierteljahr Papst geworden war, jede Aktualität vermied. Peuerbach gerierte sich in keiner Weise als Reformer, geschweige denn als Revolutionär. Statt Petrarca oder andere moderne Italiener ins Feld zu führen, schob er die sancti patres Ambrosius, Augustinus, Hieronymus usw. vor, lauter Autoritäten der Kirche, die auch der Theologe Säldner gelten lassen mußte, deren Schriften aber sie als Kenner der Poesie ausweisen. Säldner wird mit Wohlgefallen festgestellt haben, daß Peuerbach den Kernsatz seiner Positio, die *obliquae figurationes* betreffend, ohne es freilich anzugeben, den ‚Etymologiae' des Isidor von Sevilla (ca. 600) entnahm; der Spanier seinerseits hatte eine Stelle in den ‚Divinae institutiones' des Afrikaners Lactantius (ca. 300) zum Vorbild. Um das zu wissen, brauchte Säldner nicht wie wir den Exkurs ‚Isidor' bei Ernst Robert Curtius[44] gelesen zu haben. Über Isidors Poetik heißt es dort, sie habe die heidnische Spätantike in das Wissenschaftssystem der abendländischen Kirche integriert. Auch was Peuerbach von den verschiedenen genera poetarum sagt, geht auf Isidor zurück. Die Bemerkung über Tugendlob und Lastertadel, die als rhetorische Epideixis zu den Aufgaben des Dichters gehören, stammt nicht daher, ist aber durch einen von Peuerbach später angeführten Satz des Basilius gedeckt: Ego poetas laudo, cum maxime dum autem virtutem extollunt, aut vitia fulminant. Der Humanist versteht wohl Basilius im Sinne von Petrarcas ‚De ignorantia': „Aristoteles lehrt uns, . . . was Tugend ist, aber jene überzeugenden Worte, die uns zur Liebe der Tugend und zum Haß des Lasters bewegen, durch die der Geist entzündet und angefeuert wird, kennt er nicht oder doch nur selten" — wie anders Cicero! Wenn ihm daran gelegen war, konnte Säldner in der Disputation gerade aus Aristoteles oder aus des Albertus Magnus Kommentar zu ‚De memoria et reminiscentia' Zitate beibringen, die besser noch als das „inquit Basilius Magnus" die Meinung von Peuerbach trafen. Die Frage, wo der Ort und was der Sinn von Fabeln und Gleichnissen sei, impliziert die Frage nach dem Verhältnis von Dichtung und Philosophie, die schon Albertus bzw. Aristoteles im Blick auf Dichtung als prima philosophia und zugleich ars movendi entschieden hatten: Primi philosophantes transtulerunt se in poesim, ut dicit Philosophus, quia fabula, cum sit composita miris, plus movet. Lakonisch formuliert Albertus: mirabile plus movet quam consuetum: das Wunderbare bewegt mehr als das Gewohnte. Diese alte Erfahrung wurde den Humanisten aufs neue bedeutsam. Im deutschen Frühhumanismus operierte, soweit ich sehe, Georg von Peuerbach als erster damit. — „Und aber nach dreihundert Jahren" kam die ‚Critische Abhandlung von dem Wunderbaren in der Poesie'; 1740 hieß, der an einer Wende der deutschen Literaturgeschichte das *mirabile movens* wiederentdeckte, Johann Jakob Bodmer.

Bei den Dialogen des Guilelmus Savonensis ‚Ob Tote zu betrauern sind' blieben wir noch etwas im Zweifel, wieweit das leicht bewegte Herz als persönliches Charakteristikum Peuerbachs zu gelten habe. Daß jemand vor Tränen kaum sprechen kann, ist ja ein rhetorischer Topos. Doch der empfindsame Freundschaftskult in Peuerbachs eigenen Versen, Distichen und Hexametern, läßt sich wohl nicht allein aus Topoi ableiten. Ein Gedicht vom 4. Mai 1456 an einen Andreas beginnt: „Die Nacht bricht an, der Wind singt ein süßes Lied, das Lied des Andreas", den Dichter aber, den Astronomen, hält „Urania" in ihrem Bann. Einem andern Freund gilt die Klage: „Zweimal zwanzig Tage sah ich dich nicht, du meine zweite Seele, ich bin unruhig, weiß nicht warum", woran sich die Warnung knüpft: „Verlange nicht, im selben Bett zu schlafen, mit Gleichen verbinde dich, mir traue nicht . . . Leite dich selbst, süßer Freund, Freude und Hoffnung; leb wohl, denk an mich!" De profundis scheinen die Rufe der Selbstbesinnung zu kommen: „Wohin, Unglücklicher, der Jüngere wird dich verachten, zurück vom Unglücksweg! Empor!" Und, eine Satire des Flaccus Persius nachbildend: „Soll ich immer der Genarrte sein? So sei denn das Band zerrissen, folge dem eigenen Kopf!" Man meint fast, man läse in Platens Tagebüchern. Daß die Freundschaften mitunter antikische Tönung annahmen, läßt Nihil, der Astronom des Kaisers, vermuten, wenn er einen Brief an Peuerbach schließt: „Per tuum et tuissimum, *grece*, si religio pateretur"[45].

Noch im ersten Jahre des Pontifikats berief Pius zum 1. *Juli 1459* einen europäischen Fürstenkongreß nach Mantua, um hier für den Kreuzzug wider die Türken zu werben. Das bleibt während seines ganzen Pontifikats das dringendste Anliegen. Als Sprecher für Erzherzog Albrecht, Herzog Sigmund, den Herzog von Sachsen trat wie einst gegen Enea nun auch gegen Pius der alte Feind GREGOR HEIMBURG auf. „Wenn ich neu und anders spreche, als vor dem Papst zu geschehen pflegt, verzeihe mir und der deutschen Art; weicht sie auch vom Stil der Kurie ab, so scheidet sie sich doch nicht von der Einfalt der Natur." In Pius' Ohren klang dieser höflich-perfide Ton gewiß nicht neu, er kannte zur Genüge Heimburgs Ausfälle gegen die Rhetorik der italienischen Humanisten mit dem Pochen auf das naive Gradheraus der Deutschen. Durch seine ‚Theutonia' hatte er nun selbst noch Wasser auf das mißtönende Mühlrad geleitet. Als der Kongreß kein Ende nahm, klagten die Kardinäle, in Mantua sei nichts geboten als Tag und Nacht das Quaken der Frösche. Den Papst störten die Frösche so wenig wie die Fliegen, die sich auf seiner Nase niederließen, wenn er wie ein Marmorbild dasaß und mit angespanntem Interesse an der Sache, mehr noch an der Form, einer dreistündigen Rede folgte; das war fast die normale Rededauer. Nur von BESSARION und CUSANUS wurde Pius nachdrücklich unterstützt. Heimburg, der immer argwöhnte, die Kurie wolle „sub colore Turchino" ihre Kasse füllen und denke gar nicht ernsthaft an einen Kreuzzug, stellte Pius auf die Probe, indem er ein Gespräch über die Verproviantierung des Heeres begann. „Aber ich sprach zu einem Toten, einem Tauben erzählte ich eine Geschichte." Am Ende kam Cusanus dem Papst zuhilfe: „Das alles wollen wir zurückstellen, auf Gott allein müssen wir bauen." Heimburg sah sich durch solches Gottvertrauen in seinem eigenen Mißtrauen gegen die Kurtialen bestätigt. Der Papst erholte sich vom Ärger und von der Anstrengung des Tages, indem er vor dem Zubettgehen Patience legte oder mit ein paar Auserwählten Tarock spielte.

Jedenfalls hat ihm ANDREA MANTEGNA damals einzigartig schöne Spielkarten — *tarocchi* — angefertigt[46]. Warum sollen sie bloß museale Schaustücke gewesen sein? Buchstaben und Zahlen helfen, die fünfzig Kupferstiche, fünf Gruppen zu je zehn Figuren, richtig aneinanderzureihen, so daß eine Kette entsteht, die vom Bettler über die verschiedenen Stände, Musen, Planeten bis zum Primum Mobile und zur Prima Causa reicht. Kartenspiel ist hier nicht leerer Zeitvertreib, sondern zugleich künstlerischer Genuß und eine Art Meditationsübung, würdig der Kirchenfürsten Pius, Cusanus, Bessarion. Man mag an ein Wort aus des Cusanus ‚De ludo globi' (1463) denken: „Dieses Spiel wird nicht nach Kinderart gespielt, sondern wie die Heilige Weisheit am Anfang der Welt vor Gott spielte".

Wo ihm die Mehrzahl seiner Kardinäle keinen Rückhalt gab und Männer wie Heimburg Widerstand leisteten, boten die Künstler der Renaissance und die Humanisten, die sich pfründen- und ehrenheischend um ihn drängten, dem Papst einen gewissen Trost. Selbst der Domherr ALBRECHT VON EYB stellte sich in Mantua ein, obgleich er es nicht nötig gehabt hätte, da er ja aus begütertem Hause

Zwei der Spielkarten (tarocchi) Mantegnas oder eines Mantegnaschülers

stammte und dessen Pfründen in Bamberg und Eichstätt genoß; zudem hatte ihn Pius ein Jahr zuvor zum päpstlichen Kämmerer, cubicularius, ernannt, was nicht nur ein schöner Titel war, sondern eine weitere Pfründe einbrachte. Wie ein funkelnder Komet war Eyb in Bamberg 1451 aufgetaucht und 1452 wieder verschwunden. Nun hatte er sich aufs neue sieben fette Jahre in Italien gegönnt, Handschriften gesammelt oder kopiert, Plautus und viele Erotica darunter, bis er im Frühjahr 1459 in Pavia zum Doctor iuris utriusque promoviert wurde. Ist es Naivität oder Blasphemie, oder was ist es, wenn Eyb, nachdem er genug Erotica abgeschrieben hat, unter ein paar lockere Ovidverse ein kurzes Stoßgebet oder ein „Amen" setzt? Über Mantua kehrte er endgültig nach Deutschland zurück. Auf dem Kongreß traf Eyb den Freund aus der Bologneser Studienzeit, HANS PIRCKHEIMER, als Vertreter der Reichsstadt Nürnberg. Mehr noch lag ihm an JOHANN VON AICH. Der ehemalige Professor des Kanonischen Rechts in Wien, der als Rat Herzog Albrechts diesen auf dem Basler Konzil vertreten hatte, war 1445 Bischof von Eichstätt geworden, und dort, nicht mehr in Bamberg, dachte sich Eyb niederzulassen. Im Altmühltal, an der Stätte der heiligen Geschwister Willibald, Wunibald und Walburg, wehte humanistische Luft. Dem „scharfsinnigen und berühmten Rechtsgelehrten von Aich" hatte Enea Silvio seinen tractatus ‚De miseriis curialium' dediziert. Aich selbst hatte 1458 in einem Brieftraktat heftige Kritik an dem ‚Speculum pastorum' des Tegernseer Priors Bernhard von Waging geübt, weil es im Sinne Bernhards von Clairvaux die mönchische Einsamkeit empfahl; wie die Florentiner und Enea in seinem Lehrbrief an Sigmund von Tirol trat Aich für eine Verbindung der *vita contemplativa* mit der *vita activa* ein. Kanzler des Bischofs war jener JOHANN MANDL aus Amberg, der als einer der frühesten Humanisten der Universität Wien gilt.

Bald nach der Ankunft in Eichstätt konnte der neue Domherr von Eyb das Manuskript eines Buches vorlegen, für das er in Italien das Material gesammelt hatte, und das er noch 1459 abschloß. Er gab ihm den Titel *Margarita poetica*. Albrechts Mutter hieß Margarita, so errichtete sein Werk ihr ein Denkmal, doch in erster Linie meint der Titel eine Perlenkette oder die Margeritenblume mit ihren Einzelblüten, wie das Mittelalter von florilegium, das 19. Jahrhundert von Poetischer Blumenlese sprach. Es handelt sich um eine Anthologie, die nach einleitenden *Praecepta artis rhetoricae* Auszüge bringt, im ersten Teil aus römischer Rede-, Dicht- und Briefkunst, im zweiten aus römischen Prosaikern, im dritten aus Petrarca, Terenz, Plautus und Seneca, und zum Abschluß dreißig humanistische Reden, darunter von Eyb selbst die Laudationes auf die Eucharistie und auf die civitas Bamberga. Ein alphabetisches Autoren- und Sachregister machte die ‚Margarita' besonders brauchbar. Ihr Sachregister beginnt mit absentia, abstinentia, absurdum est, abundantia, wer also eine Rede halten oder einen Traktat schreiben und dabei etwa auf Überfluß irgendwelcher Art, abundantia, zu sprechen kommen wollte, konnte bei Eyb die passenden Zitate finden. Ein Nachschlagewerk für antike und humanistische Stilblüten, aber zugleich auch für antike und humanistische Lebensregeln, *rationes vivendi*, war die ‚Margarita poetica'. Bis zum Ende des 15. Jahrhunderts bedeutete dieses Buch, man möchte fast sagen, die Bibel des deutschen Humanismus. Nicht bloß weil die klassischen Schriften selbst erst den wenigsten zugänglich waren, sondern auch weil die humanistische Bildung, und zwar jahrhundertelang, sich weithin auf „schöne Stellen" gründete. Bibliophage brauchte man als Humanist nicht zu sein. 1472 erstmals gedruckt, wurde die ‚Margarita poetica' bis 1503 immer wieder neu aufgelegt.

Erst in Eichstätt hörte Eyb, daß der Papst am 12. *November 1459* die Stiftungsurkunde für eine Universität in Basel — weil „das Studium der Wissenschaften auch niedrig Geborene zu adeln vermag" — unterzeichnet und am 18. *Januar 1460*, einen Tag vor Abschluß des Mantuaner Kongresses, die Bulle *Exsecrabilis* erlassen hatte. Pius II., der als Enea Silvio über ein Jahrzehnt lang Vorkämpfer der konziliaren Idee gewesen war, brandmarkte mit dieser Bulle jede Appellation an ein künftiges Konzil als ketzerisch, verfluchte die Zuwiderhandelnden und kündigte ihnen samt Helfern und Helfershelfern Bann, Interdikt und schwerste kirchliche

Albrecht von Eybs ‚Margarita poetica'
(Titelseite des Nürnberger Drucks 1472)

Strafen an. Das „Verrat" zu heißen, ist ebenso unsinnig, wie an der sogenannten *Retraktionsbulle,* mit der sich Pius 1463 ausdrücklich von seiner Vergangenheit lossagte, Anstoß zu nehmen, weil sie gar so elegant formuliert sei: Aeneam reiicite, Pium suscipite!

Um es nicht bei den vagen Versprechungen von Mantua zu belassen, sondern seinem ehemaligen kaiserlichen Herrn konkrete Zusagen für die Hilfe beim Kreuzzug abzuringen, schickte der Papst Bessarion an den Wiener Hof. Der Kardinal führte eine sehr energische Sprache, wurde aber nichtsdestotrotz monatelang hingehalten. Diese Zeit im *Winter 1460/61* nutzte er, mit Georg von Peuerbach Verbindung aufzunehmen. Und wenigstens hier fand er keine tauben Ohren. Peuerbach erklärte sich bereit, aus dem dreizehnbändigen *Almagest* einen lateinischen Auszug zu machen und ihn auf den heutigen Stand der Forschung zu bringen. Das Wort „Almagest", den arabischen Artikel „Al" mit dem griechischen „megiste" verbindend, meint die größte Zusammenfassung der Astronomie. Unter diesem Titel wurde die im zweiten Jahrhundert nach Christus entstandene ‚Syntaxis megiste' des Ptolemäus ins Arabische übersetzt, und er blieb an ihr haften. Die bzw. der ‚Almagest' als Darstellung des Ptolemäischen Weltsystems bildete die Grundlage des gesamten astronomischen Wissens. Eine schönere und zugleich ehrenvollere Aufgabe, als Bessarion sie Peuerbach zugedacht hatte, konnte es für einen Astronomen des 15. Jahrhunderts nicht geben. Wahrscheinlich hatte dabei Cusanus die Hände im Spiel, aber Bessarion verstand nicht nur selbst etwas von Astronomie, sondern hatte auch, wie wenige andere, Beziehungen und Personalkenntnisse in der ganzen damaligen Gelehrtenrepublik: daß Bessarions Wahl auf Peuerbach fiel, zeigt, welches Ansehen dieser genoß. Noch während in Wien über den Kreuzzug verhandelt wurde, machte sich Peuerbach an die *Epytome in almagestum Ptolemaei.* Da er kein Griechisch konnte, unterstützte ihn wohl ein Byzantiner aus dem Gefolge des Kardinals. Kurz zuvor, 1451, hatte Georgios Trapezuntios den ‚Almagest' für Papst Nicolaus übersetzt, aber so liederlich, daß er aus Rom verwiesen wurde. Peuerbach starb über der Arbeit, erst siebenunddreißigjährig, im *Frühjahr 1461.* „Das Schicksal ruft, Freunde klaget nicht, frei kehrt die Seele zu den Sternen zurück, die sie immer gesucht", so ungefähr lassen sich die beiden von Bessarion oder von Regiomontanus verfaßten Distichen auf Peuerbachs Grab in St. Stephan übersetzen.

Um dieselbe Zeit ging Peter Luder aus Heidelberg weg. Noch am Neckar entstand *1460* sein umfangreichstes Gedicht, 144 Verse, wechselnd zwischen Pentameter und Hexameter, die *Elegia Petri Luder poetae clarissimi ad Panphilam amicam suam singularem*[47]. Seitdem bleibt das elegische Versmaß die bevorzugte Form deutscher Humanistendichtung. Luder hielt sich dabei wie auch sonst bei seinem Gedicht an das Vorbild von Beroaldus d. Ä. in Bologna und über diesen hinweg an Tibull, Properz und Ovid, für die Andeutung des schäferlichen Rahmens an die ‚Bucolica' des Vergil. Zum erstenmal spricht ein Deutscher davon, daß er die Hirtenflöte, fibula, blase und von stultus Amyntas — aus der zweiten Ekloge

Vergils — beneidet werde. Fast jeder Vers weckt bewußt Reminiszenzen: eine Sache für Kenner. Umsonst sucht der Dichter, *cui sine te nulla est nox neque grata dies*, der Geliebten Herz zu rühren: *Durior es ferro, crudelior atque leone.* Selbst die Versicherung, sein Lied werde ihr Unsterblichkeit schenken, sie — nach Ekloge fünf — zu den Sternen erheben, macht die Spröde nicht gefügig.

Niger sum fateor, sum parvus corpore toto
Candida sunt nostra si petes ingenia:

„Dunkel bin ich und von kleinem Wuchs, ich gebe es zu, aber ins Licht, wenn du willst, erheben sich unsere Geister."

Nicht als ob wir aufgrund dieser Verse uns Luder als zierlichen, schwarzhaarig-dunkelhäutigen Pfälzer vorstellen dürften. Die geistreiche Wendung hat er sicher nicht selbst geprägt. Vermutlich ist sie ein Topos, der mit dem ersten Vers, aus Parallelen zu schließen, das Erscheinungsbild des Melancholikers meint, mit dem zweiten dann Melancholie und Ingenium als Einheit begreift. Das hieße, daß hier bereits die Genielehre aus des Aristoteles ‚Problemata physica' XXXI, 1 wieder auftaucht, die Marsilio Ficino weiterführen wird. Wir kommen auf sie bei Cuspinianus und Agrippa von Nettesheim zu sprechen.

Luder hat später behauptet, Panphila — dem Namen nach die Ganz- oder Einziggeliebte — sei eine Allegorie für Kurfürst Friedrich den Siegreichen von der Pfalz. Vielleicht dedizierte er ihm die Elegie am *28. November 1460*, weil ihm das Wasser am Halse stand, mit dieser Deutung. Gefruchtet hat es dann aber nichts. Man kannte in Heidelberg zu viele Liebesaffären, die nicht „allegorisch" zu deuten waren. Da gab es vor allem eine Thais, benannt nach der Kurtisane im ‚Eunuchus' des Terenz: als Kathrin führte sie Luder den Haushalt. Einer seiner Briefe schließt: „Ich hatte die Absicht, mehr zu schreiben, aber meine geliebte Thais hat mir die Feder aus der Hand genommen, mich mit heißen Küssen überschüttet und so das Weiterschreiben verhindert." Nun war es an der Zeit, daß der Poet sich wieder auf Wanderschaft begab. Der kurze Versuch, am ‚Sokratis gymnasium' der Stadt Ulm den Schulmeister zu spielen, scheint fehlgeschlagen zu sein, aber im *Frühjahr 1461* fand Luder an der Universität Erfurt ein Unterkommen. Seine große Zeit hat er 1456—1460 in Heidelberg gehabt.

Sich auszumalen, einem der „Siegreichen" von heute widmete sein Haus- und Hofpoet ein Liebesgedicht an ein schönes Mädchen mit der Behauptung, eigentlich sei er gemeint! Luder konnte offenbar darauf rechnen, daß „der böse Pfälzer Fritz" eine solche Allegorie völlig in Ordnung fände. Jedermann wußte, ein Humanisten-Gedicht manipulierte rhetorische Formelemente, um den Hörer zu etwas zu bewegen. Hier galt es die Erweichung eines harten Herzens. Zwar zielte Luder auf das Herz des Gönners und auf die Erfüllung finanzieller Wünsche, aber weshalb sollte er nicht Topoi des Liebesgedichts dafür verwenden? Der formale und emotionale Gedichtablauf — samt der Wortaussage — ließ vom intendierten

Sinn sich ablösen bzw. sich diesem überstülpen. Mit ‚Salomos Hohem Lied' war man ja ähnlich verfahren. Diese Möglichkeit liegt in der Konsequenz rhetorischer Lyrik. Sonst müßten wir Luders Behauptung für Ulk nehmen und für eine Unverschämtheit gegenüber dem Kurfürsten.

Uns freilich wird ‚Panphila', wenn wir sie „allegorisch" verstehen wollen, im Handumdrehen eine Parodie. Und Luder trauen wir zu, daß er zwar seine Deutung ernsthaft für möglich hielt, aber im Handumdrehen so gelenkig war wie der Schreiber des Lochheimer, richtiger gesagt *Lochamer Liederbuchs*, einer Handschrift, die zwischen *1450* und *1460* in Nürnberg angefertigt wurde[48].

Sie gehörte einem Patrizier WÖLFLIN LOCHAMER, der wohl auch den ersten Teil zusammengestellt und vielleicht sogar das eine oder andere Lied selbst verfaßt hat. Die meisten sind zarte Liebeslieder in deutscher Sprache, denen aber eine ironische Glosse auf Latein oder Deutsch angehängt ist. Schließt das Lied: „Du liebst mich und anders keinen mehr", so ergänzt der Schreiber: praeter septuagintaocto vel paulo plus — außer achtundsiebzig andern oder noch ein wenig mehr. Ein weiteres Beispiel: „... wann treu und steet hier gefunden wird" — „als ein laus an einer ungrischen kappel": denn treu und fest wird die Geliebte den Dichter finden — wie eine Laus, die an einer ungarischen Kappe festsitzt. Auf ein schönes, schmerzlich-gefühlvolles Abschiedslied an die Geliebte folgt die brüske Bemerkung: „hab urlaub, du alt flederwisch". Manche Anhängsel sind von schmutziger Grobheit. Offenbar kann oder will der Schreiber den reinen, zarten Ton nicht mehr durchhalten, er bricht ihn auf komisch-ironische Weise, so daß die Liebeslieder in unmittelbare Nähe der Parodie geraten. Dem ist die überkommene Dichtung, sahen wir, auch sonst ausgesetzt, wenngleich es jeweils anders bei Wittenwiler, Gräfin Elisabeth, dem Ritter von Sachsenheim in Erscheinung tritt.

Selbst das Stadtpatriziat, die Standesgenossen Wölflin Lochamers, beginnen sich langsam für die moderne italienische Literatur zu interessieren. Nürnberg geht dabei voran. Hier wird um *1460* Boccaccio übersetzt: *Decameron, daz ist cento novelle in welsch und hundert histori oder neue fabel in teutsche*[49]. Der Verfasser nennt sich Arigo (Henrico, Heinrich) und hieß wohl mit vollem Namen HEINRICH SCHLÜSSELFELDER. Möglicherweise ist er identisch mit jenem Heinrich Schlüsselfelder, der 1442 den Schlüsselfelderschen Christophorus nach St. Sebald stiftete. Daß er als Übersetzer nur seinen Vornamen angab, läßt nicht unbedingt auf einen Geistlichen schließen, auch ein weltlicher Patrizier konnte Hemmungen haben, sich zum ‚Decameron' zu bekennen, obwohl Arigo erklärt, er habe sein Werk geschrieben, „da mit die beschwerten und betrübtenn freulein", das sind die liebeskranken Mädchen, „irer verporgen traurigkeit mügen ein klein fride geben."

Sein ungelenkes Deutsch ist dem eleganten Toskanisch Boccaccios in keiner Weise gewachsen, und zunächst hat die Übersetzung, soweit wir sehen, auch keinen großen Anklang gefunden. Gleichzeitig mit Eybs ‚Margarita poetica' wird sie 1472/73 gedruckt, aber erst ein sprachlich überarbeiteter Neudruck von 1535 machte Arigos ‚Decameron' in Deutschland bekannt und beliebt. Seitdem holen sich Hans Sachs und viele andere daraus die Boccaccio-Stoffe[50].

Das 19. Jahrhundert identifizierte Arigo fälschlicherweise mit HEINRICH STEINHÖWEL[51]. An ihn als ersten Verdeutscher des ‚Decameron' dachte wohl auch Franz Blei, als er ‚Das Große Bestiarium der deutschen Literatur' (1920) unter dem Pseudonym Peregrinus Steinhövel erscheinen ließ. Arigo ist selbst als Heinrich Schlüsselfelder für uns ein Peregrinus, nicht so, nicht ganz so Heinrich Steinhöwel. Wir wissen, daß er 1412 in Weil an der Würm alias Weilderstadt geboren wurde, jener schwäbischen Reichsstadt, deren berühmteste Söhne Johannes Brenz und Johannes Kepler heißen, daß er in Padua zum Doctor medicinae promovierte und sich 1443 als Arzt in Eßlingen niederließ. Ab 1450 ist Steinhöwel Stadtarzt in Ulm und zugleich Leibarzt des Grafen Eberhard im Bart von Wirtemberg. Das ‚Decameron' hat er nicht übersetzt, wohl aber 1461 den *Apollonius von Tyrus* und die *Griseldis*-Geschichte, die schon Erhart Groß aufgrund des Hörensagens erbaulich nacherzählt hatte. Steinhöwel hielt sich an Petrarcas lateinische Bearbeitung der Boccaccio-Novelle.

> Eigen gedicht wer mir zu schwer
> latin zu tüschen ist min ger.

Gottfrieds von Viterbo ‚Apollonius' brachte er z. T. in eine kunstreiche Strophenform des „Mönchs von Salzburg".

Beide Arbeiten, ‚Griseldis' wie ‚Apollonius', wurden 1471 gedruckt[52]. Die ‚Griseldis' ging dann als erstes Humanistenwerk mit ‚Hugo Scheppel' und Eleonores ‚Pontus und Sidonia' unter die Volksbücher ein. Schon die Handschrift aber fand weiteste Verbreitung, weil Steinhöwel in glücklicher Weise den Grundsatz verwirklichte, *nicht wort uz wort, sunder sin uz sin* zu übersetzen. Diese Alternative, sahen wir, stammt von Horaz oder eigentlich Hieronymus und war schon Heinrich von Mügeln, wahrscheinlich auch Johann von Neumarkt und dem „Mönch von Salzburg" bekannt[53]. Ebenso griffen die italienischen Humanisten und vor ihnen die Byzantiner darauf zurück. Von Chrysoloras wird berichtet, er habe für die *conversio ad verbum* wenig übrig gehabt und für richtig gehalten, *ad sententiam transferre*. Sein Schüler Leonardo Bruni, der 1420 einen besonderen Traktat ‚De interpretatione recta' verfaßte, schrieb mit Bezug auf die eigene Platon-Übersetzung, *si verbum verbo sine ulla inconcinnitate aut absurditate reddi potest*, so tue er das am liebsten; *sin autem non potest*, fürchte er nicht, *in crimen laesae maiestatis incidere, si servata sententia paulisper a verbis recedo, ut declinem absurditatem*. Plato wolle den Lateinern ja nicht als Trottel erscheinen. Das war ein Hieb auf die Platon-Übersetzung des Henricus Aristippus[54]. Steinhöwel ging mit den italienischen Humanisten einig, wenn er den fremden Satzbau und Redeschmuck seiner Vorlage durch deutschen Satzbau und deutsche

Bilder ersetzte[55]. Schöpften die Lateinschreibenden in Deutschland aus der copia sententiarum, die ihnen jetzt von Eybs ‚Margarita poetica' am bequemsten geboten wurde, so suchte sich Steinhöwel deutsche Redensarten und Sprichwörter, deren Sinn den lateinischen Sentenzen entsprach. Lieber als auf eigene Faust zu formulieren, benutzte er auch in der Muttersprache fertige Münzen. Solches Vorgehen ist nun einmal Humanistenart. Es verrät nicht bloß, wie Paul Hankamer meint, sprachliches Unvermögen, sondern bezeugt außerdem Sinn für das Idiomatische der Sprache[56].

Heinrich von Mügeln stand wider besseres Wissen und Gewissen praktisch auf der Gegenseite, Johann von Rossess aber und mehr noch NIKLAS VON WYLE vertraten mit vollem Bewußtsein die Maxime *wort uz wort*[57]. Niklas, ein Schweizer aus dem Aargau, ungefähr gleich alt wie Steinhöwel, hatte ebenfalls in Italien studiert und bekleidete nacheinander den Stadtschreiberposten in Radolfzell, Nürnberg und Eßlingen am Neckar. Hier versah er das Amt seit 1447 zweiundzwanzig Jahre lang, bis ihn Graf Ulrich der Vielgeliebte von Wirtemberg als zweiten Kanzler nach Stuttgart berief. In der Eßlinger Zeit leitete Wyle nebenbei eine Privatschule und entfaltete eine rege diplomatische Tätigkeit. So finden wir den *prothonotarius Esslingensis* als Vertreter eines deutschen Fürsten an der Seite GREGOR HEIMBURGS auf dem Kongreß in Mantua, wo auch er vor Papst Pius eine lateinische Rede hielt. Heimburg war ihm schon von Nürnberg her bekannt. Während Wyle dort 1447 als Stadtschreiber arbeitete, verkehrte er in dem Kreis junger Männer, die sich um den Stadtsyndikus Heimburg sammelten und von diesem in den Geist des italienischen Humanismus eingeführt wurden. Der temperamentvolle Meister ließ es am Salz der Ironie dabei nicht fehlen.

Im Vorwort zur Gesamtausgabe seiner Übersetzungen berichtet Wyle, er habe in Nürnberg „von dem hochgelerten wyt verrümpten redner hern gregorien haimburg" vernommen, „daz ain yetklich tütsch, daz usz gutem, zierlichen und wol gesatzten latine gezogen und recht und wol getransferyret wer, auch gut zierlich tütsche und lobens wirdig haissen und sin müste, und nit wol verbessert werden möcht." Deshalb sei es das Richtige, „wort uz wort" zu übersetzen und sowohl die Satzkonstruktion als auch den rhetorischen Schmuck der Lateiner beizubehalten. Heimburg habe erklärt, daß er in der lateinischen Rhetorik „wenig fund zu zierung und hofflichkeit loblichs gedichtes dienende, daz nit in dem tütsche ouch stat habe und zu zierung solicher tütscher gedichten als wol gebrucht werden mocht als in deme latine".

Für seine eigenen Reden und Schriften — mit Gedichten ist nichts anderes gemeint — lehnte Heimburg die Nachahmung der antiken Rhetorik ab, die Italiener verspottete er wegen ihrer geschminkten Eloquenz, und nun empfal er, beim Übersetzen antiker und humanistischer Autoren Satzbau und Redeschmuck zu wahren, nicht nur sin uz sin, sondern — um der Zier willen — wort uz wort zu transferieren! Ob sich der Franke Heimburg über den beflissenen jungen Stadtschreiber aus der Schweiz nicht ein wenig lustig machte? Reizte die communis opinio, die sich an Horaz und Hieronymus hielt, seinen Widerspruchsgeist? — Das Gespräch ging vermutlich von den *genera dicendi* aus, etwa in der Formulierung *stilus humilis* und *stilus ornatus*, schlichter und zierlicher Stil. Die Frage war, ob man im Deutschen einen stilus ornatus schreiben könne, und sie bejahte Heimburg. Das führt allerdings dann zu einem Übersetzen wort uz wort. Niklas, der sich wie Johann von Neumarkt und Johann von Tepl, mutatis mutandis auch Johann von Rossess und Heinrich von Mügeln, in erster Linie für den rhetorischen ornatus interessierte, war durchaus bereit, um des Stilideals willen, die deutsche Sprache zu vergewaltigen. Nicht so Steinhöwel[58]. Er sah, wie ähnlich schon Kuchlmeister, seine Aufgabe vor allem in der Sinnvermittlung, besaß zudem ein Gefühl für die deutsche Sprache und wechselte deshalb beim Übersetzen sin uz sin den stilus ornatus gegen den stilus humilis aus. In seinen Vorreden unterscheidet er sich stilistisch wenig von Wyle, wenn er aber erzählt, d. h. nacherzählt, tut er es *schlecht* (schlicht) und *grob*, während Wyle durchweg statt des *groben* und *unzierlichen* einen *guoten* und *zierlichen* Stil anstrebt[59]. Daß der Gegensatz der Übersetzungsmaximen mit dem Gegensatz der Stilarten aufs engste verknüpft ist, zeigt besonders deutlich LEO JUD, der in seinen *Teutschen Paraphrases*, Zürich 1521, u. a. Erasmus übersetzte und sich dabei von Wyle und Wyles Schule distanzierte: „Mines Vertütschens halb bekenn ich wol, das ich an vil Orten die Art und Manyr des Latins nit hab mögen erfolgen, doch wer mag das? besunder in der wolgezierten und geplümpten latinischen Red des hochgelerten Erasmi? dann usz gutem zierlichen Latin gut zierlich Tütsch zu machen, was Arbeit das bruche, und wie viel deren syen, denen sölichs glücklich gerat, mag nieman urteilen, dann der sölichs versucht hat. Deßhalb ich mich meer des gemeinen landlichen, dann des hohen und höfischen Tütsches in miner Transzlation geflissen hab, das mins Beduncks wäger ist dem einfaltigen Leyen (dem dise min Arbeit fürnämlich gschehen ist) infaltiklich und kurz die Meinung zu verston geben, dann mit noch geblümpter Red den Verstand zu verdünckeln"[60].

In zähem Eifer entwickelte Wyle eine latinisierende Übersetzungsmanier, für die obiges Zitat aus dem Vorwort zur Gesamtausgabe ein Beispiel gibt: Heimburg habe erklärt, daß er „wenig fund zu zierung und hofflichkeit loblichs gedichtes dienende". Diese Partizipialkonstruktion mit zwischengesetztem Genitiv ist im Lateinischen, aber nicht im Deutschen möglich. Anderes glückte Wyle freilich besser.

Außer dem Aperçu, mit dem ihn Heimburg beschenkte, scheint Wyle nicht viel mitgenommen zu haben, als er nach wenigen Monaten Nürnberg hinter sich ließ. Von Eßlingen aus trat er dann in Briefwechsel mit ENEA SILVIO in Wien, der ihm gleich so vielen anderen, darunter auch Heimburg, ermutigend zusprach, sich der Wohlredenheit in Deutschland anzunehmen; bisher galt ja das *revixit eloquentia* nur für Italien. Der Brief Eneas datiert aus dem Jahr *1452*[61], in dem Albrecht von Eybs Bamberger Traktate den deutschen Frühhumanismus einleiteten. Wyle beherzigte die Floskeln des Italieners ebenso wie Heimburgs Glosse:

das waren die beiden Ansatzpunkte für sein Lebenswerk. Als erste Probe widmete er *1461* die Übersetzung von ENEAS *De remedio amoris* der Erzherzogin Mechthild.

Auch in der Hochburg der literarischen Ritterromantik konnte man sich dem neuen Geschmack nicht länger verschließen. Doch gewährte die fürstliche Mäzenatin ihre Huld Alten wie Jungen. Hermann von Sachsenheim war drei Jahre zuvor, fast hundertjährig, zu seinen Ahnen eingegangen, anstelle dieses schwäbischen Edelmanns und wirtembergischen Rats erschien jetzt in Rottenburg ab und an JAKOB PÜTERICH VON REICHERTSHAUSEN, ein bairischer Hofrat, dem Münchner Patriziat entstammend, geboren kurz vor 1400. Er hatte noch unter König Sigmund gegen die Hussiten gekämpft und war mit Oswald von Wolkenstein befreundet gewesen. Im praktischen Leben ließ Herr von Püterich Klugheit und Nüchternheit walten, wenn er sich aber nach seinem Landschloß Reichertshausen bei Freising zurückzog, pflegte er ähnliche Hobbies wie der Patrizier Nikolaus Vintler auf Burg Runkelstein. Püterich schwärmte für das Turnierwesen und für die Ritterdichtung, deren Handschriften er noch eifriger nachjagte als Eyb den lateinischen Codices. Er korrespondierte darüber mit Bibliophilen, unter ihnen Erzherzogin Mechthild, die ihm einen Katalog ihrer 94 mittelalterlichen Handschriften zustellen ließ. Falls man nicht gerade an die Palatina in Heidelberg denkt, wo Mechthild aufgewachsen war, ist das ein stattlicher Besitz, aber der Münchner Patrizier kann seinerseits mit einem Katalog von 164 Handschriften aufwarten. Den von ihm selbst verfaßten *Ehrenbrief* widmete er *1462* der Erzherzogin. Hier werden eingangs die 129 turnierfähigen Geschlechter Baierns vorgestellt und anschließend in Titurel-Strophen die Bücher besprochen, die Püterich die liebsten sind. Wolfram von Eschenbach und Hadamar von Laber nehmen die Tête ein.

Der Eßlinger Stadtschreiber suchte sie mit der modernen italienischen Literatur auszustechen und widmete der Erzherzogin schon *1462* eine zweite Übersetzung: wieder ENEA, diesmal *De duobus amantibus*. Seine Verdeutschung der Euryalus und Lucretia-Novelle ist WYLES bedeutsamste Einzelleistung. Das zentrale Thema für die moderne Belletristik — die Macht der Liebe — hatte durch Enea mustergültige Gestalt gewonnen; Wyle machte sie, achtzehn Jahre nachdem das Buch in Wien entstanden war, in Deutschland allen schöngeistig Interessierten zugänglich. Seit Jahrhunderten gab es im deutschen Schrifttum keine menschlichen Figuren mehr von solcher Lebendigkeit wie Euryalus und Lucretia. Und noch auf lange hinaus wird es in Deutschland Vergleichbares nur in der Bildenden Kunst geben, etwa bei NIKOLAUS GERHART, dessen erste signierte Arbeit gleich Niklas' Übersetzung die Jahreszahl *1462* trägt[62]. Zwei Jahre später schuf Nikolaus für die Kanzlei in Straßburg die Büsten eines Propheten und einer Sibylle, die sich heute im Frankfurter Liebieghaus befinden. Man wollte sie mit einem stadtbekannten Straßburger Liebespaar, einem *Grafen von Hanau* und einer *Bärbel aus Ottenheim*, identifizieren. Sie könnten ebenso gut Euryalus und Lucretia heißen. Die leise psychologische

Ironie, mit der Gerhart die beiden formte, den Mann begehr-
lich, die Frau kokett, läßt sie
wie Illustrationen zu ‚De duobus amantibus' erscheinen. Die
Bärbel von Ottenheim wird
gern als die einzige deutsche
Plastik des 15. Jahrhunderts bezeichnet, deren Lebensfrische an
Mädchengestalten des italienischen Quattrocento heran-
komme. So gleicht sie, wäre zu
ergänzen, der Lucretia des Enea
Silvio, wie sie 1462 in den deutschen Sprachraum trat.

Die Spuren von ‚Euryalus
und Lucretia' lassen sich in
Deutschland lange verfolgen.
Das Hin und Her, der Widerstreit in den Seelen der Lieben-

Nikolaus Gerhart, sog. Bärbel von Ottenheim
(Von der ehemaligen Stadtkanzlei in Straßburg,
1464, jetzt Frankfurt am Main, Städelsches
Kunstinstitut, Liebieghaus)

den und der Unterschied zwischen der Liebe des Mannes und der Liebe der Frau
kehren nach dem gleichen Modell immer wieder. Noch in der ‚Adriatischen Rose-
mund' Philipp von Zesens, dem ersten deutschen Barockroman, 1645, endet die
Liebesgeschichte in auffälliger Analogie zu Eneas Renaissancenovelle von 1444.

Während Erzherzogin Mechthild im stillen Rottenburg sich die Zeit mit literarischen Liebhabereien vertrieb, Briefe und Schriften Püterichs und die amüsan-
teren Übersetzungen Wyles ihr vorgelesen wurden, mangelte es in Innsbruck
Herzogin Eleonore nicht an Aufregung. Der Streit zwischen ihrem Gatten und
dem Fürstbischof von Brixen, KARDINAL CUSANUS, erbitterte beide Parteien mehr
und mehr, bis schließlich HERZOG SIGMUND am Osterfest 1460 Cusanus in der
bischöflichen Feste Bruneck mit Waffengewalt überfiel und nach kurzer Belage-
rung zur Kapitulation zwang. Das Porträt Sigmunds in der Münchner Alten
Pinakothek scheint etwa aus dieser Zeit zu stammen. Am 27. April verließ der
Kardinal das Bistum Brixen in Richtung Rom und ist nie wieder nach Tirol zurückgekehrt. Als Generalvikar im Kirchenstaat, dem Patrimonium Petri, lebte er fortan
ganz an der Kurie. Über Sigmund wurde der Bann ausgesprochen, was einer Ab-
setzung gleichkam: jeder durfte sich seine Habe aneignen, seine Tötung galt als
gutes Werk. Tirol fiel unter das Interdikt. Peter von Schaumberg schaltete sich
vergebens ein. Sigmund, bisher von Parcival von Annenberg beraten, rief jetzt
GREGOR HEIMBURG zu Hilfe und appellierte auf dessen Rat an den „künftigen
Papst" und an „ein allgemeines Konzil, wie es nach den Dekreten des heiligen

Herzog Sigmund von Tirol
(München, Alte Pinakothek)

Konzils zu Konstanz, die zu Basel erneuert wurden, in gemessener Zeit gehalten werden muß". Als Heimburg, ohne die Folgen abzuwarten, sich von Innsbruck auf seine großen Güter bei Würzburg, zu Weib und Kindern begab, schickte der Papst zwei Breven an Würzburg und Nürnberg hinterher mit dem Befehl, den „Sohn des Lügengottes" in Haft zu nehmen und sein Besitztum zu konfiszieren. Es war offenbar auf einen Ketzerprozeß abgesehen. Doch keine Hand hob sich gegen Heimburg. Auf eine Bulle vom 2. *November 1460*, die unter besonderer Erwähnung Sigmunds und seiner Ratgeber allen Gläubigen noch einmal die Bulle ‚Exsecrabilis' einschärfte, antwortete Heimburg im *Januar 1461* mit einer flammenden Gegenschrift und übersetzte sie auch ins Deutsche: *Gewalt sunder rat vervellet under seinem laste . . .*[63]. In diesem deutschen Manifest Gregor Heimburgs gegen Rom, der wirkungsvollsten seiner zahlreichen Streitschriften, meinen wir schon den Ton Ulrich von Huttens zu vernehmen. Laßt euch den Platz, den Flecken des heiligen Konzils nicht rauben, rief Heimburg den Prälaten, den weltlichen Fürsten und Rittern zu, sonst verliert ihr die Grundfesten des Christenglaubens, und der Papst wird die deutschen Lande schröpfen bis aufs Mark. Von mir schrieb der Papst, ich sei geldgierig und verlogen: „redet er wol, so hort er gute wort, so er aber fichtet mit fluchen, so such er einen andern antwurter. Ich bin in zal nit. Mein narung gleichet sich nit meinem verdienst. Ich han mer mildiglich gedienet, denn widergebung empfangen. Ich han mer liebgehabt frey rede, dann smeicheln, das doch nit bestehen mag bey lugen oder geytzigkeit. Aber es kummet die zeyt, das er wirdet horen, was er begunnen, was lewens er gefurt hat . . ." Heimburg versteht, Sätze mit antithetischen Lakonismen zu reihen, daß der Leser gepackt wird.

Den Vorwurf des Schwätzertums gibt Heimburg dem Papst zurück. „Ich bekenne, das ich zu gezeiten dem winde der worter mit lernung angelegen bin", Rhetorik studiert habe, doch habe ich deshalb die Lehre beider Rechte nicht verachtet, „die er nie angesmeckt hat, sunder an der worden volikeyt sich benuegen lassen... Mir genuegt, das ich gelernt han, das die gesecz der rechten ... durch sollich zirlich wort als mit bluemes magen gezirt werden ... Er sey in der zal derjener, die wenen, das solchs alles moge mit der rede und sprech kunst auss gericht werden." Eindeutig wirft Heimburg den italienischen Humanisten insgesamt den Fehdehandschuh hin. Das hinderte Wyle nicht, Eneas Schriften gerade seit 1461 wort uz wort zu transferieren. Heimburg schrieb ein anderes Deutsch. Voll Selbstbewußtsein verglich er das Appellationsverbot den Spinnweben, mit denen man Schnaken und Mücken, aber nicht Wespen und Hummeln fängt, und einem Netz für Zeisige und Wachteln, es kann den Adler oder Geier nicht halten. „Bey mir sol wesen mit gotis hilff die freiheit Diogenis und Cathonis." — Das ist sicher z. T. gelernte Eloquenz, Wohlredenheit, die auf die Alten, auf Diogenes und Cato, sich beruft, größerenteils aber natürliche Beredsamkeit, die ihre Bilder aus dem Leben schöpft. Nicht ganz zu Unrecht hat man gegenüber den italienischen Schöngeistern Heimburg als deutsches Kraftgenie im Sinne des „Sturm und Drang" bezeichnet. Enea Silvio selbst sprach ehemals mit Bezug auf Heimburg von *eloquentia theutonica*.

In der *Karwoche 1461* verdammte er ihn feierlich als Ketzer, so daß der übliche große *Gründonnerstagsfluch* über die Häretiker und Feinde der Kirche als deren jüngsten Gregorius Heimburg aufführen konnte. Privatim nannte Enea seitdem Gregorius spöttisch *Errorius*.

Als Heimburg im *Frühjahr 1461* eine lange *Apologia* nach Rom sandte, berief er sich u. a. auf Bernhard von Clairvaux: „Ich habe ihn bisher nicht anführen wollen, damit man mir nicht entgegenhalte, Bernhard habe als Mann der Beschaulichkeit die Gesetze des Lebens nicht gekannt." Das hätte in der Tat ein Humanist aus der Nachfolge Vergerios, der Papst selbst oder Johann von Aich, einwenden können, vielleicht auch CUSANUS. Ob dieser die Gesetze des Lebens, wie Heimburg sie verstand, kannte, ist sehr fraglich, dennoch hat Cusanus mit unvergleichlicher Energie *vita contemplativa* und *vita activa* zu einen gesucht. Die Möglichkeit des *intellectualiter vivere* wahrte er sich auch in den bewegtesten Jahren. Kein Wunder, wenn ihm die Nerven mitunter durchgingen. Pius schildert in seinen ‚Commentarii' eine Szene, die uns Cusanus und ihn selbst derart lebendig vor Augen führt, daß ich mir nicht versagen kann, sie frei nach der Übersetzung von Karl Jaspers zu zitieren[64]. Eines Tages ließ Cusanus im Kardinalskollegium seiner Bitterkeit freien Lauf und erklärte dem Papst: „Wenn du fähig bist zuzuhören, so gefällt mir nichts, was in dieser Kurie vor sich geht. Niemand obliegt seiner Pflicht in genügendem Maße; weder du noch die Kardinäle kümmern sich um die Kirche. Alle erliegen dem Ehrgeiz und der Habgier. Wenn ich im Konsistorium von Reformen rede, verlacht man mich. Ich bin hier überflüssig. Erlaube, daß ich gehe. Ich kann diese Sitten nicht ertragen. Ich gehe in die Einsamkeit, und da ich in der Öffentlichkeit nicht leben kann, so will ich für mich leben." Und er brach in Tränen aus. „Du tadelst", antwortete der Papst, „alles, was in dieser Kurie geschieht. Auch wir loben nicht alles. Dennoch ist es nicht deine Sache, Kritik zu üben. Uns und nicht dir ist das Schifflein des Seligen Petrus anvertraut. Deine Sache ist es, in Rechtschaffenheit Rat zu geben. Aber nichts zwingt uns, deinen Rat zu befolgen ... Ich betrachte dich als Kardinal, nicht als Papst. Wir glaubten bisher, du seiest vernünftig; aber heute bist du dir selbst unähnlich. Du bittest um Erlaubnis wegzugehen. Wir geben sie nicht ... Du willst, wie du sagst, Einsamkeit und Ruhe außerhalb der Kurie aufsuchen. Und wo wird der Ort deiner Ruhe sein? Wenn du Frieden suchst, so mußt du dich von der Unersättlichkeit deines Geistes trennen, nicht die Kurie fliehen ... Gehe denn in dein Haus, und morgen magst du, wenn es dir gefällt, uns wieder aufsuchen." Cusanus weinte. Schweigend, das Gesicht voll Schmerz und Scham, ging er durch die Reihen der Versammelten und begab sich, nur mit Mühe die Tränen zurückhaltend, in sein Haus, die bescheidene Wohnung bei der Kirche S. Pietro in Vincoli. Wenig nachher kam er wieder zu Pius. Indem er sich milder in seiner Geisteshaltung zeigte, heißt es in den ‚Commentarii', bewies er, daß die Kritik des Papstes nicht unnütz gewesen war. — Cusanus unterwarf sich dem Papst.

Sume, sanctissime Papa, libellum hunc ..., damit beginnt Cusanus im *Frühjahr 1461* einen Traktat *De cribratione Alcoran*, Über die Siebung des Korans. Den Koran sieben heißt, den Wahrheitskern, der angeblich mit den Evangelien übereinstimmt, von der Spreu der Irrtümer sondern. Wie in ‚De pace seu concordantia fidei' 1454 zielt Cusanus auch hier auf die *una religio in varietate rituum*, nur daß er sich bei der jetzigen Kreuzzugsstimmung der varietas rituum gegenüber weniger tolerant gibt. Der Kalif von Bagdad, wie er den Sultan heißt, wird aufgefordert, den christlichen Glauben zu akzeptieren.

Indem er an die reiche wider den Islam gerichtete Literatur des Mittelalters anknüpft[65], sucht Cusanus den arabischen Gelehrten die Dogmen, speziell die Trinität, klar zu machen, ut ratione utentes videant, nos qui trinitatem credimus rationaliter moveri. Nicht auf rhetorische, sondern auf philosophisch-theologische Weise will er überzeugen. Mit dem Areopagiten, der ihm „der Theologe" heißt, erklärt Cusanus Gott für den absoluten Urgrund, schlechthin unendlich, unbegreiflich und unaussprechbar. Doch Gott „entfaltet sich" in der Welt der Erscheinungen, zuhöchst im Menschen und dessen Vernunft. Wie diese eine Dreifaltigkeit von Idee, Wissen, Betätigung ist, so müssen wir auch Gott uns dreifaltig vorstellen. In der vernünftigen Anschauung Gottes findet der Mensch Glückseligkeit — Genüge der Vernunft. Der persönliche Gott entschwindet Cusanus.

Von Christus spricht er als dem „Meister, welcher Lehre und Wort des Lebens für unsere Vernunft hat" und „ein innerliches, vernunfthaftes Aufnehmen der Weisheit" verkündet. Sie „belebt" den Menschen und macht ihn Christus ähnlich im intellectualiter vivere. Erlösung aber, d. h. Unsterblichkeit wird uns nicht durch Lehre allein zuteil. Nach dem Sündenfall bedurfte es einer Erneuerung, „reformatio", des Menschen, und dafür opferte sich Gottes Sohn. Sein „Verdienst" kommt allen zugute, die an ihn glauben und mit ihm einswerden im Sakrament des Abendmahls.

Auf das Verdienst legt Cusanus wie die gesamte mittelalterliche Theologie entscheidendes Gewicht. „Kein Mensch kann so tugendhafte Werke verrichten, daß er um ihretwillen nach Verdienst und von Rechts wegen unsterblich würde", doch, fährt Cusanus fort, es würde nicht genügen, die Unsterblichkeit „ohne Verdienst zu haben, denn wer das Reich der Unsterblichkeit nicht als Erbe und Herr durch Gerechtigkeit erlangt, der ist noch nicht selig. Der Vasall, der, was er hat, aus Gnaden hat, ist nicht selig, weil er es als Knecht und nicht als Herr und Erbe besitzt. Wie soll es also möglich sein, daß der Mensch Himmelreich und Unsterblichkeit ... so erlangt, daß sie ihm geschuldet werden?" Christus hat sie für ihn verdient, deshalb werden sie dem Menschen geschuldet. Der Mensch ist auf diese Weise Erbe der Unsterblichkeit und also ein freier Herr, nicht ein Knecht, der sich von Gott gnadenhalber etwas schenken läßt.

Das radikale Gegenteil — *sola gratia* — wird Luther als Kernstück seiner Reformation verkündigen. Der Fischerssohn von der Mosel, der Bergmannssohn aus Thüringen, die beiden hätten einander nicht begriffen[66]. Zwischen Luther und Erasmus ist eine schmälere Kluft. Cusanus mußte mit sechzig Jahren des Todes gewärtig sein, aber für ihn, der in ‚De pace fidei' erklärt hatte, das Verhältnis zwischen Gott und Mensch gründe auf ihrer nobilitas, blieb es dabei, daß Unsterblichkeit nur Seligkeit bedeute, wenn der Mensch als Erbe und Herr in sie eingehe. So fordert es die Noblesse von seiten des Menschen und von seiten Gottes. Wie niedrig greift daneben Voltaires Witzelei: Dieu me pardonnera, car c'est son métier.

Ein Paradestück humanistischer Eloquenz lieferte *Ende 1461* Pius II. mit einem langen *Brief an Mechmed II.* Anders als Cusanus, durch Rhetorik, wollte er den Sultan für das Christentum gewinnen. Beide, Papst wie Kardinal, werden bei ihren Traktaten eher das christliche Abendland als den „Kalifen von Bagdad" im Auge gehabt haben, dennoch dokumentiert Eneas Brief auf nicht mehr zu übertrumpfende Weise das Selbstbewußtsein der Neuen Rhetorik[67].

Bessarion hielt es immer noch für wahrscheinlicher, daß eines Tages der Kaiser Hilfe leisten werde zum Kreuzzug, als daß der Sultan konvertiere. Sein Werben in Wien ließ an Dringlichkeit nicht nach. Mit Freude verfolgte er den Fortschritt der Arbeit am ‚Almagest', bis diese im *April 1461* durch Peuerbachs Tod jäh unterbrochen wurde. Bessarion erfüllte einen Wunsch des Sterbenden, indem er dessen Schüler die Vollendung des Werks übertrug, dem fünfundzwanzigjährigen Johannes Müller von Königsberg. Das Königsberg, aus dem er stammte, ist ein kleines Städtchen in Unterfranken zwischen Bamberg und Schweinfurt; Müller gehörte also zu den engsten Landsleuten Heimburgs. Mit elf Jahren hatte er sich an der Universität Leipzig, mit vierzehn in Wien als Johannes Mollitoris de Künigsberg bzw. Johannes de Regio Monte immatrikulieren lassen. Die Nachwelt nennt ihn REGIOMONTANUS[68]. Als erste selbständige Arbeit stellte der Fünfzehnjährige 1451 für Eleonore von Portugal, die Braut König Friedrichs, das Horoskop. Seit 1458 las er als Magister artium in Wien über perspectiva communis und Euklid, aber auch über Vergils ‚Bucolica', bis ihn Bessarion beim ‚Almagest' einsetzte und im *Herbst 1461* mitnahm nach Rom. Hier vollendete Regiomontanus schon *1462* die *Epytome in almagestum Ptolemaei*. Die Widmung an den Kardinal fordert, ganz nach dem Sinn des Auftraggebers wie des Lehrers, daß die Beobachtungen des Altertums, die Ptolemäus zusammenfaßte, durch eigene Beobachtungen ergänzt würden. Aggressiv heißt es in einem Brief aus dem Jahr 1464, Regiomontanus könne sich nur wundern über die geistige Trägheit der Astronomen, die wie leichtgläubige Weiber als göttliche Wahrheit hinnähmen, was in Büchern stehe; „sie glauben den Schriftstellern und vernachlässigen die Wahrheit". Das geht an die Adresse der Scholastiker, trifft aber ebenso die Hörigkeit der Humanisten gegenüber den antiken Autoren. In der Feindschaft zur Scholastik fühlten sich die beiden modernen Bewegungen, der Humanismus und der nun langsam erwachende Empirismus, zu sehr als Bundesgenossen, als daß ihnen schon der Gegensatz untereinander hätte bewußt werden können. Peuerbach verband ja auch die beiden in Personalunion und setzte sich damit über die „Einseitigkeit" Petrarcas und Augustins hinweg; Regiomontanus hat immerhin Vorlesungen über Vergil gehalten, und beide legten ihren eigenen Forschungen den ‚Almagest' des Ptolemäus zugrunde. Erst Copernicus wird — vom neu bearbeiteten ‚Almagest' ausgehend — mit der antiken Tradition brechen.

Petrarcas „Magna Charta" nach hätten die Humanisten die neue naturwissenschaftliche Forschung ebenso ablehnen müssen, wie das in der Nachfolge Augustins die Theologen getan haben. Das berühmteste Musterbeispiel wurde hier der Fall Galilei. In den ‚Dialogi sui massimi sistemi' spricht Galilei wiederholt von seiner *curiosità*; sie gerade wurde ihm zur Last gelegt. Die „Neuzeit" aber kannte seit der Aufklärung keinen größeren Stolz als den, alle Einwände gegen die Autonomie der Wissenschaft ad absurdum geführt zu haben. Aus jahrhundertelangem Ringen ging die *curiositas* als Siegerin hervor — bis die Erfahrung unserer Tage sie erneut in Anklagezustand versetzte. Musterbeispiel: das ‚Leben des Galilei' von Bertolt Brecht. In den ‚Anmerkungen' lesen wir unter dem Titel ‚Preis oder Verdammung des Galilei?'[69]: „Galileis Verbrechen kann als die ‚Erbsünde' der modernen Naturwissenschaften betrachtet werden. Aus der neuen Astronomie, die eine neue Klasse, das Bürgertum, zutiefst interessierte, da sie den revolutionären sozialen Strömungen der Zeit Vorschub leistete, machte er eine scharfbegrenzte Spezialwissenschaft, die sich freilich gerade durch ihre ‚Reinheit', das heißt ihre Indifferenz zu der Produktionsweise, verhältnismäßig ungestört entwickeln konnte. — Die Atombombe ist sowohl als technisches als auch soziales Phänomen das klassische Endprodukt seiner wissenschaftlichen Leistung und seines sozialen

Versagens ... Der Forschungstrieb" — curiositas — „ein soziales Phänomen, nicht weniger lustvoll oder diktatorisch als der Zeugungstrieb" — omnes homines natura scire desiderant — „dirigiert Galilei ..., treibt ihn in den peinvollen Konflikt mit seinen heftigen Wünschen nach anderen Vergnügungen" — voluptates. „Am Ende betreibt er seine Wissenschaft wie ein Laster, heimlich, wahrscheinlich mit Gewissensbissen." Der Frage *cui bono* kann die *curiositas* nirgends auf die Dauer ausweichen. Der Sozialismus zieht sie ebenso zur Verantwortung wie Humanismus oder Christentum, es braucht nicht die kirchliche Inquisition zu sein.

Wäre Galilei im 15. statt im 17. Jahrhundert nach Rom vorgeladen worden, hätte er an der Kurie in BESSARION den besten Fürsprecher gefunden. Der Byzantiner ließ die Förderung der empirischen Naturwissenschaften, der Astronomie insbesondere, sich angelegen sein, während CUSANUS eher Naturspekulation trieb und PIUS II. sein Interesse an der Natur auf die ästhetische Seite beschränkte.

Auch sonst gingen die drei Großen Alten Männer der Kurie sehr verschiedene Wege; einig waren sie vor allem in der Erkenntnis, welche Gefahr aus dem Osten drohte, und in der Entschlossenheit, ihr zu begegnen. *Anfang Oktober 1463* hielt es Pius für an der Zeit, die Kreuzfahrer zur Sammlung in Ancona aufzurufen. Nach und nach trafen Söldnerhaufen dort ein, aber die meisten verzogen sich wieder, sobald sie merkten, daß der Papst sie mit Ablaßbriefen zu bezahlen gedachte. Venedig rüstete zwölf Galeeren aus, über die der Doge selbst den Befehl übernahm. Im *Sommer 1464* kam Pius, obwohl schwer krank, nach Ancona, um sich mit einzuschiffen. Eine zweite kleine Flotte lag in Livorno. Dorthin wird Kardinal CUSANUS entsandt. Er stirbt auf der Reise am 11. *August 1464*. Drei Tage später folgt ihm der Papst in den Tod. Umgeben von seinen Kardinälen, unter

Cusanus-Epitaph
(Rom, San Pietro in Vincoli; Teilaufnahme)

ihnen Bessarion mit Regiomontanus, stirbt Pius II. im Anblick der ausfahrtbereiten Schiffe am *14. August 1464*. „So lange hat mir die Flotte gefehlt, nun fehle ich der Flotte" — als Orator blieb er sich bis zum Ende treu.

Der Leichnam des Kardinals wurde in seiner Titelkirche San Pietro in Vincoli beigesetzt; gegenüber der Grabplatte mit dem Porträt des Nicolaus Cusanus fand nach Jahren der gigantische Moses von Michelangelo Aufstellung. Des Cusanus Herz ruht in seiner Heimatstadt, in der Kirche des St. Nikolaus-Spitals, das er 1458 gestiftet hatte. 33 „abgearbeitete Greise von 50 Jahren und darüber" sollten hier im Geiste der Devotio moderna ihr Leben beschließen dürfen. Auch seine wertvolle Handschriftensammlung vermachte Cusanus dem Spital.

Pius II. hatte seit 1459 über dem Weiler Corsignano, wo er zur Welt gekommen war, eine Stadt mit Kathedrale und Palästen im Renaissancestil erbauen lassen und ihr den Namen Pienza gegeben[70]. Der Neffe, Pius III., bestimmte außerdem in Siena, der Heimatstadt der Piccolomini, einen eigenen Saal am Dom für Enea Silvios Handschriftensammlung und ließ ihn von Pinturicchio mit Szenen aus dem Leben des Papst gewordenen Humanisten theatralisch ausmalen. In der Mitte des Raumes fand eine hellenistische Marmorgruppe, drei nackte Grazien, Aufstellung.

Bessarion — „der letzte berühmte Grieche" — überlebte Pius und Cusanus um acht Jahre. Seine Bibliothek, mit 500 griechischen Handschriften, ein Unikum, schenkte er Venedig, das er als „quasi alterum Byzantium" ansah, weil dort die größte griechische Kolonie des Westens bestand. Er habe die Bücher ja nicht bloß für sich gesammelt, schrieb Bessarion, sondern für seine Landsleute, damit sie in Zukunft wieder einmal an ihre geschichtliche Vergangenheit anknüpfen könnten und nicht im Barbarentum aufgingen. Unter diesen Büchern befanden sich auch zwei später berühmt gewordene Codices der ‚Ilias'. Einer, 1788 zum ersten Mal ediert, liegt noch unserem heutigen Schultext zugrunde.

Nach Pius' II. Tod führten die Venezianer allein den Krieg gegen die Türken. Die Landtruppen befehligte ihr Condottiere Sigismondo Malatesta, Herr von Rimini. Bei bester philosophischer Bildung war er, nach Jacob Burckhardt, das größte Scheusal der Zeit. Noch 1464 eroberte er Mistra, die ehemalige byzantinische Metropole auf der Peloponnes, konnte es aber nur kurze Zeit halten. So nahm er außer Gold- und Silberschätzen auch die Gebeine des Gemistos Plethon mit nach Italien und setzte diese in Rimini bei. Aus einer Kirche des Heiligen Franziskus hatte Malatesta hier fast einen heidnischen Tempel gemacht, der seine eigene Größe und die Schönheit seiner Gattin verherrlichen sollte. An der Außenwand dieser „Kathedrale" sieht man noch heute den Sarkophag des Griechen[71].

1453 war durch Cosimo Medici in Erinnerung an die Gespräche mit Plethon eine Platonische Akademie gegründet worden, gleichsam eine Tochterakademie von Mistra. Daß man jetzt in Italien das Grab dieses antichristlichen Platonikers besaß, war fast das einzige Resultat des von Calixtus III. und Pius II. so lange vorbereiteten Kreuzzugs.

V FRÜHHUMANISMUS, ZWEITE PHASE, 1464–1474

Spätzeit von Eyb, Steinhöwel, Wyle

Es war wie ein weiteres Gedächtnismal für Pius II., daß die Universität Basel *1464*, im Todesjahr ihres Stifters, als erste deutsche Universität eine besoldete Lektur *in arte humanitatis sive oratoria* errichtete. Damit begann die institutionelle Verankerung des Humanismus an den Hohen Schulen Deutschlands.

Die Wirkungsgeschichte von Enea Silvio hat seltsame Zufälle zu verzeichnen. Kam da beispielsweise ein päpstlicher Ablaßkrämer *1458* nach Leipzig und wurde mit seinen Begleitern vom Landesherrn gefangengesetzt: diese Italiener konnten mit einem Studentenkreis Verbindung aufnehmen und ließen beim Weggang Schriften von Enea Silvio, u. a. ‚De duobus amantibus', zurück. Eine Briefsammlung des Kreises aus den Jahren *1458–1462* ist uns erhalten[1]. Schreiben die Studenten von ihren Thaides und Amasiae, so sind das, wie Wattenbach erläutert, „die Mägde auf den Dörfern um Leipzig, die den munteren Studiosen gern zu Willen waren". Aber diese „erfinden auch lascive Liebesabenteuer, um sie im Stil des Aeneas Silvius auszumalen, der hier selbst in den Worten zum Vorbild genommen wird". Ohne Anleitung vom Katheder findet die Jugend Geschmack an den *studia humanitatis*. Die treibende Kraft ist HEINRICH STERCKER aus Mellrichstadt in Franken, der Prototyp des rebellischen Studenten. Er wird am Ende doch zur Futterkrippe finden, Herzoglich Sächsischer Rat in Meißen und dreifacher Domherr werden. Aber der scholastische Unterrichtsbetrieb mit seinen lebensfremden, unfruchtbaren *subtilitates* widerstand ihm. Übler noch als bei den *lectiones*, den Vorlesungen, wurde ihm bei den Übungen, *disputationes*: nichts als Formalismus und Sophisterei! Stercker wollte deshalb die *artes* in der bisherigen Weise nicht weiter betreiben, er streikte und verzichtete auf das Magisterium — offenbar damals kein Einzelfall. Ihn zog es zu der *oratorum ars*, die allein praeclaros viros anstelle der obscurorum virorum hervorbringe. Huic do operam, hec me totum habet. „Wenn ich sie auch nur teilweise begriffe, könnte niemand sagen, ich hätte mein Geld hinausgeworfen": non me quisquam diceret pecuniam gratis consumpsisse.

Zu Sterckers Kreis gehörten u. a. die Nürnberger HARTMANN SCHEDEL, GEORG PFINTZING, SEBALD SCHREYER und STEPHAN TETZEL. Da tauchte im *Frühjahr 1462* PETER LUDER, nachdem er ein Jahr lang in Erfurt gelesen hatte, in Leipzig auf und kündigte Vorlesungen in seiner Wohnung über Terenz an[2]. Er versprach, seinen Hörern das Küchenlatein auszutreiben, *ne semper culinario, ut aiunt, latino aures hominum offendant*; die ersten drei Stunden seien kolleggeldfrei. Aber bei dieser Reklame unterlief ihm ein Schnitzer. Statt des Dativs gebrauchte er den Akkusativ: omnes volentes l e c c i o n e s t r e s gratis i n t e r e s s e poterunt. Studenten wie Professoren stimmten ein Hohngelächter an, und auf einem anonymen Plakat wurde Luder als Ignorant bloßgestellt. Auch ohne daß es Zeitungen gab, ging die Kunde von diesem Vorfall, entsprechend ausgeschmückt, wie ein Lauffeuer durch die Gelehrten-Republik. Wer die Vorlesungen, es waren sicher dieselben wie in Erfurt und schon in Heidelberg, trotzdem hörte, rühmte an Luders Unterricht eine gewisse Eleganz[3].

Abermals nach einem Jahr zog er weiter, doch nun zurück nach Italien, um in Padua das Medizinstudium wiederaufzunehmen. Im *Frühjahr 1464* schloß er es mit der Doktorpromotion ab, und schon zum *Sommer* wurde er an der fünf Jahre zuvor von Pius II. gestifteten Universität Basel Professor der Medizinischen Fakultät. Gleichzeitig eröffnete er mit seiner Guarino-Kompilation die Lehrtätigkeit bei den Artisten. Eine für Luder bezeichnende Anekdote erzählt Heinrich Bebel in den Facetien: Petrus Luder, cum olim Basileae medicinas et studia humanitatis profiteretur, habe bei einer Flasche Wein oder auch mehreren über die Dreieinigkeit gespöttelt; von einem Theologen zur Rede gestellt, habe er alles zurückgenommen und erklärt, wenn es von ihm verlangt werde, sei er bereit, sich auch zur Viereinigkeit zu bekennen.

Die Nürnberger aus dem Stercker-Kreis hatten Luder offenbar nach Padua begleitet, wo sich ihnen JOHANNES PIRCKHEIMER anschloß. Dieser Sohn von Hans Pirckheimer, dem Freund Albrecht von Eybs, ist der Held und wohl auch der Verfasser einer in Padua im *Frühjahr 1465* aufgeführten Studentenkomödie[4]. Unter den in Leipzig Zurückgebliebenen gehörte SAMUEL KAROCH zu den Radikalsten und Ausgelassensten. Er stammte aus dem oberösterreichischen Dorf LICHTENBERG in der Nähe Salzburgs und hatte während des Wintersemesters 1462/ 1463 und Sommersemesters 1463 zu Luders Füßen gesessen. Luder und Stercker prägten Karoch, der sich als *oratoris humanitatisque artis scholaris* bezeichnete[5]. In bewußt miserablem Latein trug er *1466* aus Anlaß eines Aristotelesfrühstücks, d. h. eines Magisterschmauses, eine Erzählung *De beano et studente* vor[6]. Beani hießen die Klosterschüler. Ein dummdreistes Exemplar trifft auf der Wanderung mit einem bescheiden klugen Studenten der Universität zusammen. Als die beiden Aufnahme in einem Schloß finden, gibt der Beanus mächtig an und flegelt herum, bis man seine völlige Unkenntnis des Latein entlarvt. Um so heller glänzt jetzt der Student in seinem Wissen. Der Beanus trägt eine Beatlefrisur, sechs Fuß langes Haar, zu einem helmartigen Knoten zusammengebunden, den er löst, als das Schloßfräulein die Rabenschwärze seiner Mähne bewundern soll. Trotzdem bekommt nicht er, sondern der Student das Fräulein zur Frau, der Beanus wird als Vogelscheuche auf ein Kohlfeld geschickt. Dort ist er noch heute als abschreckendes Exempel zu sehen. Das Thema vom guten und schlechten Lateiner werden die Humanisten immer wieder in quasi-dramatischer Form behandeln, aber, was die Motive anlangt, kann es keine dieser Komödien mit Karochs Erzählung aufnehmen.

JOHANNES PIRCKHEIMER ist nach der Promotion in Padua zum Doctor iuris utriusque nach Nürnberg zurückgekehrt, seine Braut in die Arme zu schließen, die schöne Barbara aus der ursprünglich in Bamberg ansässigen Familie Löffelholtz.

> Barbara sola mihi omnes inter electa puellas,
> Barbara sola salus, Barbara sola decus!

So lautet eines der Pirckheimerschen Epigramme. Ein zweites:

> Barbara, non facies, non est tua barbara virtus,
> Sed clari mores claraque progenies;
> Aurum barbaricum superat tua, Barbara, virtus,
> Barbarico et si quid nascitur orbe boni.

Hier irrte Pirckheimer. Trotz der glänzenden Herkunft waren die Sitten Barbaras, ihre Tugend, nicht so glänzend, wie er glaubte. Sie tröstete sich in Nürnberg über die lange Abwesenheit des Verlobten, indem sie ein Liebesverhältnis mit einem anderen Patrizierssohn, Sigmund Stromer, einging. Nach der Verführung gab er ihr das Eheversprechen, was zusammen mit der *copula carnis* nach Nürnberger Recht genügte, damit das *connubium* als geschlossen galt; auch wenn elterlicher *consensus*, schriftliche Ehepakte und kirchliche Einsegnung fehlten, wurde ein Partner, der sich anderweitig verheiratete, wegen Bigamie angeklagt. Doch Pirckheimer wollte so wenig wie Stromer auf die schöne Barbara verzichten. Es gab einen Skandalprozeß, zu dem Gutachten über Gutachten eingeholt wurden, u. a. bei dem Dr. jur. utr. Pavensis ALBRECHT VON EYB in Eichstätt, der sich auf das Eherecht spezialisiert hatte und für die Diözese Würzburg als Rechtsrat in Scheidungssachen fungierte — schließlich ja auch besonders kompetent für Barbarae puellulae Bambergenses war. Am Ende konnte, wider alles Erwarten, Pirckheimer am 19. April 1466 die Braut zum Traualtar führen. Dann aber übersiedelte das Paar nach Eichstätt, wo Dr. Pirckheimer beim Nachfolger Johann von Aichs, Bischof WILHELM VON REICHENAU, die Stellung eines Privatsekretärs antrat. Nebst EYB, MANDL und PIRCKHEIMER gehörten die Brüder BERNHARD und KONRAD ADELMANN zur Humanistenrunde des neuen Bischofs.

In Augsburg war SIGMUND GOSSENBROT 1458 für ein Jahr Bürgermeister geworden. Ein Glückwunschschreiben von Hieronymus Rotenpeck nahm Bezug auf Gossenbrots *studia humanitatis*: que in literis consumuntur, quemadmodum Agellius [AULUS GELLIUS] in noctibus Atticis definit, quia humanum animum imbuunt et exornant[7]. *1461*, mit vierundvierzig Jahren, zog sich Gossenbrot von allen Ämtern und Geschäften wie auch von der Familie zurück, um in der Ferne, auf dem Straßburger Grünenwörth, nur mehr seine humanistischen Liebhabereien zu pflegen. Das Kloster zum Grünenwörth, erinnern wir uns, hatte Rulman Merswin als vornehmes, von Johannitern betreutes Altersheim eingerichtet und hier seine pia fraus mit dem angeblichen „Gottesfreund aus Oberland" aufgezogen. Vielleicht benützte Gossenbrot die Gelegenheit, daß durch den Tod HEINRICH LAUFENBERGS ein Platz im Kloster frei geworden war. Dem ehemaligen Kaplan am Freiburger Münster hatte sich *1460* der Wunsch erfüllt, den er in seinem berühmten, innigsten Liede aussprach: *ich wolt daz ich doheime wär!* Die Lieder, die er seit 1413 gedichtet, trug er am Lebensabend in eine Sammelhandschrift ein. Fast alle haben geistlichen Gehalt, aber nur ein Teil ist empfindsam schlicht, nahe dem Volkslied, andere lassen sich von Formen der Kunstlyrik leiten. Dieses Nebeneinander weist auf innere Verwandtschaft und äußere Verbindung mit dem Salzburger Leutpriester Martin Kuchlmeister. Wo Laufenberg lateinische Hymnen — *Salve regina, Ave maris stella, Veni redemptor* — übersetzt, geschieht es denn auch nach der freien Art Kuchlmeisters, nicht wie bei Rossess wort uz wort. Ohne Bruch reihen sich daran Glossenlieder zu liturgischen Texten und geistliche Kontrafakturen des Minnesangs.

Mit GOSSENBROT zog der Humanismus auf dem Wörth ein. Zweiunddreißig Jahre lang genoß der Augsburger das otium cum dignitate. Von seinen Freunden wurde er gelegentlich mit *tua humanitas* oder *vestra humanitas* tituliert. Am *11. August 1466* schickte Gossenbrot einen Brieftraktat *Orthodoxae fidei viro venerabili et perperito Magistro Ludovico Dringenberg, scholarum Rectori in Schletzstadt frugifero*[8]. Die Lateinschule in Schlettstadt, die LUDWIG DRINGENBERG leitete, sollte später besonders „fruchttragend" für den elsässischen Humanismus werden; man denke nur an Beatus Rhenanus Selestadiensis. Dringenberg selbst gehörte so wenig wie der namhafteste seiner unmittelbaren Schüler, Jakob Wimpheling, zu den Humanisten. Er schätzte die studia humanitatis, trennte sich aber schließlich, wie er Gossenbrot schrieb, von den Poeten, damit ihn die *fictiones humanae* nicht länger von den *sermones divinae* abzögen. Sofort assoziierte Gossenbrot für seine Antwort Stellen ähnlicher Art aus Isidor und Boethius, um danach auszurufen: „Sed quid est, quod audio? Ich habe es gehört, und mein Magen dreht sich mir um, conturbatus est venter meus, vor deiner Stimme zittern meine Lippen. — Ohe, mir wird übel, stomachatus sum, wenn ich das höre." Der erste Satz bringt ein biblisches, der zweite ein Zitat aus Horaz. Was der Prophet Habakuk von der Stimme des Herrn sagt — er sei durch sie im Innersten getroffen —, wendet Gossenbrot ohne Scheu vor Blasphemie auf Dringenbergs Verdonnern der Poeten an. Die physiologische Drastik des Ausdrucks verbindet Habakuk und Horaz, sie machte dem Schwaben offensichtlich Spaß. Mit Horaz fährt er fort: „Warum werde ich als Poet begrüßt?" Nichts wünschte ich sehnlicher, heißt es dann, als daß ich diesen Gruß verdiente, ich würde mich seiner nicht schämen und ihn gewiß nicht ablehnen. Gossenbrot wirft Zitate wie Fähnchen eins hinter dem anderen aus, und slalomartig kurvt zwischen ihnen der Gedankenablauf. Das ist bis ins 18. Jahrhundert Humanistenstil. Nicht erst durch manieristische Metaphern und Concetti erweist sich das Kombinationsvermögen des Autors, schon um von Zitat zu Zitat eine Spur zu ziehen, bedarf es dieses „Witzes". Männer wie Gossenbrot treiben mit dem Sport ihren Spott.

Gossenbrot ist es ein Kreuz — cruciat me —, aus dem Munde viri perperiti, des vielerfahrenen Dringenberg, zu hören, was Dichter schaffen, seien *fictiones*. Für den Fall, daß der Schletzstätter Scholarch damit in das Sprichwort des Volkes „multa mentiuntur poetae" einstimme, hält er ihm Horaz entgegen und pocht auf Lactanz, ‚De falsa religione', 1. Buch der ‚Institutiones divinae', wo den Dichtern bescheinigt wird, sie wollten nicht zu falschen Göttern verführen, sondern schmückten bloß mit deren Bildern und Namen ihre Rede: *Officium ... poetarum est, ea quae vere gesta sunt ... traducere*. Der Bürgermeister a. D. zitiert hier dieselbe Lactantius-Stelle, die Magister Peuerbach ohne Quellenangabe aus Isidor abgeschrieben hatte[9]; sie ist offenbar ein locus classicus. Vielleicht besaß Gossenbrot den ersten Druck der ‚Institutiones divinae', hergestellt 1465 in Subiaco von zwei Deutschen; mit diesem Werk zog der Buchdruck in Italien ein. Gossenbrot knüpft an das Lactantius-Zitat die rhetorische Frage: Welcher Lehrer in der Schule oder auf dem Katheder, welcher Theologe auf der Kanzel und Anwalt auf der Tribüne verschmäht, was die Dichter schufen? Jeder schmückt damit, so gut er kann, seine Rede, um sie den Ohren der Hörer mit Honigsüße angenehm zu machen, einzuträufeln, einzuprägen: inflectere, instillare, imprimere.

Aber vielleicht nehmt ihr, unterstellt Gossenbrot, das Wort *fictio* gar nicht im Sinne von *mendacio*, sondern von *adinventio*. Dann will ich zufrieden sein, sagt doch Boethius in ‚De disciplina scolarium': Miserrimi ingenii est semper uti inventis et non inveniendis. Gossenbrot scheint unter *inventa* die vorgefundenen facta, ea quae vere gesta sunt, unter *invenienda* die ficta oder figurationes, den Redeschmuck, zu verstehen, den oratores und poetae an den loci oder topoi finden müssen. Aber „Freund Seneca" rät [in seiner 84. Epistel], daß wir die Bienen nachahmen, die nicht die Blumen — *invenienda* — einfach nehmen, wie sie sind, sondern durch eigene Beimischung erst Wachs und Honig daraus machen. Petrarca bezog sich in ‚De rebus familiaribus' auf diese Seneca-Stelle[10]. Sollten wir Lilien und Rosen — *invenienda* — fürchten, fragt Gossenbrot, weil Rosen Dornen tragen? Puto minime. Die Dornen werfen wir beiseite und verbrennen sie.

Redeblumen übertreffen an Schönheit und Dauerhaftigkeit alle natürlichen Blumen. Hätte sie Gorgias verschmäht, wäre er nicht imstande gewesen, auf jede beliebige Frage *copiose* — aus der copia rerum et verborum heraus — zu antworten. Dieser Floskel dürfte eine Äußerung von Sokrates zugrundeliegen, wonach Gorgias die Kunst erfand, über jeden Gegenstand knapp wie auch in großer Breite zu reden. Gossenbrot hat sicher nicht Platons ‚Phaidros' gelesen, sondern kannte die Geschichte aus der mittelalterlichen Überlieferung. Hier bildet sie, wie Ernst Robert Curtius annimmt, den Ausgangspunkt für die Lehre von den beiden Stilprinzipien der *abbreviatio* und *amplificatio*, die seit der ‚Poetria nova' (um 1210) des Galfrid von Vinsauf eine dominierende Rolle in der Dichtungstheorie spielte[11]. Gossenbrot wendet die Geschichte etwas anders, doch mit Recht wird Gorgias herangezogen, wo es um den poetischen Redeschmuck sich handelt. Seit dieser Sizilianer 427 nach Athen gekommen war, hatte die Redekunst bewußt den

Wettstreit mit der Dichtkunst aufgenommen. „Gorgias ist der erste Meister der Prunkberedsamkeit, und das heißt der antiken Kunstprosa."[12]

Dem rechtgläubigen Rektor in Schlettstadt auszureden, daß antike und antikisierende *poesis* mit christlicher *theosis* nicht sich vertrage, diese Absicht bildet den Skopus des Brieftraktats. Die Wolke der Zeugen sammelt Gossenbrot nach bewährtem Brauch in der Frühzeit. Dazu gesellt er natürlich „unseren jüngst verstorbenen Papst Pius II.", aber auch Petrarca als *poetarum excitator*, Anreger der Poeten; klar und bündig formuliert Gossenbrot damit das Verhältnis zwischen Petrarca und den Humanisten. Sowohl Enea als auch Petrarca konnte man noch hingehen lassen unter der Behauptung „alle waren brennende Leuchten unseres Glaubens, und wie sehr die Poesie in ihnen glänzte, zeigen ihre zahllosen Abhandlungen." An die übrigen Koryphäen des italienischen Humanismus, mit denen er schon bei seinem Freund Konrad Säldner kein Glück gehabt hatte, einen Lorenzo Valla oder Poggio Bracciolini, will Gossenbrot in diesem Zusammenhang lieber nicht erinnern.

Dagegen tauchen unerwartet die Namen Ivo CARTUNENSIS, GERSON und NICOLAUS DE CLEMENGIIS auf. Bischof Ivo von Chartres, 1090 inthronisiert, ist als „präscholastischer" Kirchenrechtler und als Kirchenreformer, aber auch für seine Neigung zu den studia liberalia bekannt. Ihretwegen mag Ivo der von Haskins in Frankreich aufgewiesenen „Renaissance des 12. Jahrhunderts" zugerechnet werden.

Gossenbrot hat wahrscheinlich Briefe oder Predigten von Ivo gelesen, sie glänzen ebenso mit Zitaten antiker Autoren wie nachmals die Predigten und Reden Jean Charliers aus Gerson bei Reims (1363—1429), des Wortführers der Sorbonne auf dem Konstanzer Konzil. Dessen Altersgenossen und Landsmann aus der Champagne, Nicolaus von Clémanges, sind wir schon wiederholt begegnet. Daß Frankreich eine Art bodenständigen Humanismus besaß, wußten in Deutschland nur wenige, zu ihnen zählte Gossenbrot. Er berief sich auf die Franzosen, wo er bei seiner Verteidigung der studia humanitatis mit den Italienern nicht durchkam, denn in Frankreich schienen Glaubenstreue und Freude am Glanz von Rhetorik und Poesie reiner versöhnt zu sein.

Erst recht korrigierte er die Schwarz-Weiß-Malerei, in der sich die italienischen Humanisten wie die Antihumanisten gefielen, indem er daran erinnerte, daß gerade die frömmsten Klöster, wenn die Klosterreform in voller Kraft stand — summa quo viguit reformatio —, den antiken thesaurus poetarum nicht gleich einem abgeschlagenen Baum im Dunkel verkommen ließen, sondern liebevoll pflegten. Das zog die Mönche durchaus nicht vom Göttlichen ab, steigerte vielmehr ihren Scharfsinn und ihre innere Glut. Erst als die Frömmigkeit schwand, kümmerte man sich auch nicht mehr um Dichtung, sondern zerschnitt die Handschriften, um wertlose Bücher damit einzubinden. Blöde Esel, asini bardissimi, handeln heute noch so. Nauseat ab his anima mea ... De his satis non hominibus: genug über sie, die keine Menschen sind!

Gossenbrot sagte dem Obskurantismus Bescheid, doch ließ er sich nicht durch Geschichtsklitterung weismachen, hinter dem Heute liege ein millennium tenebrarum. Er kannte wie Nicolaus von Clémanges und wie Dom Leclercq neben dem scholastischen bzw. vorscholastischen auch ein „anderes Mittelalter", das monastische, das l'amour des lettres et le désir de Dieu vereinte. Die Sprache von Gossenbrots Brief scheint mir deutlich durch die Mönchstheologie beeinflußt zu sein. Zu deren Grundvorstellungen gehörte der *gustus interior*, von dem Gossenbrot im Zusammenhang mit der Süßigkeit der Redeblumen spricht. Wenn sich dann in Gossenbrots Text das Wort *ruminare*, widerkäuen, findet, so gebraucht er damit einen terminus technicus der Mönchstheologie für das richtige Lesen. Erst im Wiederkäuen, d. h. immer wieder laut oder halblaut Lesen, schmeckt man die Worte aus[13]. Gossenbrot nimmt nach seiner Art, die er auch bei *conturbare venter* und *stomachare* praktizierte, den Terminus aus der Abstraktion sofort ins Konkrete zurück und kann infolgedessen schimpfen, daß gewisse Leute, statt widerzukäuen, die Poeten ausspucken, *respuunt poetas*.

Was Gossenbrot am Ende als *mea sententia* zusammenfaßt, würde in deutschen Versen lauten:

> Und wer der Dichtkunst Stimme nicht vernimmt,
> Ist ein Barbar, er sei auch, wer er sei.

Goethe läßt diese Verse einen Nachfahren des Lionello d'Este in Ferrara sprechen. Wenn wir sie für Gossenbrot übernehmen, geht uns freilich verloren, daß er die Banausen „fast bäurisch", *paene subrusticus*, nennt. Von Barbaren sprechen die Griechen und Römer, und in Italien zählte man zu ihnen mit Vorliebe die Deutschen. Deren Bildungsbewußtsein grenzte sich eher sozial als national ab. Das Wort subrusticus kann bei Cicero belegt werden, aber Gossenbrot wählte es, weil „Bauer" in Deutschland der Inbegriff der Unbildung war. Unbildung hieß *geburenwesen*. Während sich in Wittenwilers ‚Ring' — rund 50 Jahre früher — das geburenwesen von der bürgerlichen Morallehre abhob, bildet es jetzt den Gegenpol der studia liberalia oder studia humanitatis, die den Menschen zum *homo liber*, zum wahren Menschen, bilden.

In welcher Weise Gossenbrot in Straßburg noch dem Geist des „Gottesfreundes aus Oberland" begegnete und ob er etwa die Vorstellung des „Franckforters" von Gottesfreundschaft kannte, ob sein Wissen um die Mönchstheologie mit dem einen oder anderen zusammenhängt, diese Fragen muß ich unbeantwortet lassen. Die Affinität zur Devotio moderna der Niederlande und ihrem *homo interior* zeigt sich schon in der Wertschätzung, die Johannes Gerson sowohl bei Gossenbrot als auch bei GABRIEL BIEL fand, hatte doch Biel, der, aus Speyer gebürtig, Domprediger in Mainz gewesen war, sich um 1462 den Brüdern vom gemeinsamen Leben angeschlossen[14]. 1468 holte ihn Graf Eberhard III. von Eppstein im

Taunus nach Butzbach, dort ein Brüderhaus einzurichten. Damals dürfte jener *Tractatus Magistri Gabrilis Byell de communi vita clericorum* entstanden sein, der 1960 erstmals, und zwar in Washington, gedruckt wurde[15]. Biel nimmt hier Bezug auf Gersons Verteidigung der Brüder gegen die ihrerzeit erwähnten Angriffe des Mönchs Matthäus Grabo vor dem Konstanzer Konzil. Als das Mönchtum fast überall in Verfall geraten sei, erklärt Biel, habe Geert Groote in den Niederlanden, *in inferioribus partibus Alemanniae,* vielen Laien durch seine Predigten den Stachel der Gottesfurcht eingedrückt. Diese *compuncti timoris Dei* erhielten dann von ihm eine Lebensordnung nach Art der Urkirche: institutio vitae nostrae exordium et formam sumpsit a primitiva ecclesia. Biel beruft sich dafür auf den sogenannten *I. Clemensbrief*: Quietissimam vitam ducerent homines si de medio sublata essent pronomina *meum* et *tuum*. Die Brüder und Schwestern kennen kein Eigentum, aber sie sollen deshalb nicht wie gewisse Mönchsorden vom Bettel, vielmehr vom *labor manualis*, in erster Linie vom Bücherabschreiben, leben. Der Ausdruck *devotio moderna* kommt bei Biel nicht vor, und er bestreitet mit Entschiedenheit, daß es um eine *nova religio* gehe. Deshalb sein Rekurs auf den I. Clemensbrief.

Zwei andere Schriften, die erst 1483 veröffentlicht wurden, sollten wohl ursprünglich der Schulreform in Butzbach dienen: eine *stilo facili* geschriebene *Ars grammatica* und eine *Regula puerorum.* Postum erschien 1516 ein *Tractatus de potestate et utilitate monetarum*, Über Macht und Nutzen des Geldes; englische Übersetzung: Philadelphia, 1930[16]. Mit *kehre* hatte der Franckforter die religiöse Umkehr gemeint, wie alle Frommen sie fordern, von der Egozentrik zur Theozentrik. Biel, man kann gewiß nicht sagen, daß er die Kehre säkularisierte, wohl aber daß er für die Brüder vom gemeinsamen Leben den zwischenmenschlichen, sozialen, ja sozialökonomischen Aspekt in den Vordergrund rückte. Obgleich eine Art Edelkommunist, der am liebsten die pronomina „mein" und „dein" aus der Sprache eliminiert hätte, zeigt Biel großes Verständnis für die neue Geldwirtschaft, wo die FUGGER in Augsburg seit Mitte des Jahrhunderts nicht allein die Augsburger GOSSENBROT, sondern auch die MERSWIN, GROSS, VINTLER und ZIGERLI-RINGOLTINGEN, ja selbst die CASTORP in Lübeck allmählich weit überflügelten.

Als *1469* der Gründer der Fuggerschen Handelsgesellschaft, JAKOB DER ÄLTERE, starb, hinterließ er drei Söhne, von denen der jüngste, der nach dem Vater hieß, der mächtigste Handelsherr in Deutschland, wenn nicht gar in Europa werden sollte. Er war im gleichen Jahr 1459 geboren wie Maximilian, der älteste Sohn des Kaisers, der sich später mit Vorliebe in Augsburg aufhielt. Immer wieder werden hier Kaiser Maximilian I., der „letzte Ritter", den die Italiener als „Massimiliano senza danaro" verspotteten, und der erste wirkliche Großbürger Deutschlands, JAKOB FUGGER DER REICHE, zusammentreffen.

Ein Mann wie der aus dem Allgäu, aus Memmingen eingewanderte BURKHARD ZINK dachte gewiß nie daran, sich einem Gossenbrot oder Fugger zu vergleichen.

Als elfjährigen Jungen hatte ihn sein Vater einem Fahrenden Schüler mitgegeben, einem jener bärtigen „Bachanten" (Baccalaurei), vor denen kein Hühnerstall, kein Wäschestück auf der Leine sicher waren. Über die Tauern und Karawanken zogen die beiden in die Gottschee, wo ein Onkel Zink eine Pfarrei besaß. Nach mehreren Jahren stand Burkhard unvermutet wieder vor dem väterlichen Haus in Memmingen, selbst nicht mehr als ein Fahrender Schüler geworden. In Augsburg aber glückte ihm 1419 der Sprung in die Kaufmannschaft. Als Faktor und Waagmeister brachte es Zink zu ansehnlichem Wohlstand. Weiteren, „kapitalistischen" Unternehmungsgeist spürte er nicht, so trat er, um fortan eine ruhige Kugel zu schieben, in städtische Dienste und stieg hier bis 1459 zum Zinsmeister auf. Neidgefühle regten sich bei ihm nur, wenn von Sigmund Gossenbrots Altersrefugium die Rede ging. Zink selbst war nach drei glücklichen Ehen und einem lästigen Konkubinat mit nahezu siebzig Jahren ein viertes Mal vor den Traualtar getreten und hatte das bitter zu bereuen. Die Frau gönnte ihm kaum das geruhsame Vergnügen, das er bei der Abfassung einer *Chronik von Augsburg*[17] fand; zumal sie wußte, daß Zink eine *Selbstbiographie* und eine *Hauschronik* damit verband, in denen sie schlecht wegzukommen fürchtete. Zink war kein Gelehrter und konnte kein Werk wie Sigmund Meisterlin schaffen. Sein Latein aus der Schülerzeit hatte er längst vergessen. Umso herzhafter drückt er sich in der Muttersprache aus. Eine Probe davon gibt Werner Mahrholz in dem Insel-Bändchen ,Das Leben des Burkhard Zink. Die erste deutsche Selbstbiographie'. Daß ein deutscher Bürger auf den Gedanken kam, sein eigenes Leben, das ganz im Privaten verlief, zu beschreiben, ist das Novum in der bei 1468 endenden Chronik. Den Tod JAKOB FUGGERS DES ÄLTEREN und PETER VON SCHAUMBERGS registriert sie nicht mehr; beide starben

Grabmal des Kardinals Peter von Schaumberg in Augsburg (1469)

1469, letzterer einundachtzigjährig. Das Grabmal, das der Augsburger Bischof Kardinal Schaumberg für seine Gruft im Dom hatte vorbereiten lassen, begriff Zink als ein auch an ihn gerichtetes *Memento mori,* obschon es nicht die Inschrift trug, die auf dem Grabstein Hermann von Sachsenheims und später auf dem Albrecht von Brandenburgs zu lesen war: „Hernach alle andern!"

Zink, der ehemalige „Bachant", fühlt sich und versteht sich in seiner Chronik als Bürger. Wo er über das Faktische wie das Private hinausgreift, appelliert er an den Gemeinsinn, die höchste bürgerliche Tugend. Dieser Gemeinsinn darf nicht an der jeweiligen Stadtmauer enden, vielmehr müssen die Städte gegen Fürsten und Adel zusammenhalten, damit das Bürgertum nicht zum „Gelächter des Adels" werde.

Soweit sich die Menschen in ihrem eigenen Lachen zu erkennen geben, ist es für das Bürgertum aufschlußreich, daß *1471* in Augsburg das *Liederbuch der Clara Hätzlerin*[18] entstand, ein Seitenstück zu dem wenige Jahre älteren Lochamer Liederbuch in Nürnberg. KLARA HÄTZLER, eine berufsmäßige Abschreiberin, erhielt ihren Auftrag von JÖRG ROGGENBURG, über den man mit Sicherheit nur sagen kann, daß er Geld besaß, aber so wenig wie Zink zum Augsburger Stadtpatriziat gehörte. In dem Liederpotpourri[19] von 1471 ließ er vorwiegend Minnelieder, insbesondere Tagelieder, mit Gesellschafts- und lehrhaften Liedern zusammenstellen; die meisten stammen aus dem 14. Jahrhundert. Als Verfasser begegnen der Mönch von Salzburg, Muskatblüt, Wolkenstein, Sachsenheim, aber auch das Reimpaargedicht ‚Von Mayr Betzen', die Keimzelle zu Wittenwilers ‚Ring', ist aufgenommen. An den breiten unteren Rand vieler Seiten hat die Hätzlerin, sei es aus eigener Initiative, sei es nach dem Wunsch ihres Brotgebers, je einen Zweizeiler geschrieben, eine Art Liebesformel, wobei Ernst und Spott abwechseln. Heißt es auf der einen Seite:

> Mich trost das sy mir gutes gan
> Kain schöner weib sach nye kain man —

so steht auf der nächsten:

> Mich freut als wol ihr lieplich grusz
> Als in hunger ain pfann mit musz.

Oder einerseits:

> Was ich in eren darf begeren
> Das tut sy geren mich geweren —

andererseits:

> Die weil ich gelt im peutel hab
> So bin ich ir ain lieber knab.

Schließlich:

> Ich waisz, das sy mir gutes gan
> Als glück und hail ich von ir han —

und:

> Ich waisz, das sy mir wünschet gar,
> Hett ichs halb, ich hunk ain iar:

Hätte ich bloß zur Hälfte, was sie mir wünscht, müßte ich schon ein Jahr lang hinken.

Ständig schlägt das Pendel um zwischen den Polen sentimentaler und ironischer, parodierender Haltung; im Augsburger Liederbuch des Jörg Roggenburg so gut wie im Nürnberger des Wölflin Lochamer. Einen Sigmund Gossenbrot, auch einen Burkhard Zink hat die fränkische Reichsstadt nicht aufzuweisen, und die Zeiten, als GREGOR HEIMBURG hier NIKLAS VON WYLE und MARTIN MAIR in den Humanismus einführte und HANS ROSENPLÜT belehrte, HEINRICH SCHLÜSSELFELDER-ARIGO sich als erster an das ‚Decameron‘ wagte, gehören längst der Vergangenheit an.

SCHLÜSSELFELDER übersetzt, wie einst Hans Vintler, *1468* Leonis ‚Fiore di virtù‘ als *Die Plumen der Tugent*[20]. ROSENPLÜT aber gibt dem Bürgertum, speziell Kleinbürgertum, Nürnbergs in dem Reimpaarspruch *Von den mussiggengern und arbeitern* eine Stimme:

> Het ich gelernt in allen schulen
> und wer doctor in medicinis
> und in theologya nit minis
> und ein hocher philosophus
> und wer bewerter medicus . . .,

Gott würde es weniger achten,

> Als wan ein arbeiter von tropffen switzt,
> So er an seiner arbeit erhitzt.

Wohl Ende der sechziger Jahre ist der Büchsenmeister „und Poet dazu“ gestorben in der Hoffnung — wenigstens nach dem Reimpaarspruch —, daß von den Schweißtropfen des ehrlichen Handwerkers

> das dritteil uf in himmel steigt,
> Dar in eß also harpft und geigt,
> Das got, der vater, wirt so senftmutig
> Und got, der sun, so weich und gutig
> Und got, der heilig geist, die sele reinigt,
> Daß sie mit got gantz wirt vereinigt.

„Innerhalb des vorreformatorischen Denkens geht unser Text bis an die äußerste Grenze der Wertung handwerklicher Arbeit: bis dahin, ihr heiligende Wirkung zuzusprechen." So Dieter Wuttke, der das Selbstbildnis ADAM KRAFFTS am Sakramentshaus von St. Lorenz und besonders die Porträtstatuette PETER VISCHERS D. Ä. am Sebaldusgrab zu Rosenplüts Reimpaarspruch in Beziehung bringt[21]. Das Nürnberger Patriziat, sahen wir bei Konrad Gross, vertrat schon im 14. Jahrhundert eine auf „Werkgerechtigkeit" zielende Laienfrömmigkeit: der aufkommende Kapitalismus rechtfertigte sich durch fromme Stiftungen. Nun beansprucht die Arbeit selbst, in erster Linie noch als Handwerk verstanden, der *labor manualis*, zu dem auch die Brüder und Schwestern vom gemeinsamen Leben verpflichtet waren, religiösen Wert, sogar höchsten Grades. Die vorreformatorische Laienfrömmigkeit hat hier einen ihrer Endpunkte erreicht.

WYLE ist *1469* Kanzler Graf Ulrichs des Vielgeliebten von Wirtemberg geworden und ediert *1470* eine Sammlung Briefe des Enea Silvio[22], so daß auch weiterhin die Deutschen sich an diesen Mustern humanistischen Briefstils schulen oder, wie es in der Regel geschieht, sie rupfen, um die eigenen Briefe mit Eneas Federn zu schmücken; Enea hatte sie ja seinerseits meist den Klassikern ausgezogen. MAIR, der von Mainzischen Diensten in die Herzog Ludwigs des Reichen von Baiern-Landshut übergewechselt war, bestimmte jetzt dessen Politik, doch konnte er seine Pläne einer Reichsreform nicht durchsetzen. Daß Herzog Ludwig die Universität Ingolstadt gründete, ist Mairs Verdienst, und so hielt er denn auch am 26. *Juni 1472* die Eröffnungsrede[23].

HEIMBURG trafen wir zuletzt als Rat Herzog Sigmunds von Tirol und im Streit mit Cusanus und Pius II. Als nach beider Tod Sigmund mit der Kirche sich verglich, wurde Heimburg ausgenommen. Sonst hätte er wohl die Tiroler Gesandtschaft nach Paris *1469* angeführt und jene *Oratio contra Suitenses et Engadinos* vor Ludwig XI. gehalten, mit der Sigmund nun PETER LUDER beauftragte. Heimburg führte seinen Kampf gegen die Kirche fort und griff diese immer aufs neue in Flugschriften an. Gleich Mair setzte er seine politischen Hoffnungen auf den König von Böhmen, Georg Podiebrad. Die letzte Zuflucht fand er bei Herzog Albrecht dem Beherzten von Sachsen. Erst auf dem Sterbelager löste ihn Papst Sixtus IV. vom Bann. Mit Gregor Heimburg ging *1472* der Letzte dahin aus der Schicksalsgemeinschaft, zu der das Basler Konzil die „um 1400" Geborenen zusammengeschlossen hatte.

Im selben Jahr starb auch PETER LUDER[24]. *1468 bis 1470* hatte er, vornehmlich als Orator, im Dienst Herzog Sigmunds gestanden, dann war er in Wien auf seine alte Liebe, die studia humanitatis, zurückgekommen. Offenbar gehörte er weder zur Artistischen noch zur Medizinischen Fakultät, sondern dozierte und praktizierte privatim. Als ihm das verboten wurde, soll er, seinem Lebensgrundsatz treu, geantwortet haben: *Ego faciam ut licet me facere.* Nehmen wir dazu die Bebelsche Facetie aus Luders Basler Zeit, so steht er noch einmal vor uns, wie er leibte und lebte.

Die patzige Antwort „Ich tu, was ich mag" würde ebensogut in den Mund seines Jüngers KAROCH VON LICHTENBERG passen. *In Liptzck caristiae mordet ursus:* in Leipzig beißt der Bär der Hungersnot, heißt es in einem Gedicht aus dem Jahr *1470,* betitelt *Arenga de commendacione studii humanitatis atque amenitate estivalis temporis*[25]. Kurz danach scheint Samuel Karoch Leipzig verlassen zu haben. Das Gedicht ist seine „bewußteste und eigenste Kunstleistung" (Entner), insofern das Gegenstück zu Luders zehn Jahre älterer Panphila-Elegie. Karoch selbst rühmt es als arengam perornatam, ... variis scematum coloribus rarissimisque rigmorum flosculis venustatam. Jeweils 38 Zeilen bilden eine Strophe mit zwei gleichen Stollen und einem Abgesang. Während letzterer nur Endreime hat, verschränken sich in den Stollen Endreime mit Übergangsreimen, wo das letzte Wort einer Zeile mit dem ersten der folgenden reimt. Karoch mag hier an Minne- und Meistersang angeknüpft haben, doch gibt es dergleichen auch in der lateinischen Dichtung. Ein Selbstporträt beschließt das Ganze: Ich, der dies Lied gedichtet, widme mich der ars humanitatis und heiße Samuel. Ich glänze in Lumpen, trage langgeschnäbeltes Schuhwerk und schreite mit traurigem Beutel daher.

Die Möglichkeit, durch die ars humanitatis an der Universität ein gesichertes Auskommen zu finden, bestand bisher nur in Basel. Erst *1471* (oder *1472*) wurde auch in Freiburg i. Br. eine *lectio ordinaria* für Poesie und Oratorik geschaffen, wie es scheint, stark ad personam HEINRICH GUNDELFINGEN. Daß der junge Münsterkaplan bei Peter Luder in „Alt-Heidelberg" studiert, wenn auch wegen „deformitas morum" keine Magisterwürde erlangt hatte, fiel dabei weniger ins Gewicht, als daß er ein illegitimer Sohn des NIKLAUS GUNDELFINGEN, ehemals Generalvikar des Bistums Konstanz, und dieser wiederum ein illegitimer Sohn des FREIHERRN HEINRICH VON GUNDELFINGEN, ehemals Fürstabt von St. Gallen, und einer Leibeigenen war. Auch setzte Herzog Sigmund von Tirol, der Förderer der Universität, sich für den „Mann aus guter Familie" ein. Dem Herzog hat Gundelfingen später eine *Austriae principis chronici epitome triplex* gewidmet.

Unsere Begegnung mit Gemistos Plethon gab Anlaß, darauf hinzuweisen, daß die Ostkirche vom Klerus keinen Zölibat forderte und infolgedessen die Klerikerfamilien als geistige Elite entscheidend wichtig für die byzantinische Kultur waren, vergleichbar den Pfarrfamilien im evangelischen Deutschland. Es scheint, ich weiß nicht, ob es darüber Untersuchungen gibt, daß auch im römisch-katholischen Kulturkreis vor der Reformation bzw. Gegenreformation der Nachkommenschaft des Klerus, obwohl sie als illegitim gebrandmarkt wurde, eine ähnlich elitäre Bedeutung zukam[26].

Ohne Männer, sicher nicht wie Gundelfingen, aber wie AGRICOLA und ERASMUS, beide ebenfalls Bankerte von Geistlichen, wäre die Arroganz der Italiener gegenüber Deutschland unerträglich geworden. Diese trug am meisten dazu bei, daß die deutschen Humanisten ihr nationales Selbstbewußtsein forcierten. Des TACITUS *Germania,* deren erste Drucke *1472* und *73* in Bologna und Nürnberg erschienen, galt ihnen als *libellus aureus.* Auch wo die Italiener ihre Ver-

achtung nicht offen zeigten, war sie doch zu spüren, und die Spöttereien von
Männern wie Poggio und Enea Silvio mußten schließlich den deutschen Humani-
sten zu Ohren kommen. Immer wieder hieß es da, bei den Barbaren wohne keine
Muse. Poggio, der in höchsten Tönen ihr Badeleben pries, schrieb andererseits
von den Deutschen, sie seien „schlaftrunkene, blöde, schnarchende Geschöpfe...
Ob sie leben oder tot sind, kann man nicht unterscheiden" — sehr bezeichnend für
den Humanisten, dem innere Lebendigkeit das eigentliche humanum ausmacht.
Gröber noch drückte sich Gianantonio Campano aus, der einst Hofdichter bei
Pius II. gewesen war und nach dem Reichstag von Regensburg 1471 Deutschland
mit dem Gruß des Götz von Berlichingen den Rücken kehrte:

> Accipe Campani, sterilis Germania, terga,
> Accipe nudatas, Barbara terra, nates!

Nates heißt Hinterbacken[27].

Campano hatte auf dem Reichstag wieder einmal, wie früher so oft Cusanus
und Enea Silvio, vergebens den Türkenfeldzug propagiert. Bessarion, der die beiden überlebte, begann allmählich zu resignieren und widmete sich in den letzten
Lebensjahren besonders der Erziehung der Kinder aus dem byzantinischen Kaiserhaus, denen die Flucht nach Rom gelungen war. Noch kurz vor seinem Tod stiftete
der Kardinal 1472 die Ehe der Prinzessin Zoë mit Großfürst Iwan III. Damit wurden nicht bloß die Ansprüche der Paläologen von den Rurikiden übernommen,
mehr und mehr entfaltet sich seitdem die geschichtsmächtige Ideologie von Mos-
kau als dem Dritten Rom. — Bessarion, im ersten wie im zweiten Rom und weder
hier noch dort zu Hause, ob nicht auch er von irgendeinem dritten Rom schon
träumte?

Als Bessarion die Paläologen-Kinder ins Haus nahm, weilte Regiomontanus
nicht mehr unter seinem Dach. Dieser stand nun in Ofen im Dienste des Königs
Matthias Corvinus von Ungarn, dem er seine *Tabulae ac problemata primi
mobilis* gewidmet hatte. Die Widmung spricht von der *causarum omnium legit-
tima et indissolubilis cathena.* 1471 übersiedelte Regiomontanus nach Nürnberg,
um sich hier die für seine Forschungen benötigten neuartigen Geräte anfertigen
zu lassen. Der Ruf, in dem das Nürnberger Feinhandwerk stand, zog ihn dorthin.
Ein fast menschenscheuer Sonderling, nahm er mit den Gelehrten der Reichsstadt
so gut wie keine Verbindung auf, weshalb man auch nicht davon sprechen kann,
daß Regiomontanus für den Humanismus in Nürnberg eine ähnliche Bedeutung
gehabt habe wie Jahrzehnte früher Gregor Heimburg.

Neben einer feinmechanischen Werkstatt richtete er sich eine Sternwarte ein
und eine eigene Druckerei, in der 1472 als erstes Werk die Planetentheorie seines
Lehrers Georg von Peuerbach gedruckt wurde, dann aber auch die vielberufene
Basilius-Rede für das Studium der heidnischen Literatur, von Bruni übersetzt.
1474 folgte des Regiomontanus eigenes Tabellenwerk, aus dem für die nächsten

dreißig Jahre die tägliche Stellung der Planeten und die Phasen und Stellungen des Mondes zu ersehen waren. Columbus gebrauchte diese *Ephemerides ab anno 1475—1506* bei der Fahrt nach Westindien, auf der Amerika von ihm entdeckt wurde; *1504* retteten sie ihm auf Jamaica das Leben, weil er den Indianern auf die Stunde genau eine Mondfinsternis vorhersagen konnte. Auch Vasco da Gama und Amerigo Vespucci orientierten sich nach den ‚Ephemerides'. Regiomontanus war jetzt in Nürnberg zugleich Gelehrter und Unternehmer und brauchte weder Fürsten zu schmeicheln noch sich an einer Universität mit Kollegen und Studenten herumzuschlagen. Als einträglichstes Geschäft erwies sich die Herstellung von Kalendern. Holzschnitte für sie wie auch für die ‚Ephemerides' gab Regiomontanus bei MICHAEL WOLGEMUT in Auftrag, dem ersten Maler, von dem wir wissen, daß er sich zugleich als Holzschnittmeister betätigte. Michael Wolgemut wurde später der Lehrer ALBRECHT DÜRERS, der *1471* in Nürnberg zur Welt kam.

Und nun tauchte, wenigstens besuchsweise, auch ALBRECHT VON EYB hier auf. *1472* widmete der Eichstätter Eherechtler dem Rat der Stadt Nürnberg „zur Stärkung der Polizei und Regimentes" das sogen. *Ehebüchlein*, dessen Titel eigentlich lautet: *Ob einem manne sey zunemen ein eelich weyb oder nit*[28]. Zwanzig Jahre waren seit dem Tractatus ‚De speciositate puellulae Barbarae' vergangen, als Eyb, nicht mehr in lateinischer, sondern in deutscher Sprache die sog. Cato-Frage *An uxor sit ducenda* behandelte. Diese wurde natürlich in allen Jahrhunderten gestellt, für die Humanisten gab ihr Quintilian, der sie als Musterbeispiel der quaestio infinita verwendet, eine neue, rein literarische, rhetorische Aktualität. Nach Poggios Vorbild hatte Eyb schon früher einen lateinischen Traktat *An viro sapienti uxor sit ducenda* verfaßt, jetzt knüpfte er an Francesco Barbaro an, der im Alter von siebzehn Jahren mit ‚De re uxoria' berühmt geworden war, aber u. a. wohl auch an Johann von Tepls ‚Ackermann aus Böhmen'. Eyb verteidigt die Ehe, weil sie in der natürlichen Weltordnung begründet sei und Staat und Gesellschaft erhalten helfe. Das meint er mit der Stärkung von Polizei und Regiment. Nicht die Sittenpolizei ist darunter zu verstehen, sondern Politik als Handeln für die Polis. Eyb geht auch auf physiologische und medizinische Fragen ein und besonders auf die Eigenschaften, die bei einer Ehe vorteilhaft oder nachteilig sind. Unter letztere zählt er die allzu große Zungenfertigkeit der Frau. Nach Humanistenart beruft Eyb sich ständig auf antike Autoren, ja, der gestapelte Zitatenschatz scheint Eigenleben zu gewinnen, wobei er allerhand Erzählgut, mit Vorliebe aus Novellen italienischer Humanisten, an sich reißt. Allgemein bekannt ist die von Eyb aus dem Lateinischen übersetzte *Marina*[29], weil sie als Prokurator-Novelle in Goethes ‚Unterhaltungen deutscher Ausgewanderten' — wenn wir das Märchen ausklammern — den Höhepunkt bildet. Goethe hatte eine französische Vorlage, aber Hans Sachs benützte Eybs Ehebüchlein. Dieses verdankte seinen großen Erfolg der novellistischen Ausschmückung.

Sofern sich bei Eyb eine höhere Wertschätzung der Frau geltend macht, sekundiert ihm HEINRICH STEINHÖWEL in Ulm mit seiner deutschen Paraphrase von

Ob einem man sey zu nemen ein eelich weib od nit:
Ocrates philosophus ein nateurlich
meyster zu athenas/der da ist gewest
zu den zeyten aswerd des küngs ward
vo einem Jüngling gefragt ob er ein
weyb nemen solt oder nit Antwurt
der meyster vnd sprach zu im/welchs
dn tüst das wirt dich reuwen/wañ nymbst du ein
weyb so bistu allzeyt in sorgen vnd angsten in stetem
krieg/mit dem wab/mit d schwiger/mit iren freunde
mit auffhebung des heyratgüts in verdächtligkeyt
mit andern mennern/vnd in vngewißheit der kind
Bleibstu aber on weib so wirt behümern vñ peinige
alleyn on weiblich lieb vnd trost zu leben der kinder
beroube zu sein vntergang eins geschlechtes vñ eins
frembden vngewissen erbens zu warten/Also hat socrates dem iungling in zweyen scharpffen dinge ein
weyb zu nemen oder nit heyn frölich begirlich antwurt lassen widerfaren/Dise furgelegte frag ob eyn
weyb zu nemen sey oder nit auß zu füren/Dab ich
fur genomen in drey teyl dises büchlin zu setzen/im
ersten teil will ich geben zu versten was vngemachs
was besorgnus/was irrung /mü vnd arbeyt/vnd
was widerwertikeit/vnd da bey was lust vnd frö-
den vnd was gütes sich in dem eelichen stande vnd
wesen mügen begeben da durch an man nit vnbil-
lich in zweyfel gefürt mag werden/ob ein weyb tzu
nemé sey oder nit/Im andern teil will ich antwurté
auff die frag vnd beschliessen /Das einem man sey
ein weyb zu nemen/vñ da bey etlich hupsch histoci
erezden im dritten vnd letschté teyl will ich ein frö-
liche hochzeyt mit einem hospeelichen mal vñ wirt-
schafft machen als dañ gewöheit ist so ein man ein
weyb genomé hat/vnd mit etlichen hüpsché lere vñ

Albrecht von Eybs ,Ehebüchlein'
(Titelseite des Augsburger Drucks 1472)

Boccaccios Schrift ‚De claris mulieribus', die er 1473 unter dem Titel *Johannis Boccacy büchlin von den synnrychen erluchten wyben* der Herzogin von Tirol, Eleonore von Schottland, widmete. Natürlich übersetzte Steinhöwel, seinem Grundsatz getreu, sin uz sin. Er kürzte, vereinfachte da und dort und machte umgekehrt Zusätze, meist aufgrund sonstiger Lektüre. So ergaben sich hundert Lebensläufe sinnrycher erluchter wyben, beginnend mit Urmutter Eva und endend mit Eleonore. Die Wandelbarkeit der menschlichen Geschicke soll an diesen Frauenleben aufgezeigt und zugleich bewiesen werden, daß Frauen so gut wie Männer eine Biographie verdienen können.

Fast scheinen die Wege zusammenzulaufen, wenn 1474 Steinhöwel ein ‚Speculum vitae humanae', Eyb ein ‚Speculum morum' sich vornimmt. STEINHÖWEL war auf das Buch eines Spaniers gestoßen, Rodericus Sancius Zamorensis, d. i. Juan Rodriguez de la Cámara; dieser Quelle[30] gab er in seinem *Spiegel des menschlichen Lebens* eine sehr freie, klare Fassung. Wohl gingen auch eigene Gedanken in sie ein, aber im rechten Augenblick bricht Steinhöwel ab: „Ich red zevil, betrachte ain ander das übrig selber."

Weitherziger noch verfährt EYB, der sich ebenfalls zum sin uz sin bekennt, bei seinem *Spiegel der Sitten*. Die Grundhaltung der mittelalterlichen Vorlage bleibt gewahrt, aber Eyb weiß durch zahlreiche Zitate antiker Autoren und beispielhafte Erzählungen aus dem italienischen Humanismus zu amplifizieren. Mit Sorgfalt baut er seine Sätze nach den Regeln rhetorischer *compositio*, mit Parallelismen, Antithesen, rhythmischen clausulae, klar, straff, auf Wirkung bedacht. Steinhöwels Deutsch erscheint im Vergleich dazu etwas grobklotzig, das Wyles mühsam gebosselt und oft undurchsichtig. Am überraschendsten im ‚Spiegel der Sitten' ist die Zugabe von drei Dramen-Übersetzungen, der Komödie eines italienischen Humanisten und der *Menaechmi* und *Bacchides* von PLAUTUS; die ‚Menaechmi' hatte erst Cusanus wiederentdeckt. An Dramen hatten sich die Übersetzer bisher noch nicht gewagt. Da Eyb das dramatische Gefüge durch breite Situationsschilderungen aufweicht, kommt freilich dieser erste Griff nach dem Drama nicht recht über die mit Dialogen durchsetzte Erzählung hinaus. Ihm habe es bei Plautus, erklärt Eyb, in erster Linie die Hübschheit und Süßigkeit der Wörter angetan; Petrarcas verborum dulcedo et sonoritas klingt nach. Zu einem ‚Spiegel der Sitten' sollen die Komödien, wie der Entschuldigungstopos behauptet, als abschreckende Exempel passen. Die lateinischen Verse gibt Eyb in deutscher Prosa wieder. Sie ist frisch und lebendig, wohl die beste Prosa jener Zeit. Eyb scheut sich auch nicht, das Geschehen nach Deutschland zu verlegen. So heißen seine Figuren Fritz und Kuntz, Götz und Haintz und gebrauchen statt der lateinischen Sentenzen deutsche Sprichwörter und Redensarten. Manche Szenen verraten den Einfluß des Fastnachtspiels. Gelegentlich scheint Eyb sogar den füllungsfreien Viertakter des Volksliedes aufzunehmen, beispielsweise wenn Haintz einem Verliebten bei Erscheinen des Liebchens spottend zuruft: „wie gar bistu erplindet / auß disem sunnenschein / — du grosser lapp." Ohne ein Vorbild bei

Plautus zu haben, charakterisiert sich Haintz selbst: „Ich bin ain freier gesell —
hab ich nit vil, so verleür ich nit vil; ich waiß zuo dienen und vogeln nach der
neuen welt, ich bin alle zeit der erst an dem rayen. wer lacht, mit dem lach ich;
wer saur siht, mit dem sihe ich och sauer; wer schilt, mit dem fluoch ich; wer etwas
lobet, dz lobe ich auch, und was er schendet, das schend ich. Wer sprichet ia, so
sprich ich ia, spricht er nain, so sprich ich nain — dabey verspott ich sy alle und
verwundert mich der narren."

Plautus nennt das Haus der Dirne „navis praedatoria", was Eyb mit „raubeschif" übersetzt; selbständig verwendet er am Schluß der Szene dieses Bild noch
einmal: „ich hör krachen die thür: ... das raubeschif geet an — man hat auff
getzogen den segel." Eine andere Szene schließt bei Plautus mit dem Abgang des
Liebchens, das beleidigt die Tür hinter sich zuschlägt; bei Eyb öffnet sie wieder
einen Spalt und geifert: „steestu noch da, du pleyer esel? gee hinweg, der wein
ist auß."

Alles in allem erinnert Eybs Plautus-Verdeutschung mehr an Wittenwiler und
Wolkenstein als an die italienischen Humanisten, samt Enea Silvio und Leonardo
Bruni, denen Eyb in früheren Werken nachfolgte. Die deutsche Eigenrenaissance
ist in den deutschen Humanismus eingebrochen. Damit erreicht das Werk Albrecht
von Eybs den krönenden Abschluß.

Wann STEINHÖWEL die Fabeln Äsops übersetzte, wissen wir nicht aufs Jahr,
gedruckt wurde sein *Esopus* zwischen *1476* und *1480*[31]. Herzog Sigmund von
Tirol, der Gemahl Eleonores, scheint die Arbeit bestellt zu haben und honorierte
sie mit einem Faß Traminer. Weit mehr verdienten die Generationen von Druckern,
die Steinhöwels Buch bis 1730 immer neu auflegen konnten und es auch ins
Französische, Englische, Spanische, Holländische und Tschechische übersetzen
ließen. Steinhöwel bietet den lateinischen Prosatext jeder Fabel, seine deutsche
Übersetzung und die lateinische Distichenfassung, außerdem eine Vita Aesops,
unter dessen Namen die Fabeln gingen. Das ganze Mittelalter hindurch waren
diese beliebt gewesen, doch Rinuccio di Castiglione hatte sie, wenigstens teilweise,
ebenso wie die Vita 1448 aufs neue nach dem griechischen Text lateinisch übersetzt. An ihn hielt sich Steinhöwel zumeist.

In der Vorrede seiner Verdeutschung expliziert Steinhöwel den schon so oft
erwähnten Grundsatz des *sin uz sin, nit wort uz wort*, und mit diesem letzten
Werk realisierte er ihn am gewandtesten. „Darynne ich dem spruch Oracij nachvolget hab. Lutend du getruiwer tolmetsch" — fidus interpres — „nit wellest allweg
eyn wort gegen wort transferieren. sonder gebuirt sich und ist gnuog ausz eynem
synne eynen andern synne. doch geleicher mainung zesetzen. das ich dann in diser
meyner translacion auch an etlichen orten getan und ettwann etliche wort hab
gelassen czuo loffen oder abgebrochen czuo merer verstaentnusz den lesenden
menschen disz buoches."

Deutsche Sprichwörter, volkstümliche Redensarten, ein paar Reime, Hinweise
auf die Gegenwart, halten die Erzählung in Fluß. Da aber Steinhöwel ebenso

belehren wie unterhalten will, erleichtert ein alphabetisches Verzeichnis nach Stichworten — Alter, Armut usw. — dem Leser, der für sich oder andere Rat sucht, das Finden passender Fabeln. Was Eyb die Komödien des Plautus, bedeuteten Steinhöwel die Facetien Poggios, und so kann er sich und dem Herzog nicht versagen, davon einige Proben dreinzugeben. Auch Steinhöwel steht — um 1474 — auf der Höhe und zugleich am Ende seines Schaffens.

Als im Dom zu Eichstätt ALBRECHT VON EYB beigesetzt wurde, schrieb man 1475. REGIOMONTANUS, der seine ‚Ephemerides' zur selben Zeit vollendete wie Eyb den ‚Spiegel der Sitten' und Steinhöwel den ‚Spiegel des menschlichen Lebens', folgte kurz danach, widerstrebend und voll böser Ahnungen, einem Ruf nach Rom, Papst Sixtus IV. bei der geplanten Kalenderreform zu beraten. Dort erlag er 1476 der Pest oder einem Mordanschlag byzantinischer Emigranten, in deren Streitigkeiten mit Bessarion er einst verwickelt worden war. Wo Regiomontanus die letzte Ruhe fand, ist unbekannt.

1478 las man im Ulmer Münster für HEINRICH STEINHÖWEL die Totenmesse. Erst seit vier Jahren stand das neue Chorgestühl mit den JÖRG SYRLIN zugeschriebenen Schnitzereien. Sie stellen die Sibyllen dar, wie man sie aus des Lactantius ‚Institutiones divinae' kannte, und in deutsch-bürgerlichen Charakterköpfen Autoritäten der Antike: Ptolemäus, den Verfasser des von Peuerbach und Regiomontanus bearbeiteten ‚Almagest', Cicero und Quintilian als Meister der Rhetorik, Vergil, Terenz, Seneca u. a. Es wäre verwunderlich, wenn dabei nicht Steinhöwel die Hand im Spiel gehabt hätte. Auf jeden Fall zeigt das Chorgestühl im Ulmer Münster, wie stark der Humanismus schon auf kirchliche Kreise abgefärbt hatte, als die Frühhumanisten die Feder aus der Hand legten[32].

NIKLAS VON WYLE scheint Steinhöwel nur um wenige Monate überlebt zu haben. 1478 fügte er seinen 18 Translatzen oder Teutschungen noch eine Abhandlung über die Methode des Übersetzens an und brachte eine Gesamtausgabe dieser seit 1461 entstandenen Arbeiten zum Druck[33]. Poggio ist mit 6 Stücken, Enea mit 4, Leonardo Bruni mit 2 und Petrarca und Buonaccorso je mit 1 Stück vertreten. Dazu kommen ein Traktat Felix Hemmerlis und ein Brief des Doctor mellifluus Bernhard von Clairvaux. Ein Lob der Frauen geht auf die auch in Eybs ‚Margarita poetica' zitierte Rede der Nicolosia Sanuda von 1453 zurück. Die rhetorischen Vorschriften übernimmt Wyle ebenso wie Eyb größtenteils von Gasparino da Barzizza und außerdem wohl von Guarino Guarini; gleich Johann von Tepl prätendiert er, mit seinem Werk Beispiele für alle Regeln der lateinischen Rhetorik zu liefern[34]. Wyles Übersetzermaxime kennen wir. Deren Resultat ist eine durchaus latinisierende deutsche Kunstprosa.

Das ‚Decameron' des Nürnberger Patriziers Schlüsselfelder hatte 1460 die Reihe der frühhumanistischen Übersetzungen eröffnet. ANTON VON PFORR aus dem Breisacher Patriziat beschließt sie 1480 mit dem Pantschatantra oder Buch der Beispiele der alten Weisen[35]. Selbstverständlich hat Pforr die in Dialogform gebrachte Sammlung indischer Fabeln, Erzählungen, Sentenzen, die um 300 n. Chr.

Federzeichnung in Anton von Pforrs ‚Buch der Beispiele der alten Weisen', um 1480
(Fabel vom jungen Hund, der seinen Knochen verliert, weil er nach dessen Spiegelbild
im Wasser schnappt; Hs. der Univ.-Bibl. Heidelberg, vermutlich Widmungsexemplar für
Graf Eberhard im Bart von Wirtemberg)

entstanden sein mag, nur aus einer lateinischen Fassung, dem ‚Directorium humanae vitae' des Johannes von Capua (um 1270), gekannt, aber das Interesse
greift hier einmal über die griechisch-römische Antike hinaus. Wenn wir Schlüssel-
felders Umständlichkeit mit der Geschmeidigkeit Pforrs vergleichen, springt der
Fortschritt, den die Kunst des Eindeutschens gemacht hat, in die Augen.

Anton von Pforr ist Rat Herzog Sigmunds von Tirol wie Erzherzog Albrechts
und zuletzt Hofkaplan der Erzherzogin Mechthild gewesen, sein ‚Buch der
Beispiele' widmete er dem Grafen Eberhard im Bart. Am Hof in Rottenburg
merkte man wenig mehr von literarischer Ritterromantik. Hier stand jetzt der
Humanismus in Gunst. Dagegen ließ Herzog Balthasar von Mecklenburg sich in
Nürnberg 1472 durch KASPAR VON DER RHÖN eine Sammlung alter Epen, Sigenot,
Herzog Ernst, Laurin usw., anlegen, bekannt als *Das Dresdner Heldenbuch*[36],
und für Herzog Albrecht IV. von Bayern fertigte ULRICH FÜETRER einen Prosa-
roman *Dye gesta oder getat von herren Lantzilet vom Lack*, den er später
in Titurel-Strophen (ca. 39 000 Verse) umschrieb; dieser Geschichte des Lanzelot
vom See folgte, ebenfalls in Titurel-Strophen (ca. 41 000 Verse), *Das Buch der*

Abenteuer, entstanden zwischen *1473* und *1478*. In einen Rahmen, den er sich vom „Jüngeren Titurel' holte, arbeitete Füetrer die Nacherzählung der übrigen Artusepen ein[37]. Er war ebenso Verehrer Wolframs von Eschenbach wie Püterich von Reichertshausen; mit Dr. Hartlieb zusammen bestimmten die beiden den literarischen Ton am Münchener Hof. Außerdem war Füetrer als Maler an der Fassade und im Innern des Rathauses tätig.

Aus den Fastnachtsspielen und kirchlichen Spielen hebt sich zu dieser Zeit *Die Bordesholmer Marienklage* heraus[38]. Die Handschrift, *1476* abgeschlossen, entstand in Jasenitz, einem pommerschen Filialkloster von Bordesholm in Schleswig, Verfasser oder Schreiber war der spätere Propst in Bordesholm, ein Augustinermönch JOHANNES REBORCH. Er bzw. der anonyme Autor hat die Marienklage der Passionsspiele, die auf die Sequenz „Planctus ante nescia ...' zurückgeht, zu einem selbständigen Passionsspiel ausgebaut. Dafür gab es bereits Vorbilder, doch erst jetzt beseitigte eine sichere Hand alles Rankenwerk und verdichtete das Spiel auf das Hauptmotiv der Marienklage. Nichts geschieht in diesem Stück von etwa zweistündiger Spieldauer, als daß Maria am Fuß des Kreuzes im Gespräch mit Maria Magdalena, Johannes und dem sterbenden Christus ihrem Schmerz Ausdruck gibt. Ohne in leeres Gerede abzufallen, wandelt und steigert sich die Klage bis zu einem fassungslosen Ausruf Marias, mit dem das Ende dem Anfang korrespondiert. Einige lateinische Hymnen, wozu wir die Noten besitzen, sind sinnvoll ins Ganze eingefügt; sie nutzen u. a. die Große Tageweise Peters von Altenberg und Walthers Kreuzfahrerweise[39]. Auch die szenischen Anmerkungen gibt die Handschrift lateinisch. Wie immer der Verfasser mit bürgerlichem oder Ordensnamen hieß, einen Dichter dürfen wir ihn auf jeden Fall nennen. Vom Humanismus und wohl ebenso von der Devotio moderna unberührt, suchte er den Vorgang im Innern der Mutter Christi nachzuerleben und nacherlebbar zu machen und schuf, selbst innerlich bewegt, ein Werk, das Menschen zu ergreifen und zu bewegen vermag. Allein auf dieses Lebendigmachen des homo interior zielt „Die Bordesholmer Marienklage'. Und sie erreicht es ohne Rhetorik.

Wieder bieten sich die Vesperbilder zum Vergleich, oder, im Hinblick auf die Komposition, *Maria im Rosenhag*, das einzige für MARTIN SCHONGAUER gesicherte Tafelgemälde, datiert *1473*. Die Rosenlaube mit den bunten Vögeln, so genau gesehen und geschmackvoll das ausgeführt ist, es bildet nur die Folie, von der Maria und das Kind sich abheben. Daß die Madonna mit dem Knaben im Schoß ohne Nebenfiguren als ausreichendes Thema für ein Kirchenbild gelten konnte, bedeutet ebenso eine Neuerung, wie daß die Marienklage zum Passionsspiel genügte. Der Aufbau ergibt eine Pyramide mit verschobener Symmetrie, in die Leben hineinkommt durch eine diagonal verlaufende Bewegung. Georg Dehio erklärte deshalb, Raffaels „Madonna del Granduca' sei weniger klassisch als diese „Madonna im Rosenhag'. Zu einem analogen Urteil, scheint mir, muß auch gelangen, wer „Die Bordesholmer Marienklage' mit Dichtungen der Humanistischen Renaissance vergleicht.

Das Jahrzwölft des Rudolf Agricola; Wessel Gansfort und Alexander Hegius;
die Anfänge Reuchlins; Gabriel Biel

„Seht diese frische Kraft, durch keinerlei Genüsse geschwächt, die schöne, edle
und schlanke Gestalt, die majestätische Haltung und die männlich-schönen, echt
germanischen Gesichtszüge!" — Das ist ein Satz aus der lateinischen Rede, mit der
1474 der von den Studenten neu gewählte Rektor der Universität Pavia begrüßt
wurde. Die Wahl war auf einen Deutschen gefallen, den neunundzwanzigjährigen
Johann von Dalberg. Er stammte aus einer bis ins 12. Jahrhundert zurückrei-
chenden Familie, die ihren Namen nach einem Schloß bei Kreuznach führte und
großen Grundbesitz in der Rheinpfalz hatte. Sie galt als das vornehmste Geschlecht der Reichsritterschaft. Wenn der Kaiser nach der Krönung den Ritterschlag
vornahm, ursprünglich auf der Tiberbrücke, später im Dom zu Frankfurt, hatte
der Herold zuerst zu rufen: Ist kein Dalberg da? Erst dann konnten andere vor-
treten. Für die deutsche Literaturgeschichte wurden außer Johann später Karl
Theodor von Dalberg, Großherzog von Frankfurt, und Wolfgang Heribert als
Intendant des Mannheimer Nationaltheaters bedeutsam[1].
Die Rektoratsrede von 1474 hielt ebenfalls ein Deutscher, ein Freund Dalbergs,
ein Jahr älter als er, aus den Niederlanden. Anno 1444, als Enea Silvio in Wien
die Historia ‚De duobus amantibus' schrieb, war in Bafloo bei Groningen ein
Pfarrer Huusman am selben Tag zum Abt eines in der Nähe gelegenen Klosters
gewählt und von seiner Magd mit einem Sohn beschenkt worden; er quittierte
das mit dem Ausspruch, er sei gleichzeitig zweimal Vater geworden, der Herrgott
möge weiter seinen Segen walten lassen. Der junge Roelof Huusman wuchs in
der Groninger Schule der Brüder vom gemeinsamen Leben, wie ja einst in Deventer
auch Nikolaus Cryffs, im Geiste der Devotio moderna auf. Nach dem Studium, vor
allem der Theologie, in Erfurt, Köln, Löwen und Paris, ging er 1469 — er zählte
jetzt fünfundzwanzig Jahre — nach Italien, wo er, abgesehen von kurzen Besuchen
in der Heimat, zehn Jahre blieb. Den Italienern stellte er sich als Rodolphus Agricola vor. Neben dem Studium der Jurisprudenz beschäftigten ihn Cicero und
Quintilian, und er gewann in Pavia den Ruf eines hervorragenden Redners.
Darum hatte er Johann von Dalberg als neuen Rektor zu begrüßen[2].
Wohl im selben Jahr, aus Anlaß von Petrarcas hundertstem Geburtstag,
schrieb Agricola in Redeform die erste *Vita Petrarchae*[3], die nicht einen Landsmann
zum Verfasser hat. *Carmina non audita prius virginibus puerisque canto* — diesen
Topos variierend, behauptet Agricola, eine Lücke der zeitgenössischen Literatur
füllen zu wollen. In Wahrheit bestand im 15. Jahrhundert kein Mangel an Petrarca-
Biographien; die von Leonardo Bruni und Pier Paolo Vergerio waren am bekann-

testen. Agricola will *Petrarchae vitam oratione illustrare*, d. h. eine rhetorisch verklärte Darstellung geben: vita et oratio, Wahrheit und Dichtung. Wie seit Brunis ‚Dialogi' von 1401 in Italien üblich, wird Petrarca als der Mann gefeiert, der die studia humanitatis wiederhergestellt habe. Das geschieht aufgrund einer italienischen Vorlage, aber die amplificatio zeugt von wirklichem Verständnis für Petrarca und für das Wesen des Humanismus, so zum Beispiel der Satz: *Hominis magis proprium nihil videri potest quam hominem nosse*: Nichts kann als menschlicher angesehen werden als den Menschen zu kennen — als menschliches Selbstverständnis, wie es aus den studia humanitatis erwächst. Deshalb sucht Agricola die Liebe Petrarcas zu Laura zu verstehen und sich darüber mit seinem Leser zu verständigen.

Wenn einmal die Liebe im Herzen Wurzel geschlagen hat, ist sie unausrottbar. Zwar dämpfte das Alter, lange nach Lauras Tod, allmählich die Hitze, *fervor*, doch eher wäre Petrarca gestorben, als daß er das Feuer der Liebe, *ardor*, hätte erlöschen lassen. Die finsterblickende Philosophie zählt jeden irrationalen Affekt, *omnem mentis affectum qui non ex ratione est*, unter die Laster; falls du sie um Rat fragst, wird sie solchen Wahnwitz, *furor*, dir verbieten. Überlassen wir die Philosophie den Philosophen! Wenn schon kein Wesen je so glücklich war, daß es nicht irgendein Verlangen trug, so kann doch durch große Tugenden die Schuld aufgewogen werden. Und wenn man es kalten Herzen, *frigidis animis*, als Tugend anrechnet, *libidini non cessisse*, dem Trieb nicht nachgegeben zu haben, ist es nicht höchst bewundernswert, im heißen, überströmenden Herzen ihn bezähmt zu sehen?

Vom Stoizismus wendet jeder echte Humanist sich ab. Deshalb stimmt aber Agricola nicht in die Verherrlichung der Liebesleidenschaft durch Enea Silvio ein. Die Affekte weder abzutöten noch sie zu entfesseln, sie vielmehr zu beherrschen, heißt Agricola Humanität.

Albrecht von Eybs Prosatraktat ‚De speciositate puellulae Barbarae' hatte 1452 den deutschen Frühhumanismus eröffnet, der 1474 in Eybs ‚Sittenspiegel' und Steinhöwels ‚Esopus' gipfelte. Hundert Jahre sind seit dem Tod Petrarcas vergangen, nun beginnt eine neue Periode des deutschen Humanismus, mit der durch das Jubiläum veranlaßten ‚Vita Petrarchae' von Rudolf Agricola. Dieser Friese repräsentiert, zunächst noch allein, die dritte Generation nach Enea Silvio, Cusanus und Heimburg, die zweite nach Eyb, Steinhöwel und Wyle und ist der erste unter den wenigen Deutschen, die von den italienischen Humanisten als ihresgleichen anerkannt wurden. Sie bewunderten in dem Sohn der Pfarrmagd aus Bafloo den *uomo universale*, der außer Latein auch Französisch und Italienisch beherrschte und sich ins Griechische, später sogar ins Hebräische einarbeitete, der aus Liebhaberei dichtete, komponierte und malte, die Flöte blies und zur Laute sang, sich aber beim Reiten, Fechten, Ballspiel und Steinstoßen nicht weniger auszeichnete. JOHANN VON PLENINGEN, der in Pavia und Ferrara mit Agricola zusammen studierte, beschreibt[4] sein kastanienbraunes Haar, den wohlgepflegten Vollbart, die auffallend schönen Hände, die nur dadurch verunstaltet waren, daß Agricola die pathologische Unart hatte, beim Nachdenken die Nägel abzubeißen.

Seine Stimme war am angenehmsten, wenn er mezza voce sang, sonst hörte sie sich etwas heiser an, und nicht selten belästigte ihn ein trockener Husten. Mit Alltagssorgen wollte Agricola nichts zu schaffen haben, weshalb er auf die Ehe verzichtete. Entschlüssen und Entscheidungen ging er gern aus dem Weg. Aber dem Charme von Agricolas Persönlichkeit, der sich besonders im geistreichen Gespräch entfaltete, konnte kaum jemand widerstehen. Durch ihn wirkte er weit stärker als durch seine Schriften.

1475 übersiedelte Agricola nach Ferrara, das er als musarum domicilium et Veneris feiert. Die gelehrte und pädagogische Richtung des CHRYSOLORAS vertrat hier seit dem Tod GUARINO GUARINIS dessen Sohn BATTISTA. Agricola studierte Aristoteles, Isokrates und Lukian und schrieb sich den ganzen Quintilian ab. Auf dem Weingut der Guarini im Val Policella war er stets ein gern gesehener Gast; das tägliche Brot verdiente er durch Orgelspiel bei der herzoglichen Kapelle.

BATTISTA GUARINI, Sohn eines berühmten Vaters, genoß über Italien hinaus Ansehen. Deshalb wurde ein Traktat von ihm über die *Ars diphtongandi* auch dem *Vocabularius breviloquus* beigefügt, den die Amerbachsche Offizin in Basel *1475/76* als eines ihrer ersten Druckwerke auf den Markt brachte. Das „kurzgefaßte", dennoch sehr dickleibige Wörterbuch selbst hatte JOHANNES AMERBACH (WELKER aus Amorbach) bei einem jungen, mittellosen Studenten der Basler Universität, der noch nicht einmal das Baccalaureat besaß, in Auftrag gegeben: JOHANNES REUCHLIN aus der kleinen badischen Markgrafenstadt Pforzheim, geboren am 29. Januar (nicht 22. Februar) 1455, elf Jahre jünger als Agricola[5].

Amerbach und Reuchlin kannten sich von Paris her, wo beide, ebenso wie zeitweilig Agricola und sein Landsmann Johannes Wessel Gansfort, Schüler des berühmten JOHANNES A LAPIDE gewesen waren. Dieser stammte aus Deutschland, und zwar — das steckt hinter dem Namen a Lapide — aus dem bei Pforzheim gelegenen Dorf Stein; der Familienname lautete HEYNLIN. Wenn Reuchlin sich in Paris mit seinem Lehrer deutsch unterhielt, sprachen sie genau den gleichen Dialekt. Nur weil Heynlin 1474 nach Basel übergesiedelt war, befanden sich jetzt auch Reuchlin, Amerbach und Gansfort hier, während Agricola schon seit längerem in Italien studierte.

Heynlin hatte vor Jahren an der Basler Artistischen Fakultät eine Philosophieprofessur innegehabt und entscheidend am Aufbau der jungen Universität mitgewirkt. Basel errichtete damals, 1464, eine besoldete Lektur in arte humanitatis sive oratoria: der erste Präzedenzfall für Deutschland. Sie wurde natürlich zunächst einem Italiener übertragen. Heynlin war selbst kein Humanist, aber mit seiner schon um 1460 abgefaßten Einführung in die lateinische Sprache hatte er das scholastische Latein durch antike Muster zu verbessern gesucht. Während seines ersten Basler Aufenthaltes schrieb er dann einen Traktat über die Kunst, der lästigen Beweisführung der Sophisten zu begegnen. Nicht als ob Heynlin sich von der Scholastik losgesagt hätte, er verfocht nur gegen die *via moderna* die eigentlich moderne, d. h. reaktionäre *via antiqua*.

Basel bedeutete damals für Heynlin ein Zwischenspiel innerhalb zwanzig Jahren Paris, 1454–1474. An der Sorbonne, dem hervorragendsten theologischen Kolleg, durch Robert de Sorbon gegründet, wie an der Gesamtuniversität von Paris zählte Johannes a Lapide unter die führenden Köpfe. Als Realisten (via antiqua) und Nominalisten (via moderna) sich mehr und mehr ineinander verbissen, der Kampf der Parteien aus den Sitzungszimmern und Hörsälen auf die Straße übergriff, und in den Gassen um Notre-Dame Barrikaden errichtet wurden, schritt König Ludwig XI. ein. Daß es zugunsten der via antiqua geschah, hatte diese nicht zuletzt dem Ansehen und der Streitbarkeit von Johannes a Lapide zu danken. Am 1. März 1473 verbot Ludwig XI. den Nominalismus, ließ die Rebellierenden in den Kerker werfen und auch ihr Schrifttum an eiserne Ketten legen. Ob Reuchlin sich an diese turbulenten Vorgänge erinnerte, als er ein Menschenalter danach in den Skandal um die Judenbücher verwickelt wurde?

Heynlin empfand wohl den Sieg seiner Partei als einen Pyrrhussieg. Basel erschien ihm in der Erinnerung wie ein Idyll. Nach der Übersiedlung 1474 wollte er von Wissenschaftspolitik nichts mehr wissen, sondern trat ins Predigtamt, zunächst am St. Leonhardsstift der Brüder vom gemeinsamen Leben.

In der Sorbonne hängt noch heute ein (angebliches) Bildnis des Johannes a Lapide, zum Dank, daß er hier mit drei „deutschen Brüdern" die erste Druckerei Frankreichs einrichtete. Auf seine Anregung hin gründete nun Johannes Amerbach in Basel gleichfalls eine Druckerei. Heynlin unterstützte ihn dabei. „Die gereinigten Ausgaben der Kirchenväter und Philosophen, die aus Amerbachs Presse in schöner Gestalt hervorgingen, waren seinem Fleiß zu danken"[6]. Bald wird in Basel das Haus „Zum Sessel", das erst Johannes Amerbach, dann Johannes Froben gehörte, einen Sammelort der deutschen Humanisten bilden.

Nachdem wir die Umstände kennen, wundern wir uns nicht mehr, daß JOHANNES REUCHLIN durch Amerbach mit der Abfassung des *Vocabularius breviloquus* betraut wurde. Die lateinischen Wörter galt es lateinisch zu erklären. Reuchlin kompilierte die mittelalterlichen Lexika, bereicherte aber deren Wortschatz aus den Klassikern und aus den römischen Gesetzbüchern. Seine meist von anderen übernommene Etymologie mutet in der Regel haarsträubend an. *Barbarismus* erklärt Reuchlin als Zusammensetzung aus barba, ars und mos, *biblia* wird von bibo abgeleitet, *castra* von casa alta; weil cimis = dulcis, stereon = statio ist, soll *cimeterium* so viel wie dulcis statio animarum bedeuten; *mamma* steht für malum (Apfel), quod est rotunda, *uterus* weist auf utendum oder utilitas. Bis 1500 konnte der ‚Vocabularius breviloquus' fünfundzwanzigmal wieder aufgelegt werden, dann erst, nach einem Menschenalter, war er überholt.

Vom Konzil her besaßen die Dominikaner in Basel ein paar griechische Handschriften, die ein Kardinal zurückgelassen hatte. Reuchlin suchte daran Griechisch zu lernen, wobei es ihm ein kleiner Pergamentcodex des Neuen Testaments aus dem 10. Jahrhundert besonders antat. Viele Jahre später bat er den Dominikanerabt, ihm diese Handschrift auf Lebenszeit anzuvertrauen: „Es ist mein Tod, versagst du sie mir, mein Leben, wenn du sie mir leihst." Der Provinzial der Domini-kaner, Jakob Sprenger, Verfasser des berüchtigten ‚Hexenhammers', schickte ihm daraufhin die Handschrift, denn lieber wolle man das Buch verlieren als Reuch-lins Freundschaft.

Durch den ‚Vocabularius' hat sich Reuchlin die Mittel beschafft für ein Studium des Kanonischen Rechts in Paris, des Zivilrechts in Orléans; wo immer Gelegen-heit war, erweiterte er auch seine philologischen Kenntnisse.

Als die Universität Ferrara nach den Sommerferien 1476 den Lehrbetrieb wie-deraufnahm, durfte AGRICOLA zur Eröffnung des Akademischen Jahrs die *Oratio in laudem philosophiae et reliquarum artium* halten[7]. Sie besteht, wie es Cicero für eine Rede vorschreibt, aus 5 Teilen: *exordium*, Einleitung; *narratio*, Behaup-tung; *confirmatio*, Beweis; *refutatio*, Widerlegung der Gegner, und *peroratio*, Ab-schluß. Das exordium soll für gewöhnlich eine *captatio benevolentiae,* die perora-tio eine *exhortatio* sein. Doch darf nach Cicero diese Gliederung nicht als starres Schema in die Augen springen. Agricola beginnt: Schon so viele Lobreden sind auf die Philosophie, die studia humanitatis, angestimmt worden, wie kann da aus-gerechnet ich Sohn des äußersten Nordens wagen, das Thema erneut aufzugreifen? Eure Menschlichkeit brauche ich, damit ihr meine Rede mehr nach eurer Güte als nach meinem Geiste beurteilt — vestra oportet, vestra mihi adsit humanitas, ut hanc qualemcumque dictionem meam pro modo benignitatis vestrae ... potius quam pro meo ingenio aestimetis.

Nach solcher captatio benevolentiae, die besonders den anwesenden Herzog ERCOLE D'ESTE apostrophiert, verkündet Agricola: „Philosoph sein heißt mehr sein als ein Mensch ... Er kennt alle Dinge und kann, was er will" — *quaecumque sunt novit, quaecumque vult, potest.* Das wird aber sofort eingeschränkt: „er will nämlich auch nicht, was er nicht kann, und, füge ich hinzu, was er nicht darf". Zu keinem anderen Zweck scheint der Schöpfer das Weltall geschaffen zu haben, als damit hohe Geister es wie ein Schauspiel bewundern. Diese *contemplatio* und *cognitio* ist die eigentliche Aufgabe des Menschen. Indem er sich ihr hingibt, stillt er sein tiefstes Verlangen in überschwenglicher Freude und kommt so, frei von allen Sorgen und Plänen, zu sich selbst — relictis omnibus, proiectis curis, revo-catus redditusque sibi pura illa sinceraque et naturae suae simillima perfruitur contemplatione. Das hebt den Satz der Petrarca-Rede, menschenwürdigstes Wissen sei Wissen um den Menschen, gewiß nicht auf, Agricola wiederholt sogar, nec quicquam tam hominis esse proprium quam res humanas pervidere, und zitiert die berühmte Cicero-Stelle über Sokrates, der als erster die Philosophie vom Himmel auf die Erde herunter geholt habe. Dennoch bekennt sich Agricola in der Ferrara-Rede implicite auch zum ersten Satz der Aristotelischen ‚Metaphysik'. Das Ent-weder-Oder von Petrarcas ‚De ignorantia' gilt für Agricola nicht.

Die Ferrara-Rede gleicht einem Hymnus auf den Menschen, der philosophisch leben, darin glücklich sein und dieses Glück sich bewußt machen kann. *Praecipua felicitatis pars est, scire se esse felicem.* Im Glücksbewußtsein des Menschen liegt für Agricola der Sinn wahrer Wissenschaft — der philosophia als amor sapientiae oder amor divinas res humanasque cognoscendi — der *studia humanitatis*. Diese, so will es nach Agricolas Rede scheinen, haben ihren Namen daher, daß sie den Menschen auf dem Weg der Erkenntnis glücklich machen, genauer gesagt: ihm jenes Glücksbewußtsein schenken, in dem sein Wesen, seine Menschlichkeit sich erfüllt. In ganz ähnlicher Weise wie Cusanus geht es Agricola um das *intellectualiter vivere*.

Beide hatten in ihrer Jugend Schulen der Fraterherren durchlaufen. Die Groninger Schule besuchte einige Jahre vor Agricola auch JOHANNES WESSEL GANSFORT, der altersmäßig zwischen Cusanus und Agricola steht[8]. Er wurde 1419 in Groningen geboren, studierte in Köln und 1456 in Heidelberg, wo damals gerade Luder zu lehren anfing; über Paris kam er mit dem Ordensgeneral der Franziskaner, Kardinal Francesco della Rovere, 1470 nach Rom und gewann hier die Freundschaft von Kardinal Bessarion. Dieser sprach Wessel wie Bässel aus und änderte es dann in Basilius. Della Rovere wurde 1471 Papst SIXTUS IV. Während Agricolas Persönlichkeit allem nach sein Glücksbewußtsein ausstrahlte, mußte Wessel Gansfort immer wieder mit Depressionen fertigwerden. Er klagt über *displicentia propria*, Mißvergnügen an sich selbst, und *moeror animi*; das ist ein Ausdruck Ciceros, Antithese zu *laetitia, gaudium*: Unvergnügen der Seele, Trübsinn. Wie Gansfort das Heilmittel fand, erzählt er in der *Scala Meditationis, Buch I, Kap. 17*[9]. Als er einst von Köln zu Schiff nach Heidelberg fuhr, quälte ihn die Melancholie in besonderem Maße. Zwischen Andernach und Bacharach vergaß er sich bei scherzhaften Gesprächen, doch bald kehrte die Depression wieder. Das verwunderte Gansfort, und er fragte sich unablässig, was es denn sei, das plötzlich wie aus dem Hinterhalt hervorbreche und ihn zur Traurigkeit zurückführe: quid hoc esset, quod velut ex insidiis repente erumperet et redigeret in moerorem. „Obwohl ich nicht fand, was ich suchte, war mein Bemühen nicht fruchtlos, weil nämlich, während ich intensiv nachdachte, die Traurigkeit allmählich verging und ich mich stattdessen freute wie ein vom Feind Niedergeworfener und Verwundeter über den bald erreichten Sieg. Ich nahm mir vor, nicht nur Kenntnisse zu sammeln, sondern auch ... den erfolgversprechenden Weg weiter zu verfolgen, bis ich völlig gesiegt hätte, und schließlich habe ich gesiegt." Konzentrierte geistige Tätigkeit überwindet die Unlustgefühle, den Trübsinn; Frohsinn und Freude, innere Genüge schenkt das *intellectualiter vivere*, die Suche nach Wahrheit.

Gansforts Erzählung ist derart einleuchtend, daß ich sie glauben möchte, obgleich sie merkwürdig übereinstimmt mit dem Rezept, das MARSILIO FICINO in *De vita triplici* 1489 gegen die Melancholie verordnete: durch geistige Konzentration kann der Trübsinn zu Genie umgewandelt werden. Falls Gansfort nicht nur wie Luder des Aristoteles ‚Problemata' kannte, sondern auch von Ficinos Ideen und von dessen Psychotherapeutik wußte, bestätigten sie und seine persönliche Erfahrung einander gegenseitig. Der Einfluß der Gestirne, speziell Saturns, bleibt bei Gansfort im Gegensatz zu Ficino außer Betracht.

AGRICOLAS Rede *1476* in Ferrara, um zu ihr zurückzukommen, zählt drei philosophische Disziplinen auf: *quarum quae ad loquendum pertinet, Graeci* λογικήν, *nostri rationalem* — quae vitam instituit, illi ἠϑικήν, nos *moralem* — quae rerum *naturas considerat, nos naturalem, illi* φυσικήν *nominaverunt*: Logik, Moral- und Naturphilosophie. Diese Dreiteilung findet sich auch bei Guarino Guarini, von dessen Vorlesungen wir ein handschriftliches Kollegheft besitzen[10], doch Agricola dürfte eher die philosophia triplex aus Ciceros ‚Academici libri' (1,19) übernommen haben. GUARINO wie CICERO unterteilen die Logik in Wortwissenschaft, scientia loquendi, und Verstandeswissenschaft, scientia rationalis, AGRICOLA nennt die Logik *scientia rationalis*, begreift sie aber als *scientia loquendi* und gliedert sie in Grammatik, Dialektik, Rhetorik. Ohne diese drei kann keine *perfecta oratio* zustande kommen. Der Grammatik verdankt sie ihre Richtigkeit — *emendatio, integritas* —, der Dialektik die Wahrscheinlichkeit und Glaubhaftigkeit — *probabilitas, fides* —, der Rhetorik die Gepflegtheit — *ornatus, cultus*. Es handelt sich hier um nichts anderes als das trivium innerhalb der septem artes liberales, die *tres artes sermonicales*, auf Griechisch τέχναι λογικαί.

Im Zusammenhang mit der Grammatik wird von Agricola die Forderung QUINTILIANS aufgenommen, daß man die Mühe, die ein Redner sich gemacht hat, nicht merken dürfe. Er soll *multo plus operis in recessu habere quam ostendat in fronte*. Die Rhetorik schränkt Agricola auf den *cultus*, den Redeschmuck, ein. *Excolere, perpolire* und auch *disponere* gehören *proprie ad rhetoricam*. Wenn er dann von der Dialektik sagt, sie ziele auf *probabilitas*, Wahrscheinlichkeit, und *fides*, Glauben, so gibt er ihr die Bedeutung, die bei Aristoteles und Thomas von Aquino der Rhetorik im Gegensatz zur Philosophie zukommt; letztere dringt auf Wahrheit und Wissen. Für Agricola aber zählt die gesamte *scientia loquendi* neben Ethik und Physik zur Philosophie. Er macht sich damit den Anspruch der antiken Rhetorik zu eigen, daß gerade sie die wahre Philosophie pflege.

Eindeutig dient Agricolas Dialektik dem rednerischen Bedarf. Sie liefert *certos locos inveniendi*: Findeörter, Fundstellen für Argumente, die nicht logisch zwingend sind, aber Wahrscheinlichkeit besitzen und Glauben erwecken. Die *Topik* des ARISTOTELES stellte als κοινοὶ τόποι, lateinisch *loci communes*, allgemeine Sätze zusammen, die über jede Einzelwissenschaft, jeden Einzelfall hinaus Geltung beanspruchen können. Was wir (seit ca. 1770) im Deutschen „Gemeinplätze" nennen, leitet sich davon her. Nach der Aristotelischen *Rhetorik* dagegen sind unter topoi, loci, Fundstellen, nicht so sehr fertige Sätze zu verstehen, mit denen argumentiert werden kann, als vielmehr allgemeine Gesichtspunkte, um selbst Argumente zu bilden. Aristoteles führt hier Definition, Eigentümlichkeit, Gattung, Akzidenz auf und ebenso die Kategorien der Größe, des Ortes, der Zeit usw. Schon er selbst, erst recht die Stoiker ließen dann aber die am Gegenstand orientierte und auf die Sprache sich gründende Toposlehre hinter der formalen Logik zurücktreten. CICERO, der an die ‚Rhetorik' des Aristoteles anknüpfte, beschränkte sich fast ganz auf die Gerichtsrede. Obwohl auch dem Mittelalter die Toposlehre gewiß nicht unbekannt war, operierten die Scholastiker in erster Linie logisch abstrakt. Das mußte die Humanisten reizen, die Toposlehre wieder aufzugreifen. Sie bildet das Fundament für „die geheime Philosophie des rhetorischen Humanismus, die in Cicero — zumindest für das Urteil seiner humanistischen Jünger — ihren römischen Begründer hat"[11]. Freilich erreicht die Polemik der Humanisten gegen die scholastische Dialektik „meist überhaupt kein philosophisches Niveau, sie verliert sich in Hinweisen auf die barbarische Sprachvergewaltigung der Dialektiker, in Beteuerungen der Eleganz, Fülle und menschlich-gesellschaftlichen Wichtigkeit der ‚Eloquenz', darüber hinaus in programmatischen Sätzen einer rhetorischen Logik"[12]. Offen und eingehend mit dem Problem auseinandergesetzt hat sich, so weit ich sehe, erst Agricola, später, in seinem Hauptwerk ‚De inventione dialectica'. Schon seine Ferrara-Rede zielt auf Topik, wo sie Dialektik sagt. Grammatik, „Dialektik", Rhetorik zusammen machen die scientia rationalis bzw. scientia loquendi aus und bilden so die Grundlage jener ars loquendi, die „selbst über die Affekte herrscht und auf das Zwang ausübt, was am meisten der Nötigung widerstrebt, auf den Willen. Daher sagt bei Euripides Hekuba so trefflich:

> Was müh'n wir uns, wir Menschen, was erforschen wir
> Die Wissenschaften alle, wie es würdig ist,
> Indes wir jene, die allein die Welt beherrscht,
> Die Kunst der Überredung, nicht vollkommener
> Für Lohn zu lernen streben, um, für jeden Wunsch
> Die Geister stimmend, alles durchzusetzen einst?"
>
> (Übersetzung nach G. Ihm)

Mit dem Zitat aus Euripides feiert Agricola die Redekunst als ars persuasionis und ars movendi.

Bei der Physik oder naturalis pars philosophiae erwähnt er auch Medizin, Geometrie, Arithmetik, Musik; vom Göttlichen könnte nur die Theologie sprechen. Die Darlegungen schließlich über die Ethik oder Moralphilosophie betonen deren Notwendigkeit für ein rechtes und gutes Leben, weil *sine suo ductu fluctuant res nostrae et passim tanquam sine gubernaculo, sine rectore iactantur.* Wer sich aber durch sie belehren, bilden und führen läßt, kann ungescheut sagen: Ich lebe.

In diesem *vivo* gipfelt die Rede Agricolas. Mehr vermag nach ihm der Mensch nicht zu erreichen als ein emphatisches Ja zu seinem Dasein aus der Gewißheit, daß es „Leben" sei, daß er „lebe" in dem Sinn, den dieses Wort im Munde des Menschen annimmt. Jede genauere Qualifikation tritt zurück, weil das Leben letzten Endes nicht irgendeinem Zweck oder Sinn zu dienen hat, sondern umgekehrt in alledem das Leben sich selbst vollendet. Wenn der Mensch mit Überzeugung und Emphase *vivo* sagen kann, hat er das höchste Menschenmögliche erreicht. So zielt — die Sprache macht es evident — Agricolas Humanismus auf die *vivescentia.*

198

Seine Rede — ein Musterstück der Neuen Rhetorik — schließt mit schwung-
voller *exhortatio* an die Studenten: Laßt uns dem edelsten Feuer eures Herzens
folgen ... ille semper suggerit hoc, semper intonat, in quo cunctorum est summa:
Studeamus!

Weit weniger mitreißend und lange nicht so kunstvoll rhythmisierend sprach
Agricolas Lehrer aus der Pariser Zeit, JOHANNES HEYNLIN A LAPIDE, als er am
4. April 1474 die Festpredigt zur Eröffnung der neugegründeten Universität Tübingen hielt. Deren Stifter war Graf Eberhard im Bart von Wirtemberg, der Sohn
der Erzherzogin Mechthild aus erster Ehe. Da sich 1457 eine Stuttgarter und eine
Uracher Linie des Hauses Wirtemberg in das Land geteilt hatten, residierte Graf
Eberhard in der Feste Hohenurach auf der Schwäbischen Alb, die Universität aber
legte er nach Tübingen am Neckar als der bedeutendsten seiner Städte; sie
zählte mehr als 5000 Einwohner. Zur selben Zeit, da er beim Vatikan die Grün-
dungsurkunde für eine Universität erwirkte und mit Johannes Heynlin eine ehemalige Größe der Sorbonne für eine theologische Professur in Tübingen gewann,
liefen auch Verhandlungen zwischen Alb und Taunus, dem Grafen Eberhard von
Wirtemberg und Graf Eberhard von Eppstein. Dabei ging es um GABRIEL BIEL,
der seit 1468 das Brüderhaus Butzbach leitete. Und auch hier setzte der Wirtemberger seinen Willen durch, Biel, ehemals Prediger am Dom in Mainz, kam nach
Urach, um die dortige Pfarrkirche in ein Stift der Windesheimer Kongregation
umzuwandeln. Als im *Mai 1477* bei Eberhard auf Hohenurach BIEL und HEYNLIN
zusammentrafen, begegneten einander zwei der prominentesten Vertreter von *via
moderna* und *via antiqua*. Obgleich Heynlin a Lapide europäischen Ruf besaß,
überragte ihn Biel als Prediger wie als Gelehrter. Wir fassen fürs erste nur die
Sermones von Biel ins Auge.

Nach Heiko Augustinus Oberman, The Harvest of Medieval Theology, Gabriel
Biel and Late Medieval Nominalism (1963), verbinden sich hier, wie schon bei
Jean Gerson der Fall war, mit dem Nominalismus mystische Motive. Zwar lehnen
Gerson und Biel als Nominalisten die „spekulative Mystik" von Meister Eckhart
und Ruysbroek ab, doch zeigen sie einen starken Einschlag „affektiver Mystik"[13].
Gerson bezieht sich mit Vorliebe auf Bonaventura, spricht von *schola intellectus*
und *schola affectus* und erklärt: *saepe enim ubi minus cognitionis ibi plus affectum*[14]. Biel ist überzeugt, der Mensch müsse von ganzem Herzen Gott lieben,
damit ihm dessen Gnade zuteil werde, die Liebe aber entstehe beim Lesen der
Schrift und bei der Versenkung in sie: *affectus autem praeparatur lectione et
meditatione*. Wenn die *cognitio literatoria* (das Wortverständnis) durch die *medi-
tatio excitans fervorem et affectum* ergänzt wird, überkommen uns angesichts der
göttlichen Macht, Weisheit und Güte und eigener Ohnmacht, Unwissenheit und
Bosheit die Affekte Furcht — Staunen — Liebe. Biel macht es zur Voraussetzung,
durchaus im psychologischen Sinn, für das Empfangen der Gnade, daß wir selbst
in Christo vivimus, movemur et sumus: l e b e n durch den Glauben, sicut scriptum
est, iustus ex fide vivit, b e w e g t   w e r d e n durch die Hoffnung auf das Jenseits

und s i n d in Christo durch die einende Liebe[15]. Dabei kann bloß vom vollkommenen Christen, den es in Wirklichkeit kaum gibt, gesagt werden, er bedürfe nicht der Stimme von außen *ad devotionem excitandam seu affectum inflammandum*[16]. Er folgt der Stimme seines Innern, wir andern haben auf die äußere Stimme, *vox exterior*, die Schrift, gesammelt hinzuhorchen.

Offenbar ist Oberman die Indikation „affective mysticism", die er dafür gibt, nicht ganz geheuer, denn am Ende des betreffenden Abschnitts betont er, bei genauer Analyse von Biels mystischer Terminologie entlarve sich sein „Christmysticism" als „an eloquent description of a psychological state of mind which can with more right be termed self-justifying piety than mysticism"[17].

Sollten wir also nicht von der mystischen Terminologie, auch wenn Biel wie Gerson und ebenso Devotio moderna und monastische Theologie sie gebrauchen, uns einigermaßen freimachen? Weithin, scheint mir, ist jener *affective mysticism* nichts anderes als *affective rhetoricism*. Dem Gegensatz von „Erfahrung" und „bloßem" Denken und Wissen, auf den es ankommt, wird jedenfalls die rhetorische Terminologie ebenso gut wie die mystische, ja besser gerecht. Zwischen den beiden *artes movendi*, Rhetorik und Mystik, bestand noch im 17. Jahrhundert keine scharfe Grenze. Erst das 18. richtete eine Mauer auf, und während man gegen die „Rhetorik" einen sehr summarischen Steckbrief erließ, wurde der „Mystik" ein ebenso summarischer Passepartout ausgestellt. Bedürfen diese Papiere heute nicht einer Korrektur?

Der Steckbrief mag allenfalls gelten für eine Lobrede auf die Philosophie wie die Heidelberger Studenten sie *1478* aus dem Munde des achtundzwanzigjährigen Lizentiaten der Theologie JAKOB WIMPHELING vernahmen: „Die Philosophie ist das einzige Schiff, das uns zu Gott trägt. Sie unterscheidet uns von der unwissenden Menge und macht uns zu Gottes Lieblingen. Unwissenheit ist schuld an allem Unglück." Durch Wissen sich von der misera plebs unterscheiden, wer wollte das nicht? Wimpheling appelliert an das Verlangen der Studenten, zu einer Elite zu zählen, um ihnen die Philosophie schmackhaft zu machen. Auch Gott bevorzugt die Gelehrten. So kann Wimpheling für Gottes eingeborenen Sohn keinen höheren Ehrentitel finden, als daß er ihn zum Doctor doctissimus promoviert. Das ist eine Abwandlung der Lehre von der sapientia Christi ins Gelehrte; Cusanus wandte sie ins Intellektuale. Für Argumente platter Nützlichkeit und Wohlanständigkeit besitzt Wimpheling ein reiches Repertoire, das *intellectualiter vivere* des Cusanus oder Agricolas *vivo* ist nie an sein Ohr gedrungen. Agricola und Wimpheling stehen sich vergleichsweise wie Faust und Wagner gegenüber.

Hat Agricolas Herkunft einen gewissen Hautgoût, so kann sich Wimpheling eines ehrbaren Sattlermeisters und seiner Ehefrau als Eltern rühmen[18]. 1450 — sechs Jahre nach Agricola, fünf Jahre vor Johannes Reuchlin — kam er in Schlettstadt im Elsaß zur Welt. Schon als Student konnte er für einen alten Mann gelten. Wenn man bei Agricola immer wieder vom Zauber seiner Persönlichkeit hört, so ist bei Wimpheling von Vergrämtheit und Vergrätztheit die Rede, er klagt über das Zipperlein oder über Nierensteine. Jede Art von Leibesübungen lehnt er als unnütz und schädlich ab. „Otium kennt er nur als faule Ruhe" (Herding). Nach Italien, überhaupt ins Ausland hat es Wimpheling nie gelockt. Sein Platz war die Studierstube. Kein Wunder, daß die Bibliographie dieses Mannes mehr als hundert Titel enthält. Meist allerdings handelt es sich um Tagesschriften. Einen Humanisten kann man Wimpheling nicht wohl nennen, eher einen Spätscholastiker, der auch Anregungen des Humanismus aufnahm.

Sein Studienweg führte von Freiburg über Straßburg und Erfurt nach Heidelberg, wo er den Grad des Magister artium erwarb und nun das Kanonische Recht sich als Wissenschaft wählte, dann aber auf Theologie umsattelte. 1478 wurde er Lizentiat und hielt aus diesem Anlaß besagte Rede.

Obwohl Agricola und Wimpheling später in Heidelberg zusammentrafen, scheinen sie sich gegenseitig nicht angenommen zu haben. Um so engere Freundschaft verband AGRICOLA, nachdem er 1479 aus Italien heimgekehrt war, mit seinem friesischen Landsmann WESSEL GANSFORT. Dieser hatte auf dem Rückweg von Rom kurze Zeit in Heidelberg theologische und philosophische Vorlesungen gehalten, seit ungefähr 1479 aber widmete er sich in verschiedenen Klöstern, so bei den Augustinerchorherren in Agnetenberg bei Zwolle oder den Zisterziensern in Aduard bei Groningen, der Devotio moderna und, auf nominalistischer Basis, der Theologie. Seine Gedanken pflegte er in rhapsodischer Form aufzuzeichnen. Die Sammlung dieser rhapsodiae, die er selbst ein mare magnum nennt, ist leider verlorengegangen. Erst 1522 kamen ein Traktatenband *Farrago rerum theologicarum* und ein Band *Epistolae* von ihm und an ihn zum Druck, beidemal veranlaßt durch – Martin Luther. Den Briefen hat Luther ein Empfehlungsschreiben beigefügt: „Wenn ich den Wessel zuvor gelesen hätte, so ließen meine Widersacher sich dünken, Luther habe alles Wessel entnommen, also stimmt unser Geist zusammen." Luther denkt hier an die Betonung des Evangeliums der Gnade bei Wessel. „All unser Glaube steht unter dem Evangelium, so daß wir nicht einmal einem Engel vom Himmel glauben dürften, wenn er anderes verkündete": Wessel Gansfort[19]. „Ich habe einen Vertrag mit meinem Herrgott gemacht, daß er nicht Visionen oder Träume oder auch einen Engel schicke, denn ich bin zufrieden mit dem Geschenk, das ich habe in der Heiligen Schrift": Martin Luther[20].

In der Abendmahlslehre wichen die beiden weit voneinander ab. Wessels *De sacramento eucharistiae* nimmt das Abendmahl für ein Erinnerungsmahl, und einer Nonne schrieb er (Opera S. 656f.): „Wenn du mit angespannter Frömmigkeit über deinen Liebhaber und Bräutigam nachsinnst, der für dein Heil geopfert wurde, umarmst du ihn nicht nur für einen Augenblick, sondern ... du hast von seinem Leib gegessen und von seinem Blut getrunken." Ein Schüler Wessels, CORNELIS HENRICZ HOEN (Honius), Advokat am Hofgericht im Haag, folgerte daraus, „est" in den Einsetzungsworten des Abendmahls habe den Sinn von „significat", und legte das in einer *Epistola Christiana admodum* dar. Während Luther diese „Epistola

Honi" entschieden ablehnte, stimmte ihr KARLSTADT zu, darüber kam es zum Bruch zwischen den beiden[21]. ZWINGLI ließ den Brief anonym drucken, und mit Bezug auf dessen eigene Abendmahlslehre dürfte van Rhijn recht haben: De brief van Hoen heeft Zwingli ,den justen draai gegeven'[22]. So kam es beim Marburger Gespräch auch zum Bruch zwischen Luther und Zwingli. Das ist der lange Schatten, den Wessel Gansforts Gestalt in die Zukunft wirft.

Hominis magis proprium nihil videri potest quam hominem nosse, hatte Agricola in seiner ,Vita Petrarchae' formuliert: ein Satz, der zugleich dem Petrarkischen Humanismus und der Grooteschen Devotio moderna entsprach. Hier wie dort pflegte man die Introversion, achtsam auf die Zustände und Vorgänge des eigenen Inneren und versuchend, sie bewußt, ja methodisch zu beeinflussen, zu „bilden". Was ist der Mensch, und worin liegt sein Elend und sein Glück? Was muß er tun und soll er lassen, damit er „lebe"? Um diese Fragen bewegten sich auch die Gespräche in Aduard, das unter dem gelehrten Abt HENDRIK VAN REES „mehr einer Akademie als einem Kloster glich"[23]. Oft bis spät in die Nacht hinein tauschte man seine Erfahrungen und Gedanken aus. Agricola mußte dann mitunter von seinem Famulus Gosewijn zu Bett gebracht werden, weil er allzu sehr dem Wein zugesprochen hatte. Wenn AGRICOLA dabei im Scherz sich selbst zitierte: sine ductu fluctuant res nostrae et passim tanquam sine gubernaculo, sine rectore iactantur, stimmte WESSEL, der immer nüchtern blieb, ernsthaft zu und bestätigte, es gebe Situationen, ja ganze Lebensläufe, wo *fluctibus iactatur et raptatur mens, ut indifferenter huc illucque vagetur, profecto vagus et affectione neuter est, nusquam ardens.* So drückt er sich in *De oratione*[24] aus. Die Gefahr für den Menschen sieht Gansfort nicht so sehr im Übermanntwerden durch große Leidenschaften — wer kennt schon solche? — als in der leeren Zerstreuung — und wer ist ihr nicht ausgesetzt? Der Geist wird dann von zufälligen Strömungen mitgerissen und hin und her geworfen, daß er ohne innere Anteilnahme bald hier-, bald dorthin schweift, wahrhaft unstet und in seiner Neigung unentschieden, niemals entbrannt.

Gansfort kennt sich selbst und kennt den Menschen seiner Zeit und aller Zeiten. Er kennt auch die Literatur, so natürlich des THOMAS VON AQUINO *Summa theologiae* (II, 2 G. 35 a 4) und PETRARCAS Schrift ,De contemptu mundi' oder, wie der treffendere Titel lautet, *De secreto conflictu curarum mearum.* Petrarca gibt sich hier, angeregt durch Augustins ,Confessiones', Rechenschaft über sein eigenes Innere. Ständig schwanke er hin und her, nirgendwo sei er ganz und gesammelt. Darum verfällt er dem Weltschmerz, in dem er freilich eine neue Art von Genuß entdeckt: dolendi voluptas.

Einer der Begriffe, die Petrarca für das von ihm geschilderte Leiden braucht, *accidia*, geht auf die Ethik des ARISTOTELES zurück, wo von ἀκέδεια die Rede ist. Die kirchliche Sittenlehre versteht unter accidia die dumpfe Gleichgültigkeit, die schwerste der Lässigkeitssünden und speziell ein Mönchslaster. Caesarius von Heisterbach definierte um 1220: Accidia est ex confusione mentis nata tristitia sive taedium et amaritudo animi immoderata, qua ioconditas spiritualis exstinguitur: accidia ist eine aus Geistesverwirrung entstandene Traurigkeit, ein Überdruß oder Ekel und eine maßlose Verbitterung des Gemütes, die jede geistige Freudigkeit erstickt. Ähnliche Definitionen finden sich auch sonst. Schon der Mensch des Mittelalters mußte mit dem Lebensekel, dem Mißvergnügen der Seele — Gansfort nennt es *moeror animi* — fertigwerden und geistigen Frohsinn zu gewinnen oder wiederzugewinnen suchen.

Aber Petrarca meint, wenn er accidia sagt, offenbar nicht das Nachlassen der Lebensenergie, depressive Indifferenz, sondern eine Krankheit, die SENECA in *De tranquillitate* beschrieben hat. Wie für Gansfort gilt auch für Petrarca, daß er sich selbst und den Menschen, doch ebenso die Literatur darüber kennt und sich von ihr den Blick schärfen und richten läßt. Darum faßt er in den Begriff accidia etwas ganz anderes als ein spezifisches Mönchslaster. Der Begründer der Neuen Rhetorik hat jenes spezifische Rhetorenlaster im Auge, zu dem sich Seneca bekennt. Statt in der Stille ein Leben der Innerlichkeit zu führen, sucht der Redner vor der Welt zu glänzen und bei ihr Eindruck zu machen. Er frönt der Eitelkeit auf seine Rednergabe, der Lust an ihr, und vergebens kämpft er dagegen an. Dieser „geheime Konflikt", der heillose Riß zwischen innerem und äußerem Menschen schafft ihm auf die Dauer Unbehagen, Ekel und Trauer, accidia.

GANSFORT ist ebenso vertraut mit dem „Leiden der Mönche" wie mit dem „Leiden der Redner". Aufgrund dieser Krankheitsbilder, geleitet besonders durch Thomas von Aquino, skizziert er als Diagnostiker seiner eigenen Zeit ein drittes. Die Indifferenz äußert sich hier nicht als Trägheit, sondern als hektische Geschäftigkeit. Wir erinnern uns an Poggios Brief, nachdem er von Konstanz aus einen Abstecher nach Baden in der Schweiz gemacht hatte. Ihn übertrifft noch die psychologische Analyse Gansforts in ihrer Scharfsichtigkeit, ihrer prägnanten Formulierung und ihrer, wie uns scheinen will, Gültigkeit für den „neuzeitlichen Menschen" schlechthin. Beide, Poggio wie Gansfort, peilen dasselbe Phänomen, aber aus verschiedener Perspektive an. Was Poggio aktivisch deutet: *semper quaerimus, semper appetimus, coelum, terras, mare pervertimus* — das nehmen Agricola und Gansfort passivisch: *fluctuant res nostrae et iactantur — fluctibus iactatur mens, ut huc illucque vagetur.* Aber alle drei sind einig mit dem Augustiner Johannes Dorsten in Erfurt, wenn er 1466 von der *mobilitas seu mutabilitas animarum et inconstantia mentis nunc in hominibus* spricht[25]. Auch er versteht das als perversitas, als morbus. Nach Gansfort treibt der Mensch im Unbestimmten und Ungefähren, im „Vagen" dahin, bald nach dem, bald nach jenem haschend, ohne sich auf etwas festzulegen, ohne entschiedenes Für und Wider, ohne in Liebe oder Haß zu entbrennen, immer „neutral". Das ist die Wurzel des Übels, daß der starke Affekt, der echte innere *motus* fehlt, *profecto vagus et affectione neuter, nusquam ardens.*

In des CUSANUS ‚De quaerendo Deum' hieß es: „Unser Intellekt hat die Kraft des Feuers in sich, und zu nichts anderem ist er in die Welt gesandt worden, als daß er aufblühe und zur Flamme werde." Darauf wollen auch Gansfort und Agricola hinaus. Sequimini generosissimum pectoris ardorem, beschließt AGRICOLA seinen Appell an die Ferrareser Studenten; mit dem *generosissimus ardor* meint er den *amor sapientiae*. Cusanus hatte postuliert: semper plus et plus intelligere, intellectualiter vivere. Und GANSFORT widmete den Brüdern von Agnetenberg um 1487 einen psychagogischen *Tractatus de cohibendis cogitationibus et de modo constituendarum meditationum, Qui Scala Meditationis vocatur*: Vom Zusammen-halten der Gedanken und wie das Meditieren einzurichten sei. Gansfort beginnt mit einer ,Comparatio vitae activae et contemplativae', illustriert an Maria und Martha. Die Leiter oder Treppe der Meditation führt den Menschen aus der Unbe-stimmtheit und Zerstreuung heraus zu Gott. Auch der Gansfortsche Traktat könnte ,De quaerendo Deum' heißen. Et ubi invenit (quaerens) regnum Dei nisi intra semitipsum? — Und wo findet der Suchende das Reich Gottes, wenn nicht in sich selbst? (Opera S. 229)

Id est, respondiert AGRICOLA, quoties relictis omnibus, proiectis curis, revo-catus redditusque sibi, ... naturae suae simillima perfruitur contemplatione ... et incredibili perfunditur gaudio. GANSFORT beschreibt die *scala meditationis* im Anschluß an Bernhardsche Mönchstheologie als Weg von der inneren Sammlung über 5 gradus mentis, 3 gradus judicii und 8 gradus affectus. Während *attentio* (Simone Weils attention, Achtsamkeit auf Gott) die Mitte der gradus mentis bildet, enden die gradus judicii (rationale Überlegung) mit *ruminatio* oder *morosa com-memoratio* (hartnäckige Wiederholung), donec [homo] *gustum* attingat et trac-tando *sapere* incipiat. Hier setzen die gradus affectus ein: *gustatio — optio* (desi-derium) — *fiducia*, ad optata impetranda movens. Das Ziel heißt integra propriae voluntatis in Dei voluntate *resignatio*. So findet der Mensch *ex vago in determina-tionem* oder *ex indifferentia in ardorem, id est in amorem Dei* (S. 287 ff.).

Nicht als ob wir den Weg einmal hinter uns zu bringen hätten, immer wieder muß er gegangen werden, da zwischen *cogitationes, exercitia, meditationes* einer-seits und *amor Dei* andererseits eine Interdependenz besteht. Quales sunt medi-tationes nostrae, talis est amor noster: ut si amor nullus, erunt cogitationes vagae, et si vagae cogitationes, liquet amorem nullum esse (Opera, S. 204). Das *intellec-tualiter vivere* ist für Gansfort unlösbar verbunden mit dem *amor Dei*: Amor noster cor nostrum est, et ab illo procedit vita nostra, hoc est interiorum meditatio-num nostrarum universitas (S. 205): Die Liebe ist unser Herz, und von ihr geht unser Leben aus, das ist die Gesamtheit unserer inneren Bestrebungen.

Wenn in Rudolf Stadelmanns Buch ,Vom Geist des ausgehenden Mittelalters' ein eigener Abschnitt über ,Die Persönlichkeitsmystik Wessel Gansforts' handelt, kann das nicht bedeuten, daß der metaphysische Horizont der Meditation für Gansfort eine bloße Hilfskonstruktion sei, aber sicher schwebte ihm bei seiner Psychagogie — *ex vago in determinationem, ex indifferentia in ardorem* — ein Menschenbild vor, das dem Ideal der Persönlichkeit nahekommt. Inwiefern man auch hier besser von *affective rhetoricism* als *affective mysticism* spricht, wird noch erläutert werden.

AGRICOLA scheint Gansforts Menschenbild in hohem Grade realisiert zu haben. Die italienischen Humanisten, die Agricola als *uomo universale* bewunderten, sahen mehr in ihm als nur einen allroundman, einen Alleskönner, nämlich eine fest-umrissene und allseitig lebendige „Persönlichkeit". Die laudatio funebris des Ludovico Carbone sagt Guarino Guarini nach, er habe nicht bloß *rectam literaturam*, sondern auch *bonos mores* gelehrt, ganz im Sinne der antiken oratores qui non minus erant vivendi praeceptores quam bene dicendi auctores, mit anderen Worten, *dicendi faciendique magistri*[26]. Geist von diesem Geiste spüren wir in Agricolas laudatio Ferrarensis.

Diese hatte die Bedeutung der Dialektik hervorgehoben. Noch in Ferrara befaßte sich Agricola mit einem eigenen Werk darüber, und, kaum nach Deutschland zurückgekehrt, konnte er *De inventione dialectica libri III* am 15. *August 1479* in Dillingen abschließen[27]. Agricola lebte dort einige Monate als Gast des Augsburger Bischofs Johann Graf von Werdenberg-Sargans. Aber nicht ihm widmete Agricola das Werk, sondern *Plinio suo*, womit er DIETRICH VON PLENINGEN meinte, seinen besten Freund aus der Studienzeit in Pavia und Ferrara, den Bruder jenes JOHANNES VON PLENINGEN, der später die zitierte ‚Vita Rodolphi Agricolae' verfaßte. Agricola nannte die beiden seinen Älteren und seinen Jüngeren Plinius. Demnach haben sie wohl Pleningen wie Pliningen ausgesprochen. Die Familie schrieb sich auch ursprünglich Bliningen und hatte ihren Stammsitz in der Nähe des heutigen Plieningen bei Stuttgart, ihre Grablege in der Kirche von Kleinbottwar. Dort ruhen die Brüder Dietrich und Johannes. Auf Wunsch und Drängen Dietrichs schrieb Agricola seine ‚Dialektik', und um die nötige Muße ihm zu verschaffen, empfahl ihn der Freund an den in Dillingen residierenden Bischof von Augsburg.

Zweihundert Jahre lang waren die ca. 1250 entstandenen *Summulae logicales* des PETRUS HISPANUS maßgeblich gewesen, probably the most widely read of all scholastic works[28]. Der Autor, ein Portugiese namens Peter Rebuli-Giuliani, hatte als Leibarzt im Dienst Papst Gregors X. gestanden und 1276/77 unter dem Namen Johannes XXI. selbst die Tiara getragen. Gleich seinem Zeitgenossen Thomas von Aquino zählte er sich zu den Schülern Alberts des Großen. Ob die ‚Summulae', nicht sein einziges, aber bei weitem sein wichtigstes Werk, eine relativ originale Leistung des Petrus Hispanus darstellen oder nur die Übersetzung und Bearbeitung eines Kompendiums der Aristotelischen Logik von einem Byzantiner sind, läßt sich nicht mehr entscheiden. Ohne hinreichenden Grund hielt man es bis in jüngste Zeit für gewiß, daß Petrus ein verlorengegangenes Buch von Michael Psellos übersetzt habe, den wir als Wegbereiter der byzantinischen Renaissance im 12. Jahrhundert, Lehrer des Johannes Italus und Vorläufer von Gemistos Plethon, also auch von Bessarion, kennengelernt haben.

So gut wie alle Studenten in Europa hatten für die Grammatik das *Doctrinale puerorum* des ALEXANDER GALLUS und zur Einführung in die Aristotelische Logik bzw. Dialektik die *Summulae* des PETRUS HISPANUS durchzuackern. Letztere bildeten die Grundlage des Philosophieunterrichts in der Artistenfakultät. Da jeder vor dem Fachstudium den Magister artium erwerben mußte, wies die Artistenfakultät die weitaus größten Studentenzahlen auf. In Köln beispielsweise gehörten um die Mitte des 15. Jahrhunderts 4,5% der Studenten zur theologischen, 16% zur juristischen, 0,6% zur medizinischen und 67% zur Artistenfakultät[29]. Rückständige Zeiten meinten dieser Tatsache mit einer entsprechenden Zahl an Lehrkräften Rechnung tragen zu müssen. So gibt eine Liste der Universität Paris 1362 in der theologischen Fakultät 25 Dozenten an, in der juristischen 11, in der medizinischen 27 und bei den Artisten 449[30]. Von denen, die über Logik lasen, verfaßten Unzählige eigene Kommentare zu den ‚Summulae‘, einer subtiler, abstrakter, schwerer verständlich, um nicht zu sagen: unverständlicher, als der andere. Heftete sich der Streit zwischen Scholastikern und Humanisten mit Vorliebe an das ‚Doctrinale‘, so ging der Streit innerhalb der Scholastik des 15. Jahrhunderts um *via moderna* oder *via antiqua* von den ‚Summulae logicales‘ aus. Hier wie dort standen als Streitobjekt Schulbücher im Vordergrund. Mit den beiden *viae* wurde der Gegensatz des Hochmittelalters, auf der einen Seite thomistischer *Realismus,* auf der anderen occamistischer *Nominalismus,* wieder aufgewärmt. Die Nominalisten hatten aus den ‚Summulae‘ den siebten Traktat, der von den logischen Termini und ihrer Beziehung zu den Dingen handelt, herausgebrochen und diese *Parva logicalia* durch einen Abriß des Niederländers Marsilius von Inghen ersetzt. Via antiqua bedeutete nun Rückkehr zum siebten Traktat des Petrus Hispanus, ja zu den ‚Summulae logicales‘ überhaupt. In Deutschland setzten sich besonders die Heidelberger Professoren Johannes Wenck und Jodokus Eichmann dafür ein und erreichten, daß Kurfürst Friedrich mit Edikt vom 29. Mai 1452 *die nuwen und alten wege* an seiner Universität für gleichberechtigt erklärte.

Keine der beiden Parteien rüttelte an den Einleitungssätzen des Hispanus: Dialectica est ars artium et scientia scientiarum ad omnium methodorum principia viam habens. Sola enim dialectica probabiliter disputat de principiis omnium aliarum artium et ideo in acquisitione scientiarum dialectica debet esse prior. Die Humanisten dagegen wollten von Dialektik überhaupt nichts mehr wissen, bis Agricola seine *Inventio dialectica* schrieb.

Das ist nun freilich ein gefälligeres Latein als beim Hispanus. Nur wird es mit dem Mangel an terminologischer Strenge und mit Widersprüchlichkeit bezahlt, von den Wiederholungen ganz zu schweigen. Noch im ‚Ecclesiastes‘ wird Erasmus rühmen, das Buch sei glänzend geschrieben, doch zeigten der gesuchte Scharfsinn und mancherlei Abschweifungen, daß es nicht für Knaben, sondern für Gelehrte bestimmt sei. Agricola wendet sich jedoch ausdrücklich an *pueri*, also Studenten, und entschuldigt damit eine gewisse Grobschlächtigkeit: *grossis enim grossa conveniunt.*

Nachdem Buch I über die *loci* als Mittel der *inventio dialectica* gehandelt hat, unterstreicht Agricola in Buch II die Notwendigkeit der Dialektik — wie er sie versteht — für die Redekunst und nennt die verschiedenen Teile der Rede. Buch III geht u. a. auf die emotionale Wirkung der Rede ein. Dieses Moment ist Agricola besonders wichtig. Schon die Zeitgenossen sahen darin Opposition gegen Petrus Hispanus vom Standpunkt der Neuen Rhetorik. Wenn Agricola Dialektik und Rhetorik scheinbar immer wieder durcheinanderwirft, hängt das mit seiner Grundthese zusammen, die Alten hätten fälschlicherweise unterschieden zwischen *inventio dialectica* und *inventio rhetorica*. Sie erklärten, der einen gehe es um die Wahrheit, der anderen um die Wirkung auf den Hörer, aber nach Agricola will auch der Redner in erster Linie lehren. Beweis: dixisse sufficiat, posse docere orationem ut non moveat, non delectet; movere aut delectare ut non doceat, non posse[31]: eine Rede kann lehren, ohne auf die Leidenschaften (πάθη) oder das Gemüt (ἤθη) zu wirken, nicht jedoch umgekehrt. Das Affektmoment tritt zum intellektuellen hinzu. Wo Agricola philosophisches *docere ut intelligat auditor* und rhetorisches *docere ut fiat illi fides* konfrontiert, kommt es ihm weniger auf das Verständlich- als das Glaubhaftmachen an. Er nimmt faktisch für ISOKRATES, den Rhetoriker, gegen die Philosophen PLATON und ARISTOTELES Partei und tendiert so zu jener „geheimen Philosophie des rhetorischen Humanismus", von der Karl Otto Apel spricht[32]. Nach Apel wird sie erst, im Gegenschlag zur modernen Logistik, bei dem späten Wittgenstein evident und bei Charles Morris, der mit ‚Foundations of the Theory of Signs', Chicago 1938 und ‚Signs, Language and Behaviour', New York 1946 das Sprachmodell des logischen Positivismus durch die, wie er sagt, „pragmatische Dimension" ergänzte und so die scientific humanistics begründete. Die Rhetorik ist für Morris an early and restricted form of pragmatics, weil die Sprache hier in erster Linie auf Beeinflussung des Publikums zielt. Morris nennt das *incitative use* — fast eine Übersetzung von *ars movendi* —, meint aber, „daß auch in der Beziehung der Rede zu den Hörern, die gemäß Theophrast von Poetik und Rhetorik verwaltet wird, eine wahrheitskonstitutive Funktion liegen muß"[33]. Leider übergeht selbst Apel ‚De inventione dialectica', wo Agricola energischer als irgendein anderer Humanist mit dem Problem gerungen hat: nicht allein der primär auf Objekte, auch der primär auf Hörer gerichtete Sprachgebrauch intendiert Wahrheit.

Am stärksten hat die Toposlehre aus Buch I gewirkt. Sie usurpiert das Gebiet der Philosophie, um die Rhetorik zur Herrscherin einzusetzen. Die Syllogismen müssen den *topoi* oder *loci* das Feld räumen, aus denen der Redner sich Gesichtspunkte für die Behandlung seiner Themen holt. Ja, die *loci* sind selbst schon allgemeine Gesichtspunkte, die sich auf den jeweiligen Fall anwenden lassen. Ingeniosissimi virorum — Aristoteles, Cicero, Quintilian, Boethius, Themistios u. a. — haben von der unübersehbaren Vielfalt der Erscheinungen *communia capita*, gemeinsame Hauptpunkte, übergreifende Gesichtspunkte wie Substanz, Ursache, Wirkung usw., abgezogen, so daß man unter diesen Gesichtspunkten nun über jede Sache argumentieren kann, d. h. aber nicht logische Beweisgründe ins Treffen führen, sondern Aussagen machen, die belehren und mehr noch Glauben oder

Zustimmung wecken. Die geeigneten *instrumenta faciendae fidei* mit Hilfe von *loci* (alias *capita*) finden, macht das Wesen der inventio dialectica aus.

Agricola offeriert insgesamt 63 loci, 17 von Cicero, 22 des Themistios und 24 eigene. Ohne sie zu klassifizieren, führt er definitio, genus, species, proprium, totum, partes etc. auf[34]. Wenn man beispielsweise die Catonische *quaestio infinita*, ob ein Mann heiraten solle — das exemplum Quintilians —, zur *quaestio finita* zuspitzt „an philosophus sit habenda uxor", so muß erst das Wesen des philosophus, dann das der uxor nach genus, species, accidens, contingens, auch locus, tempus etc. bestimmt und schließlich entschieden werden, ob bzw. unter welchen Voraussetzungen die beiden zusammenpassen. Agricola will auf diese Art die Rhetorik „dialektisch" oder „logisch" unterbauen. Nach dem Gewicht, das er ihnen beimißt, treten bei Agricola die rund sechzig angeführten loci anstelle der „sechzig farben des hern Tullius" bei Heinrich von Mügeln. Umgekehrt gesehen, rhetorifiziert er die Logik oder Dialektik. ,De inventione dialectica' ist eine rhetorische Dialektik bzw. topologische Rhetorik. Sofern ihre vornehmste Aufgabe darin besteht, den Weg zu Argumenten aufzuzeigen, die Zustimmung wecken, könnte man Agricolas Buch im Vorblick auf John Henry Newman als eine *Grammar of Assentment*, zu deutsch: Logik der Zustimmung bezeichnen. Das wäre die bündigste Erklärung, warum dieses Buch *the humanist's logic* werden konnte.

Es handelt nur von der Methode, Argumente zu finden, zeigt aber nicht, wie aus ihnen die passenden ausgewählt und in der Rede angeordnet werden. Das fällt nicht mehr unter die *ars inveniendi*, sondern in den Bereich der *ars iudicandi*. Aristoteles unterscheidet heuresis bzw. topike und krisis bzw. kritike; statt von krisis spricht er auch von taxis, was die Lateiner mit dispositio übersetzen. Demgemäß wollte Agricola seiner Lehre von der inventio einen zweiten Band über iudicium und dispositio folgen lassen, er hat aber diesen Plan, gleich Cicero, niemals ausgeführt. Trotzdem verloren seit Agricola die ,Summulae logicales' des Petrus Hispanus langsam an Autorität, wodurch das gesamte scholastische Lehrgebäude ins Wanken geriet. Nach fünfzig Jahren warf die Theologische Fakultät in Paris den Artisten vor, sie beschäftigten sich mehr mit Agricola als mit Aristoteles. Um diese Zeit wurden die ,Summulae logicales' kaum noch aufgelegt, wogegen für die studia humanitatis die Kenntnis von Agricolas Methodenlehre häufig als unerläßlich galt. Nachdem sie 1515 in Löwen erstmals gedruckt worden war, erschienen 1538 bis 1543, in fünf Jahren, allein in Paris mindestens fünfzehn Ausgaben. Heinrich VIII. machte die Lektüre allen Studenten der Artistenfakultät von Cambridge zur Pflicht. Nicht so sehr auf rein wissenschaftlichem als auf erzieherischem Gebiet liegt die Bedeutung des Buches. Rudolf Agricola gab damit den Humanisten eine topologisch-rhetorische Psychagogik.

Die Neue Eloquenz wollte schon immer Seelenführung, Psychagogie, die Neue Rhetorik Lehre der Seelenführung, Psychagogik, sein. Rhetor und poeta haben das Ziel, auf die Psyche des Hörers oder Lesers zu wirken, ihre eigene Psyche bleibt, auch bei Agricola, fast außer Betracht. Um so mehr überrascht die Rückwendung auf den „Redenden" bei SAMUEL KAROCH. Wir schenken es uns, dessen Wanderwege, seit er 1470 Leipzig verlassen hatte, nachzugehen. Im *Winter 1479/1480* schlüpfte er als Schulmeister in Schwäbisch Gmünd unter, und hier wahrscheinlich entstand eine *Sammlung von Musterbriefen,* die sich heute in der Bibliothek der Universität Erlangen-Nürnberg befindet[36]. Karoch stellte ihr eine Einführung in die Epistolographie voran und hielt sich dabei an des GUILELMUS SAVONENSIS in den fünfziger Jahren in Wien entstandenen *Modus concipiendi epistolas.* Dieser hat besonders mit seiner Dreiteilung des Briefes nach *causa, intentio, consequens* Schule gemacht. Nicht von ihm stammen bei Karoch die Seelenanalyse und Seelendiätetik. Sie beziehen sich auf den Epistolographen und, weil dieser nach geltender Auffassung rhetor sein muß, auf den rhetor und poeta im allgemeinen. Zu dessen subtilem *ingenium,* erklärt Karoch, paßt nichts Rohes und Maßloses, deshalb darf er sich nur an schönen Orten niederlassen, wo süße Düfte und warme Lüfte wehen. Er muß froh und heiter und lebendig sein und sich alle Störungen und Hemmungen fernhalten, damit die Kraft seines ingeniums gesammelt bleibt. Niemand kann gut schreiben, dessen Inneres leicht zerstreut wird, dem sich, während er etwas im Geist konzipiert, anderes aufdrängt; das bringt ihn aus dem Konzept. Ein rhetor, im weitesten Sinne, hat jede heftige Gemütsaufwallung wie einen tollen Hund zu meiden. Er führe also niemals aufreizende Worte im Munde und erfreue sich oft an Saitenklang! Dabei erholt sich das ingenium wieder, das Herz wird froh, und alle bösen Geister treten die Flucht an[37].

WESSEL GANSFORT blieb es vorbehalten, auch noch die Diätetik der eigenen Seele zu einer Rhetorik zu machen, oder, besser gesagt, die rhetorische Psychagogik wie auf andere auch auf sich selbst anzuwenden. In unserem Zusammenhang ist das Interessanteste an der *Scala Meditationis,* daß Gansfort alle cogitationes und meditationes als innere Rede, *sermo animi,* begreift und somit seine Meditationslehre als eine Rhetorik entwickelt. Buch II trägt die Überschrift: Quod conferunt loci Rhetoricales ad fluxum mentis refraenandum, et quam utilia sunt copia seminaria sapienter utentibus. Wir paraphrasieren: Was die rhetorischen *loci* zur eigenen Gedankenführung beitragen, und wie man auch hier die Regel der Rhetorik nützen kann, bereits in der Schilderung eines Sachverhalts, *narratio,* Ansatzpunkte zu Fragen auszustreuen; *quaestionum semina spargere,* nennt es QUINTILIAN. Im 7. Kapitel des II. Buches unterscheidet Gansfort drei Teile des inneren Redevorgangs: *narratio, doctrina, exsuscitatio vel motio*: Feststellung, Willensentscheidung, Appell an die — eigenen — Affekte. Gansfort bevorzugt gegenüber motio und motus den in der Rhetorik selteneren Ausdruck *exsuscitatio*: Aufjagen, Erwecken, Erregen. Aber: Debet esse in omni exsuscitatione justitia et charitas et amor (Opera S. 231). Wenn Gansfort von *foecunditas,* Fruchtbarkeit, eines Wortes etwa, spricht, und er spricht häufig davon, meint er, soweit ich ihn verstehe, die Assoziationsträchtigkeit des betreffenden Wortes.

Zur Beschreibung der exsuscitatio reiht er nicht weniger als 80 Verben, eingeteilt in Fünfer- und Sechsergruppen. Ebenso schwelgt er an anderen Stellen in der *copia verborum*, der *abundans oratio*. Doch kann er auch klare, prägnante, rhythmisch wohllautende Perioden formen; Buch I, Kapitel 5 beginnt: Inter duas necessitates, velut inter duos muros, in angustiis sumus: unam faciendi, patiendi alteram. Wegen des Brückenschlags zwischen BERNHARD und QUINTILIAN bzw. CICERO, des Amalgamierens der Meditationslehre mit der Rhetorik (S. 230 f., 247/279) stellen wir Gansfort neben Biel und erkennen auf *affective rhetoricism*.

Strebsamkeit, Fleiß und Wissen allein, darüber sind selbst Karoch und Agricola sich einig, machen noch keinen Humanisten oder höchstens einen, wie er in WIMPHELINGS *Stylpho* vorkommt[38]. Nach der episierenden Eindeutschung zweier Plautus-Komödien als Anhang zum ,Sittenspiegel' des Albrecht von Eyb ist ,Stylpho' die erste selbständige Komödie, überhaupt das erste „Drama" mit humanistischer Färbung in Deutschland. Jakob Wimpheling bekleidete 1480 das Amt des Vizekanzlers der Heidelberger Artistenfakultät und nahm diese Gelegenheit wahr, beim akademischen Festakt nach der Baccalaureatsprüfung ein von ihm selbst verfaßtes Spiel durch Studenten aufführen zu lassen: sechs Dialogszenen in lateinischer Prosa mit Redewendungen aus Terenz. Während der faule Pfründenjäger Stylpho bei den Schweinehirten landet, bringt es der Musterknabe Vincentius, der sich die Mühe des Studiums nicht verdrießen ließ, schon in jungen Jahren zum Bischof.

Falls die neugebackenen Baccalaurei des Jahres 1480 von Heidelberg mit dem Floß ein paar Stunden neckar- und rheinabwärts fuhren, belehrte sie in Mainz der Geistliche DIETRICH VON SCHERNBERG mit einem deutschen Spiel ganz anders als ihr Professor: ein Doktorhut und eine Bischofsmütze, ja selbst die päpstliche Tiara nützen nichts zum Heil der Seele. Schernberg demonstriert das an einem sehr aparten Stoff, der ursprünglich aus Byzanz stammt. Es war einmal ein Patriarch, der dadurch als Frau entlarvt wurde, daß er eines schönen Tags ein Kind gebar. In Rom hat man die Geschichte auf einen Papst zugeschnitten, und so ging sie auch in deutsche Chroniken ein. Es versteht sich fast von selbst, daß weder Boccaccio noch später, für ihre Kampfschriften, die Lutheraner sich dieses Skandalon entgehen ließen.

Schernbergs *Schön spil von fraw Jutten*[39] beginnt in der Hölle, wo die Teufel singen und tanzen; ein paar Notenblätter sind uns erhalten. Auf den Sammelruf Luzifers:

> Wolher, wolher, wolher,
> Alles teufelisches heer,

haben sie sich eingefunden, um zu beratschlagen, wie die schöne Jutta für die Hölle zu erobern sei. Dem Beschluß gemäß reizen im zweiten Auftritt zwei Teufel den brennenden Ehrgeiz und Wissensdurst, den Hochmut und die Eitelkeit des

Mädchens, bis dieses, als Jüngling verkleidet, mit seinem Buhlen, einem Kleriker, nach Paris zieht, um an der Universität zu studieren. Dort erwirbt sie sogar den Doktorhut. Bei einer Frau ist das nichts als Hybris. Nun kann sie die geistliche Karriere einschlagen, und nach dem Tod des Papstes wird sie auf den Stuhl Petri erhoben. Bloß einer weiß, daß dieser Papst eine Jungfrau ist, oder eigentlich auch das nicht, und er wird sich hüten, das Geheimnis zu verraten. Da bringt ein römischer Senator seinen Knaben, der vom Teufel besessen ist, vor den Papst, damit er den Teufel austreibe. Der Papst unternimmt es, aber ehe der Teufel ausfährt, schreit er dem Papst ins Gesicht, er sei ein Weib und schwanger.

Von der Hölle durch die Welt zum Himmel: Hier klagt Christus bei seiner Mutter wegen der Schande, die Jutta über die Kirche brachte, doch Maria, unterstützt vom Heiligen Nikolaus, bittet für Jutta um Gnade. Der Herr will ihr vergeben, wenn sie bereit ist, sich zu demütigen und zu sterben. Als der Erzengel Gabriel diese Botschaft Jutta überbringt, willigt sie ein, und indem sie die göttliche Barmherzigkeit anruft, bringt die Papissa auf offener Straße vor allem Volk ihr Kind zur Welt und stirbt. Die Seele wird zur Hölle geschleppt, aber nach langen Qualen findet sie dank Marias Fürbitte in den Himmel.

Außer dem niederdeutschen *Theophilus-Spiel*, das um dieselbe Zeit in Trier seine letzte, bruchstückhaft überlieferte Fassung erhielt, ist das ,Spiel von Frau Jutten' das einzige Geistliche Spiel in Deutschland, das nicht eine Gestalt der Heilsgeschichte zur Hauptfigur hat. Der ,Bordesholmer Marienklage' kann man es gewiß nicht an die Seite stellen, aber schon allein mit seiner Konzeption erschlug es ein Stück wie den ,Stylpho'. Mochten die Schüler Wimphelings, wenn sie in eine Aufführung vor dem Mainzer Dom gerieten, die Nase rümpfen über 1600 holprige deutsche Reimpaarverse, ganz unbeeindruckt konnten sie nicht weggehen. Gerade ihresgleichen galt ja die Warnung vor Gelehrtendünkel und vor Überschätzung der Wissenschaften, einschließlich der studia humanitatis, auf die man jetzt überall Lobreden hielt, in Heidelberg wie in Ferrara.

Kurfürst Philipp dem Aufrichtigen von der Pfalz, dem Nachfolger Friedrichs des Siegreichen, hatte zu *Neujahr 1480* sein Heidelberger Kapellmeister, Johann von Soest, der als in Pavia promovierter Doktor der Medizin zugleich Vorlesungen an der Universität hielt, eine Übersetzung des mittelniederländischen Versromans *Margarethe von Limburg* dediziert. In Heidelberg scheint die Ritterromantik noch Anklang gefunden zu haben, obgleich die langatmige Helden- und Liebesgeschichte von Margarethe einen dicken bürgerlichen Firnis trug. Viel hübscher sind, streckenweise, Johanns *Lebenserinnerungen*, die er ebenfalls in vierhebigen Reimpaarversen abfaßte. Doch das geschah erst 1504, nachdem Johann seine Stellung in Heidelberg aufgegeben hatte, um erst in Worms, dann in Frankfurt am Main Stadtarzt zu werden. Das umfangreiche Gedicht wurde m. W. nur einmal gedruckt, im ,Frankfurtischen Archiv für ältere deutsche Litteratur und Geschichte, herausgegeben von I. C. von Fichard, genannt Baur v. Eyseneck', 1811; das Exemplar der Frankfurter Stadtbibliothek fand ich noch unaufgeschnitten.

Johann stammte aus Unna in Westfalen (geb. 1448), sein Vater, ein Steinmetz, hieß Rotcher (Rüdiger) Grumelkut. Nach dessen Tod zog die Mutter nach Soest, wo Johann als Sängerknabe in der „Sant Patrockles Kyrchen" durch seine Stimme und seine Musikalität auffiel. So sehr, daß ihn ein „gockler" (Gaukler) entführte und er von der Polizei zurückgeholt werden mußte.

> Kurtzlich dar nach der hertzog kam
> Von Kleff (Cleve) der selb myn stym vernam
> Und glich myn stym gefyl ym wol
> Das er von stund an off das mol
> Mich hollen lys in syn gemach
> Und fast genedig zu myr sprach
> Sag Bublyn wyltu syn by myr
> Eyn hern ich machen wyl von dyr
> Her ia sprach ich bald und behend
> Don nam er mych glich by der hend
> Und mich befal sym capellon
> Den er alleyn hott by ym ston
> Und sprach bald, fort mir yn eyn weg
> Heymlich dos nyt werd eyn geseg
> Das ich den Knaben by myr hab
> By myr sol syn bys in mein grab . . .

Diesmal war die Polizei machtlos. Weil Herzog Johann den kleinen Sänger in Soest entdeckt hatte, nannte er ihn mit Vorliebe „myn sustchen"; Soest sprach er „Sust" aus. Herangewachsen schrieb Johann Grumelkut sich selbst Johann von Sost.

Das Leben am Hofe genoß er in vollen Zügen:

> Das myn gemut itz dick beswert
> Wan ich gedenck an Davitz spruch
> Der in ym hott starcken geruch
> Das eynem in der nasen smertz.

Nicht vom Gesichts- oder Gehörssinn, wie hundert andere, sondern vom Geruchssinn holt sich Johann das Bild zur Charakterisierung des Psalters.

Als zwei englische Sänger am Hof erschienen,

> Do vil myn konst gantz oberbort
> . . .
> So hortt ich von yn so vil ler
> Das ich eyn kynt was geghen yn

> . . .
> In myr eyn tziit lang gyng spatzyrn
> Altziit in mir zu arguyrn
> Doch hinden nach besloz in myr
> Ich wolt erlaubung nemen schyr
> Von mynem hern und also scheyden.

Der Herzog läßt „syn sustchen", wie er auch jetzt noch sagt, nicht so leicht ziehen, setzt es zeitweilig sogar gefangen, aber schließlich jagt er es fort, und Johann trifft sich mit den Engländern in Flandern.

> Dan vil me lyb hett ich zu konst
> Merck dan zu aller fursten gonst.

Den weiteren Schicksalen des Künstlers können wir nicht nachgehen. Genug, daß er ab 1472 fast ein Menschenalter lang zum Heidelberger Hofstaat gehörte, welche Zeit allerdings durch das Medizinstudium in Pavia unterbrochen wurde; die darauf bezüglichen Blätter fehlen in der Handschrift des Gedichtes. Ab 1500 wirkte Johann als Stadtarzt in Frankfurt am Main:

> Tzu franckfort myr geraten wartt
> Das wer eyn fleck von gutter art
> Da dan eyn artzt mocht sammeln gelt.

Als dem Sechsundfünfzigjährigen 1504 im Haus „Zum alten Korb" am Kornmarkt nochmals ein Sohn geschenkt wurde, ließ er ihn Solon taufen: Solon Grumelkut oder Solon von Sost? Die Geschichte kennt auch keinen Solon von Frankfurt. Wohl zu des Nachzüglers Nutz und Frommen schilderte Johann 1504 seinen eigenen Lebensweg „myt etzlichen gutten lern".

Wenn er auch nicht voraussah, daß er schon 1506 sterben würde, mußte er damit rechnen, Solons Erziehung nicht mehr selbst in die Hand nehmen zu können, wie er das bei den Söhnen aus erster Ehe versucht hatte. Tobten in Heidelberg, während der Vater musizierte, sang oder schrieb, Damasus und Pallus — eine maskuline Pallas? — allzu laut, mag er ihnen die Übersetzung eines Stücks aus den *Sermones de tempore et sanctis* (1482) von JOHANNES HEROLT aufgebrummt haben: Homo ad laborandum nascitur sicut avis ad volandum . . . Nullum ens naturaliter est ociosum . . . Die betreffende Predigt hat freilich praktische Berufe, *laborantes et mechanici,* im Auge, während ja die Doktorsjungen schon durch ihre Rufnamen zum Studium prädestiniert waren. Wimpheling zufolge hebt Wissenschaft über den gemeinen Haufen hinaus und macht den Menschen Gott wohlgefällig; Mönch braucht man dazu nicht zu sein. Herolt bestätigte auch die Handwerker in ihrem Selbstbewußtsein[40]: Durch der Hände

Arbeit können sie sich so gut wie Geistliche und Gelehrte oder wie Kapitalisten vom Schlag eines Konrad Gross den Himmel verdienen; viel besser noch, hatte Rosenplüt gemeint. Die Konfrontation des Bürgertums mit dem Adel — jüngst wieder bei Zink und, anders, bei den Zigerli — hat nicht den Himmel, sondern die Erde im Auge.

Die Arbeit führt Herolt im Anschluß an Aristoteles auf das dynamische Wesen des Menschen und aller Kreatur zurück. Insofern ist sie ein Analogon zum Cusanischen intellectualiter vivere. Herolt bemerkt jetzt aber auch schon bei den Handwerkern die zuerst von Poggio erkannte Gefahr des „neuzeitlichen" Menschen", daß er aus zu großer Habgier, *ex nimia avaritia,* aus Konkurrenzneid, *invidia,* oder einfach aus Unrast, *impatientia,* seine Kräfte überspannt. Laboratores et mechanici debent laborare cum patientia et tranquillitate cordis... Deus vult te sic habere. Tunc libenter et fideliter et patienter debes laborare. Neuheiten sollst du nicht erfinden. — Herolts Predigtmagazin fand große Verbreitung. Für uns ist es ein unschätzbares geistesgeschichtliches oder, wenn man lieber will, soziologisches Dokument der Eigenrenaissance in Deutschland.

WIMPHELING hatte von *Dezember 1481* bis *Juni 1482* das Rektorat inne, aber gerade jetzt begann er, sich in Heidelberg nicht mehr wohlzufühlen. Eine neue, Wimpheling wesensfremde Luft machte sich spürbar, seit JOHANN VON DALBERG, der Freund Agricolas, Dompropst in Worms und damit traditionsgemäß Vizekanzler der Heidelberger Universität, *1481* zudem Kanzler des Kurfürsten geworden war. *1482* setzte dieser die Wahl seines Kanzlers zum Bischof von Worms durch, womit Dalberg auch Kanzler der Universität wurde. Dank dieser Ämterkumulation besaß er eine Machtstellung. Als großzügiger, lebensfroher Mäzen und leidenschaftlicher Sammler von Büchern und Handschriften residierte Dalberg abwechselnd auf dem Schloß der Wormser Bischöfe in Ladenburg bei Heidelberg oder in Heidelberg selber, das zu seiner Diözese gehörte. Zwei Jahrzehnte lang wird sein Hof einen Mittelpunkt des deutschen Humanismus bilden.

SAMUEL KAROCH, den es um *1482* nach Heidelberg verschlug, hat schwerlich engeren Kontakt zu Dalberg oder zur Professorenschaft gewonnen. Dennoch scheint er die Bedingungen, die er in der Epistolographie dem Rhetor wünschte, am Neckar einigermaßen vorgefunden oder sich geschaffen zu haben. Jedenfalls entstand jetzt sein umfangreichstes Werk, *Sinonoma partium indeclinabilium* betitelt[41]. Mit Karochs Latein war es nicht weit her, und vom Griechischen hat er, was schon das Wort „Sinonoma" verrät, nur spärliche Kenntnisse besessen. Sein Buch, in erster Linie für die Schule gedacht, zeigt Möglichkeiten rednerischer *variatio* auf. Dabei sucht Karoch nach altem Brauch, mit der Sprachlehre die Sittenlehre unter einen Hut zu bringen. Elegantes Latein, so lautet der letzte Satz, schmettert in den Ohren des lateinkundigen Menschen wie der Ton von Zinken und Trompeten, es erheitert das Zwerchfell des Fürsten wie Saitenspiel und bildet in der Harmonie des Vortrags ein Instrumentalkonzert nach. — Dalberg und sein Kreis werden sich bei solchen Variationskünsten die Ohren zugehalten haben und sich auch nicht haben umstimmen lassen durch die „humanistische" Tirade: Certo, certius, certissime est, hominem veritatis auctorem verique parentem, deorum socium eterni (!) atque perpetuum vicarium esse.

Die *Grammatica nova*, die BERNHARD PERGER 1482 in Padua drucken ließ, hätte bei den Heidelbergern Beachtung und Bewunderung verdient, aber wir hören von dort kein Echo. Perger, um 1440 in Stanz in der Steiermark geboren, in Wien zum Lizentiaten des Kanonischen Rechts promoviert, leitete die Pfarrschule von St. Stephan, 1478 war er außerdem Rektor der Wiener Universität gewesen. Oft genug hatte man sich seit Lorenzo Valla gegen das ‚Doctrinale Alexandri Galli' ereifert, Perger bot mit seiner ‚Grammatica nova' erstmals in Deutschland etwas Besseres an.

Johann von Dalberg verschaffte DIETRICH VON PLENINGEN die Stellung eines Kurpfälzischen Rats, und beide bemühten sich, Agricola und Reuchlin für Heidelberg zu gewinnen, aber Agricola, der jetzt in den Niederlanden lebte, mochte seine Freiheit nicht aufgeben, und REUCHLIN stand, nachdem er in Poitiers das juristische Lizentiatendiplom mit dem Recht zur Führung des Doktortitels erworben hatte, im Dienste des Grafen Eberhard von Wirtemberg. Ihn begleitete er als lateinischer orator 1482, im Todesjahr Mechthilds, der Mutter des Grafen, auf eine Italienreise. Die Eindrücke müssen überwältigend gewesen sein, erreichte doch gerade in den Jahren um 1482 die Renaissance in Florenz ihren Höhepunkt. In ein und derselben Stadt wirkten LUCA DELLA ROBBIA, der 1482 starb, BENOZZO GOZZOLI und POLLAIUOLO, BOTTICELLI, GHIRLANDAIO, FILIPPINO LIPPI, von Kleineren ganz zu schweigen. VEROCCHIO hielt sich in Venedig auf, wo er das Reiterdenkmal des *Colleoni* schuf, und LEONARDO DA VINCI malte in Mailand die *Madonna in der Felsengrotte*. In Florenz arbeitete aber auch MARSILIO FICINO an seiner *Platon-Übersetzung*, 1482 schloß er das *Compendium Theologiae Platonicae* ab. Der schöne Brief, mit dem Reuchlin später ‚De arte cabbalistica' Papst Leo X. widmete, erzählt von einer Audienz bei dessen Vater, LORENZO IL MAGNIFICO, und fährt dann fort: *Florentia* illo aevo nihil erat *floridius*. In qua renascerentur optimarum artium quae ante cecidere omnia: ein Wortspiel, nicht sehr originell, aber geprägt mit dem klaren Bewußtsein einer allgemeinen, literarischen wie künstlerischen Renaissance.

In Rom zeigte man den Wirtembergern — zum Gefolge Eberhards gehörte auch der Propst des Brüderhauses in Urach, GABRIEL BIEL, — die neu erbaute *Sixtinische Kapelle*, die jetzt von PERUGINO, PINTURICCHIO u. a. ausgemalt wurde. Auf dem Kapitol befand sich das erste Antiken-Museum, seit SIXTUS IV. nach seiner Papstwahl den Römern die Bronzestatuen geschenkt hatte, die jahrhundertelang vergoldet auf hohen Säulen vor dem Lateran standen. Sie hatten dort als Herrschaftszeichen, so die etruskische Wölfin, oder als Götzenbilder, so der griechische Dornauszieher, ihre symbolische Funktion gehabt. Jetzt sah man in diesen Bronzen auf einmal Kunstwerke und Denkmale der Vergangenheit und schwärmte von dem verlorenen und wiedergewonnenen Paradies[42]. Zu den Eindrücken Reuchlins vom Rom der Renaissance gehörte aber auch, daß ein Kardinal an der Seite des Grafen meuchlings ermordet wurde.

Wenige Monate nach der Heimkehr aus Italien, im *Dezember 1482*, konnte Eberhard die beiden Teile Wirtembergs wieder vereinigen und in Stuttgart Residenz nehmen. Reuchlin lebte hier als Gräflicher Geheimer Rat, Beisitzer am Hofgericht und Anwalt. Die Universität in Tübingen hatte schon 1479 JOHANNES HEYNLIN A LAPIDE verloren, den es zum dritten Mal nach Basel zog, dagegen wird GABRIEL BIEL, nunmehr fast siebzigjährig, *1484* einen Lehrstuhl an der wirtembergischen Landesuniversität erhalten. Heynlin wirkte noch lange Zeit als Domherr und Prediger am Basler Münster und arbeitete wieder mit Amerbach zusammen; im Kartäuserkloster ist er 1496 gestorben. Ein Jahr vor ihm beschloß Gabriel Biel, zuletzt Propst eines neuen Bruderhauses auf dem Einsiedel bei Tübingen, sein Leben.

Biels wissenschaftliches Hauptwerk, dessen Entstehung sich über Jahrzehnte hinzog, ist betitelt *Epithoma pariter et collectorium circa quattuor sententiarum libros*. Collectorium heißt Sammlung, epithoma Auswahl; daß mit den sententiae nur die große Dogmatik des PETRUS LOMBARDUS gemeint sein konnte, verstand sich von selbst, nicht anders als wenn man vom Almagest sprach. Was Peuerbach und Regiomontanus mit ihrer ‚Epytome' für den ptolemäischen ‚Almagest' geleistet hatten, eine zeitgemäße Umarbeitung, leistete Gabriel Biel für die ‚Sententiae'. Er hielt sich dabei stark an WILLIAM VON OCCAM, den Führer der Nominalisten auf der via moderna. Doch machte seine ‚Epithoma', die erst postum, Tübingen 1501, erschien, solchen Eindruck, daß die „Modernen" es vorzogen, sich statt nach dem „Venerabilis Inceptor" als Occamisten nunmehr als Gabrielisten zu bezeichnen. Auch der Theologiestudent Martin Luther trat in ihre Reihen, und noch lange verraten dessen Gedankengänge den Anstoß durch Gabriel Biel. Die Unterscheidung der ‚Epithoma' zwischen notitia apprehensiva und notitia adhaesiva stellen wir auf später zurück.

AGRICOLA hatte man aufgefordert, als *magister ludi litterarii* eine Schule in Antwerpen zu übernehmen, doch er lehnte ab mit der Begründung: „Wenn irgend etwas seinen Namen mit Unrecht trägt, so ist es die Schule. Die Griechen nannten sie schola, d. h. Muße, die Lateiner ludus litterarius, d. h. literarisches Spiel, während doch nichts entfernter ist von der Muße als sie, nichts strenger und dem Spiel widerstrebender. Richtiger nennt sie der Komiker Aristophanes phrontisterion, d. h. Ort der Sorgen." Ungeachtet seiner Antipathie gegen die Schule gewann Agricola in diesen Jahren entscheidenden Einfluß auf das Schulwesen nicht nur der Niederlande, sondern ganz Europas, denn außer mit Wessel Gansfort befreundete er sich mit ALEXANDER HEGIUS, der *1483* Rektor der Schule in Deventer wurde und sie zu einer Musterschule des Abendlands entwickelte[43].

Als Agricola im *Frühjahr 1484* Hegius besuchte, zeigte ihm dieser schriftliche Arbeiten seiner Schüler. Hegius konnte Staat mit ihnen machen. Besonders stolz war er auf die Schüler aus den Jahrgängen um 1470: den dreizehnjährigen HERMANN VON BÜSCHE, der auf Burg Sassenberg in Westfalen zu Hause war, KONRAD MUTH, ein rothaariges Bürschchen von vierzehn Jahren aus Homberg in Hessen, den gleichaltrigen JAKOB CANTER, der wie seine beiden Brüder als Wunderkind galt — mit ihrem Vater, einem Juristen in Groningen, war Agricola befreundet — und schließlich GEERT GEERTSZ aus Rotterdam. Die Arbeiten dieses Fünfzehnjährigen gefielen Agricola am besten. Er wünschte, ihn zu sehen. Flott trug der Knabe ein selbstgefertigtes *Carmen bucolicum* über die Liebe des Rosphamus zu Gunifolda vor, und nach einem längeren Gespräch entließ ihn Agricola mit den Worten: „Du wirst ein großer Mann werden". Auch die anderen hätten das Wort nicht Lügen gestraft, HERMANNUS BUSCHIUS, MUTIANUS RUFUS, JACOBUS CANTHOR, aber freilich werden sie völlig in den Schatten gestellt werden von diesem DESIDERIUS ERASMUS ROTERODAMUS.

Unter Hegius' Rektorat — er starb 1498 — zog die Lebuinusschule in Deventer aus allen Teilen des Reichs Schüler an, so daß deren Zahl zeitweilig 2000 überschritt. Sie lehrten dann wieder in Münster, Erfurt, Hamm, Essen, Dortmund, Minden und anderwärts. Mittelbar wirkte so Deventer auch auf Melanchthon, den Initiator des protestantischen Schulunterrichts. Hegius galt als der bedeutendste Schulmann nördlich der Alpen, doch er bekennt: „Als ich 40 Jahre alt war, kam ich zu dem jungen Agricola, und von ihm habe ich alles gelernt, was ich weiß, oder vielmehr alles, was andere meinen, daß ich weiß." Die Zahl 40 kann nicht ganz stimmen, aber jedenfalls war Hegius, der aus Heek bei Ahaus in Westfalen stammte, rund zehn Jahre älter als Agricola, dem er sich so tief verpflichtet fühlte. Wohl auf dessen Anregung nahm Hegius das Griechische in den Unterrichtsplan auf, womit Deventer allen deutschen Schulen voranging.

Jeder hat sein eigenes Maß — dieses bei sich und bei den andern zu finden und sich danach zu richten, schärfte Hegius Schülern wie Lehrern ein. Nur wer sein Maß kennt und sich an dieses hält, ist frei und glücklich. Nur wer das Maß des Schülers kennt und es ihm weder zu leicht noch zu schwer macht, kann erziehen. *Mensura sui nota sit omnibus, observentque modum, quem sator* (der Schöpfer) *indigit,* heißt es in einem der *Carmina* von Hegius. Und in einem anderen: *Nil aequo plus cupe — liber eris.* So spricht die *Aurea Mediocritas,* die auch erklärt:

> Me rerum sator invenit, decor orbis ut essem:
> Me sine nihil pulchrum est, nilque placere potest.

Meist bekennt sich Hegius zu einem christlichen Stoizismus, der bei den Fraterherren, zu denen er übrigens nicht gehörte, die vorherrschende Haltung war. Der Briefwechsel mit Agricola zeigt ihn jedoch auch christlichem Epikuräis-

Rudolf Agricola
(Kupferstich nach Meister W. B.?)

mus offen. Als ihm, wohl in einem Löwener Druck von 1483, LORENZO VALLAS *De voluptate ac De vero bono* in die Hände fiel, äußerte er sich darüber in einem Brief an Agricola[44]. Um den Brief richtig zu verstehen, übersetzen wir *verum bonum,* statt mit das wahre Gute, mit das wahre Gut. Hegius schreibt, er habe Vallas Buch gelesen, in dem ein Vegius für die Lust, *voluptas,* Cato für die Tugend, *honestas,* eintritt, und Vegius habe ihn zum Epikuräer gemacht. Er habe ihn überzeugt, daß etwas in dem Maße gut sei, in dem es Lust bereitet. Wenn jemand meinte, die Tugend sei an sich ein Gut, einerlei ob mit Lust oder Qual verbunden, müßte er, um seine Behauptung zu erhärten, wünschen, der Tugend würden ewige Qualen zugeteilt. Diese Argumentation erinnert an Luther, sofern dieser als Beweis der schlechthin unbedingten Liebe zu Gott die resignatio ad infernum fordert. Nur daß Luther glaubte, die Liebe könne und müsse damit auf die Probe gestellt werden, Hegius bei der Tugend es für unmöglich hielt: Nemo — ut credo — adeo pertinax honestatis patronus est: ein Beweis gegen ihre Unbedingtheit.

Der Brief an Agricola ist vom *17. Dezember 1485* datiert. Im *Mai* dieses Jahres war AGRICOLA endlich der Einladung Dalbergs nach Heidelberg gefolgt. Ohne ein Amt zu übernehmen, lebte er unter Dalbergs Dach als dessen Gast, hielt gelegentlich Vorlesungen in der Universität und nahm an Disputationen teil. Die Heidelberger erinnerten sich an die Geschichten, die noch über Peter Luder aus der Zeit vor fünfundzwanzig Jahren in Umlauf waren. Wie ein Bruder Liederlich hatte es dieser Wanderapostel des Humanismus im Neckarstädtchen getrieben. Ganz anders repräsentierte den Humanismus der nun genau vierzigjährige Rodolphus Agricola: eine gepflegte, vornehme Erscheinung, hielt er auf Abstand, würdevoll und stolz. Jeder spürte die gesammelte, wache und lebendige, geistig überlegene Persönlichkeit. Auf der Burg war Agricola stets willkommen, ging doch eine Fülle von Anregungen von ihm aus. Dabei konnten ihm die Professoren das gründliche, systematische Denken nicht ganz abstreiten. — WIMPHELING fehlte unter ihnen, er hatte 1484 das akademische Lehramt mit der Dompredigerstelle in Speyer vertauscht.

Agricola wird in Heidelberg, wie schon bei Hegius in Deventer, die gleichen Gedanken zur Studienreform entwickelt haben, die er seinem jungen Freund Jacobus Barbirianus im *Juni 1484* brieflich darlegte. Diese später gedruckte *De formando studio epistula*[45] geht stark aufs Didaktische ein; da heißt es: lesen und immer wieder lesen! Lesen, aber richtig lesen: bei der Lektüre muß man sich Exzerpte machen und eine Sammlung oder besser zwei Sammlungen anlegen, eine unter dem Gesichtspunkt der Erkenntnis, die andere unter dem Gesichtspunkt des Ausdrucks.

Das scheint uns keine große Sache zu sein, und auch im Mittelalter arbeitete man ja mit Collectaneen, aber Agricola hat diese Methode und ihre Erfolge in Ferrara kennengelernt, wo sie byzantinischer Import war. So wirkt seine Epistel weitgehend wie die Variation eines Traktats *De modo et ordine docendi et discendi*, in dem BATTISTA GUARINI 1459 die Unterrichtsmethode seines berühmten Vaters dargestellt hatte[46]. Es ist überhaupt die Methode der studia humanitatis.

Wir erinnern uns an GUARINO GUARINI als den begeisterten Schüler von MANUEL CHRYSOLORAS. War Gemistos Plethon der konsequenteste Denker der byzantinischen Renaissance gewesen, so Chrysoloras ihr konsequentester Schulmeister. Das Abendland lernte nach seinen *Erotemata* die griechische Flexion; im ganzen 15. Jahrhundert erfreute sich diese Schulgrammatik, von Guarino u. a. wiederholt überarbeitet, größter Beliebtheit. Seinen Unterricht baute Chrysoloras, da es zugleich die Sprache und den Geist der alten Griechen wiederzubeleben galt, auf der Doppelheit von Sprache und Sache auf, und er verlangte von den Schülern, sie sollten dementsprechend bei der Lektüre zweierlei Exzerpte sammeln, um sie auswendig zu lernen und im Bedarfsfall nachschlagen zu können. Wir wissen das durch einen Brief Guarino Guarinis[47]. Seine und seines Sohnes Ferrareser Schule, in der die Methode des Chrysoloras gepflegt wurde, galt unbestritten als die beste in Europa, bis ihr in Deventer ein Konkurrent erwuchs. Dabei führt über AGRICOLA eine gewisse Verbindungslinie von CHRYSOLORAS und den beiden GUARINI zu HEGIUS.

Die Codicilla, die der Schüler anzulegen hatte, das eine mit den Sachexzerpten *historice*, das andere, die Sprachexzerpte, *methodice* betitelt, schwollen natürlich mit der Zeit zu dicken Wälzern auf, in denen man nichts mehr finden konnte. Deshalb empfahl Agricola in seinem Brief, sie unter antithetischen Überschriften wie benevolentia — odio, doctrina — ineruditio, virtus — vitium, vita — mors etc. zu ordnen. Auch das liegt nahe. Trotzdem müssen Schüler wie Lehrer mit der Nase darauf gestoßen und darauf festgelegt werden.

Überraschend wirkt im Rahmen dieser Didaktik die Mahnung an den künftigen Wissenschaftler: „Laß dir alles verdächtig sein, was du bisher gelernt hast, verurteile alles und verwirf es, wenn du dich nicht durch das Zeugnis und sozusagen durch den Entscheid der besten Gewährsmänner wiederum in seinen Besitz setzen kannst"[48]. Das sieht aufs erste nach Descartes' *de omnibus dubitandum* aus, ist aber etwas völlig anderes. Der Zweifel geht nur so weit, daß er jede Behauptung daraufhin befragt, ob sie durch klassische Autoren gedeckt ist. Wenn sich das „historice" erweist, kann und muß man sie sich zu eigen machen — eine Grundmaxime des Renaissance-Humanismus, die ihn von aller Aufklärung scharf abhebt.

In den letzten, entscheidenden Fragen harmonieren dabei für Agricola die antiken Autoren mit dem, was er gleich Cusanus und später Erasmus als *philosophia Christi* bezeichnet. Hier wie dort meint er dieselbe Moralphilosophie zu finden. Auf Spekulationen will er sich, ganz anders als Cusanus, nicht einlassen: „Was sollen wir uns", heißt es in seinem Brief, „mit Rätseln herumschlagen, die in so vielen Jahren keinen Ödipus gefunden haben, der sie hätte lösen können, und für die es eben keinen Ödipus gibt". Die Rätsel werden sich uns erst nach diesem Leben lösen, die Geheimnisse uns dann offenbar werden. Im Trauergedicht auf den 1483 verstorbenen Stiftspropst in Emmerich Graf Moritz von Spiegelberg tröstet Kalliope den Dichter Agricola damit, daß der Tote jetzt die *numina summa* des dreifachen Gottes zu erkennen vermöge und Bescheid wisse über Himmel und Hölle:

Omnia nunc novit, videt omnia, nec latet illum
Quidquid habet caelum, tartara quidquid habent.

Agricola selbst starb nach einer kurzen Italienreise am 28. Oktober 1485, erst zweiundvierzigjährig, in den Armen seines Freundes, des Bischofs Johann von Dalberg. Seinem letzten Wunsch gemäß wurde der Leib in der Franziskanerkutte dem Erdreich übergeben.

Jugendjahre des Konrad Celtis; Anfänge von Erasmus; Das Narrenschiff

Mehr als ein halbes Jahrhundert ist verstrichen, seit zu Beginn des Basler Konzils Nicolaus Cusanus und der Pseudo-Winterlinger ihre Schriften über die Reform von Kirche und Reich abgefaßt haben. Blutwenig wurde in dieser Richtung getan, bis GRAF BERTHOLD VON HENNEBERG, der neue Erzbischof von Mainz, Kaiser Friedrich III. zwang, für *Januar 1485* einen Reichstag nach Frankfurt am Main einzuberufen, wo er seinen großen Plan zur Reichsreform entwickelte. Er nahm dabei teilweise Gedanken des Cusanus wieder auf. Einen Wendepunkt in den Verhandlungen über die Reichsreform bildete jedoch erst der Frankfurter Reichstag vom *Frühjahr 1486*, auf dem der Kaiser, um Geld und Mannschaften zum Krieg gegen die Türken zu erhalten, gewisse Konzessionen machen mußte. Bei den Vertretern des Baiernherzogs befand sich DR. JOHANNES PIRCKHEIMER, begleitet von seinem sechzehnjährigen Sohn WILLIBALD, bei denen des Grafen von Wirtemberg DR. JOHANNES REUCHLIN. Die Kurfürsten wählten im Bartholomäusdom einstimmig MAXIMILIAN, den siebenundzwanzigjährigen Sohn des Kaisers, zum deutschen König.

Auch für die deutsche Literaturgeschichte bringt dieses Jahr einen neuen Ansatz: *1485* war Rudolf Agricola gestorben, *1486* tritt der fünfzehn Jahre jüngere, mit König Maximilian gleichaltrige KONRAD CELTIS[1] mit seiner ersten Publikation hervor: *Ars versificandi et carminum*. Die Stilmuster-Sammlung des Albrecht von Eyb aus Celtis' Geburtsjahr 1459, das Wörterbuch Reuchlins, die Grammatik Pergers und Agricolas Rhetorik werden durch diese Verslehre ergänzt, so daß die Deutschen nun das wichtigste Handwerkszeug beisammen hätten, um in Prosa und Poesie gutes Latein zu schreiben[2]. Wichtiger noch: die von Celtis der Verslehre beigefügten carmina kündigen ein dichterisches Talent an, das berufen erscheint, alles bisher in Deutschland Dagewesene zu übertreffen.

Als Eleonore von Portugal ihrem kaiserlichen Gemahl 1459 den Sohn geschenkt hatte, stellte ihm Regiomontanus das Horoskop. Für den kleinen Habsburger, aber auch für merkwürdig viele andere dieses Jahrgangs war der Sternhimmel voller Verheißung. Wie MAXIMILIAN die deutsche Kaiserkrone, so erwartete einen in ärmlichen Verhältnissen in Utrecht zur Welt gekommenen Knaben, HADRIAN FLORENSZ, die Tiara — als Hadrian VI. wird er der letzte deutsche Papst sein —, und JAKOB FUGGER in Augsburg wird eine Geldmacht erwerben, wie sie noch kein Deutscher besaß. Der Weingärtnersohn KONRAD BICKEL in Wipfeld, einem fränkischen Dorf an der Mainschleife zwischen Volkach und Schweinfurt, sollte als Konrad Celtis der erste deutsche poeta laureatus werden, und der in Würzburg selbst geborene MATHIS NITHART als Matthias Grünewald einer der größten deutschen Maler. Auch das Geburtsdatum der Bildhauer TILMAN RIEMENSCHNEIDER — seit 1483 in Würzburg — und ADAM KRAFFT aus Nürnberg pflegt man um 1459/60 anzusetzen. Der deutschen Musik schenkte ein Städtchen im Salzburger Land 1459 den Organisten und Komponisten *Paul Hofhaimer*.

Die Erzählungen vom „heiligen Jüngling" im Taubertal müssen für viele in dieser Generation zu den stärksten Jugendeindrücken gehört haben. *1476* am Sonntag Laetare, der damals auf den *24. März* fiel, dem „Sommersonntag", an dem von den Bauern der Winter ausgetrieben und in festlichem Umzug der Sommer eingeholt wird, hatte in Niklashausen einer der Musikanten, ein junger, wohl selbst um 1459 geborener Hirte, plötzlich seine Pauke angezündet, war auf die Kirchentreppe gesprungen und hatte im Namen der Heiligen Jungfrau zur Buße aufgerufen. Monatelang predigte dann dieser *gebuwer den man den jüngling nennet, gantz eine slechte leysche persone*, vor Tausenden von Bauern, die bald aus ganz Deutschland zusammenliefen, den Zorn Gottes, namentlich über Herren und Pfaffen, und Gottes Verheißungen an die Armen. Als dächte er an die „Adamiten" von Tabor, sprach er im Sommer „nacket in der Tabern" (Taverne; oder Tauber??) sitzend, über den göttlichen Naturzustand. Dabei fand er, aus Konrad Stolles ,Erfurter Chronik' zu schließen, ähnliche Formulierungen wie schon Johann von Winterthur sie bei den auf einen *Fridericus redivivus* Hoffenden gehört hatte und sie auch in Pseudo-Winterlingers *Reformatio Sigismundi* vorkamen. Das Auftreten HANS BÖHMS, des Paukers von Niklashausen, gab wohl den Anlaß, daß *1476* die ,Reformatio Sigismundi' in Augsburg erstmals gedruckt wurde. Eine Bauernrevolte, die erste größeren Ausmaßes, schien sich zusammenzubrauen. Da ließ der Bischof von Würzburg das Hansle greifen und ihm „ein anderes bad rüsten". Am *19. Juli 1476* wurde Hans Böhm auf dem Richtplatz hinter dem Jakobskloster verbrannt. Nun gärte es in den Dörfern erst recht. Bauern und Winzer drohten, auf Würzburg zu ziehen und mit ihren Karsten die Weinstöcke auszuhauen. Nach Niklashausen wurde weiterhin gewallfahrtet, wobei man immer aufs neue das von Böhm verfaßte Lied anstimmte:

> Wir wollen Gott vom Himmel klagen,
> Kyrie eleison,
> daß wir Pfaffen nit sollen zu todt schlagen,
> Kyrie eleison.

Schließlich ließ der Bischof die Kirche von Niklashausen als seminarium et asilum erroris niederreißen[3].

Wipfeld lag nicht allzuweit von Niklashausen entfernt ebenfalls in der Diözese Würzburg. Ob KONRAD BICKEL sich jemals einem der Wallfahrerzüge ins Taubertal angeschlossen hat, wissen wir nicht. Aber konnte ihn, einen siebzehnjährigen Winzer, das Schicksal des „gebuwern den man den jüngling nennet" unberührt lassen? Eher möchten wir annehmen, er habe jenes Kyrie eleison mitgesungen und niemals wieder ganz vergessen.

Da Konrad keine Lust hatte, sein Leben lang die Butten durch die väterlichen Weinberge bei Wipfeld zu tragen, lief er mit achtzehn Jahren nach der Weinlese davon und fuhr auf einem Bauholz-Floß den Main und Rhein hinunter nach Köln. Hier nahmen vermutlich die Fraterherren den aufgeweckten Jüngling in ihr Dormitorium auf. So konnte er an der Universität studieren. Am 14. 10. 1478 wurde in der Artistenfakultät Conradus Pyckell inskribiert, am 1. 12. 1479 erhielt Conradus Bickel das Baccalaureat. Den Drang nach Höherem, zu einem Studium, mögen die Erzählungen über den berühmten Verwandten GREGOR HEIMBURG aus Schweinfurt beim jungen Bickel geweckt haben.

Im Wintersemester 1484 ging er nach Heidelberg, und nun gab es für ihn bloß noch RUDOLF AGRICOLA. Er wurde dessen letzter und für die Literaturgeschichte bedeutendster Schüler. Wohl erwarb er bei den Realisten den Magistergrad, als aber nach wenigen Monaten, im Mai 1485, Agricola Heidelberg verließ, um nach Italien zu reisen, hielt den Wipfelder nichts mehr dort fest. Lernend, hie und da auch lehrend, zog er von Universität zu Universität, ähnlich wie einst Peter Luder, nachdem er aus Heidelberg weggegangen war. Erfurt, Rostock, Leipzig sind Stationen auf Bickels Wanderfahrt. In Leipzig brachte der Siebenundzwanzigjährige im *Sommer 1486* sein erstes Buch oder besser Büchlein — 24 Quartblätter — zum Druck, besagte ‚Ars versificandi et carminum'. Auf dem Titelblatt nennt er sich CONRADUS CELTIS PROTUCIUS.

Von Bickel auf Celtis zu kommen, ist nicht ganz einfach. Bickel oder Pickel wird als Meißel verstanden, Meißel heißt auf lateinisch caelum, meißeln caelare, aber in der Vulgata steht Hiob 19, V 23/24: Quis mihi det ut ... sermones mei ... c e l t e sculpantur in silice (Stein)? Danach nennt sich der Poet gelegentlich Zeltes oder Celtes, in der Regel aber Celtis. Theodoricus Ulsenius redet ihn einmal an: Celte tuum silicem caelas, Conrade, rebellem: Mit dem Meißel bearbeitest du deinen widerspenstigen Stein. Übrigens kommt auch bei Horaz (ep. 2, 2, 92) das celatum novem Musis opus vor. Nachdem die ‚Norimberga' dann den Kelten-Mythos entwickelt hatte, wurde der Name Celtis gerne mit den Kelten in Zusammenhang gebracht; die ‚Vita' läßt Celtis von einer familia Celtica abstammen. Schon 1486 ergänzte er die lateinische Übersetzung seines Namens durch eine latinisierte griechische: Protucius aus griechisch τύκος = Meißel.

Die ‚Ars versificandi' — man vermißt das Beiwort breviloqua — lehnt sich eng an das Doctrinale des Alexander Gallus, vulgo de Villa Dei, an[4]. In lateinischen Hexametern werden die wichtigsten antiken Metren mit Beispielen, die vor allem Horaz entnommen sind, erklärt, danach handelt Celtis in lateinischer Prosa ‚De compositione materiali carminum' sowie ‚De litterarum divisionibus'. Allgemein heißt es vom Poeten, er solle im schmuckvollen Gewand von Lied und Rede die Sitten, Handlungen, Ereignisse, Örtlichkeiten, Völker, Länder und Flüsse, den Gang der Gestirne, das Wesen aller Dinge, und was des Menschen Herz bewegt, darstellen. Am Ende werden mentium animorumque affectus erwähnt, aber die Mehrzahl der Themen ist geographischer und kosmographischer Art.

Apollo

Blandae citharae repertor
(Holzschnitt in Hartmann Schedels
‚Liber chronicarum', Nürnberg 1493)

Das Entscheidende: Rede und Gedicht müssen die Lebendigkeit und vitale Kraft der Dinge spüren lassen, so daß es scheint, sie würden im Schreiben wiederbelebt, ja, der Dichter stelle nicht ein Geschaffenes oder Geschehenes dar, sondern schaffe und bewirke es im Schreiben: Ut vivacitatem et vigorem quendam vitalem rerum ... secum afferat oratio: et scribendo revivescere res videatur. Itaque scribentis in eo summa laus erit, ut quasi non factam rem: ipse scribendo efficere clarioremque reddere videatur. Über die *evidentia*- und *energia*-Begriffe der antiken Rhetorik geht das hinaus. Woher es Celtis hat? Klar ist sein Ziel: *renascentia sive vivescentia* des Menschen, des Hörers und Lesers; das Mittel zum Zweck sieht er im Wiederbeleben — *revivescere* — der vorgegebenen Wirklichkeit, ja ihrem Wiedererschaffen, wodurch sie zugleich klarer sich zeigt. Verlebendigende und verwesentlichende Darstellung fordert Celtis vom Poeten, damit er sein Publikum bewege. Erstmals in Deutschland öffnet sich aber auch der Blick von der Wirkungs- auf eine Schaffensästhetik, die dann mit Begriffen wie altera natura und alter deus operieren wird.

Den Beschluß des Büchleins macht eine Sapphische Ode *Ad Apollinem repertorem poetices, ut ab Italis cum lyra ad Germanos veniat*:

> Phoebe, qui blandae citharae repertor,
> Linque delectos Helicona Pindum et,
> Ac veni nostris vocitatus oris
>   Carmine grato!

„Phoebus, Erfinder der schmeichelnden Leier, verlaß die geliebten Höhen des Helikon und Pindus und komme, gerufen vom lieblichen Lied, in unsere Lande!"

Die weiteren Strophen[5] sprechen davon, daß die heimischen Göttinnen des Gesangs Phoebus freudig entgegeneilen, süße Lieder singend unter dem kalten nordischen Himmel. Aber das sei kunstloser Gesang. So möge Phoebus Apollo die Barbaren, die nichts von der Anmut Latiums wissen, lehren zu singen, wie Orpheus bei den Pelasgern sang. Ihm seien die wilden Tiere, die wendigen Hirsche und hohen Bäume nachgefolgt, wenn er die Saiten schlug. „Schnell durch die weiten Wogen des Meeres fuhr Phoebus einst von den Griechen nach Latium, dort die Herrschaft anmutiger Musen und Künste auszubreiten. So wolle nun, Phoebus, wir bitten dich, unsere Gegenden wie vordem die italischen Länder besuchen, damit die barbarische Rede entfliehe und alles Dunkel zusammenstürze":

> Sic velis nostras, rogitamus, oras
> Italas ceu quondam aditare terras,
> Barbarus sermo fugiatque, ut atrum
> Subruat omne.

Atrum im vorletzten Vers erinnert an Petrarcas *tenebrae*. Die Überschrift der Ode widerspricht ihrem Eingang, der ersten Strophe, wie dem Sinn des Ganzen. Nicht von den Italern kann ja Apollo kommen, wenn er angerufen wird, Helikon und Pindus zu verlassen. So wie einst in Latium, soll er jetzt in Germanien erscheinen: diese Vorstellung liegt dem Gedicht zugrunde. Die Deutschen sind, unberührt von der lateinischen Anmut, bis heute Barbaren geblieben, die ihre eigenen Musen besitzen, ihre süßen, aber kunstlosen Lieder, ohne Leier, ohne Versmaß. Nun wollen diese Barbaren lernen, nicht den gefälligen Lateinern es gleichzutun, sondern dem sagenhaften Sänger Orpheus, der vor den Urbewohnern Griechenlands, den Pelasgern, so gewaltige Lieder zur Leier sang, daß er Tiere und selbst Bäume bewegte. Ohne die Ode überzuinterpretieren, darf man ihr entnehmen, daß Celtis im Sinn hat, Germanien unmittelbar mit Griechenland zu liieren. Indem er auf die griechische statt auf die davon abgeleitete römische Antike Bezug nimmt, schwebt ihm eine Art Immediatisierung des deutschen Humanismus vor. Das hohe überindividuelle Selbstbewußtsein König Maximilians ist auch Celtis nicht fremd, mehr noch besitzt er von dem antiitalienischen Affekt und aufbegehrenden Nationalgefühl Gregor Heimburgs. Bei Agricola will er vor allem Griechisch gelernt haben, und sein Büchlein rühmt den Friesen, weil er die Musen, nicht etwa aus Pavia oder Ferrara, sondern „vom ionischen Hügel" nach Deutschland brachte. Mit der Ode ‚Phoebe, qui blandae citharae repertor' schlägt Celtis einen Ton an, den wir vor 1486 im deutschen Humanismus nicht vernehmen. Es ist, als respondiere Celtis dem stolzen Poliziano, der 1486 in einer Vorlesung davon sprach, daß die Sonne Griechenlands, die an den Ufern des Ilissus unterging, jetzt über dem Arnotal stehe.

Celtis widmete sein Büchlein dem jungen KURFÜRSTEN FRIEDRICH VON SACHSEN, der als Liebhaber der Dichtkunst galt und soeben auf den Thron gelangt war. Wir pflegen bei Friedrich dem Weisen an Luther, nicht an Celtis zu denken, und mit

Kurfürst Friedrich der Weise von Sachsen
(Hans Traut?; Frankfurt am Main,
Städelsches Kunstinstitut)

gewissem Recht: statt zum Mäzen des deutschen Humanismus wurde Friedrich zum Schutzherrn der Reformation. Celtis persönlich hat sich ebenso seiner Gönnerschaft wie der Maximilians erfreut, in dessen Regierungszeit die Blüte des Hochhumanismus fällt. Nach Maximilians Tod 1519, in den Anfangsjahren der Reformation, hätte es wohl im „Sinn der Geschichte" gelegen, daß die Kaiserkrone auf Friedrich von Sachsen übergegangen wäre; drei Stunden lang war er in Frankfurt am Main „Erwählter römischer König", dann fielen die Kurfürsten um, weil die spanisch-habsburgischen Agenten in Höchst ein Söldnerheer bereithielten, und aus Weisheit resignierte Friedrich zugunsten Karls V.[6]. 1487 hat er Celtis als Dank für die Dedikation der ‚Ars versificatoria' die laurea Apollinaris verschafft. Kaum anders als durch seine Fürsprache ließe sich erklären, daß Kaiser Friedrich III. den Achtundzwanzigjährigen, von dem außer jenem schmalen Bändchen bloß die Edition zweier Seneca-Dramen vorlag, zum Dichter krönte. Es sei denn, FÜRST MAGNUS VON ANHALT hätte sich für ihn verwandt, dem Celtis im *Februar 1487* die beiden Seneca-Dramen — *Hercules furens* und *Cena Thyestis* — widmete, weil er selbst unter die Dichter zählte[7]. Der Fürst hatte 1485 in lateinischer wie deutscher Sprache einen Lobgesang auf die Jungfrau Maria gedichtet, für dessen Lesen oder Anhören man einen Ablaß von 40 Tagen erhielt.

Mit dem Dichterlorbeer war bisher in Deutschland einzig der Italiener Enea Silvio Piccolomini ausgezeichnet worden, ebenfalls durch Kaiser Friedrich III. Das geschah auf dem Reichstag in Frankfurt am Main 1442 und lag so fast ein halbes Jahrhundert zurück, als am *18. April 1487*, während eines Reichstags in Nürnberg, Konrad Celtis auf der Kaiserburg zum poeta laureatus erhoben wurde. Wie der Papst 1486 dem Dichter der ‚Duo libri amorum', Giovanni Pontano, setzte der

Der junge Albrecht Dürer (?)
(Ausschnitt aus der ‚Besessenenheilung‘,
Gemälde der Pleydenwurff-Wolgemutschen Werkstatt, 1487;
Nürnberg, German. National-Museum)

Kaiser Konrad Celtis den silbernen Kranz aufs Haupt, steckte ihm den Ring an und küßte ihn. Johann von Dalberg war anwesend, und vor den Toren der Burg mag unter den Schaulustigen der Wundarzt HANS FOLZ gestanden haben, damals der prominenteste und progressivste Meistersinger Deutschlands, desgleichen der sechzehnjährige ALBRECHT DÜRER, der als Malerjunge in der Pleydenwurff-Wolgemutschen Werkstatt eine harte Lehrzeit durchmachte. Wenn dem so war, mußte Celtis beim Verlassen der Burg zwischen allen Köpfen hindurch das Gesicht dieses Knaben erblicken, wie es heute noch der Besucher des Germanischen Museums im Hintergrund der 1487 entstandenen ‚Besessenenheilung‘ sieht. Dürer gehörte nicht mehr wie PANGRATZ SCHWENTER zu den Kindern, die Kaiser Friedrich im Stadtgraben unter der Veste versammeln ließ, um sie mit Wein, Bier und Lebkuchen, „darauff eines Kaysers pildnus stunde“, zu bewirten. „Es waß aber soliches gedrenge im graben unnd ausserhalb das man etlich kinder schwachaith halben must herauß und haym tragen ... und werden soliche Leckuchen auff heutigen tag gebachen unnd kayser leckuchen benant“[8]. Später haben Friedrich III. und Maximilian die Dichterlorbeeren fast so freigebig ausgeteilt wie die Kaiserlebkuchen, aber zunächst waren sie für einen Deutschen etwas Einzigartiges. Celtis legte größten Wert darauf und führte sogar für den Privatgebrauch eine eigene Zeitrechnung ein, indem er seine Briefe gelegentlich nach Jahren des Lorbeers, d. h. seit der Dichterkrönung, datierte.

Wohl schon im Jahr I begab er sich auf die nun für ihn obligat gewordene Italienreise[9]. In Ferrara besuchte er natürlich Agricolas Freund BATTISTA GUARINI. Seine Briefe aus Italien sind uns nicht erhalten, so wissen wir nicht, ob Celtis auch den Dichter des ‚Orlando innamorato‘, MATTEO BOIARDO, kennenlernte und von dessen ‚Amorum libri III‘ Anregungen für seine eigenen ‚Quattuor libri amorum‘

erhielt. Nach dem „kalkulierten Formalismus" im Aufbau der beiden Werke, einer Art lyrischer Romane, und nach dem, wie die Liebe in ihnen dargestellt wird, möchte man es fast glauben. „Die spirituale Unnahbarkeit, mit der die Herrinnen früheren Dichtens umgeben waren, hat sich in banale Untreue verwandelt"[10]. LODOVICO ARIOSTO spielte noch, ein dreizehnjähriger Lateinschüler, mit seinen Kameraden beim Kastell und beim Palazzo Schifanoia, wo im Januar 1486 die einst von Cusanus wiederentdeckten ‚Menaechmi' des Plautus und ein Jahr später die *Favola di Cefalo* des NICCOLÒ DA CORREGGIO aufgeführt worden waren. Sicher wurde Celtis von diesen Ereignissen berichtet. Bei der Konzeption des ‚Ludus Dianae' scheint er sich an die ‚Favola di Cefalo' erinnert zu haben.

In Florenz kam Celtis mit der Platonischen Akademie in Berührung. Gemistos Plethon hatte bei den Florentinern einen unauslöschlichen Eindruck hinterlassen, und als nach seinem Tod mit der Eroberung Griechenlands durch die Türken auch die Akademie in Mistra zugrundegegangen war, entstand der Gedanke, das auf der Peloponnes Verlorene in der Toscana neu zu schaffen. Cosimo Medici gründete die Platonische Akademie von Florenz, deren Zusammenkünfte in seinem Landhaus, der Villa Careggi, stattfanden; vor der Büste Platons brannte dort wie sonst am Altar ein „ewiges Licht". Damit trat zwei Menschenalter nach der Programmierung der studia humanitatis der italienische Humanismus um 1460 in ein neues, nicht mehr so sehr philologisch-rhetorisches als vielmehr philosophisch-mythologisches Stadium. Auf Agricola hat sich das noch nicht ausgewirkt, wohl aber auf Celtis. Auch insofern bedeutet der Übergang vom einen zum anderen eine Wende im deutschen Humanismus.

Nach Cosimos Tod — er starb im gleichen Jahr mit Pius II. und Cusanus — war die Akademie der Augapfel seines Enkels Lorenzo il Magnifico geworden. Philosophieren heißt hier, in enthusiastischen Gesprächen den *platonischen Eros* feiern. Die Florentiner Humanisten haben diesen Begriff, wo nicht geprägt, so doch wie einst den Begriff der *studia humanitatis* zum Symbol für eine neue Lebenshaltung, eine Daseinsweise des Menschen erhoben. MARSILIO FICINO, „princeps academicorum", vollendete 1483 die lateinische Übersetzung sämtlicher Werke Platons, Frucht einer zwanzigjährigen Arbeit. *Philosophica quaedam religio* war sein Ziel, wenn er, durch Plethons Mythos einer esoterischen Tradition angeregt, Lehren von Platon und Plotin mit solchen des Christentums verschmolz. Das ‚Commentarium in Convivium Platonis sive De Amore', 1469 abgefaßt, 1484 gedruckt, stellt, was die christliche Theologie als Gnade bezeichnet, mit dem Eros auf eine Ebene. Liebe ist Bewegung und Bewegtheit der Seele — *motus animae* —, aber auch Kraft, die lebendig das All durchdringt — *anima mundi*. Besonders mit dieser Schrift ‚De Amore', die in Form eines Symposions, an dem Lorenzo Medici u. a. teilnehmen, das ‚Symposion' Platons kommentiert oder eigentlich paraphrasiert, hat Ficino die Intellektuellen zur Begeisterung hingerissen. Wie ein Rausch überkam sie das neue Evangelium der platonischen Liebe, das einzige Mal, daß der Humanismus rauschhafte Züge annimmt. Die Liebe als stärkster motus animae war schon immer — wir sahen das in Deutschland — ein Grundthema des Humanismus gewesen, aber hier wird der kosmische Eros verkündet.

Boiardo in Ferrara und Ficino in Florenz: Abstieg der Liebe in die Sphäre des Banalen einerseits, Aufstieg in die Sakralsphäre andererseits — Celtis wird in seinen ,Amores' beide Wege einschlagen.

Als er nach Italien kam, hatte sich zu Marsilio Ficino der junge Fürst GIOVANNI PICO DELLA MIRANDOLA gesellt und 1486 ein Konzil aller Philosophen nach Rom einberufen, um über die Möglichkeit einer neuen Weltreligion — *philosophica quaedam religio* — zu diskutieren. Die Utopie von Cusanus in ,De pace seu concordantia fidei' soll Wirklichkeit werden: *una religio in varietate rituum*. Als Grundlage für die Arbeit des Konzils verfaßte Pico 900 Thesen, ,Conclusiones', und eine Eröffnungsrede ,De dignitate hominis'. Aber auch Picos Konzil blieb eine Utopie, Papst Innozenz VIII. untersagte die Zusammenkunft. Im Druck fand die Oratio ,De dignitate hominis' weite Verbreitung. Sie gilt als ein Höhepunkt des italienischen Humanismus. Da hören wir aus dem Munde Gottes, er habe allen Wesen eine bestimmte Natur gegeben, „dich, Mensch, aber schuf ich als ein Wesen weder himmlisch noch irdisch, weder sterblich noch unsterblich allein. Beides ist in dir angelegt, damit du dein eigener freier Bildner ... seiest ... ; du kannst zum Tier entarten und zum Göttlichen dich w i e d e r g e b ä r e n." Das ist die *dignitas hominis*, das eigentliche *humanum*. Pico befindet sich hier in Übereinstimmung mit Nicolaus Cusanus und weiß das auch. Er hat wiederholt seiner Verehrung für Cusanus Ausdruck gegeben. In dessen Tractatus ,De coniecturis' findet sich der Satz: „Der Mensch kann ein menschlicher Gott oder Gott auf menschliche Weise sein, er kann ein menschlicher Engel, ein menschliches Tier, ein menschlicher Löwe oder Bär oder irgendetwas anderes sein. Denn innerhalb der Macht des Menschlichen — intra humanitatis potentiam — liegt es, alles auf seine Weise zu sein" — zum einen oder anderen sich zu bilden.

Gegen die Rhetorik, meint Pico in einem Schreiben ,De genere dicendi philosophorum' 1485, könnten die Scholastiker einwenden, die Philosophie beschäftige sich mit den Dingen und bedürfe nicht des Pomps der Worte; das war auch die Meinung von Cusanus. 1486, als Pico seine Rede, Celtis die Ode ,Ad Apollinem' schrieb, wußte letzterer noch nichts von Cusanus.

Genau dreihundert Jahre vor Goethe hielt sich Celtis in Rom auf. Quid superest, o Roma, tuae nisi fama ruinae, beginnt er ein römisches Epigramm, überschrieben *Ad Romam dum illam intraret*[11]. Die Ruinen Roms hatten einst in Petrarca die remeatio-Idee wachgerufen und bestärkten seitdem jeden Humanisten in dem Wunsch, daß die römische Antike wieder aufleben möge. Nicht so Celtis. Man erzählte ihm von der Sensation des Jahres 1485, als in einem antiken Grab an der Via Appia der Leicham einer jungen Römerin gefunden wurde, der sich dank der Einbalsamierung die Jahrhunderte hindurch erhalten hatte, als wäre das Mädchen — man sah in ihr Ciceros Tochter Tulliola — erst am Tage zuvor gestorben: nares (die Nasenflügel) integrae adque adeo molles ut digito pressae flecte-

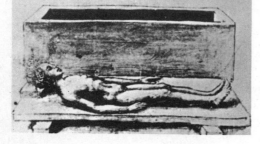

Cæterum hoc corpus cum xviii
cal. may anno anatiuitate Christi
millesimo quadringentesimo octogesimo quinto
Innocentij uero Papæ octaui anno
eius pontificatus primo repertum
sit apud casale fratrum sanctæ
mariæ nouæ in uia appia ad sextum
ab urbe lapidem: biduo post dela-
tum est in capitolium maximo po-
puli concursu iussu conseruatorum
urbis.

rentur et cederent, wie es in einem zeitgenössischen Brief heißt[12]. Die italienischen Humanisten nahmen das als Zeichen, daß die tausend Jahre des Dunkels — millenium tenebrarum — zwischen der Glanzzeit der Antike und der eigenen Gegenwart nicht mehr zählten als eine kurze Nacht zwischen dem gestrigen und dem heutigen Tag. Die Ausgrabung wurde ihnen zum Symbol für die Wiederauferstehung, die Wiedergeburt, Renaissance des antiken Rom. Ihre Begeisterung schlug immer höhere Wellen, bis Papst Innozenz die Leiche heimlich wegschaffen und an unbekannter Stelle außerhalb Roms beisetzen ließ. Als Celtis davon hörte, verfaßte er ein Epigramm *De puella Romae reperta*[13], welches er dem Mädchen in den Mund legt:

„Tulliola"
1485 an der Via Appia ausgegraben
(Zeitgenössische italienische Zeichnung)

Annos mille sub hoc tumulo conclusa iacebam;
Haec nunc Romanis extumulata loquar

— das sage ich jetzt, aus dem Grab genommen, den Römern: Ich sehe keine römischen Quiriten mehr und keine Männer, die sich durch Gerechtigkeit und Frömmigkeit auszeichnen, nur mit traurigem Sinn betrachte ich die mächtigen Ruinen, Male der Alten. Und wenn du nach weiteren hundert Jahren mir wieder sichtbar wirst, denke ich, wird kaum noch der Name Roms übrig sein:

Si mihi post centum rursus revideberis annos,
Nomen Romanum vix superesse reor.

Auch Petrarca hatte die Ruinen mit Trauer betrachtet, als er 1337 erstmals Rom besuchte, doch er faßte Hoffnung: supersunt meliora saecula. Mag sein, antwortet hundertfünfzig Jahre später Celtis, denkt aber dabei an Deutschlands Zukunft. Immer wieder findet sich in seinen Briefen solche Zuversicht. Die Verachtung oder Herablassung der Italiener gegenüber den deutschen Barbaren reizte ihn zu dem unwillig-selbstbewußten Ausruf: leben wir denn ohne Geist? nos nullo vivimus ingenio? Selbst daß er bei einer Audienz dem Papst den Pantoffel zu küssen hatte, wo er doch vom Kaiser auf die Wange geküßt worden war, erregte seinen Ärger. Für Gregor Heimburg, cognatum mihi sanguine iunctum — er hätte hinzufügen können: et spiritu —, schreibt Celtis ein Epitaph und läßt ihn berichten: *Romanae praesul me condemnaverat urbis*: Der Vortänzer oder Vorspringer der Stadt Rom hatte mich in Bann getan[14] — eine Anspielung auf die Marspriester, die in hüpfendem Dreischritt den heiligen Schild durch die Straßen trugen. Wir fühlen uns an den Brief Goethes vom 3. November 1786 aus Rom erinnert.

Warum sollte man den Papst, der die Monstranz der Prozession voranträgt, nicht jenen Marspriestern vergleichen können, wo man doch die Jungfrau Maria mit Alkmene verglich? Das ist humanistischer Stil. Aber im Fall Celtis-Heimburg liegt in der Bezeichnung des Papstes als praesul urbis Romanae zweifellos Spott, vielleicht sogar höhnische Blasphemie. Solche Redeweise kann Celtis in der Akademie des GIULIO POMPONIO LETO auf dem Quirinal angenommen haben. Von einem persönlichen Verhältnis zu Ficino oder Pico della Mirandola wissen wir nichts Gewisses, zu Pomponius Laetus aber hat sich Celtis wiederholt ebenso wie zu Agricola bekannt.

Leto, der illegitime Sohn eines Grafen Sanseverino und Halbbruder des regierenden Fürsten von Salerno, stammte aus dem stark gräzisierten „Kalabrien", genauer gesagt, aus Lukanien, war Schüler Lorenzo Vallas gewesen und hatte nun selbst in Rom das Katheder für Latein und Rhetorik inne. Auf dem höchsten der sieben Hügel, dem Quirinal, den man damals offenbar mit dem Esquilin verwechselte, besaß er ein Gütchen, von dem er vor Sonnenaufgang mit der Laterne in die Stadt hinabstieg, wo die Studenten, um ja einen Platz zu bekommen, schon seit Mitternacht im Hörsaal auf ihn warteten. Wichtiger noch als die Universität war ihm die Römische Akademie. Zur Platonischen Akademie in Florenz bestanden wohl Beziehungen, doch fühlte man sich vor allem als Römer, verschworen Petrarcas Idee des remeare ad priscum Romae iubar. Man verehrte den Genius Roms und feierte statt des Christfests oder statt Platons Geburtstag, wie man in der Villa Careggi tat, am 21. April die Gründung der Stadt Rom. Gewöhnlich vollzogen sich die Riten im Hause Letos, wo heute der Quirinalpalast steht. Pomponius Laetus war der Pontifex Maximus unter den Sacerdotes Academiae Romanae. Diesen Titel — Pontifex Maximus heißt ja doch sonst der Papst — entdeckte man im 19. Jahrhundert auf Inschriften in den Katakomben von San Sebastiano. Es gab Zeiten, wo es der Academia Romana oder Sodalitas Esquilinalis ratsam erschien, in den Untergrund, die Roma sotterranea, zu gehen. Paul II., der Nachfolger von Pius II., machte ihr während des Karnevals 1468 den Prozeß wegen Häresie, Sodomie und Verschwörung gegen Papsttum und Kirche. Leto, Platina u. a. wurden auf der Engelsburg eingekerkert und gefoltert, während CALLIMACHUS EXPERIENS, der Hauptangeklagte, flüchten konnte. Ein politischer Umsturz scheint nie beabsichtigt gewesen zu sein. Jedenfalls aber krochen die Verschworenen zu Kreuze: il processo e la galera erano concrete realtà della storia, il resto astrazioni dello spirito individuale; ne quegli uomini erano stoffa d'eroi[15]. Nach einem Jahr wurde der Prozeß eingestellt. 1471 folgte dann auf Paul II. Sixtus IV., der sich den Beinamen Aeneas gab und als wohlberechnete Geste das Antikenmuseum auf dem Kapitol stiftete. Unter seinem Pontifikat erklärte Francesco Filelfo mit Bezug auf Rom: incredibilis quaedam hic libertas est. So konnte auch die Akademie wiedereröffnet werden, und am 21. April 1483 verlieh der Kaiser ihr das Privileg, Doktoren zu ernennen und Dichterkrönungen vorzunehmen.

Mitglieder der erneuerten Akademie waren u. a. Alessandro Farnese, der als Papst sich Paul III. nennen wird, und Sanazzaro, der spätere Dichter der ‚Arcadia', aber auch — und das sind nun sehr bedenkenswerte Zusammenhänge — LORENZ BEHEIM aus Nürnberg, der im Palaste des Kardinals Rodrigo Borgia und seiner Kinder seit 1482/83 das Amt des Haushofmeisters führte und 1492 mit Alexander VI. in den Vatikan übersiedelte, wo er nicht nur den päpstlichen Großzeremonienmeister, den aus Straßburg stammenden JOHANNES BURCHARD, zu unterstützen hatte und für Cesare Borgia Giftpillen drehte, sondern vor allem das Geschützwesen leitete, bis er, nach dem Tod des Papstes, 1504 sich in Bamberg als Kanonikus an St. Stephan zur Ruhe setzte — der intimste Freund von WILLIBALD PIRCKHEIMER[16].

In der Frühzeit stand die Römische Akademie außer mit dem Florentiner Platonismus mit Sigismondo Malatesta in Verbindung, dem Feind der Päpste, der gleichfalls für die Akademie von Mistra schwärmte und, wie schon zu berichten war, die Gebeine des Gemistos Plethon auf italienischen Boden überführte. Daß der Prozeß von 1468/69 schließlich niedergeschlagen wurde, hatten die Sacerdotes nicht zuletzt der Protektion durch Kardinal Bessarion zu danken.

Als Celtis in Rom weilte, widmete sich die Akademie fast nurmehr historischen Studien, um die nationale Vergangenheit lebendig zu machen. Hier vor allem wurde Pomponius der Lehrer des Konrad Celtis wie schon zuvor des um sieben Jahre jüngeren KONRAD PEUTINGER aus Augsburg. Dieser studierte 1482—1484 in Bologna und Padua die Rechte und lernte während dieser Zeit sowohl Pico della Mirandola als auch Pomponio Leto kennen. Cuspinianus wird Pomponius pater historiarium nostri saeculi nennen, und offenbar stimmt das mehr noch als für Italien für Deutschland[17].

Hatte Enea Silvio mit seinem Hinweis auf Tacitus' ‚Germania' die deutschen Humanisten erstmals an die Geschichte des eigenen Volkes herangeführt, so lehrte sie Pomponius Laetus diese Geschichte ernsthaft erforschen, Denkmale und Zeugnisse zusammentragen und bekannt machen.

Bei Festlichkeiten führten die Pomponianer auf dem Quirinal und später in Adelspalästen der Stadt antike Dramen, mit Vorliebe Komödien von Terenz und

Plautus, gelegentlich auch eine Senecatragödie auf. Sie hielten sich dabei an den Terenz-Kommentar des Aelius Donatus, den Giovanni Aurispa während des Basler Konzils in Mainz aufgefunden hatte. Man kann deshalb auch die „Wiedererweckung des antiken Theaters" Pomponius Laetus gutschreiben[18].

Wie auf dem Hügel von Mistra von einer φρατρία, sprach man auf dem Collis Quirinalis von einer *sodalitas*, und nach deren Muster faßte Celtis später die deutschen Humanisten in sodalitates zusammen; Peutinger wird eine sodalitas litteraria Augustana gründen. Ob Celtis in die Roma pagana tieferen Einblick nahm, wissen wir nicht. Jedenfalls war auch er immer wieder dem Verdacht der Haeresie ausgesetzt. Ein Freund schrieb ihm 1500 aus Rostock: Fama etiam ad nos in ultimo angulo Germaniae positos pervenit, tu librum quendam sparsisse, in quo tu Phoebum, Mercurium, Apollinem veluti contemptu nostrorum sanctorum veneraris et adoraris. Das war ein Gerücht, das wohl auf die ,Amores' Bezug nahm. Aufschlußreich aber ist Celtis' Ode *Ad Sepulum disidaemonem*, An Sepulus den Abergläubigen (δεισιδαίμων)[19]. Sie beginnt mit den in ihrer Wortfolge klanglich recht kunstvollen Versen:

> Miraris nullis templis mea labra moveri
> Murmure dentifrago.

„Du wunderst dich, daß nicht in Tempeln meine Lippen sich bewegen in zähneaufbrechendem Murmeln". Oder: „Du wunderst dich, daß ich nicht in der Kirche Gebete durch die Zähne murmle." — „Warum auch? Hören die hohen Mächte — numina magna — ja doch die Sprache der schweigenden Brust. Du wunderst dich, daß du mich selten mit meinen Schritten die Böden der Tempel abschleifen siehst". Wie Ovid erklärt Celtis: „Gott ist in uns selbst" — *Est deus in nobis* — „was brauche ich die Mächte in bemalten Häusern anzuschauen!" Und ein drittes Mal: „Du wunderst dich, daß ich so begierig weite Gewässer und die warme Sonne aufsuche" — Phoebum calentem — „hier erscheint mir das hohe Bild des allmächtigen Jupiter, hier sind die wahren Tempel Gottes. Der Wald gefällt den Musen, die Stadt und der kranke Haufe der Städter sind Feinde des Dichters. I nunc, et stolidis deride numina verbis / Nostra procax Sepule — „Geh nun und verspotte mit albernen Worten, was wir Dichter als Mächte erfahren, du Frechling Sepulus".

Celtis verehrt Gott in der Natur, ja fast die Natur selbst als Gottheit. Nicht viel fehlt zum deus sive natura. Bei der Begegnung mit der Natur wird Gott im eigenen Innern erlebt. Diese numinose Erfahrung, von keinem vorher so geschildert, ist für Celtis der Grund seines Dichtens. Der kranke Haufe in den Städten versteht es nicht, Gesundheit und Leben im Freien gehören dazu, das Wandern durch Wälder, das Baden im fließenden Wasser und in warmer Sonne. Das offenbar sind die heidnischen Riten, deren man Celtis verdächtigte. An seinen Reden von Jupiter und Phoebus konnte man kaum Anstoß nehmen, so sprachen die Humanisten, auch die Geistlichen unter ihnen, seit vielen Jahrzehnten. Aber daß er die Verehrung Gottes in der Natur, ja die Verehrung der Gottnatur dem Gottesdienst in der Kirche entgegensetzte, das roch nach Heidentum.

Dazu kamen *Epigramme* wie das auf Hus[20], worin der Ketzer als lacrimabilis hostia, beweinenswertes Schlachtopfer, angesprochen wird. Zwar habe die Kirche ihn zur Hölle verdammt, aber die Böhmen feierten ihn als einen Heiligen, „sag mir, wie kann ich die Wahrheit erkennen!" Dic mihi, quo tandem possim cognoscere verum ... Wenn Celtis auch gewiß kein Antichrist wie Gemistos Plethon und nicht einmal in dem Grade wie Pomponius Laetus kirchenfeindlich war, so konnte doch auch ihm — und er wußte das — nur allzu leicht ein Ketzerprozeß angehängt werden. Die Zeit, die so stark nach dem Heidnischen hin tendierte, hat ja andererseits aus der Ketzerinquisition eine ständige Einrichtung gemacht, obschon zunächst bloß in Spanien. An ihre Spitze trat als erster Großinquisitor 1483 der finstere Dominikaner Torquemada. Um dieselbe Zeit verbreiteten sich, aus Frankreich übernommen, in Deutschland die Hexenprozesse. Sie wurden 1484 sanktioniert durch eine Bulle Innozenz' VIII. und natürlich dann von Deutschen in ein System gebracht, den beiden Dominikanern HEINRICH CREMERS GEN. INSTITORIS und JAKOB SPRENGER, Theologieprofessor in Köln. *1487* erschien ihr berüchtigter Hexenhammer, *Malleus maleficarum.* Das ist das Jahr, in dem Celtis nach Italien kam.

Ihn drängte es nun, die Natur wissenschaftlich zu erforschen. Er will Mathematik, Physik und Astronomie treiben und begibt sich zu diesem Zweck im *Frühjahr 1489* an das Studium Jagellonicum in Krakau, nach Prag die zweitälteste Universität nördlich der Alpen. ALBERT BLARER aus Brudzewo, der zu Peuerbachs ‚Theoricae planetarum' den ersten Kommentar verfaßt hatte, genoß hier besonderen Ruhm. Als Celtis im *Sommer 1491* sich von ihm verabschiedete, wurde er Lehrer des 1473 in Thorn geborenen NIKOLAUS KOPPERNIGK; wahrscheinlich kam dieser von der Schule in Kulm, die unter der Leitung der Brüder vom gemeinsamen Leben stand. Wenn Copernicus im Prooemium des ersten Buches von ‚De revolutionibus orbium coelestium' die Astronomie rühmt, weil sie *incredibilem animi voluptatem* gewähre, so ist das eine Ausdrucksweise, typisch für das 15. Jahrhundert, die uns verständlich macht, wieso man die Naturwissenschaften mit Augustin als *curiositas* brandmarken konnte; der lutherische Prediger Andreas Osiander hat diese Stelle des Manuskripts im Erstdruck von 1543 getilgt.

Als Celtis in Krakau eintraf, vollendete eben *Veit Stoß* aus Nürnberg den Hochaltar in der Marienkirche, den ihm die deutsche Gemeinde der Hansestadt in Auftrag gegeben hatte, das nach seinen Ausmaßen gewaltigste Schnitzwerk der deutschen Kunstgeschichte. Auf dem Wavel über der Weichsel residierte König Kasimir IV., der kurze Zeit die Idee eines polnischen Reiches „von der Ostsee bis zum Schwarzen Meer" verwirklichte. Dreizehn Jahre hatte er mit dem Deutschorden gekämpft und ihm schließlich Westpreußen und das Ermland abgenommen, für den Rest mußte der Hochmeister die Oberhoheit des polnischen Königs anerkennen. Als Geheimschreiber und Prinzenerzieher diente auf dem Wavel ein italienischer Humanist, zu ihm fühlte sich Celtis besonders hingezogen. Es war niemand anders als jener Filippo Buonaccorsi aus San Gimignano, der sich CALLIMACHUS EXPERIENS nannte, vor Zeiten der Hauptangeklagte im Prozeß gegen die Römische Akademie. Über Griechenland hatte er sich nach Polen absetzen können. Seine Grabtafel — Buonaccorsi starb 1496 — befindet sich im ehemals deutschen Dominikanerkloster in Krakau, nach einem Entwurf des VEIT STOSS von PETER VISCHER in Erz gegossen. Celtis dichtete auf ihn wie auf Heimburg und Hus ein *Epitaphium*[21]. Callimachus erklärt hier: Meine Gefährten und ich brachten als erste die Lieder der großen Vergangenheit, *carmina prisca*, wieder nach Latium und so auch den Himmel des Romulus, *Romuleumque polum*; Papst Paul duldete keine Forschung. — In den Vordergrund ist die Geschichtswissenschaft gestellt, aber „Himmel des Romulus" kann sehr viel mehr andeuten. Immer bleibt Celtis in diesen Dingen undurchsichtig.

HEINRICH FINCK aus Bamberg, Mitglied der königlichen Hofkapelle, sowie drei magistri artium, Sigismund Gossinger — FUSILIUS VRATISLAVIENSIS, Lorenz Rabe — LAURENTIUS CORVINUS, ebenfalls Schlesier, und Johannes Rack (wendisch für Krebs) aus der Niederlausitz gehörten zu seinem Krakauer Bekanntenkreis. Rack, der sich nach seinem Geburtsort Sommerfeld zumeist RHAGIUS AESTICAMPIANUS nannte[22], dichtete gleich Celtis ein *Epitaphium* auf Callimachus, in dem er an die Nachwelt appelliert, cuius judicium sanctius esse solet. Als er amico suo integerrimo Celtis die Verse mitteilte, fügte er hinzu, über Pyrrhon — den großen, sprichwörtlich gewordenen Skeptiker — wisse er nichts Bestimmtes zu schreiben[23].

Die Assoziation ist recht verräterisch, wenn es auch überspitzt erscheint, daß ein polnischer Gelehrter im 19. Jahrhundert, Dziela Josefa Szujshiego, den Callimachus mit Voltaire verglich. Vladimiro Zabughin[24] weiß nur, daß Callimachus antipapal und bis zu einem gewissen Grad antichristlich war.

Ebenso wie den Epikuräismus kannten die Humanisten auch die antike Skepsis von Pyrrhon bis zu Sextus Empiricus aus der Philosophiegeschichte des DIOGENES LAERTIOS (ca. 220 n. Chr.). Dieses „tolle Sammelsurium von allen möglichen Notizen, Aussprüchen, Anekdoten, Klatschgeschichten" schätzte noch Nietzsche, weil in ihm „wenigstens der Geist der alten Philosophen lebt". Das 9. Buch bringt u. a. die zehn Skeptischen Tropen, zehn Gründe, weshalb der Mensch nicht zur Wirklichkeit und Wahrheit gelangen könne. Ambrogio Traversari, der von Chrysoloras ins Griechische eingeführt worden war und auf dem Unionskonzil von Ferrara und Florenz damit glänzte, hatte das Werk um 1435 für Cosimo Medici ins Lateinische übersetzt. Daß er als Ordensgeneral der Camaldulenser auf diese Weise dem Heidentum ein breites Einfallstor öffnete, war ihm selbst nicht recht geheuer. *1490* legte nun ein Unbekannter sogar eine deutsche Fassung vor: *Buch von dem Leben und Sitten der haydnischen Maister*; er hielt sich an eine englische Übersetzung[25]. Über die Wirkung des Anonymus auf Deutschland im 15. Jahrhundert könnten wir einstweilen bloß Vermutungen anstellen. Die Humanisten bezogen ihre Kenntnis der griechischen Philosophie zum weitaus größten Teil aus den ‚Vitae philosophorum' von Laertios-Traversari.

Durch Callimachus dürfte Celtis in seinem Plan, Sodalitäten nach Art der Römischen Akademie nördlich der Alpen zu gründen, bestärkt worden sein, denn als
erste sollte in Krakau eine *Sodalitas litteraria Vistulana* entstehen. Für den Dichter
aber waren auch an der Weichsel die Liebschaften wichtiger als die Kameradschaf-
ten. Er wünscht sich Frauen mit schwarzen Äuglein, kleinen Füßchen und kurzem
Kinn, aber langen Hüften und langem blonden Haar; Nüstern und Brüste sollen
fest, weich dagegen Bauch und Arme, eng der Schritt, der Mund und das keusche
Geschlecht, genitale pudicum, sein[26]. In Krakau setzte eine schöne Polin sein Herz,
besser gesagt, seine Sinne in Flammen, eine verheiratete Dame, Hasilina von Rzytonic. Die ,Amores' nennen sie Hasilina Sarmata, und nicht nur der Name der
Geliebten, auch sonst vieles im I. Buch der ,Amores' scheint mit der Wirklichkeit
übereinzustimmen. Wir besitzen einen authentischen Brief Hasilinas, den sie zehn
Jahre nach der Trennung in tschechischer Sprache an Doktor Celtis schrieb; Tschechisch war die Hofsprache in Krakau[27]. Frau von Rzytonic berichtet von einer Einladung, bei der ein polnischer Magister, der, eben aus Wien zurückgekommen,
Gedichte von Celtis vorlas und sie ins Tschechische übersetzte. „Er nannte wiederholt meinen Namen, indem er alles erzählte, was je sich zwischen Celtis und
seiner Küsserin zugetragen, als zwischen solchen, die einander heftig liebten.
Niemand merkte, daß das Gedicht mich betraf, worüber ich sehr froh war, doch
ich saß wie auf glühenden Kohlen, und das Gastmahl schien mir ein ganzes
Jahr zu dauern. Du weißt es wohl, Herr Doktor, als wir voneinander Abschied
nahmen, wie dankbar du warst für die Wohltaten und Gunstbezeugungen, die ich
dir erwiesen, und du versprachst mir, es mit allem Guten entgelten zu wollen.
Allein es ist anders gekommen; denn für Treue gibst du Treulosigkeit und für
große Liebe Gift, wenn du so von mir schreibst. Ich bitte dich daher, falls noch ein
Fünkchen Liebe in dir ist und du meine Ehre retten willst, daß du das Gedicht,
welches du auf mich gemacht hast, unterdrückst. Andere Männer würden sich mit
großer Dankbarkeit dessen erinnern, was ich dir geschenkt habe, und darüber
schweigen. Du aber schreibst und dichtest nicht nur von mir, sondern singst es auch
und spielst dazu auf der Laute und der Violine. Laß ab davon, laß ab davon,
Doktor, und gedenke, was du mir und dir schuldig bist. Gegeben zu Krakau Anno
saeculari 1500."

Noch lagen die ,Amores' nicht im Druck vor. Teile des Manuskripts kursierten
wohl im Celtisschen Freundeskreis, aber wäre Frau von Rzytonic das I. Buch der
,Amores' zu Gehör gekommen, hätte sie ganz anders aufbegehrt. Wahrscheinlich
handelte es sich bei der Vorlesung des Magisters um eine Liebesode wie *De nocte
et osculo Hasilinae. Erotice*: Über die Nacht und den Kuß Hasilinas, Liebesgedicht[28].
Diese Ode gehört zu den gelungensten Schöpfungen von Celtis und bildet in ihrer
Nähe zur Antike einen der Gipfelpunkte des deutschen Hochhumanismus. An
Catull sich anschließend, wagt es Celtis, die Sinnenlust in einer lebendig-anschau-
lichen Szene zu feiern:

Illa quam fueram beatus hora,
Inter basia et osculationes,
Contrectans teneras Hasae papillas
Et me nunc gremio inferens venusto,
Nunc stringens teneris suum lacertis
Pectus, languidulo gemens amore . . .

Indem sich die Liebenden gegenseitig erhitzen und ihre Glieder sich ineinander-
drängen, ihre Seelen in ihren Mündern sich mischen, bannt sie mit ehernen Fesseln
die aus dem schwarzblauen pontischen Meer geborene Göttin . . . „O Nacht, ge-
schmückt mit ewigen Sternen, du zeigst uns das schimmernde Antlitz der Götter
und bescherst heilende Ruhe den Müden, stehe nun still wie bei der Geburt des
Herkules, oder wie du tust an den Küsten Schwedens, wenn Phoebus zwei Monate
lang den Norden im Dunkel beläßt. So wird die glühende Wollust endlich gestillt" —
Sic fervens satiabitur voluptas.

Celtis scheint mit dem Schluß die Tradition des mittelalterlichen Tagelieds wiederaufzunehmen, das im Minnesang die einzige Möglichkeit bot, sinnlichen Liebes-
genuß einigermaßen realistisch darzustellen. Später geschah es auch in anderem
Rahmen und meist auf recht derbe Weise. Aber so unbefangenes Bloßlegen des
Intimsten in einem sehr gewählten, gehobenen Sprachgang und auf dem Hintergrund antiker Mythologie, diese Verschmelzung von Intimität und Pathos hat es
vor Celtis in Deutschland nicht gegeben. Und auch ihm glückte sie nur selten und
nie, ohne daß er starke Anleihen machte bei Horaz oder hier bei Catull. Dann aber
kommt, was Celtis *erotice* nennt, in die Nähe der von Goethe als *Erotica* bezeichneten ,Römischen Elegien'. Es gelingt Celtis, durch remeatio zur Antike den sexus
als voluptas dichterisch zu verklären und so gleichsam zu rehabilitieren. Wenn er in
,De nocte et osculo Hasilinae' seine Kenntnis der Herkules-Sage und das Wissen
von den langen nordischen Nächten Schwedens verwertet, stört das nicht, wie sonst
oft, als gelehrtenhafte Angeberei, es ist recht geschickt integriert. Aber man kann
verstehen, daß Hasilina zehn Jahre später beim Vorlesen solcher Oden in Gesellschaft wie auf glühenden Kohlen saß.

Celtis fuhr fort in seinem „schallen liederlich". Selten wandelte ihn Reue an,
daß er sich — wieder gleich Wolkenstein — als „einen der erdenlust gesellen"
bekannte. Er stimmte seine Dichtung auf den Preis der *voluptas mundi*, der *erdenlust*. Das gibt der Intimität der Liebesszenen jenes Pathos, das durch die antikisierende Form zum Tönen gebracht wird.

Wo man die Gleichung von *Leben* mit *Licht* und *Liebe*, die Herder aus dem
Sprachklang schöpfte, als Formel für die „Aufklärung" nimmt, bleibt die *Lust*
übrig. Sie hat ihre Stelle in der Gleichung von *Leben* und *Lust* als „Renaissance"-
Formel: *renascentia = vivescentia, vita = voluptas*. Das 14. und 15. Jahrhundert
spielten hier weniger mit der Alliteration als mit der Allegorie. Voluptas für vita,

in dieser typischen Allegorese manifestiert sich eine Vorentscheidung, unter der alle Zeitgenossen stehen, wie sie andererseits das Gebot der Weltverachtung — *contemptus mundi* statt *voluptas mundi* — vorfinden. Und immer wieder, namentlich seit Lorenzo Valla, bricht der Widerspruch auf und sucht eine Versöhnung. Das bildet auch den geistigen Ansatzpunkt für den bedeutendsten unter den deutschen Humanisten.

Er ist genau zehn Jahre jünger als Celtis, vierzehn jünger als Reuchlin. Jedenfalls wird im allgemeinen 1469 als Geburtsdatum angenommen[29]. Gleich Agricola kam er als unehelicher Sohn eines Geistlichen zur Welt. Seinen Namen GEERT GEERTSZ scheint er, sinnig aber falsch, von gern = begehren, lieben abgeleitet und lateinisch mit Desiderius, griechisch mit Erasmus übersetzt zu haben. Indem er den Geburtsort hinzufügte, nannte er sich DESIDERIUS ERASMUS ROTERODAMUS[30]. Obgleich die Grafschaft Holland um die Mitte des 15. Jahrhunderts dem Herzogtum Burgund eingegliedert war, hatte sie ihre niederländische Eigenart und, wie schon die Ausbreitung der devotio moderna zeigt, ihre Verbindung mit Deutschland weithin bewahrt, so daß man sich wohl trauen darf, Erasmus, nicht anders als den Friesländer Agricola, zu den deutschen Humanisten zu rechnen.

Vom sechsten bis fünfzehnten Lebensjahr erzogen ihn die Brüder vom gemeinsamen Leben in Deventer. Der Philosophie-Unterricht wurde hier nach den ‚Summulae' des Petrus Hispanus, nicht etwa anhand von Agricolas ‚De inventione dialectica' gegeben. Ea schola tunc adhuc erat barbara, schreibt Erasmus später. ALEXANDER HEGIUS hat er nur noch ein Jahr als Rektor gehabt, doch beeindruckten ihn dessen Vorträge über die *philosophia Christi*. Die Vormünder schickten ihn zu weiterem Schulbesuch nach Herzogenbusch, bis er mürbe genug war, ihrem Drängen nachzugeben, und sich in das Kloster der Regulierten Augustinerchorherrn in Steyn bei Gouda aufnehmen ließ.

Die frühesten uns erhaltenen Briefe, aus der Feder des Achtzehnjährigen, zeugen von einer Empfindsamkeit, die Erasmus wohl nie ganz verloren, aber bald zu verdrängen, mit Geist zu überspielen gelernt hat. Er schwelgt in Freundschaftsgefühlen und leidet, weil sie nicht gleicherweise erwidert werden, sondern eher Befremden erregen. Der Freund soll ihm etwas von der mystisch zu erfahrenden, aber nicht erfahrenen Gottheit ersetzen. Unablässig *totum affectum suum in Deum trahere*, forderte die Devotio moderna; Erasmus schrieb dem Freund: Tu mihi in ore, tu in pectore semper, tu una spes, tu animae dimidium, tu vitae solacium; te absente dulce mihi est nihil, te praesente amarum nihil. — In te omnem spem, omnem vitam, omne animi solacium collocabam — sine amico vitam non vitam, imo mortem puto, aut certe, si vita appellanda est, primum misera est, deinde non hominis sed ferarum vita. Das ist nach fast allem, was wir bisher zu zitieren hatten, ein erstaunlich „elegantes" Latein. Vielleicht lagen Erasmus schon LORENZO VALLAS *Elegantiarum latinae linguae libri* vor. Jedenfalls hat er sich an Valla stilistisch wie geistig herangebildet. Valla wird für Erasmus der eigentliche Repräsentant der neuen Bildung. Über ihn, nicht über Petrarca oder Guarino, heißt es in einem Brief: literas pene sepultas ab interitu vindicavit, prisco eloquentiae splendori reddidit Italiam[31]. Von Valla lernte Erasmus, *quantum voluptatis sit in literis*. So löste er sich mehr und mehr, wenn auch gewiß niemals ganz, von der Devotio moderna[32].

Um *1490* entsteht in Briefform eine kurze Abhandlung, die erst 1521 gedruckt wurde mit dem Titel *De contemptu mundi epistola, quam conscripsit adolescens ... Ex ipsius autoris recognitione*[33]. Erasmus verteidigt hier die These, daß nur das Klosterleben echte Befriedigung gewähre. Es garantiere die jenseitige Seligkeit, *beatitudo,* und zugleich, darauf liegt der Nachdruck, ein Dasein der *tranquillitas, libertas, voluptas.* Den Gegensatz von *contemptus mundi* um der *beatitudo caelestis* willen und *voluptas mundi* sucht Erasmus zu versöhnen. Schon seine Erstlingsschrift, obwohl sie im Kloster abgefaßt ist und vom Klosterleben handelt, steht Petrarcas ‚De vita solitaria‘, wo die Muße des Laien gemeint ist, näher als der kirchlichen contemptus mundi-Literatur. Sicher sei es schändlich, turpissimum, für einen sowohl gebildeten als auch christlichen Menschen, *homini et erudito et christiano,* unter Gefährdung seines Heils Dingen nachzujagen, die von den Weisen des Altertums dank ihrer Bildung, litterarum gratia, oder um des Ruhmes willen verachtet wurden, — zumal ein hoher Lebensstandard, *mundi prosperitas,* ja nichts mit wahrem Glück, *vera felicitas,* zu tun habe. Ich würde gerne einmal, versichert der junge Mönch, alle Sardanapale einladen, das Paradies der Genüsse bei uns kennenzulernen. *In monasteriis voluptas, inquis?* — Jawohl: *tota vitae nostrae ratio Epicurea est*: das ganze Prinzip unseres Lebens ist epikuräisch. Deshalb geben wir die voluptas corporis gerne dran für die voluptas animi, die süße Frucht der Tugend und der geistigen Beschäftigung, die am unbehelligtsten hinter Klostermauern reift. Unter den Begriff der *voluptas* fällt „Hieronymus im Gehäus" ebenso wie „Copernicus am Fernrohr" oder „Celtis in den Armen Hasilinas".

„Ich bin stolz darauf, den Charakter Epikurs anders zu empfinden als irgendjemand vielleicht ... Solch ein Glück hat nur ein fortwährend Leidender erfinden können. Das Glück eines Auges, vor dem das Meer des Daseins stille geworden ist, und das nun an seiner Oberfläche und an dieser bunten, zarten, schaudernden Meereshaut sich nicht mehr satt sehen kann: es gab nie zuvor eine solche Bescheidenheit der Wollust." Die Sätze könnten dem Sinn nach fast von Erasmus stammen. Sie stehen in Nietzsches ‚Fröhlicher Wissenschaft‘.

Wir erinnern uns, daß bereits Alexander Hegius in einem Brief an Agricola sich zur epikuräischen Maxime bekannt hat, überzeugt durch LORENZO VALLAS Dialog *De voluptate ac De vero bono.* Hier heißt es: *Voluptas est bonum undecumque quaesitum,* Wollust ist das überall gesuchte Gut. Valla wirkte schockierend, weil er statt der ewigen Seligkeit, *beatitudo,* die *voluptas,* worunter die *erdenlust* verstanden wurde, zum verum bonum undecumque quaesitum erklärte. Nachträglich tat er so, als ob das eine Frage der Terminologie sei. In der Nachfolge Vallas läßt auch Erasmus *beatitudo* hinter *voluptas* zurücktreten, wie Celtis — aber das geht gleichsam in umgekehrter Richtung — *sexus* zu *voluptas* erhebt.

FICINO hatte am *30. Dezember 1457* ebenfalls eine Schrift *De voluptate ac De vero bono* abgeschlossen. Zu Beginn erinnert er den Adressaten an einen Sommertag, den sie gemeinsam auf dessen Landgut verbrachten, an die Lieblichkeit, amoenitas, jener Gegend und die Süßigkeit, suavitas, der zahllosen Früchte. Damals hätten sie ein Gespräch über die voluptas geführt, und mit voluptas habe er es aufgezeichnet. Ficino gibt nun aber nicht etwa einen Dialog wie Valla, sondern referiert, „um das Gedächtnis zu üben", die verschiedenen Auffassungen antiker Philosophen von der voluptas. Am Ende steht eine Art Resumé in erzählender Form: Jupiter beklagt, daß die Seelen nicht mehr zum Himmel streben, weil *Voluptas* auf der Erde sie festhält. Als die weise *Pallas* zum Kampf gegen Voluptas ausgesandt wird, kommt es zu einem Streitgespräch und einem Handgemenge, in dessen Verlauf Pallas ihren Schild der Gegnerin an den Kopf wirft; aber schließlich kehrt sie unverrichteter Dinge auf den Olymp zurück. Nun rät *Saturn,* die Götter sollten nicht versuchen, Voluptas zu töten, sondern sie in den Himmel holen, daß auf der Erde nur *Dolor* zurückbleibe, dann würden die Menschen Voluptas nachfolgen. Doch auch der Versuch, Voluptas mit Gewalt zu rauben, scheitert. Erst *Merkur* und *Apollo* haben Erfolg, indem sie Voluptas im Reigen der *Musen* und *Grazien* zum Himmel geleiten. In der Tat zieht sie die Menschen nach sich, sofern diese nicht einer falschen Voluptas verfallen, einem Trugbild, das Pluto, der Höllenfürst, ihnen vorgaukelt.

Vom Gegensatz zwischen *beatitudo* und *voluptas* ist nicht die Rede, er soll überspielt werden. Es scheint ein Gebot der Götter zu sein, daß die Menschen um ihrer *dignitas* willen über die Erde hinaus verlangen; sie aber suchen lieber auf Erden die *voluptas.* Wo dem Gebot nicht mehr Folge geleistet wird, müssen Grazien und Musen, die Künste, die Lust ins Überirdische, Überzeitliche emporheben, sie gleichsam sublimieren, oder umgekehrt die Pflicht in Neigung wandeln. *Dignitas* und *voluptas* fallen dann zusammen. Die Idee einer ästhetischen Erziehung des Menschen leuchtet hier auf.

Wenn zu Anfang des Jahrhunderts JOHANN VON TEPL die stoische Antithese von *dolor* und *ratio* oder Affekt und Apathie nicht wie Seneca und Petrarca eindeutig zugunsten der letzteren entschied, so deshalb, weil er mit dem *dolor* auch der *voluptas* abgesagt hätte. Das ist im ‚Ackermann aus Böhmen', wie ich zeigen wollte, impliziert. Das Vordringen des Epikuräismus expliziert es: ausdrücklich bekennt man sich zur *voluptas,* strittig ist nur noch das Verhältnis zwischen niederer, sinnlicher und höherer, geistiger voluptas.

ERASMUS läßt uns nicht wie Ficino an Schillers „ästhetische Erziehung", wohl aber an dessen Auffassung vom Christentum als der einzigen ästhetischen Religion denken. Mehr als ein Menschenalter nachdem er das Paradox gewagt hat, den *contemptus mundi* für die wahre *voluptas mundi* zu erklären, wird er in seine ‚Colloquia familiaria' ein ‚Colloquium epicureum' einfügen, wo einer der Dialogpartner — er trägt den sprechenden Namen Hedonius — behauptet, es gäbe keine glücklicheren Epikuräer als die fromm lebenden Christen. Angenehm lebt nur,

wer fromm lebt, d. h. die wahren Güter genießt. Sollte man an dem Wort Epikuräer Anstoß nehmen, möge man sich vergegenwärtigen, meint Hedonius, daß
epicurus Helfer oder Heiland bedeute und also keiner würdiger sei, Epikur zu
heißen, als „der anbetungswürdige Ahnherr der christlichen Philosophie", nämlich
Christus. „Er allein hat uns die zweifellos angenehmste Lebensweise gezeigt." Das
von Erasmus lebenslang propagierte Ideal der Versöhnung von Christentum und
Antike gründet eindeutig in seinem Epikuräertum. Die Gegner nannten deshalb
ihn selbst Epicurus. *Voluptas est bonum undecumque quaesitum* — davon läßt
sich Erasmus nicht mehr abbringen. Von daher versteht er den Menschen. *Voluptas* bildet den Angelpunkt im Erasmischen Menschenbild, deshalb will er das Epikuräertum im Christentum und ebenso das Christentum im Epikuräertum zur
Anerkennung bringen.

Die Konsequenzen aus Erasmus können freilich im Zynismus enden. „Es gibt
nur Epicureer, und zwar grobe und feine, Christus war der feinste; das ist der
einzige Unterschied, den ich zwischen den Menschen herausbringen kann": Georg
Büchner läßt diesen Satz Danton sprechen.

Die Erwartung des Rotterdamers, im Kloster die vera voluptas zu finden,
wurde bitter enttäuscht. Die Wirklichkeit sah anders aus als das Idealbild, das er
in ‚De contemptu mundi' entworfen hatte. *Pusillanimitas*, verzweifelter Kleinmut,
bemächtigte sich seiner, und diese Erfahrung im Kloster wird für Erasmus ebenso
entscheidend wie später für Luther. Das Trauma begleitet ihn durchs ganze Leben.
Immer wieder spricht er davon. So heißt es in ‚De pronuntiatione' 1528, das
Kloster zerbreche den gesunden, aufgeweckten Geist und züchte ein Pharisäertum,
das jede freie und edle Anlage verdirbt, *liberalem et ingenuam indolem corrumpit*;
in die jungen Gemüter werde etwas Ungebildetes und Subalternes, *servile quiddam et illiterale*, eingepflanzt. Auf diese Weise wolle man sie zu strenger Frömmigkeit erziehen, ad pietatis disciplinam. Aber es gibt nichts Heitereres als wahre
Frömmigkeit: *At vera pietas nihil est hilarius*. Schon in Steyn möchte Erasmus,
wie er später tat, den Menschen zurufen: Kommt zur Besinnung, ihr Armen,
miseri, werdet wieder Menschen und laßt uns, was des Menschen höchste Würde
ausmacht, ergreifen — *in homines redite et quod homini dignissimum est, complec-
timini*. Der *humilitas christiana* wird Erasmus, nicht ebenso, aber ähnlich wie
Cusanus, die *humanitas Christi* entgegenstellen.

Daß *humilitas* im Sinne der Devotio moderna, von der Cusanus und Erasmus
herkommen, und *hilaritas* einander nicht auszuschließen brauchen, zeigt „Unser
Blumenbettlein", das Johannes Veghe den Schwestern von Niesinck herrichtete,
damit sie bei der *devocie* auch *vrolikeit* fänden und *vrede des herten*. Der Münsteraner Fraterherr aus dem Brüderhaus auf dem Bispinghof hatte das benachbarte
Schwesternhaus in Niesinck seelsorgerisch zu betreuen. Von 23 *collationes*, Er-
bauungsstunden, sind uns Nachschriften aus dem Jahr *1492* überliefert. Sie werden ergänzt durch einen niederdeutschen Traktat *Van eenen ghesteliken wyn-*

garden und besagten *Lectulus noster floridus*, die man beide Johannes Veghe zu-schreibt[34]. Mit Sanftmut und Milde, einem heiter-herzlichen Ton und schlichter, eigenständiger Bildlichkeit suchte Veghe die Gemüter zu bewegen. Aus dem *homo exterior* soll, wie Geert Groote gefordert hat, ein *homo interior*, aus dem *uthwen-dighen menschen* ein *inwendigher* werden. Jeder kehre sich in dat alre bynnenste und inwendigheste synes herten! (Jostes 12,12). Ende des 15. Jahrhunderts kann diese *kehre* nicht mehr auf die unio mystica zielen. Veghe ist kein Mystiker, son-dern ein Psychagoge. Bei der inwendicheit geht es um inrekeit, ynnicheit, vrolikeit und vrede des herten, um einen Zustand innerer Sammlung und Freudigkeit. Das Moralische versteht sich von selbst — hier in dem Sinn, daß Veghe selbstverständ-lich mit Ermahnungen zur Tugend nicht spart. Aber de doghede wert in stilheit und in eenicheit (Sammlung) bewaert und behot, darum soll der Mensch nicht sorchfoldich und verstreyet in velen dyngen seyn (42,37). Ebenso wie Gansfort sieht Veghe die Hauptgefahr für den inneren Menschen in der Zerstreuung. Un-ablässig preist er das Glück, die Seligkeit — voluptas, beatitudo — eines geord-neten, weil auf Gott gerichteten Bewußtseins. Eyne gude consciencie is des men-schen paradijs. Want sunte Augustinus secht: Eyne hillighe, gude, wal gheordi-neerde consciencie, de hillich, ynnich, vrolick und vurich is in god, de vervullet und verluchtet is mit der hilligen schrift, mit vrede unde myt ghehorsamkeit, dussel-ken consciencie is eyn ghenoicklick paradijs (305,14 ff.). Dyt paradijs solle wij soken myt groter eernsticheit ... Myt vuelheit, myt traecheit ... myt slapenden und verstreyden synnen en wertet nicht verstaen noch beholden (303,40 ff.). —

Individuelle Seelenführung und allgemeine Zeitkritik — erstere treibt Veghe, letztere übt ein vermutlich etwas jüngerer, anonymer Münsteraner, den man sich ebenso als Fraterherrn auf dem Bispinghofe vorstellt. In seinem *Status mundi* gibt er ein Stück der *Gesta Romanorum* wieder, es da und dort, an wenigen Stellen, ins Niederdeutsche übersetzend. Ein König beklagt den Sittenverfall in seinem Reiche, den Zustand der Welt, und sucht nach einer Erklärung. Die geben ihm die Weisen bei Hofe, indem sie an die vier Stadttore je drei Sprüche schreiben, so beispielsweise: De penninck gyfft de sententien, daer umme schuet int lant un-rechtverdicheyt: Denarius dat sententiam, ideo terra male regitur. Die oft schon vernommene Anklage! Dagegen „überrascht" — wie jedesmal, wenn sie im Lauf der Jahrhunderte wiederkehrt, — als „ganz modern" die Formulierung: *God ys dot, daer umme ys dat lant vull sunder*: Deus est mortuus, ideo totum regnum pecca-toribus est plenum[35]. —

In der Tat hat sich *1492* der status mundi radikal verändert. Sieben Jahre lang war in Spanien Cristoforo Colombo unter anderem die Behauptung des Enea Silvio entgegengehalten worden, die heißen Zonen seien für Menschen unbe-wohnbar, — erst im Heerlager vor Granada, unmittelbar nach dem Fall der Stadt am *2. Januar 1492*, womit die Araberherrschaft in Spanien zusammenbrach, unter-zeichnete Königin Isabella den Vertrag, aufgrund dessen Colombo am *3. August* nach Indien ausfahren konnte und am *11. Oktober* den Indianerkontinent entdeckte.

Im *April 1492* war Lorenzo il Magnifico gestorben, im August folgte auf Papst Innozenz VIII. der Spanier Rodrigo Borja als Alexander VI.: die sinnliche *Voluptas* in Mannsperson, *Priapus*, trug jetzt den dreifachen Goldreif, Symbol des höchsten Hirten-, Lehr- und Priesteramtes im christlichen Europa.

Wie sollte nicht auch Celtis der Voluptas huldigen? Nachdem er Krakau und Hasilina im *Sommer 1491* verlassen hatte, traf er zu Ende des Jahres in Ingolstadt ein, wo er dank der Protektion von Sixtus Tucher im *Frühjahr 1492* ein Unterkommen an der Universität fand. Mehrere Jahre wird er hier tätig sein, erst als Privatdozent, seit 1494 als *Lector ordinarius* oder Professor *in studio humanitatis*. Auch dann bezog er pro Jahr nur ein stipendiolum, wie er sich ausdrückt, von 80 Gulden, so daß er Pensionäre leiblich und geistig versorgen mußte, domicelli, unter ihnen Melchior Pfintzing aus Nürnberg. Sein Lehramt an der Universität nahm Celtis auf die leichte Achsel. Immer wieder ließ er Vorlesungen ausfallen und entschuldigte sich in einem Gedicht, das am schwarzen Brett angeschlagen wurde. An Überarbeitung glaubten die Studenten nicht recht, wenn sie lasen, das Fieber habe ihn gepackt und aufs ärmliche Lager die schmerzenden Glieder gestreckt, alles drehe sich vor seinen Augen, scheine rasend um ihn zu kreisen, vielleicht habe er zuviel studiert oder zu emsig in wechselndem Versmaß gedichtet (Epigramme IV, 33). — In einem fort zwischen Hexameter und Pentameter wechseln, wie es die Elegie verlangt, das konnte Schwindel verursachen, aber die Studenten schlossen auf eine durchzechte Nacht, und das hatte Celtis wohl auch beabsichtigt.

Ingolstadt war noch eine junge Universität, erst 1472 von Herzog Ludwig dem Reichen von Baiern-Landshut auf Betreiben seines humanistischen Kanzlers Martin Mair gegründet; später hat man die Ludwigs-Universität nach Landshut und von dort nach München verlegt, wo sie nun Ludwig-Maximilians-Universität heißt. Wider Mairs Intention spielte der Humanismus die Rolle des Aschenputtels in Ingolstadt. Man wollte es den alten Universitäten gleichtun, und so lasen 22 Professoren über Aristoteles. Die paar humanistisch Eingestellten faßte Celtis in einem Kränzchen zusammen, dem er nach berühmten Mustern den Namen einer *Academia Platonica* gab. Wie sein Briefwechsel mit einem Ingolstädter Theologen verrät, kursierten in der Stadt bald Gerüchte darüber, daß Celtis nicht zur Beichte und Kommunion gehe und insgeheim höchst suspekten religiösen Anschauungen huldige. Celtis mußte sich gegen diesen Rufmord wehren, worauf der betreffende Professor, „im Bade sitzend", sich entschuldigte, er habe nur auf vielfaches Befragen hin mit zwei Celtis wohlgewogenen Kollegen über diese Dinge gesprochen[36]. Möglicherweise gilt ihm, Ad Sepulum disidaemonem'.

Am *31. August 1492* hielt Celtis seine Antrittsrede in glanzvoll rhetorischem Stil, nicht argumentierend, sondern stimulierend. Den Hörern, die er als viri Germani et adolescentes clarissimi apostrophiert, will Celtis *stimulum adjicere, stimulum inculpare* — einen Stachel beibringen, einen Stachel ins Fleisch drücken, damit sie nach Ruhm und Tugend streben, nach jener Unsterblichkeit, die aus dem Studium der Philosophie und Rhetorik zu gewinnen ist. Die alten Philosophen, Poeten und Oratoren geben uns Anweisung, wie man gut und glücklich lebt — *bene beateque vivendi rationem*. Durch sie lernen wir die Geschichte kennen und die Mutter Natur — *parentem naturam*, nach Seneca. Das aber ist der Gipfel des menschlichen Glücks, das Wesen aller Dinge, die Natur selbst zu betrachten: *Humanae felicitatis finis est, contemplari rerum omnium principem et ipsam naturam.* Andererseits lehren uns die Alten das Gute loben und das Schlechte tadeln, trösten, mahnen und abmahnen, antreiben. Auf eine unbegreifliche Weise hat es der Dichter und Redner in seiner Hand, Mitleiden zu wecken und das Gemüt zu erregen oder zu beschwichtigen — *nescio quo modo et misericordia et omnis animi suscitatio et repressio in manu oratoris et poetae sunt.* Schiller wird diese rhetorischen Grundbegriffe mit anspannender und auflösender Wirkung, energischer und schmelzender Schönheit übersetzen. Schon die Sinn- und Wortfiguren, die wie Sterne eine Rede schmücken, sind Hilfsmittel des *orator-poeta.* Ihr müßt sie euch aneignen, denn, bei den unsterblichen Göttern, was nützt es, viel zu wissen und einen Sinn für das Schöne und Erhabene zu besitzen, *pulchra et sublimia intelligere*, wenn wir nicht imstande sind, mit Anmut und Würde darüber zu reden, *loqui cum dignitate, elegantia et gravitate*, und so unsere Gedanken der Nachwelt zu überliefern. Letztes Ziel ist ja doch die Unsterblichkeit, *immortalitas gloriae et virtutis.*

Celtis beklagt, daß man die Philosophie mit Füßen trete und pulcherrimam naturae maiestatem durch Begriffe, Abstraktionen, leere Chimären entstelle; hier wendet sich wohl noch in erster Linie der „antiquus" und „Realist" gegen die „moderni" und „Nominalisten". Die Dichter, fährt Celtis dann fort, haben in Bildern gesprochen, damit die Kenntnis heiliger Dinge der Menge verborgen bleibe, *ut sacrarum rerum notio vulgo occulta esset*; die Menge wäre sonst schwer im Zaum zu halten. Ähnlich erklärt Ficino: Profanis sapientia non conceditur. Gewisse Grundwahrheiten unserer Religion, versichert Celtis, finden sich schon bei PLATON und PYTHAGORAS, die ihm als die *summi philosophi* gelten, aber auch bei anderen großen Philosophen, so daß wir die schöne Gemeinschaft zwischen Vernunft und Gnade erkennen: *pulcherrimam luminis naturae et gratiae societatem.* Oder sollen wir denen glauben, die Unwissenheit für höchste Weisheit ausgeben und dem großen Haufen etwas vormachen? Sie gleichen Vogelscheuchen mit einem Regenschirm, wie man sie im Garten aufstellt: wenn man näher hingeht, findet man *nec motum nec sensus.* Das richtet sich gegen den Klerus.

Dann aber kommt auch Celtis' Nationalgefühl zu Wort: *Me Germaniae meae pertaedet:* Was bin ich meines Deutschlands leid! Beseitigt die alte Schmach, daß die Germanen bei den griechischen, lateinischen und hebräischen Schriftstellern der Trunksucht, Unmenschlichkeit, Grausamkeit und alles anderen, was ans Tierische und Tolle grenzt, beschuldigt werden. Immer halten die Nachbarn unseren Charakter für verdächtig und gefährlich. Schämt euch, die Geschichte der Griechen

und Lateiner nicht zu kennen, aber weit mehr noch, daß ihr Flüsse, Berge, Denkmale und Völkerschaften unseres eigenen Landes nicht kennt. In der Folge appelliert Celtis an einen anderen Affekt: Nehmt den Geist wieder auf, viri Germani,
durch den ihr einst der Schrecken der Römer wart. Pudeat, pudeat nationi nostrae
iugum et servitutem inposuisse. O liberum et robustum populum, o nobilem et
fortem gentem et plane dignam Romano imperio ... Consenescit imperium: das
Reich wird alt. Dennoch bleibt das letzte Wort: Convertite vos, Germani, convertite vos ad mitiora studia! Erwerbt damit euch Unsterblichkeit und dem Vaterland
Ruhm und Lob! Dixi.

Leonard Forster nennt Celtis' Oratio eine Art ‚Rede an die deutsche Nation'.
Der Vergleich mit Fichte scheint etwas weit hergeholt zu sein, aber er trifft insofern zu, als Celtis die neue Bildung nicht ausschließlich unter humanem, sondern
auch unter nationalem Gesichtspunkt sah. Celtis will hier auf dasselbe hinaus wie
Petrarca mit seiner remeatio ad purum priscumque iubar. Daß das nationale Ziel
mit dem humanen sich verband, konstituierte den italienischen Renaissance-Humanismus. Der deutsche Humanismus erhält nach der Entdeckung der ‚Germania'
des Tacitus erst durch Celtis vollends diesen nationalen Renaissance-Akzent, ent-
schiedener noch als in der Ode ‚Ad Apollinem' in der Oratio in gymnasio in
Ingelstadio publice recitata 1492[37].

Beim Druck wurde ihr eine lange Ode Ad Sigismundum Fusilium Vratislavien-
sem Quibus instituendi sint adolescentes angefügt; in der Odensammlung lautet
der Titel De his quod futurus philosophus scire debeat[38]. SIGISMUND GOSSINGER,
der sich Fusilius nannte, war Canonicus in seiner Heimatstadt Breslau, Schüler des
Bolognesers PHILIPPUS BEROALDUS D. Ä. (1453—1505). Dieser widmete ihm 1498
ein sehr bewundertes und in Italien wie in Deutschland wiederholt gedrucktes
Streitgespräch zwischen Trinker, Wüstling und Spieler: Declamatio lepidissima
ebriosi, scortatoris, aleatoris de vitiositate disceptantium. Es handelt sich dabei um
drei Brüder, deren Vater auf dem Sterbebett verfügt hatte, der schlechteste seiner
Söhne solle enterbt werden; nun streiten sie vor Gericht über ihre Laster. Der
Streit bleibt unentschieden, denn wie Beroaldus in seinem Begleitbrief erklärt:
Socraticum et academicum est nihil affirmare. Nach dem Wiegendruck, Bologna
1499, veranstaltete u. a. WIMPHELING in Straßburg 1501 eine Neuausgabe und
1513 eine Übersetzung, betitelt „Ein hüpsche subtyliche Deklamation des gelerten
und wolredenden mans Philippi Beroaldi ... lustig lieplich und nutzlich gelerten
und ungelerten zu lesen". Der Titel von SEBASTIAN FRANCKS Verdeutschung lautet
dreißig Jahre später: „Ein künstlich höflich Deklamation und hefftiger Wort-
kampff zank und hader dreyer brüder vor gericht ..." HANS SACHS und ZACHARIAS
BLETZ machen dann aus der humanistischen Gelehrtenschrift deutsche Fastnachtsspiele[39]. Als Adressat der Declamatio oder Disceptatio von Beroaldus über die
Lasterhaftigkeit und der Celtisschen Ode über die Erziehung der Jugend ist der
Name Gossinger-Fusilius „in die Geschichte eingegangen". — Celtis hatte sich mit
Gossinger in Krakau befreundet, wo dieser während des Winters 1490 über VER-

GILS ,Georgica' las. *Felix qui potuit rerum cognoscere causas,* an diesen Vers und seinen Kontext, der von den Bahnen der Sonne und der Sterne, von Erdbeben usw. spricht, knüpft Celtis nun an. Außerdem erinnert er sich an OVID und HORAZ, die ,Metamorphosen' bzw. ,Episteln'. Seine drei Lieblingsautoren assistieren ihm so bei Abfassung der in Odenform vorgebrachten Erziehungslehre. Angeblich wurde diese Fusilius-Ode eines der populärsten Werke des Celtis, vollends nachdem in Wien um 1500 ein Sonderdruck erschienen war. Augustin hat in seinem ,Enchiridion' auf die gleiche Vergilstelle Bezug genommen, um zu erklären, die Gründe der Natur brauchten wir nicht zu kennen, nur die Gründe von Gut und Böse. Denken wir zurück an den Fragenkomplex um Augustins *curiositas-* und Petrarcas *ignorantia*-Begriff! Daß Celtis hier die Gegenpartei ergreift, wissen wir schon[40]. Seine Ode fordert Unterricht der Jugend außer in grammatica in philosophia naturalis, meteorica, astronomia, cosmographia, historiographia, philosophia moralis. Es fehlen also die eigentlichen Fachstudien: Theologie, Jurisprudenz und Medizin. Bei den aufgeführten Wissenschaften hämmert die Ode dem künftigen Philosophen oder Humanisten ein: *Perge ... Perge ... Perge ...* Forsche immer weiter! Lasse nicht locker in der *curiositas!*

Im *Frühjahr 1492* hatte Celtis für seine Vorlesungen einen knappen, dürftigen Abriß der Rhetorik des Cicero angefertigt, den er zusammen mit einer mnemotechnischen und einer epistolographischen Abhandlung sowie eigenen Gedichten als *Epitoma in utramque Ciceronis rhetoricam cum arte memorativa nova et modo epistolandi utilissimo* veröffentlichte. Unter den beiden Teilen der Ciceronischen Rhetorik, der Rhetorica vetus oder prior und Rhetorica nova oder secunda, verstand man seit eh und je einerseits Ciceros ,De inventione', andererseits die ,Rhetorica ad Herennium', die auch ,Auctor ad Herennium' genannt wurde. Jede Studentengeneration war aufs Neue damit bekannt zu machen. Celtis erfüllte seine Aufgabe nicht besser und nicht schlechter als die zahllosen Vorgänger auf dem Trampelpfad, der in den Fußstapfen eines Theoderich von Chartres und Alanus ab Insulis entstanden war. Dieser Weg führte über das lateinsprachige Universitätsgelände.

Zum deutschsprachigen Ressort, das in den Kanzleien neben dem lateinsprachigen bestand, verschaffte dem cultus rhetoricus erstmals JOHANN VON NEUMARKT Eingang mit seiner ,Summa cancellariae Caroli IV'. Hauptsächlich im deutschen Kanzleistil macht sich dann die Wirkung des NIKLAS VON WYLE bemerkbar. Eine Phrasensammlung, die er seinen Schülern an die Hand gegeben hatte, wurde durch einen herumziehenden Schulmeister, BERNHARD HIRSCHFELDER aus Nördlingen, kolportiert und gelangte so in das erste im Druck erschienene deutsche Kanzleihandbuch, betitelt *Formulare und deutsch Rhetorika,* ca. 1482. Ihm trat ein Jahr nach der Celtisschen ,Epitoma', *1493,* das erste rhetorische Lehrbuch deutscher Sprache an die Seite, der *Spiegel der waren Rhetoric, usz m. Tulio und andern getutscht* von FRIEDRICH RIEDERER. Dieser Mann, der aus Mühlhausen im Hegau stammte,

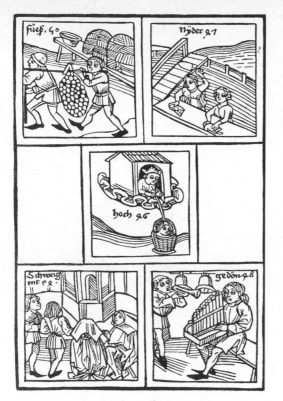

Fünf stet (loci)
in der deutschen ‚Ars memorativa' von ca. 1490

war Schreiber des Junkers von Friedingen auf dem Hohenkrähen gewesen, bis er 1493 eine Druckerei in Freiburg im Breisgau eröffnete und als wichtigstes Werk mit dem Riedererschen Signet — einer in bürgerliche Kleidung gesteckten Waffendame MARTIN SCHONGAUERS[41] — besagten ‚Spiegel' herausgab. Darin hatte er selbst Lehren und Vorbilder für die Abfassung von Briefen, Schriftsätzen und Urkunden und zur Handhabung von Titeln und Floskeln zusammengestellt. Auch hier ist der Einfluß WYLES unverkennbar. Zunächst folgt Riederer, wie nicht anders zu erwarten, dem ‚Auctor ad Herennium', dann geht er zu Quintilian über, wobei er sich an die Bearbeitung durch Gasparino da Barzizza hält, wie sie von Wyle verdeutscht worden war. Ebenso kennt Riederer aus Wyles Translationen den Lehrbrief des Enea Silvio für Sigmund von Tirol und Eneas Begleitbrief zu ‚De duobus amantibus' an Mariano Sozzini. Als „die aller subtylest oratores und rhetores" werden aufgezählt: „Demostines, Tulius, Socrates, deßglych die heilgen Iheronimus, Augustinus, Ambrosius, Gregorius und ettlich die in kurtz erschinen zyten gelebt haben, Als Leonardus Aretinus [Bruni], Guarinus veronensis, Pogius florentinus, Aurispa sicculus, Anthonius vincentinus, und ander deren red und schriben, milch und honigbächen, und guldinen flüssen glych geacht werdend"[42]. —

Die *ars memorativa* oder Gedächtniskunst, die CELTIS mit seiner ‚Epitoma in utramque Ciceronis rhetoricam' verband, besaß eine ebenso lange und vornehme Tradition. Sie wurde in der Hochantike wie im Hochmittelalter und ebenso zu Beginn der Neuzeit sehr ernst genommen, während sie uns heute unverständlich geworden ist und abstrus erscheint. Als 1432/33 JOHANNES HARTLIEB eine lateinische Ars memoriae „zw deutsch pracht", kam er nicht bloß Herzog Ludwigs von Baiern, sondern vieler Laien „emsig peger" entgegen. Und wie auf dem Konstanzer

Konzil durch gemeinsame Lektüre der „Divina Commedia", in Florenz durch Vorträge über Aristoteles und Platon, so verkürzte man sich 1443 in Basel die langen Intervalle der Sessionen durch die Erörterung mnemotechnischer Fragen[43]. Celtis' unmittelbares Vorbild, mit dem er sich kritisch auseinandersetzt, war der *Facilis memoriae artis modus* von JACOBUS PUBLICIUS in dessen bei Eckard Radolt 1482 und 85 in Venedig, 1490 in Augsburg gedruckter *Oratoriae artis epitoma*. Von der ebenfalls um 1490 bei Anton Sorg in Augsburg anonym erschienenen *Ars memorativa* in deutscher Sprache scheint Celtis keine Kenntnis gehabt zu haben. Dieser Traktat[44], der nur 11 Seiten Text umfaßt und als Anhang 13 Seiten mit je 5 Holzschnitten bringt — auch die Epitoma des Publicius hat einen Bildteil —, fand so großen Anklang, daß 1502 Georg Simler, damals Rektor in Pforzheim, später Professor in Tübingen und hier wie dort Lehrer Melanchthons, eine Neuausgabe veranstaltete. In deutscher Sprache stellen die paar Seiten des Anonymus die bündigste Einführung in die Gedächtniskunst dar. Sie helfen auch uns, wenn wir versuchen, eines der befremdlichsten Phänomene der Literaturgeschichte ins Auge zu fassen.

Der (annähernd) volle Titel des Traktats lautet: ‚Ein loblich büchlein. Zu latein genannt *Ars memorativa* ... *von künstlicher gedächtnus*. Zu hilff und zu auffenthaltung eynes yeden menschen *natürlicher gedächnus* [sic]'. In der lateinsprachigen Tradition, die an die Übersetzung von Aristoteles' Περὶ μνήμης καὶ ἀναμνήσεως, De memoria et reminiscentia, anknüpft, wird zwischen memoria naturalis und memoria artificiosa unterschieden. Wenn der Anonymus beginnt „Zu dem anfang der kunst der gedächtnus soltu wissen das die kunst gancz und gar verporgen ist jn zwain Artickel: Der erst das sint die stet Die andern sint gleichnus oder pildung", so geht er sofort medias in res. Er verdeutscht mit *stet* (Stätten) und *gleichnus oder pildung* die beiden Grundbegriffe der Aristotelischen Mnemotechnik (ἀνάμνησις, memoria artificiosa), nämlich τόποι, *loci*, und φαντάσματα, *imagines*.

Aristoteles hatte dargelegt — und wer sollte ihm nicht zustimmen? — μνήμη, memoria, das Gedächtnis, assoziiere, was eine Ordnung besitzt, leichter als Ungeordnetes und reagiere am stärksten auf Bilder. Daraus folgerte Aristoteles, Tatsachen und Gedanken, an die man sich zu gegebener Zeit erinnern möchte, seien in Bilder zu kleiden und alsdann in eine bestimmte Ordnung zu bringen, damit man sie wieder finde; jedes Bild muß seinen Ort haben. Topoi, loci, Fundörter sind in der Mnemotechnik weder allgemeingültige Sätze, wie in der ‚Topik' des Aristoteles, noch, wie in seiner ‚Rhetorik', allgemeine Gesichtspunkte oder gar allgemeine Themen im Sinne von E. R. Curtius, vielmehr bedeutungsvolle Bilder, die eine Ordnung untereinander und in dieser Ordnung ihren Ort haben: *a locis reminiscimur imagines*. So dienen sie dem Gedächtnis als Stützpunkte.

CICEROS *De oratore* zählte die Mnemotechnik nach Aristotelischem Rezept zu den fünf Teilen der Oratorik. Dasselbe taten vorher die pseudociceronische *Rhetorica ad Herennium* und nachher QUINTILIANS *Institutio oratoria*. Die beiden gehen dabei (III, 16—24 bzw. XI, 2) auf den ordo der Bilder näher ein und raten, auch ihn sich bildhaft vorzustellen, beispielsweise als Haus mit verschiedenen Zimmern oder gar als ganze Stadt, als Tempel, Festung etc. Darin sollen die Bilder lokalisiert werden. Die *Artificialis memoriae regulae* des JACOPO RAGONE aus Vicenza (1434)[45] sprechen deshalb von *loca* (nicht loci) *in loco*, von verschiedenen Gegenden eines Ortes, und postulieren: Habeas domum in qua sint intra cameras, salas, coquinas, scalas viginti . . . *Domus* sit primus locus, secundus locus sit *porticus*, tertius locus sit *angulus* . . .

Unser Anonymus von ca. 1490 folgt denselben Autoritäten. Er bestimmt die *stet* (loci) als das, „das alwegen an einer stat still stat: als ein groß venster, ein offen, ein tisch und des gleychen", zieht aber die *thüren* (porticus) unter Berufung auf Aristoteles allen anderen *stet* vor. Man solle sich, meint er, ein Haus, das man kennt, besser noch mehrere Häuser mit ihren Türen vergegenwärtigen, letztere numerieren und sich nach Lage und Nummer fest einprägen, „wann alle kunst der gedächnus leüt dar an, das du der stett behent werdest." Ja, man kann noch weiter gehen und zu jeder Türe auch die vier *eggen* (anguli) sich merken, so erhält man pro Türe fünf stet oder stett. Bei 5 Häusern mit je 20 Türen macht das schon 500 stett, die man erst wohl auf dem Papier, schließlich aber auch im Kopf hat.

Nebenher vollzieht sich eine andere Prozedur. Für alle entscheidenden *artickel* (res) oder *worte* (verba) des zu memorierenden Textes — „eins heylgen leben, eins lantrecht puochs oder waß puochs du wilt" — wählst du dir je ein *pild* oder *gleichnus* (imago, similitudo) und bringst es in einer von den stett, thüren, eggen unter. So erst entstehen loci im Sinne der Mnemotechnik, Stützpunkte für die Erinnerung.

ALBERTUS MAGNUS und THOMAS VON AQUINO, die mit Beiziehung von ‚Ad Herennium' das Aristotelische ‚De memoria' ausführlich kommentierten, legten Nachdruck darauf, daß den Bildern, um zu wirken, aber auch um sich einzuprägen, etwas Evokatives anhaften müsse. In diesem Zusammenhang prägt Albertus den schon früher zitierten Satz: mirabile plus movet quam consuetum, et ideo cum huiusmodi imagines translationis sint compositae ex miris plus movent quam propria consueta. Die Bilder, obwohl sie nur eine Sache oder ein Wort bedeuten, stellen also innerhalb der Gesamtkomposition wieder selbst eine Komposition dar. Die Holzschnitte der ‚Ars memorativa' von 1490 sind als Musterbeispiele dafür gedacht; hingegen begnügt sich die Publicius-Epitoma mit einfachen, emblematischen Tierfiguren oder sogar mit bildhaft gezeichneten Buchstaben, einem halboffenen Zirkel für A, einem Hammer für T usw. Das evokative Moment finden wir bei Jacopo Ragone in dem Hinweis: Wenn du an einen Mann mit Namen Petrus dich erinnern sollst, setze dafür das Bild eines Petrus, den du kennst, und zwar bei einer lächerlichen oder ungewohnten Tätigkeit; sollst du dich ferner an sein Pferd erinnern, so setze in den zweiten locus einen übergroßen Schimmel, der nach ihm ausschlägt. Verbaliter fordert auch der Anonymus, daß die Bilder „fremd und selczam" seien, und zwar mit der psychologischen Begründung:

Der Gedächtniskünstler
(Holzschnitt des „Petrarca-Meisters" [Hans Weiditz?] „nach visirlicher Angebung
Sebastiani Brant" in ‚Von der Artzney bayder Glück', Augsburg 1532)

„Wir sechen die sunn altag auff und nidergan, daz nympt uns nit wunder [non
mirum facit], dar umm daz es gewon ist [consuetum]. Und wenn ein vinster der
sunnen kommpt, der gedenckt man gar lang. Also ist es auch in der pildung. setzen
wir gemaine pilder und gleychnus, so vergessen wir jre gar pald. Der selczamen
gedenck wir gar lang." Unter den Beispielen empfehlenswerter Seltsamkeiten werden u. a. angeführt das Bild eines Mohren für einen als „vast hübsch" gekenn-
zeichneten Menschen oder einfache *widerworte* wie mor für Rom, retep für
Peter.

Daß man für die memoria artificialis den betreffenden Text, nicht Wort für
Wort, aber mit seinen entscheidenden Fakten und Begriffen, in Bilder zu trans-
ponieren hat und diese auf Orte in einem präzis vorgestellten Raum verteilt,
darüber gibt es keinen Zweifel. Die Stützpunkte werden aufgezeichnet, unter Umständen, wie die Augsburger Holzschnitte zeigen, sehr detailliert, und haften dann
im Gedächtnis. Aber was nun mit dem imaginären Bilderbuch anfangen? Wie es
lesen, um den Urtext geläufig zu reproduzieren?

Der Anonymus numeriert sowohl die „stett" als auch die „artickel" des Textes
und preist es als besonders löblich, die passenden Nummern sofort nennen, sie
wie am Schnürchen aufsagen zu können. Der Titelholzschnitt seines Traktates

zeigt einen Schüler mit dem Buch im Schoß und vor ihm einen Gelehrten, der etwas an den Fingern abzählt. Soll das heißen, daß man über die Nummern der Textworte einer-, der Bildorte andererseits diese beiden mechanisch verbindet? Das ist wohl denkbar. Für wahrscheinlicher oder gebräuchlicher halte ich, schon des Terminus *memoria localis* wegen, eine andere Methode: in Gedanken wandert man im vorgestellten Raum von Ort zu Ort oder Tür zu Tür und somit von Bild zu Bild, wobei jedes Bild die entsprechende Textstelle mit ihrem Kontext evoziert.

Der „Petrarca-Meister" (HANS WEIDITZ?) veranschaulicht uns das auf einem der nach genauen Angaben SEBASTIAN BRANTS um 1518 hergestellten Holzschnitte zur Übersetzung von Petrarca, ‚De remediis utriusque fortunae'. Es handelt sich dabei nicht um eine der beiden bruchstückhaften Eindeutschungen durch NIKLAS VON WYLE (1478) und ADAM WERNHER VON THEMAR (1516), sondern um das Werk, das PETER STAHEL, Ratsherr in Nürnberg, begann und GEORG SPALATIN vollendete; der Druck erfolgte erst 1532. Die vierzehn wappenartigen imagines auf dem Holzschnitt stimmen mit den Publicius-Illustrationen stark überein[46].

Wie das Abzählen läßt auch das Abwandern den Sinnzusammenhang des Textes beiseite; ihn verdrängt eine Hilfskonstruktion unzusammenhängender, aber nach loci geordneter imagines. Insofern gleicht die memoria artificialis fast einem Computer oder einer Lochkartenapparatur, die verbale „Informationen", um sie „speichern" zu können, in „Zeichen" und „Positionen" umsetzt und bei Bedarf als Verbaltext zurückliefert. Nur daß die Apparatur im Gehirn des Menschen installiert wird. Vielleicht erscheint deshalb der Gedächtniskunst angemessener ein Vergleich mit der Fähigkeit, sich Musikstücke beim Hören als Notenpartitur zu merken und sie davon, eventuell bloß für das innere Gehör, wieder abzuspielen. Doch beide Vergleiche sind unzureichend, weil die memoria artificialis nichts von der Art eines Code oder eines Notensystems kennt, sondern in der Regel mit einmaligen Bildern arbeitet.

Als Glanznummer unter den Gedächtniskünstlern galt Pietro Tommai, der sich PETRUS RAVENNAS nannte und *1491*, ein Jahr vor Celtis' ‚Epitoma', in Venedig das Buch *Phoenix seu artificiosa memoria domini Petri Ravennatis memoriae magistri* veröffentlichte. Der Mann, übrigens ein renommierter Professor der Jurisprudenz, trat später auch in Deutschland auf, so wird er noch des öfteren unseren Weg kreuzen. „Et cum una sit Foenix et unus iste libellus, libello si placet Foenicis nomen imponatur": das die Erklärung des Ravennaten für seinen Buchtitel. An Selbstbewußtsein fehlte es ihm nicht. Er war ja aber auch schon mit zwanzig Jahren imstande gewesen, den ganzen Codex juris civilis Wort für Wort auswendig herzusagen, und eine Vorlesung oder Predigt brauchte er nur einmal gehört zu haben, um sie wörtlich wiederholen zu können. Er hatte dafür die Mnemotechnik auf seine eigene Weise sich zurechtgemacht, was er lange Zeit „ex pudore" bloß guten Freunden verriet: statt mit einem bockenden Schimmel oder mit einem Mohren als umgekehrtem Zeichen für einen „vast hübschen" Menschen füllte er alle loci mit richtig hübschen Mädchen. Da er anderwärts behauptete, er verfüge

Kaiser Friedrich III. und König Maximilian
(Meister der Habsburger, Ausschnitt aus einer
‚Anbetung der Könige'; Wien,
Kunsthistor. Museum)

über gut 10 000 loci, muß in seinem Gedächtnis eine stattliche Galerie weiblicher Schönheiten Platz gefunden haben. „Dicere possum omnia mecum porto"[47]. — Das psychologische Rätsel der Gedächtniskunst löst uns auch Petrus Ravennas nicht.

Celtis konnte seine ars memorativa von $2^1/_2$ Seiten als nova bezeichnen, weil er die Bilder nicht in Häusern, an Wänden etc. lokalisierte, sondern im ABC. Damit hätte er nur 20 loci erhalten. Er vermehrte ihre Zahl, indem er jeden Buchstaben durch Anhängen eines Vokals fünffach aufschlüsselte. Die Doppelbuchstaben ergänzte er dann zu einem Wort und empfahl, dieses bildlich darzustellen. Beispiel: Ba — lneator, Be — gutta, Bi — bulus, Bo — ssequus, Bu — ccinator. Des Celtis Methode, sich auf dem Umweg über solche alphabetisch geordnete Wortreihen einen Text einzuprägen, erscheint uns womöglich noch weniger praktikabel als die „klassische" ars memorativa.

Celtis widmete sein Buch von 1492 KÖNIG MAXIMILIAN. Diese erste Dedikation an den König begründete er damit, daß Maximilian von den Dichtern gefordert habe, *iam surgentis et renascentis imperii gloriam propagare et eternitati mandare*. Vermutlich war Maximilian selbst schon unter die Schriftsteller gegangen, indem er seine Biographie lateinisch zu schreiben begann. Anders ließe sich kaum rechtfertigen, daß ein Schüler des LAURENTIUS CORVINUS in Krakau, der Schwabe HEINRICH BEBEL, dem König 1492 ins Gesicht hinein behauptete, er habe die beiden höchsten Ziele des Menschen erreicht: *scribenda gerere et gesta scribere.* Hier klingt der archaische Heldentopos „Tapferkeit und Weisheit" wieder auf. Das Herrscherlob der römischen Kaiserzeit hatte ihn zu „arma et litterae" abgewandelt, Plinius der Jüngere „facere scribenda et scribere legenda" daraus gemacht, Bebel gab nun dem Topos als Kompliment für Maximilian eine noch elegantere Wendung.

Besonders auf die Wiener Universität richtete der König sein Augenmerk. Im *Oktober 1492* erteilte der von ihm eingesetzte Superintendent, nach heutigen Begriffen ein Kanzler oder Kurator, der Humanist BERNHARD PERGER, namens der Regierung der Artistenfakultät eine Rüge, weil sie Scholaren und Baccalauren mit nutzlosen Sophismen beschäftige und die Texte vernachlässige. Wenn SAMUEL

KAROCH, auf den wir *1492* zum letzten Mal und zwar in Wien stoßen — er veröffentlichte als *Epistula iucunda Samuelis ex monte rutilo* eine lateinische, „mit Facetien besprengte" Neufassung des Schwanks ‚Der Kaiser und der Abt' —, von diesen Vorgängen an der Universität hörte, mochte er sich seiner Leipziger Studentenzeit erinnern. Damals, vor mehr als einem Menschenalter, hatte Heinrich Stercker sich gegen den artistischen Lehrbetrieb aufgelehnt, jetzt führte der König die Sache des Humanismus.

Ohne Zweifel sympathisierte Maximilian mit der humanistischen Geisteshaltung. Mehr wird man kaum sagen können. Es war die Geisteshaltung seiner Generation; daß Maximilian und Celtis zum gleichen Jahrgang zählten, hat schon einen gewissen Zeichenwert. Aber die Humanisten fanden beinahe überall, wo sie an den Universitäten Boden zu fassen suchten, bei den Landesfürsten Unterstützung. Diesen darum eine besondere Aufgeschlossenheit für die studia humanitatis zuzutrauen, erscheint nicht ganz plausibel. Auch daß für die Kanzlei und für Gesandtschaften *poetae et oratores* benötigt wurden, ist keine hinreichende Erklärung. Die Motive der Fürsten waren in erster Linie politischer Natur, und genau das löste bei den Universitäten einen so hartnäckigen Widerstand aus. Noch fühlte sich die Professorenschaft wohl an die Kirche, kaum aber an den Staat gebunden. Den Universitätsrang begründete ein Privileg des Papstes, das Kanzleramt, dem die Kontrolle über das Prüfungswesen zustand, eine Schlüsselposition, fiel infolgedessen meist mit einem hohen Kirchenamt zusammen, etwa dem Episkopat in Worms, und was die Professoren anlangt, so bezog deren überwiegende Mehrheit, von den Kolleggeldern abgesehen, ihr Gehalt aus kirchlichen Pfründen. So eignete den Universitäten ein hoher Grad von Autonomie. In ihre Igelstellung einzudringen war für Neuerer wie die Humanisten äußerst schwierig, weshalb sie bei den Landesfürsten Unterstützung suchten. Diese besaßen gar nicht viel Einflußmöglichkeiten, aber sie hofften, diese ausweiten zu können, wenn es erst einmal gelungen sei, Schützlinge in den Lehrkörper zu lancieren. „Sänger" und „König" gingen miteinander, weil beide die Macht der Ordinarien brechen wollten. Unsere Vorstellung, die etablierte Professorenschaft, soweit sie die Poeten bekämpfte, habe aus Glaubenseiferern oder, modern gesprochen, fanatischen Ideologen und andererseits, nach dem gleichen Jargon, Fachidioten bestanden, — dieses Bild verkehrt nicht nur Geisteshaltung und Wissenschaftsbegriff der führenden Scholastiker, sondern läßt gänzlich außer Acht, daß es bei diesem Kampf gegen eine „Säkularisation" der Universität auch um die Unabhängigkeit von fürstlicher Willkür ging. Die Landesfürsten, und in Österreich war der König zugleich Landesfürst, wollten den Humanismus ebenso für ihre Machtziele einspannen, wie sie es später mit der Reformation taten.

Widerwillig genug beschloß die Wiener Artistenfakultät im *Juli 1493*, nach fast einem Jahr, den Forderungen Maximilians in einzelnen Punkten nachzukommen. Gleichzeitig ordnete Perger *plateales congregationes* an. Dozenten und Studenten sollten sich regelmäßig auf den Plätzen und Straßen um die Universität

Aus dem Notizbuch Kaiser Friedrichs III. (Wien, Österreich. Nationalbibliothek, Cod. Vindob. 2674) zu Ständerlingen treffen, um hier ungezwungener als in den Hörsälen miteinander zu diskutieren. Perger schwebten Dialoge auf der Agora Athens vor. Die Wiener Studenten aber machten Happenings daraus, und so wurde dieser humanistische Versuch sehr bald wieder eingestellt.

Mit dem Tod KAISER FRIEDRICHS III. am *19. August 1493* endete eine dreiundfünfzigjährige Regierungszeit. 1439 war der Thron für ihn freigeworden, nun mußte er selbst ihn freigeben: 1439—1493, diese Zahlenkonstellation mutete sicher den Kaiser selbst, der so gerne mit Zahlen und Buchstaben spielte, höchst bedeutsam an. Seit seinem zweiundzwanzigsten Lebensjahr ungefähr hatte er eine Art Tagebuch[48] geführt — das erste rein persönliche Tagebuch, das wir kennen —, in dem er kunterbunt sich Notizen machte, Rechnungen und Rezepte, Verse, Pflanzennamen, Lebens- und Regierungsmaximen, auch allerhand wunderliche Zeichen und rätselhafte Reihen von Buchstaben eintrug, gelegentlich mit der Bemerkung „hab ich selbs gedacht". Die Vokale A E I O U verhießen ihm bekanntlich: All Erdreich Ist Oesterreich Untertan. Neben Astrologie und Alchemie trieb er seine persönliche Kabbalistik.

„Die Burg Linz", berichtet uns der Hofastrologe JOSEPH GRÜNPECK, „die infolge ihres Alters beinahe einzustürzen drohte, hatte sich der Kaiser zu seinem Ruhesitz erwählt. Um den Zudrang Fremder abzuwehren, ließ er nach allen Himmelsrichtungen Warten bauen, die Leute nannten sie Mäusefallen". Hier hielt er, „von der Außenwelt abgeschlossen", seit 1489 Hof. Orator war der gelehrte REICHARD VON STREIN, Kapellmeister LAMBERT DE SAYVE aus Lüttich, Hofmaler LUCAS VAN VALCKENBORCH. Gerne unterhielt sich der greise Herrscher in seiner Versponnenheit mit JOHANNES REUCHLIN, der in Linz *1492* und *1493* bei des Kaisers Leibarzt JAKOB BEN JECHIEL LOANS Hebräisch studierte, um die Schriften der Kabbala zu entziffern und Spekulationen über I H V A und I E S U daran zu knüpfen[49].

Nunmehr war MAXIMILIAN I. alleiniger deutscher König. Die Leichenfeierlichkeiten für den Vater, die Ende des Jahres in Wien stattfanden, gaben Gelegenheit, am *7. Dezember 1493* zum zweiten Mal einem deutschen Humanisten den Dichterlorbeer zu verleihen. Es war dies ein engster Landsmann von Konrad Celtis, der 1473 in Schweinfurt, der Heimatstadt Gregor Heimburgs, geborene JOHANNES SPIESSHEIMER. Derselben Lateinschule am Schweinfurter Kirchplatz verdanken Heimburg, Bickel aus Wipfeld und Spießheimer ihren ersten Unterricht. Mit fünfzehn Jahren ging letzterer an die Universität Leipzig, die zu jener Zeit vornehmlich von Baiern und Franken besucht wurde, und saß hier drei Jahre zu Füßen des MATTHÄUS LUPINUS CALIDOMIUS. 1492 treffen wir Spießheimer in Wien als *adolescens comatus*, als Jüngling im lockigen Haar, *qui placet puellis*, und als *miles Phoebi novus*, als jungen Streiter Apolls; seinen Namen hat er latinisiert in CUSPINIANUS[50]. Schnell befreundete er sich mit den Wiener Humanisten, so einem JOHANN BURGER, der sich lateinisch CALVUS, der Glatzkopf, nannte, und leuchtend daneben stand, als 1493 Maximilian dem zwanzigjährigen Cuspinianus den Dichterlorbeer in die Locken drückte.

MATTHÄUS LUPINUS in Leipzig wird 1497 eine Rede halten — 1500 als *Questio de poetis a republica minime pellendis* gedruckt[51] —, darin fordert er u. a. eine Geschichte der griechischen und lateinischen Literatur, die auch das mittelalterliche und humanistische Schrifttum einbezieht. Zum Beweis aber für den göttlichen Ursprung der Dichtung gibt Lupinus an, daß oft ganz ungebildete Menschen dank göttlicher Eingebung zu Dichtern würden. Ein solcher Fall sei ihm selbst untergekommen. Er habe einst einen auditor in arte carminum gehabt, den Schweinfurter Johannes Cuspinianus, der aus einem adolescens pene barbarus im Laufe von drei Jahren zu einem *latinissimus non solum in pedestri sed etiam metrica oratione* wurde. Adeo, ut non modo suos condiscipulos verum et me quoque praeceptorem suum longo intervallo post tergum reliquerit. *Maximus Maximilianus Romanorum Rex semper Augustus* habe deshalb den Cuspinianus zum Dichter gekrönt. Er selbst dagegen, setzt Lupinus hinzu, führe bis zur Stunde ein obskures Dasein in pulvere scholarum.

Nach Celtis und Cuspinianus hat *1494* der Friese JAKOB CANTER aus Groningen vom König den Lorbeer empfangen, *1497* wird er einem Schwaben, JAKOB LOCHER zuteil werden, der sich PHILOMUSUS nennt, geboren, ebenfalls 1471, in Ehingen an der Donau[52]. CANTERS von seinen Zeitgenossen viel bewunderte Dichtung *Osculum*, Der Kuß, ist wohl nicht, wie selbst Rupprich und Ellinger annahmen, verschollen, sondern dürfte mit den hübschen Dialogen um Calliroë und Eutychus in *Rosa Rosarum*[53] identisch sein. LOCHER studierte in Basel, u. a. bei Sebastian Brant, in Freiburg und bei Celtis in Ingolstadt und zog nun *1493* durch Italien. Vates et oratores in omni dicendi genere cultissimos quaesivi, schrieb Philomusus später einem Freund und betonte: *Platonicos sectatores veneratus sum*[54]. In Padua hörte er bei einem Byzantiner von der Insel Kreta, MARCUS MUSURUS, der noch wichtiger für Erasmus werden sollte. Locher erinnert sich in seinem Brief aber auch der alten Burschenherrlichkeit an den italienischen Universitäten. Was war das für ein *festivum triclinium* in Padua, als wir die schäumenden Becher des Bacchus leerten, bis die Nase an den Grund stieß! Und wie wir unter den Portici als Tänzer stürmisch beklatscht wurden! Auch den nächtlichen Kampf mit dem Sohn des Podestà und der Stadtwache rufe ich mir ins Gedächtnis, die wir zu Boden warfen, entwaffneten und zähmten, weil sie uns als Deutsche, *Alamanni*, verlacht hatten[55].

Besser stand sich Locher mit ragazze, signorine e signore, wenngleich die fünf *Liebeselegien*, die er wohl in Italien dichtete, stark „literarisch" anmuten: Gold und Silber mag ich nicht ... Quid mihi divitiae prosunt, quid copia rerum ... Optarem potius gracilem tractare puellam ... Has puto delicias, *haec est perfecta voluptas* ...

CUSPINIANUS würde besonders auf das Vorbild bei BEROALDUS hingewiesen haben, wenn er in den Vorlesungen, die er als poeta laureatus an der Wiener Artistenfakultät hielt, Lochers Liebeselegien erwähnt hätte. Die Vorlesungen machten ihm Freude, aber sein Leben lang sich mit dem Lorbeerkranz als Literat durchzuschlagen, hatte der Patrizierssohn aus Schweinfurt keine Lust. Er studierte lieber Medizin. Die besoldete Lektur *in arte humanitatis* bzw. *arte oratoria*, die es in Wien seit *1494* gab — nachdem Basel schon 1464, Freiburg 1471, Ingolstadt 1477 vorangegangen waren —, versah im Nebenamt der Inhaber des ebenfalls neuerrichteten Lehrstuhls für Römisches Recht, der Venetianer HIERONYMUS BALBUS. Er kam aus der Akademie des Pomponius Laetus in Rom. Um sich für die Übertragung der Lektur erkenntlich zu zeigen, widmete Balbus *1494* den Regenten Österreichs ein *Opusculum epigrammaton*, in dem beispielsweise der Name Spießheimer-Cuspinianus mit dem regen Gebrauch der *cuspis* oder *hasta virilis* in Verbindung gebracht wurde und auch die Knabenliebe zur perfekten *voluptas* nicht fehlen durfte. Beim Prozeß gegen die Römische Akademie war ein Hauptpunkt der Anklage das Verhältnis von Pomponius zu zwei Venetianer Epheben aus den alten Dogenfamilien Cornaro und Michiel gewesen.

Die so viel berufene *Voluptas* schwingt auf einmal eine furchtbare Geißel, als KÖNIG KARL VIII. von Frankreich *1494* die Ansprüche der Anjous auf Neapel wieder aufgreift und in wenigen Monaten Italien überrennt, um sich in Neapel krönen zu lassen: seine Soldaten bringen von dort die Syphilis mit, die bisher in Europa unbekannt gewesen war. In kurzer Zeit breitete sich die „Franzosenkrankheit" auch über Deutschland aus. CELTIS und LOCHER zählen zu den ersten namhaften Opfern der „Lustseuche".

Mit einem dialogisierten und in fünf Akte geteilten Bericht über den Kampf um Neapel wird *1495* JAKOB LOCHER als Schauspieldichter debütieren. Er hat in diesem Jahr die Lektur für Rhetorik und Poesie in Freiburg erhalten und führt mit seinen Studenten die *Historia de rege Franciae* auf — ein Novum: die erste Aufführung eines historischen Dramas aus Humanistenfeder[56].

Da Piero, der Sohn und seit 1492 Nachfolger von Lorenzo il Magnifico, Florenz ohne Widerstand dem französischen König übergeben hatte, wurden nach dessen Abzug die Medici verjagt, und die Herrschaft übernahm praktisch der Prior des Dominikanerklosters von San Marco, GIROLAMO SAVONAROLA. Sein Großvater war Professor in Padua und Leibarzt am Hof der Este in Ferrara gewesen. Bevor er die Kutte nahm, hatte sich Girolamo an den Gedichten Petrarcas begeistert. Er kannte sich aus mit den heimlichsten Reizen der voluptas. In einer Predigt heißt es einmal: „Die Lust des Berührens ist jäh und lähmt die Vernunft. Daher viele Frauen und Männer allein dadurch fielen, daß sie einander die Hand berührten, denn obgleich es ein Kleines scheint, eine Hand zu berühren, so wirkt es doch oft wie ein Siegel auf zartes, weiches Wachs, das bei der Berührung seinen Abdruck darin zurückläßt." Höchste Sensibilität und Sensualität sind bei Savonarola, seit er militante cavaliere di Cristo geworden, in leidenschaftliche Spiritualität umgeschlagen. Die Künstler der Renaissance und die humanistischen Denker und Dichter in Florenz spürten das verwandte Feuer in ihm. Sprach er nicht von der göttlichen Liebe ganz ähnlich wie sie vom platonischen Eros? Und durch diese Liebe wollte er Italien erneuern — der Sinnenlust wie einer Schlange das Haupt zertreten. BOTTICELLI, der junge MICHELANGELO und zahllose andere gerieten völlig in den Bann seiner wortgewaltigen Bußpredigt. PICO DELLA MIRANDOLA war nahe daran, ins Kloster einzutreten, als er im *November 1494* starb.

Auch Deutschland hat seinen Bußprediger damals, nur daß ihm jeder Funke vom Feuer Savonarolas fehlt. Leidenschaft heißt für SEBASTIAN BRANT Narrheit. Deshalb ist die Welt *Das Narrenschiff*. So der Titel seines vitae humanae speculum, 1494 gedruckt „zu Basel uff die Vasenaht"[57].

Der Straßburger Sebastian Brant, geboren 1458, war ein Jahr älter als Konrad Celtis. In Basel hatte er die studia humanitatis betrieben und sich dann der Jurisprudenz zugewandt. Nach der Promotion zum Doctor utriusque iuris wurde er sofort Professor in Basel. Als Editor und Korrektor arbeitete er neben Johannes Heynlin a Lapide für die Amerbachsche Druckerei; u. a. betreute er eine Ausgabe der Gedichte Petrarcas. Mißgünstig wandte der Basilisk mit dem Basler Wappenschild — Amerbachs Druckersignet — sein Haupt nach der Schongauerschen Jungfrau, die seit 1493 drüben in Freiburg im Breisgau einer Konkurrenz zum Signet diente. Zugegeben, man hatte sich dort mit dem *Spiegel der waren Rhetoric* etwas Neues einfallen lassen. Das erste Lehrbuch der Rhetorik in deutscher Sprache, von FRIEDRICH RIEDERER verfaßt und gedruckt, war eine Leistung. Daß er jedoch, außer ‚Ad Herennium', Quintilian in der von Wyle übersetzten Bearbeitung des Barzizza zugrunde legte, wo dieser noch gar nicht den vollständigen, durch Poggio 1418 in St. Gallen aufgefundenen Text gekannt hatte, kreidete ihm das Gelehrten-Team bei Amerbach sicher als schweren Fehler an. Die Vorliebe für die Muttersprache teilte Brant mit Riederer. Teilte er auch dessen Bestrebung, die antike Rhetorik für das deutsche Schrifttum fruchtbar zu machen? Ulrich Gaier hat 1966 ‚Das Narrenschiff' als kunstvoll angelegte *oratio persuasoria* interpretiert; 1967 hat er darin das Muster der antiken römischen Satire aufgedeckt[58]. Noch sind mir seine breit ausgeführten Thesen zu überraschend. So bleibe ich fürs erste bei der alten Meinung, ‚Das Narrenschiff' setze die mittelalterliche Moralsatire fort.

In ca. 7000 deutschen Reimpaarversen von schwerfällig hölzerner Diktion läßt Brant über hundert Arten der Narrheit Revue passieren. Unverbunden und nach einem Ordnungsprinzip, das vor 1966 nicht einmal den Philologen ersichtlich war, folgen sich diese Kapitel. Das erste trägt die Überschrift *Von unnutzen buchern*, die folgenden handeln *Von fullen* (Völlerei) *und prassen, Von zu vil sorg, Von luchtlich zyrnen* usw. Die Vertreter all dieser Narrheiten haben sich in einem Schiff oder, wie es gelegentlich besser heißt, einer Flotte von Schiffen zusammengefunden zur Fahrt nach dem Narrenparadies. Doch dieses Bild vergißt Brant auf weite Strecken.

Unkonventionell ist vor allem, daß Brant mit solcher Entschiedenheit die Narrenfigur des Fastnachtspiels zu Symbolrang erhebt und außerdem das Bild des Narrenschiffs einführt. Nicht Frömmigkeit und Sünde, sondern Weisheit und Narrheit werden konfrontiert. Um sich in Deutschland und weit über Deutschland hinaus durchzusetzen, bedurfte Brants Narrenspiegel der Übersetzung ins Lateinische, die ein paar Jahre später Jakob Locher vornahm, aber nicht Sprache und Form errangen den großen Welterfolg, sondern die Brantsche Idee und die Haltung, die ihr zugrunde lag. Ein Großteil der Zeitgenossen sah im ‚Narrenschiff' sein eigenes Urteil über die Gegenwart bestätigt.

„Hie findt man der welt gantzen louff", heißt es in der Vorrede (V. 53). Mit beinahe denselben Worten hatte HEINRICH WITTENWILER den Titel „Der Ring" erklärt. In beiden Werken, der Bauernsatire vom Anfang, der Narrensatire vom Ende des Jahrhunderts, wird die Triebhaftigkeit des Menschen angeprangert. Nicht Sünde heißt sie, sondern Tölpelhaftigkeit oder Narrheit.

Der Konstanzer Notar wie der Basler Professor treffen auf den von seiner Vitalität be-

Holzschnitt in Brants ‚Narrenschiff',
Straßburg 1494

stimmten Menschen und nehmen an ihm Ärgernis. Bei Wittenwiler jedoch paarte sich das Ärgernis mit dem Vergnügen, dem Spaß an der überschäumenden Lebenslust und Lebenskraft der „geburen". Er hatte Sinn für Komik, ja besaß einen gewissen Humor. Deshalb übertreibt er ins Groteske und kann darüber dröhnend lachen. Brant lächelt höchstens etwas säuerlich. Sein Werk ist aller Komik bar und erst recht ohne Humor, ganz zu schweigen davon, daß Brant an Phantasie, an Gestaltungs- und Sprachkraft weit hinter Wittenwiler zurückfällt. Und doch ist ‚Der Ring' bis ins 19. Jahrhundert unbekannt geblieben, während ‚Das Narrenschiff' sofort und für lange Zeit eine große Leserschaft und eine zahlreiche Nachfolge fand. Noch heute gehören Sebastian Brant und ‚Das Narrenschiff' wenigstens als Namen, Wittenwiler und ‚Der Ring' aber nicht einmal damit zur „literarischen Allgemeinbildung". Bei diesem Unterschied des Geschicks haben zweifellos der Zufall und äußere Gründe wie die Stellung Brants und die Möglichkeit, nun ein Buch, noch ehe die Tinte trocken war, in Druck zu geben, mit-

Den vordantz hat man mir gelan
Dañ jch on nutz vil bücher han
Die jch nit lyß/ vnd nyt verstan

Von vnnutzē buchern

Das jch sytz vornan jn dem schyff
Das hat worlich eyn sundren gryff
On vrsach ist das nit gethan
Vff myn libry jch mych verlan

Holzschnitt in Brants ‚Narrenschiff‘,
Straßburg 1494

gespielt. Ausschlaggebend war, daß Narrenfigur und Narrenschiff der Satire eine viel größere Streuung erlaubten und sie doch zugleich treffsicher, jedenfalls eindeutig ins Schwarze lenkten, auf das eigentlich Gemeinte: das unvernünftige, der Weisheit entratende Getriebenwerden und Sichtreibenlassen des „modernen“ Menschen. Semper quaerimus, semper appetimus, coelum, terram, mare pervertimus, hieß es bei Poggio; bei Agricola: fluctuant res nostrae et iactantur; bei Gansfort: fluctibus iactatur mens, ut huc illucque vagetur. In diesen und ähnlichen Formulierungen liegt schon das Bild des Narrenschiffs beschlossen, das nun Brant ausformt.

Den Höhepunkt seines Werkes bildet Kapitel 108, überschrieben *Das schluraffen schiff*. Schluraffe ist das gleiche Wort wie Schlaraffe, Brant aber meint nicht nur den Schlemmer, sondern auch den Menschen, der sich treiben läßt, und zwar nicht so sehr vom äußeren Geschehen als vom inneren Trieb, der eigenen Rast- und Ruhelosigkeit.

> All port durch suochen wir, und gstad
> Wir faren umb mit grossem schad
> Und künnent doch nit treffen wol
> Den staden do man lenden sol
> Unser umbfaren ist on end
> Dann keyner weisz, wo er zuo lend,
> Und hant doch keyn ruow tag, und naht.

Barbara Könneker paraphrasiert das im Blick auf das ganze Kapitel folgendermaßen: „Charakteristisch für die Schluraffen bzw. Narren, die sich hinaus auf das Meer wagen, ist nicht nur die Sorglosigkeit und Unbekümmertheit der Ausfahrt, die unter dem Zeichen neugieriger und erwartungsvoll gestimmter Lebenslust steht, sondern auch die eigentümliche Rastlosigkeit, die sie nirgends Ruhe finden läßt ... Nur kurze Rast gönnen sie sich an den Stätten des unbeschwerten Lebensgenusses ... Der Erlebnishunger, die Sehnsucht nach dem noch nicht Geschauten zwingt sie sogleich wieder zum Aufbruch, führt sie von Land zu Land, vom Neuen zum Allerneuesten."

Wir denken an Wolkenstein, der immer wieder auszog, „zu besehen, wie die welt wer gestalt", und an die hochgespannte Lebenserwartung und Lebensneugier des Wanderers Konrad Celtis, aber ebenso an das „intellectualiter vivere" des Cusanus, das mit Staunen und Sehnsucht beginnt und niemals zu Ende kommen soll. Diese Männer sind für Brant Schluraffen, sehnsuchtsvolle Hungerleider und geistig-seelische Schlemmer, Verführte der *curiositas* und *voluptas*. In anderer Sicht wäre ihr Emblem das Schiff, auf dem Columbus 1492 Amerika entdeckte, mit Nietzsches Gedicht als Unterschrift: ‚Nach neuen Meeren':

> Offen liegt das Meer, ins Blaue
> Treibt mein Genueser Schiff.
> Alles glänzt mir neu und neuer ...

Brant nimmt nicht auf Columbus Bezug, aber auf die Irrfahrten des Odysseus. Ein Schluraffe, der heil zwischen Scylla und Charybdis durchkommt, den verlocken sicher die Sirenen, und wer hier widersteht, wird ein Opfer Polyphems oder fällt den Laestrygonen zum Fraß. Wer auch noch vor ihnen und vor den Verwandlungskünsten der Circe sich rettet, bleibt für den Schiffbruch aufgespart:

> Dann uns bricht mastboum, sägel, schnuor,
> Und künnen doch jm mer nit schwymmen
> Die wällen sint bösz uff zuo klymmen
> Wann eyner wänt er sitz gar hoch
> So stossent sye jn zuo boden doch
> Der wyndt der tribt sie uff, und nyder
> Das narren schiff kumbt nym har wider
> Wann es recht under gangen ist.

Mit diesen Versen hat Brant wohl sein Bestes geleistet, um nicht zu sagen, sich selbst übertroffen. Von den Barockdichtern wird das gleiche Bild immer wieder abgewandelt werden. Den Einfall, Odysseus ins Spiel zu bringen, verdankt Brant vielleicht dem 26. Gesang von DANTES ‚Inferno', wo Odysseus über den Schiffbruch auf seiner letzten Fahrt berichtet und schon als der homo rerum novarum cupidissimus erscheint. Man hat außerdem an CICEROS Odysseus-Bild in ‚De finibus bonorum et malorum' Buch V erinnert und an LUCREZ, der in ‚De rerum natura' Buch V als Beispiele unsinniger curiositas Astronomie und Seefahrt anführt[59].

Einerlei, ob er sich dieser Lucrez-Stelle bewußt war oder nicht, gehört Brant zu den Frondeuren, die des Aristoteles „Omnes homines natura scire desiderant" nicht als Rechtfertigung für den Wissenstrieb gelten lassen. Thomas von Aquino hatte den Satz in das Fundament der Scholastik eingemauert, aber Mönchstheologie, Devotio moderna, Petrarca und seine Jüngerschaft rüttelten daran. Aufs neue vor die Alternative *aut curiositas aut ignorantia* gestellt, votierte auch Brant für die letztere. Während Cusanus, die Astronomen von Peutinger bis Copernikus, Reuchlin wie Celtis erkennen wollen, was die Welt im Innersten zusammenhält, bescheidet sich Brant:

> Der ursach weisz nyeman gentzlich
> Je me man die zu gründen gärt
> Je mynder man dar von erfärt
> . . . thu recht und wol.

Das genügt. Was darüber geht, ist vom Übel, ist „Narrheit", die zum Scheitern, zum Schiffbruch führt.

Die Lehre aus dem Untergang des Narrenschiffs lautet:

> Eyn wis man sich do heym behalt
> Wog sich nit lichtlich uff das mer
> Er künn dann mit den wynden stritten
> Als Ulisses det, zu synen zytten
> Und ob das schiff gang under joch
> Das er zu land künn schwymmen doch.

Der eine oder andere mag die Kraft besitzen, sich aus der Katastrophe zu retten, aber *eyn wis man sich do heym behalt* — diese Absage an das *besehen, wie die welt wer gestalt* ist der Weisheit letzter Schluß.

> Den narren spiegel ich disz nenn
> In dem eyn yeder narr sich kenn.
> . . .
> Dann wer sich für ein narren acht
> Der ist bald zu eym wisen gmacht.

Die „uslendigen narren", die eigentlichen Sünder, also Ketzer und Gottesleugner, Mörder, Selbstmörder, Kuppler usw. werden ausgenommen. Ihnen hilft keine Selbsterkenntnis mehr, und Brant scheint für sie nicht einmal mit der Gnade Gottes zu rechnen. Andererseits fällt sogar übertriebene Nächstenliebe, deretwegen ein Mensch sich selbst vergißt, bei Brant unter die Narrheiten. Selbsterkenntnis und Selbstbewahrung des Individuums in sittlicher Haltung und sittlicher Würde, darauf kommt es an. Deshalb sagt Brant, ein rechter Mensch sei *rotund und gantz wie ein ey.* Nichts außerhalb seiner selbst hilft ihm, aber auch nichts kann ihm etwas anhaben, er hält und behält sich selbst. Brant faßt hier seine Maxime des Daheimbleibens innerlicher. Den hübschen Vergleich mit dem Ei hat er dem pseudovergilschen Gedicht ‚Vir bonus' entlehnt.

Zur zweiten Auflage von Jakob Lochers Narrenschiff-Übersetzung (1498) steuerte Brant eine Art authentischer Interpretation bei unter dem Titel *Quod inordinatio causa fuerit destructionis omnium rerum.* Daß Unordnung überall Zerstörung zur Folge habe, das zu zeigen, bezeichnet Brant als den Sinn des Gedichts. Die Narren seien ertrunken, weil sie überschritten

Sebastian Brant
(Gemälde von Hans Burgkmair; Karlsruhe, Badische Kunsthalle)

... legemque modumque, viamque
Quam Deus et rerum dictitat ordo decens.
Omnia quae in caelo, aut terris, vel in aequore vivunt:
Ordine servantur ... si vivere in ordine cessent:
Continuo intereunt, in nihilumque ruunt.

Wieder klingen bei uns die Worte Poggios an: coelum, terram, mare pervertimus. So halten es die Schluraffen. Sie freveln damit gegen den *ordo,* der im Himmel, auf Erden und in der Luft gilt, und stürzen deshalb gleich Dädalus ins Nichts — *in nihilum ruunt.*

Wie die Schiffahrt kann der Bergbau zum Sinnbild menschlicher Hybris werden: et mare et terram pervertimus. Er war im 15. Jahrhundert ein neues, aktuelleres Motiv, und der Frevel wider den *rerum ordo decens* ließ daran sich unmittelbar einleuchtend machen, wenn man den Bergbau als Schändung der Natur darstellte. Die Natur brauchte bloß personifiziert und das Ganze in die

263

übliche Form der Gerichtsszene gebracht zu werden. Das unternahm zur Zeit, da am Oberrhein Brant ‚Das Narrenschiff' zimmerte, am Rande des Erzgebirges ein PAULUS NIAVIS, Paul Schneevogel, mit seinem *Iudicium Iovis*[60].

PAUL SCHNEEVOGEL stammte, wie einst Schlick, aus Eger, studierte wohl in Prag und Leipzig, Heidelberg und Ingolstadt und leitete dann die Stadtschule in Chemnitz, bis er 1487 Stadtschreiber in Zittau in Sachsen wurde. Während seiner Chemnitzer Zeit verfaßte er eine Reihe von Gesprächbüchlein, so einen *Dialogus parvulis scholaribus ad Latinum idioma perutilissimus*: Dialog, für Schulbuben zum Lateinlernen höchst nützlich. Um 1489/90 dürfte das häufig gedruckte *Latinum idioma pro novellis studentibus* entstanden sein, von dem Gerhard Ritter sagt: „War Paul Schneevogel ihr Verfasser, so gebührt ihm schon ein Plätzchen — und kein allzu bescheidenes! — in der Geschichte unserer Literatur. Denn wer pulsierendes Leben so völlig unverfälscht zu sehen und mit so viel echtem Humor literarisch zu gestalten vermag..., in dem steckt schon ein ganzes Stück von einem wirklichen Poeten". Das Büchlein führt uns durch alle Stadien des Leipziger Studentenlebens von der Fuchsentaufe bis zum Baccalaureatsexamen; am Ende fällt ein Student bei einer nächtlichen Rauferei[61].

Schneevogels anspruchsvollste Leistung ist sein *Iudicium Iovis in valle amoenitatis habitum*...: „Das Gericht des Jupiter im Tal der Lieblichkeit, vor das die Erde den sterblichen Menschen zog, um ihn wegen der Bergwerke, die er auf dem Schneeberg und an vielen anderen Orten angelegt hat, des Muttermords anzuklagen." Die Einkleidung in eine Gerichtsszene kleidet Schneevogel noch einmal in einen Traum, den ein Eremit in Lichtenstadt bei Karlsbad gehabt haben soll. Weinend und in abgerissenem Aufzug erscheint vor Jupiters Thron die Erde, und Merkur, Bacchus, Ceres, Pluto und andere Götter samt einer Schar Faune folgen ihr; den Menschen als Angeklagten begleiten seine Penaten. Merkur macht den Anwalt der Erde und klagt auf Muttermord. Nach längeren Wechselreden überläßt Jupiter der Fortuna die Entscheidung. Man will erst sehen, wie die Dinge sich weiter entwickeln.

Außer LUKIANS *Totengesprächen*, die er ins Deutsche übersetzt hat, scheint sich Schneevogel den *Ackermann aus Böhmen* seines Landsmanns JOHANN VON TEPL zum Vorbild genommen zu haben. Anstelle des Ackermanns tritt bei ihm der Bergmann, Gott heißt nun Jupiter, der Mensch ist nicht mehr Kläger gegen den Tod, sondern Angeklagter der Mutter Erde. Hatte der Ackermann, wie der Tod ihm nachwies, mit seinen Worten gegen die von Gott gesetzte Ordnung der Natur aufbegehrt, so verging, nach den Darlegungen Merkurs, der Bergmann sich mit seinen Taten an der Natur. Der „Frevel", der mit dem Ackermann begann, hat sich im Laufe des Jahrhunderts, beim Bergmann und bei den Schiffsleuten Brants, gesteigert. Brant malte deshalb den Schiffbruch an die Wand. Schneevogel läßt, wie einst Johann von Tepl, den Schluß offen, weniger aus künstlerischen Gründen, als weil er sich selbst die Zukunft offenhält und sich, anders als Brant, nicht gegen die Zeit stemmen will oder kann. Was die neuen

Unternehmen zeitigen werden, weiß keiner im voraus, darum bleibt abzuwarten, wohin die Dinge treiben. So gewiß ist die Katastrophe ja nicht. Schneevogel enthält sich des Urteils und überläßt wirklich Fortuna die Entscheidung.

In valle amoenitatis, im Tal der Lieblichkeit, findet Jupiters Gericht statt. Das Jenseits ist gemeint, aber Niavis benennt es mit dem Topos der antiken wie mittelalterlichen Rhetorik für eine friedlich-freundliche Naturszenerie. Der *locus amoenus* bildet sonst bei den Humanisten den Rahmen wissenschaftlichen Gesprächs oder musischer Unterhaltung im Freundeskreis, in einer „Akademie" nach platonischem Vorbild. Die Platoniker von Florenz versammelten sich im Garten der Villa Careggi. Ficinos Schrift ,De voluptate' ging, wie die Widmung behauptet, aus Gesprächen hervor, die angeregt wurden cum regionis illius praecipua amoenitate, tum variorum pomorum, quibus ea villa iamprimis abundat, suavitate. Das ,Iudicium Iovis' als Einsiedlertraum auszugeben, entspricht mittelalterlichem Herkommen, indem Niavis das Streitgespräch dann aber an einem locus amoenus stattfinden ließ, rückte er es in die Nähe des Akademischen. Das paßt, möchte man sagen, zu einer Haltung, die am Ende alles offen läßt. Socraticum et academicum est nihil affirmare, heißt es in der ,Declamatio' von Beroaldus.

Noch zwei weitere Male versetzt uns das Jahr *1494* an einen locus amoenus. Die Prognose des ,Narrenschiffs' wird dort nicht ernst genommen. Ein Obstgarten in Pforzheim, der vom Reuchlinschen Haus bis zur Stadtmauer sich erstreckt, abundans variis pomis, bildet die Szenerie eines Gesprächs zwischen dem Juden Baruchias, dem römischen Philosophen Sidonius und „Capnion", was via „Räuchlein" die griechische Übersetzung von „Reuchlin" sein soll. Nach dem Vorbild von Ciceros ,De oratore' und ,Orator' haben die in Dialogform abgefaßten Traktate in der Regel drei Sprecher; hier nun füllt ein dreitägiges Dreigespräch drei Bücher, die KONRAD CELTIS mit einer sapphischen Ode als das erste große Werk von JOHANNES REUCHLIN bei der Gelehrtenwelt einführte. Es trägt den Titel *Capnion vel De verbo mirifico* — Vom wunderwirkenden Wort — und eine Widmung an JOHANN VON DALBERG[62], dem auch JOHANNES TRITHEMIUS im gleichen Jahr den *Liber de scriptoribus ecclesiasticis* widmete.

Hatte Agricola 1474, hundert Jahre nach dem Tod PETRARCAS, diesem noch ebenso wie die Florentiner um 1400 das entscheidende Verdienst an der Wiederherstellung der studia humanitatis zugeschrieben, so wurde mit der Zeit sein Ruhm überschattet von MANUEL CHRYSOLORAS, GUARINO GUARINI und LORENZO VALLA. Trithemius nennt Guarino, wo er in ,De scriptoribus ecclesiasticis' schreibt: excitata et in lucem revocata sunt studia bonarum artium quae debelitata et iam prope extincta videbantur[63].

Bei Reuchlin stach PICO DELLA MIRANDOLA alle anderen Italiener aus. Ohne Picos Anregung wäre ,De verbo mirifico' schwerlich zustande gekommen. 1490, auf einer zweiten Italienreise, hatte ihn Reuchlin persönlich kennengelernt. Nun erschien das Buch im Todesjahr Picos.

Möglichst alles mit allem zu verbinden und zu verschmelzen, war eine Haupt-tendenz der Florentiner Akademie. Schon Ficino zielte darauf hin, und erst recht tat es Fürst Pico, der „princeps concordiae"[64]: das Konzil in Rom, das er 1486 geplant hatte, sollte sämtliche Religionen, Theologien und Philosophien auf ihre gemeinsame Wahrheit untersuchen und diese zur philosophischen Weltreligion erheben. Warum aber hörte man immer nur von Römern und Griechen, als ob zu den Alten nicht auch Perser, Ägypter und Juden zählten? Aus Griechentum und Judentum war das Christentum entstanden. Dieses konnte nur begriffen werden, wenn man sah, daß es letztlich dasselbe meine wie die Philosophie der Griechen und die *Kábbala* der Juden. In die „esoterische Tradition", die Ficino von Plethon übernahm, hat Pico mit Entschiedenheit und Nachdruck die Kábbala einbezogen. Er bewog Papst Sixtus IV., kabbalistische Schriften in Latein übersetzen zu lassen. Unter den 900 conclusiones, die er für das Konzil ausarbeitete, gingen 99 auf neu-platonische, 47 auf kabbalistische Quellen zurück, 10 auf „Hermes Trismegistos" und 6 auf „Zoroaster".

Das Wort Kábbala bedeutet „Empfangen", nämlich durch Tradition, und ist der Name für eine Geheimlehre der Juden, die vornehmlich im Buch *Zohar* (Glanz) um 1280/90 in Spanien, wohl von Mosche de Leon, aufgezeichnet wurde, und zwar in einem künstlich zurechtgemachten Aramäisch[65]. Der lateinische Zohar-Kommen-tar des Menachem ben Benjamin aus Recanati (14. Jahrhundert) bildet die Haupt-quelle für Picos Kenntnisse. Nach kabbalistischer Lehre enthalten die Heiligen Schriften über den Wortsinn hinaus und von ihm unabhängig geheime Offen-barungen, die mittels besonderer heuristischer Methoden zu entdecken sind. Pico della Mirandola und mit ihm Reuchlin ging es um eine christliche Interpretation dieser Offenbarungen. Was die beiden unter Christentum verstanden, trug neu-platonisches Gepräge, und auch die vorhandenen Dokumente der Kabbala dürften da und dort vom Neuplatonismus beeinflußt sein, insoweit hatten sie ein richtiges Gespür. Unter neuplatonischer Perspektive ließen sich „Griechentum", „Christen-tum" und „Judentum" zusammensehen.

Reuchlin läßt am Anfang von ‚De verbo mirifico' den Juden Baruchias erklären, Sokrates heiße rechtens ein Weiser, doch für den weisesten aller Menschen halte er Moses, der seine Weisheit nicht eigener Geisteskraft, sondern göttlicher Offen-barung verdanke. Was ihm so zuteil wurde, sei in die mündliche Überlieferung der Juden, die Kabbala, eingegangen. Der Epikuräer Sidonius, der sich auf Lucrez beruft, zieht die sinnliche Wahrnehmung vor, und Capnion-Reuchlin selbst macht, wie das dem Vorbild von Ciceros Dialogen entspricht, den Mittler, indem er auf das verbum mirificum, das wunderwirkende Wort, hinweist. Darin liege alle Er-kenntnis und zugleich die höchste magische Kraft beschlossen. So weit das I. Buch. Im II. spricht Capnion über die verschiedenen Gottesnamen bei Griechen und Juden. Der höchste scheint das unaussprechliche Tetragrammaton Y h v h (Jehova) zu sein, zu dem sich bei Pythagoras angeblich eine Parallele findet. Die Vierzahl der Buchstaben gibt die vier Elemente, die vier Hauptbestandteile der

Geometrie — Punkt, Linie, Fläche, Körper — usw. zu erkennen. Außerdem hat jeder Buchstabe einen Zahlenwert und so seine eigene Bedeutung; h = 5 zum Beispiel meint die Vereinigung Gottes als Dreieinigkeit mit der durch Platon und Pythagoras als Zweiheit bestimmten Natur. Aber noch nicht das Tetragrammaton, sondern erst das Pentagrammaton Y h s v h (Jesus), das dem λόγος der Griechen — ebenfalls fünf Buchstaben — korrespondiert, ist das wahre verbum mirificum. Über seinen Sinn spekuliert Capnion im III. Buch. Die Apostel Paulus und Johannes haben mit diesem Wort Wunder gewirkt. Am Ende stimmen Baruchias und Sidonius natürlich Capnion bei, der im II. Buch fast allein, im III. ganz allein sprach.

Reuchlin scheint, als er ,De verbo mirifico' schrieb, die Kabbala erst oberflächlich gekannt und sich mehr auf eigene Eingebungen verlassen zu haben. Zum Teil stammten sie wohl auch von DIONYSIUS AREOPAGITA und NICOLAUS CUSANUS, dessen Gedächtnis Pico wach erhielt. Cusanus hatte in ,De possest' und ,De non aliud' über die Gottesnamen spekuliert und im 3. Kapitel von ,De mente' sowie im 33. von ,De venatione sapientiae' behauptet, eine Sache könne mittels der Deutung ihres Namens erkannt werden.

Capnion-Reuchlin spekulierte als „Philologe", aber gelegentlich fühlte er sich gedrungen, sein Tun zu rechtfertigen und zu glorifizieren, dann stimmte er mit Cusanus und mit den Florentiner „Philosophen" überein und behauptete, im Erkennen schwinde der Abstand zwischen Gott und dem endlichen Menschen: poterunt inenarrabili unione coniugi, *ut unus idemque et humanus Deus et divinus homo censendus.* Daß „nyeman" die letzten Dinge „gentzlich" wissen könne, und „je me man die zu gründen gärt, je mynder man dar von erfärt", wollte Reuchlin nicht wahrhaben, lieber zählte er zu Brants „Schluraffen". —

Wie Reuchlin-Capnion im Pforzheimer Obstgarten mit Baruchias und Sidonius, diskutierte der Bürgermeister, *consul,* von Bergen auf seinem Landgut, einem niederländischen locus amoenus, mit dem Stadtphysikus und drei weiteren Freunden, unter ihnen DESIDERIUS ERASMUS. Dieser hielt die Gespräche fest und schrieb so *1494/95* sein erstes Buch, *Antibarbari*[66]. Das jedenfalls ist bei Erasmus, wie mutatis mutandis bei Reuchlin, die Fiktion à la Ficino.

Ein Jahr zuvor hatte sich Erasmus die Aussicht eröffnet, den Bischof von Cambrai als dessen Sekretär nach Italien zu begleiten. Beim Verlassen des Klosters richtete ein Freund an ihn die Verse:

Me sine solus abis: tu Rheni frigora et alpes me sine solus adis.
Italiam, Italiam, laetus penetrabis amoenam . . .
Ast ego desertus nigrisque latebo tenebris nec tamen invideo.
I, i: coepta precor fortuna benigna secundet, vive valeque diu . . .[67]

Die Reise fiel trotzdem ins Wasser, aber der Bischof behielt den jungen Mönch bei sich und, einmal aus dem Kloster beurlaubt, ist Erasmus nie wieder dahin zurückgekehrt. Fürs erste freilich tauschte er nur, wie er schreibt, eine Sklaverei gegen die andere ein. Immerhin vermag er nun das I. Buch der auf IV Bücher berechneten ‚Antibarbari' abzufassen. Mehr besitzen wir von dem Werk nicht. Das I. Buch wurde durch Abschriften im Laufe der Jahre und Jahrzehnte in ganz Europa bekannt, bis es 1520 endlich zum Druck gelangte.

„Antibarbari" nennen sich die Männer, die auf dem Landgut bei Bergen zusammenkommen, Liebhaber der bonae litterae, der studia humanitatis und deshalb abgesagte Feinde der Barbarei. Kann man denn nicht, darum dreht sich ihr Gespräch, für seine Prosa Cicero und für seine Verse Horaz zum Vorbild nehmen und im Leben trotzdem ein guter Christ sein? Wer hat denn die steinharten, rohen Menschen *ad humaniorem vitam* geführt, *nonne litterae?* Diese bilden unseren Geist, sänftigen die Affekte, brechen deren Ungestüm und lassen keinen Übermut zu. Das ist die rhetorische Vorstellung von der Funktion der litterae. Nach Quintilian [VI, 2, 12] besänftigt ihr ethos, während ihr pathos aufreizt. Das pathos läßt Erasmus zunächst beiseite.

In Bergen verläuft das Gespräch längst nicht so tiefsinnig oder, besser gesagt, hintersinnig wie in Pforzheim. Dafür schreibt der fünfundzwanzigjährige Erasmus ein sehr viel lebendigeres und eleganteres Latein als Reuchlin und wohl alle deutschen Humanisten vor und neben ihm, Celtis nicht ausgenommen. —

Unter nördlichen Breitengraden kann man nur kurze Zeit im Jahr auf dem Landgut, im Garten der „villa", oder im Obstgarten hinter dem Stadthaus geistige Geselligkeit pflegen. Zum ersten Mal hören wir jetzt, daß zu diesem Zweck in einem deutschen Bürgerhaus die Vorderstube als *Musenhain* hergerichtet wurde. Ein reicher Nürnberger, der nicht zum Patriziat gehörte, SEBALD SCHREYER (geb. 1446) ließ *1495* seine geräumige Bibliothek mit acht eisenbeschlagenen Wandschränken, acht Wandleuchten in eisernen Haken und einem großen venezianischen Stahlspiegel zwischen den Fenstern ausstatten. Bei schöngeistigen Symposien nahmen die Geladenen auf Sitztruhen Platz und auf dem *faul-* oder *lotterbettlein*, das aus der Wand herausgeklappt wurde: „eine typisch Nürnbergische ingeniöse Erfindung". Apollo, Amphion und Orpheus, die neun Musen, die sieben Weisen, Horaz und andere Koryphäen waren auf 33 Fresken anwesend. Wenn die Gäste die noch ungewohnte Antiquaschrift nach Ghiberti über den Brustbildern zu entziffern suchten, half der Hausherr nach und erklärte sie ihnen als Epigramme seines Freundes KONRAD CELTIS. Die Anregung zu einem solchen Wandschmuck für die Bibliothek verdankte SCHREYER-CLAMOSUS wohl der Italienreise, die er einst im Gefolge Kaiser Friedrichs unternommen hatte.

Leider sind uns die ihrem Thema nach humanistischen Malereien im Schreyer-Haus unter der Veste zu Nürnberg ebenso wenig erhalten wie die rund ein Vierteljahrhundert älteren im Eyb-Haus neben dem Bamberger Dom. Wir stellen sie uns mit Ludwig Grote[68] nach Art der Illustrationen zu HARTMANN SCHEDELS ‚Liber Chronicarum' und PETER DANHAUSERS ‚Archetypus triumphantis Romae' vor, weil auch diese von Schreyer finanziert worden waren.

Der gelehrte HARTMANN SCHEDEL, 1440 in Nürnberg geboren, hatte 1463 Peter Luder von Leipzig nach Padua begleitet, um dort Medizin zu studieren. *1493* gab er als Nürnberger Stadtphysikus eine lateinische Weltchronik, eben jenes *Liber Chronicarum* heraus, das MICHAEL WOLGEMUT und HANS PLEYDENWURFF auf Kosten Schreyers mit mehr als 2000 Holzschnitten illustrierten, und für das CELTIS eine Beschreibung von Krakau lieferte. Ein Faksimile nach diesem „umfangreichsten und künstlerisch bedeutsamsten Holzschnittwerk des 15. Jahrhunderts" gibt jetzt die Abtei Niederaltaich heraus, die letzte Lieferung soll 1971 erscheinen[69]. — Ob die Holzschnitte zu dem gleichfalls *1493* gedruckten *Ritter vom Turn* künstlerisch nicht ebenso bedeutsam sind? Den Text schuf MARQUART VON STEIN, wirtembergischer Landvogt in Mömpelgard (Montbéliard), indem er das ‚Livre du Chevalier Geoffroy de la Tour Landry pour l'enseignement des ses

Die Muse Terpsichore
Holzschnitt in Peter Danhausers ‚Archetypus triumphantis Romae', 1493
(Michael Wolgemut, nach Mantegnas tarocchi; Berlin, Kupferstichkabinett)

filles' übersetzte. Stein gab dem Zyklus unziemlicher Novellen mit geziemlicher Nutzanwendung den Titel *Von den Exempeln der Gottesfurcht und Ehrbarkeit*. In der Diskussion unter den Kunsthistorikern über die Holzschnitte der Erstausgabe fallen die Namen Schongauer, Dürer, Grünewald und Furter[70].

PETER DANHAUSER-DANUSIUS aus Nürnberg war Jurist und Astrologe und bekam *1493* von Schreyer den Auftrag, im Verein mit CELTIS eine Anthologie klassischer Dichter, Redner und Geschichtsschreiber zusammenzustellen. Dieser *Archetypus triumphantis Romae* blieb unfertig liegen, als 1497 Celtis und mit ihm Danhauser sich nach Wien begaben. Dagegen veranstaltete Danhauser — was den Kreis um Schreyer von einer ganz anderen Seite zeigt — *1494* bei Hochfeder die

Die Muse Erato

erste Ausgabe der Werke des Thomas a Kempis: *Opera et libri Vite fratris Thome de Kempis, Petrus Danhausser editit Nurembergiae, per C. Hochfeder.* Die Illustration des ‚Archetypus' mit 33 Holzschnitten lag wiederum in der Hand WOLGEMUTS. Auf dem Titelholzschnitt wachsen aus einem Stammbaum, vergleichbar der Wurzel Jesse in der kirchlichen Kunst des 15. Jahrhunderts, die Brustbilder großer Römer, die ähnlich den Brustbildern in der Schedelschen Weltchronik sind. Für die Holzschnitte der neun Musen dienten MANTEGNAS 1459 für Pius II. gefertigte *tarocchi* als Vorbild. Wolgemut hat sie jedoch bezeichnenderweise „ins Fränkisch-Spätgotische übersetzt". Nicht viel anders als bei Schedel und Danhauser werden die Figuren in Schreyers Vorderstube ausgefallen sein. Vielleicht stammten sie von Wolgemut oder aus dessen Werkstatt.

Die 33 *Epigramme*[71], die CELTIS *1495* aus Ingolstadt schickte, nehmen kaum Bezug zum jeweiligen Bild. Sie sollen vor allem Schreyer, der sich damals finanziell festgerannt hatte, zu Gleichmut raten. Ein paar Epigramme führe ich, zum Teil in Friedrich Bocks Übersetzung, an. Gleichsam der Sinnspruch des „Musenhains" stand über *Apollo*: „Verachte das wütende Gemurre des verlogenen Pöbels, flüchte dich in die gelehrte Schar, und du wirst — nur wenigen ist es gegeben — beglückt die Wahrheit erkennen können." Falls jemand meinte, Literat und Mäzen hätten sich vor fünfhundert Jahren weniger ironisch aufeinander eingestellt als heute, wird er gewiß ebenso von der Kritik, die Celtis am Establishment, speziell am Kaufmannsstand übte, schockiert, wie von der Tatsache, daß ein Kaufmann mit derartigen Sprüchen seine Bibliothek ausschmückte. Zu *Solon* heißt es: „Wer die harte Arbeit des Warenhandels betreibt, macht aus Völkern, die (von Natur) durch Grenzen geschieden sind, einen Mischmasch und wälzt in der Brust gleissenden

Betrug." An Solon schließt in Schreyers Prachtstube *Chilo*, dem bekanntlich das Wort „Erkenne dich selbst" zugeschrieben wird, an mit den Versen: „Daher, so sagt man, haben die verderbten Sitten eines untergehenden Zeitalters ihren Ursprung, der glänzende Luxus wie der zierliche Aufputz des Körpers." *Pittacus*: „Daher kommt der Irrsinn der ungesunden Liebe zum Wucher und der Geist der Habgier, die hohe Zinsen in sich hineinfrißt, durch keinen Haufen Geld zu befriedigen." *Periander*: „Wie aber singt man von unseren guten Alten, die unter einer besseren Sonne geboren waren, arm in ihren heimatlichen Hütten, durch keinen Warenhandel bereichert." *Melpomene*: „Gott selbst sieht unsere Sorgen nicht gern, er will ja alle glücklich sehen ..." —

Obwohl es ungewiß ist, wer die Schreyersche Vorderstube ausgemalt hat, auf keinen Fall war ALBRECHT DÜRER daran beteiligt, der 1494 — mit dreiundzwanzig Jahren — Meister und Ehemann wurde und danach sofort über den Brenner nach Venedig reiste. Als er 1495 heimkehrte, hatte er gelernt, als Maler körperhaft zu sehen, aber auch Freundschaft geschlossen mit einem jüngeren Landsmann aus einer der ersten Patrizierfamilien Nürnbergs, WILLIBALD PIRCKHEIMER[72]. Schon dem Vater und Großvater sind wir in der Literaturgeschichte begegnet. Der Enkel wurde 1470 in Eichstädt unter der Willibaldsburg geboren. Als Student an der Venezianischen Universität in Padua (1488/91) kam er mit PICO DELLA MIRANDOLA dem Neffen, einem Verehrer des SEXTUS EMPIRICUS, und mit der Florentiner Akademie in Berührung; von Pavia aus, der Mailändischen Universität, wo er sein Studium fortsetzte (1491/95), verkehrte er am Hof der Sforza in Mailand und schloß Freundschaft mit Lodovicos Schwiegersohn GALEAZZO DI SAN SEVERINO. Am 13. Oktober 1494 war Pirckheimer wohl unter den Studenten, die mit ihren Professoren dem französischen König entgegenzogen, um ihn jubelnd in Pavia willkommen zu heißen. Galeazzo begleitete KARL VIII. dann durch ganz Italien. In Mailand mag Pirckheimer auch LEONARDO DA VINCI kennengelernt haben, dessen besonderer Gönner Galeazzo war. 1495 begann Leonardo sein großes Wandgemälde *Das Abendmahl* für Santa Maria delle Grazie. Dabei kam es ihm in erster Linie auf die Darstellung der menschlichen Affekte an.

Pirckheimer kehrte ebenso wie Dürer in diesem Jahr 1495 nach Nürnberg heim. Er war ein *tedesco italianato* geworden und blieb das in den Augen der Nürnberger sein Leben lang. Weil er versäumt oder verschmäht hatte, in Italien den Doktorhut zu erwerben, stand ihm der Weg in die höchsten Ratsstellen offen. Bei den Unterhandlungen auf dem Reichstag zu Köln 1505 wird Pirckheimers Diplomatie die größte Gebietserweiterung — um die reichen Ämter Lauf, Hersbruck und Altdorf — herausschlagen, die Nürnberg jemals zuteil wurde. Der Enkel von Hans und Sohn von Johannes Pirckheimer konnte jetzt aber auch den Humanismus an der Pegnitz zum Sieg führen. Wenn der Name eines deutschen Florenz, den man später Nürnberg zulegte, nicht ganz unberechtigt erscheint, trägt das Verdienst daran Willibald Pirckheimer im Bund mit Albrecht Dürer. Sein Haus am Markt, wo ihn „ein Bücherhauf umstand in rot- und schwarzem Band" und man

רֵאשִׁית חָכְמָה יְרְאַת יְהֹוָה
ΑΡΧΗ ΣΟΦΙΑΣ.ΦΟΒΟΣ ΚΥΡΙΟΥ
INICIVM SAPIENTIAE TIMOR DMINI·

SIBI ET AMIC.S.P.

LIBER BILIBALDI PIRCKHEIMER

Willibald Pirckheimers Exlibris

in der Stille den Schönen Brunnen gegenüber plätschern hörte, war der geistige Mittelpunkt der Reichsstadt. „Wozu ist man denn da, wenn man nicht studieren darf?" heißt es in einem der zahllosen Briefe, die von hier in die Welt hinausgingen. Humanisten aus allen Gegenden Deutschlands trafen sich bei dem „heiteren Weisen von Nürnberg", wie Pirckheimer von Melanchthon genannt wurde, um leiblich wohlgestärkt und mit fruchtbaren Anregungen beschenkt weiterzuziehen. Hutten hat ihm einmal mitteilen lassen: non fercula tua, alioquin magnifica et lauta, sed docta tua colloquia peso. — Fercula lauta heißen die üppigen Gänge, die bei einer Mahlzeit aufgetragen werden.

Als 1504 seine Frau nach neunjähriger „Vernunftehe" starb, und immerhin fünf Töchter hinterließ, heiratete Pirckheimer nicht wieder. Aber man kann wohl nicht ständig über den Büchern sitzen, Briefe schreiben oder gelehrte Dispute führen. Und es trübt etwas die Heiterkeit, wenn man von Wein und Bier sich das Podagra und von der Liebe außer Haus die Syphilis zugezogen hat. Dürer kannte auch einen Pirckheimer, der anders war, als er der Welt sich präsentierte, und ihn hat er aller Wahrscheinlichkeit nach auf dem Kupferstich *Der Traum des Doktors* dargestellt. Ein Mann schläft am Kachelofen, und neben ihm steht die *Voluptas,* eine nackte Eva, die ihren Apfel auf dem Ofen brät; der Teufel bläst mit dem Blasebalg dem Schlafenden hinters Ohr, während ein geflügelter *Cupido* auf Stelzen zu steigen sucht. Die Szene läßt die verschiedensten Deutungen zu.

Gleich nach seiner Rückkehr aus Italien drang Pirckheimer darauf, daß der Rat das schäbige Honorar von 8 Gulden für des Celtis ‚Norimberga' auf 20 erhöhte. CELTIS selbst hatte freilich 40 Gulden erwartet, als er den fursichtigen, hochachtpern, erbern und weysen liben herren im *Sommer 1495* einen *De origine situ moribus et institutis Norimbergae libellus* überreichte[73]. Seit seiner Italienreise trug sich Celtis mit dem Plan, eine *Germania illustrata* nach dem Vorbild der

‚Italia illustrata' des Flavio Biondo zu schaffen. Über dieses Projekt schreibt er später an König Maximilian[74]: „Es gibt Leute, die sich rühmen, Frankreich, Spanien, Polen und Ungarn bereist und gesehen zu haben, ich aber glaube, daß der deutsche Gelehrte das gleiche Anrecht auf Ruhm hat, wenn er die Landschaften und Grenzen seines Vaterlandes und die verschiedenen Bräuche, Gesetze, Mundarten, religiösen Vorstellungen und schließlich das Benehmen, die Gemütsart und die unterschiedliche Physiognomie und Körpergestalt der Stämme, die in ihm wohnen, genau betrachtet. Alle diese Dinge will ich in meiner ‚Germania illustrata' in vier Büchern und mit Karten der einzelnen Stämme darlegen." Jahrelang hat Celtis viel Mühe an diese Deutsche Landeskunde gewandt und von überallher sich Material beschafft, aber zurande kam er nicht damit. Als praeludium quoddam et ingenii experimentum ante editionem Illustratae Germaniae will er die ‚Norimberga' von 1495 verstanden wissen.

Der sachhaltige Panegyricus auf die Stadt, wo er das „krenzlein der poetrei" erhalten hatte, gilt zurecht als ein Meisterstück humanistischer Städtebeschreibung. „Schottlands Könige würden sich glücklich preisen, könnten sie wie ein Nürnberger Bürger aus dem Mittelstand wohnen" — solche pointierten Formulierungen, bezeichnend für den Stil Enea Silvios, fehlen bei Celtis, auch wenn er manches dem Italiener abgesehen hat. Norimberga, in der Nähe des Ursprungs von Saale, Main, Eger und Naab gelegen — Anlaß, die vier Paradiesströme zu erwähnen —, ist für Celtis das Herz des Reiches. Zivilisation und Kultur brachten nicht erst, wie es Enea dargestellt hatte, die Römer nach Deutschland, sondern schon die keltischen Druiden, die Celtis den griechischen Philosophen vergleicht; Kaiser Tiberius soll sie aus Gallien vertrieben haben. Celtis' antiitalienischer Affekt befriedigt sich in dieser Konstruktion. Offenbar lag sie ihm sehr am Herzen, denn die ‚Vita' fabelt von der Herkunft des Celtis aus einer familia Celtica und seiner Erziehung durch einen Germano druide.

In der ‚Norimberga' deutet er den Blick von der Burg auf die Stadt und über den Reichswald an und schildert danach die Waffenspiele der Jugend auf der Hallerwiese, das Lustwandeln auf der Bleiche an schönen Sommerabenden — *submissis cantibus et dulci murmure per tacitas umbras* —, auch die Kinderfeste, die Kaiser Friedrich im Burggraben veranstaltete. Der Zusatz, Friedrich III. habe mehr Sinn für solche Dinge als für Waffen und Bücher gehabt, findet sich im Druck 1502 nicht mehr. Anschauliche Einzelheiten dienen dem Versuch, die geschichtlich gewordene Eigenart der Stadt und ihrer Bewohner aufzuzeigen.

Diese sind von anderem Schlag als etwa die Mainzer, deren Karnevalstreiben DIETRICH GRESEMUND D. J. schilderte und gegenüber dem stoizistischen Sittenrichter Cato als Ventil des *furor teutonicus* rechtfertigte. Das Wort *furor* kommt im humanistischen Sprachgebrauch häufig als Äquivalent für πάθος vor; es indiziert stärksten Affektgrad: meist ein positiver Wert, gemessen an der ἀπάθεια. Da Gresemunds Vater Leibarzt des Erzbischofs von Mainz war, nannte sich der Achtzehnjährige bei seiner Publikation *1495* PODALIRIUS GERMANUS nach dem Sohn des

Aeskulap. Cuspinianus und Canter eröffneten mit Gedichten *Podalirij Germani cum Catone Certomio de Furore Germanico diebus genialibus carnisprivii Dialogum*[75]. Mit seiner Bewunderung für den Lebensüberschwang schließt dieser Dialog ebenso an Wittenwilers ‚Ring‘ wie an Poggios Brief aus Baden an. GRESEMUND D. Ä., nach Gustav Bauch „der Ahnherr des Mainzer Humanismus", war stolz auf das literarische Talent seines Sprößlings, wollte aber nicht einsehen, daß man „die wonnevollen Tage", um sie beschreiben zu können, genossen haben mußte. Weil Gresemund d. J. *famulam domus gravidam reddidit*, entwich er im *Februar 1495* nach Sponheim zu Trithemius und kehrte erst zurück, nachdem die Aufregung im Hause sich etwas gelegt hatte.

Wenn die ‚Norimberga‘ so gut wie nichts über das geistige Leben der Gegenwart sagt, umgeht Celtis die Tatsache, daß trotz dem Aufenthalt Heimburgs, Wyles, des Regiomontanus, und obwohl einzelne Patriziersöhne, ein Löffelholtz, drei Pirckheimer, Hartmann Schedel u. a. sich in Italien mit *studia humanitatis* befaßt hatten, Nürnberg bis dato kein Pflaster war, auf dem der Humanismus gedieh. Vielleicht soll es ein leichter Stich gegen das Banausentum sein, wenn Celtis bei den Brunnen auf der Hallerwiese Bildsäulen Apollos und seiner Musen vermißt. Sebald Schreyers „Musenhain" wurde belächelt oder beargwöhnt, Peter Danhauser, der an dem ‚Archetypus triumphantis Romae‘ arbeitete, machte man zum Vorwurf, daß er heidnische Bücher lese. Mit den 8 Gulden, die der Rat dem Ingolstädter Professor schand- und ehrenhalber zubilligte, kamen sich die „Pfeffersäcke" schon sehr splendid vor. Das war ja viermal so viel wie man gewöhnlich an einen Fahrenden Sänger zahlte; dafür konnte sich einer fast drei fette Ochsen kaufen[76]. Und um sie in gloriam urbis nutzbar zu machen, mußte diese ‚Norimberga‘ auch noch erst ins Deutsche übersetzt werden. Erst seit Willibald Pirckheimers Rückkunft aus Italien bahnte sich bei den Nürnbergern ein Wandel an. Er begann mit dem Zuschlag von 12 Gulden an Celtis. Ja, *1496* wurde sogar eine *Poetenschule*, d. h. eine Schule mit humanistischem Lehrplan eingerichtet.

CELTIS konnte den Zuschlag brauchen, denn im Jahr der ‚Norimberga‘ ließ er seinen Lehrstuhl für längere Zeit im Stich. Es ist nicht allein der Zank mit den 22 Aristoteles-Interpreten, der ihm Ingolstadt verleidet, weit mehr schimpft Celtis, an fränkische Bocksbeutel gewöhnt, über das bairische Bier. Jetzt kommt noch die Pest dazu, und so flüchtet er sich unter das gastliche Dach JOHANN VON DALBERGS. In Heidelberg hat bereits ein anderer poeta laureatus Unterschlupf gefunden, JOHANNES CUSPINIANUS, den die Pest aus Wien vertrieb. Die Ausgewanderten erinnern sich bei ihren Unterhaltungen, daß die Platonische Akademie in Florenz den 7. November als Platons Geburtstag zu feiern pflegt, und beschließen, ihn dieses Jahr ebenfalls festlich zu begehen. Aus diesem Anlaß, scheint es, wurde nach dem Vorbild von Florenz und Rom — und letztlich von Mistra — am *7. November 1495* eine Heidelberger *Academia Platonica* gegründet. Sie erhielt den

Namen *Sodalitas litteraria Rhenana*[77]. Dalbergs Patronat war es zu danken, daß auf diese Weise ein langgehegter Wunsch von Celtis, das zweite nationale Projekt neben der ‚Germania illustrata', sich zu realisieren begann: der Zusammenschluß der deutschen Humanisten zu regionalen Sodalitäten, die schließlich miteinander die große *Sodalitas litteraria per universam Germaniam* bilden sollten.

Gleichzeitig richtete sage und schreibe ein Italiener, namhafter Neffe eines namhaften Onkels, Philippus Beroaldus der Jüngere in Bologna, ein Preisgedicht an Deutschland. Celtis wird es mit gemischten Gefühlen vernommen haben. Es scheint seiner eigenen Ode von 1486 zu respondieren, in der Phoebus qui blandae citharae repertor beschworen wurde: veni in nostras oras. Beroaldus rühmt nun Germania als repertrix der Buchdruckerkunst. Sie erfunden zu haben, ist also die große Leistung Germanias für die Literatur. Das Loblied des Germanophilen bestätigt, daß Deutschland sein geistiges Ansehen in der Welt vornehmlich der Erfindung von Johannes Gensfleisch zum Gutenberg verdankte. *1452–1455* war in Mainz die erste Bibel gedruckt worden.

1355, als Karl IV. unmittelbar nach der Kaiserkrönung Italien sich selbst überließ, und *1455*: diese beiden Male haben die Deutschen die Geschichte des Humanismus in Europa, seine Entstehung und seine Ausbreitung, entscheidend bestimmt.

Das Carmen des Beroaldus schließt mit dem alten Deutschlandbild: hier haben die Männer lichte Augen, goldblondes Haupthaar, hochgewachsene Leiber und wilden Sinn; mit Eichenkraft gepanzert, ihr Leben verschwendend, greifen sie die Feinde an und hauen sie in Stücke:

o Germania gloriosa, salve! . . .[78]

Nach dem Erlöschen der Pest sieht Celtis den jüngeren Landsmann Cuspinianus wieder nach Wien abziehen, während er selbst zu den Rübenessern, wie er sagt, und Biertrinkern zurückkehren muß. Celtis trägt sich jetzt ernsthaft mit dem Gedanken, einen eigenen Hausstand zu gründen. Er fragt die Freunde um Rat, aber diese können sich Celtis als Ehemann und Familienvater nicht vorstellen. Soll er's doch bei einer Hetaira belassen! Schreyer wünscht ihm eine Gefährtin „tharatantaram instar Thaidis" und meint damit wohl ein Walthersches „friedel under der linden". Ulsenius vergleicht in seinem Antwortbrief die Ehe einem Hühnerkorb, in den alle Küchlein, die draußen sind, zur Glucke hinein-, alle, die drinnen sind, wieder herausdrängeln[79].

Blieb nicht auch Kurfürst Friedrich, dem Celtis den Dichterlorbeer verdankte, unverheiratet und hieß dabei der Weise? Daß man deshalb kein Misogyn zu sein braucht, bewies Friedrichs Liebesaffäre mit der Gemahlin Günthers XXXVII. von Schwarzburg. Augustin von Hammerstetten hat sie *1496* in einer Minneallegorie dargestellt. Diese dichterische Gattung ist also mit Sachsenheim nicht ausgestorben. Nur schrieb der jüngere Schwabe, der bei der sächsischen Kanzlei angestellt war, seine *Hystori vom Hirs mit dem gulden ghurn und der Fürstin vom pronnen* — den „ersten deutschen Schlüsselroman" — statt in Versen in Kanzlistenprosa[80].

Celtis' Platz an der opulenten Tafel Dalbergs hat inzwischen JOHANNES REUCH-
LIN eingenommen. Graf Eberhard im Bart von Wirtemberg war noch auf dem
Reichstag zu Worms 1495 durch König Maximilian zum Herzog erhoben worden,
aber kurz danach, im *Februar 1496*, gestorben; bis zur Überführung der Gebeine
in die Tübinger Stiftskirche (1537) lag das Grab des Herzogs, wie er gewünscht
hatte, gleich dem Gabriel Biels in der Hut der Brüder vom gemeinsamen Leben zu
St. Peter im Schönbuch. Mit dem Günstling des neuen Herzogs, einem Augustinermönch, hatte sich Reuchlin bitter verfeindet, so fühlte er jetzt Freiheit und Leben
bedroht und ging außer Landes. Zwei Jahre blieb er als „oberster Zuchtmeister"
der Prinzen am kurpfälzischen Hof. Zum Jahressold von 100 Goldgulden erhielt
er zusätzlich den Unterhalt für zwei Pferde und hoffähige Kleidung „wie die anderen Doctores des Hofgesindes". Man wußte den Gewinn zu schätzen, den Reuchlin
für Heidelberg und für die Sodalitas litteraria Rhenana bedeutete. Bei Hof liest er
seine Übersetzungen vor: den Kampf zwischen Paris und Menelaos aus der *Ilias*,
die erste *Olynthische Rede* von DEMOSTHENES, einen Dialog aus LUKIANS *Totengesprächen*, und er hat Muße, u. a. eine lateinische Komödie zu schreiben. Dieser
Sergius[81] von *1496* ist das dritte der bekannteren Humanistendramen nach
Wimphelings 1480 ebenfalls in Heidelberg entstandenem ‚Stylpho'. Zeitlich liegen
dazwischen die Schulkomödie *Codrus* des gymnasiarcha JOHANNES KERCKMEISTER
in Münster (1485)[82], die wohl ‚Stylpho' zum Vorbild hat, und Lochers ‚Historia'
(1495). Bei Reuchlin taucht in einem Freundeskreis ein Fremder auf, der sich Buttubatta nennt und nach einiger Geheimnistuerei einen verschmutzten, stinkenden
Totenschädel vorweist. Damit, meinen die Freunde, könne er ein gutes Geschäft
machen, wenn er ihn säubere und als Reliquie eines Heiligen ausgebe. Buttubatta
folgt dem Rat. Nachdem er den Totenkopf tüchtig gefummelt hat, preist er dessen
Wunderkraft in höchsten Tönen:

> Depauperatque et divitat, quae vult facit,
> Quae vult iubet, quae vult vetat, caput capitis.

Er macht arm und reich und vollbringt, was er will, er befiehlt und verbietet
nach seinem Willen, dieser Kopf eines Kopfes oder Kopf schlechthin, dieser Kapi-
talskopf. Doch schließlich gesteht Buttubatta, es handle sich um den Kopf eines
Mönchs, der Sergius hieß und ein liederlicher Kerl war, dem Kloster entlief, Mohammedaner wurde und nun die Christen fanatisch verfolgte. Da graust es den
Freunden. Sie bereuen, diesen Schädel schon beinahe angebetet zu haben, und verfluchen Sergius samt Buttubatta. Im Epilog wird die Lehre gezogen, daß mit einem
hohlen Kopf nichts anzufangen sei, man müsse an Tugend und Weisheit sich
halten.

Natürlich verspottet Reuchlin hier den Reliquienkult, aber es steckt wohl mehr
in dem Stück. Getan wird gar nichts, nur geredet, und mit Reden kann man offenbar alles erreichen. Obwohl sie selbst dem Fremden den Reliquienschwindel ange-

raten haben, fallen die Freunde auf Buttubattas Lobpreisungen herein, bis sein Geständnis sie mit Schauder erfüllt. Dieser Buttubatta muß ein vortrefflicher Redner, ein Meister psychagogischer Rhetorik sein. Statt ‚Sergius‘ hieße das Stück besser *Buttubatta*, und wenn es in den späteren Drucken *Sergius vel Capitis Caput* betitelt wird, so wäre *Buttubatta vel Rhetor Rhetoris* treffender. Das Stück ist eine Parodie auf die Wunderkraft hohlköpfiger Rhetorik: *Quae vult iubet, quae vult vetat — rhetor rhetoris.* Im Ernst sprach so Agricola in Ferrara vom Philosophen: *quaecunque sunt novit, quaecunque vult potest,* schränkte seine Behauptung dann aber gewissenhaft ein. Man möchte als Motto zu ‚Buttubatta‘ parodistisch aus Celtis' Ingolstädter Antrittsrede zitieren: *nescio quo modo omnis animi suscitatio et repressio in manu oratoris sunt.*

Reuchlin hat das Ganze in drei Akte eingeteilt und die Sprache ins Metrum des jambischen Trimeters gebracht. Sie wirkt flüssig, entfernt sich aber weit vom klassischen Latein. Ein sprachlicher Klassizist, ein Ciceronianer, war Reuchlin so wenig wie ein linientreuer Rhetoriker. Seinen Sprachgestus kennzeichnen die ständigen Wortspiele. Jene Philologie, die er in ‚De verbo mirifico‘ auf kabbalistisch hintersinnige Weise übte, kehrt sich in ‚Sergius‘-‚Buttubatta‘ in Sprachkomik um.

Dem Theaterspiel bietet Reuchlins Komödie wenig Entfaltungsmöglichkeiten. ‚Sergius‘ kann man wie ‚Stylpho‘, ‚Codrus‘, die ‚Historia‘ nicht eigentlich aufführen, nur mit verteilten Rollen rezitieren. Insofern unterscheiden sich die vier „Humanistendramen" wenig von humanistischen „Dialogen" wie Trösters ‚Remedium amoris‘, Canters ‚Osculum‘, Schneevogels ‚Iudicium Iovis‘ und Gresemunds ‚Furor Germanicus‘.

Dem Schauspiel näher kommt Reuchlin mit den *Scenica Progymnasmata: Hoc est: Ludicra preexercitamenta,* die am *31. Januar 1497* im Münzhof, dem Hause Dalbergs, von Heidelberger Studenten aufgeführt wurden[83]. Hans Sachs hat sie 1530/31 übersetzt und ihnen den Titel *Henno* gegeben. Unter progymnasmata, lateinisch praeexercitamenta, verstand man Übungen in den verschiedenen *modi tractandi* eines Stoffes. Am bekanntesten war, dank der Übersetzung ins Lateinische durch Priscianus, das Werk, das Hermogenes darüber geschrieben hatte[84]. Reuchlin will nun solche rhetorischen Übungen auf szenische, d. h. schauspielmäßige Weise in einem *Ludus* durchführen, mit ihm, ähnlich wie Johann von Tepl nach seinem Brief an Peter von Tepl, ein Probestück, hier besser gesagt, ein Musterbeispiel zur Rhetorik liefern.

Zweifellos kannte Reuchlin die französische Farce *Maistre Pathelin*, vielleicht auch das Luzerner Fastnachtsspiel *Vom klugen Knecht*, die beide auf denselben Archetyp zurückgehen sollen. ‚Maistre Pathelin‘ wurde 1480, gleichzeitig mit Wimphelings ‚Stylpho‘, erstmals aufgeführt. Entstanden ist das Stück um 1465. Als das Werk eines anonymen „Molière avant Molière" hielt es, wenn auch mit langer Unterbrechung, sich bis heute auf den französischen Bühnen. Es ist die älteste Komödie, von der man das behaupten kann. In Deutschland gilt Entsprechendes erst von der volle dreihundert Jahre jüngeren ‚Minna von Barnhelm‘,

1767. Reuchlin mag während seines Studiums in Frankreich einer Aufführung des ‚Pathelin', etwa in Poitiers, beigewohnt und sich nun in Heidelberg daran erinnert haben. Unvergeßlich ist ja vor allem das Hauptmotiv, daß der Anwalt, Maistre Pathelin, einem Knecht, der seinen Herrn bestohlen hat, rät, auf jede Frage des Richters mit Blöken zu antworten, nachdem sich das aber bewährte, auch bei seinen Honorarforderungen aus dem gewitzten Knecht nichts anderes als ein Blöken herausbekommt. Reuchlin heißt den Herrn, der bestohlen wurde, Henno. Wieder, wie in ‚Sergius', baut er jambische Trimeter, wobei Rede und Gegenrede sich Schlag auf Schlag folgen. Sogar das Auf- und Abtreten der Personen beim Szenenwechsel wird zu motivieren versucht. Nicht ohne Grund bezeichnet man Reuchlins lateinischen ‚Henno' als die erste einigermaßen bühnengerechte Komödie in Deutschland.

Wenn Reuchlin jeden der fünf Akte mit einem Chorlied beschließt und im Druck sogar Noten beigibt, so hält er sich wohl an das Vorbild SENECAS, von dem Celtis 1487 zwei Dramen neu ediert hatte. Ähnliche Aktschlüsse zeigt JAKOB LOCHERS ‚Historia de rege Francie' 1495 und ebenso seine fünfaktige *Tragedia de Thurcis ac Suldano*, die im gleichen Jahr 1497 wie der Heidelberger ‚Henno', am 15. Mai, von Freiburger Studenten vor König Maximilian gespielt wurde. Für den König hatten sie im Zuschauerraum eine Ehrenkanzel, Sacrosanctae Romanae Maiestatis cathedra, errichtet. Den festlichen Anlaß gab Lochers Dichterkrönung. Diesmal behandelte er nicht bloß ein Thema der Zeitgeschichte, sondern engagierte sich mit einem politischen Tendenzstück. Weil es die Türkennot zum Thema hat, deshalb vermutlich trägt es, als erstes Stück deutschen Ursprungs, die Bezeichnung *Tragedia*. Was geschieht, ist keineswegs tragisch. Nachdem Locher selbst den Prolog vorgetragen, der sich an den König auf der Cathedra wendet, klagen Fides und mit ihr der Vulgus Christianus vor des Königs Ebenbild auf dem Podium über die Bedrängnis der Christenheit durch die Türken. Auf dem Podium figurieren außer König Maximilian auch Papst Alexander VI. und ein Abgesandter der christlichen Fürsten. Durch die Klagen bewegt, fassen sie den Entschluß zum Türkenkrieg. Der Sultan hält mit seinem ägyptischen Verbündeten Kriegsrat und läßt sein Heer aufziehen, danach meldet Fama schon den Sieg der Christen. Jeder Akt endet mit einem Chorlied in raffiniertem Versmaß, ein Jubelchor beschließt das Ganze. „Wie die Phrasierung der Locherschen Dramen vom Rhetorischen herkommt, so war auch die Sprechform seiner Darsteller ausgesprochen pathosgeladen"[85].

Dem König scheint die *Comedia utilissima*, mit der ihn Augsburger Patriziersöhne am 26. November 1497 empfingen, nicht weniger gefallen zu haben, obwohl in erster Linie Spieler und Publikum daran Latein lernen sollten. Das meint der Titel; er besagt ungefähr das gleiche wie „Scenica Progymnasmata" bei Reuchlin. Im Druck wird er durch die Versicherung ergänzt, hier finde man alle Eleganz der lateinischen Rede, und jeder könne als vortrefflicher Lateiner von der Aufführung weggehen. Ach, wenn dem so wäre! Uns aber ist schnöderweise das Stück nur motivgeschichtlich interessant, sofern hier der Streit zwischen *Virtus* und *Voluptas* zum ersten Mal Spielform annahm; Voluptas trägt den Namen *Fallacicaptrix*. Als Muster dienten die Gerichtsszenen des Fastnachtsspiels, und wieder sah Maximilian sich selbst auf der Bühne, wo der König den Schiedsrichter macht. Natürlich entscheidet er zugunsten der Virtus. Der echte König nahm daraufhin den Autor, JOSEPH GRÜNPECK-BOIOARIUS, als „Beihender" — ein hübsches Wort für Privatsekretär — in seine Dienste, und schon nach einem Jahr trug der Oberbaier stolz die *laurea Apollinaris*[86]. Daß er *1496*, als ihn die „Pest", das ist die Syphilisepidemie, von seiner Professur in der Ingolstädter Artistenfakultät verjagte, den Weg, nicht wie Celtis und Cuspinianus nach Heidelberg, sondern nach Augsburg nahm, war zu seinem Glück ausgeschlagen. Grünpeck hatte damals gleich einen *Tractatus de pestilentiali scorra sive mala de Franzos* verfaßt, der in seiner Art ebenfalls „höchst nützlich" gewesen sein muß, denn die letzte Auflage datiert von 1787. Die deutsche Parallelfassung *1496* heißt *Ein hübscher Tractat von ursprung des Bösen Franzos, das man nennet die Wylden Wertzen*. Nach Jahren hat dann gerade in Augsburg die Syphilis fallacicaptrix, die Lustseuche, Grünpeck erwischt und Rache genommen für seine Comedia und seinen Tractat.

Bei der ‚Comedia utilissima' verzichtete er auf Chöre, obgleich sie da eher am Platz gewesen wären als in Reuchlins ‚Henno', wo sie fast alle den Preis der Poesie zum Inhalt haben. Ob es paßt oder nicht paßt, der Humanist läßt sich ungern eine Gelegenheit entgehen, für die Poesie als Inbegriff der neuen Bildung eine Lanze zu brechen. „Son chagrin c'est de vivre parmi des êtres qui de la vie possèdent un rêve opposé à celui qu'il s'en compose" — Maurice Barrès, ‚Sous l'œil des barbares'. Wenn man unter Toleranz das Ertragen des Nebenmenschen in seinem Anderssein versteht, besaßen die Humanisten so wenig davon wie ihre Gegner.

Als Barbaren wurden vor allem die Theologen empfunden mit ihren ständigen Angriffen auf die Poesie. An den Universitäten brachte man die Auseinandersetzung durch die herkömmliche Disputation in einen gewissen Comment. So traten in Leipzig am *1. April 1497* wieder einmal Humanisten und Scholastiker gegeneinander an. Nach einem gemeinsamen Gottesdienst sprach zuerst der Theologe KONRAD WIMPINA über die Herkunft der disputationes aus den Wettkämpfen der Griechen auf dem Olympos; er meinte in Olympia. Leider waren die Griechen, weil sie Christus nicht kannten, „im Schatten des Todes Irrende". Anschließend ergriff MATTHÄUS LUPINUS CALIDOMIUS das Wort zu der bereits im Zusammenhang mit Cuspinianus erwähnten *Quaestio de poetis a republica minime pellendis*[87]. Der Titel spielt natürlich darauf an, daß Platon die Dichter aus dem Staat verbannt sehen wollte. Heute erhebe man gegen sie vor allem religiöse Bedenken. Aber die echten Dichter sind von göttlichem Geist erfüllt und haben zu allen Zeiten den einen Gott besungen, den sie den Gott der Götter und Vater aller Dinge nannten. Deshalb können, ja müssen sie auch heute noch gelesen werden.

Solche Apologien waren seit Jahrhunderten gang und gäbe, ungewöhnlich, auch im Rahmen humanistischer Apologetik, erscheint nur, daß Lupinus dem *furor poeticus* den *dicendi impetus* gleichsetzt. Der echte Redner ist nicht bloß ein *vir bonus dicendi peritus*, wie Quintilian definierte, viel mehr als auf Erfahrung und Schulung kommt es auf den ungestümen Drang zum Reden, die eingeborene Redelust und Redegabe, den inneren Schwung des Redners an. Dieselbe These hatte schon Gregor Heimburg verteidigt, in dessen „eloquentia theutonica" (Enea) sich der „furor teutonicus" (nach Gresemund) auslebte.

Reuchlins ‚Henno' beschließt 1497 die Blütezeit des Humanismus in Heidelberg, die JOHANN VON DALBERG heraufgeführt hatte, seit er 1481 zum kurfürstlich-pfälzischen Kanzler berufen worden war. 1497 gab er das Kanzleramt ab und verlegte seine Residenz als Bischof von Worms ganz nach Ladenburg. Kanzler wurde 1499 DIETRICH VON PLENINGEN. Die Universität jedoch geriet über dem Streit sowohl zwischen Dialektikern und Oratoren als auch zwischen den Dialektikern der via moderna und der via antiqua in rapiden Verfall. WIMPHELING, der selbst zur via moderna gehörte und nach Dalbergs Weggang wieder eine theologische Professur übernommen hatte, fürchtete mit Recht für den guten Ruf und für die Studentenfrequenz Heidelbergs, aber seine beschwichtigende Rede *Pro concordantia dialecticorum et oratorum inque philosophia diversas opiniones sectantium quos modernos et antiquos vocant 1499* war in den Wind gesprochen. *1501* mußte den Professoren das Mitbringen langer Messer zur Prüfung untersagt werden, weil das als Bedrohung und Nötigung der Kollegen zu gelten habe. Zwei Jahre später, im Todesjahr Dalbergs, begann der Landshuter Erbfolgekrieg, der die Pfalz furchtbar verwüstete.

PLENINGEN hatte inzwischen aus unbekannten Gründen zu den Feinden der Pfalz übergewechselt. Seit *1501* stand er im Dienste Herzog Albrechts IV. von Baiern und nach dessen Tod im Dienste der Söhne Wilhelm und Ludwig. 1508 wurde er vom Kaiser in den Ritterstand erhoben. Obwohl ständig mit politischen Aufgaben betraut, entfaltete der Pleninger im Alter, zwischen 1511 und 1519, auf einmal eine rege literarische Tätigkeit als Übersetzer aus dem Lateinischen ins Deutsche. Agricolas „Plinius" begann mit dem *Panegyricus Traiani* von PLINIUS D. J. und nahm dann außer CICERO und SENECA auch zwei LUKIAN-Schriften vor, die einst Agricola ins Lateinische übersetzt hatte[88].

Auf Dalbergs Tod schrieb der Heidelberger Magister artium JOHANNES HENNER-GALLINARIUS, der an der Schule des Kapitels von Jung-St. Peter in Straßburg Rhetorik und Grammatik lehrte, ein *Epitaphium dialogicum Johannis Dalbergii*. Der Bischof klagt hier den Tod an, daß er ihn — mit fast sechzig Jahren — zu früh hinweggeholt habe: *vix pauca volumina legi*. Dagegen hält der Tod Dalberg vor Augen, wie gelehrt er sei, selbst in Italien habe er studiert, kenne in beiden Rechten sich aus und beherrsche die drei heiligen Sprachen, Lateinisch, Griechisch, Hebräisch. Dalberg wehrt ab: Zwar habe ich viel gelernt, doch bleibt noch viel zu lernen übrig, was in alten Büchern die thessalische Muse lehrt. So muß der Tod sich am Ende wegen seiner Voreiligkeit entschuldigen: Es tut mir leid; als ich deine berühmten Bücher sah, hielt ich dich für einen uralten Greis.

Aus dem Topos vom *senex iuvenis* hat Gallinarius ein geistreiches Epitaphium herausgeholt, sehr humanistisch, fast zu humanistisch für einen *episcopus Wurmaciensis*, und mit seiner einseitigen Betonung des Lernens und Wissens wohl auch mehr im Sinne von Wimphelings als von Dalbergs und Agricolas Humanismus. Gallinarius war ein Wimpheling-Schüler. Als er 1505 die zweite Auflage der Wimphelingschen ‚Adolescentia' besorgte (1. Aufl. 1500), fügte er ihr sein ‚Epitaphium' ein. Heidelberg lag damals längst gegenüber anderen Universitäten, vor allem Wien, im Hintertreffen.

Celtis in Wien; Fehden Wimphelings und Lochers; Erasmus in Italien;
Pirckheimer und Peutinger

Die Universität Wien war eine der bestdotierten, angesehensten und besuch-
testen im Reich. Während der letzten Jahrzehnte des 15. Jahrhunderts besaß sie
eine durchschnittliche Frequenz von 777 Studenten. Ihr höchster Stolz waren die
Naturwissenschaften. Astronomie wurde nördlich der Alpen nirgends außer in
Krakau so intensiv wie an der Wiener Universität betrieben. Die Schule Georgs
von Peuerbach, aus der Regiomontanus und Albert Blarer von Burdzewo hervorgegangen waren, lebte hier weiter. Mit Blarers Ansehen konnte freilich nur Domi-
nicus Maria Novara in Bologna sich messen, der seine Forschungen ebenfalls an
Peuerbach und Regiomontanus anschloß. Es verstand sich fast von selbst, daß ein
Meisterschüler Blarers, wenn er auf Wunsch seines Oheims und Gönners die
Rechte in Italien studieren sollte, Bologna wählte, ebenso berühmt für Astronomie
wie Jura, und hier Mitarbeiter Novaras wurde. Der betreffende Oheim, Lukas
Watzenrode, war Bischof von Ermland, der Neffe, dank solcher Protektion ermlän-
discher Domherr in Frauenburg, hieß Nicolaus Copernicus. Auf Novaras Sternwarte scheint im *Frühjahr 1497* jener ungeheure Vorgang eingeleitet worden zu
sein, der auf einem Turm über dem Frischen Haff — in termino civilitatis — mit
einem neuen Weltbild des Menschen, dem *Kopernikanischen* anstelle des *Ptolemäischen*, endete.

Auch in Wien lasen wie überall zahlreiche Magistri über Rhetorik und Poesie,
unter ihnen Johannes Cuspinianus. Von 1494 an gab es außerdem das besoldete
Lektorat in *arte humanitatis* oder *arte oratoria*, das der Professor für Römisches
Recht Hieronymus Balbus aus Venedig innehatte. Diesem scheint das wenig
lukrative Nebenamt mit der Zeit lästig gefallen zu sein, und so plante man die
Errichtung eines Lehrstuhls für Rhetorik und Poesie, der mit dem Ingolstädter
Ordinarius Konrad Celtis besetzt werden sollte. Im Einverständnis mit den beiden königlichen Räten Johannes Fuchsmagen und Johannes Krachenberger trat
der Rektor, Johannes Burger-Calvus, mit ihm in Verhandlungen. Am *7. März
1497* wurde das Berufungsschreiben unterzeichnet. Endlich konnte Celtis dem un-
geliebten Ingolstadt für immer den Rücken kehren.

Das Semester mußte natürlich noch zu Ende geführt werden. Da Celtis die
Studenten, um ihnen antike Verskunst klar zu machen, Oden des Horaz mitein-
ander singen ließ, beauftragte er den im Februar 97 immatrikulierten Petrus
Treybenreif, später Tritonius, aus Bozen, diese vierstimmig zu komponieren.
Entscheidend und wohl völlig neuartig war dabei, daß Celtis das Quantitätsprinzip
der antiken Metren erkannt hatte und an den Horaz-Oden illustrieren wollte. Auf

welche Weise das geschah, wird sich später zeigen. Bei den Ingolstädtern baute Celtis mehr und mehr ab. Eines schönen Tages erhielt er deshalb von einer Gruppe erboster Hörer eine Zuschrift, eine Art offenen Brief, worin ihm vorgeworfen wurde, er murmle auf dem Katheder nachlässig vor sich hin, das träge Haupt auf den gebeugten Arm gestützt, die Miene mürrisch in sich verschlossen wie die Ziffer 8. Sein Vortrag sei ungeordnet, ohne klaren Aufbau. *Clare docet qui clare intelligit.* Uns, von deren Gelde du lebst, beschimpfst du als Barbaren, Dummköpfe und Wilde. *Sed nunc clara voce: res satis est.* Die verdrossene Trägheit, die du uns immer ankreidest, überwinde sie erst bei dir selbst, oder *efficatiori modo nobis erit agendum. Vale*[1].

Zu einer Prügelei ist es nicht mehr gekommen. Im *September 1497* landete Celtis mit einem Donauschiff in Wien. Die achtzehn namhaften Humanisten, die es hier offenbar gab, überreichten ihm eine Empfangsadresse, zu der natürlich auch CUSPINIANUS einen Beitrag geliefert hatte. In einem zehn-zeiligen Gedicht vergleicht er Celtis mit Aeskulap, der einst in Gestalt einer Schlange den Tiber heraufgeschwommen sei, um Rom von der Pest zu befreien; ebenso komme nun Celtis die Donau herab und werde der Barbarei in Wien ein Ende bereiten. Der einzige unter den Wiener Humanisten, der tiefergehende Griechisch-Kenntnisse besaß, FRANZ BONOMUS aus Triest, Sekretär der Königin Blanca Maria, sandte zum Willkomm die Kopie einer CHRYSO-LORAS-Handschrift.

So mißtönend der Ausklang bei den Ingolstädtern gewesen war, so wohltuend mußte die Begrüßung der Wiener auf Celtis wirken. Für den Achtunddreißigjährigen begann jetzt die letzte, glanzvollste Phase seines Lebens in unmittelbarer Nähe des Königs. Mit dem gleichaltrigen MAXIMILIAN verband ihn menschliche Sympathie, ja eine

König Maximilian
(Gemälde von Ambrogio Preda, 1502;
Wien, Gemäldegalerie)

gewisse Wesensverwandtschaft. Intelligent und lange über die Jünglingsjahre hinaus begeisterungsfähig, öffnen sich beide jeder Anregung und entwerfen grandiose Pläne, zu deren Durchführung ihnen dann sowohl die Ausdauer als auch der Wirklichkeitssinn fehlen. Maximilian will das deutsche Reich reformieren, Celtis die deutsche Bildung.

Schon kurz nach der Ankunft in Wien gründete Celtis als Ergänzung zu der Sodalitas litteraria Rhenana eine *Sodalitas litteraria Danubiana*. Für das Protektorat gewann er den Bischof von Veszprim und Administrator des Bistums Wien JOHANN VITEZ, der schon mit Enea Silvio befreundet gewesen war. DALBERG sollte *princeps sodalitatis per universam Germaniam* sein. Außer SPIESSHEIMER-CUSPINIANUS und BURGER-CALVUS gehörten der Sodalitas Danubiana die Räte FUCHSMAGEN und KRACHENBERGER, der Olmützer Dompropst AUGUSTIN KÄSEN-BROT-MORAVUS und andere Prominente an. Johannes Fuchsmagen hieß in diesem Kreis Fusemanus[2], Krachenbergers Name wurde von Reuchlin mit Gracchus Pierius übersetzt. Der Bereich der Sodalitas erstreckte sich bis nach Budapest.

Da natürlich auch in Wien, das neben Köln und Heidelberg ein Hauptsitz der *via moderna* war, die Scholastiker sich dem Humanismus widersetzten und für Celtis auf Schritt und Tritt Schwierigkeiten entstanden, wird 1502 mit Genehmigung Maximilians neben der Artistenfakultät ein selbständiges *Collegium poetarum et mathematicorum* eingerichtet werden. Über die Grenzen der Fakultäten hinweg sollen Philosophie, Poesie und Beredsamkeit einerseits, Mathematik und Naturwissenschaften andererseits sich aufeinander abstimmen und gegenseitig befruchten.

Auf dieser Linie lag schon Celtis' erste Wiener Publikation, die noch 1497 veranstaltete Neuausgabe der kosmologischen Schrift *De mundo seu cosmographia*[3], als deren Verfasser LUCIUS APULEIUS (ca. 125—180 n. Chr.) galt. Sie ist jedoch nur eine lateinische Paraphrase des ebenfalls zu Unrecht ARISTOTELES zugeschriebenen Werkes ‚Περὶ κόσμου' aus dem 2. nachchristlichen Jahrhundert. Man konnte es mit einigermaßen gutem Gewissen Aristoteles unterschieben, weil es mit dem vielumstrittenen Anfang der ‚Metaphysik' durchaus harmoniert. Sein anonymer Verfasser hält die Erforschung des Kosmos für die höchste Aufgabe der Philosophie. So handelt Pseudo-Apuleius in ‚De mundo' von den Sternen, dem Äther, den Elementen, von Seen, Inseln, Winden usw. Gott, der Schöpfer und Erhalter dieser Welt, ist als Geist in allem gegenwärtig. Aber wie den Geist des Menschen kann man auch die Gottheit nicht sehen, man erfaßt sie nur, sei es als Philosoph oder Dichter, in ihrem kosmischen Wirken. Hier also fand sich, *quod futurus philosophus scire debeat, quibus instituendi sint adolescentes*: für Celtis das ideale Buch, um sein in der Ode an Fusilius 1492 entworfenes Bildungsprogramm verwirklichen zu helfen. Was ihn zu einer Neuausgabe veranlaßte, sagt er selbst in der auf *1. November 1497* datierten Widmung an die beiden kaiserlichen Räte, denen er den Ruf nach Wien zu danken hatte[4]. Seinen „künftigen Gefährten und Schülern im gemeinsamen Werk" möchte er ein *praegustamentum*, eine Kostprobe, jener Geheimnisse, *rerum archanarum*, geben, die den Inhalt aller großen philosophischen und dichterischen Werke ausmachen. Wie an einem kleinen Bild oder einer überschaubaren Wortskulptur, *modica verborum sculptura*, sollen sie erkennen, wie und durch wen diese Welt entstanden ist und Bestand hat, eine Welt, in der alle göttlichen und menschlichen Dinge aufs engste zusammenhängen, so daß man sie in unendlicher Liebe miteinander verbunden wähnt, *ut ineffabili amore sociatae et permixtae videantur res humanae et divinae*. Die von der Florentiner Akademie kultivierte Vorstellung des kosmischen Eros wird damit auch in das Credo des deutschen Hochhumanismus aufgenommen.

Nichts in hoc brevi vitae curriculo hält Celtis für beglückender, *suavius et dulcius*, als die Kontemplation des Kosmos oder *mundus*, weil hier der Menschengeist aus dem Kerker des Leibes herausgerufen, die Gefühle und Leidenschaften zum Göttlichen, Himmlischen emporgerissen werden: *in divinos et aethereos rapiuntur motus et affectus. O incredibilem suavitatem, o blandissimam et divinam voluptatem, qua nectar et ambrosiam ... cum summo Jove epulantes degustamus*. Apuleius vermittelt uns in besonderem Maß diese *voluptas*, weil dem großen Gegenstand die Gewalt der Worte entspricht. In der Widmung von ‚De mundo‘ fließen *curiositas* und *voluptas* ineinander, zugleich verbindet Celtis die Neue Rhetorik und ihr Menschenbild — Bild des innerlich bewegten Menschen — mit dem Neuplatonismus als Feier des „platonischen Eros“ zu einem Programm für die *studia humanitatis* an der Wiener Universität und in der Sodalitas Danubiana. Das nationale Moment, so wichtig es für Celtis ist, kommt dabei kaum zur Sprache.

Schon die pantheistische Tendenz dieser Publikation mußte Ärgernis erregen. Hier sprach derselbe Celtis, der in der Ode ‚Ad Sepulum disidaemonem‘ die Natur

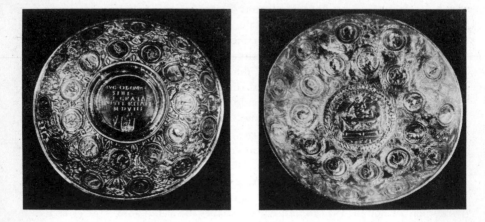

Goldschale der Sodalitas Danubiana, 1508
(Durchmesser 18,3 cm, Gewicht 802 g, in der Gravur Motive aus Stichen des Nicoletto da Modena; Dresden, Grünes Gewölbe).

zum Tempel Gottes erklärte und ausrief: *Est Deus in nobis.* Die Sodalitas Danubiana scheint denn auch zeitweilig mit heidnischen Riten zumindest gespielt zu haben. Da gegenüber der Kirche Vorsicht am Platze war — wiederholt verdächtigte man besonders Celtis der Häresie —, besitzen wir nur spärliche Zeugnisse dieses „Spiels". Umso dankbarer sind wir für eine prachtvolle, mit römischen Münzen besetzte Goldschale, die sich im Grünen Gewölbe in Dresden befindet. AUGUSTIN KÄSENBROT, genannt MORAVUS oder OLOMUCENSIS, der u. a. 1493 einen *Dialogus in defensionem poetices* drucken ließ und von Anfang an zu den Mitgliedern der Sodalitas Danubiana zählte, hat sie anfertigen lassen: *Aug Olom sibi et gratae posteritati MD VIII.* Der Form nach eine römische Patera, eine Trankopfer-Schale, trägt sie als Schmuck außer den antiken Goldmünzen ein Relief, das einen Genius mit Fruchtkorb und Trauben zeigt; darunter steht: *Genio Liberoque Patri,* dem Genius und dem Vater Liber, d. i. Bacchus oder Dionysos. Eine Inschrift am Rande der Schale lautet: *Phoebigenom sacrata cohors et mysticus ordo / hac patera Bacchi munera larga ferant./ Procul hinc, procul este prophani*: Der Phoebussöhne geheiligte Schar und der Orden der Eingeweihten mögen mit dieser Opferschale des Bacchus reichliche Gaben spenden; ferne von hier, ferne seid, Uneingeweihte[5].

Das klingt sehr nach Geheimbündelei. Bis zu einem gewissen Grad — wie weit, ist kaum auszumachen — sollte die Schale wohl als eine Art Kultgefäß dienen. Sodalitas und sacrata cohors, Heilige Schar, nannten sich auch die Akademiker um Pomponius Laetus. Und wieder schweift unser Blick über den Quirinal und über die Villa Careggi zum Hügel von Mistra.

Platónicos sectatores veneratus sum, hatte einst JAKOB LOCHER aus Italien berichtet, um Celtis anzuzeigen, daß er seinen Empfehlungen gefolgt war. Da nun Celtis' Katheder in Ingolstadt leer stand, holte man sich im *Januar 1498* Locher, der seit 1495 in Freiburg über Poesie und Rhetorik las; ihm wurde jedoch nur die Hälfte des Celtisschen Salärs bewilligt. *1497* und *1498,* sein sechsundzwanzigstes und siebenundzwanzigstes Lebensjahr, sind Lochers große Jahre. Mit der Dichterkrönung durch Maximilian verband sich 1497 nicht bloß der Erfolg der ‚Tragedia de Thurcis', sondern auch die Sensation der *Stultifera navis.* Unter diesem Titel hat Locher Sebastian Brants ‚Narrenschiff' lateinisch bearbeitet. Das Buch konnte im selben Jahr noch dreimal und danach immer wieder neu aufgelegt werden. Erst in der Sprache und in der Gestalt, die ihm Locher gab, machte ‚Das Narrenschiff' seine Reise um die Welt. Manche Partien hat er so umgedichtet, daß man das Original nicht mehr wiedererkennt, andere freiweg hinzugefügt. Um seiner deutschen Quelle das rechte Ansehen zu geben, behauptete er, Brant habe nach dem Vorgang von Dante und Petrarca, den heroici vates, die Volkssprache gewählt. Locher nennt damit die Nachbarschaft, in die er seine ‚Stultifera navis' hineinmanövrieren möchte. Deshalb weicht er vom Brantschen Kurs ab.

Den Unterschied zwischen dem deutschen und dem lateinischen Werk zeigt sehr schön das *Kapitel 107,* worauf Erwin Panofsky[6] hinwies. Das Kapitel, das bei Brant die Überschrift *Von lon der wisheit* trägt, verwertet die Fabel des Sophisten

Prodikos von Herkules am Scheideweg, und zwar in der Fassung des Kirchenvaters Basilius Magnus. Herkules begegnet zwei Frauengestalten, Tugend und Wollust, und muß sich entscheiden, welcher von beiden er folgen will.

> Die eyn, was aller wollust vol
> Und hübsch geziert, mit reden suesz
> Grosz lust und freüd sie jm verhiesz,
> Der end doch wer der dot mit we . . .

> Die ander sach bleich, sur, und hert . . .
> Die sprach, keyn wollust ich verheisz
> Kein ruow, denn arbeit jn dim schweisz . . .
> Dar umb würt dir dein ewig lon
> Der selben ging do Hercles noch . . .

Das ist eine recht dürftige, farblose Szene, entschieden bürgerlich oder kleinbürgerlich in der Gleichsetzung von Tugend mit harter, saurer Arbeit, die im Jenseits ihren Lohn empfängt — Leistungsprinzip gegen Lustprinzip.

Einen ganz anderen Geist atmet die von Locher-Philomusus hinzugedichtete *Concertatio Virtutis cum Voluptate*. Statt in holprigen Knittelversen geht das Streitgespräch in majestätisch dahinrollenden Hexametern und Distichen vor sich, und alle Mittel antiker Rhetorik werden aufgeboten, Antithese, Anapher, Praeteritio. Herrisch beginnt die „Obiectio Voluptatis", der Angriff oder Vorwurf der Wollust:

> Ergo vos iuvenes, quorum sunt mollia corda,
> Atque senes pariter, quorumst amorosior aetas,
> Porrigite huc aures . . .

Diese Voluptas nennt sich eine Schwester des Dionysos, den die Mänaden in ausgelassenem Tanze feiern. Dagegen verspricht die helmgeschmückte Virtus, ganz anders als das abgeschaffte Tugendweiblein Brants, den Menschen, die ihr folgen, Macht, Sieg der Waffen, ewigen Ruhm auf der Erde. Nur Weichlinge, meint sie, lassen sich von der Wollust verführen, die keinen Kriegshelm trägt, sondern mit ihrer Nacktheit unkriegerische Männer ködert:

> Non galeas armata geris, sed corpore nudo
> Alicis imbelles in tua vota viros.

Die deutsche Kleinbürgerszene Brants wird überblendet von einem römisch-antiken Bild. Wo er sich nicht an Brant und an den Kirchenvater Basilius hält, schwebt Locher-Philomusus eine Szene im 15. Buch der ‚Punica' des Silius Italicus vor. Die Tugend mißt sich hier mit einer bewußt heidnisch aufgefaßten, „dionysischen"

Sinnenlust. So war die Voluptas in Deutschland noch nie gemalt worden. Nur weil sie Macht und Ruhm verheißen kann, ist ihr die Tugend überlegen, als Virtus im Sinne der Römer. Beide, Voluptas und Virtus, werden von Locher in pathetischer Weise zu Lebensmächten erhöht, wie das Celtis mit Amor gemacht hat. Voluptas und Virtus repräsentieren zwei Möglichkeiten, aus dem Vollen zu leben, zwei Formen der Lebenssteigerung: *vivescentia*. Kein Wunder, daß es zwischen Sebastian Brant und dem heroicus vates Philomusus später zum Bruch kam. Enttäuscht wird Brant erklären: *Talem discipulum nos habuisse pudet.*

Der mit Locher genau gleichaltrige ALBRECHT DÜRER schuf zur Zeit der ,Stultifera navis' einen Kupferstich, der gewöhnlich als *Der große Herkules* bezeichnet wird. Der Heros erscheint hier als Helfer der *Virtus* gegen die *Voluptas*, die nackt in den Armen eines Satyrs liegt. Dieser weibliche Akt der Wollust und die bekleidete Figur der Tugend sind, wie Panofsky nachweist, je einem Stich Mantegnas, Teile des Herkules dem Pollaiuolo nachgebildet. Ähnlich komponierten Locher und die Humanisten ihre Dichtungen.

Handbücher von der Art der ,Margarita poetica' des Albrecht von Eyb sollten dieses Komponieren mit Versatzstücken erleichtern. Wo nicht für Publikationen oder Reden, wurden sie für Briefe und für Gespräche ausgeschlachtet. Daß die Schüler sich selbst derartige Sammlungen anlegten, war das Unterrichtsprinzip des Chrysoloras, der beiden Guarini, Agricolas und auch des ERASMUS. Vielleicht geht dessen Traktat *De ratione studii et instituendi pueros* in seiner ersten Fassung schon auf das Jahr 1497 zurück. Das vermutet P. S. Allen und mit ihm P. W. Baldwin. Gedruckt wurde der Traktat erst 1511 und in stark erweiterter Fassung 1512. Alles, was für die Menschheit zu wissen notwendig ist, findet sich nach Erasmus in der lateinischen und mehr noch in der griechischen Literatur, deshalb muß der Schüler beide Sprachen lernen, und zwar nicht so sehr nach der Grammatik als vielmehr durch Lesen, Lesen, Lesen und Schreiben, Schreiben, Schreiben. Unermüdlich weist Erasmus auf die *imitatio* der besten *auctores* hin. Das ist auch ganz im Sinne von Lorenzo Valla, dessen A und O. Formal oder inhaltlich bemerkenswerte Stellen soll der Schüler sinnvoll markieren oder exzerpieren, dann aber möglichst früh eigene Niederschriften fertigen. Für den Anfang empfiehlt Erasmus Aufsätze über irgendeine Sentenz. Von der topologisch-symbolischen ars memorativa hält Erasmus nichts. Um dem Gedächtnis visuelle Erinnerungsbilder zu schaffen, sei es besser, an allen möglichen Stellen im Haus Zettel mit wichtigen Fakten und Formulierungen anzuheften, damit sie immer wieder den Blick fangen. Raum für Sinnsprüche bieten auch Ringe und Becher sowie die Vorderblätter der Bücher. — Diese ars memorativa wäre selbst für uns praktikabel.

Erasmus, zwei Jahre älter als Locher und Albrecht Dürer, studierte damals in Paris und verdiente sich seinen Lebensunterhalt mit Privatunterricht bei zwei jungen Engländern und zwei Lübecker Kaufmannssöhnen. Zu einem der Engländer faßte er noch einmal eine so schwärmerische Zuneigung, daß der Hofmeister trotz der Fortschritte, die seine Zöglinge machten, den Unterricht bei Erasmus abbrach. Der Lübecker Heinrich Northoff schreibt an seinen Bruder, seitdem er den Erasmus zum Lehrer habe, sei der Helikon in seinen vier Wänden: „Alles bei uns, Ernst, Scherz, Muße, Arbeit, wird mit Wissenschaft gewürzt. Beim Frühstück wird über Wissenschaft geplaudert, das Mittagessen wird dank wissenschaftlicher Würze ein Festmahl. Beim Spaziergang machen wir wissenschaftliche Scherze, sogar das leichte Spiel hat etwas Wissenschaftliches an sich. Der Schlaf überwältigt uns bei wissenschaftlichem Gespräch, unsere Träume sind wissenschaftlich, nach dem Erwachen beginnen wir den Tag mit Wissenschaft. Es dünkt mich Spiel, nicht Studium, und doch empfinde ich jetzt erst, daß ich studiere"[7]. Freilich ist dieser Brief nicht von dem jungen Herrn aus Lübeck selbst, sondern vom Lehrer verfaßt und gehört zu dem für den Unterricht bei den Brüdern Northoff bestimmten Handbüchlein der lateinischen Konversation, *Familiarium Colloquiorum Formulae*. Im Lauf der Jahrzehnte immer weiter ausgebaut, wurde es eines der bedeutsamsten Werke des Erasmus.

Während man in Paris ‚Das Narrenschiff' in Lochers Fassung las, werden sich die Eltern Northoff an die niederdeutsche Bearbeitung gehalten haben, die im gleichen Jahr 1497 Mohnkopf in Lübeck druckte. Bei der Lektüre des niederdeutschen *Reinke de Vos*, Lübeck 1498, überschlugen sie die erbauliche Glosse des Übersetzers, die „vthlegginge", die er als „leren", ob sie paßten oder nicht, in die „fabelen" eingeschoben hatte. Der Anonymus wandte sich ja auch mit seinem Werk — dem nicht unmittelbar ‚Reinaerts Historie' von rund 1375, sondern die nur in Bruchstücken uns bekannte Fassung Hinreks van Alkmar zugrunde lag — vor allem an die unteren Volksschichten. Vermutlich gehörte er zum Franziskanerorden, der in den neunziger Jahren in Lübeck die regsamste Betriebsamkeit auf dem Gebiete der moral- und pastoraltheologischen Erbauungsliteratur entfaltete. Man registriert außer einer niederdeutschen *Bibelübersetzung* (1494) mehrere *Bibelauslegungen*, *Totentanzbücher* (1489/96) und anderes dieser Art[8].

In den Lübecker Kontoren erhitzten sich die Köpfe über einen Bericht aus Augsburg, wonach der dortige Stadtschreiber, ein gewisser KONRAD PEUTINGER, auf den König Maximilian große Stücke hielt, 1489 ein Gutachten über das Kupfersyndikat der Fugger, Gossenbrot, Paumgartner und Herwart angefertigt hatte. Dieses *Consilium in causa societatis cupri* war eine Apologie der kapitalistischen Wirtschaftsform in ihrer schärfsten Ausprägung[9].

Der Name DESIDERIUS ERASMUS fiel in Lübeck nur, wenn Herr Northoff damit angab, wieviel er sich das Studium seiner Söhne in Paris kosten ließ. Er tat dann, als sei dieser Mann fast eine Zelebrität vergleichbar dem Autor der ‚Stultifera navis'. Dessen Name besaß auch bei den anderen Kaufleuten, mindestens bei Steffen Arndes und Mohnkopf, den Verlegern, einen gewissen Klang. LOCHER-PHILOMUSUS verstand es, die Trommel für sich zu rühren, und als er 1498 das Ordinariat des Celtis in Ingolstadt übernahm, ließ er sogar, was noch nie dagewesen war, zum Beginn seiner Vorlesung die Kirchenglocken läuten. Im gleichen

Jahr ediert er *Horatii Flacci Venusini Poetae ac lirici opera*, womit er, anschließend an LUDER und CELTIS, der lateinischen Lyrik in Deutschland endgültig das
große Muster gab.

Der Horazische Ton war schon jetzt penetrant. Am deutlichsten zeigen das
1498 die *Varia Sebastiani Brant Carmina*, speziell die geistlichen carmina unter
ihnen. Dem Schwaben HÖLDERLIN, obwohl er selbst nur ein sehr mittelmäßiger
Dichter war, kam das Latein der alten Passionshymnen roh und formlos, wie
„Prosa" vor, weshalb er gelegentlich den Wunsch äußerte, sie möchten durch
carmina nova ersetzt werden, leichter und gefälliger, *suavius*, zu rezitieren[10]. Hölderlin — lateinisch nannte er sich SAMBUCELLUS (Holunder) — verlangte von einem
Lied verborum dulcedo quaedam. SEBASTIAN BRANT erfüllte seinen Wunsch mit
einigen regelrechten Oden in der Art des Horaz. Zu den alten Hymnen verhalten
sich diese ungefähr wie Klopstocks Bearbeitungen der Luther-Lieder zu den Origi-
nalen: Justinus Kerner, um bei den Schwaben zu bleiben, hätte wohl auch die
Passionsoden Brants mit blankgewichsten Stiefeln verglichen. Über denselben
Leisten fertigte Brant Lieder an die Jungfrau Maria und mehrere Heilige. Wenn
das *Rosarium ex floribus vitae passionisque domini nostri Jesu Christi consertum*
in sapphischem Versmaß abläuft, macht man sich auf 33 Strophen gefaßt, weil es
der Zahl der Lebensjahre Christi entspräche, aber weit gefehlt, diesmal geben die
50 Ave des Rosenkranzgebetes die Richtzahl. Als Brant sein ‚Rosarium‘ später
eindeutschte, verknäuelte sich der Faden, in der Muttersprache dichtete Brant kaum
anders als die Meistersinger. Matthias Hölderlin von Saulgau, SAMBUCELLUS SUL-
MOGENSIS, Professor der Theologie in Basel, wird bei einem deutschen Gedicht
keine verborum dulcedo et sonoritas erwartet haben.

Zwar behauptet ein Vers in den ‚Varia Carmina‘ von 1498, Cyrra und Helikon
hätten sich in unsere Alpen verlagert, aber dabei denkt Brant weder an Dichtung
in deutscher Sprache noch, wie es bei Celtis der Fall wäre, an lateinische Dichtung
der Deutschen, vielmehr an die Kenntnis von den antiken Autoren, Apuleius,
Horaz etc., die man sich in Deutschland jetzt aneignen könne. Der Vers steht in
einem *Elogium* auf die Buchdruckerkunst, um deren Erfindung willen schon
Beroaldus Deutschland gepriesen hatte. Brant faßt speziell ihre Bedeutung für
den deutschen Humanismus ins Auge:

> Glaube mir, bald wirst du sehen (erblasse nur, Römer, vor Neide),
>   wie die Musen den Sitz nehmen am Ufer des Rheins ...
> Nichts ist heut unseren Kindern, nichts unserer Jugend verborgen ...[11]

Wenn Brant zum Horn der Humanisten greift und seine Backen voll nimmt,
um ein Lied von den Musen am Rhein zu blasen, schaut er nicht mehr die Felsen-
riffe, wo am Ende Schiffer und Kahn zu Grunde gehen. Um so lauter warnt die
schmetternde Posaune des Straßburger Münsters, wie man JOHANNES GEILER VON
KAISERSBERG genannt hat, der 1498/99 im Anschluß an Brants ‚Narrenschiff‘

eine Folge von mehr als hundert Predigten hielt. So schmetternd kommt uns freilich die Posaune nicht vor. In dem, was von Geilers Schriften erhalten blieb, gibt er sich mehr als ein unterhaltsam derber Moralprediger, dessen volkstümliche Beispiele und Vergleiche aus einem Legat im Testament JOHANNES HEYNLINS A LAPIDE, des Predigers am Basler Münster († 1496), stammen könnten. Ihm fehlte ebenso wie seinem Freund Sebastian Brant und wie den Franziskanern in Lübeck der wortgewaltige Fanatismus eines *Girolamo Savonarola*. Am *23. Mai 1498* wurde der Dominikaner von San Marco auf der Piazza della Signoria in Florenz gehenkt und verbrannt und seine Asche vom Ponte Vecchio in den Arno gestreut — ein Sieg der *Voluptas* über die *Virtus*.

Vielleicht war ein Franziskanermönch aus Münster, DEDERICH COELDE, Savonarola vergleichbar, wenn er, stets mit einem Totenschädel in den Händen, auf Niederdeutsch predigte. Trithemius weiß ihm keinen Ebenbürtigen an die Seite zu stellen; sein *Christenspiegel* fand weite Verbreitung.

Je näher das Ende des Jahrhunderts rückte, desto mehr griff die Angst um sich, daß die Menschheit auf eine Katastrophe zusteuere. Diese Stimmung verdichtete sich zu apokalyptischen Gesichten, nicht bei Geiler oder Brant, aber in der Folge von fünfzehn Holzschnitten zur *Offenbarung Johannis*, die ALBRECHT DÜRER *1498* schuf. Selbst der Höhepunkt von Brants Werk, die Schilderung des Schiffbruchs im 108. Kapitel, kann sich an Kraft nicht entfernt vergleichen mit einem Blatt aus Dürers *Apokalypse* wie den drei Reitern Hunger, Krieg und Pestilenz, denen der Tod zur Seite trabt.

Die Pestilenz wütete in jenen Jahren als Syphilis-Epidemie in Deutschland. Sie begann *1494* in Augsburg, *1497* wurden in Nürnberg die ersten Bußpredigten darüber gehalten, *1498* steckten sich CELTIS und LOCHER und um dieselbe Zeit PIRCKHEIMER an. In einem etwas späteren Brief DÜRERS aus Venedig heißt es: „Ich wüßte nicht, was ich übler fürchtete (als die Franzosenkrankheit), denn schier jeder Mann hat sie. Sie frißt viele Leute gar hinweg, daß sie daran sterben."

Auch als spinale Kinderlähmung trat die Pestilenz auf. Davon scheint THOMAS MURNER befallen worden zu sein. Die Eltern bestimmten deshalb den schwer Hinkenden für das Kloster. In einem *Tractatus perutilis de Phitonico contractu*, gedruckt *1499* bei Hupfuff in Straßburg, setzt sich der zweiundzwanzigjährige Murner mit seinem Leiden auseinander. Es gilt ihm, wie damals allgemein, als Verhexung. Die Hexen haben es ihm angehängt, und die Hexen sind Werkzeuge des Teufels. Wenn nicht unmittelbar, so doch mittelbar gehört Murners ‚Tractatus perutilis' in die Verwandtschaft des ‚Malleus maleficarum'.

Der Krieg ist für Deutschland am Jahrhundertende der Reichskrieg gegen die Schweizer, der Schweizer- oder Schwabenkrieg. Das Nürnberger Aufgebot, 400 Fußknechte und 60 Reiter, befehligte der neunundzwanzigjährige WILLIBALD PIRCKHEIMER. *Orator et senator et miles* nannte er sich: Humanist, Staatsmann, Soldat: kein anderer Deutscher vereinigte das in seiner Person. Pirckheimer hatte

zwei Jahre lang bei der Wehr-
macht des Bischofs von Eichstätt eine militärische Ausbildung erhalten und nur ungern
auf Drängen des Vaters das
Waffenhandwerk aufgegeben,
um in Italien Jura zu studieren.
Ganz hat er die frühere Passion
auch dort nicht verleugnet,
dankt er doch einmal LORENZ
BEHEIM, dem päpstlichen Ge-
schützmeister in der Engelsburg,
für das, was er von ihm u. a. in
der Kriegswissenschaft gelernt
habe.

Am 22. Juli 1499 brachte die
Eidgenossenschaft dem Schwäbischen Bund bei Dorneck eine
furchtbare Niederlage bei. Damit löste sich die Schweiz für
immer vom Reich. Der kaiser-
treue SEBASTIAN BRANT verließ
Basel und kehrte nach Straßburg zurück. Die Vorverhandlungen über den Friedensschluß
führte in Maximilians Auftrag

Willibald Pirckheimer
(Kohlezeichnung von Albrecht Dürer, 1503)

JOHANN VON DALBERG. Als man die Schweizer bat, die Leichen der erschlagenen
Ritter zur Bestattung freizugeben, verweigerten sie es mit den Worten: „Die ritter
mugen bi den buren liggen". Daraus spricht eine soziale Einstellung, wie sie in
den nächsten Jahrzehnten immer stärker um sich greifen wird.

HANS LENZ, Schulmeister in der Schweiz, aber nach seiner Herkunft aus Rottweil selbst Schwabe, schildert den Krieg in einer *Reimchronik* (1500). Ein von ihm
verfaßtes Lied auf die Schlacht bei Dorneck ist eingefügt. Es beginnt: „Woluf, ir
gesellen all mit schall."

Den König, bei dem sich Pirckheimer befand, erreichte die Nachricht von der
Niederlage in Lindau. Um nicht darüber sprechen zu müssen, schloß MAXIMILIAN
sich fünf Stunden im verdunkelten Zimmer ein. Nachdem er seine Fassung wieder-
gewonnen, fuhr er, wenige Tage später, mit seinem Gefolge über den See nach
Konstanz. Es ist die erste Fahrt, von der wir wissen, über den nun zur Grenze
gewordenen Bodensee. Melanchthon berichtet später in Latein: „Ich habe einst
von dem Nürnberger Pirckheimer gehört, daß Maximilian selbst seine Taten

aufgezeichnet habe. Pirckheimer erzählte, er sei mit dem Kaiser Maximilian von Lindau nach Konstanz gefahren, und als auf dem Schiff Maximilian Muße fand, habe er seinen Schreiber gerufen und ihm in lateinischer Sprache die Ereignisse eines Jahres diktiert. Als Pirckheimer fortgehen wollte, weil er meinte, daß vielleicht Geheimnisse dem Schreiber diktiert werden sollten, forderte ihn der Kaiser auf zu bleiben und zu hören. Am Abend gab er ihm sogar, was er diktiert hatte, zu lesen und fragte ihn kurz, wie ihm dieses Soldatenlatein gefalle, *ista militaris latinitatis dictio*. Maximilian setzte hinzu, er bemühe sich, die Dinge kurz und klar so darzustellen, daß später Gelehrte diese Geschichten genau nach ihren Umständen und Veranlassungen darlegen könnten."

Gegenüber einem Mann wie Pirckheimer benützt Maximilian die Sprache der Gelehrten, der Historiographen, der in der seit Jahrhunderten üblich war zu versichern, man befleißige sich der Kürze (*brevitas*) und Klarheit (*perspicuitas*), sei sich aber der Unbeholfenheit (*rusticitas*) seines Stils bewußt und wolle ja auch bloß andern das Material liefern. So „spricht man" als Gelehrter, nur daß man die Topoi der jeweiligen Situation etwas anpaßt, aus der rusticitas als einer Bescheidenheitsfloskel wird bei einem Krieger ista militaris latinitatis dictio.

Maximilian gelangte mit seiner lateinischen *Autobiographie*, die er spätestens 1492 begonnen haben dürfte, nicht über ein Konzept, das mit dem Schwabenkrieg von 1499 abbricht, hinaus. Wir besitzen die Bearbeitung durch einen Schreiber. Die Endfassung sollte nach der Absicht des Königs Konrad Celtis vornehmen. Daraus ist nichts geworden, weil Maximilian, wie in so vielen Fällen, den ursprünglichen Plan fallen ließ und sein Leben dann, statt in lateinischer, in deutscher Sprache und in einem völlig anderen Stil darstellen wollte. Gleich nach der Jahrhundertwende wurden ‚Freydal' ‚Theuerdank' und ‚Weisskunig' in Angriff genommen.

Ob Maximilian die lateinische Autobiographie seines Vorgängers auf dem Königsthron, Karls IV., kannte, wissen wir nicht. Aber ein Zufall ist es keinesfalls, daß Maximilian, als der deutsche Humanismus auf der Höhe stand, dasselbe unternahm wie Karl IV., in dessen Regierungszeit der böhmische Ersthumanismus beginnt. Sicher hatte Maximilian die *Commentarii rerum memorabilium* Julius Caesars, des ersten Kaisers, wie er ihn im ‚Weisskunig' nennt, vor Augen. Sie waren 1469 erstmals gedruckt worden, doch schon Enea Silvio Piccolomini entlehnte ihnen den Titel für seine eigenen Memoiren.

Manche reizvolle Szene aus der lateinischen Autobiographie Maximilians vermissen wir später im ‚Weisskunig'. So beispielsweise die Szene vor Geldern 1479, als Maria ihren Gemahl von der Schlacht abhalten will. Nachdem die Räte sie über die Lage verständigt haben, bringt sie die Nacht schlaflos zu und schlummert erst gegen Morgen ein. Da erhebt sich Maximilian heimlich, um seine Rüstung anzulegen. Sie wacht auf und beschwört ihn unter Tränen, teils in Ihr-, teils in Duform: „O domine my! vos scitis, quod vita et principatus mey in tua persona stant et abs te vivere non vellem ... Quantum te diligo, tu scis ... Verte ergo animum tuum audacem in opinionem securam." Der König antwortet: „Conthorale my! verba tua omnino honesta dulcia sunt ... habeatis pacienciam, nam absque dubio victoriam habebimus." Dabei lächelt er auf die Gattin herab und verläßt das Gemach.

Die größte Überraschung bereitet uns Maximilian, wo er über die *cronica*, den Tatsachenbericht, hinausgeht und so etwas wie eine Sinndeutung seines Lebens versucht. Diesem soll der Widerstreit zwischen *misericordia* — der göttlichen Gnade — und *constellacio prava* — der Ungunst der Gestirne — zugrundeliegen. Maximilian, der im Zeichen des Saturn oder einer ungünstigen Saturnkonstellation zur Welt gekommen war, suchte nicht Jupiterkräfte dagegen zu mobilisieren, sondern wußte sich zugleich in der Gnade des einen, offenbarten Gottes. Diese Vorstellung ist Ausdruck für das zwischen Gewißheit des Berufenseins und ständigem Scheitern gespannte Lebensgefühl Maximilians, Ausdruck seiner Existenz.

Vielleicht hat die Unterhaltung mit Maximilian über dessen militaris latinitatis dictio PIRCKHEIMER angeregt, selbst den Schweizerkrieg zu beschreiben. Der Titel seines erst nach Jahrzehnten vollendeten Buches, *Bellum Suitense sive Helveticum*, erinnert gleichfalls an Caesar. Carl J. Burckhardt bemerkt: „Alle unvergeßlichen Stellen dieses Buches sprechen von Mitleid; wie jene, wo er die verhungernden Engadiner Kinder schildert, die von zwei alten Weibern auf die Weide getrieben werden und auf allen Vieren nach Gras suchen: ‚Als ich das gesehen hatte, konnte ich meine Tränen nicht zurückhalten, während ich das elende Los der Menschen beklagte und die Furie des Krieges verwünschte!‘ Ja, alle gehobenen Stellen gehören dem Mitleid an. Derselbe Pirckheimer konnte aber auch wettern gegen ‚die Memmen, die immer von Frieden winseln in einer Welt, in der noch so viel zu bereinigen ist.‘"

Krieg und Hunger sind mit der Pestilenz auf dem Holzschnitt von Pirckheimers Freund die apokalyptischen Reiter. Was nützen da alle Errungenschaften menschlicher Klugheit und Schläue? Vielleicht machen gerade sie den Menschen mißfällig vor Gott. Was hatte denn Kain getan, daß der Herr sein Opfer nicht annahm? Darüber unterhalten sich, und das ist nun keine Fiktion, am Ende des Jahres *1499* die Gäste JOHN COLETS bei einem Symposion in der Halle des Magdalenenkollegiums in Oxford. Auch ERASMUS VON ROTTERDAM ist geladen, der sich seit Juni in England befindet, erstaunt über die Herzlichkeit der englischen Sitten: „Wohin du kommst, jeder begrüßt dich mit Kuß; wenn du irgendwo weggehst, mit Abschiedskuß wirst du entlassen ... Trifft man sich irgendwo, gibt's Küsse mehr als genug." Wie Colet übt Erasmus gerne Kritik an dem jungen Theologengeschlecht: „Sie pumpen den Geist mit einer faden und peinlichen Kniffligkeit auf, beleben ihn aber nicht mit Lebenssaft, hauchen ihm keinen Odem ein". Ein Hauptgrund dafür ist, „daß gegenwärtig zum Studium der Theologie, der Fürstin aller Wissenschaften, sich Leute drängen, die wegen ungesunder Geistesverfettung kaum zu irgendeiner Wissenschaft taugen. Das will ich aber nicht gesagt haben von den gelehrten und bewährten Theologieprofessoren". Über das Symposion berichtet Erasmus[12], Colet habe die These aufgestellt, daß Kain Gott beleidigte, indem er zu sehr auf den eigenen Fleiß vertraute und als erster die Erde pflügte, während Abel, zufrieden mit dem, was von selbst wuchs, die Schafe weidete. Diese These führte zu einer lebhaften Diskussion, die Erasmus mit einer Geschichte, angeblich aus einem ganz alten Codex, beendete. Kain war ihr zufolge ein fleißiger, aber ebenso gieriger und ehrgeiziger Mensch. Er hatte die Eltern oft von den riesengroßen Ähren im Paradies erzählen gehört, weshalb er eines Tages zu dem Engel an der Pforte des Paradieses ging, diesen „mit routinierter Kunst" zu überreden, daß er ihm heimlich ein paar Getreidekörner schenke. Die Sache habe ja nichts auf sich, wenn nur die Äpfel nicht angerührt würden. Sei kein allzu sorgsamer Wächter, vielleicht macht dem Herrn menschliche Schlauheit mehr Freude als träges Nichtstun. Oder hast du an deinem Amt besonderen Spaß? Gefällt es dir, mit einem großen Säbel am Tor zu stehen? Wir haben eben begonnen, für derartige Arbeiten Hunde zu gebrauchen. Du bist schlimmer dran als wir auf der Erde. Nach Lust und Liebe können wir umherschweifen, denn für einen kleinen Garten haben wir die weite Welt eingetauscht. Und diese Welt birgt viel Schönheit und viele Schätze. Um diese zu heben, will ich alle Adern der Erde durchforschen. Gewiß machen uns Krankheiten zu schaffen, aber der menschliche Fleiß wird Heilmittel finden. Es gibt nichts, was er nicht meistert. Du Armer, sei gnädig den Armen! Du Verbannter den Verbannten, den Verdammten du doppelt Verdammter!

„Der Mann brachte seine Sache durch, ein glänzender Redner." Er bekam heimlich einige Körner und erzielte nun wunderbare Ernten. Der Herr aber grollte, suchte die Erde mit vielfältigen Plagen heim und ließ den Rauch des Versöhnungsopfers nicht zum Himmel steigen. Da verzweifelte Kain.

Weit anschaulicher als das kurze Referat wiedergeben kann, erzählt Erasmus diese Geschichte. Kain ist in erster Linie „ein glänzender Redner", der selbst Reuchlins Buttubatta schlägt. Dadurch gewinnt er den Engel und gewinnt auch den Hörer oder Leser. Des Erasmus Redner-Parodie sieht, anders als der ‚Sergius' Reuchlins, nach einer selbstgefälligen Verherrlichung aus. Und Kain ist nicht bloß Orator, sondern zugleich ein Renaissance-Mensch im Sinne der Poggio-Formel: semper quaerimus, semper appetimus, coelum, terras, mare pervertimus. Darum wird er von Gott nicht angenommen. Trotzdem tritt Abel neben Kain in den Schatten. Insgeheim findet eine Umwertung der beiden statt. Auf die geistreichste Weise verkehrt Erasmus, was die Genesis von Kain und Abel berichtet, in einen biblischen, besser gesagt, antibiblischen Prometheus-Mythos. Ob Erasmus, wenn er sich auf einen alten Codex beruft, an die Kainiten dachte, die Irenäus unter den Häretikern aufführt?

Wie über Kains Schuld wurde im Kreise um Colet auch über die Schuld der Juden disputiert. Er selbst vertrat mit Hieronymus die Ansicht, Jesu Worte in Gethsemane „Mein Vater, ist es möglich, so gehe dieser Kelch an mir vorüber" bedeuteten, daß er den Juden die Schuld an der Hinrichtung des Gottessohnes habe ersparen wollen. Erasmus widersprach und fixierte seine Auffassung schriftlich. Das ergab den ersten theologischen Traktat, den wir von ihm besitzen: *Disputiuncula de tedio, pavore, tristicia Jesu*. Erasmus will jene Worte in Gethsemane aus der Menschlichkeit Jesu und aus deren Angst erklären, obwohl er zugibt, daß Jesus ohne Zweifel nach dem Opfertod verlangte. „Warum sollte nicht ein und dieselbe Seele in ihren verschiedenen Organen Verschiedenes empfinden können? Und bei Christus vor allem." Einverstanden. Aber es gilt eben diese Psychologie weit mehr noch für Erasmus und seine Zeitgenossen. Deren äußere wie innere Haltung stand selten unter dem Zeichen des Entweder - Oder, zumeist herrschte ein Sowohl - Als auch unterschiedlichster Empfindungen und Gedanken. Ein Grad von Occasionalismus, um nicht zu sagen Schizophrenie, der selbst uns heute kaum begreifbar ist, ging für selbstverständlich hin. Als Verächter jeden Systems schrieben, ja lebten die Menschen — so wenigstens scheint es uns — gleichsam in Reihen von Aperçus. Dem semper quaerimus, semper appetimus korrespondiert auch in diesem Sinne ein fluctibus iactatur mens.

Mit der Deutung der Gethsemaneszene aus dem Neuen Testament, mehr noch der Kainsgeschichte aus dem Alten kehrt Erasmus wesentliche Züge am Menschenbild des endenden 15. Jahrhunderts hervor. Der moderne Unternehmungsgeist wird nach Erasmus wie nach Brant von Gott als Sünde verurteilt werden, aber beide urteilen auch vom menschlichen Standpunkt über ihn, und da erscheint der Sünder bei Brant mehr noch als Narr, bei Erasmus als ein ebenso redebegabter wie tatkräftiger Promethide oder Kain der Kainiten. Sein Frevel, der ihn Gottes Huld kostet, trägt ihm doch offensichtlich Ehre ein, und diese ist und bleibt ein Eigenwert des Menschen. Die Erzählung aus dem Jahr *1499* von Kain dem Bauern in Gegensatz zu dem Hirten Abel klingt an dieser Stelle zusammen mit dem *Ackermann aus Böhmen 1401*: Tod habe den Sieg, du Kläger die Ehre! Und für Johann von Tepl wie Erasmus gilt: „Warum sollte nicht ein und dieselbe Seele in ihren verschiedenen Organen Verschiedenes empfinden können?"

In Oxford ist man wohl geistreicher als in Heidelberg oder Ladenburg, aber man wirft hier ganz ähnliche Fragen auf, und wenn man auch keine Kains-Novelle erfindet, so stellt man den Lucius-Roman zur Diskussion, d. h. die *Metamorpheon libri XI*, die seit Augustin *Der goldene Esel* heißen und von Boccaccio unter den Bücherschätzen des Monte Cassino wiederentdeckt worden waren. Seinen Platz in der Weltliteratur dankt dieses Hauptwerk des Lucius Apuleius — Held und Autor tragen den gleichen Vornamen — dem eingelegten Märchen von *Amor und Psyche*, den Eltern der *Voluptas*. Lucius aber wird zur Strafe für seine Wißbegier, *curiositas*, in einen Esel verwandelt. Er behauptet, er sei nicht curiosus, nur: velim scire cuncta vel certe plurima. Deshalb hat man Lucius als einen der literarischen Archetypen der Faust-Gestalt angesprochen[13]. Wie Augustin kannte wohl auch Tertullian den Roman des Apuleius aus Madaura, und sie prägten die

Antithese *curiositas — fides*. Auf drei Afrikaner geht also diese Denkform des Abendlandes zurück.

Ob in Heidelberg schon etwas „Faustisches" an Lucius entdeckt wurde wie in Oxford an Kain etwas „Prometheisches"? Wir wissen bloß, daß *1500*, drei Jahre nach der Edition von Apuleius' ,De Mundo' durch Celtis, JOHANN SIDER, bischöflicher Sekretär in Würzburg, dem FREIHERRN VON DALBERG die erste deutsche Übersetzung der *Metamorphosen* widmete. Er hielt sich dabei an die Grundsätze WYLES, folgte also dem lateinischen Satzbau, verwandte Partizipialkonstruktionen etc. Der Druck datiert erst von 1537.

CELTIS war sicher geneigt, für Lucius Partei zu ergreifen. Er geriet jetzt über des NICOLAUS CUSANUS *Directio speculantis seu de non aliud* von 1462. Die einzige Handschrift besaß Hartmann Schedel in Nürnberg. Sie ist längst verschollen, aber zum Glück hat Schedel 1496 eine Abschrift herstellen lassen, und sie lag auch Celtis vor. Dieser veröffentlichte daraus die 20 Thesen, in denen Cusanus die Grundgedanken zusammenfaßt, unter dem Titel *Propositiones reverendissimi Domini Nicolae cardinalis de virtute ipsius non aliud*[14]. Sinnvollerweise erinnert Celtis *1500* an den größten Deutschen des abgelaufenen Saeculums.

Der späte Cusanus hatte gemeint, das Wesen des Absoluten besser zu treffen, wenn er von ihm statt als der *coincidentia oppositorum* als dem *non aliud* spreche. Nur in der Welt vermag der Mensch Gott zu erkennen, denn Gott ist in ihr, obschon er nicht in ihr aufgeht. Sofern er jedoch mehr ist, bleibt er schlechthin unerkennbar. Ihn auch nur als „etwas Anderes" zu bezeichnen, hieße, aus Gott e t w a s machen, wo er doch weder etwas noch nichts ist. Alle Kategorien versagen hier. Cusanus will das zum Ausdruck bringen, indem er sogar noch die allgemeinste Bestimmung, Gott sei „etwas Anderes", in der Negation übersteigt. Celtis entnahm den Gedankengängen des Kardinals eine Rechtfertigung dafür, daß er selbst einerseits Gott in der Natur zu finden meinte und andererseits die unfaßbare Transzendenz Gottes behauptete.

Seinem Neudruck der ,Propositiones' fügte er ein *Carmen saeculare*[15] bei, eine sapphische Ode nach dem Muster des Horaz, worin er die Hoffnung aussprach, das neue Jahrhundert werde Deutschland zu Ruhm und Größe führen. Der Schluß des Carmens verbindet es mit den ,Propositiones'. Celtis betet zu dem unbekannten Gotte: „Deinen Namen und deine Macht können wir nicht fassen. Wer immer du sein magst, sei Deutschland gnädig, in dessen Städten dir so viele Altäre rauchen.":

> Nos tuum nomen fugit et potestas;
> Quisquis es, curas habeas benignas
> Rebus Almanis! Tibi multa fumant
> Templa per urbes.

Nicht „Gott ist tot" heißt es bei Celtis, er spricht aber, ebenso zeitlos-modern, von dem „unbekannten Gotte". Diesen zu verehren, scheint Celtis für „typisch deutsch" zu halten. Immer wieder durchdringen sich bei Celtis religiöse und nationale Hochstimmung. Wir atmen eine andere Luft als im Magdalenenkolleg in Oxford und überhaupt in der Welt des Erasmus, wo ein ständiges understatement herrscht und man alles spielerisch zu nehmen scheint, selbst das Religiöse aufs Profane herabstimmt. Wenn Celtis nicht einfach dem Sinnengenuß sich hingibt, wird er pathetisch, die Atmosphäre um ihn geladen von nationalem und religiösem overstatement.

Außer zum Erstdruck der 20 Thesen des Cusanus veranlaßte ihn das annum saeculare zu einem Neudruck der *Germania*. Gleichzeitig hielt er, was noch keiner tat, eine Vorlesung darüber. Die Edition ergänzte er durch eine eigene kurze Versbeschreibung Deutschlands. Diese *Germania generalis*[16], rund 300 Verse, sollte wie die ‚Norimberga' ein *praegustamentum* der großen ‚Germania illustrata' sein. Zu Anfang wird nach BOCCACCIOS *De genealogia Deorum* der Ursprung der Welt aus dem Schoß des Demogorgon erzählt, den Beschluß macht ein Zitat in Griechisch und in lateinischer Übersetzung aus HIEROTHEOS. Celtis dürfte beide Fassungen von FICINO übernommen haben, obwohl sein lateinischer Text etwas abweicht. Der Syrer Hierotheos, mit dem Pseudoareopagiten bekannt und wie jeder Mystiker mehr oder minder Pantheist[17], feiert an der zitierten Stelle die Liebe als schöpferische Lebenskraft, die in den Kreaturen sich auf unterschiedliche Weise manifestiert, sie alle lebendig macht und lebendig erhält und zur Ganzheit ordnet. Bei dem sonst wenig bekannten Hierotheos entdeckten die Florentiner und, ihnen folgend, Celtis einen neuen Zeugen des platonischen, kosmogonischen Eros, dieser für sie höchsten Gewalt der *vivescentia*.

Nicht so sehr um „Lebenssteigerung" als vielmehr um „Lebenshilfe"[18] geht es in dem *Poema nuthethicon Phokylidis graeci poetae christianissimi a Jacobo Locher Philomuso in latinos elegos traductum*, das ebenfalls die Jahreszahl 1500 trägt. Dieses didaktische „Mahngedicht" — ποίημα νουθετικόν — war 1495 erstmals im griechischen Urtext von ALDUS MANUTIUS gedruckt und kurz danach von ihm auch übersetzt worden. Wieweit JAKOB LOCHER bei seiner metrischen Übersetzung dieser Prosaübersetzung verpflichtet ist, wie weit er die eigenen Griechischkenntnisse anwenden konnte, die er in erster Linie MARCUS MUSURUS in Padua, dem Freund von Manutius, verdankte, läßt sich nicht ausmachen, da wir die Manutius-Version nicht mehr besitzen. Auf jeden Fall zeigt Lochers Opus von 1500, daß schon er zu der Griechischen Akademie in Venedig, von der wir bei Erasmus hören werden, Beziehungen unterhielt. Das Konglomerat aphoristischer Sittenregeln in Versform, das man PHOKYLIDES VON MILET (6. Jahrhundert v. Chr.) zuwies, fand hier besonderes Interesse als das Werk eines Griechen der klassischen Zeit, der im voraus etwas von den Wahrheiten des Christentums geahnt hatte. Phokylides wurde in die „esoterische Tradition" eingereiht. De facto lagen die Dinge nicht viel anders als bei der Ähnlichkeit zwischen Kabbala und Neuplatonismus: Pseudo-Phokylides benützte schon die griechische Übersetzung des

Alten Testaments, die Septuaginta; man vermutet heute, es handle sich bei dem *graecus poeta christianissimus* um einen Juden aus hellenistischer Zeit.

Wie Celtis mit der Akademie in Florenz, blieb Locher mit der in Venedig in Kontakt. Celtis behielt außerdem gleich LAURENTIUS CORVINUS Verbindung zur Akademie des POMPONIUS LAETUS in Rom. Es waren wohl erst Anregungen aus ihrer gemeinsamen Krakauer Zeit, doch von seiten des emigrierten Pomponianers Callimachos Experiens, die Corvinus realisierte, als er im Rathaus in Breslau am *1. März 1500* den Terenzschen *Eunuchus* und am *6. Februar 1502* die *Aulularia* des Plautus zur Aufführung brachte. Corvinus war inzwischen Rektor des Breslauer Elisabethen-Gymnasiums geworden[19], durch seine Schüler ließ er die beiden Komödien agieren. Daß man den ‚Eunuchus' auch deutsch geben könnte nach der Prosa-Übersetzung des Ulmer Bürgermeisters HANS NYTHART von *1486*, daran war natürlich kein Gedanke, obwohl die Herausgeber einer *1499* in Straßburg erschienenen Terenz-Übersetzung Nytharts Werk wiederabgedruckt hatten[20]. Der Band enthält sämtliche *Comediae*. Während aber die anderen Übersetzer, zu denen vielleicht Sebastian Brant gehörte, dem Prinzip des *wort uz wort* folgen und sich in latinisiertem Deutsch verfangen, nimmt sich Nythart gewisse Freiheiten heraus. Als Ulmer hat er STEINHÖWEL vor Augen. Daß Terenz fürs Theater schrieb, kümmert ihn freilich so wenig wie die übrigen. So wird erst auf dem Umweg über Krakau im damals, 1500, noch ganz neuen Rathaus von Breslau die „Wiedererweckung des antiken Theaters" durch Pomponius Laetus zum ersten Mal in Deutschland fruchtbar. CELTIS führte dann die gleichen Komödien, ‚Eunuchus' und ‚Aulularia', während des Wintersemesters *1502/03* mit den Studenten des Wiener *Collegium poetarum et mathematicorum* auf. In Versform lud er dazu ein:

> Wer die Begierde verspürt, ein lateinisches Schauspiel zu sehen,
> Wie in den Schulen von Rom oft man's zu schauen bekam
> Und wie's einst das gelehrte Hellas gespielt im Theater,
> Während das lauschende Volk vielfachen Beifall geklatscht,
> Auf, der komme als Zuschauer eilig zu uns in die Aula,
> Wenn das Gehämmer der Uhr Eins auf der Glocke erst schlägt[21]. —

ERASMUS war schon im *Januar 1500* nach dem Kontinent zurückgekehrt. Um seine Studien in Paris fortsetzen zu können, hatte er aus Geschenken der Gönner und Freunde zwanzig englische Pfund zusammengespart; Pfründen konnte er wegen seiner unehelichen Geburt nicht erhalten. Eine königliche Devisenbestimmung untersagte jedoch, beim Verlassen der Insel Geld mitzunehmen, und so wurden Erasmus fast seine ganzen Ersparnisse in Dover beschlagnahmt. Fassungslos verärgert, beschimpfte er die Freunde, die ihn nicht richtig informiert hätten, den König, der solche Verordnungen erließ, die Engländer in Bausch und Bogen. Er war nunmehr dreißig Jahre alt, hatte mit Männern wie Thomas

Wolsey und Thomas Morus, John Colet und John Fisher, der geistigen Elite Englands, zu Tisch gesessen und von gleich zu gleich disputiert, ja unter ihnen geglänzt, und sollte sich nun in Paris wieder von irgendeinem Hofmeister schnöde behandeln lassen, Söhnen reicher Väter Privatstunden geben und ein lateinisches Konversationsbüchlein für sie anlegen. Da kam Erasmus bei der Fahrt über den Kanal ein rettender Gedanke. Warum baute er nur Eselsbrücken für ein paar Schüler? Lateinische *Adagia*, d. h. Redensarten, einschließlich Sentenzen, Parabeln, Exempla und Metaphern, enthalten „wie Symbole beinahe die ganze Philosophie des Altertums": eine Sammlung, mit Kommentar und geschickten Indices versehen, würde da leicht einen Drucker finden, der auf breitesten Absatz rechnen konnte und dementsprechend honorierte. In Albrecht von Eybs ‚Margarita poetica' lag etwas Ähnliches längst vor, und im Laufe von vierzig Jahren waren sie auch nicht ohne Konkurrenz geblieben, aber mit seiner Belesenheit und seiner gewandten Feder konnte Erasmus jeden Vorgänger ausstechen. Wenige Pariser Vorfrühlingstage genügten ihm, aus lateinischen Autoren 80 Redewendungen zusammenzustellen, die nach seiner Meinung ein gebildeter Mensch kennen, verstehen und, wenn sich Gelegenheit bot, sollte anwenden können. Dazu gehören beispielsweise: leonem stimulas; mortuum flagellas; reti ventos captas; dulce bellum inexpertis; annus producit, non ager; una hirundo non facit ver; ne Heracles quidem adversus duos etc. Im Kommentar spricht Erasmus über Herkunft, Sinn, Anwendung dieser Redensarten. Dem Vorwort nach soll das Büchlein vierfachem Zweck dienen: *ad philosophiam, ad decus orationis, ad persuadendum et ad intelligendos autores.* So wichtig philosophische Erkenntnis und Verständnis der Autoren sind, den Akzent legt Erasmus auf das rhetorische Moment, die *ars ornandi* und *ars movendi*. Besonders wegen der psychagogischen Wirkung sollen fest geprägte Lebensweisheiten in die Rede eingeflochten werden, denn „was trüge mehr den Stempel der Wahrscheinlichkeit — *verisimilitatis* oder *probabilitatis* im rhetorischen Sinne —, als was durch den consensus vieler Zeiten und Völker, gleichsam deren votum, gebilligt wurde?" In solchen *adagia* verdichtet sich die *ars persuadendi* zu voller Durchschlagskraft — *fidem facit*[22].

Des. Erasmi roterodami veterum maximeque insignium paroemiarum, id est adagiorum collectanea wurden sofort, noch im Jahr *1500* Parisiis in via divi Marcelli ac domo, quae indicatur Divina Trinitas, gedruckt und brachten Erasmus den gewünschten finanziellen Erfolg. Im Abstand weniger Jahre konnten immer neue Auflagen folgen, bei denen Erasmus die Zahl der Adagia ständig vermehrte. Die Ausgabe letzter Hand enthielt statt der ursprünglich 80 Nummern 5250. Mit diesem Buch begann der Name Erasmus von Rotterdam in der gebildeten Welt ein Begriff zu werden.

JAKOB WIMPHELING verwandte seine Lesefrüchte für ein Lehrbuch, die *Adolescentia*, die er *1500* einem siebenjährigen Grafen von Löwenstein-Scharfeneck, Enkel Friedrichs I. von der Pfalz, widmete. 1965 hat Otto Herding eine Kritische Ausgabe mit sehr instruktiver Einleitung besorgt. Wimpheling empfiehlt den

Lehrern, zunächst gründlich Donat mit ihren Schülern zu pauken, dann sollen des Basilius ‚Cohortatio ad juvenes', Eneas Lehrbrief an König Ladislaus und schließlich Wimphelings eigener *Isidoneus Germanicus*, d. h. Neuer Zugang zur Bildung für die Deutschen (1497), weiterhelfen. In der ‚Adolescentia' selbst bringt Wimpheling, anders als Erasmus vorgehend, Lebensweisheiten aus der antiken, aber auch der humanistischen und christlich-religiösen Literatur in einen lockeren Zusammenhang und wandelt sie dabei z. T. formal oder inhaltlich etwas ab, um sie dem Lehrer als pädagogische *leges* und *remedia* an die Hand zu geben. Der Jugend, die noch keine eigene Erfahrung besitzt, soll auf diese Weise ein fester Standpunkt vermittelt werden: *stabilitas*. Dieser korrespondiert die *integritas*, über die Wimpheling 1505 ein Buch herausbringen wird. Seine beiden Grundbegriffe weisen die statisch-konservative Tendenz aus, die Wimpheling, ähnlich wie sein Freund Brant, vertritt.

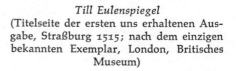

Till Eulenspiegel
(Titelseite der ersten uns erhaltenen Ausgabe, Straßburg 1515; nach dem einzigen bekannten Exemplar, London, Britisches Museum)

Auch Erasmus will im „alten Wahren" den Ordo der Vernunft und Sittlichkeit aufscheinen lassen, der ein menschenwürdiges Dasein verbürge. Der Humanist aber, dem es um *vivescentia* geht, spürt zugleich die Gefahr, im Ordo zu erstarren, und so läßt er später die Torheit sich rühmen, sie halte das Leben in Fluß. Hatte nicht um 1200 ein anderer Niederländer in ‚Vos Reinaerde' mit der Schelmerei sympathisiert? Jetzt kommt, Lübeck 1500, zum zweiten Mal, in stark erweiterter Fassung, der niederdeutsche *Dyl Ulenspiegel* von ca. 1478 heraus: dessen Held ist der leibgewordene Widerspruch des Lebens gegen die Gesellschaft, die mit ihrer Forderung von *stabilitas* und *integritas* einem konformistischen Automatismus verfiel. Bei den meisten Streichen tut Ulenspiegel nichts anderes, als daß er die angelernten Redensarten — *Adagia* — wortwörtlich nimmt. Wir besitzen die Schwanksammlung nur auf Hochdeutsch, gedruckt vier Jahre nach des Erasmus ‚Laus stultitiae'. Diese beiden Werke vertreten bis heute in der Weltliteratur den Humanismus Deutschlands und seine Eigenrenaissance.

Um in Straßburg mit den Freunden SEBASTIAN BRANT, GEILER VON KAISERSBERG und PETER SCHOTT[23] zusammen die Neugründung einer Universität zu betreiben, gab WIMPHELING 1501 seinen Heidelberger Lehrstuhl ein zweites Mal auf. Zunächst sollte der Rat ein Gymnasium errichten, das ungefähr einer Artistischen Fakultät entsprach und auf den Besuch der höheren Fakultäten vorbereitete. Widerstand gegen diesen Plan war vor allem von seiten der Franziskaner zu erwarten, die in Straßburg eine Klosterschule unterhielten. An ihr lehrte jetzt der sechsundzwanzigjährige THOMAS MURNER. Sein körperliches Leiden, schweres Hinken, wohl als Folge spinaler Kinderlähmung, hatte den Theologiestudenten zu dem *Tractatus perutilis de Phitonico contractu* (1499) veranlaßt. Richard Newald[24] bringt, gestützt auf eine Arbeit von M. Sondheim, in recht plausibler Weise Murners Wesensart mit dieser Lähmung in Zusammenhang: zu jeder Zeit war er Einzelgänger, höchst empfindlich und streitsüchtig, überhitzt in seinem Wirkungsdrang wie seinem Geltungsbedürfnis. Schon die Sprache Murners fällt aus dem Rahmen. Er schrieb weder als Scholastiker noch als Humanist, sondern machte sich mit seltenen Wörtern und gesuchten Wendungen sein eigenes Latein zurecht. Das Akademische Jahr *1499/1500* hatte er in Krakau verbracht, wo er das Baccalaureat der Theologie erwarb und nebenbei *Logica memorabilia* unterrichtete: Logik verbunden mit Gedächtniskunst, *ars memorativa*. Murner legte seinem Unterricht nach allgemeinem Brauch die *Summulae logicales* des Petrus Hispanus zugrunde, die Agricola erledigt zu haben meinte; um der Jugend aber die Sache schmackhaft, klar und vor allem einprägsam zu machen, veranschaulichte er die schwierigen Termini und Operationen der Logik durch Bilder, die nach gewissen Spielregeln, *modus ludendi*, zueinander in Beziehung zu bringen waren: eine Art Kartenspiel, *chartiludium*[25].

Petrus Ravennas, der illustre Verfasser von *Phoenix seu artificiosa memoria* (1491), hatte zugeben müssen, sein *utile praeceptum* nütze wenig, wenn einer die Weiber hasse und verachte. Für solche Fälle wußte er keinen Rat. Der Franziskaner Murner, ex officio misogyn und zudem verhext, konnte mit seinem Kartenspiel aushelfen. In Krakau hatte er bald solchen didaktischen Erfolg damit, daß man ihn der Magie bezichtigte und vor den Senat des Collegium Jagellonicum zitierte. Das Protokoll der Untersuchung ist uns erhalten[26].

Jetzt lehrte Murner in Straßburg Philosophie. Eines Tages ließ er die provozierende Bemerkung fallen, die Lilien im Straßburger Wappen seien der schlagende Beweis, daß die Stadt ursprünglich unter französischer Herrschaft gestanden habe. Das griff WIMPHELING sofort auf, um die Franziskaner, in denen er die hartnäckigsten Gegner seiner Gymnasialpläne vermutete, bei Rat und Bürgerschaft zu diffamieren. Ohne Murners Namen zu nennen, benützte er dessen Ausspruch für die Einleitung einer Denkschrift zur Gründung des Gymnasiums. Die Schrift erschien an *Weihnachten 1501* unter dem Titel *Germania — ad Rem publicam Argentinensem*. Eigentlich paßt dieser Titel nur zu der Einleitung, in der Wimpheling gegenüber den Ansprüchen der Franzosen auf Straßburg und gegen

Primus
Applicatio tertia

Tractatus
Tertia imago quattuor habet

significata. Suma 1 diuisio pponis catbegorice 2 tri
plex quesituu 3 pticipatio ppositionu catbegoricarum
4 ordo pticapannu. Primu significatu a Cborda p
positioné negatiuã accipe.qui em supplicie deputãdi ad
cbordam trabunt negant b Sed lapidib appensis af
f.rmant.ideo lapide ppönem affirmatuã intellige.
2 triplici virga : triplex esse quesituu/nam virgis inter
neos inquirimus. 3 a g pullos equales ppönes equa
liter pticipantes b p ineales inequaliter seu vno tm ter
mino participantes c auxilibus diuersa? specez ppönes
nullo termio pticipantes 4 a g pullos debito ordine
comedentes.ppönes intellige eodem ordine pticipantes
b p pullos conuersos diuerso ordine participantes.

Quartus passus
Propositionu catbegoricaru?

vtroq, terio pticipantiu eodé ordine q̃daz opponutur co
trarie: q̃dam subcõtrarie:q̃dam cõtradictorie:q̃dam sub
alterne. 1 Cõtrarie sunt vlis affirmatia: & vlis negatia
tis pase,p eodé & p eisdé supponéub':vniuoce tëi:eq̃re
aple,eq̃ stricte:i vna sic in alia.vt q̃libz hõ currit:q̃mlibet
hõ nõ currit. 2 Subcõtrarie sunt pticularis affirmatiua
& pticlaris negatiua tis pase,p eodé & p eisdé suppone
tibus:vniuoce tëi:eq̃ aple:eq̃ stricte in vna sic in alia: vt
quidã hõ currit:quidã hõ non currit. 3 Cõtradicorie
sut vlis affirmatia & pticlaris negatia: & vlis negatia
& pticularis affirmatiua tis pase,p eodé & pro eisdé sup
ponéub':vniuoce tëi:eq̃ aple:eq̃ stricte:in vna sic in alia
vt q̃libet hõ currit:q̃dã hõ nõ currit:& q̃libet hõ nõ curr
rit & q̃dã hõ currit. 4 Subalterne sut vlis affirmatia
& pticlaris affirmatia:& vlis negatia & pticlaris nega
tiua tis pase,p eodé:& p eisdé supponéub':vniuoce tëi

Verbildlichung eines kategorialen Schlusses mit seinen Grundbegriffen. Holzschnitt
zum dritten locus in Thomas Murners ‚Logica memorativa', Straßburg 1509.
(Das Gewicht in der linken Hand des Mannes bedeutet eine positive, der Riemen,
mit dem er es zurückziehen kann, eine negative Prämisse, die drei Ruten in seiner
Rechten fordern die Fragen: was? welcher Art? wieviel?)

ihre angeblichen Parteigänger in der Stadt das Deutschtum seiner Heimat verteidigt. Um der Einleitung, nicht um des nachfolgenden Gymnasialprogramms
willen hat die Schrift denn auch großes Aufsehen erregt, zumal sie von Wimphelings Freunden sofort ins Deutsche übersetzt wurde[27].

MURNER war nicht der Mann, irgendeinen Makel auf sich und seinem Orden
sitzen zu lassen. Binnen zwei Tagen verfaßte er eine *Germania nova*, die nicht
allein die Behauptung, er halte es mit den Franzosen, energisch zurückwies, sondern die gesamten Ausführungen Wimphelings zerpflückte und lächerlich machte.
In einem Brief an Wimpheling schrieb er dazu: „Wisse, daß ich mit solcher
Kraft gegen deine Torheit zu Felde ziehen werde, daß einer von uns beiden
auf dem Platz bleiben muß; das verspreche ich dir." WIMPHELING nahm dieselbe
Haltung ein. Schon bald ging es beiden gar nicht mehr um die Sache, weder um

das Deutschtum des Elsaß noch um die neue Schule. Jeder alarmierte seinen Anhang, und blindwütend verbissen sich die Meuten ineinander. Ein Pamphlet aus den Reihen Wimphelings trägt auf dem Titelblatt einen Holzschnitt, der Jakob Wimpheling umgeben von seinen Schülern zeigt und gegenüber den Bettelmönch Thomas Murner mit dem Spruchband: *Praeter me nemo* — Außer mir gibt es niemand.

Das letzte Wort hatte Wimpheling, dem als dem zwanzig Jahre älteren, in Straßburg hochangesehenen Mann die Zensurbehörde zur Seite trat. Murners Entgegnungen durften nicht mehr publiziert werden. Sein Name war mit einem Schlag weitesten Kreisen bekannt geworden, aber als der eines unleidlichen troublemakers. Das bestärkte Murner in der Rolle,

Thomas Murner
(Titelholzschnitt zur ‚Geuchmatt‘, Basel 1519)

in die ihn vielleicht schon die Krankheit hineingedrängt hatte, und so stand sein Charakterbild seit dieser ersten Fehde im Zwielicht. Man wußte nie recht, wo man mit ihm dran war, oder meinte es jedenfalls. Auch die Nachwelt vermochte den Fall Murner nicht mehr ins Lot zu bringen. Sie übte nur insofern etwas wie ausgleichende Gerechtigkeit, als sie die Wimpheling-Statue von dem Sockel herunterholte, auf dem frühere Generationen sie aufgestellt hatten: „Jakob Wimpheling", heißt es bei Gerhard Ritter[28], „war im Grunde nie etwas anderes gewesen als ein gut katholischer, scholastischer Theologe in altrömischer Verkleidung".

PETRUS RAVENNAS, den Gedächtnisriesen mit dem reichbestückten Harem unter der Hirnschale, hatte HERZOG BOGISLAW X. von einem Türkenfeldzug *1498* nach Deutschland gebracht. Auf der Heimreise über Venedig war es ihm *non minimis expensis*, mit nicht geringen Ausgaben, gelungen, den berühmten Rechtsgelehrten und magister memoriae aus Padua nach Greifswald zu locken. Fünf Jahre fühlte sich Petrus in Pommerland wie Ovid am Pontus. Über Wittenberg und Köln fand

Konrad Celtis
(Holzschnitt von Hans Burgkmair, 1507)

er wohl wieder heim. Die Kriegstaten Bogislaws feierte ein sächsischer Edelmann, JO-HANN VON KITZSCHER, ehedem Student bei Philippus Beroaldus d. Ä. in Bologna, jetzt Kolberger Dompropst, *1501* mit einer *Tragicomedia de hierosolomitana profectione illustrissimi principis pomeraniae.* Am Hof zu Stettin konnte dieses Pendant zu Lochers ,Tragedia de Thurcis' nicht gespielt werden, weil man dort offenbar nicht genug Latein verstand[29]. Hingegen brachte KONRAD CELTIS am 1. *März 1501* in der Burg zu Linz vor König Maximilian und seiner Gemahlin Blanca Maria samt deren herzoglichen Vettern aus dem Hause Sforza einen

Ludus Dianae zur Aufführung[30]. Das Stück, das nur 200 Verse umfaßt, ist in Prolog und 5 Akte eingeteilt. Jeden Akt füllt ein Monolog mit anschließendem Chorgesang. Im Prolog verkündet der Götterbote Merkur die Ankunft Dianas mit ihrem Gefolge; sie wolle Bogen und Köcher, Spieß, Jagdhunde und Netz Maximilian bringen als Zeichen, daß sie von diesem erfahrenen Jäger und gewaltigen Helden sich überwunden wisse. Dann tritt Diana auf, begleitet von Bacchus und Silvanus, dem eselberittenen Silenus und einer Schar Nymphen, Satyrn und Faune. Sie huldigt dem König: *Caesar ave auspicio superum qui dirigis orbem ...* und singt am Ende mit den tanzenden Nymphen und Faunen ein vierstimmiges Lied auf Maximilian und seine Gemahlin: *O nox perpetuo carmine digna coeli ...*

Im 2. Akt huldigt Silvanus, im 3. Bacchus. Als dieser verstummt, harren alle in erwartungsvoller Stille, bis plötzlich der Sprecher der Bacchus-Verse dem König zu Füßen fällt und ihn um den Dichterlorbeer bittet:

> Si qua mihi est virtus doctrinaque, maxime Caesar,
> Imponas capiti laurea serta meo ...

Durch Tugend und Gelehrtheit, als *poeta doctus* in der *ars bene vivendi* und *ars bene dicendi*, verdient man sich die *laurea Apollinaris.* Die Krönungszeremonie, ins Spiel eingefügt und so Feier zugleich und Theater, wird vollzogen. Dann singt

der Chor dem König Dank, dem Dichter Mahnung, er solle sich stets der Ehre
würdig erweisen. Im 4. Akt schlägt der Ton vom Erhabenen ins Komische um:
Silen, auf einem störrischen Esel reitend, schwingt einen halb zerbrochenen
Humpen und bittet mit lallender Zunge den König um Beifall für die Spieler und
reichlichen Lohn an Speise und Trank. Neue Unterbrechung des Spiels: goldene
Pokale und Schalen werden herumgereicht, und man trinkt unter Hörnerklang und
Paukenschlag. Der 5. Akt vereint alle Spieler zu einem Danklied, das Diana dem
Chor Zweizeiler um Zweizeiler vorspricht: *Vivite felices ambo* ... möge Blanca
Maria dem König eine zahlreiche Nachkommenschaft schenken, die Länder Öster-
reichs mit Erzherzögen füllen.

Dieser Schluß war weidlich deplaziert, da die Ehe schon acht Jahre bestand
und das ärztliche Gutachten bei der Königin auf „inventa sterilis" lautete, wovon
der ganze Hof wußte. Ihr Sekretär Franz Bonomus, der ebenso wie sein Bruder
Petrus zur Sodalitas Danubiana gehörte, klagt in einem lateinischen Gedicht über
die traurigen Tage und Nächte mit der Königin, die immer nur Karten spielen
wolle und halb schlafend hinter verschlossenen Türen sitze.

Im ‚Ludus Dianae' schuf Celtis ein höfisches Festspiel für eine Dichterkrönung.
Aber von Anfang an dachte er an den Druck. Wie kunstvoll oder künstlich beispielsweise die Rede Silens ist, kann der Hörer nicht merken. Die ersten Worte
und die letzten Buchstaben jedes Verses bilden, nach Art eines Akrostichons gelesen, ein eigenes Gedicht:

Rex cui Maximilianum praestant pia sidera nome*n*		
Verus ab aethereo missus mortalibus orb*e*		
Cultor	. . . . .	conantis
Iuris	. . . . .	gubernen*t*
Mens	. . . . .	aperto
Vivida	. . . . .	trahatu*r*

Der König wird als wahrer Pfleger des Rechts, als Nestor usw. gerühmt.

Zu den Chorliedern besitzen wir die Noten[31]. Grundlage der mehrstimmigen
Vertonung bildet die Abfolge langer und kurzer Silben, die Tänze können also
nur verhaltene Tanzschritte nach Art des antiken Chors gewesen sein. Der
1. März fiel 1501 in die Karnevalszeit, Celtis mag deshalb bei seinem Ludus an
die Canti carnaschialeschi gedacht haben, wie sie an den italienischen Höfen aufgeführt wurden. In Mailand, der Heimat Blanca Marias, hat für Lodovico Sforza
1498 Leonardo da Vinci einen solchen Canto, ein Planeten-Tanzspiel, arrangiert.
Niccolò da Correggios *Cefalo* wurde bereits erwähnt. Jedenfalls schlägt Celtis
mit seinem Ludus einen ganz anderen Weg ein als die Humanistenkomödie, die im
Dialog aufgeht und bei Reuchlin ihre ersten Höhepunkte erreichte. Der Ludus
ist der Vorläufer der höfischen Festspiele des Barock. Eine dritte Gattung bilden
Lochers und Kitzschers Historien.

Den Dichterlorbeer empfing im Rahmen des ‚Ludus Dianae' VINCENZ LANG-LON-GINUS ELEUTHERIUS aus Freistadt in Schlesien, der Celtis' Schüler in Krakau gewesen war. Von seinen dichterischen Leistungen ist kaum etwas bekannt. Während er im ‚Ludus' den Bacchus, Celtis wahrscheinlich den Silvanus spielte, übernahmen die anderen Rollen der Nürnberger Stadtphysikus DIETRICH ULSENIUS, der Sekretär der österreichischen Kanzlei PETRUS BONOMUS, der noch im selben Jahr Bischof von Triest wurde, und der königliche „Beihender" und poeta laureatus JOSEPH GRÜNPECK.

Auf Celtis, Cuspinianus, Locher-Philomusus, Grünpeck-Boioarius und Lang-Longinus Eleutherius folgte noch *Pfingsten 1501* als poeta laureatus HEINRICH BEBEL-BEBELIUS[34]. Den Schauplatz der Krönung bildete diesmal Innsbruck. Bebel hielt eine *Oratio ad regem Maximilianum de laudibus atque amplitudine Germaniae*. Rhetorische Allegorik braucht nicht höfische Schönfärberei zu sein. Sie ermöglichte Bebel, daß er unter Wahrung der Form, ohne rücksichtslos direkt zu werden, den König mit dem gegenwärtigen Zustand des Reiches konfrontierte: „Im Traum erschien mir ein altes Weib von übermenschlicher Größe. Ihr Gewand war zerfetzt, zerstört ihr Aussehen, abschreckend und doch erbarmungswürdig entstellten sie Magerkeit und Schmutz ... und ich erkannte, daß Mutter Germania vor mir stehe." Diese schickt ihn zu Maximilian als ihre letzte Hoffnung: „Erkläre ihm, daß er nur einen Fehler hat, allzu große Milde und Nachsicht, die dem Vaterland verderblich werden. Denn so obstinat sind gegenwärtig alle, daß Langmut von Übel, Tyrannei aber nötig ist." Dies Germanias Botschaft an Maximilian, die Mahnung Bebels, des Bauernsohns von der Schwäbischen Alb.

Kurz nach Celtis' Weggang aus Krakau hatte dort im Frühjahr 1492 der zwanzigjährige Bebel das Studium aufgenommen, und zwar bei LAURENTIUS CORVINUS, unter dessen Hörern sich auch der ein Jahr jüngere COPERNICUS befand. Bebel setzte sein Studium in Basel und in Tübingen fort und erhielt an der wirtembergischen Landesuniversität schon 1497 den Lehrstuhl der *Oratorien*, d. h. der Poesie und Rhetorik. Sein Gehalt betrug jährlich 20 Gulden, aber ein Tübinger Professor wirft sich in die Brust: „Was schuldet Mir die fügsame Jugend, und wie unendlich dankbar wird Mir die fleißige sein!" Vor allem ein umfangreicher Hexameterdialog *Contra vituperatores studiorum humanitatis* (1495) hatte Bebel für den oratorischen Lehrstuhl empfohlen. Der Neuen Beredsamkeit gesellt sich bei ihm, vergleichbar der Malerei bei Alberti[33], die Musik als weitere *ars incitandi et detinendi, contrahendi et remittendi*. Celtis sprach von *animi suscitatio et repressio*; Schiller wird von energischer und schmelzender Schönheit sprechen. Daß diese Begriffe, ebenso wie der Katharsis-Begriff des Aristoteles, aus der physischen bzw. psychophysischen Erfahrung und ihrer physiologischen Deutung sich herleiten und nicht völlig davon abzulösen sind, zeigt Bebel sehr deutlich. In einer *Laus musicae* erklärt er, die süße Musik reize die trägen Säfte und lenke die erregten ab, sie erheitere Traurige, Betrübte, Seufzende, sammle das Gemüt und löse es wieder. — Die fünfaktige *Comedia de optimo studio iuvenum*, die Bebel *1501* in Tübingen aufführen ließ, ist kein *Ludus,* vielmehr, so nennt er sie selbst, ein *Dialogus* nach Art des Heidelberger ‚Stylpho'.

Da in Maximilians Gnadensonne die Dichterlorbeeren wie Pilze aus dem Boden schossen, verloren sie schnell an Wert. Sie müssen überhaupt, hat man den Eindruck, mehr eine Art Förderungsprämie für den Nachwuchs als die Anerkennung großer Verdienste gewesen sein. Die kommen, wenn es gut geht, post festum. Mit der Gründung des *Collegium poetarum et mathematicorum* erhielt CELTIS das Privileg, auch selbst weitere Dichter zu krönen.

Im *Oktober 1501* trug er dem König in Bozen sein Projekt des Collegiums vor. Maximilian meinte lächelnd: *Facile est nutrire poetam.* Wenn du es wünschst, werde ich dir eine Gattin geben oder dich zum Priester machen, nur wenn du Geld verlangst, mußt du erst welches bringen. Dann unterzeichnete er die Stiftungsurkunde. So schildert Celtis am Ende der ‚Amores' die Audienz.

Zunächst galt es, Räume für das Collegium zu finden. Vom Namenspatron her hätte sich das Kloster des Hl. Hieronymus angeboten, da ja die Humanisten in dem gelehrten Dalmatiner ihren Schutzpatron sahen. Doch dessen Kloster war ausschließlich bekehrten Dirnen vorbehalten, die Tag und Nacht deutsche Hymnen sangen und, wenn sie wieder sündigten, in der Donau ertränkt wurden. So wandte sich Celtis an die Hl. Anna. In einem Haus des nach ihr benannten Zisterzienserklosters konnte am 1. *Februar 1502,* es war Celtis' Geburtstag, das Collegium feierlich eröffnet werden. Dort brachte Celtis dann im *Oktober 1504* seinen zweiten Ludus zur Aufführung, den er als *Rhapsodia laudes et victoria de Boemannis* bezeichnete[34]. Der König und die Königin waren diesmal nicht anwesend, weil Max mit Purlepauz und Weckruf, seinen beiden schwersten Geschützen, vor der Feste Kufstein lag. Beim Vergleich zwischen ‚Ludus Dianae' und ‚Rhapsodia' fällt die letztere ab, dennoch zeigt sich aufs neue die Spannweite Celtisscher Sprachkunst. In wenigen Worten vermag sie ebenso den Eindruck des Erhabenen zu erwecken wie ein Stück Wirklichkeit zu packen. Nachdem die Darsteller des Königs und der sieben Kurfürsten — personati electores — auf der Bühne Platz genommen haben, begrüßt sie Paresiphanus, der Ansager, als die sieben Planeten, in deren Mitte Phoebus leuchte: So thront der Caesar von siebenfacher Hoheit umgeben, die heilige Majestät und Jupiters Adler sind bei ihm. Dann stimmen die Musen die „laudes Maximiliani" an. Polyhymnia: „Als du in der Blüte der Jugend standest und dein Gesicht noch glatt war und anzusehen wie die weiße Lilie mit purpurnen Rosen vermengt, da schon kanntest du keine Untätigkeit. So vergeht dir auch heute kein Tag ohne Werk ... Oder du läßt den mit scharfen Krallen bewehrten Falken steigen, daß er hoch in den Lüften sein Gefieder breitet und beim plötzlichen Sturz in die Tiefe die Krallen und den gekrümmten Schnabel in die Beute schlägt; dann kehrt er gehorsam auf deine Hand zurück, die er kennt ..."

Jede der neun Musen weiß in der Rhapsodie Neues zum Lob Maximilians zu sagen. Am Ende tanzt Bacchus mit den Satyrn und wünscht im Gesang dem König ein langes Leben, Gesundheit und Sieg über alle Feinde.

Erst im *Februar 1506* konnte Celtis die Schüler des Collegiums dem König mit einem *Ludus* vorstellen. Dieser dritte Ludus von Celtis ist bis auf einen allegorischen Holzschnitt, den HANS BURGKMAIR nach Angaben des Dichters gezeichnet hat, verschollen. Weil er Wesentliches aus der Welt des deutschen Humanismus augenfällig macht, wurde er für das vorliegende Buch als Titelblatt gewählt.

JAKOB LOCHER hatte 1502 sein *Spectaculum in quo reges adversus Thurcum consilium ineunt* mit einer Art rhetorischer *Aposiopese* geschlossen: 4 Akte, die sich nicht sehr von der ‚Tragedia de Thurcis' unterscheiden, gipfeln im Ruf zu den Waffen, dann bricht Locher ab — den 5. Akt soll die Wirklichkeit schreiben.

Locher übertrifft sein ‚Spectaculum' mit dem, gleichfalls in Ingolstadt, am 19. *Juni 1502* aufgeführten *Iudicium Paridis*. Der volle Titel lautet: Iudicium Paridis de pomo aureo, de triplici hominum vita, de tribus deabus, quae nobis vitam contemplativam, activam ac voluptuariam repraesentant et quae illarum sit melior etc.[35]. Die motivliche Analogie zwischen Urteil des Paris und Herkules am Scheideweg ist evident, insofern bildet Lochers ‚Iudicium Paridis' das Gegenstück zu seiner in die ‚Stultifera navis' eingefügten ‚Concertatio virtutis cum voluptate'. Über die Antithese Tugend und Sinnengenuß geht Locher nun hinaus, der Mensch hat zwischen betrachtender, tätiger und sinnlich genießender Lebensform sich zu entscheiden. Locher kannte die *Mithologiarum libri tres*, deren Autor, sei es FABIUS PLANCIADES oder FULGENTIUS (6. Jh. n. Chr.), das Urteil des Paris mit diesen drei Lebensformen in Zusammenhang brachte. 1521 wird Locher eine neue Prachtausgabe der *Mythologiae*, in Folioformat, veranstalten. Sein Ludus besteht aus 534 Versen, fast durchweg zu elegischen Distichen gebunden, die wohl quantitierendes und akzentuierendes Prinzip einander anpassen sollen. Wieder handelt es sich darum, wie man das wahre Glück erlange. Pallas bietet Weisheit, himmlische Schau und Tugend, Saturnia Macht, Reichtum und Ruhm, als letzte spricht Venus:

> Delicias promitto tibi mollesque puellas
> .... lusus et risus et cantica plena iocorum
> Et tibi sorbenti basia blanda dabo —

und kosende Küsse werde ich dir zu schlürfen geben. Paris schwankt einen Augenblick:

> Quid iudex faciam? ...

Dann reicht er Venus den Apfel:

> Solas delicias, solos quoque corporis huius
> Posco voluptates mellifluosque iocos.

Die folgende Szene ist überschrieben: ‚Cupido transfigit (durchbohrt) Helenam et sic abit cum Paride'. Während Landmädchen und Hirten zu Flötenspiel und Gesang

einen Reigen tanzen, beklagt Menelaos die Entführung und läßt durch einen Herold den Trojanern Krieg ansagen.

Nach dem eigentlichen Spiel plädieren drei Sprecher — nun in umgekehrter
Reihenfolge — noch einmal im Namen der *vita voluptuaria* für Venus, namens der
vita activa für Juno und namens der *vita contemplativa* für Pallas. Damit kommt
ans Ende die Mahnung der *vita contemplativa* zu stehen:

> Ad sophiam, iuvenes, vertite corda, precor.

Pallas ergänzt das:

> Et ego caelestis referro spectacula vitae.

Spieler und Autor schließen: plaudite ... valete diu.

Sehr geschickt macht Locher den Gang des Ganzen wieder rückgängig, um bei
seinen Hörern das entgegengesetzte Urteil wie bei Paris hervorzurufen: für den
Aufbau eines Lehrstücks ein unbezahlbarer Einfall. Schon die ‚Concertatio‘ bewies Lochers Vermögen, die *vita voluptuaria* zu schildern. Indem *Voluptas* dem
Bacchischen, Dionysischen sich näherte, nahm auch *Virtus* als Gegenfigur größere
Maße an, wuchs ihrerseits ins Heroische. Jetzt streitet mit der *vita voluptuaria*
die *vita activa*, *virtus* aber ist zum Anhängsel, zu einer Wertvokabel der *vita
contemplativa* geworden, die erst im ‚Iudicium‘ auftaucht, und zwar als dritte,
höchste Lebensform, weil durch sie der Mensch *contemplatus aethereos, sophiae
spectacula divae* gewinnt. Ohne es klar auf den Begriff zu bringen, differenziert
Philomusus am Ende, nicht anders als ERASMUS, HEGIUS oder auch CUSANUS,
eine sinnliche und eine geistige *voluptas*. Nur daß er auch erstere gelten läßt. Der
Venus kann Locher so wenig wie CELTIS einen Korb statt des Apfels geben.

Das Gegen- und Nebeneinander von sinnlicher und geistiger voluptas, *vita
voluptuaria* im engeren Sinn und *vita contemplativa* spiegelt sich nochmals in
CONRADI CELTIS PROTUCII Primi Inter Germanos Imperatoriis Manibus Poete Laureati *Quatuor Libri Amorum Secundum Quatuor Latera Germanie*[36]. Der Titel
dieser bedeutendsten Dichtung von Celtis erinnert an Ovid, Giovanni Pontano
und Matteo Boiardo. Mit ihren Anfängen reicht sie bis in die Krakauer Zeit zurück. Teile daraus waren längst bekanntgeworden, nun aber kommt das Werk
„hortante Maximiliano" zum Abschluß und im *April 1502* in einem Sammelband
mit der ‚Norimberga‘, dem ‚Ludus Dianae‘, der ‚Germania generalis‘ u. a. in Nürnberg zum Druck. Die Sodalitas Celtica hat laut Titelblatt vom König das Privileg
erhalten, daß binnen zehn Jahren in keiner Stadt des Reichs das Buch nachgedruckt
werden dürfe.

Beigegeben ist ein Brief an Sebald Schreyer vom *1. Februar 1502*[37], worin
Celtis besser als je das Wesen dichterischen Schaffens erfaßt. Selbst die *poetae*

doctissimi gewinnen nicht zu jeder Stunde aus eigenem Wunsch und Willen den Schwung zum Schreiben, sondern müssen angetrieben werden „ich weiß nicht von welchem Dämon oder Geist", Nescio quo δαίμονε aut spiritu. Aber gleich wie der Fötus mit der Zeit sich formt, sed ut in formatione foetus fit successivo tempore, verwirklichen dann Mühe und Weisheit mittels rhetorischer inventio, dispositio, elocutio die Entelechie — ἐντελεχείαν — des Werkes, die Konzeption; so dürfen wir wohl interpretierend übersetzen.

In der Widmung an Maximilian[38] wendet sich Celtis natürlich gegen die Verächter der humana studia, die er als *balatrones*, Possenreißer, anprangert, während er dem König nachrühmt, daß durch ihn die deutschen Jünglinge *ad prisca studia animabuntur et reducentur*. Hauptthema der Widmung ist *amor: inter humanos affectus blandissimus, naturalissimus et potentissimus*. Dabei unterscheidet Celtis zwischen *honestus amor*, ad quem nos natura vocat et sollicitat, und *infamus amor et spurcus* (schweinisch). Auch diesen muß man kennen, um sich vor ihm zu hüten, so erklären sich lasciva quaedam nostra carmina. Aufs höchste gefeiert wird: is amor, quem ignem, aquam, vaporem vel aerem philosophi nominant, nos autem deum optimum maximum dicimus, qui hominem ex terrae gleba et limo finxit. *Amore totus orbis ortus est*. Amore urbes et regna et imperia incoepere constant et durabunt.... Tanta coeli et terrae in mutuo amore societas est, ut Deorum Dearumque connubia poetae confinxerint. *Non enim semper mentiuntur cantores*. Zu allen Zeiten haben die Menschen in ihren Gesprächen, Reden und Gesängen die Allmacht der Liebe verkündet und sie damit verwirklicht. Das gleiche geschieht in den kriegerischen Spielen der Jünglinge, im Tanz, im Chorgesang, im Zusammenklang der Instrumente oder im stummen Einander-Zunicken und Einander-in-die-Augen-Blicken. Es fehlt bei Celtis nichts als der Händedruck, von dem Savonarola sprach. Freilich aus derselben Blüte saugt die Biene Honig und die Spinne Gift. Deshalb muß man über die Liebe Bescheid wissen. Mehr als gewagt mutet es an, wenn Celtis erklärt: Mögen die nach ihrem Wunsche leben, die sich der Keuschheit, Armut und Priesterschaft weihen und um Christi willen sich kastrieren, wir gehören zur Zahl der Weisen, von denen ein griechisches Sprichwort sagt: *Amabit sapiens, cruciabitur autem stultus*. Celtis fährt unmittelbar fort: Et rursus in sacris litteris: Propterea relinquet homo patrem et matrem et adhaerebit etc. — der Satz ist nicht vollendet. *Cruciari*, das oft komischen Beiklang hat, kann Selbstquälerei meinen, aber wer dächte in diesem Kontext nicht an das Kreuz als christliches Symbol? Und wieweit ist Celtis, wenn er die Vieldeutigkeit des Liebesbegriffs ausspielt, naiv oder berechnend? Jedenfalls gibt es für ihn keinen amor ohne sinnliche *voluptas*; über Keuschheit urteilt er wie Valla in ‚De voluptate'. Die Widmung der ‚Quatuor libri amorum' ergänzt die Einleitung, die Celtis zu des Apuleius ‚De mundo' geschrieben hatte.

Kein Wunder, daß man ihn als Heiden verdächtigte. Ehrliche Sorge um sein Seelenheil machte sich nur, soweit wir wissen, eine Frau, die selbst den Namen

CHARITAS trug und, indem sie Nonne wurde, der *voluptas* abgesagt hatte, Johannes PIRCKHEIMERS älteste Tochter[39]. Von den sieben Schwestern, die Willibald besaß, haben sechs den Schleier genommen, zwei seiner Töchter folgten diesem Beispiel. Die älteste Schwester, geboren 1466, hieß als puellula, nach der Mutter, Barbara; als Nonne aber und Äbtissin des Klarissenklosters zu Nürnberg trug sie den Namen Charitas. Celtis schickte ihr u. a. die *1501* auf Kosten FRIEDRICHS DES WEISEN gedruckten *Opera hrosvite illustris Virginis . . . nuper a Conrado Celte inventa* — er hatte die Handschrift 1493 im Reichsstift St. Emmeram in Regensburg gefunden — und schrieb *1502* ein *Carmen ad Charitatem Pirckheimer*. Der Briefwechsel der beiden enthält ein Schreiben aus demselben Monat, da in Nürnberg die ‚Amores' erschienen: Domino Conrado Celti praeceptori colendissimo humilis oratrix soror Charitas . . . Auf die ‚Amores' wird nicht Bezug genommen, nur auf die ‚Norimberga', dennoch schreibt Charitas Pirckheimer als amatrix vestrae salutis: Toto animo rogo vos instantissime . . . de litteris gentilium (Heiden) ad sacras paginas, de terrenis ad coelestia, de creaturis ad creatorem vos conferre . . . Dominationem vestram pro singulari nostra amicitia hortor desistere a pravis fabulis Dianae, Veneris, Jovis et aliorum damnatorum . . . Nomina eorum et memoria . . . omnino sunt respuenda (auszuspucken), detestanda ac oblivioni tradenda . . . fiat, fiat!

Charitas nennt sich schon mit einigem Recht oratrix, wenngleich im Gegensatz zu den selbstbewußten oratores eine oratrix humilis. Ihre Briefe zeugen von oratorischer Kunst und Kraft. Den Dichter hat sie nicht ändern können, aber es ist sicher aufrichtig gemeint, wenn Celtis gelegentlich schreibt, sie möge mit ihren Schwestern für ihn beten. Der Verkünder des *eros* fühlte sich auch der *caritas* bedürftig. Neben seinen Liebesgedichten hat er Lieder an die Jungfrau Maria verfaßt und, einem Gelübde folgend, ist er sogar nach Altötting gewallfahrtet. Was C. F. Meyer Hutten sagen läßt, gilt nicht minder für Celtis: „Ich bin kein ausgeklügelt Buch. Ich bin ein Mensch mit seinem Widerspruch."

Aber nur allenfalls Hutten hätte wirklich so sprechen können, aus Celtis' Mund klänge es zu leichthin gesagt, lautet doch sein eigenes Bekenntnis: „Ich stimme mit mir selbst nicht überein, und meine Zeiten gefallen mir nicht, was ich bin, will ich nicht sein, was ich war, weiß ich nicht":

> Dissideo mecum probo nec mea tempora Celtis,
> Qualis sum, nolo; nescio, qualis eram (IV, 3).

Wir glauben hier an seine Wahrhaftigkeit, obwohl er in erster Linie Poet ist, dem jede Erfahrung oder Vorstellung Anlaß gibt zu poetischem Sprechen, einen Stoff liefert, aus dem er mittels der Form etwas zu „machen" sucht. Diesen ästhetischen oder artistischen Grund in Celtis' Wesen hat weder Hasilina noch Charitas verstanden. An ihm nehmen beide Frauen, wenn auch jede auf ihre besondere Art, Ärgernis.

V·P·ΔΑΦΝΊ ΦΙΛΟΙC
Pen itiga per scuptos peng altã cacumina siluæ
Hic sequitrur Lauru nudus Apollo suæ
Sicqcumq cupit Lauri de Fronde Coronam
Dulcisonesq suæ tangere fila Lyræ
Currat sub placida tandê negescat vmbra
Claudens felici temporacunc ta die

Apollo und Daphne
(Holzschnitt in dem Sammelband 1502
des Konrad Celtis; Hans von Kulmbach)

Der Bruder von Charitas hat Celtis besser verstanden. Vielleicht dürfen wir uns einen Holzschnitt, den Willibald Pirckheimer für den Sammelband von 1502 stiftete, dahin deuten. Er stellt *Apollo und Daphne* dar; HANS VON KULMBACH soll hier eine oberitalienische Miniatur aus einem damals in Nürnberg befindlichen Codex kopiert haben[40]. Zwischen den Familienwappen Pirckheimers und seiner Frau stehen drei Distichen auf Daphnes Liebhaber, die wie Apollo dem Dichterlorbeer nachjagen. Daß ihnen alles Lebendige in Lorbeer sich verwandelt, wird allerdings nicht ausgesprochen.

Zu den ‚Amores‘ hat dieser Holzschnitt keinen unmittelbaren Bezug. Der Sammelband enthält aber insgesamt elf Holzschnitte, von denen vier auf die ‚Amores ‘als Ganzes und vier auf je ein Buch sich beziehen. Der schönste stammt von AL-BRECHT DÜRER und verrät, was für ein ausgeklügeltes Buch die ‚Amores‘ ihrer Anlage nach sind. Hier thront als Jungfrau mit Krone, Szepter und Buch die *Philosophia*, umrahmt von einer Pflanzengirlande, die in vier Medaillons die Büsten von PTOLEMÄUS, PLATO, einem lorbeerbekränzten Römer, zugleich CICERO und VIRGILIUS, und ALBERTUS MAGNUS hält. Sie repräsentieren laut Umschrift die ägyptischen Priester samt den Chaldäern, die griechischen Philosophen, die lateinischen Dichter und Redner und die Weisen der Germanen. Die Blattecken außerhalb der Girlande sind mit Köpfen der vier Winde ausgefüllt, die zugleich die vier Jahreszeiten, vier Elemente und vier Temperamente bedeuten und sich auch nach Altersstufen unterscheiden. In den Distichen am unteren Bildrand erklärt Philosophia, sie trage alle natürlichen, menschlichen und göttlichen Dinge im Busen. Auf diesen Busen weist eine Art kleiner Pyramide: offenbar die *scala septem artium* aus des BOETHIUS ‚De consolatione Philosophiae‘.

Die Holzschnitte, die jeweils zu einem einzelnen der vier Bücher gehören, werden dagegen HANS VON KULMBACH zugeschrieben. Sie sind künstlerisch weit weniger anspruchsvoll, aber keineswegs reizlos. Auf allen wiederholt sich sowohl die Mahnung *Nota novenarium novem Musis Dedicatum* — merke auf die den neun Musen gewidmete Neunheit — als auch ein Schema, wodurch die vier Liebesgeschichten mit den vier Jahreszeiten, Lebensaltern und Tageszeiten, vier Windrichtungen, Temperamenten und Tierkreiszeichen und schließlich vier Temperaturen, Elementen und Grundfarben in Zusammenhang gebracht werden; jedes der vier Bücher ist demnach neunsinnig. VINCENTIUS LONGINUS weist in seiner Einleitung mit neun Vierzeilern darauf hin. Möglicherweise dachte Celtis an die formalistisch-kalkulierte Komposition der ‚Amorum libri‘ von BOIARDO und an die Spekulationen über die Zahl Vier in FICINOS ‚Theologia Platonica‘. Wichtig ist in erster Linie die Verbindung der vier Liebesgeschichten mit den vier Himmelsgegenden — *latera* — Deutschlands bzw. den sie repräsentierenden Städten Krakau, Regensburg, Mainz und Lübeck, des weiteren die Verbindung mit den vier Jahreszeiten und mit vier Altersstufen und vier Temperamentshaltungen des Dichters, der sanguinischen, cholerischen, phlegmatischen, melancholischen. Die Überschriften der Bücher lauten: Hasilina vel pubertas vel Vistula et latus Germaniae orientale — Danubius seu adolescentia vel Elsula Norica et latus Germaniae meridionale — Rhenus vel Ursula Rhenana aut iuventus et latus Germaniae occidentale — Codonus (Ostsee) vel senectus aut Barbara Cimbrica et latus Germaniae septemptrionale.

Im *I. Buch* des fast durchweg wieder in elegischem Versmaß gehaltenen Werkes — insgesamt 57 Elegien — verteidigt sich der Dichter, dessen Alter zweimal mit fünfundzwanzig, ein drittes Mal mit sechsundzwanzig Jahren angegeben wird, einem Freund gegenüber, die Liebe sei schuld, daß er nicht zum Schaffen komme. Als aber auf einem Ritt nach Krakau ein Gewitter losbricht, Celtis' Pferd scheut und den Reiter abwirft, fleht er Apollo um Hilfe an, und es erscheint ihm der Vater der Dichter, *pater vatum*:

> Surge, ait, et priscum capiant tua membra vigorem,
> Ut patriae fines quatuor ipse canas.

Heil gelangt der Dichter nach Krakau, wo nun das Liebesverhältnis mit der schönen Polin Hasilina, in Widerspruch zur Behauptung des Anfangs, aber entsprechend Apollos Verheißung — so der innere Gang des Geschehens — den Dichter zu neuem Schaffen anregt. Er sucht seinen Zustand weit mehr sinnlicher als seelischer Liebe in Worte zu fassen, indem er Formeln der antiken wie der italienischen Liebeslyrik übernimmt und ihnen z. T. eigenes Gepräge gibt. Trotz Hasilinas Härte kann sich der Dichter nicht von ihr lösen. Mit Selbstmordgedanken spielend, will er sich von einem hoch in die Lüfte ragenden Gipfel der Karpathen in die Tiefe stürzen. Dann soll man auf sein Grab schreiben:

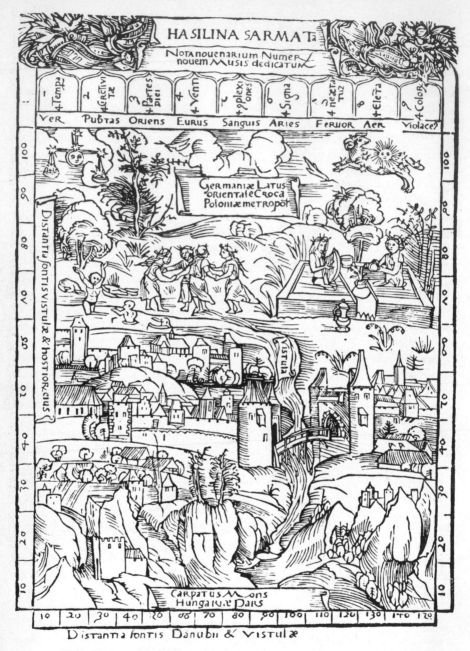

Holzschnitt in den ‚Quatuor libri amorum', 1502. (Hans von Kulmbach)

Hier liegt, getötet durch hartes Gestein, Konrad Celtis,
Denn steinhart gegen ihn war ein schreckliches Mädchen.

Diese Verse der V. Elegie oder vielleicht eine Ode ähnlichen Inhalts nahm der
Heidelberger Prinzenerzieher ADAM WERNER VON THEMAR[41] zum Anlaß, eine
eigene Ode an Hasilina zu dichten: Sie möge sich Celtis endlich ergeben, einen
Sohn Jupiters, der in Liebe entbrannte, hochmütig abzuweisen, numquam hoc
(mihi crede) abibit / Crimen inultum.

Als Celtis Hasilina von seiner Herkunft und Jugend erzählt, stilisiert er diese
ins Griechische. Wir kennen Celtis' Abneigung gegen die Italiener, so möchte er
auch nicht mit den Römern, wohl aber mit den Griechen verwandt sein. Das führt
zu seltsamen Fiktionen. Obgleich er zweifellos wußte, daß Herbipolis, der lateinische Name Würzburgs, mit herba, Kraut oder Gewürz, zusammenhängt, leitet
ihn Celtis von Erebus ab und behauptet, die Stadt sei eine Gründung der Griechen, die dem Gotte der Unterwelt hier schwarze Opfertiere schlachteten. Die
Fabel von der trojanisch-griechischen Herkunft der Franken findet sich auch bei
Trithemius und vor ihm bei Gregor von Tours u. a. Wohl auf die griechische
Meßliturgie, die am Sonntag Quadragesimae gesungen wird, bezieht sich Celtis'
Behauptung, noch heute werde in Würzburg einmal im Jahr das Opfer in griechischer Sprache dargebracht. An den Stufen der Kirche stehen angeblich Statuen
der alten Götter. „Deshalb mag niemand sich wundern, daß ich, selbst aus grie-
chischem Blute entstammt, die griechische Sprache in mein Vaterland zurück-
gebracht habe" (I, 12). Cum grano salis genommen, hat Felicitas Pindter recht,
wenn sie Celtis für den ersten Deutschen ausgibt, der sich geistig als Grieche
fühlte[42].

Hasilina Rzytonic ist sicher gleich Marianne in Goethes ‚Wilhelm Meister'
über den Erzählungen ihres Liebhabers eingeschlafen, zumal sie weder Deutsch
noch Latein, und er kein Polnisch oder Tschechisch verstand. Ein Freund machte
den Dolmetsch. Aber Celtis will natürlich selbst und zwar von Hasilina Tschechisch
lernen, bis sich herausstellt, daß die Verständigung weit besser als mit Worten
mit Küssen gelingt. Hasilina bleibt nicht steinern: „Mutwillig gurrend spielten
unsere Münder ineinander, und meine Dreistigkeiten kämpften gegen ihre."
Nur dann wird Hasilina gegen Celtis wieder steinern, wenn sie die Stunden der
Liebeslust, voluptatis, andern gewährt. Solange sie sich in den Armen eines Prie-
sters vergnügt, muß der Dichter vor ihrer Tür in der Kälte warten. Da scheidet
er schließlich mit bitterem Hohn.

Bloß an wenigen Stellen der Dichtung klingt die Liebesphilosophie aus der
Widmung an. Gleich jedem Ding und Wesen eignet auch Hasilina eine besondere
Ausstrahlung, und diese ist es, der Celtis nicht widerstehen kann (I, 11). In
der Liebe der Geschlechter manifestiert sich ein Stück der Allmacht, die den Kosmos lebendig erhält. Daß Celtis mit derartigen Spekulationen dem Neuplatonismus der Villa Careggi sich anschließt, zugleich aber auch dem Epikuräismus folgt,

317

wie ihn Lorenzo Valla verfocht, wurde bereits gesagt. Bleibt, auf den Abstand von der sublimen Spiritualität Petrarcas hinzuweisen. Nach der Art Pontanos oder Boiardos greift Celtis auf die römische Liebeslyrik, Horaz, Ovid und Catull zurück. Liebe erscheint als Leidenschaft, die einem Fieber gleich die Sinne befällt, durch alle Stadien des Begehrens, der Lust und der Eifersucht führt und mit dem Verrat, dem Weggang oder dem Tod der Geliebten erlischt. Hasilina wird nicht zu einer Laura stilisiert, sondern ist und bleibt für Celtis eine Kurtisane.

Schilderungen des Weichsellaufs, der Bergwerke von Wieliczka usw. gehen im I. Buch der ‚Amores‘ neben der Liebesgeschichte her, ohne darin eine Funktion zu erhalten. Kaum daß man sie als Hintergrund bezeichnen kann. Celtis will nur zugleich das Bild eines *latus Germaniae* geben. Da begegnet man in den Wäldern dem Auerochsen, einem gewaltigen Untier mit glühenden Augen und gekrümmten Hörnern; der schwarze Rumpf trägt ein struppiges Haupt, an dem wie ein Kropf die zottige Wamme hängt, und plötzlich, die Hörner senkend, stürmt er gegen den Feind, faßt seinen Körper und schleudert ihn hoch in die Luft (I, 15).

Wenn sich der Dichter in den folgenden drei Büchern oftmals wiederholt, liegt es vor allem daran, daß er für seine Liebesdarstellung nur über eine beschränkte Anzahl von Motiven verfügte; Celtis' Liebe scheint aber auch auf einen nicht allzu respektablen Frauentyp fixiert gewesen zu sein.

Für die Ehe kamen der Hasilina-Typ und erst recht eine Charitas Pirckheimer, die Gegenfigur zu Hasilina von Rzytonic, nicht in Betracht. Da Celtis außerdem seit 1498 an Syphilis litt, blieb er unbeweibt, während CUSPINIANUS jetzt, kurz vor Eintritt ins dreißigste Lebensjahr, einen gutbürgerlichen Hausstand gründete. Auf Vorschlag der Medizinischen Fakultät war er im Oktober 1500 zum Rektor der Universität Wien gewählt worden, d. h. daß er damals noch ledig war — Ver-

Johannes Cuspinianus
(Gemälde von Lucas Cranach, Wien 1502;
Winterthur, Sammlung Oscar Reinhart)

heiratete konnten nicht Rektor werden. Aber das Rektorat dauerte nur ein Semester. 1501 oder, was als wahrscheinlicher gilt, 1502 feierte Cuspinianus Hochzeit mit der etwa siebzehnjährigen Tochter eines Königlichen Kammerdieners. Die Neuvermählten ließen sich 1502 von Lucas Cranach d. Ä. konterfeien, der damit seine vielleicht schönstgemalten Bildnisse schuf. Sie gingen später in den Besitz König Karls I. von England über und befinden sich heute in der Sammlung Oscar Reinhart in Winterthur. Fränkischer Herkunft wie Celtis, Cuspinianus, Dürer und fast gleichen Alters mit den beiden letzteren, weilte Cranach seit 1500 in Wien, bis ihn 1504 Friedrich der Weise an den kurfürstlich-sächsischen Hof nach Wittenberg berief. Nicht nur das Äußere des Ehepaars Cuspinian, sondern auch etwas vom Wesen der beiden sollte Cranach darstellen, vor allem durch astrologische Beigaben. Falke und Reiher, die in der Luft miteinander kämpfen, und ein Papagei auf einem Baumast kennzeichnen die Sanguinikerin. Dagegen bedeutet die Eule, die einen Vogel in den Krallen hält und von anderen Vögeln verfolgt wird, daß Cuspinianus, ebenso wie Maximilian und Wessel Gansfort, sich als einen unter dem Saturn geborenen *melancholicus* verstand. Die Wißbegierde treibt diesen mehr als andere Menschen, die Geheimnisse der Welt zu ergründen, und darunter leidet er. *Qui ad secretissima quaeque curiosius perscrutanda penitus instigatur*, heißt es bei Marsilio Ficino im dritten der ‚Libri de triplici vita‘. Das Buch war 1489 erschienen, und wir wissen, daß Cuspinianus ein Exemplar besaß und eingehend studiert hatte. In Anlehnung an Aristoteles’ ‚Problemata‘, auf die vielleicht schon Luder sich bezog[43], erklärt Ficino die heiß umkämpfte *curiositas* für eine zugleich krankhafte und auszeichnende Mitgift der echten studiosi und viri litterati, der *ingeniosi* unter den Gelehrten und Dichtern: *Litterati sunt melancholici*. Bei den Deutschen scheint die neue Genielehre von Florenz erstmals Cuspinianus übernommen zu haben, aber sie klingt auch in der ‚Scala meditationis‘ von Gansfort, in Maximilians Autobiographie und in den Celtisschen ‚Amores‘ (IV, 1, 4, 15) an.

Kunsthistorisch sind Cranachs Bildnisse wie das nahezu gleichzeitige, ebenfalls für Cuspinian bestimmte Andachtsbild *Der büßende Hieronymus* vor allem durch die Landschaft im Hintergrund wichtig. Damit gibt Cranach den Auftakt zur sog. Donauschule, deren bedeutendste Vertreter nach seinem Weggang aus Wien Albrecht Altdorfer in Regensburg und Wolf Huber in Passau sein werden. Wenn der Katalog der Ausstellung „Die Kunst der Donauschule“, Linz 1965, von einer „Kunst des Humanismus“ im Donauland spricht (S. 15), so ist gedacht an „das Erwachen der Liebe zur Natur und Landschaft“ (S. 142), erst bei Celtis, dann bei Cranach und den anderen Malern. Vielleicht wirkte Celtis hier in der Tat anregend: „Mich entzücken die Quellen und die grünen Hügel, die kühlen Ufer des murmelnden Baches, die dichtbelaubten, schattigen Wälder und die üppigen Gefilde“ (*Ode 1, 20*).

Oft scheint auf den Bildern der Donauschule die Landschaft in stürmische Bewegung zu geraten, die Natur wird auf pittoreske Weise lebendig. Entsprechendes finden wir bei Celtis, z. B. das Bild einer Rheinüberschwemmung *Ode 3,17*: „Mit stürmischer Hast drängen die Quellnymphen auf des Oceanus Ruf aus ihren moorigen Verstecken hervor; sie lassen die Haare im Südwind flattern, spiegeln und schmücken sich im Sonnenlicht und prüfen singend die Kraft ihrer Arme, ob sie die wogende Brandung der See zu teilen vermögen." Es kommt aber bei der Donauschule nicht von den Motiven, wenn Bewegung die Menschen wie die Natur ergreift, das geschieht durchaus unmotiviert. Die Linien werden mit Dynamik aufgeladen, und zwar — man sehe sich nur Cranachs ,Büßenden Hieronymus' an — durch einen neuen Eindrucks-, nicht Ausdruckswillen. Die *ars ornandi* will zur *ars movendi* werden. Darin liegt m. E. die entscheidende Übereinstimmung zwischen Donauschule und Humanismus, sprich „Neuer Rhetorik". Können deshalb Malerei und Zeichnung und gar, was an Plastik und Baukunst neuestens zur Donauschule zählt[44], Kunst des Humanismus heißen? Sagen wir nicht besser, die humanistische Renaissance der Sodalitas Danubiana besitze in der deutschen Eigenrenaissance der Donauschule eine jüngere Schwester? Die Verwandtschaft ist unverkennbar. Man darf aber auch trotz der Unterschiede annehmen, daß von Celtis, dem Haupt der Sodalitas, über Cuspinianus mindestens auf Cranach als Frühesten der Donauschule, vielleicht sogar auf deren Größten, Albrecht Altdorfer, ein gewisser Einfluß ausging. Im Erscheinungsjahr der ,Amores' wird uns die donauländische Eigenrenaissance zum ersten Mal sichtbar.

Das *II. Buch* von Celtis' ,Amores' beginnt mit dem Entschluß des nunmehr dreißigjährigen Dichters, der Liebe zu entsagen und sein Leben ganz der Erkenntnis zu weihen. Das entspricht ungefähr dem Einsatz des I. Buches. Während aber der Dichter dem Zusammenhang der Dinge nachsinnt, trifft ihn erneut Amors Pfeil. Anstelle der Hasilina Sarmata tritt in Regensburg eine Elsula Alpina oder Norica.; unter Noricum versteht Celtis nicht Nürnberg, sondern Baiern oder Süddeutschland insgesamt. Sie hat purpurfarbenes, rötlich-blondes, Haar, *fulva coma*, und ihre Haut ist so zart, daß man das Geflecht der Adern dunkel durchschimmern sieht. Wieder folgt auf überschwenglichen Preis der Geliebten die bittere Anklage, weil auch Elsula mit einem Priester sündigt. Als der Dichter sie zur Rede stellt: Quo tandem fueras perfida fare loco? antwortet Elsula schnippisch: Quid tibi? Quid Celti? ... Da bricht er los: Proh superos: audes mihi talia reddere verba? Confidens formae stulta puella tuae . . . Tränen und Liebkosungen besänftigen den Erzürnten, doch rügt er, das Mädchen beschäftige sich wie alle Regensburgerinnen zu viel mit seinem Putz, habe auch den Hang, umherzuschweifen und mehr zu trinken als schicklich. Der Treue Elsulas fühlt er sich wieder so sicher, daß er träumt, aus Verzweiflung über seine bevorstehende Abreise wolle sie in den Tod gehen. Ehe es dazu kommt, erwacht der Dichter.

Wie im I. Buch der Lauf der Weichsel, wird im II. die Donau beschrieben. Als Elsula nach Pannonien reist, ruft der Dichter das Numen des Flusses an, sie zu beschützen. Man denkt einen Augenblick, wie auch sonst gelegentlich, an Hölderlin und seine Götter, kommt aber sehr schnell davon ab, wenn das Numen gebeten wird, Elsula vor übermäßigem Trunk zu bewahren.

Holzschnitt in den ‚Quatuor libri amorum' von Konrad Celtis, 1502.
(Hans von Kulmbach)

Andere Städtchen, andere Mädchen! Das *III. Buch* führt den Dichter zur Herbstzeit durchs Schwabenland an den Rhein. Die rauhe Sprechweise der Schwaben vergleicht Celtis an anderer Stelle (Ep. III, 114) dem Klappern von Nußschalen. In Mainz, rät Venus, mit Geschenken nicht zu knausern, denn nur so ließen rheinische Mädchen sich kirre machen. Stürmische Liebesbeteuerungen, Klagen über Nichterhörung, Vergegenwärtigung künftigen Liebesglücks — diese Sprunghaftigkeit, kennzeichnend für das ganze Werk, ist weniger Ausdruck eines labilen Gefühls als eines Stilwillens, der auf kontrastierende Fügung von Motiven und Sprechweisen zielt. Als Ursula sich endlich ergibt, taucht ein eifersüchtiger Nebenbuhler auf, der Dichter muß nackt aus dem Fenster springen, verletzt sich am Fuß und flüchtet humpelnd in die Nacht, ein Anblick, über den die Sterne am Himmel in Gelächter ausbrechen (III, 5). Ursula schickt einen Brief mit deutschen Versen. Da spielt der Dichter mit der Möglichkeit, sie lateinische Sprache und Verskunst zu lehren, die Quantität der Silben will er mit Küssen ihr beibringen, ja, er malt sich ihren Tod aus, der ihm Gelegenheit geben wird, auf den Grabstein zu schreiben, dieses Mädchen habe lateinisch gedichtet (III, 9). In die 10. Elegie bringt Celtis eine Attacke unter auf die deutschen Universitäten, mit ihren Streitereien zwischen antiqui und moderni: Sic perdunt nugis tempora cuncta suis. Die Wirklichkeit überholt schließlich den makabren Entwurf der Phantasie, Ursula stirbt an der Pest. Sein Schmerz hindert den Dichter nicht, uns des Langen und Breiten über den Verlauf und die sozialen Folgen der Pest zu unterrichten. Im Traum erzählt ihm Ursula, sie sei jetzt unter die Sterne versetzt, er möge es auf einer Grabschrift bezeugen.

Eigentlich paßt schon Buch III besser zur Melancholie als zum Phlegma. Aber die Melancholie ist laut Schema dem *IV. Buch* zugewiesen. Der Dichter fühlt sich mit vierzig Jahren alt werden, die Haare fallen ihm aus, die Zähne werden locker und haben die Farbe reifer Zitronen. Celtis konfrontiert eine ‚Deploratio Senectutis‘ und eine ‚Laus Senectutis‘. Auch Barbara Cimbrica in Lübeck gehört nicht mehr zu den Jüngsten. Sie trinkt und zeichnet sich durch Schimpfen aus. Der Dichter vergleicht es dem Sturm auf dem Meer und dem brüllenden Tosen der Wellen: so stürzen aus deiner wütenden Kehle die Worte und wirbeln das Haus durcheinander, schreckliche Barbara! (IV, 12) Anlaß dazu gibt es, wenn ihn die Herrin im Bett ihrer Magd überrascht (IV, 10): Dreimal und viermal zerstörst du an ihr den geästeten Leisten. Aber bei mir dann im Bett werden die Weichen dir träg[45].

Das Eingangsgedicht des IV. Buches hatte einem Plumulus — Liebhaber des Plumeaus, der Daunendecke — Lust und Gewinn des Wanderns gepriesen. Nicht im warmen Bett, nur auf Wanderschaft lernt man die Welt und den Zusammenhang der Dinge kennen. Petrarca hatte es abgelehnt, nach dem sagenhaften Thule zu fahren: „Mag Thule im Norden, mag im Süden die Quelle des Nils uns verborgen bleiben, wenn nur … die Tugend … nicht verborgen bleibt" (Fam. III, 9), um so mehr tut sich Celtis darauf zugute, daß er sogar nach „Tyle" und

Lappland gekommen sei. Während Petrarca die Geste des Mont Ventoux-Briefs wiederholt, insistiert Celtis in seinen Oden: „Ich möchte des Himmels leuchtende Feuer schauen, die Herkunft des Meeres und der Erde, des Windes, Nebels und Schnees erkennen. Ich möchte dich finden, Vater des Alls, durch den die unermeßliche Welt besteht und dessen Wink sie ins Chaos zurückschleudern wird" (3, 5). Ähnlich wie Poggio die Deutschen, pries er (3, 4) in einer Anwandlung von Zivilisationsüberdruß die „sprachlosen" Lappen.

Die mitunter banalen Liebesabenteuer, die den Hauptinhalt der ‚Quatuor libri amorum' ausmachen, dürfen wir nicht für sich allein nehmen, Celtis versteht sie und will sie verstanden wissen als Episoden einer Wanderschaft, auf die er auszog, hundert Jahre nach Wolkenstein, die Welt kennen zu lernen. Vor allem den Beziehungen zwischen Mann und Frau gilt sein Interesse:

Hos non spurcus amor iussit me scribere versus,
Affectus et mores philosophia notat. (IV, 15)

Gleichzeitig mit Celtis war 1486 der Westfale HERMANNUS BUSCHIUS nach Italien gewandert. Während er in der Literaturgeschichte früher meist unter dem Namen Hermann van dem Busche oder von dem Busche ging, tritt er hier neuerlich als Hermann von Busch auf, wahrscheinlich hieß er Hermann von Büsche[46]. Der junge Edelmann, der um 1468 auf Schloß Sassenberg bei Münster geboren wurde, besuchte zusammen mit Erasmus die von HEGIUS geleitete Schule in Deventer, hörte dann zusammen mit dem rund zehn Jahre älteren Celtis in Heidelberg AGRICOLA und zog anschließend nach Italien, wo er sich fünf Jahre lang, meist in Rom als Schüler des POMPONIUS LAETUS, aufhielt. Nach Deutschland zurückgekehrt, dozierte Buschius, der schon 1495 als *in humanitatis studiis non vulgariter edoctus* galt, Rhetorik und Poetik in Köln, Rostock, Greifswald und Leipzig. Die Studenten lud er auf aparte Weise zu seinen Vorlesungen ein. Der Anschlag in der Universität Leipzig apostrophierte die iamiam studiosa iuventus: Te vocat in thalamum nostra Thalia suum ... Dich ruft auf ihr Lager unsere Thalia; sie wird dich umarmen und kosen und küssen und dir ihre nackten Brüste zeigen, die weißer als Schnee sind; wenn du sie ergreifst, wirst du in immer neuer Liebe zur keuschen Göttin entbrennen ...

Während der Leipziger Zeit befreundete sich Buschius mit dem Leibarzt Friedrichs des Weisen, MARTIN POLICH AUS MELLERSTADT (Mellrichstadt), den dann der Kurfürst 1502 als ersten Rektor der neugegründeten, „Gott und der unversuchten Jungfrau" geweihten Universität Wittenberg einsetzte. Die Wittenberger Matrikel beginnt mit „Hermannus Puschius pansiphilus Monasteriensis artis oratoriae atque poeticae lector". *Pansiphilus* heißt der Freund aller, der Allerweltsfreund; ob es Buschius wohl ernst meinte, als er sich diesen Beinamen zulegte? Bei der Eröffnungsfeier der Universität am *18. Oktober 1502* hielt auf der Schloßburg der Lektor der Dicht- und Redekunst Buschius eine Dankansprache.

Einen weiteren namhaften Humanisten gewann Wittenberg mit NICOLAUS MARSCALCUS THURIUS, der aus Erfurt kam. Binnen vier Jahren war er mit neun Publikationen hervorgetreten. Die Reihe eröffnete 1499 ein Lexikon zu dem von LORENZO VALLA übersetzten und 1498 in Venedig gedruckten Diätkochbuch des MICHAEL PSELLOS, *De Victus ratione*. In seiner Privatdruckerei stellte der Thüringer dann 1501 eine kleine Anthologie her, die von ihm selbst Text und Vertonung des Gedichtes *Mores amatoris* enthielt. 1502 folgte eine weit umfassendere, mit zahlreichen Holzschnitten illustrierte Anthologie griechischer und lateinischer Dichtung, *Enchiridion Poetarum Clarissimorum*. Auch da waren eigene Gedichte Marschalks aufgenommen sowie ein Porträt mit seinem Wappen, dem nackten, kronetragenden Meerfräulein, das statt der Beine zwei Fischschwänze hat und sie je mit rechter und linker Hand nach oben an sich zieht. Wir finden dieses Meerfräulein gleichzeitig auf dem von DÜRER „um 1501" gezeichneten *Exlibris* Willibald Pirckheimers und auf HANS VON KULMBACHS Illustration ‚Apollo und Daphnis' zu dem Celtisschen Sammelband von 1502. Marschalk hat es später zu seinem Druckersignet gemacht. Wo Meerjungfrauen und Kentauren am Kirchengestühl eingeschnitzt waren, galten sie nach dem ‚Physiologus' ihrer Zweigestaltigkeit wegen als Häretiker. Die Humanisten dachten an die Odyssee und an die Metamorphosen Ovids und sahen in den Meerweiblichkeiten Sirenen und Nereiden, die Künder literarischen Nachruhms, weil sie zum Gesinde des mächtig die Trompete blasenden Triton gehörten[47].

Das Psellos-Lexikon adressierte Marschalk an PETER EBERBACH, den Sohn eines Erfurter Medizinprofessors; Mitherausgeber der Anthologie von 1501 war GEORG BURCKHARDT aus Spalt bei Nürnberg; beide, PETREIUS APERBACCHUS wie GEORGIUS SPALATINUS, nannten sich Schüler Marschalks. Zusammen mit CROTUS RUBIANUS, JOHANN ROT u. a. bildeten sie in den Jahren 1499 bis 1502 den Ersten Erfurter Humanistenkreis[48]. MARTIN LUTHER, der 1501 bis 1503 bei der Artistenfakultät inskribiert war, hatte mindestens über seinen Landsmann Crotus Rubianus mit dem Kreis Verbindung. Dessen Treffpunkt, Marschalks Haus ‚Zum Glücksrad', lag der Georgenburse, wo Luther wohnte, schräg gegenüber auf dem anderen Ufer der Gera. Von dort kam die Anregung, daß Luther nach seinem eigenen Zeugnis als erste Dichtung die Eklogen des BAPTISTA MANTUANUS las. Schon Marschalks Anthologie von 1501 hatte auf den Mantuanus hingewiesen, kurz danach erschien, wieder in Erfurt, eine Sammlung *Aeclogae Vergilii Neoterici: hoc est Baptistae Mantuani Carmelitae*, und 1502 brachte das ‚Enchiridion Poetarum Clarissimorum' weitere Proben von „Baptista Vergilius neotericus synchronissimi nostri immortale decus".

Erfurt war seit 1391 Universitätsstadt. Es bietet noch heute mit seinem gotischen Dom und der Severikirche, über die große Freitreppe miteinander verbunden, eines der schönsten deutschen Städtebilder. Vor Zeiten besaß Erfurt nicht weniger als 43 Kirchen und Kapellen und 36 Klöster. Die reiche Weberstadt war der Hansa angeschlossen und gehörte mit ihren rund 20 000 Einwohnern zu den volkreichsten

Städten in Deutschland, dreimal so groß wie Mainz, wo ihr Landesherr, der Erzbischof, saß, mehr als doppelt so groß wie Konstanz oder Frankfurt und sogar um
einiges größer als Augsburg.

Dagegen lag Wittenberg in jeder Hinsicht, wie Luther sagen wird, in termino
civilitatis. Die Universität, die hier seit 1502 entsteht, wird über kurzem die ganze
civiltà des Abendlands umstülpen, aber zunächst war Wittenberg noch ein ver-
schlafenes Ackerbürgerstädtchen, wo weder Marschalk noch Buschius es lange
aushielten. Ob MARSCHALK es bei dem Herzog von Mecklenburg und an der Universität Rostock viel besser traf, wissen wir nicht. Er schrieb dort eine Geschichte
Mecklenburgs, *Annales Herulorum et Vandalorum*. BUSCHIUS finden wir schon im
Sommer 1503 wieder in der Großstadt Leipzig, deren Universität mit 600 bis
800 Studenten nach Wien und vor Köln die stärkste Frequenz in Deutschland
besaß. *1504* verfaßte Buschius ein pomphaftes, 80 Hexameter füllendes *Carmen de
puellis Lipsiensibus* — ihr milchweißer Hals gleicht kaukasischem Schnee — und ein
Epigrammatum liber, kurze Gedichte, die u. a. die Leipziger Studenten verspotten.
Schon lange vor dem Rokokozeitalter eines Thomasius, Zachariae und Goethe
müssen sich diese in Stutzerhaftigkeit hervorgetan haben. Ihre größte Sorge galt
neben dem Locken der Haare mit der Brennschere dem Salben der Stirne, um ja
den Buhlerinnen zu gefallen, mit denen sie sich durch Zunicken und heimliche
Zeichen verständigten:

> Huc modo sunt artes iuvenum, sic ducitur aetas
> Optima, dum lentis invida ruga venit:

Dieser Art sind die Künste — *artes* — der Jünglinge, so bringen sie ihr bestes
Lebensalter hin, bis langsam die leidigen Runzeln kommen. Buschius aber seinerseits mußte sich von Trithemius vorhalten lassen: Schone deine Augen, die durch
krankhaften Tränenfluß und Röte schon fast zerstört sind; sei eingedenk dessen,
was der Dichter sagt: Vino forma perit, vino corrumpitur aetas.

Die Universität Wittenberg hatte MARTIN POLICH AUS MELLERSTADT zu ihrem
ersten Rektor bekommen, weil dieser in Leipzig bei Gelegenheit erklärt hatte,
Quelle und Patronin der Theologie sei die Poesie. Darüber war er in heftigem Streit
mit dem Theologen KONRAD KOCH geraten, der sich nach der Herkunft seiner
Familie aus Wimpfen am Neckar CONRADUS WIMPINA nannte; wir begegneten ihm
anläßlich einer disputatio de quolibet 1497, wo er den Olympos mit Olympia verwechselte. Auf ihn zielte der *Laconismos tumultuarius Martini Mellerstadt ... in
defensionem poetices contra quendam Theologum, 1501*. Danach ergriff Mellerstadt alias Polich gerne die günstige Gelegenheit, Leipzig hinter sich zu lassen.

Die Fehde war nicht beendet, aber die folgende Szene in der dramatischen Auseinandersetzung zwischen Theologie und Poesie hatte statt Leipzig nun Ingolstadt
zum Schauplatz, und Wimpinas Rolle übernahm der greise Theologieprofessor
nominalistischer Observanz GEORG ZINGEL, während Mellerstadts Part von JAKOB

Apologia Jacobi Locher

Philomusi: contra poetarum acerrimum Hostem Georgium Zingel Theologum Ingolstadiensem Xynochylensem.

Titelholzschnitt, Freiburg 1503

LOCHER-PHILOMUSUS gespielt wurde. Der Ausgang war derselbe: die Poesie mußte weichen. Locher kehrte 1503 nach Freiburg zurück und veröffentlichte hier noch im gleichen Jahr unter dem Titel *Apologia* ein dreizehnseitiges, von Ungeheuerlichkeiten strotzendes Pamphlet gegen Zingel. Wenn er diesen u. a. beschuldigte, er habe 66 Mörder, sexagintasex armatos viros gedungen (S. 5), um ihn aus dem Weg zu schaffen, so rechnete Locher gewiß nicht damit, daß man das wörtlich nehme. Solche maßlosen Beschimpfungen, ebenso wie die maßlosen Schmeicheleien, in denen sich die Humanisten gefielen, — das wird immer verkannt — waren Stilmittel eines rhetorischen oder eigentlich schon pararhetorischen Manierismus. Die Lust an Hyperbeln, Übertreibungen und Übersteigerungen hängt wohl zusammen mit dem Willen zur Lebenssteigerung. Aus der *Epideixis* entwickelten sich so *Panegyricus* und *Invective* als eigene literarische Gattungen. Bis zu einem gewissen Grad liegt darin die Erklärung für jene „abscheulichen Polemiken, vor denen alle unsere Zeitungskriege sanft wie Rosenwasser sind" (Ernst Walser). Mit Poggio, Filelfo und Valla verglichen, wirkt freilich selbst Locher harmlos. Dessen „furor theutonicus" entlädt sich häufig in einer „eloquentia theutonica", die nach schwäbischer Schimpferei klingt, und, was die Bilder anlangt, vielleicht nicht einem Karneval in Mainz, wie ihn Gresemund schildert, aber einer oberschwäbischen Fastnacht in Ehingen ähnlich sieht. Groteske Szenen in der Art von Wittenwilers ‚Ring' werden heraufbeschworen.

BUSCHIUS kommt 1504 Polich mit einer in Briefform abgefaßten Schrift *Praestabili et rarae eruditionis viro Martino Mellerstadt* zu Hilfe und erhebt Einspruch dagegen, daß man die Humanisten *semipagani* schelte. Als Kronzeugen für die Heiligkeit der Poesie müssen — wieder einmal — Homer, Musaeus, Linus und Orpheus herhalten: gottbegeisterte Sänger, aus deren Dichtung die Philosophen Griechenlands ihre religiösen Ideen schöpften. Buschius geht noch weiter: selbst die

Propheten des Alten Testaments haben poetisch, d. h. in Versmaß und Rhythmus, gesprochen. Wahrscheinlich erinnerte sich Buschius der *Difesa della poesia* in BOCCACCIOS *Vita di Dante*, wo es von Musaeus, Linus und Orpheus heißt: „Weil sie in ihren Versen von göttlichen Dingen sprechen, wurden sie nicht nur Dichter, sondern auch Theologen genannt. Ihrer Werke wegen sagt Aristoteles, daß die ersten, die Theologie trieben, die Dichter waren. Und wenn man ihren Stil genau betrachtet, unterscheiden sie sich in der Art zu reden nicht von den Propheten"[49]. WIMPINA aber bestand darauf, Poesie habe mit Theologie nichts zu tun. Diese sei eine Wissenschaft und arbeite mit Vernunftschlüssen, Dichtung aber solle nach Albertus Magnus Gefühle erregen und nach dem Heiligen Thomas die Dinge als liebenswürdig oder hassenswert darstellen[50]. Wimpina suchte die Humanisten mit ihren eigenen Waffen zu schlagen, den Grundsätzen der Neuen Rhetorik, die aus der Antike stammten, aber auch im Mittelalter, wie die Thomisten wußten, immer bekannt gewesen waren. Damit klärte er zugleich die Situation. Scharf zeichnen die Fronten sich ab: es geht bei dem Streit zwischen Polich und Buschius einerseits, Wimpina andererseits um jene Auseinandersetzung, die so alt ist wie die Rhetorik, zwischen Isokrates und Platon, Rhetorik und Philosophie, nur daß der Ort der Philosophie längst von der Theologie eingenommen wurde. Als später ein Wittenberger Professor, gefährlicher für die Theologie als Martin Polich und seine humanistischen Bundesgenossen, 95 Thesen über den Ablaßhandel in Wittenberg anschlug, war es Wimpina, der für Tetzel die Gegenthesen verfaßte.

Martin Luther wird ebenfalls die Bibel ins Feld führen, aber nicht zur Stütze der Neuen Rhetorik, sondern als Grundlage einer Neuen Theologie. Diese beiden miteinander zu verbinden, schwebte ERASMUS VON ROTTERDAM vor. Wenn man die Bibel so gewichtig nahm, mußte man sie ja unbedingt im Urtext lesen können, deshalb verwandte Erasmus nach der Rückkunft aus England seine Einnahmen aus den ‚Adagia', um erst in Paris, dann in Löwen intensiv Griechisch zu lernen. Nebenbei schrieb er ein Handbüchlein des christlichen Streiters, *Enchiridion militis christiani*, das in den *Lucubratiunculae 1503* gedruckt wurde[51]. Da vertritt Erasmus jene Bibelbetrachtung im Lichte der Neuen Rhetorik, die Buschius nur andeutete, zugleich aber bereitet er den Boden für eine Neue Theologie der Bibel, den Luther dann auf seine Weise bestellen wird.

Wie die Adagia wurde auch das Enchiridion durch einen „Zufall" veranlaßt. Die Pest in Paris vertrieb Erasmus zeitweilig auf ein niederländisches Schloß, wo ihn eine Dame bat, ihrem Gatten, der dem Trunk und der Hurerei verfallen war, ein Büchlein zur Besserung seines Lebenswandels an die Hand zu geben. Erasmus konnte nicht umhin, der Dame diesen Gefallen zu tun. Den unmittelbaren Zweck erreichte er freilich nicht. Der Adressat, Johannes Germanus, d. i. ein aus Nürnberg stammender Geschützgießer in Mecheln, Johann Toppenruyter[52], scheint das Büchlein kaum gelesen zu haben. Wohl aber machte es zahllosen anderen Menschen Eindruck, und offenbar nicht nur wegen seiner literarischen Qualitäten.

Sonst hätte es auch den höheren Zweck verfehlt, den Erasmus bei der Abfassung im Auge hatte. John Colet gegenüber äußert er in einem Brief *Ende 1504*: „Ich habe das Enchiridion nicht geschrieben, um meinen Geist oder meine Beredsamkeit zur Schau zu stellen, sondern allein darum, daß ich jene Leute von ihrem Irrtum heile, die dafür halten, daß die Religion in jüdischen oder mehr als jüdischen Zeremonien und Observanzen äußerlicher Art bestehe ... Ich habe versucht, eine Art Kunst der Frömmigkeit — *ars pietatis* — zu schreiben, gleich wie andere den Lehrgang bestimmter Wissenschaften geschrieben haben."

Der Christ soll sich an die Bibel halten, fordert Erasmus, und zwar in erster Linie an die Briefe des Paulus: „Du opferst vielleicht jeden Tag, und doch lebst du dir selbst! ... Du verehrst die Heiligen, du berührst gerne ihre Reliquien, willst du auch Petrus und Paulus abverdienen? Folge dem Glauben des einen und der Liebe des anderen, und du wirst mehr getan haben, als wenn du zehnmal nach Rom gelaufen wärest." Das Wort aus dem Galaterbrief „Ihr seid berufen zur Freiheit, fallt nicht zurück unter das Joch der Knechtschaft" enthält für Erasmus die Quintessenz des Evangeliums. Nicht diese oder jene Vorschrift ist zu beachten, vielmehr hat der Mensch aus rechter Gesinnung, nämlich aus Glauben und aus Liebe zu handeln. Darauf zielten, meint Erasmus, auch die Weisheitslehren der Antike, und so wird das Pauluszitat ergänzt durch den Satz: „Wo immer du die Wahrheit findest, auch bei den Heiden, da ist sie Christi". „Unter Christus verstehe ich nichts anderes als die tätige Liebe, die Einfachheit, Geduld, Reinheit, kurz, was jener gelehrt hat ... Auf Christus zielt, was zur reinen Tugend führt." Die Verschmelzung von Humanismus und evangelischem Christentum hat Erasmus gewiß nicht als erster vorgenommen, doch gibt er nun seinem christlichen Humanismus mit der *ars pietatis* eine eigene, „renaissancehafte" Prägung.

„Unter den Philosophen rate ich dir, besonders den Platonikern zu folgen, weil sie in den meisten ihrer Lehren und sozusagen ihrem Charakter, ihrer inneren Haltung am nächsten an die Propheten und Evangelisten herankommen." Die innere Haltung ist das Entscheidende. Deshalb soll man auch von Auslegern der Heiligen Schrift die bevorzugen, „die den toten Buchstaben am weitesten hinter sich lassen. Da ist zunächst Paulus selbst, der gewaltige Ausleger des Alten Testaments, und nach ihm Origines, Ambrosius, Hieronymus und Augustinus. Ich sehe, daß die Neueren zu sehr am Buchstäblichen hängen." Der Weg zum richtigen Lesen der Heiligen Schrift führt über die Lektüre der antiken Dichtung. Bei Homer und Vergil haben wir uns gewöhnt, sie „allegorisch", wie Erasmus sagt, zu verstehen, d. h. auch die innere Haltung des Dichters auf uns wirken zu lassen. Wenn du nun aufgeschlossen, demütig und gläubig an die Heilige Schrift herangehst, „so wirst du eine unaussprechliche Wandlung deines ganzen Wesens spüren". Du wirst innerlich bewegt, innerlich lebendig werden. „Weißt du etwas von dem größten aller Übel, von dem schrecklichen Tod der Seele? Von dem furchtbaren Verfall, wenn ihre Lebensorgane eins nach dem andern absterben, viel gräßlicher anzusehen als der leibliche Tod eines Menschen? Du siehst deinen Bruder leiden, es macht dir keinen Eindruck mehr . . . — deine Seele ist tot! Du hast einen Freund betrogen oder gar dein Eheweib — aber . . . du fühlst keinen Schmerz mehr: deine Seele ist tot. Das Herz eines solchen Menschen ist wie ein Grab, das den giftigen Hauch der Verwesung atmet: gottlose, boshafte, unzüchtige Reden. Darum nennt Christus die Pharisäer übertünchte Gräber, und umgekehrt sagen die Jünger von ihm, dessen Seele ganz von dem höchsten Leben der Gottheit erfüllt war, er habe Worte des ewigen Lebens."

Gleich wie für Cusanus das intellectualiter vivere, bedeutet für Erasmus die Lebendigkeit der Seele menschliche Tugend und menschliches Glück, *virtus et voluptas*. Die klassischen Autoren, mehr noch die Heilige Schrift wecken dieses Leben der Seele und halten es wach: die echte rhetorische Wirkung. Erasmus aber vermag auch selbst rhetorisch zu wirken, da er das Latein nicht wie eine Fremdsprache handhabt, sondern als *Latinus inter Germanos*.

Hinsichtlich des Latein sind jetzt die Deutschen anspruchsvoll geworden. Vierzig Jahre nach dem Tod des Enea Silvio, der sie einst in den Humanismus eingeführt hatte, besonders durch seine Briefe, läßt HEINRICH BEBEL diese nicht mehr als Vorbilder gelten; sie seien zu formelhaft, erklärt er in einer *Epistola qui auctores legendi sint ad comparationem eloquentiae, 1504*. Bebel wertet einen Autor weniger nach dem Inhalt als nach der Form seiner Aussage und gesteht — ut dicam quod sentio —, als er *1506 De institutione puerorum* schreibt, daß er insofern die heidnischen Schriftsteller den christlichen vorziehe. Während Erasmus Christentum und Antike gleichermaßen gerecht zu werden sucht, läßt es Bebels Impulsivität hier mit unverbindlichen Glossen bewenden.

Das antike Schrifttum dem Sinn und Gehalt nach auf die Heilige Schrift, speziell die Paulusbriefe, visieren und umgekehrt die Heilige Schrift wie antikes Schrifttum rhetorisch-dichterisch aufnehmen, das ist die neue *ars pietatis*, die Erasmus propagiert. Auch sein Landsmann JOHANNES MURMELLIUS hegt gleich den meisten Humanisten in Deutschland, den niederländischen insgesamt, die Vorstellung eines christlichen Humanismus, aber dessen Wesen hat keiner so klar umrissen wie Erasmus.

Der 1480 in Roermond im damaligen Herzogtum Geldern geborene Johannes Murmellius hatte seine Ausbildung in Deventer bei HEGIUS erhalten und wirkte selbst als *humanarum artium professor* 1500 bis 1513 in Münster, dann in Alkmaar und schließlich in Deventer[53]. Überall führte er Quintilians ‚Institutio oratoria' mit. Deren Einfluß auf Murmellius belegt das *Opusculum de discipulorum officiis quod Enchiridion scholasticorum inscribitur, 1505*. In 24 kurzen Kapiteln bietet es vor allem eine Menge beherzigenswerter Zitate. Mit seinen eigenen Formulierungen dürfte Murmellius die stilistischen Ansprüche eines Bebel durchaus erfüllt haben. Seine pädagogische Haltung freilich bringt ihn in die Nähe Wimphelings. Nicht bloß daß er den Hermolaus Barbarus zitiert: Sine labore, sine vigiliis pervenire nemo potest ad ea quae nos a vulgo separant et a populo, oder in krassem Widerspruch zur Devotio moderna behauptet, Gelehrte würden leichter in den Himmel kommen als Ungelehrte. Den Grundtenor seiner Pädagogik vernehmen wir in dem Satz: Pueritia raptim fugit, sed puerilitas nisi discemus, remanet, oder in der Überschrift des letzten Enchiridion-Kapitels: Quod studia intermittenda, non autem omittenda sed dum vivimus, prosequenda sunt. Dieses Kapitel empfiehlt dringend, sein Leben lang Exzerptenhefte zu führen. Trotz der prägnanten, ja eleganten Ausdrucksweise röche das Büchlein etwas nach Schweiß, wäre ihm nicht eine *Ode saphica de Duplici voluptate* beigeheftet, die uns versichert, daß Lernen ebenso eine Lust wie eine Last sei. Die Neuausgabe von 1510 enthält außerdem ein *De magistri et discipulorum officiis Epigrammatum liber.* Dieser siebenundzwanzig meist satirischen Epigramme brauchte sich auch Euricius Cordus nicht zu schämen. Ein Beispiel:

In Glaurum

Nescio cur tristi vultu videare? Vel atra

Sors tibi vel nobis contingit alba, scio.

Weiß ich nicht, warum du so triste dreinschaust?

Entweder ist Unglück

Dir oder uns ein Glück widerfahren, das weiß ich.

Murmellius hat mit seinem ‚Enchiridion' bei weitem nicht die Wirkung des Erasmischen ‚Enchiridion' erreicht, aber das Büchlein konnte viermal aufgelegt **werden, zuletzt 1612.** Die Lehrbücher des LAURENTIUS CORVINUS, *Hortulus elegantiarum* und *Latinum ydeoma,* brachten es in den Jahren 1502—1520 bzw. 1503 bis 1523 sogar auf je 25 Auflagen. Den Vogel schoß dennoch MURMELLIUS ab, und zwar mit einer Anthologie aus den römischen Elegikern, die um *1504/05* in Deventer erschien und unter wechselndem Titel — *Ex elegiis Tibulli, Propertii et Ovidii selecti versus* oder *Tibulli, Propertii ac Ovidii flores* oder *Loci communes sententiosorum versuum ex elegiis* ... — 77 Auflagen erlebte, die jüngste 1789 in Bremen[54]. Damals arbeitete bereits Goethe an seinen ‚Römischen Elegien'. -

ERASMUS war im *Sommer 1504* auf Jagd gegangen in Brabanter Bibliotheken — „in keinen Jagdgründen ist das Jagen eine größere Lust", zitiert Huizinga — und hatte dabei eine Handschrift mit textkritischen Anmerkungen LORENZO VALLAS zu den Evangelien und Paulusbriefen und zur Apokalypse entdeckt. Das brachte ihn auf den Gedanken, nun selbst den Text des Neuen Testaments in Reinheit wiederherzustellen. Gleichsam als Ankündigung brachte er im *März 1505* die *Adnotationes in Novum Testamentum* des Lorenzo Valla zum Druck.

Wenn es nur nicht wie bei Konrad Celtis ging, auf dessen große ‚Germania illustrata' man seit dem praegustamentum der ‚Norimberga' noch immer wartete! Daß KONRAD PEUTINGER in Augsburg, obwohl er 1497 das Amt des Stadtschreibers übernommen hatte, mit Hilfe der von ihm 1500 gegründeten Sodalitas literaria

Augustana, 1504 die *Sermones convivales Conradi Peutingeri de mirandis Germaniae antiquitatibus* abschließen konnte, war kein Ersatz[55]. In ästhetisch anspruchsloser Gesprächsform erörtert Peutinger den Namen *Germani* nach Herkunft und Alter, das Deutschtum der linksrheinischen Stämme u. ä. Dabei schweift er zum Entlegensten ab, sei es die Frage, ob der Apostel Paulus verheiratet war, seien es die Ostindienfahrten der Portugiesen. Der Plan, ein solches Werk zu schreiben, mag bei Peutinger in die Zeit zurückreichen, da er, ebenso wie Celtis, die Sodalitas Esquilina kennenlernte. Sicher bilden des POMPONIUS LAETUS ‚Antiquitates Urbis' das Vorbild für Peutingers *Romanae vetustatis fragmenta in Augusta Vindelicorum et eius dioecesi, 1505*. Peutinger legte damit erstmals eine planmäßige Sammlung von römischen Altertümern vor, die man in Deutschland gefunden hatte. Freilich beschränkte er sich auf die schwäbische Heimatstadt und ihre Diözese. Manchen Fund erwarb er für das eigene Haus, das in Augsburg ebenso den Mittelpunkt des Humanismus bildete wie in Nürnberg das Pirckheimer-Haus. Peutinger trat so die Nachfolge Sigmund Gossenbrots an. Sein Haus, das alle Kriege überdauert hat, liegt im ältesten Stadtkern, der „Römerstadt", und wendet die Stirnseite nach dem Westchor des Domes, die Breitseite nach dem Fronhof, einst wohl das römische Forum. In die Mauern des geräumigen Innenhofs ließ Peutinger antike Inschriften einfügen, unter dem Schlafzimmer — er war mit einer fast ebenso schönen wie reichen Welserin verheiratet — das Epitaph eines römischen Ehepaars; die beiden Söhne, die ihm geboren wurden, nannte er Claudius Pius und Christophorus. Neben der großen Bibliothek mit wertvollen Handschriften, römischen und germanischen Geschichtsquellen, barg das Haus eine Sammlung antiker Münzen und italienischer Kupferstiche und seit 1508 als Prunkstück die von Celtis entdeckte und Peutinger testamentarisch übereignete Karte der Römerstraßen, die sogenannte *Tabula Peutingeriana*. Mit berechtigtem Stolz datiert Peutinger seine Briefe *ex aedibus nostris* oder *ex taberna nostra libraria*. Wer von Nürnberg kommend noch unter dem Eindruck Pirckheimers stand, mochte in Augsburg den vielseitigen und geistreichen Gesprächspartner vermissen; er begegnete weder einem Künstler noch einem Genießer, aber dafür nicht etwa bloß einem gelehrten Antiquarius, sondern auch einem weltklugen, einflußreichen Politiker, einem ausgeglichenen und wohlwollenden Menschen. DÜRER hat wohl auf dem *Rosenkranzfest* von 1506 sich an der Seite Peutingers dargestellt.

Im Interesse für die vaterländische Geschichte traf sich Peutinger mit JAKOB WIMPHELING. Seitdem er den Plan des Straßburger Gymnasiums notgedrungen hatte fallen lassen — dieser wurde erst 1538 durch Johannes Sturm verwirklicht — widmete sich Wimpheling fast ausschließlich der Wissenschaft, und so konnte er, gestützt auf Vorarbeiten eines Freundes, 1505 eine *Epithoma rerum Germanicarum usque ad nostra tempora* herausbringen, einen Abriß der deutschen Geschichte, der nach Paul Joachimsens Urteil zum ersten Mal modernen wissenschaftlichen Ansprüchen wenigstens einigermaßen genügt. Dieses kleine Buch handelt nicht bloß von Kriegen und Schlachten, sondern bezieht die Kultur ein, um darzutun, daß die Deutschen mit ihren Leistungen sich ohne Minderwertigkeitsgefühl anderen Völkern, selbst den Griechen und Römern, vergleichen könnten. Unter *De pictura et plastica* findet sich hier die früheste literarische Erwähnung DÜRERS: imagines absolutissimas depingit quae a mercatoribus in Italiam transportantur et illic a probatissimis pictoribus non minus probantur quam Parrhasii et Apellis tabulae. Auch SCHONGAUER, CUSANUS, PEUERBACH werden gewürdigt.

Als ersten deutschen Kunsthistoriker kann man wohl aufgrund eines, freilich sehr dürftigen, *Libellus de praeclaris picturae professoribus, 1505*, JOHANNES BUTZBACH ansprechen[56]. Vom Biographischen reißt er sich nur los, wenn er Gott als den größten Künstler preist: die Herrlichkeit der sinnlichen Welt ist unerschöpflich, nichts aber vergleichbar der menschlichen Gestalt. Deshalb soll der Christ, der einen schönen Menschen erblickt, seiner nicht schändlich zu fleischlicher Liebe begehren — ad amorem carnalem turpiter concupiscere —, vielmehr dem allerschönsten Gott lobdanken. Das schrieb ein siebenundzwanzigjähriger Mönch in Maria Laach. Nach der Herkunft aus Miltenberg latinisierte er seinen Namen sehr hübsch in PIEMONTANUS.

„Wie und auf welche Weise man die Werke der großen Künstler der Erde eigentlich betrachten und zum Wohl seiner Seele gebrauchen müsse", lautet eine Kapitelüberschrift bei Heinrich Wackenroder. Das trifft genau den Skopus der „Herzensergießungen eines kunstliebenden Klosterbruders" von *1505*, mit denen die Kunstgeschichte in Deutschland beginnt. DÜRER freilich ist hier nicht erwähnt. Bis Maria Laach auf der Eifel war sein Ruhm noch nicht gedrungen. Wohl nach Italien. Da gab der Name des Nürnbergers schon vollen Klang, wenn er in San Domenico in Bologna bei einer „Laudatio Germaniae" angeschlagen wurde. Nur weil diese Rede etwas verspätet die Druckerei passierte, gilt Wimpheling als der einzige, der so früh in der Literatur Dürers Bedeutung hervorhob. Gleichzeitig ergänzte auch der vierundzwanzigjährige Bologneser Student CHRISTOPH SCHEURL die „Herzensergießungen" von Butzbach durch ein „Ehrengedächtnis Albrecht Dürers".

Scheurl[57], aus Nürnberg gebürtig, studierte seit 1498 in Bologna Rechtswissenschaft, scheint aber als *homo peregrinandi cupidissimus*, wie er sich bezeichnet, viel auf Reisen gewesen zu sein und widmete außerdem ein Gutteil seiner Zeit den *studia humanitatis* bei CODRUS URCEUS († 1500) und PHILIPPUS BEROALDUS D. Ä. († 1505). „In Italia studebam ad voluptatem: si quam nauseam leges attulerant, eam seculares litterae adimebant"[58]. Nachdem die Studenten *1505* einen gewissen Ketwig aus Leipzig zum Rektor gewählt hatten, hielt bei der feierlichen Übergabe der Insignien, die in San Domenico als der Kirche der „Deutschen Nation" stattfand, Scheurl die Festrede. Wir kennen sie nur in einer für den Druck erweiterten Fassung: *Libellus de laudibus Germaniae et Ducum Saxoniae a Christophoro Scheurlo Nurimbergensi . . . Bononiae 1506.*

Unverkennbar stützt sich Scheurl auf Bebels Innsbrucker ‚Oratio de laudibus Germaniae' (1501) und auf die erst jüngst erschienenen ‚Sermones convivales

Conradi Peutingeri'. Die Bebelsche Etymologie übernehmend,
erklärt Scheurl, die *germanitas*,
Brüderlichkeit, zeige sich noch
heute bei den Deutschen im
Darreichen der rechten Hand
zum Gruß, in der Sitte, die Knaben bei befreundeten Familien
erziehen zu lassen, und ähnlichen Dingen mehr. Mit Stolz
wird angeführt, daß nach Beroaldus jedermann unbedingt
Deutsch lernen müsse, denn
Deutsch sei neben Latein die
verbreitetste Sprache und für
Kaufleute wie Reisende weitaus
am nützlichsten. Weil der neue
Rektor aus Leipzig, er selbst aus
Nürnberg stammt, rühmt
Scheurl dann besonders die Wet-
tiner mit Friedrich dem Weisen
und Nürnberg mit Willibald
Pirckheimer und Albrecht Dürer. Zurecht vergleiche man
Dürer dem Apelles; die Anek-

Christoph Scheurl
(Gemälde von Lucas Cranach, Wittenberg 1509;
Nürnberg, Sammlung Frhr. v. Scheurl. MAJOR
hat ein Restaurator fälschlich für VIATOR
eingesetzt.)

dote sei wahr, wonach Dürers Hund, als er das Selbstporträt seines Herrn sah,
vor Freude laut bellte und an der Staffelei hochsprang, um die Hände zu lecken.

Wirklichkeit vorzutäuschen, galt beinahe allen Zeitgenossen als Gipfel der Mal-
kunst. Jedenfalls stand ihnen für das höchste Lob eines Malers kein anderer Topos
zur Verfügung als der Vergleich mit Apelles, Parrhasios und Zeuxis, deren Werke
wir nicht kennen, an deren Namen sich aber in der antiken Literatur Anekdoten
über die von Gemälden erweckte Wirklichkeitsillusion knüpfen. Scheurl beanspruchte eine solche Anekdote für Dürer und übertrumpfte sie noch, indem er auf
seinem von Lucas Cranach gemalten Porträt die hyperbolische Inschrift anbringen ließ: Si Scheurlus tibi notus est, viator: quis Scheurlus magis est, an hic an
ille. — Wanderer, wenn du Scheurl kennst, sage, ob dieser gemalte oder jener
wirkliche mehr Scheurl ist. Daß hier bereits eine neue, „idealistische" statt „realistische" Kunstauffassung zugrundeliege, wage ich nicht zu unterstellen. Scheurl
wäre dann auf diesem Gebiet ein Avantgardist ohnegleichen gewesen. Mir scheint
aber, wenn ich das Bild von 1509 betrachte, ein Wort Max J. Friedländers nicht
bloß den Porträtisten, sondern ebenso den Porträtierten zu kennzeichnen: „Cranachs Wittenberger Kunst gleicht einer glatten Kastanie."

Merkwürdig, daß trotz ihrem Nationalbewußtsein sowohl Wimpheling als auch die Mehrzahl der anderen Humanisten wenig an das Volk dachten, das nur Deutsch verstand. Gewiß, die Tradition der Schlüsselfelder, Steinhöwel, Wyle, Eyb und Pforr ist im Hochhumanismus nicht abgerissen, doch trieb sie zumeist Wasserschößlinge. Manches blieb ungedruckt liegen[59]. Bebel kleidete, statt lateinische Literatur ins Deutsche zu übersetzen, deutsches Erzählgut in lateinisches Sprachgewand, was vor ihm schon einmal Karoch getan. Zu jenen, die sich einer volkserzieherischen Aufgabe bewußt waren, gehörte der kaiserliche Rat und Freund Reuchlins BERNHARD SCHÖFERLIN, der 1505 LIVIUS verdeutschte. Im Vorwort bekennt er sich zu dem Übersetzungsgrundsatz von Horaz, Hieronymus, Steinhöwel und legt dabei entschiedenen Nachdruck, mit Eyb zu reden, auf die hübschait und süssigkait der wörter, die dulcedo verborum. Dem Volk liefern laut Schöferlin die Umformungen mittelalterlicher Epen oder Chansons de geste zu Volksbüchern — er spricht von Ritterbüchern — den beliebtesten Lesestoff. Diese erdichteten „Fabeln" möchte er durch „wahrhafftige Historien" verdrängen, um die Menschen richtig zu „steuren". „Ich will mich aber nit fleißen noch darauff geben, das ich von wort zu wort die alten bücher der Historien zu Teütsch bring, wann sie zu viel lang seind und manch groß heydenisch gefert und Abgötterey in sich halten, sonder allein darauss ziehen und nemmen, das sich meinem bedunken in Teütscher spraach am besten fügen will ... und wil versuchen, ob es in Teütscher spraach lieblich zu hören, süßlich lauten oder etwas fruchtbars darvon entspringen wöll. Ich hoff, es soll zu dem wenigsten mehr nutz bringen, dann das man die fabel (die man nennet die Ritterbücher) die erdachte, ungeschehene, auch ungleübige ding in sich halten, lese, die auch den menschen zu solcher vernunnft und geschickligkeyt als dise warhafftige Historien nit steüren noch bringen mögen"[60].

Schöferlin erinnert hier geradezu an Heidegger, jenen Züricher, der mit seiner ‚Mythoscopia romantica' 1699 gegen die unvernünftigen Barockromane polemisierte. Aber Schöferlin meint es nicht aufklärerisch, wenn er die Menschen zur Vernunft steüren will. „Steüren" ist aus der nautischen in die rhetorische Terminologie übertragen als deutscher Ausdruck für zielgerichtetes movere. Und doch bleibt die Assoziation zur Schiffahrt darin aufgehoben. Sofern wir sie mitvernehmen, rückt Schöferlin an die Seite BRANTS. Wie dieser oder wie HEMMERLI gehört auch SCHÖFERLIN zu den Konservativen.

Die Grundbegriffe des Konservativismus hat WIMPHELING in einem De integritate libellus entwickelt, der 1505 in Druck ging. Integritas: „heile Welt", unversehrt christlich und unversehrt deutsch. Die integritas christiana sah Wimpheling vor allem durch das Mönchtum, die integritas Germanica durch Welschtum und Welschtümelei bedroht. So tut stabilitas not, auf die Wimpheling — taub für Ulenspiegels Lachen — schon in ‚Adolescentia' gedrungen hatte. Der entscheidende Gegenbegriff zu integritas heißt singularitas. Darunter versteht Wimpheling den Abfall von den guten alten, geltenden Ordnungen, um neue, eigene Wege einzuschlagen. Progressive Geister beanspruchten Sonderrechte für den homo singularis.

Indem Wimpheling argumentierte, weder Christus noch die Apostel noch der Heilige Augustin seien Mönche gewesen, folglich müsse es echtes Christentum auch außerhalb der Orden, ja gerade dort geben, trat er in ein Wespennest. Die Betroffenen erhoben Anklage beim Papst, worauf Wimpheling sofort zurückhufte, sich in einer *Appologetica declaratio* dem Urteil des Heiligen Stuhls, wie es auch ausfalle, unterwarf und seine Gegner um verzeihendes Mitleid bat. Der Propst von St. Martin zu Kolmar, THOMAS WOLF, qui post habitis iuribus totum se philosophis et antiquis theologis tradidit, hatte ein Vorwort zu ‚De integritate' geschrieben, er mobilisierte jetzt die Humanisten, doch ihre Zustimmungserklärungen, in der zweiten Auflage des libellus veröffentlicht, nutzte Wimpheling nicht zum Angriff, sondern bloß um dahinter Deckung zu suchen. Immerhin fanden sich bei dieser Gelegenheit die deutschen Humanisten erstmals zu einer großen Gemeinschaftsaktion zusammen, weshalb man in der Episode von *1505* gerne das Vorspiel zu dem späteren Reuchlin-Streit sieht. Das wirklich Bedeutende an Wimphelings Schrift, die Ideologie des Konservativismus, wurde überspült und ausgewaschen durch die Wogen, die sie mit ihrer Kritik an den Mönchsorden aufrührte. Die Auseinandersetzung zwischen Polich von Mellerstadt bzw. Jakob Locher und Konrad Wimpina war fruchtbarer, weil sie dank Wimpina zum Grundsätzlichen durchdrang: hie Rhetorik, hie Theologie.

Sie endete mit einer Farce. JAKOB LOCHER hatte sich inzwischen in Freiburg mit Wimpheling und Zasius ebenso überworfen wie zuvor mit den Ingolstädtern, Georg Zingel an der Spitze. Und nun machte er nicht mehr bloß in Hyperbeln sich Luft, sondern focht seine Händel auf dem Rücken der Studenten oder auf dessen Fortsetzung aus. Dem Wimphelingschüler MATTHIAS RINGMANN-PHILESIUS ließ Philomusus die Hosen herunterreißen, um ihn *circa cloacam podicis* zu verdreschen. Danach brannte ihm selbst der Boden unter den Füßen. In Baiern konnte er sicher sein, daß Herzog Albrecht schützend seine Hand vor ihn hielt. So nahm Locher *1506* — diesmal ohne Glockengeläute — die Lehrtätigkeit in Ingolstadt wieder auf. Eine letzte Streitschrift gegen die „musenfeindlichen" Theologen mußte er *1506* noch von sich geben. Wohlweislich aber nannte er keine Personen mehr. Jedermann wußte ohnedies, daß es ein Zingelsches Bonmot war, was dem „Musenfreund" wie ein Stachel im Fleisch saß und weswegen er Gift verspritzte gegen „das schiefe Bild vom unfruchtbaren Maulesel", *mulus* oder *mula*, „angewandt auf die Muse, deren taufrische Anmut man kennt": *Vitiosa sterilis Mulae ad Musam roscida lepididate praedictam comparatio.* In zwei zusätzlichen Teilen dieses *opusculums* schildert Locher den „Triumphwagen der hl. Theologie" mit seinem reichen, rhetorisch-poetischen Schmuck aus dem Alten und Neuen Testament und läßt ihm, wie üblich, eine Prozession unverdächtiger Kronzeugen für die Poesie folgen. — Wimphelings grobschlächtiges Pamphlet *Contra turpem libellum Philomusi defensio theologiae* (*1510*) hat Locher nicht mehr beantwortet[61].

Unter denen, die Wimpheling wegen ‚De integritate' angriffen, marschierte auch JOHANNES BUTZBACH-PIEMONTANUS mit einem *Clipeus in deliramenta Ja. Wim-*

phelingii: Schild gegen Jakob Wimphelings Verrücktheiten. Der amusische Griesgram in Freiburg muß dem schönheitsdurstigen, weltoffenen Benediktiner, dem „Kunsthistoriker", von Grund auf zuwider gewesen sein. Umgekehrt hat der Verfasser des ‚Stylpho' wohl Butzbachs Wanderbüchlein, *Hodoeporicon*, als Allotria angesehen. *1506* lateinisch aufgezeichnet, erzählt Butzbach darin seine Jugend, wie er als Schütz, d. h. als Begleiter eines Fahrenden Schülers, vom Elternhaus in Miltenberg fortging und sich danach als Kellner, als Diener, Metzger und Schneider in der Welt herumtrieb, bis er mit einundzwanzig Jahren bei HEGIUS in Deventer auf die Schulbank zurückkehrte und schließlich in Maria Laach die Kutte nahm. Das gab keinen Simplicissimus-Roman, aber ein quicklebendiges Hodoeporicon, das man heute noch mit Vergnügen liest, sei es auch in deutscher Übersetzung als *Chronica eines fahrenden Schülers oder Wanderbüchlein des Johannes Butzbach* (Insel-Bücherei). Nur die zwei Jahre früheren Aufzeichnungen JOHANNS VON SOEST und die vierzig Jahre früheren BURKHARD ZINKS lassen sich einigermaßen damit vergleichen.

Die *curiositas*, die sich als Fahrtentrieb äußert, lag Butzbach wie Wolkenstein oder Celtis, dem Landsmann aus Mainfranken, im Blut. Als Benediktiner eiferte er nun dem großen Ordensbruder in Würzburg, JOHANNES TRITHEMIUS, nach. Auch Johannes Piemontanus trug zahllose Exzerpte zusammen, und er fertigte daraus ein großes Gewebe, *Makrostroma*, *1508*. Vermutlich angeregt von einem auf Quintilian fußenden Passus in des Murmellius ‚Enchiridion', führt er u. a. die Gelehrten vor, die sich ihr Wissen erwanderten: Platon, Cicero und Euklid, Orosius, Hieronymus — die Humanisten fehlen in diesem Katalog. Wer aber Mönch auf der Eifel geworden ist und nicht einmal mehr für eine Stunde das Kloster ohne Erlaubnis der Oberen verlassen darf, dem bleibt nur, meint Piemontanus, zwischen Bücherbergen seine Wanderlust auszutoben. „Keinem nämlich untersagt die Regel die Wahl der Studien, sondern die Freiheit, zu wählen, wird jedem zugestanden." Über dem Laacher See klingt noch immer das altmonastische *Et nos felices, qui studemus litteras* . . .

Wimphelings ‚De integritate' war durch seinen uns bisher bloß von der Rückseite, der bloßen Rückseite bekannten Schüler MATTHIAS RINGMANN herausgegeben worden. Der damals Dreiundzwanzigjährige unterzeichnete, mit einem Beinamen des Apollo und nach seiner Herkunft aus dem Oberelsaß, als PHILESIUS VOGESIGENA. Nachdem er das Studium in Paris, wo er bei einem Byzantiner Griechisch lernte, abgeschlossen hatte, erhielt Ringmann, dank der Protektion Thomas Wolfs, eine Anstellung in Kolmar an der Klosterschule von St. Martin. *1506* veranstaltete er zum zweiten Mal eine Edition, diesmal eines historischen Werks, des *Opusculum de imperii a graecis ad germanos translatione* von MICHAEL KÖCHLIN-COCCINIUS, einem Schüler Heinrich Bebels in Tübingen. Hier sollte nachgewiesen werden, daß nicht die Kirche, sondern das römische Volk die Kaiserwürde auf Pippin und Karl den Großen übertragen habe. Das Schönste im ganzen Buch ist ein CARMEN DE VOGESO, mit dem Ringmann seine Heimat besingt:

Foelix ante alios Vogesus (mihi patria) montes,
Bacchica qui liquidis pocula iungit aquis . . .[62].

Schöferlins Livius-Übersetzung von *1505* stellte er *1507* eine Übersetzung des
,Bellum Gallicum' an die Seite: *Julius der erst Römisch Kaiser von seinen kriegen.*
Falls wort uz wort übersetzt wird, meinte Ringmann, „erstat ein seltzame unver-
stendige und straffwürdige red", eine allzu freie Übersetzung aber „verlürt den
glauben und würd für fablen gehalten". Es läuft also auf eine „so treu als möglich,
so frei als nötig" hinaus. Die Kolbnarrhenses, wie er die Kolmarer nannte, machten Ringmann das Leben sauer, weil er als Humanist die *auctores* gegenüber den
artes bevorzugte und, statt nach dem Doctrinale zu unterrichten, seine Schüler
lateinische Verse der Antike auswendig lernen ließ. Mit beiden Händen griff er
zu, als die Chance sich bot, durch HERZOG RENÉ II. VON LOTHRINGEN eine Stelle am
Gymnasium in St. Dié zu erhalten. Seit Renés Schweizer Söldner 1477 Karl dem
Kühnen die Schlacht bei Nancy geliefert hatten, in der Karl fiel, konnte der Herzog
seine Liebhabereien pflegen. Dazu gehörte, daß er den von Columbus neu entdeckten Erdteil in das ptolemäische Weltbild eingebaut wissen wollte. Selbst die
Almagest-Epitome von Peuerbach und Regiomontanus, 1462 fertiggestellt, war
seit 1492 überholt. René holte sich deshalb Ringmann, der als guter Lateiner mit
geographischen und kosmographischen Kenntnissen galt, nach St. Dié, damit er
MARTIN WALDSEEMÜLLER (Hylacomylus) bei der Abfassung einer gemeinverständ-
lichen *Cosmographiae introductio* an die Hand gehe. Kopfzerbrechen machte die
Frage, wie man den neuen Erdteil heißen solle. Es hätte nahe gelegen, ihm den
Namen des Entdeckers zu geben, aber die Humanisten mußten sich ja auf einen
Autor berufen können. Da kam für sie nur AMERIGO VESPUCCI in Betracht mit
einem Brief, den er 1503 an Lorenzo Medici geschrieben hatte. So finden sich in der
1507 erschienenen ,Cosmographiae introductio' erstmals die Bezeichnungen *Ame-
rigen* und *America.*

ERASMUS, nachdem er aufs neue in England gewesen war, begleitete im *Sommer 1506* die Söhne des königlichen Leibarztes als Mentor nach Italien. Den *Juni*
und *Juli* verbrachte die kleine Reisegesellschaft noch in Paris, wo Erasmus u. a.
seine lateinische Übersetzung von EURIPIDES' *Hecuba* und *Iphigenie in Aulis* der
Druckerei des Jost Baduin anvertraute (erste Edition *1506*). Fände er einmal Zeit,
weitere griechische Tragödien zu übersetzen, schreibt Erasmus bei der zweiten
Edition (*1507*) in der Widmungsepistel der ,Iphigenie', so werde er sich nicht
scheuen, die Chöre nach Form und Inhalt — *stilus et argumentum* — abzuändern,
denn hier zeigten die Alten eine verderbte Eloquenz. Indem sie den *miracula verborum* nachjagten, habe das *iudicium rerum* bei ihnen ausgesetzt. Die Chöre seien,
mit Horaz zu reden, *canorae nugae*, klingendes Geschwätz[63]. Eine derart selbstbewußte Kritik an den Alten, und zwar vom Standpunkt der Rhetorik, ist uns vor
1507 in Deutschland nicht untergekommen. Allerdings spielt Erasmus dabei Horaz

gegen die griechischen Tragiker aus. Die rätselhafte Bildersprache, die Dunkelheit ihrer Chöre irritierten den klaren Verstandesmenschen.

REUCHLIN hielt es anders. Als er die pseudohomerische *Batrachomyomachia* in lateinische Verse brachte (veröffentlicht 1510), folgte er, wie einst Henricus Aristippus und neuerlich Niklas von Wyle und sein Schüler, möglichst genau dem Wortlaut des Originals. Daß er Wohllaut und Tonfarbe damit nicht einfangen konnte, war er sich durchaus bewußt: im Griechischen, gesteht er, klingt alles anders, deshalb haftet Homer nicht für das Lächerliche meiner Übersetzung — *non est ridendus Homerus* —, nur das griechische Original atmet Leben: *spirat vivus.*

> Sed verbum verbo dum curo cuique referre,
> Non color ille prior: nec sonus ille adest.

Diese Einsicht, die zur Bescheidung zwingt, kam noch nie so klar zum Ausdruck.

Erasmus und Reuchlin übersetzten nicht aus dem Lateinischen ins Deutsche wie Steinhöwel und Wyle, sondern aus Griechisch in Latein, aber was die Methoden anlangt, führt ERASMUS die Richtung STEINHÖWELS weiter, während REUCHLIN die WYLES rechtfertigt. Beide Maximen sind jetzt in Deutschland durch humanistische Autoritäten ersten Ranges gedeckt. —

Wer sich selbst über das „Geschwätz" eines Euripides erhebt, wird mit einem englischen Hofmeister und einem Herold unweigerlich sich anlegen, wenn er mit ihnen zu einer Reisegesellschaft zusammengespannt ist. Deshalb sondert ERASMUS beim Ritt über die Alpen, wohl auf der Simplonstraße, nach Möglichkeit von den anderen sich ab und schreibt ein langes Gedicht *De senectutis incommodis*, Über die Beschwerden des Alters[64]. Erasmus zählt noch keine siebenunddreißig Jahre, aber die Strapazen der Reise machen sich seinem zarten Körper, er nennt ihn *corpusculum*, sehr spürbar, während die sportlichen Engländer offenbar nichts davon merken. Zum ersten Mal kommt ihm sein Alter zu Bewußtsein. Er überschaut das Leben, das hinter ihm liegt, und bedenkt, wie nahe schon das Ende sein kann. Diese Vorstellungen und Reflexionen bringt er in der Stille der Bergwelt in meisterhafte Verse. Auf jeden Hexameter folgt ein katalektischer jambischer Dimeter, wofür es wohl in der klassischen Antike kein Vorbild gibt. So kunstvoll wie der Versbau ist die Architektonik der Sätze, und doch machen Celtissche Gedichte eher den Eindruck des Verzwungenen. Auch an realistischer und metaphorischer Anschaulichkeit in den Genrebildern bzw. Gefühlsallegorien kann es Celtis mit Erasmus kaum aufnehmen. Dieser hat später eine ganze Sammlung von Gedichten publiziert, sie zeigt, daß er in dem *Carmen equestre sive alpestre*, dem Reiter- oder Alpengedicht, sich selbst übertraf. Rhetorische Anmut und Würde, Ethos und Pathos, finden gleichermaßen die adäquate Form.

Über die Zeit — *August 1506 bis Juli 1509* —, die Erasmus in Italien verbrachte, ist wenig bekannt. Er hätte hier noch den zwei Jahre jüngeren ALBRECHT DÜRER treffen können, der auf seiner zweiten Italien-Reise in Venedig *1506* das *Rosen-*

kranzfest malte, mit Porträts u. a. von Papst Julius II., König Maximilian, den Augsburgern Jakob Fugger und Konrad Peutinger und einem Selbstporträt. Wilhelm Waetzold nennt dieses Bild von der Verteilung des mystischen Rosenkranzes durch Maria — rosa coeli — den „schönsten Dank, den ein deutscher Maler den Wonnen Italiens abgestattet hat, ... zugleich die festliche Huldigung des jungen Nürnbergers für das venezianische Schulhaupt GIOVANNI BELLINI". Aus Venedig schrieb Dürer im *Oktober 1506* an Pirckheimer: „O, wie wird mich nach der sunnen frieren, hie bin ich herr, doheim ein schmarotzer!"

Erasmus ließ sich in Turin am *4. September 1506* den theologischen Doktorhut verleihen und zog dann weiter nach Florenz und nach dem soeben von JULIUS II. zurückeroberten Bologna. Schockiert schreibt er: „Der Papst führt Krieg, heimst Siege ein, feiert Triumphe und spielt sehr gut die Rolle eines Julius Cäsar." So stellte sich Erasmus den miles christianus nicht vor. Im selben Jahr legte Julius den Grundstein für die Peterskirche in Rom, die nach BRAMANTES Plänen erbaut werden sollte. Den 1475 geborenen MICHELANGELO hatte er 1505, damals noch Kardinal, in die Heilige Stadt zurückgerufen. Dieser begann *1508* die Decke der Sixtinischen Kapelle, der acht Jahre jüngere RAFFAEL gleichzeitig die Stanzen im Vatikan auszumalen. Während LEONARDO DA VINCI *1506* in Florenz das Bildnis der *Mona Lisa* vollendete, legte ERASMUS dort letzte Hand an seine *Lukian-Übersetzung*, die im *November 1506* erschien. Eine Begegnung Leonardos mit Erasmus zu schildern, hat sich Mereschkowski entgehen lassen, und in der Überlieferung fehlt ein Gespräch der beiden über das Lächeln des Spötters Lukian und Mona Lisas rätselhaftes Lächeln. Wir wissen nicht einmal, ob Erasmus von der italienischen Renaissancekunst, die nun auf ihrer Mittagshöhe stand, Notiz nahm. Er wollte in Italien vor allem seine Griechischkenntnisse vervollkommnen und eine Neuauflage der ‚Adagia' besorgen. Die beiden Absichten griffen ineinander. Um sie zu realisieren, bot kein Ort der Welt bessere Möglichkeiten als Venedig.

Die jahrhundertealten Beziehungen zwischen Venedig und Byzanz, auch wenn die beiden in erster Linie Rivalen und oft genug erbitterte Gegner gewesen waren, veranlaßte nach dem Fall Konstantinopels eine große Zahl byzantinischer Flüchtlinge, sich im Schutze von San Marco eine neue Existenz zu suchen. So entstand hier die größte griechische Kolonie des Westens, *quasi alterum Byzantium*, wie Bessarion sagte. 1478 befanden sich unter den schätzungsweise 100 000 Einwohnern der Stadt gegen 5000 Griechen, deren Zahl bis 1580 auf das Dreifache anwuchs. Bessarion schenkte deshalb Venedig seine Bibliothek, die umfangreichste und wertvollste Sammlung griechischer Handschriften in Europa. 1494 oder 95 übersiedelte der aus Rom gebürtige ALDUS MANUTIUS, ein Schüler Battista Guarinis, nach Venedig, um hier, wo die Manuskripte Bessarions lagen und byzantinische Gelehrte wie byzantinische Handwerker zur Verfügung standen, die erste Druckerei für griechische Bücher einzurichten. Seine Hauptstütze fand Aldus Manutius in einem der Professoren von Padua, dem auf Kreta geborenen Byzantiner MARCUS MUSURUS. Dank den beiden besaß Venedig rund zwanzig Jahre, von

1494/95 bis zum Tod von Manutius und Musurus 1515/17, eine griechische Akademie[65]. Sie trat für diese kurze Zeit in die Nachfolge von Konstantinopel, Nikaea und Mistra — der letzte Ausläufer der byzantinischen Renaissance, der sich die modernste technische Errungenschaft, den Buchdruck, dienstbar machte. Der zufälligen Gleichzeitigkeit der Eroberung von Konstantinopel mit der Erfindung des Buchdrucks wird so ein Sinn verliehen. Musurus mochte glauben, Bessarions Wunsch, daß in seiner Bibliothek den unterjochten oder geflüchteten Byzantinern eine Möglichkeit künftiger Renaissance erhalten bleibe, komme man am besten mit der Drucklegung der griechischen Handschriften nach.

Dieser Traum von einer Wiedergeburt des Griechentums hat sich nie erfüllt, nicht einmal in den griechischen Freiheitskriegen. Ihn trugen bald nur noch westliche Philhellenen im Herzen, Dichter und Dichtergestalten. Hölderlins ‚Hyperion‘ spielt im Jahre 1770 und gibt dem allgemeinen Entsetzen Ausdruck über die Greuel, die damals von den mit Rußland verbündeten Griechen begangen wurden, vor allem, als diese Mistra zurückeroberten. Nach dem Abzug der Russen waren die Griechen der türkischen Rache ausgeliefert, Mistra, das Symbol byzantinisch-griechischer Renaissance, wurde entvölkert, eine Ruinenstadt, die unter Gras und Mohn der Vergessenheit anheimfiel.

Wenn Goethe ein halbes Jahrhundert später in einer mittelalterlichen Burg, die aus dem „Pallaste des Menelas" entstanden sein soll, Faust und Helena sich vermählen läßt, so weiß er um die einst von fränkischen Baronen auf der Hügelkuppe über Sparta errichteten Burg, aber nicht mehr um die byzantinische Stadt, die dazwischen am Hang lag und wirklich aus Trümmergestein des alten Lakedämonien gebaut war. Freilich will Goethe auch nur ein Bild für sein Ideal der Verbindung von Antike als Klassik und Mittelalter als Romantik geben; hätte er es historisch gemeint, ein Bild für die Idee des Renaissance-Humanismus gesucht, so müßte die betreffende Szene statt auf der Burg der Villehardouins im Paläologen-Palaste zu Mistra spielen.

Ein Enkel suchte das „Fehlende" als Historiker nachzuholen mit ‚Studien und Forschungen über das Leben und die Zeit des Cardinals Bessarion‘. So der Titel des letzten Buches, das unter dem Namen Goethe in die Welt ging, ohne postum zu sein: ein schmales Bändchen, 1871 „aus dem Manuskript gedruckt", das Lebenswerk Wolfgang von Goethes.

Die Idee, der sich Plethon und seine Jünger auf der Peloponnes verschworen hatten, und für die Bessarions Schenkung an Venedig zeugen sollte, Musurus konnte sie auch im Bunde mit Aldus Manutius nicht in die Zukunft hinüber retten. Der byzantinische Renaissance-Humanismus endete in der Druckerei von Manutius, der sogenannten Aldus-Presse. Aber dabei gab er dem Renaissance-Humanismus des Westens noch einmal einen mächtigen Impuls. Was in Florenz mit Chrysoloras und Plethon begann, vollendeten in Venedig Manutius und Musurus — auch der Kreter Demetrius Ducas wäre noch zu nennen —, indem sie dem Abendland die Literatur der griechischen Antike druckten. Nicht zu Unrecht hieß

Manutius unter den Zeitgenossen der Ritter der griechischen Sprache. Nur wäre seine Leistung unmöglich gewesen, ohne die byzantinische Kolonie in Venedig und speziell die Akademie des Musurus.

Wie es Dürer auf seiner italienischen Reise nach Venedig als der Stadt Giovanni Bellinis zog, so Erasmus nach dem Venedig des Aldus Manutius. Alles andere hatte daneben kaum Gewicht für ihn. Fast ein Jahr hielt sich Erasmus in Venedig auf, obwohl er Stube und Bett mit einem anderen teilen mußte, dem gelehrten HIERONYMUS ALEANDER, der später nicht nur als Nuntius des Papstes gegen Luther auftrat, sondern vor allem Erasmus mit Neid und Haß verfolgte. Daß am Canale Grande der niedergebrannte *Fondaco dei tedeschi*, das Lagerhaus der deutschen Kaufleute, durch den Augsburger Baumeister HIERONYMUS in wuchtiger Großartigkeit wieder aufgerichtet wurde, seine Mauern sich mit Fresken GIORGIONES und TIZIANS wie mit Bildteppichen überzogen, nahm er kaum wahr, und auch DÜRERS ‚Rosenkranzfest' in der Begräbniskirche der Deutschen ließ ihn kalt. Erasmus hatte nur Sinn für die Aldus-Presse und für die griechische Akademie.

Über der Türe der Druckerei stand als Inschrift: „Wer immer ihr seid, Aldus bittet euch ernstlich, eure Geschäfte in möglichst wenig Worten zu erledigen und dann wegzugehen, falls ihr nicht, wie Herkules dem Atlas, hier helfen wollt. Es gibt immer genug Arbeit für euch und alle, die des Weges kommen." Bei Aldus Manutius herrschte ein neues, modernes Verhältnis zur Zeit, sie ist knapp und kostbar. Erasmus paßte sich dem Tempo an. Mit Hilfe der Bibliotheken von Bessarion, Aldus Manutius, Musurus, Ducas, unterstützt durch die gesamte Akademie, bereitete er seine Neuausgabe der ‚Adagia' vor, in die nun auch griechische Redensarten, Maximen und Sprichwörter aufgenommen wurden.

Aldus' Drucker-Signet wandelt den Türspruch etwas ab, indem es einen Anker zeigt, um dessen Schaft sich ein Delphin schlingt. Wie Erasmus in seinen ‚Adagia' erzählen wird, hat Aldus dieses Emblem von römischen Kaisermünzen übernommen, und zwar als „Hieroglyphe", besser gesagt, als Rebus oder Dingbild für das Sprichwort *Festina lente*, Eile (Delphin) mit Weile (Anker). Erasmus verweist dabei auch auf die beiden Hauptquellen der humanistischen Hieroglyphik, die Aldus kurz zuvor, 1499 bzw. 1505 gedruckt hatte, des FRA FRANCESCO COLONNA romanhafte *Hypnerotomachia Poliphili* und die *Hieroglyphica* des HORAPOLLO NILOUS[66]. Letztere sind eine ägyptische Schrift aus dem zweiten oder vierten Jahrhundert n. Chr., von Philippus, einem alexandrinischen Gelehrten, ins Griechische übersetzt. 1419 hatte sie ein Italiener auf der Insel Andros aufgefunden und nach Florenz gebracht. Sie enthält ein Verzeichnis von rund 200 angeblichen Hieroglyphen mit deren Auslegung. Nicht um echte hieroglyphische Schriftzeichen der Ägypter handelt es sich dabei, sondern um eine in hellenistischer Zeit ausgebildete Geheimschrift, die sogenannten änigmatischen Hieroglyphen. Die Biene beispielsweise erklärt Horapollo vom Nil als Bild für ein monarchisch regiertes Volk, der Elefant bedeutet einen starken oder redlichen Menschen, der Kranich mit einem

Druckersignet des Aldus Manutius
in Venedig.

Stein in der Kralle (damit er nicht einschlafen kann) einen wachsamen, der vor seinen Feinden auf der Hut ist, usw. Mit derartigen „Hieroglyphen" begannen die Italiener jetzt Medaillen, Säulen, Ehrenpforten und alle möglichen Kunstgegenstände zu schmücken. Die ‚Adagia' aber haben stark dazu beigetragen, daß auch in Deutschland, namentlich in den Kreisen um Peutinger und Pirckheimer, das Interesse an Horapollo sich regte.

Von den Byzantinern dürfte Erasmus gehört haben, daß die alten Griechen eine andere Aussprache besaßen als die bei den Neugriechen übliche, daß vor allem η nicht einen i-, sondern einen ä-Laut meinte. Erasmus handelt darüber im *De recta Latini Graecique sermonis pronuntiatione dialogus*, *1528*. Seitdem unterscheidet man eine *Reuchlinsche* Aussprache des Griechischen und eine *Erasmische* oder, mit anderen Worten, *Itacismus* und *Etacismus*. In praxi sprach Erasmus ebenso wie Reuchlin und alle Welt, einschließlich der Griechen seit ungefähr Christi Geburt. Erst im 19. Jahrhundert setzte sich die etacistische gegen die itacistische Praxis durch. Noch für Goethe blökten die Schafe Homers nicht mae-mae, sondern mi-mi. Und England hat wohl diese Aussprache bis heute beibehalten. Dagegen wirkt in der Art, wie wir griechisch zu sprechen pflegen, der Venedig-Aufenthalt des Erasmus im Jahr 1507/08 sich aus[67].

REUCHLIN arbeitete zu jener Zeit mehr auf dem Gebiet des Hebräischen als des Griechischen und veröffentlichte 1506 unter dem Titel *Rudimenta linguae Hebraeicae*, Vorschule der hebräischen Sprache, eine Grammatik und ein Lexikon, die sich offenbar eng an das hebräisch abgefaßte Werk eines Rabbi aus dem 13. Jahrhundert anlehnen. Seine Hebräischkenntnisse hatte Reuchlin während eines dritten Aufenthalts in Rom, 1498 als Unterhändler zwischen dem pfälzischen Kurfürsten und Papst Alexander VI., weiter vervollkommnen können, indem er bei dem jüdischen Arzt und Kabbalisten OWADJA SFORNO täglich eine Unterrichtsstunde nahm. Jede kostete ihn einen Goldgulden. Reuchlins Briefe nennen diesen Lehrer nicht Owadja oder Obadja (aus arabisch Abdallah), sondern lateinisch Abdias. Wie der Name zu Stifter gelangte, ist mir unbekannt. Mit den ‚Rudimenta' von 1506 hat Reuchlin die hebräische Philologie in Deutschland begründet. Die Absicht stand bei ihm bereits fest, nunmehr an ein Werk zu gehen, das „zur Geheimwissenschaft des Pythagoras und zur kabbalistischen Kunst hinleiten soll, die von keinem vollständig verstanden wird, er sei denn hebräisch vorgebildet".

Am *26. April 1506* feierte man in Frankfurt an der Oder die Eröffnung der „Viadrina" als fünfzehnter deutscher Universität[68]; diese war die letzte Neugründung vor der Reformation. Schon der Sohn des Markgrafen Albrecht Achilles von Brandenburg, Johann Cicero, hatte sie geplant, der Enkel, JOACHIM NESTOR, der häufig Trithemius zu Hofe zog, führte den Plan aus, unterstützt u. a. von JOHANNES RHAGIUS AESTICAMPIANUS. Dieser war in Krakau, erinnern wir uns, mit dem zwei Jahre jüngeren poeta laureatus Celtis befreundet gewesen; er selbst empfing in Italien aus den Händen Alexanders VI. den Dichterlorbeer. Ehe ihn Joachim Nestor an die Oder holte, hatte Rack ein paar Jahre in Mainz den Lehrstuhl der Moralphilosophie innegehabt[69], nun las er in Frankfurt über Tacitus' ‚Germania', Lukians ‚Totengespräche' und über die sogen. *Tabula Cebetis*, d. i. der moralphilosophische Dialog *Pinex* (= tabula, Gemälde), der einem Sokratesschüler KEBES aus Theben zugeschrieben wurde, aber wohl aus dem 1. oder 2. nachchristlichen Jahrhundert stammt. Rhagius kannte seit seiner Italienreise sowohl den griechischen Text als auch die lateinische Übersetzung des ALDUS MANUTIUS[70]. Ein Greis erläutert hier Jünglingen ein allegorisches Bild vom Zustand der Seelen vor ihrer Verkörperung und von ihrem Weg durchs Leben, an Abwegen vorbei, wo die Laster sie locken, zu dem steilen, beschwerlichen Pfad, der auf den Gipfel eines Berges, Wohnsitz der Tugend und Glückseligkeit, führt.

Mancher aus der heutigen Großvätergeneration, und wäre er Bundeskanzler, erinnert sich eines Wandbilds, das noch zu Anfang unseres Jahrhunderts in den Kinderzimmern christlicher, evangelischer wie katholischer, Familien hing und auf sehr ähnliche Weise wie das fiktive Gemälde des Pseudo-Kebes den Lebensweg veranschaulichte. Nur war das Ganze ins Christliche und ins Kindliche umgesetzt und breit ausgesponnen; daß kurz vor dem Ende sich noch ein Rückweg auf den Pfad zum Himmel eingezeichnet fand, veranlaßte Überlegungen, die ganz und gar nicht in der Absicht der Erzieher lagen. Sicher stellen diese Wandbilder die letzten Ableger der ‚Tabula Cebetis' im 19. Jahrhundert dar. Im 16., 17., 18. gehörte sie zu den Lieblings-

Titelholzschnitt der Cebestafel,
Frankfurt/Oder, 1507.

büchern in Europa. Sie wurde immer wieder aufgelegt, z. T. in volkssprachlicher Übersetzung. Shaftesbury hat sie besonders gepriesen. Die deutsche Tradition beginnt mit Rhagius in Frankfurt an der Oder, wo er nicht nur eine Vorlesung über die ‚Tabula' hielt, sondern sie auch 1507 aufs neue lateinisch edierte. Sein Schüler ULRICH VON HUTTEN steuerte 28 Distichen bei: *Ulrici Hutteni adolescentis De virtute elegiaca exhortatio.* PIRCKHEIMER schuf dann die erste Verdeutschung, und noch Goethe erwähnt das Werk mehrfach. Im ‚Sankt Rochus-Fest zu Bingen' heißt es: „Den steilsten, zickzack über Felsen springenden Stieg zur Kapelle erklommen wir mit Hundert und aber Hunderten langsam, öfters rastend und scherzend. Es war die Tafel des Cebes im eigentlichsten Sinne, bewegt, lebendig; nur daß hier nicht so viel ableitende Nebenwege stattfanden."

Rhagius vertauschte im *Frühjahr 1508* Frankfurt mit Leipzig, wo der Fünfzigjährige nun seine Gedichte, er nennt sie *Epigrammata,* drucken ließ. Darin besingt er das bräunliche Kraushaar einer Catta, das nur die Öhrchen frei läßt — *patet auriculis parva lacuna tuis* —, und preist ihre weiche Brust mit den festen Warzen; statt von runden Äpfeln ist von einem Paar Birnen die Rede. Die Geliebte wehrt sich gegen seinen Zugriff mit einer durch fleißige Arbeit hart gewordenen Hand. Die Verse über den Bauch, die Schenkel, Schienbeine und schneeweißen Fußsohlen lassen sich kaum passabel ins Deutsche übersetzen. Als Naturwissenschaftler, nicht als Dichter, wurde Rhagius später nach Wittenberg berufen.

Man kann sich ihn schwer im Wittenberg der Jahre 1517 bis 1520 vorstellen. Einen Mann, der nach dem Besuch von Pomponius' Grab in Rom dem *vati sacratissimo* KONRAD CELTIS schrieb, ihm, Celtis, gebühre so gut wie Pomponius religiöse Verehrung. „Da für die Asche der Ruhm ja zu spät kommt, warum errichten wir nicht zu deinen Lebzeiten — *tibi vivo* — Altäre und singen dir Hymnen und glauben, deine Wundermacht — *numen* — sei vom Himmel herabgesandt, damit sie die Unwissenheit zerschlage, Germanien erleuchte und fast den gesamten Erdkreis mit ihrem Namen und ihren herrlichen Schriften erfülle? Ich, *mehercule,* werde, solange ich lebe, dich ohne Wanken ehren, hochhalten und anbeten ..."[71] Das ist, wie ernst oder wenig ernst es von Rhagius gemeint sein mag, in Deutschland ein non plus ultra humanistischer Dichtervergottung. Es nur als rhetorische Hyperbolik oder gar nur als Schmeichelei zu nehmen, griffe fehl, auch ein Stück Enthusiasmus steckt in dieser „lobenden" *Epideixis,* so gut in der hyperbolisch „tadelnden" Lochers der Furor mitspricht.

Cur non tibi vivo aras erigimus, beginnt unser Zitat. *Vivo* lautet die Grabschrift des Pomponius Laetus: ich lebe über den Tod hinaus. Rhagius scheint das nicht ernst genommen zu haben. Indem aber Celtis für sein eigenes Epitaph dieselbe Inschrift wählte, wies er gleichsam den überschwenglichen Verehrer zurecht. *1507* verschlimmerte sich Celtis' Krankheit derart, daß er Ende des Jahres den Freunden ein von HANS BURGKMAIR in Holz geschnittenes Sterbebild zusandte, die übliche Traueranzeige; darauf stehen u. a. die Verse:

Mortuus ille quidem, sed longum vivus in aevum
Colloquitur doctis per sua scripta viris.

Celtis erlebte noch *1507* den Druck des *Ligurinus* — ein 1186/87 verfaßtes
Epos —, dessen Handschrift er einst im Kloster Ebrach entdeckt hatte, nahm
vielleicht auch befriedigt zur Kenntnis, daß durch seinen Fund in St. Emmeram, die
Dramen Hrotsvithas von Gandersheim, ein Chilianus Millerstatinus — KILIAN
REUTER aus Mellrichstadt — zu der *Comoedia Dorotheae passionem depingens,*
Liptzk *1507,* angeregt worden war[72]. Eine der letzten Freuden war *1507* die Veröf-
fentlichung der Horaz-Kompositionen von PETRUS TRITONIUS. Oden mußten seiner
Überzeugung nach wie in der Antike zur Leier oder einem anderen Musikinstru-
ment gesungen, nicht bloß deklamiert werden, erst dann vermochten sie das Gemüt
wirklich zu bewegen. Deshalb ließ Celtis in seinen Vorlesungen die Oden des
Horaz von den Studenten einzeln oder im Chor singen. Für seine eigenen Oden
wünschte er natürlich dieselbe Art der Darbietung. Die Komposition wurde seit
Februar 1497 vor allem Tritonius anvertraut, aber dieser und seine Mitarbeiter
hielten sich an Celtis' Lehren. Der umfangreiche Titel der Sammlung bildet die
Form eines antiken Mischkrugs, *Crater Bacchi,* nach und beginnt: *Melopoiae sive
harmoniae Tetracenticae super XXII genera carminum Heroicorum Elegiacorum
Lyricorum et ecclesiasticorum hymnorum per Petrum Tritonium et alios doctos
sodalitatis Litterariae nostrae musicos secundum naturas et tempora syllabarum
et pedum compositae et regulatae ductu Chunradi Celtis* ... Vierstimmige Melodien zu 22 Dichtungsarten, d. h. Vers- und Strophenschemata, kündigt dieser
Titel an. Exemplifiziert wird in 19 Fällen an einer Ode des Horaz, die bei Celtis
ihre Entsprechung hat. Die gleiche Melodie soll für sämtliche Gedichte dieses
Vers- und Strophenbaus gelten. Das Wichtigste, wie schon angedeutet, war die
relativ neue Erkenntnis, daß in der Antike Längen und Kürzen den Rhythmus
bestimmten. Die schulübliche Rezitation nach Wortakzenten suchte Celtis deshalb
durch quantitierenden Vortrag zu ersetzen, wofür er die Hilfe der Musik brauchte.
Sie sollte die Längen und Kürzen als Hauptfaktor des Rhythmus hörbar machen.
Unter Celtis' Anleitung „schuf zuerst Tritonius r e i n q u a n t i t i e r e n d e
Notensätze zu allen Horazischen Systemen. Es handelt sich dabei stets um unmittelbare Umsetzung des prosodischen Strich-Häkchen-Schemas der betreffenden
Versreihen in Notenschrift (*longa* und *brevis*); abgesehen davon, daß die letzte
Silbe jedes Verses eine Fermate trägt, fehlt es an jeglichen musikalischen Zeichen,
an jeder Differenzierung der Notenwerte über das einfache Verhältnis *longa/brevis*
hinaus und an Takt-Einteilungen. Damit wird sowohl gegen die damalige Mensural-
musik wie gegen den wortakzentgemäß deklamatorischen (taktfreien) Gregoria-
nischen Gesang aufs schärfste Front gemacht" (Ernst Zinn)[73]. Nun schließt aber
der Titel der ‚Melopoiae' mit der Mahnung: Bester Musikfreund, achte bei den
Repeticiones carminum, collisiones et conubia pedum sorgfältig auf *affectus animi,
motus et gestus corporis.* Was mit den Repeticiones gemeint ist, läßt sich schwer

ausmachen, sicher ist nur, daß Gesten, evtl. Tanzschritte, und Lauten-, Flöten-oder Pfeifenspiel den Vortrag begleiten sollten und auf keinen Fall der *affectus animi* zu kurz kommen durfte; beim bloßen Einhalten der metrischen Quantitäten lag die Gefahr nahe, sich mit einem ausdruckslosen Singsang zu begnügen. Falls die Musik wegfiel, ersetzte man sie möglicherweise durch das Hervorheben gewisser Längen (ja nicht Wortakzente!), was Ernst Zinn zu der Frage veranlaßt, ob vielleicht daher die Skansion der Horazischen Oden stamme, „als ein Versuch, das Prinzip des quantitierenden Singens in das Lautlesen zu übertragen, wobei der ursprünglich beabsichtigte Rhythmus rasch zu mechanischem Iktieren erstarren mußte". Dann wäre, wie Erasmus für unseren *Etacismus* in der Aussprache des Griechischen, Celtis für unser *Skandieren* oder *Iktieren* antiker Verse verantwortlich — obwohl er selbst ohne Zweifel erklärt hätte, nun sei man vom Regen des Wortakzents in die Traufe des Iktus geraten.

Tritonius stellte den ‚Melopoiae' ein Celtissches Carmen *Ad musiphilos* voran mit den Schlußversen:

> Terque quater felix nunc o Germanica tellus
> Quae graio et lacio carmina more canit.

Daß Deutschland nun wirklich Lieder nach griechischer und lateinischer Art sang, konnte Celtis als Bestätigung nehmen, in den zwanzig Jahren seit er zu dichten begann, habe der Wunsch seiner ersten großen Ode *Ad Apollinem repertorem poetices ut ab Italis ad Germanos veniat* sich erfüllt. PAUL HOFHAIMER und LUDWIG SENFL wurden von den Kompositionen des Tritonius beeinflußt, insofern wirkten Celtissche Ideen über die Literatur hinaus nicht bloß auf die Malerei der Donauschule, sondern auch auf die Musik.

Der Tod, dem Celtis monatelang entgegengesehen, trat am *4. Februar 1508* ein. Am Nordturm von St. Stephan zu Wien findet sich noch heute, freilich in Kopie, sein Epitaph, wohl von MICHEL TICHTER nach dem Vorbild der Humanistengräber in Padua gearbeitet. Es zeigt die Halbfigur des poeta doctus im Talar und mit Barett, jede Hand auf einen Stoß Bücher gelegt. Unter diesem Kathederbild hängt ein Lorbeerkranz als Umrahmung des Wortes *Vivo*, dessen Buchstaben durch ein gleicharmiges Kreuz voneinander getrennt sind. Diese Inschrift samt ihrer Buchstabenanordnung wurde vom Grab des Pomponius Laetus in San Salvatore in Lauro übernommen. Ihr Sinn dürfte, trotz dem Kreuz, den zitierten Versen des Burgkmairschen Sterbebilds entsprechen: „Auch wenn er tot ist, redet er durch seine Schriften in Ewigkeit als ein Lebendiger mit gelehrten Männern." Zweifellos will Celtis unter den Gelehrten keine Scholastiker verstanden wissen, sondern Humanisten, die mit Agricola und Mutianus von sich selbst sagen: *vivo.* Pirckheimer zeigt den Zusammenhang deutlicher in den Worten, die er 1521 dem toten Lorenz Beheim nachrief: *Vivat cum viventibus!*[74] Auf das Pirckheimer-Porträt von 1524 schrieb Dürer: *Vivitur ingenio, caetera mortis erunt:* Durch das *ingenium* leben wir, alles übrige verfällt dem Tode; der schöpferische Geist macht den Menschen lebendig — *vivificatio* —, und er ist unsterblich. Auf dem Grabstein für Celtis fallen vom Lorbeergewinde, das den Kranz hält, rechts und links eine Kordel herunter, Felicitas Pindter[75] deutet sie als je eine Reihe von Tropfen, die auf der einen Seite von einem darunter befindlichen Weihwasserbecken, auf der anderen von einem Ölgefäß für die Ewige Lampe aufgefangen werden. Heißt das, dem Poeten komme vom Lorbeer — letztlich von seinem *ingenium* — das „lebenspendende Wasser" (Ep. II, 38) und auch das „ewig leuchtende Licht"? Das Epitaph am Stephansdom in Wien erscheint uns wie das in Stein gemeißelte Denkmal für die deutsche Humanistische Renaissance.

Die Rede zur Beisetzung von Celtis hielt sein mainfränkischer Landsmann JOHANNES CUSPINIA-NUS, der auch nochmals das Sterbebild Burgkmairs mitsamt dem Widmungsbild Dürers zu den ‚Amores' und einem eigenen Gedicht, wohl seinem besten, versandte. Es trägt die doppelte Überschrift: *Cuspinianus Celti ultimum vale. Viator cum admiratione Musas alloquitur* und lautet in der Übersetzung von Kurt Adel:

Celtis-Epitaph
(Wien, Stephansdom; von Michel Tichter?)

> *Wanderer:* Woher der süße Geruch, der die Lüfte erfüllt, und woher
> Der Duft wie von Myrthen? Sagt, grünt hier ein Lorbeerhain?
> Nichts von alledem seh ich. Doch was bewegt euch, ihr Musen,
> Über den Hügel hier sanfte Veilchen zu streun?
> *Musen:* Phoebus Apollo empfahl uns dies Grab zu besonderer Pflege,
> Und diesem Toten zum Ruhm sprengen wir purpurnen Wein.
> Aber der Gott ließ selbst seine Leier, häuft' Blumen und Kräuter
> Ihm auf das Grab, daß stets lieblicher Duft es umweh,

Bettet' auf Lorbeer sein Haupt und bedeckt' seine Glieder mit Lorbeer,
Wenn, was sein Leib war, noch hier unter dem Hügel besteht.
Wanderer: Leibliches schwindet, doch bleibt noch der Duft um sein Grab,
      und im Geiste
Seh ich's von Lorbeer bedeckt, der daraus mächtig erblüht.

Cuspinianus macht sich den Topos der antiken Lyrik vom Duft, der um die Gräber der großen Toten weht, zueigen. Ihn werden Goethe und Mörike noch verwenden.

Der Wirklichkeit nachgehen hieße, in die modrig riechenden, weitverzweigten Katakomben unter St. Stephan, das Massengrab, das Celtis aufgenommen hat, hinabsteigen. Wir ziehen vor, im Kunsthistorischen Museum *Die Marter der zehntausend Christen unter König Sapor von Persien* uns anzusehen. ALBRECHT DÜRER hat sie im Auftrag FRIEDRICHS DES WEISEN gemalt und inmitten der Greuel sich selbst dargestellt. Während er mit beinahe krampfhaft gefaßtem Entsetzen hindurchschreitet, erläutert ihm ein Begleiter die infernalischen Szenen. Den Begleiter pflegt man mit Dürers Freund Pirckheimer zu identifizieren. Nur Erwin Panofsky[76] tritt, wie mir scheint mit überzeugenden Argumenten, dafür ein, daß es hier nicht um Willibald Pirckheimer sich handle, sondern um KONRAD CELTIS. Abgesehen von dem Vergleich mit anderen Bildern der beiden, lassen sich ihre Beziehungen zum Auftraggeber des Gemäldes geltend machen. Wie seine erste Veröffentlichung, die ‚Ars versificandi' 1486, hat Celtis auch seine letzte, die Ligurinus-Ausgabe 1507, und ebenso die Ausgabe der Werke Hrotsvithas dem sächsischen Kurfürsten gewidmet; Dürer, der schon zu den ‚Amores' Holzschnitte fertigte, hat für solche zu Hrotsvitha auf Kosten des Kurfürsten die Skizzen geliefert. Seit der Dichterkrönung verehrte Celtis in Friedrich seinen besonderen Gönner neben Maximilian, und Friedrich umgekehrt sah in Celtis den deutschen Dichter, der von ihm entdeckt worden war. Bei der kunstvollen Komposition des Märtyrerbildes hat man unwillkürlich den Eindruck, sie sei durch die Vorstellung von Dantes Gang mit Vergil durchs Inferno bestimmt: Wer unter den Zeitgenossen hätte in den Augen Dürers wie namentlich des Kurfürsten sich für die Rolle Vergils besser geeignet als Celtis? Und in den Monaten, da man seinen Tod erwartete, und unmittelbar nachdem er eingetreten war — es ist die Entstehungszeit von Dürers Bild —, lag es nahe, Celtis in seiner menschlichen Gestalt noch einmal festzuhalten, lebendiger als Burgkmair auf dem Sterbebild, zugleich aber aus ihm nun einen Führer durchs Totenreich zu machen, einen Vergil im Sinne der „Divina Commedia". So entstand ein Gemälde, das nicht nur mittelalterliche Thematik über Dante hinweg mit antiken Reminiszenzen verbindet, sondern auch Konrad Celtis als Dichter an die Seite des Malers Albrecht Dürer stellt. Celtis schuldet Friedrich dem Weisen mehr als den Silberlorbeer: das für die Schloßkirche in Wittenberg bestimmte Gemälde ist seine Apotheose.

Celtis an der Seite Dürers
(Albrecht Dürer, ,Marter der zehntausend Christen', 1508; Wien, Gemäldegalerie)

Mutianus und sein Kreis; die Reuchlinfehde; Philosophia occulta

Fast zur selben Stunde, da im Stephansdom in Wien die Trauerfeierlich-
keiten für Konrad Celtis stattfanden, legte sich KÖNIG MAXIMILIAN im Dom zu
Trient mit einer bescheidenen Zeremonie den Titel eines *Erwählten Römischen
Kaisers* bei. Seitdem führten alle deutschen Könige diesen Titel, der eine Krönung durch den Papst entbehrlich machte. Natürlich hatte Maximilian sich in
Rom krönen lassen wollen, aber es ging ihm ähnlich wie einst König Sigmund, als er auf seinem Romzug samt Schlick und Wolkenstein in Siena hängen blieb: das Geld, das Maxi-
milian von JAKOB FUGGER für
den Verkauf mehrerer Graf- und
Herrschaften erhalten hatte,
reichte nicht weiter als bis Ober-
italien. Zu einer Nachbewilli-
gung ließ der Handelsherr sich
nicht herbei, weil er sein flüssi-
ges Geld lieber in eine erste
deutsche Gewürzflotte, die zu
den Molukken fuhr, investierte.
Im übrigen konnten die Fugger
auch nicht völlig frei verfügen.
Die Firma besaß einen Stillen
Teilhaber, dessen Einlagen größer waren als das Fuggersche
Eigenvermögen, in MELCHIOR
VON MEGGAU, ehemals Fürstbischof von Brixen, jetzt Kurien-
kardinal — einem Nachfolger
des Nicolaus Cusanus.

Faute de mieux ging Maxi-
milian daran, der Markusrepu-
blik ihre terra ferma zu ent-
reißen. Der Versuch von KON-
RAD PEUTINGER, sich mit einem
Brief an den Kardinallegaten
Carvajal in die große Politik

Johannes Trithemius
(Zeichnung von Hans Burgkmair; Chantilly,
Musée Condé)

einzuschalten und einen Krieg der Liga gegen Venedig zu verhindern, weil er den Welthandel Augsburgs gefährdete, war *1507* mißlungen. HEINRICH BEBEL, der Heimburgs und Celtis' Abneigung gegen die Italiener geerbt hatte, begleitete den Kampf des Kaisers mit historisch-politischer Publizistik.

Während einer Atempause in diesem Siebenjährigen Krieg in der Poebene, noch *Ende 1508*, weilte Maximilian am Rhein und beschied auf Schloß Boppard JOHANNES TRITHEMIUS zu sich. Der Mann hieß eigentlich Heidenberg und stammte aus Trittenheim bei Trier. Bis *1505* war er Abt im Benediktinerkloster Sponheim bei Kreuznach gewesen, weil er sich aber seinen humanistischen Freunden gegenüber als ein allzu freigebiger Mäzen erwies, hatten ihm die Mönche Verschleuderung des Klostergutes vorgeworfen und ihn weggeekelt. Seitdem leitete er das kleine Schottenkloster St. Jakob bei Würzburg. Man könnte verstehen, wenn den Sponheimern auch seine Art wissenschaftlicher Besessenheit auf die Nerven gegangen wäre. Übersetzte er gerade den Pseudo-Areopagiten „de verbo ad verbum", so war nicht nur der Abt selbst ein Grieche, sondern die Mönche, die Hunde, die Steine, das Rebgelände, alles erschien ihm griechisch, so daß der Besucher meinte, das Kloster liege mitten in Jonien, und wenn er nach Bacharach weiterzog, sich dort natürlich an einer ara Bacchi wähnte[1]. Von WIMPHELING angeregt, schrieb Trithemius *De luminibus sive de viris illustribus Germaniae* (1491), danach im Auftrag DALBERGS den unter 1494 erwähnten *Liber de scriptoribus ecclesiasticis*; BUTZBACH - PIEMONTANUS hat ihn mit einem *Auctarium in librum Tritemii 1509* fortgesetzt[2]. Durch den Begriff der kirchlichen oder geistlichen Schriftsteller ließ Trithemius im Drang, sein Wissen auszubreiten, sich nicht hemmen, da schlechterdings jeder Schriftsteller, argumentierte er, neben seinen weltlichen auch geistliche Werke verfaßt haben könnte, die unbekannt sind. Die Hauptleistung des Trithemius als Historiker werden die *Annales Hirsaugienses* (1514) sein. „Man kennt", heißt es bei Gerhard Ritter[3], „das Dilettantische und Phantastische seiner historischen Studien, die Unzuverlässigkeit seiner Chroniken, die auch vor groben Fälschungen nicht zurückscheuen. Aber es war, vom Standpunkt der scholastischen Tradition gesehen, doch etwas ganz Neues und Großes, daß hier die Arbeit eines Menschenlebens an die Erforschung vaterländischer Geschichte aus den Originalquellen gesetzt wurde. Es gab damals keinen zweiten Deutschen, der diese Quellen so gründlich kannte wie er, keinen, der ihn an Sammelfleiß und antiquarischer Gelehrsamkeit erreichte". Trithemius gehörte zu den ersten Mitgliedern der *Sodalitas Rhenana* und erfreute sich der besonderen Gunst Maximilians. Für diesen war er freilich mehr als nur der Polyhistor, zugleich ein Weiser, ja ein Zauberer. Angeblich hat Trithemius dem Kaiser seine erste Gemahlin, die tote Maria von Burgund, und ebenso verschiedene große Männer der Antike „wieder vor Augen gebracht"; vielleicht wurde, wie Peuckert vermutet, ihr Bild durch Spiegel oder eine camera obscura an die Wand projiziert. Daß Trithemius allgemein im Ruf eines Zauberers stand und selbst diesen Ruf nach Kräften förderte, störte die Humanisten offenbar nicht. Selbst der aufgeklärte Pirckheimer unterhielt von Nürnberg aus Beziehungen einerseits zu dem Kanonikus Beheim in Bamberg, dem ehemaligen Vertrauten der Borgia, und andererseits zu dem Abt in Würzburg, der JOHANN HARTLIEBS *Puch aller verpotten kunst ungelaubens und der zauberei* (1456/ 1457) als Fundgrube geheimwissenschaftlicher Literatur zu nutzen verstand.

Die Fragen, über die Kaiser und Abt auf Schloß Boppard diskutierten, hat Trithemius aufgezeichnet, sein *1508* abgeschlossenes Manuskript gab er jedoch erst einige Jahre nach dem Tod Maximilians als *Liber octo quaestionum* (1515) an die Öffentlichkeit[4]. Es zeigt, wie auch der Kaiser des Heiligen Römischen Reiches nicht gegen Zweifel gefeit war. Warum will der allmächtige Gott, daß wir Menschen an ihn glauben, statt ihn zu erkennen und zu verstehen? Nur ein kleiner Teil der Menschheit ist getauft und im christlichen Glauben unterrichtet, sollen alle übrigen verworfen sein? Warum hat Gott sich im Alten und Neuen Testament so unvollkommen geoffenbart? Viele Dinge scheinen ja für unseren Glauben notwendig zu sein, die nicht in der Schrift stehen. Woher haben die Bösen und Gottlosen ihre Macht? Warum kommt so oft Verderben über Unschuldige? Kann man nicht auch aus natürlicher Vernunft auf die göttliche Vorsehung schließen?

Bei der letzten Frage dachte Maximilian wohl mit an die Astrologie, die Trithemius ablehnte, weil sie des Menschen Willensfreiheit verneine, auf die sich aber jetzt besonders JOSEPH GRÜNPECK-BOIOARIUS geworfen hatte. *1508* veröffentlichte er sein Hauptwerk: *Speculum naturalis coelestis et propheticae visionis omnium calamitatum tribulationum et anxietatum, quae . . . proximis temporibus venturae sunt.* In der gleichzeitigen deutschen Fassung heißt das Buch *Spiegel der trübsalen.* Furchtbares Unheil sah Grünpeck heraufziehen. Unter anderem prophezeite er das Auseinanderbrechen der Kirche, und besonders hier schienen die nächsten Jahre und Jahrzehnte ihm recht zu geben, weshalb schließlich das Trienter Konzil sein Buch auf den Index setzte. Bezeichnenderweise erregte Grünpeck mit einem *Speculum intellectuale felicitatis humanae* (1510) weit weniger Aufsehen.

Die Vielfalt der „Sekten" und „Weltreligionen", die Maximilian beunruhigte, verglich *1508* JOHANNES STAMLER miteinander in einem *Dyalogus . . . de diversarum gencium sectis et mundi religionibus.* Stamler, Patrizierssohn aus Ulm, zur Zeit Pfarrer in Kissingen, später Prokurator in Konstanz, gehörte wie Murner, Eck, Melanchthon zu den Schülern Jakob Lochers. Dieser leitete Stamlers Religionsgespräch *in modu Comici dramatis formatus* mit zwei Widmungsgedichten und einer Vorrede ein. Der Titelholzschnitt von HANS BURGKMAIR versammelt in der unteren Hälfte die sechs Disputatores unter dem Spruch „Fons verae sapienciae iusta est religio", in der oberen thront „Sola Sancta Mater Ecclesia", umgeben von vier anderen weiblichen Figuren mit den zerbrochenen Bannern Jupiters, Machomeds, Chingistans, des Judentums in Händen. Papst und Kaiser Maximilian, die vor Ecclesia knien, erhalten von ihr, der eine die Schlüssel: „Ora et cura", der andere das Schwert: „Protege, imppera" (sic); diese Gewaltenteilung nimmt Burgkmair vor. Stamler scheint durchaus kein Fanatiker gewesen zu sein, aber Maximilians Gedanken zielten, trotz den Kreuzzugsplänen, überhaupt nicht auf den Triumph der Kirche, ihnen hätte des Cusanus Konzil im Himmel und sein „una religio in varietate rituum" weit mehr entsprochen.

Die konventionellen Antworten, die TRITHEMIUS — coram publico jedenfalls — Maximilian gab, konnten schwerlich dessen Wissenshunger stillen. Und Maximilian war kein Sonderfall. Die Zweifel des Kaisers teilten schon Tausende in Deutschland wie anderwärts in der Christenheit. Kein Wunder, daß immer mehr Menschen bei der Weisheit der heidnischen Antike Rat suchten. So hatte denn auch HERMANNUS BUSCHIUS, dessen Lebensweg wir bis zu der Streitschrift zugunsten Martin Polichs von Mellerstadt verfolgten, 1505 aufgrund der *Vitae philosophorum* des DIOGENES LAERTIOS eine neue Sammlung antiker Sinnsprüche und Lebensregeln zusammengestellt. Er nannte sie *Spicilegium*, Ährenlese. An die Weisungen dieses in erster Linie für den Unterricht bestimmten Büchleins sollten die Studenten sich halten. Ob ihr Lehrer der Poetik und Eloquenz sich daran gehalten hat, als er zur selben Zeit wegen ungebührlichen Verhaltens gegen Studenten, Magister und sogar den Träger des Hermelins, den Rector Magnificus, in Strafe genommen wurde? Er verschwand aus Leipzig, tauchte aber 1507 in Köln als Lektor wieder auf. Bei der Feier des 1. Mai 1508, ein Vierteljahr nach Celtis' Tod, trat der Vierzigjährige vor die versammelte Studenten- und Bürgerschaft: *Ich heiße Flora*, sang er „nach ionischer Melodie" und „mit schicklicher Gebärde", kränze meine Schläfe, Freund, mit Frühlingsblumen; und wenn ich dir sie nicht zu verdienen scheine, schenke sie der, die ich preise — der Stadt Köln. So ungefähr lautete das Tetrastichon, mit dem Busch sein blumenreiches Städtelob in Hexametern begann[5]. Mindestens einer der Hörer, der zwanzigjährige Schweizer Student HEINRICH LORITI aus Mollis bei Glarus, war tief beeindruckt: „Die gewählte Sprache sowie der Vortrag hatten mich so ganz hingerissen, daß ich nicht anders meinte, als den unter den Musen weilenden Phöbus zu hören." Buschius wird zu Flora, Flora zu Apoll. Nach Plinius war Flora ursprünglich der Name einer berühmten Buhlerin gewesen, die ihr Vermögen dem römischen Volk vermachte, damit man jedes Jahr am 1. Mai ihren Geburtstag mit Spielen, den Floralia, feiere; der Senat hielt es dann aber für schicklicher, als Patronin dieser Feste eine neue Göttin, die Blumengöttin Flora, zu erfinden. Als HENRICUS GLAREANUS das Gedicht von Buschius später einmal Erasmus zeigte. und dieser „noch nicht ein Blatt ganz durchgesehen hatte", hob er „das Buch mit der Linken in die Höhe und schlug mit der Rechten darauf. ‚Führwahr', rief er dann, das ist 1000 Dukaten wert. Ihr Götter! Ich hielt Buschius für einen Grammatiker, ein solches Talent habe ich nicht in ihm vermutet'"[6]. Wertmaßstab ist demnach selbst bei Erasmus das Geld. Freilich weiß er seine Wertschätzung auch anders zum Ausdruck zu bringen; so schreibt Erasmus 1516 an Zwingli, er könne Glareanus nichts abschlagen, „und wenn ich nackt einen Tanz aufführen sollte"[7]. Der Glarner wird es nicht von ihm gefordert haben. „Die schickliche Art" aber, wie Buschius die *Flora*, ein Musterstück epideiktischer Redeweise — vergleichbar

Luders nun fast ein halbes Jahrhundert zurückliegender ‚Panphila' — vorsang, brachte ihn auf den Gedanken, die 12 alten griechischen Tonarten, *modi*, zu rekonstruieren. So entstand seit etwa 1516 (*Isagoge in musicen*) des Glareanus Tonartenlehre, ein Zwölftonsystem, 1547 als *Dodekachordon, Tractatus de cantionum musarum modis* veröffentlicht[8]. Glareanus höht hier den Wert des Affektausdrucks gegenüber dem rational-mathematischen Prinzip entscheidend auf. Den Vorrang unter den beiden rivalisierenden Mütterwissenschaften der Tonkunst — Mathematik und Rhetorik — erteilt Glareanus der letzteren: ein Sieg des Humanismus.

Zu den „um *1470*" Geborenen, die jetzt in den Zenit ihres Schaffens eintreten, BUSCHIUS (1468), ERASMUS (1469), DÜRER und LOCHER (1471), zählt auch HENRICUS BEBELIUS (1472). *1508* ist sein großes Jahr. Im wirtembergischen Universitätsdorf, wo seit 1507 das Schloß, Tübingens Wahrzeichen, ersteht, kommen die beiden ersten *Libri facetiarum iucundissimi* heraus, denen *1512* ein dritter folgen wird[9]. Seitdem verknüpft sich in der Literaturgeschichte der Name Bebel mit dem Begriff Facetia. Das Umgekehrte gilt nicht in gleichem Maße, weil der Schöpfer und eigentliche Meister der Facetia POGGIO BRACCIOLINI ist. Dessen *1470* postum gedrucktem ‚Liber Facetiarum' dankt Bebel die Anregung und sein Vorbild, wenn er nun auf Lateinisch in pointierter Weise Schwänke verschiedenster Provenienz erzählt. Manche riechen wie Tübinger Gôgenwitze. Daß Graf Eberhard im Bart schon einen Prokurator des Bischofs von Konstanz, AUGUSTIN TÜNGER, veranlaßt hatte, es Poggio nachzutun, wußte Bebel wohl nicht. Die Handschrift dieser offenbar in ihrer deutschen wie lateinischen Fassung recht grobschlächtig geratenen *Fazetien* von *1486* war sofort in der wirtembergischen Hofbibliothek verschwunden, wo sie vierhundert Jahre ungestört ruhte. Bebel konnte, ohne sich selbst bloßzustellen, in den *Commentaria de abusione linguae latinae apud Germanos et de proprietate eiusdem, 1503* u. ö., auf wirkliche Latinität dringen; in der *Praefacio* zum III. Band der ‚Facetiae' trumpft er dann auf: Scribite latinius et elegantius dicteria et jocos et ego libere vobis concedam. Er brauchte keinem zu weichen, der in eleganterem Latein als er *dicteria et jocos* — seine Umschreibung von *facetiae* —, d. h. Anekdoten und Späße erzählt hätte. Frühester Konkurrent war der Straßburger Stadtarzt JOHANNES ADELPHUS (MULING) mit seiner *Margerita facetiarum, 1509*. Glanzstücke darin bilden die witzigen Aussprüche, *Scomata*, GEILERS VON KAISERSBERG. Da Geiler seine Predigten ungern in die Schwankliteratur eingereiht sah, übersetzte Muling, um den großen Mann zu versöhnen, ein Erbauungsbuch von ihm als *Doktor Kaiserspergs Passion ... in stückesweiß eins süßen Lebkuchen*[10].

Wie in den ‚Facetiae' unter anderem deutsche Schwänke lateinisch erzählt werden, so gibt Bebel im Rahmen seiner *Opuscula nova 1508 Proverbia Germanica collecta atque in Latinum traducta* heraus — eine Art Gegenstück zu des Buschius ‚Spicilegium' oder, besser, zu des Erasmus ‚Adagia'. Wofern der selbstbewußte Bebel sich einen schwachen Dichter, poetam tenuim, nannte, hatte er die Verskunst

355

im Gegensatz zur Prosa im Auge. Der Schwabe wäre aber jedem grob gekommen, der ihm seine Bescheidenheitsfloskel abgenommen hätte. Und in der Tat, die *Elegia hecatosticha pro institutione vitae suae peste grassante Tubingae*[11] kann sich sehen lassen. Der Dichter ist vor der Pest auf die Rauhe Alb, ins Schmiechtal, geflüchtet, da wimmelt der wasserreiche *Smiechus* von Forellen, *pisculis*, Wein gibt es nicht, aber von benachbarten Hängen bringt man den angenehmen Most — *musta benigna* (Pluralform). Wenn der Professor nicht in der Naturgeschichte des Plinius liest, sitzt er bei Ursula am Spinnrocken: *Et laetus patrio carmina more cano* ... Anderntags macht er aus dem Volkslied ‚Ich stand an ainem morgen gar haimlich an aim ort' einen langen Dialog in lateinischen Distichen zwischen *amator* und *puella*:

> Tempore quo coniunx Tithonum mane reliquit,
> Occulto steteram conditus ipse loco.
> Hic illam audivi miseranda voce querelam
> Qua flet amatoris pulchra puella abitum ...[12]

Im *September 1508*, während auf dem Festland von Venedig die deutschen Truppen standen, konnte ALDUS MANUTIUS in der Stadt die neue Auflage der ‚Adagia' zum Abschluß bringen. Das Werk trug jetzt den Titel *Chiliades Adagiarum tres*, denn aus den 80 Zitaten der Erstausgabe von 1500 waren inzwischen 3000 geworden. Am meisten zu dieser enormen Aufschwellung hat das Einbeziehen der griechischen Literatur beigetragen; aus ihr stammen 2734 Sprichwörter, Redensarten, Maximen. Die Erläuterungen, für die ERASMUS gleichfalls die Akademie zu Rate zog, sind natürlich lateinisch abgefaßt. Dazu kommt ein Autoren- und ein Sachregister. Die letzte von Erasmus noch selbst besorgte Ausgabe wird es dann sogar auf 5250 Nummern bringen, aber entscheidend war das Buch von 1508, das gegenüber den früheren Auflagen ein völlig neues Werk darstellt. In dieser Gestalt haben sich die ‚Adagia' endgültig durchgesetzt und den europäischen Ruhm des Erasmus begründet. Einst hatte Erasmus in einem Brief an seinen Landsmann JOHANNES SIXTINUS FRISIUS geschrieben: „Daß die Menschen einsehen, deutscher Geist sei in keiner Beziehung italienischem Geist unterlegen, das kannst du fertigbringen oder niemand"[13]. Nicht einmal der Friese Rudolph Agricola und Jakob Locher-Philomusus mit seiner ‚Stultifera navis', dem bisher einzigen Welterfolg des deutschen Humanismus, brachten es fertig. Die Kunst Albrecht Dürers und vor allem der Buchdruck wurden als große deutsche Leistungen anerkannt, aber was Erasmus vorgab, von Sixtinus zu erwarten, ist nur ihm selbst seit 1508 einigermaßen gelungen. Das „Frisia non cantat" hat er freilich wie Agricola nicht ganz widerlegt.

Seine ‚Adagia' trugen den Humanismus, bis dahin immer noch die Angelegenheit einer kleinen Clique, weit in die Welt der Gebildeten hinaus. Hatte Celtis mit seinen Sodalitates die humanistischen Gelehrten des Reichs zu einer Art *res-*

publica litteraria zusammengeschlossen, so begann diese dank
der ‚Adagia‘ auf alle literarisch
Interessierten sich auszudehnen
und neben Kirche und Staat eine
öffentliche Macht sui generis zu
werden. Mindestens bis zu
Winckelmann um die Mitte des
18. Jahrhunderts haben die immer neugedruckten ‚Adagia‘ die
Vorstellung von der Antike entscheidend bestimmt. Ja, was
neben den christlichen Werten
an bewußtem und unbewußtem
Humanismus in der europä-
ischen Gesellschaft lebendig
war, geht zum guten Teil auf
diesen „Büchmann des 16. Jahrhunderts" zurück.

Nur mit Hilfe der griechischen Akademie um den „letzten Byzantiner" MARCUS MUSU-
RUS konnte Erasmus das Werk
schaffen, so ist es zugleich ein

Erasmus von Rotterdam
(Gemälde von Quinten Massys, 1517, für
Thomas Morus bestimmt; Rom, Palazzo Corsini)

Abschiedsgeschenk des byzantinischen Renaissance-Humanismus an Europa. —
Erasmus übernahm, nachdem er seine Arbeit in Venedig erledigt hatte, *Ende
1508* den rhetorischen Unterricht bei einem achtzehnjährigen Erzbischof, der in
Padua Jurisprudenz studierte. Dieser ALEXANDER STEWART oder STUART war der
illegitime Sohn König Jakobs IV. von Schottland. Als er, vor dem Kriegsgeschehen
ausweichend, samt Gefolge nach Siena übersiedelte, trennte sich Erasmus *Anfang
1509* von seinem Herrn und Schüler, um endlich Rom zu besuchen. Beim Abschied
schenkte ihm der Prinz eine Handvoll Ringe, wovon einer auf antiker Gemme das
bärtige Haupt des Dionysos zeigte. Erasmus deutete es fälschlich als Haupt des
römischen Gottes der Grenzsteine, *Terminus*, und machte es in diesem Sinne mit
der Umschrift *concedo nulli* — ich weiche keinem — zu seiner aenigmatischen
Hieroglyphe, zum persönlichen Emblem. Ein Adelswappen konnte Erasmus ja
nicht führen, aber wie Aldus als Buchdrucker ein Signet, besaß e r nun, der französischen und italienischen Mode entsprechend, eine *Livrée* oder *Impresa*. Übel-
wollende sahen in dem „concedo nulli" ein Zeichen Erasmischer Arroganz, vergleichbar Murners angeblichem *praeter me nemo*, Erasmus dagegen wollte Terminus als den Tod verstanden wissen. Auch solch ein antikisierender Euphemismus

ist für den Humanisten bezeichnend. Ein Jüngling mit gesenkter Fackel — „wie die Alten den Tod gebildet" — hätte zu wenig Originalität besessen.

In der Ewigen Stadt öffnete sein Name jetzt Erasmus alle Türen. Hoch zu Roß ritt er bei den Kardinälen vor, so bei Grimani im heutigen Palazzo Venezia. Daß er selbst an der Kurie auf die sodalitas pagana stoßen werde, hatte Erasmus nicht erwartet. Als er zu Karfreitag einen berühmten Kanzelredner im Beisein des Papstes predigen hörte, schien ihm Cicero vor JULIUS II. zu sprechen. Der Papst wurde für seine Kriegstaten gerühmt und apostrophiert als Jupiter optimus maximus, Blitze schleudernd von seinem Thron und die Welt beherrschend. Während Christus in dieser Karfreitagspredigt nur als Randfigur auftauchte, handelte sie ausführlich von den Deciern, von Curtius und von Iphigenie. Man glaubte einen Vortrag über antike Geschichte und Sage zu hören.

Sobald in Rom die Nachricht eintraf, HEINRICH VIII. habe den englischen Thron bestiegen, verließ Erasmus im *Juli 1509* Italien und kehrte nach England zurück. „Wir wissen nichts von seinen Reisebegleitern, nur einer mag neben ihm unsichtbar einhergeritten sein, der spätantike, geistreiche Menschenkritiker Lukian"[14]. In dessen Sinn konzipierte Erasmus das ‚Lob der Torheit'.

Wer nach Celtis' Tod unter den Zwanzig- bis Dreißigjährigen Umschau nach einem Dichter hielt, der die Lücke einigermaßen füllen könnte, setzte wohl am ehesten auf Johannes Murmellius (geb. ca. 1480) oder Helius Eobanus Hessus (geb. 1488). Der Niederländer MURMELLIUS ließ *1508* dem ‚Enchiridion scholasticorum' vier Bücher *Elegiae morales* folgen, sein poetisches Hauptwerk[15]. Das I. Buch handelt in 22 Elegien *De humanae vitae miseriis*, das II. in 18 weiteren *De dignitate et excellentia hominis*. Viele der Elegien sind einem Freund gewidmet oder feiern ihn, so beispielsweise einen Johannes Ruremundensis, der zu Unrecht Wolfskehl — guttur lupinum — heiße, verdiene er doch den Namen Schwankehl — guttur olorinum. Unter Freundschaft versteht Murmellius Einssein im Feuer der Begeisterung, im Aufschwung zum Göttlichen. Nirgendwo sonst erinnert der deutsche Humanismus wie hier an die Klopstock-Zeit, an Pyra und Lange:

> . . . divinus amor piis relucet
> Ardens cordibus . . . Deoque soli
> Se coniungere, ceteris relictis,
> Cordis viribus omnibus laborat.
> . . .
> O mens illa ter et quater beata
> Quam sancti calefacit ex Olympo
> Flammanti veniens amoris ignis!

Murmellius weiß von dem *amor coelestis* der Florentiner Akademie, dem platonischen Eros. Vor dem *amor spurcus* warnt er, Anakreon und Sappho, erst recht Tibull, Catull und Ovid verdürben die Jugend. Doch wird gelegentlich der freudenspendende Weingott angesungen, weil er den Geist belebe und dichterisch befeuere.

> Bacchus laetitiae pater est et gaudia confert
> Et vires acris suscitat ingenii
> Abstenius possum vix componere versus
> Succurrent centum, quum bibo vina, mihi.
> . . .
> Huius praesidio sunt et convivia laeta
> Et gaudent hilari mente sodalicia . . .

Freilich schließt Murmellius:

> Omnibus in rebus praestat habere modum.

Er war kein Weinschwelg wie jener Esorbus, den BARTHOLOMAEUS ZEHENDER aus Köln (geb. 1460), ebenfalls Schulmeister in Deventer und Alkmaar, zuletzt Rektor in Minden, ausrufen läßt: Freudige Kunde bringe ich allen, die gerne mit vollen Backen die Becher leeren: Schon hängen am Weinstock die schwellenden Trauben, vom brennenden Phoebus in seinem Feuer gekocht.

> Iam venit, o socii, tempus, quo musta (Most) bibemus
> Ore, labris, linguis, naribus, aure, genis (Wangen)[16].

Murmellius hält auf bessere Trinksitten. Selbst im ‚Kinderbrei', einer seiner 25 pädagogischen Schriften, einem Gesprächbüchlein mit Lexikon — *Pappa puerorum* (1513) —, empfiehlt er als Muster guten Lateins und guter Lebensart, wenn einer beim Zutrinken nicht alsbald nachkomme, ihm zuzurufen: Ich sal dit cruysken dich vor den cop werpen, auf Lateinisch: Nisi tantundem potaris, hunc alicem tibi in os impingam.

Nur das Latein hätte HELIUS EOBANUS HESSUS verstanden. Aber es bedurfte bei ihm keiner Nötigung zum Trinken, er war zeitlebens ein tüchtiger Potator. Dagegen warnte auch er *1508*, als Zwanzigjähriger, in einem Prosadialog *De amantium infelicitate* vor dem amor spurcus. Eobanus ist der Taufname des Dichters, nach einem Heiligen, der in seiner hessischen Heimat, Halgehausen bei Frankenberg, besonders verehrt wurde; den prosaischen Nachnamen, den ihm die Bauernsippe Koch vererbte, ließ der Sohn der alma mater Erfurtensis fallen und flankierte Eobanus mit Helius und Hessus. Weil er 1488 an einem Sonntag zur Welt kam, soll er sich Helius, nach dem Sonnengott, genannt haben. Er war ein Verehrer dieser Gottheit, denn, ähnlich wie Celtis von den Weinbergen, trug er von den Äckern her das Verlangen im Blut nach freier Luft und nach Sonne, leicht wurde da beim Studium der Antike die Sonne zum Numen. An Gestalt glich er selbst einem jungen Gott, der hessische Hyperion, untadelhaft im Fechten, Tanzen, Reiten und Reden, unübertrefflich aber auch im Bechern. Seit *1507*, lange ehe er Magister artium geworden war, leitete Eobanus die Stiftsschule von St. Severi. Wenn die Bezahlung zu anderem nicht mehr ausreicht, muß man wenigstens wandern, mit dem Ziel, versteht sich, eines ländlichen Wirtshausgartens. „Wer am Sonntag beständig zu Hause mag hocken, besitzt der, glaubst du, ein Tröpflein nur lebenden Bluts in der Brust?" So einer der frühen Verse des Eobanus[17].

Mit seinem *Bucolicon*, einem Hirtengedicht aus elf Eklogen, führte er *1509* den Eklogenzyklus in die deutsche Literatur ein. Anklänge an Vergils ‚Bucolica‘ finden sich schon in Luders ‚Elegia ad Panphilam‘ *1460*; ADAM WERNHER VON THEMAR hatte zwei Virgilsche Eklogen *1502* sogar verdeutscht. Aber nicht von Peter Luder und auch nicht unmittelbar von Vergilius Maro übernahm Eobanus die Hirtenflöte, sondern von einem „zweiten Vergil", gleichfalls in Mantua geboren. Dessen Vater, ein Flüchtling aus Granada, hatte sich SPAGNOLO genannt, er selbst, nachdem er 1466, mit achtzehn Jahren, bei den Karmelitern eingetreten war, nannte sich BAPTISTA MANTUANUS. Als Ordensgeneral starb er in Mantua 1516[18].

Die Kirche hat Baptista Mantuanus 1885 selig gesprochen. Eine Art literarischer Seligsprechung erfuhr er schon in Shakespeares ‚Love's Labour's Lost‘ (IV, 2), wo der Schulmeister Holofernes „Fauste, precor, gelida quando pecus omne sub umbra ruminat . . ." zitiert und fortfährt: „Ah, good old Mantuan! I may speak of thee as the traveller doth of Venice:

> Venetia, Venetia,
> Chi non ti vede non ti pretia.

Old Mantuan, old Mantuan! Who understandeth thee not, loves thee not."

Das lateinische Zitat ist den zehn *Egloghe* entnommen, die Baptista Mantuanus 1498 veröffentlicht hatte. Sie bestimmten zwei Jahrhunderte lang die Hirtendichtung Europas. Schon gleichzeitig mit der italienischen erschienen eine französische und wohl auch eine deutsche Ausgabe, letztere in Straßburg. Neudrucke brachten u. a. Erfurt 1501, Straßburg 1503, Deventer 1504, 05, 10, Tübingen 1511 usw. usw. Schon vor 1498 soll Alexander Hegius die Eklogen des Mantuanus in der Schule behandelt haben, seit 1498 wurden sie auch anderwärts Schullektüre. Wimphelings ‚Adolescentia‘ von 1500 setzte sich besonders dafür ein. So schreibt 1508 ein Junge aus Schlettstadt an seinen Vater: „Wisse, daß unser Magister des Morgens früh den Alexander [von Villa Dei] mit uns treibt; um 9 Uhr lesen wir einige Gedichte aus Horaz, Ovid usw.; nach 10 Uhr lesen wir im Mantuanus." Der Karmeliter wurde nicht selten Vergil vorgezogen, und zwar, wie JAKOB WIMPHELINGS *Diatribe de proba puerorum institutione* darlegt, propter Latinitatis copiam, propter stili planam dulcedinem, propter utiliora argumenta, propter pudicitiam et honestatem. Im 2. Band der ‚Epistolae obscurorum virorum‘ berichtet ein Magister artium Lamp von seiner Italienreise: „In Mantua dixit socius meus, hic natus fuit

Virgilius. Respondi, quid curo illum paganum? nos volumus ire ad Carmelitas et videre Baptistam Mantuanam qui in duplo est melior quam Virgilius ..."

Auch der Ältere Erfurter Humanistenkreis um Nicolaus Marscalcius verehrte Baptista, so kam es, daß Martin Luther mit seinen ‚Bucolica' bekannt wurde. Später galt es in Erfurt als banausisch, den *Virgilius Neotericus* dem Klassiker Vergil vorzuziehen. Eobanus meint dazu in seiner dritten Ekloge: ah, male quorundam trivialis iudicat error. Möglicherweise verübelte man jetzt Baptista, daß er in ‚De calamitate temporum' die superbia der Humanisten, ihren Dünkel, angeprangert und geschildert hatte, wie sie „mit falscher Gravität, dem körnerpickenden Kranich vergleichbar, einherschreiten, bald ihren Schatten betrachtend, bald in zehrende Sorge um Lob versunken" (nach Jacob Burckhardt). Dennoch nahm Eobanus mehr von Baptista als von Vergil an. Beispielsweise die Reihung von Substantiven über viele Hexameter hinweg:

> Vos ego per silvas, valles, iuga, saxa, cavernas,
> per mare, per fluvios, per devia lustra ferrarum,
> Vos ego per fluvias, per agentes nubila ventos,
> per duras hiemes laedentesque arva pruinas,
> Vos ego per tenebras sequerer noctesque profundas.

Adolf Beck ist jüngst im Jahrbuch des Freien Deutschen Hochstifts (1965) dem Ursprung der asyndetischen Wortfügung nachgegangen, die ein besonders auffälliges Kennzeichen der Barocklyrik bildet. Er vermutet einen Zusammenhang mit der altchristlichen Hymnik und wirft am Ende die Frage nach den Zwischengliedern auf. Sicher gehören dazu die berühmten Eklogen des Baptista Mantuanus, vielleicht auch des Eobanus Hessus ‚Bucolicon'. Im übrigen bringt jene *Cantilena Philotae*, die zweite Ekloge von Hessus mit den zitierten Versen, auf bewegende Weise innere Bewegung zum Ausdruck, gesteigertes Lebensgefühl. *Vivo* — ich lebe — oder *sum* — ich bin —, darauf hat Eobanus die Cantilena des Hirten Philotas an die Musen gestimmt. Sie ist kein Lied, aber ein Musterstück echter humanistischer Rhetorik, das nicht nur Luders *Panphila*, sondern auch die *Flora* des Buschius in Schatten stellt. Folgerichtig gipfelt das Gefühl in der Gewißheit, ewig zu leben. — Wir denken an das Epitaph am Wiener Stephansdom.

Die *Zehnte Ekloge*, 104 Hexameter ohne Titel, ein Zwiegespräch zwischen den Hirten Eurytus und Thyrsis, faßt dann als Kleinod eine *Cantilena* an die ferne Geliebte ein. Sie ist vielleicht das Beste, was Eobanus glückte.

Gelegentlich machen seine Hirten eine Bemerkung über die Milch und Butter spendenden Herden, aber das kann nicht darüber wegtäuschen, daß wir es mit verkleideten Studenten aus Erfurt zu tun haben. *Malorum fons est oppidum*, lautet ein Aphorismus von Mutianus Rufus, der für die *regia et sincera villatica voluptas* schwärmt. Und Mutianus — in den ‚Bucolica' heißt er Thrasybulus — gilt Eoban als Orakel.

Wenn mit dem Beginn der zweiten Phase des Hochhumanismus 1497 Heidelberg seine Bedeutung an Wien abtreten mußte, so drängt in der dritten dank MUTIANUS RUFUS Erfurt nach vorne. Der Einfluß des Mutianus auf die deutschen Humanisten läßt sich nur mit dem Agricolas vergleichen. Dabei war er noch weniger, nämlich überhaupt nicht, Schriftsteller oder Dozent. Beide Männer haben durch ihre Persönlichkeit so stark gewirkt[19].

Das enge Verhältnis zwischen Mutianus und Eobanus wurzelte wohl zunächst in der Landsmannschaft. KONRAD MUTH, 1470 in Homberg an der Efze, also gleichfalls in Hessen geboren, ist mit Erasmus, Locher und auch Dürer ungefähr gleich alt, fast 20 Jahre älter als Eobanus. Zusammen mit Erasmus drückte der rothaarige Junge aus dem Knüllgebiet die Schulbank in Deventer. ALEXANDER HEGIUS, den Agricola für den Humanismus gewonnen hatte, war dort ihr Lehrer. Ebenso geht über Celtis der geistige Stammbaum Mutians auf Agricola zurück. Als KONRAD CELTIS nach dem Weggang aus Heidelberg 1486 eine kurze Gastrolle in Erfurt gab, studierte hier Konrad Muth und empfing so, seinem eigenen Bericht zufolge, den Keim, den er während eines siebenjährigen Aufenthalts in Italien, 1495–1502, zur Entfaltung brachte. Der Homberger Patrizierssohn — sein Vater war Erster Ratsherr der Stadt, seine Mutter stammte aus einem hessischen Adelsgeschlecht — brauchte und wünschte kein Brotstudium zu treiben, ihm ging es bei den studia humanitatis um *frui, non uti*, wie er sagte. Trotzdem promovierte er in Ferrara zum Doctor decretorum. Nach seiner Haarfarbe gab er sich selbst den Beinamen RUFUS. Den stärksten Eindruck empfing er von der Platonischen Akademie in Florenz. Deshalb wollte er fortan lieber Philosoph sein als Philologe, Rhetor oder Poet. Seit 1503 lebte Mutianus Rufus bis zu seinem Tod 1526 in Gotha als Kanonikus bei St. Marien, d. h. von einer bescheidenen Chorherrenpfründe, die er, ähnlich wie Albrecht von Eyb, seiner Familie verdankte.

„Wenn ich durch die Stundenglocke zum gemeinsamen frommen Murmeln der Kanoniker gerufen werde, fühle ich mich wie ein kappadozischer Feueranbeter." Auch Celtis hat dieses fromme Murmeln ironisiert, aber schließlich war er kein Canonicus. Über der Türe seines Hauses in der Nähe von Burg Grimmenstein ließ Mutianus die Inschrift *Beata tranquillitas* anbringen. Das hätte selbst in ein Kloster oder ein Bruderhaus der Devotio moderna gepaßt, Mutianus meinte es „epikuräisch" nach der Art von Petrarca und Erasmus: tranquillitas bedeutet ihm Seelenfrieden, Heiterkeit der Seele, inneres Genüge als wahre *voluptas*. Gerne ließ er sich tranquillitatis pater (B. W. S. 507) und tranquillitatis institutor (ibd. S. 590) nennen. Jeder seiner Freunde sollte ein consors tranquillitatis (S. 113) werden. *Tranquillitas dat vires ingenio* (15).

Dessen unbeschadet hätte Mutianus mit Pirckheimer und Peutinger streiten können, wer täglich mehr Post erledigte. Allein aus den Jahren 1502 bis 1525 sind uns von ihm 600 Briefe erhalten.

Für die Erfurter Studenten übernahm seit 1503 Mutianus die Rolle des 1502 nach Wittenberg abgegangenen Marschalk. SPALATIN, der seinen Lehrer begleitet hatte, aber bald zurückkehrte, scheint sich als erster Mutianus angeschlossen und ihm Petreius Aperbacchus zugeführt zu haben. Dieser wiederum war mit Eobanus Hessus befreundet, Adressat von dessen ‚De amantium infelicitate'. Seit ungefähr 1505/06 kamen immer häufiger Studenten von Erfurt nach Gotha herüber, so bildete sich mit der Zeit, ohne eine äußere Organisation, wie sie einst Celtis mit seinen Sodalitates geschaffen hatte, ein Jüngerer Erfurter Humanistenkreis, der seinen Schwerpunkt in Gotha hatte[20]. Außer Spalatinus, Aperbacchus, Eobanus gehörte noch ein weiterer hessischer Bauernsohn dazu, der mit Eobanus in Frankenberg zur Schule gegangen war, Heinrich Solde aus Simtshausen, jetzt Euricius Cordus. Thüringer Bauernsohn war Johann Jäger aus Dornheim bei Arnstadt. Er schrieb sich zunächst Johannes Dornheim Venatorius, änderte dann aber Venatorius nach dem Sternbild des Schützen in Crotus und übersetzte Dornheim kühnlich mit Rubianus (Brombeerstrauch)[21]. Obwohl die Latinisierungen weithin Modespielerei waren, unterlegte man ihnen tiefere Bedeutung. Sie sollten als Zeichen für die Wiedergeburt zur humanitas aufgefaßt werden. Das klingt selbst in der Spöttelei Mutians an: Nachdem du nun wiedergeboren bist — renatus — und man dich statt mit Jäger mit Crotus, statt mit Dornheim mit Rubianus begrüßt, werden auch die langen Ohren, Schwanz und Rauhhaar fallen.

Von der Welt, in die Mutianus die sodalitas rara, cohors nostra eingeführt hat, gibt sein Briefwechsel eine lebendige Vorstellung. Mutianus scheint Italien ähnlich wie Dürer, ja fast schon in der Art Winckelmanns und Goethes erlebt zu haben. Während im Norden nebulae und fumus, tenebrae Cimmeriae und phantasiae seu imaginationes depravatae herrschen, ist Italien der Süden, das Licht, die Klarheit, Land der Antike. Die Antike apostrophiert Mutianus als virgo nubilis (mannbar) et formosa: Tota pulchra es, amica mea, et macula non est in te (Nr. 4). Des öfteren erscheint ihm die Antike unter der Gestalt eines nackten Mädchens, Jugend und Wahrheit verkörpernd: investis virguncula florem aetatis exuta tunica spectandum praebet, quod spectaculum inflammat penitissima praecordia — das Innerste des Herzens ... Nuda veritas remota veste blanditiarum amabilem sui formam exhibet (124). Mutianus, kein Zweifel, ist ein spectator formarum (369): forma allicit, deformitas deterret (411).

Wie einst die Mönche, von denen Dom Leclercq spricht, erlebte Mutianus die Form vor allem in der antiken Sprache. Sie muß eigentlich gesprochen werden: habet viva vox nescio quid latentis energiae. Diese arcana vis pronuntiandi (124) zu erproben, reizt es Mutianus immer aufs neue. Verbis inest robur (372). Für das mittelalterliche Latein, den Gothicus sonus (632) gilt das nicht, deshalb müssen wir die sobria latinitas mit ihrer grata perspicuitas, ordinata, non confusa, wiederherstellen. Linguae latinae delicias temporum incuria maculavit (570). Mutianus sieht darin das scholasticum malum (245).

Den Freunden empfiehlt er, sich zunächst an Cicero zu halten. Sein Ideal aber ist ein stilus liber, ja ein stilus ... fortis et vere Teutonicus (594). Fleiß allein genügt hier nicht, es bedarf auch ingenii et iudicii, ut stilus omnibus vitiis absolutus sit et liber et venturis saeculis probabilis (59). Mutianus hat sich eine solche eigene klare und lebendige Sprache geschaffen, venturis saeculis probabilis, war aber zu perfektionistisch, als daß er Bücher hätte schreiben können. Seiner Vorliebe für das gesprochene Wort und seinem Bedürfnis nach ständiger Zustimmung folgend — er braucht annuentes sodales —, gab er sich in Aperçus aus.

Natürlich verachtete Mutianus die Scholastiker nicht allein um der barbarischen Sprache willen, sondern auch weil er, wie alle Humanisten, mit ihrer *differendi subtilitas* nichts anzufangen wußte. Quid ista subtilitas ad vitam facit? Ridiculi videbuntur Thomas, Scotus, ceteri (574). Die wahre Gottesverehrung besteht in einem guten Lebenswandel, denn *gud* und *god* bedeuten dasselbe (A. 259).

Aber Mutianus läßt es dabei nicht bewenden. Qui meam simplicitatem interpretantur stultitiam, late falluntur (341). Erst recht würde sich täuschen, wer sie als *humilitas* deutete. Auch dieser Schüler von Deventer macht sich, ganz im Widerspruch zur Devotio moderna, seine *docta religio* zurecht. Er nennt sich *Christi et philosophiae sacerdos,* und Christus heißt ihm zwar gelegentlich redemptor, meist aber doctor summus und magister vitae. Oder er schreibt gar: Was ist der wahre Christus, der wahre Gottessohn anderes als, wie Tauler sagt, die Wahrheit Gottes, die nicht nur bei den Juden in dem kleinen syrischen Lande war, sondern auch bei den Griechen und Italern und Germanen, obgleich ihre Religionen verschiedenen Ritus pflegten (95). Noch vorbehaltloser als der Kusaner bekennt sich Mutianus zur *una religio in varietate rituum.* Der wahre Christus kann unmöglich gekreuzigt worden sein. Den historischen Christus vergleicht Mutianus, wie das schon FICINO tat, mit Apollonius von Thyana, dem Pythagoräer, der fast ein Jahrhundert vor Christi Geburt gestorben war und einige Schriften hinterlassen hatte, dann aber durch die Neupythagoräer ins Mythische erhoben wurde. Entscheidend wirkte hier das Buch eines PHILOSTRATUS, *Leben des Apollonius von Thyana,* das 1504 ALDUS MANUTIUS in Venedig druckte; es wird später die Vorlage für Wielands bedeutendsten Altersroman, *Agathodämon,* bilden. Die Übereinstimmung mit den vier Evangelien ist frappant, aber wahrscheinlich schrieb Philostratus bewußt eine Kontrafaktur: ein Parallelfall zu dem bei Aldus gedruckten und 1500 von Locher übersetzten ‚Poema nutheticon Phokilidis graeci poetae christianissimi'. In analoger Weise, sagten wir bei Gelegenheit des ‚Poema', erklärt sich die von Pico della Mirandola entdeckte, Reuchlin so wichtige Übereinstimmung zwischen Kabbala und Pythagoräertum. Der Fall Apollonius von Thyana ist der weitaus bedeutendste, denn hier fanden Marsilio Ficino und Mutianus das Beispiel für die Mythologisierung einer historischen Figur und damit zugleich Anthropomorphisierung eines metaphysischen Geschehens. Genau so stellen sie — und nach ihnen viele andere — sich die Entstehung des an die Person Jesu gebundenen Christentums vor. Für wertvoller als die Evangelien hält Mutianus die Briefe des Paulus, Römer- und Galaterbrief. Paulus und Plato meinen im Grunde ganz dasselbe. Wie anders wird Martin Luther den Römerbrief auslegen!

Mutianus bringt seine ketzerischen Gedanken in der Regel nur in Briefen an seinen Intimus, einen Zisterzienserpater HEINRICH URBAN im benachbarten Kloster Georgenthal, zu Papier. Ende August 1505 schreibt er diesem: *Est unus Deus et una Dea ... Sed haec cave ennuncies* — „doch hüte dich, das auszuplaudern. Es muß in Schweigen gehüllt werden wie die Mysterien der Eleusinischen Göttinnen. In Religionssachen muß man sich der Verhüllung durch Fabeln und Rätsel bedienen" (15). Mit dem Schweigegebot war es Mutianus bitter ernst; häufig steht am Schluß seiner Briefe: *concerpe* — zerreiße ihn. Die eine Göttin ist *nostra diva tellus,* unsre göttliche Erde, *omniparens mater, augusta regia, diva, sanctissima.* Ähnlich huldigte CELTIS der Natur. Der Satz, der beginnt „Est unus Deus und una Dea", geht weiter: *sed sunt multa uti numina ita nomina,* exempli gratia: Jupiter, Sol, Apollo, Moses, Christus, Luna, Ceres, Proserpina, Tellus, Maria. Sie alle versteht Mutianus nicht nur als *nomina* der Gott-Natur, sondern als ihre *numina.* Wir dürfen dabei unterstellen, daß Mutianus, was Rudolph Otto als numinoses Gefühl bezeichnet hat, kannte und also Numinalist, nicht bloß aufgeklärter Nominalist war.

Die Sonne verehrt er als *verus totius mundi animus;* auch er hätte sich Helius Hessus nennen können, gäbe es nicht numina ohne Zahl für ihn. Das Schicksal gehört dazu: *fortuna Dea caeca, providentia caeca, inexorabile fatum, vis incognita quaedam homini* (365). Alles wird numen für Mutianus, das ganze Dasein ist von numina erfüllt. Aber dieser Pluralismus schließt nicht den Singular aus: *O sempiternum numen, quod pie veneror!* (210)

Wenn das numinose Gefühl schweigt, erscheinen *vis et libido* als Lebensmächte. Sie muß der Mensch bannen durch *leges et boni mores.* Zerbrächen sie, *omnia revolverentur in chaos antiquum* (261).

Wohl kennt Mutianus die doppelte Wurzel und Bedeutung von *humanitas:* paideia und philanthropia, Menschenbildung und Menschengüte. Von den Schweinen der Circe sagt er: *nolunt in hominem redire et* φιλανθρωπίαν *aut* παιδείαν *assumere* (124). Den Grundton aber, auf den seine Briefe gestimmt bleiben, und so auch den Kern von Mutians Humanismus faßt am ehesten der Begriff *revivescentia.* Mutianus identifiziert das *humanum* mit dem *ingenium* als *in ardenti pectore fervor* (417, 577), *furor quidam divinus* (410). Tranquillitas dat vires ingenio. Auch für den homo ingeniosus freilich, den homo ingenio abundans gibt es Zeiten der infirmitas und paupertas ingenii. Dann sind wir keine Daedali, keine Icari, den Flügeln fehlen die Federn, dem Wagen die Räder (103). Doch immer wieder animi reficiuntur — *vere renati sumus* (260). Und zwar dank den *studia humanitatis.* Durch sie überwinden wir die infirmitas ingenii; ingenia crescunt, robirantur, augentur (115). Das *vivo* von AGRICOLA und CELTIS klingt bei MUTIANUS weiter, wenn er sich und die Freunde *Nos qui sumus* nennt (257).

Darauf gründet sein Selbstbewußtsein als Mensch. Mutianus grammatista, philosophaster, decretorum indigator: aufer titulos — nimm die Titel weg — quid remanet? — Mutianus (145). *Sum Mutianus homo* (76). Man sagte von ihm: *se sentit, se vult* (625). Unwillkürlich denken wir an Herder und an Hamanns Sprüchelchen c'est assez que d'être. Wenn Mutianus bekennt: ich bin gerne da, um zu leben — *esse libet, ut vivam* (177) —, so meint er des CUSANUS intellectualiter vivere, aber nicht so sehr als Spekulation denn als Fülle der Erfahrung und deren Bewältigung. „Aus nichts anderem ziehe ich größere Lust — *voluptas* — und nichts läßt mich so in Freude — *gaudium* — aufjauchzen, als wenn mir jeder Tag etwas Neues bringt, sei es gut oder böse" (269). Der beata tranquillitas scheint das keinen Eintrag getan zu haben.

Die Zitate, oft so überraschend „modern", selbst in den Termini, ließen sich noch weiter häufen. Wir verstehen, daß dieser *homo studiosus, curiosus, ingeniosus* in den ersten Dezennien des 16. Jahrhunderts anregend wie kaum ein anderer gewirkt hat.

Der Mutianus-Kreis zerbrach schließlich wegen eines Mannes, von dem später fälschlich angenommen wurde, er sei selbst daraus hervorgegangen: MARTIN LUTHER. Wohl studierte dieser *1501–1505* an der Artistenfakultät in Erfurt und war mit seinem Landsmann CROTUS RUBIANUS befreundet, aber einen Mutianus-Kreis gab es damals noch nicht, und zu Marscalcus hatte Luther nur wenig Beziehung. Im *Juli 1505*, kurz nach dem Magisterexamen, trat er dann in eines der 36 Klöster Erfurts, bei den Augustinereremiten, ein, wo er während des Winters 1506/07 die Weihen empfing. „Beata tranquillitas" über seine Zelle geschrieben, hätte nach Selbstverhöhnung ausgesehen, niemand war ihr ferner als der von Zweifeln und Schuldgefühlen heimgesuchte Bruder Martin. *Semper tristis,* so kennzeichnet Luther später selbst den Erfurter Mönch, *nec potebam tristitiam illam deponere.* Er studierte jetzt zwar Theologie, aber nicht an der Universität, sondern im klösterlichen Generalstudium, infolgedessen traf er selbst mit Rubianus nicht mehr zusammen.

Für die Zeit von *Herbst 1508* bis *Herbst 1509* wurde Luther nach Wittenberg versetzt, wo die Rolle des väterlichen Freundes, die auch in seinem Leben, wäre er nicht Mönch geworden, vielleicht Mutianus Rufus gespielt hätte, der etwa fünfundvierzigjährige Doctor theologiae JOHANN VON STAUPITZ übernahm. Dieser stammte aus meißnischem Uradel und stand Kurfürst Friedrich dem Weisen persönlich nahe. Während er Prior des Augustinerklosters in München gewesen war, hatte ihn der Kurfürst 1502 an die Universität Wittenberg berufen, um hier eine Professur sowie das Dekanat der Theologischen Fakultät zu übernehmen und die neugegründete Hochschule zu organisieren. Seit 1503 versah Staupitz zugleich das Generalvikariat der Regulierten Augustiner-Kongregation in Deutschland.

Wer wie Staupitz aus München oder gar wie Luther aus Erfurt kam, dem erschien Wittenberg zwischen seinen Sandhügeln „einem alten Dorf ähnlicher als einer Stadt", obwohl es neben Torgau die zweite Residenz des mächtigsten deutschen Kurfürsten war. CHRISTOPH SCHEURL, der in seinen ‚Laudibus Germaniae' 1506 kühn behauptet hatte, Friedrich der Weise habe Wittenberg „aus einer Ziegelstadt in eine Marmorstadt verwandelt", sah seine Rhetorik Lügen gestraft, als er 1507 hier die Nachfolge des Petrus Ravennas auf dem Lehrstuhl für Kanonisches Recht antrat. Das wohlbefestigte Städtchen an der Elbe zählte 2500 Einwohner, 550 Steuerpflichtige, meist Ackerbürger, Handwerker und kleine Gewerbetreibende, unter denen es kein eigentliches Patriziat gab[22]. Die Universität, erst 1502 gegründet, besaß 15 Lehrstühle, die fast durchweg mit jungen Kräften, Männern zwischen dem zwanzigsten und dreißigsten Lebensjahr, besetzt waren. Um sie sammelten sich in Kürze 300 Studenten, so daß man auf den Gassen Wittenbergs zu gewissen Zeiten mehr Latein als Sächsisch sprechen hörte. In der Nähe des Schlosses hatte 1505 Lucas Cranach seine Werkstatt eröffnet; als Pfründe erhielt er die Einnahmen der Apotheke. Lateinischer Hofdichter war seit 1507 ein Richardus Sbrulius Forojulensis (aus Friaul), mit dem sich Scheurl ebenso wie mit Cranach befreundete. Aber noch kurz ehe Scheurl im Frühjahr 1512 als Ratskonsulent nach Nürnberg zurückkehrte, schrieb er aus Wittenberg: plerique academici nostri ista studia, quae hominem humanum efficiunt, unde etiam nomen sibi indidere, non honorant[23]. Daß Scheurl sich dagegen wehrte, als *Erphordianus* zu gelten, ist außerordentlich bezeichnend für das Renommée des Mutian-Kreises. Nicht bloß bei einem Mann, der später in einem Brief aus Nürnberg, datiert auf Mariae Himmelfahrt 1519, versichert, er wünsche sich an diesem Tage sehnlich, die Reliquien des Kurfürsten in Wittenberg anschauen zu können[24]. Wieweit solch eine Redewendung ernst gemeint ist, wissen wir bei Scheurl nie.

Luther nimmt alles nur zu ernst, meint Staupitz, wenn ihm der junge Ordensbruder seine Skrupel beichtet. Er sucht sie ihm als „Humpelwerk", als „Puppensünden" auszureden. Aber Luthers erschrocken verzagte Conscientia läßt sich nicht beschwichtigen, er glaubt, verdammt zu sein *ad profundum et abyssum desperationis.*

Da Luther schon vom Jakobusbrief nicht viel hielt, machte ihm der Brief Picos an seinen Neffen aus dem Jahr 1492, den Wimpheling um 1509 ins Deutsche übersetzte, erst recht keinen Eindruck. In diesem *Sendtbrief des wolgeborn Graven Ioannes Pici von Mirandel* hieß es: „daß wir uberwinden, dürffen wir keiner anderer kraft dan das wir begern zu uberwinden". Glück und Würde des Menschen, zumal des Christen, der sich dabei auf Jakobus berufen kann, liegen im Wissen, daß „in seinen freyen willen gesetzt ist der gesig". Die Kraft des Menschen erfährt dabei Stärkung aus der Heiligen Schrift, „die das gemüt des der sie reinigklich und demütigklichen list mit einer wunderbaren macht transformirt und verändert in die göttliche liebe." Um Pico zu übersetzen, greift Wimpheling ausnahmsweise in den Sprachschatz der Mystik, den er durch Geiler kennengelernt hat[25].

Noch ahnte niemand das Gewitter, das um Luther sich zusammenbraute und dessen Blitze in Bälde ebenso in die Kirche und ihre Theologie wie in den Tempel des Humanismus einschlagen werden. Man tauscht mit Lust Beschimpfungen aus und bekämpft einander voll Wut. Auch innerhalb der eigenen Reihen herrscht ständig Streit. Viel davon ist Flunkerei und Theaterdonner, Ergänzung zur Kunst der gegenseitigen Komplimente. Doch die drôle de guerre kann jeden Augenblick in tödliche Feindschaft umschlagen. Zu den Streitsüchtigsten gehört THOMAS MURNER. Bis er den „großen lutherischen Narren" entdeckt, in den sich zu verbeißen lohnt, muß er als Theologe mit den Humanisten und als Franziskaner mit den Dominikanern als Widersachern vorlieb nehmen. Die Fehde, die er in Straßburg gegen Wimpheling geführt hatte, ist längst im Geifern der Parteien erstickt. *1505* hat Maximilian, und wieder weiß man nicht recht warum, an Murner den Dichterlorbeer verliehen. *1509* gab dieser dann seine schon vor zehn Jahren in Krakau entstandene *Logica memorativa* heraus. Im Untertitel nennt er sie *Chartiludium logicae sive Totius dialecticae memoria*. Das Gegenstück lieferte, ebenfalls *1509*, MATTHIAS RINGMANN mit einer *Grammatica figurata*, worin er die Redeteile durch Kartenspielfiguren darstellt. Die Widmung an den Domherrn WALTHER LUD, das Haupt der humanistischen sodalitas von St. Dié, gibt mit einem Wortspiel den Zweck an: *Artis praeludia ludo disci et exerceri*. Auch eine Vorlesung, die er während des Wintersemesters *1508/09* in Freiburg gehalten hatte, veröffentlichte MURNER um *Weihnachten 1509* als Buch und widmete es, freundschaftlich und anzüglich zugleich, seinem Lehrer Jakob Locher-Philomusus. *De augustiniana hieronymianaque reformatione poetarum* lautet der fast zungenabbrechende Titel[26]. Murner propagiert, ähnlich seinem großen Ordensbruder Bonaventura, die reformatio poetarum als eine reductio artium ad theologiam, wobei er sich in erster Linie auf Augustin und Hieronymus beruft. Nachdem

Das Wesen der Logik
Erster locus in Thomas Murners ‚Logica memorativa', Straßburg 1509

er Voten der Kirchenväter gegen die antiken Schriftsteller gehäuft hat, legt er ebenso die empfehlenden auf einen Haufen. Dort, so hat man jedenfalls den Eindruck, wird mehr der heidnische Inhalt, hier mehr die rhetorische Form, die ars movendi, in Betracht gezogen. Dennoch muß ja nach Cicero und Quintilian der wahre Orator ein bonus oder honestus vir sein, woraus Augustin einen vir christianus macht, Murner sogar einen vir canonicus oder ecclesiasticus. Also ist heidnische Eloquenz gar keine echte Eloquenz, und ihr Teilgebiet, die heidnische Poesie, kann auch nicht als Poesie gelten. Auf diese Argumentation tut sich Murner sichtlich etwas zugute. Im 4. Kapitel des I. Teils betont er: Ich weiß, daß die meisten das Neue der Behauptung schockieren wird und sie sagen werden: demnach hältst du Vergil nicht für einen Dichter? Quibus respondeo: non esse poetam! Aber das ist nicht meine Antwort, sondern ich leite sie von dem Heiligen Augustinus her. Die profanen Poeten und Stückeschreiber sind keine Redner, also auch keine Dichter. Der Schluß erscheint mir evident, die Voraussetzung gibt der Heilige Augustinus. Ich ehre meine Lehrer, von denen ich weiß, daß ihnen meine Worte mißfallen, aber noch mehr liebe ich Augustinus, und die Wahrheit verehre ich als Gott.

Was für eine zwingende Logik und vor keiner noch so neuartigen und mißliebigen Konsequenz zurückschreckende Kühnheit dieser Murner entfaltet! Dabei tritt er ganz bescheiden hinter den Heiligen Augustin zurück und wahrt auch seinen humanistischen Lehrern gegenüber den schuldigen Respekt — so ungefähr wünschte sich Murner die Reaktion auf seinen Traktat. In Wahrheit wird von ihm ein Paradox kunstvoll aufgezäumt, um ja zu verblüffen und zum Widerspruch zu reizen. Ausgerechnet Vergil, der *poeta poetarum*, soll kein Poet sein. Dann aber schiebt Murner prompt die Autorität des Heiligen Augustin vor, nicht um sich dahinter zu decken, sondern um der Opposition mit scheinbar devotem Lächeln das Wort im Munde zu ersticken und selbstgefällig über sie zu triumphieren: *applaudite spectatores!* Man merkt die Absicht, und man darf sie, soll sie merken. Nur wem der Sinn für Rhetorik abgeht, ist verstimmt, wo er Absicht wittert. Auf den Kenner überträgt sich die Lust am Effekt. Das ist rhetorische Kunst von hohen Graden und zugleich ein facettenreiches Spiegelbildchen Thomas Murners.

Dessen Stil in den lateinischen Schriften wirkt auf seine Art kaum weniger eigenwillig und verwegen, um nicht zu sagen „manieristisch", als der Stil, den HANS BALDUNG-GRIEN, seit er *1509* nach Straßburg gekommen war, bei den Einblattholzschnitten entwickelte. Baldungs *Hexen* von *1510* mußten schon durch ihr Thema Murner packen, der glaubte, er sei in seiner Kindheit verhext worden.

Um die Humanisten mit ihren eigenen Waffen zu schlagen, wollte der Franziskaner kirchliche Rhetorik lehren. Weit weniger harmlos war ein Streit um die unbefleckte Empfängnis Mariae, den die beiden rivalisierenden Bettelorden, Franziskaner und Dominikaner, untereinander austrugen. Ein Laienbruder der Dominikaner in Bern mit Namen JETZER spielte dabei den Denunzianten gegen vier seiner Patres, denen er angeblich nachweisen konnte, daß sie nicht allein die unbefleckte Empfängnis der Jungfrau Maria leugneten, sondern auch unschuldige Berner

Mädchen verführten, mit dem Teufel im Bunde standen und dgl. mehr. Es kam zum sogenannten Jetzer-Prozeß, der damit endete, daß Jetzer aus Bern verbannt, die vier Dominikanerpatres aber am *31. Mai 1509* vor den Toren der Stadt verbrannt wurden: offenkundig ein Justizmord, der allerorten ungeheure Aufregung hervorrief. Dem Franziskaner THOMAS MURNER war die Aufgabe zugefallen, die Verurteilten zum Scheiterhaufen zu begleiten, danach sollte er den Prozeß im Sinne seines Ordens propagandistisch gegen die Dominikaner auswerten. Seinen Ordensoberen schien Murner dafür der geeignetste Mann zu sein. Noch im Jahr *1509* erschienen aus Murners Feder sowohl eine lateinische Schrift *De quatuor heresiarchis ordinis Praedicatorum ... in civitate Bernensi conbustis* als auch eine deutsche Reimchronik *Von den fier ketzeren Prediger ordens der obseruanz*[27].

Obgleich Vergil kein poeta ist, macht Murner in seinem lateinischen Traktat von der ‚Aeneis‛ reichlichen Gebrauch. Es schickt sich günstig, daß Bischof Achilles de Grassis als päpstlicher Legat mit dem Jetzer-Prozeß befaßt wurde. Murner bezeichnete deshalb die Dominikaner als Trojaner oder Teukrer, gegen die Achilles kämpfen muß. Sie haben des Königs Menelaus auserwählte Gattin Helena in ihre sündigen Umarmungen gerissen: hoc est coeli reginam, Dei matrem, totius humani generis spem, und behaupten frech, diese habe ihre schönen Arme und Kniee ihnen enthüllt. — So werden die poetae reformiert, die artes zur theologia zurückgeführt, die heidnische Rhetorik funktioniert man auf diese Weise ins Christliche um.

Die Reimpaarverse der deutschen Schrift, die mit Holzschnitten des jungen URS GRAF illustriert war, wandten sich an die Vorstellungswelt des gemeinen Mannes. Damit trat Murner erstmals als Volksschriftsteller auf den Plan. Ebenso überzeugt von seiner Sache, ebenso voller Haß und ebenso schlagkräftig wie jetzt gegen die Dominikaner, wird er später gegen Luther vom Leder ziehen.

Der streitbarste Kämpfer auf der anderen Seite — gleich Murner poeta laureatus und mehr noch als er sowohl der lateinischen als namentlich der deutschen Sprache mächtig — wird dann ULRICH VON HUTTEN[28] sein. So verschiedener Herkunft die beiden waren, dort der am Fuß der Vogesen geborene, in Straßburg aufgewachsene Bürgerssohn, hier der dreizehn Jahre jüngere Sproß eines reichsritterlichen Geschlechts, auf dessen Stammburg Steckelberg an der Grenze zwischen Franken und Hessen er 1488 zur Welt kam, *ein* gemeinsamer Zug in ihrer Jugendgeschichte zeichnet sie als feindliche Brüder. Weil er seit der Kinderlähmung hinkte, wurde Thomas zu den Franziskanern geschickt, und seine physische Insuffizienz hat wohl auch den Charakter mitbestimmt. Ähnlich hielt man auf Steckelberg dafür, daß der schwächliche Uli nur ins Kloster tauge; er aber wollte kein Mönch werden, und sein Leben lang suchte er sich selbst zu bestätigen und sich der Huttenschen Sippe gegenüber auszuweisen. Der Klosterschüler in Fulda schloß Freundschaft mit einem ungefähr acht Jahre älteren Studenten aus Erfurt, jenem CROTUS RUBIANUS, der auch mit Luther befreundet war und neuerlich zu den Jüngern des Mutianus zählte. Als der Termin, an dem Hutten das Mönchsgelübde ablegen sollte, unmittelbar bevorstand, half Crotus dem Siebzehnjährigen zur Flucht. Die beiden inskribierten zunächst in Köln, wechselten aber im *Sommer 1506* nach Erfurt über. Das erste Gedicht, das wir von Hutten besitzen, spricht auch schon den gleichaltrigen EOBANUS HESSUS als Freund an; im Titel der Elegie nennt er ihn vivacissimi ingenii adolescentem. Selbstverständlich wurde Hutten bei MUTIANUS in Gotha eingeführt, aber die Reizbarkeit und das Ungestüm in seinem Wesen waren dem pater beatae tranquillitatis offenbar nicht geheuer. Zum Wintersemester *1506/07* ging Hutten an die neueröffnete Kurfürstlich-Brandenburgische Universität Frankfurt an der Oder, wo er Schüler des RHAGIUS AESTICAMPIANUS wurde und gelegentlich auch bei dem anderen Frankfurter Humanisten, dem einundzwanzigjährigen SCHMERLIN aus Straßburg hörte[29]. Klangvoll wie der Name, den er sich gebildet hatte — PUBLIUS VIGILANTIUS BACILLARIUS AXUNGIA —, strömten aus Schmerlins Munde die lateinischen Perioden. Als Rhagius nach Leipzig zog, folgte ihm Hutten, plötzlich aber taucht er, krank, bereits von der Lues angesteckt, und völlig mittellos, an der Ostsee auf. In Greifswald findet er Unterkunft im Hause des Professors Henning Lötz. Ein selbstbewußter Ordinarius der Jurisprudenz, ein Pommer, und ein anmaßlicher Junker und windiger Poet aus Franken passen schlecht zueinander. Lötz argwöhnt, er habe es mit einem Hochstapler zu tun. Im *Dezember 1509* bei strengster Kälte — selbst die Ostsee ist zugefroren — macht sich Hutten zu Fuß nach Rostock auf. Da überfällt ihn unterwegs ein Reitertrupp, Diener von Henning Lötz und dessen Vater Wedeg, dem Bürgermeister von Greifswald. Sie nehmen Hutten alles ab, was er bei sich hat, d. h. was ihm Lötz geschenkt oder eben auch nicht geschenkt hat, selbst das warme Überkleid. Zähneklappernd und zähneknirschend schleppt sich Hutten bis Rostock, wo die Professoren an ihm wiedergutmachen, was der Greifswalder Kollege verbrochen hat. Hutten erholt sich, und es entsteht *1510* die erste echt Huttensche Dichtung größeren Umfangs, zwanzig „Anklagen" in Elegienform: *Querelarum libri duo.* Die Zornesmuse, der nach David Friedrich Strauß Hutten sein Bestes dankt, hat ihm bei dieser *Invektive* die Feder geführt, Zorn gegen die beiden Lötze. In seiner Person, behauptet er, hätten sie die poetas Germanos insgesamt aufs schwerste gekränkt. Hutten will nicht nur Privatrache üben, sondern stellt seinen Fall in den Rahmen der ständigen Auseinandersetzung zwischen alter Wissenschaft und junger Poesie. Die eigene Sache wird zur Angelegenheit der deutschen Nation erhoben: das ist Huttenscher Stil. Und Huttensche Sprache: kein Mosaik aus klassischen Formeln, auch nicht immer korrektes Latein, aber ein großer Gestus, vibrierend von Leidenschaft. Es lag nicht an Huttens Distichen und andererseits den Reimpaarversen Murners, wenn der Lötzer-Streit viel weniger Aufregung hervorrief als der Jetzer-Prozeß oder gar der von Pfefferkorn entfachte Kampf um die Judenbücher.

JOHANNES PFEFFERKORN war ein Jude aus Mähren, der sich in Köln mit Frau und Kindern hatte taufen lassen — zuvor hieß er Joseph — und seitdem seine frühere

Religion fanatisch bekämpfte. *1507* veröffentlichte er einen plattdeutsch geschriebenen *Joedenspiegel*, der sofort ins Hochdeutsche und Lateinische übersetzt wurde; die plattdeutsche Fassung ist nur in zwei vollständigen Exemplaren auf uns gekommen. Lauthals forderte Pfefferkorn-PEPRICORNUS, alle Juden, die sich nicht freiwillig bekehrten, solle man mit Gewalt zu Christen machen und ihre Bücher verbrennen. Er mag an die Methoden gedacht haben, mit denen damals Francisco Ximenes als Kardinal-Inquisitor von Kastilien gegen die Araber vorging. Pfefferkorn fand Unterstützung bei den Dominikanern und bei der Theologischen Fakultät in Köln, wo Dominikaner die Führung besaßen. Der Dominikanerprior, Professor und päpstliche Inquisitor JAKOB VON HOCHSTRATEN erwirkte *1509* für Pfefferkorn ein kaiserliches Mandat zur Konfiskation der ausgesprochen antichristlichen Literatur der Juden. Dieser beschlagnahmte aber, im Einverständnis mit Hochstraten, sofort alle hebräisch geschriebenen Bücher, deren er habhaft werden konnte. Dagegen protestierte der Mainzer Erzbischof Uriel von Gemmingen, wohl mitbestimmt durch die Humanisten GRESEMUND, Vater und Sohn; der letztere war jetzt Protonotarius und Iudex generalis des Mainzer Stuhls. Also wurden bei verschiedenen Universitäten und bei JOHANNES REUCHLIN in Stuttgart als dem bedeutendsten Hebraisten Deutschlands Gutachten angefordert. Reuchlin unterschied in seinem Gutachten, dem kaiserlichen Mandat gemäß, zwischen Schmähschriften auf das Christentum, die man vernichten möge, und andererseits theologischem, philosophischem und naturwissenschaftlichem Schrifttum, in erster Linie Talmud und Kabbala, für das er Toleranz forderte. Auf keinen Fall könne und dürfe man den Juden ihren Glauben mit Gewalt nehmen. Missionieren dagegen sei möglich, ja nötig, aber, um Erfolg zu haben, müsse man die hebräische Sprache und Literatur kennen. Deshalb forderte Reuchlin, indem er gleichsam den Spieß umdrehte, die Errichtung von Lehrstühlen für Hebräisch. Wie sich von selbst versteht, erklärte Pfefferkorn, Reuchlin sei von den Juden bestochen, und veröffentlichte in diesem Sinn zur Frankfurter Frühjahrsmesse *1511* eine Schrift, die er *Handt Spiegel* nannte. Reuchlin antwortete in gleich heftigem Ton mit einem ebenfalls deutsch geschriebenen *Augenspiegel*, der zur Herbstmesse vorlag. Er wurde im *August 1511* ausgeliefert. Eine Flut von Pamphleten pro und contra den „philosemitischen" Christen bzw. den „antisemitischen" Juden folgte: damit gewann die Messe in Frankfurt am Main ihre Bedeutung für den Buchhandel[30].

Ein seltsames Manuskript ging um diese Zeit beim Abt von St. Jakob in Würzburg ein. TRITHEMIUS erinnerte sich, daß ihm der Verfasser im *Frühjahr 1510* einen Besuch abgestattet und sich als AGRIPPA VON NETTESHEIM vorgestellt hatte. Das war natürlich ebenso ein Übername wie Trithemius. Agrippa? Sofort assoziierte Trithemius den Gründer Kölns. Von Geburt und Taufe hieß der Mann HEINRICH CORNELIS, in Nettesheim bei Köln war er 1486 zur Welt gekommen. Aus den Erzählungen des Besuchers ging außerdem hervor, daß er um 1507 in Paris studiert und hier unter den Adepten der Geheimwissenschaften eine Rolle

372

gespielt hatte. Ob er die Dinge ernst nahm, war den anderen nie recht klar geworden. Einer von ihnen, Theodorich Wichwael, Suffraganbischof in Köln und Titularbischof von Cyrene, fragt Agrippa in einem Brief vom 29. November 1509, wie er denn in Wahrheit zur Astrologie stehe: cum quando apud nos causas ageres, ambiguus nobis visus fueras. Inzwischen hatte Agrippa in Dôle in Burgund am Hof der Margarethe von Österreich, verwitweten Herzogin von Savoyen, Tochter Kaiser Maximilians, eine Anstellung gefunden. Da er dort Vorlesungen über Reuchlins *De verbo mirifico* hielt, wurde er von den Franziskanern ähnlich verketzert wie Reuchlin selbst von den Dominikanern und kehrte im *Frühjahr 1510* nach Deutschland zurück.

Das Begleitschreiben zu dem Manuskript, das jetzt Trithemius vorlag, beide sind lateinisch abgefaßt, nimmt auf den damaligen Besuch Agrippas in Würzburg Bezug: „Als ich neulich bei euch, ehrwürdiger Vater, in eurem Kloster eine Zeit lang mich aufhielt und wir viel über

Agrippa von Nettesheim
(Titelblatt der Schrift ‚De occulta philosophia‘, 1533)

chymische, magische, kabbalistische und sonstige geheime Wissenschaften und Künste sprachen, wurde unter anderem auch die wichtige Frage aufgeworfen, warum wohl die Magie, die einst nach dem einstimmigen Urteil aller alten Philosophen den höchsten Rang einnahm ..., von den Theologen verworfen ... und überall durch gesetzliche Bestimmungen geächtet worden sei. Nach reiflicher Überlegung glaube ich die Ursache darin gefunden zu haben, daß ... viele Pseudophilosophen und angebliche Magier sich einschlichen, ... diese haben auch die vielen verrufenen Bücher ... herausgegeben ... Das brachte mich, der ich von früher Jugend an allen wunderbaren Wirkungen und geheimnisvollen Operationen ... nachgeforscht habe, auf den Gedanken, daß es wohl kein unlöbliches Unternehmen wäre, wenn ich die wahre Magie, jene uralte Wissenschaft ..., unter sorgfältiger Entwicklung ihrer Prinzipien wiederherstellen ... würde. Obwohl ich mich schon lange mit diesem Gedanken trug ..., hat erst eure eifrige Ermahnung mir Mut gemacht."

Die gleiche Unterscheidung zwischen echter und falscher Magie traf auch Pico della Mirandola in seiner Rede *De hominis dignitate* aus Agrippas Geburtsjahr 1486. Im Zeichen dieser Rede und der sich anschließenden 900 Thesen, damit aber auch im Zeichen der „esoterischen Tradition", scheint das Leben des Nettesheimers gestanden zu haben. Jedenfalls knüpft die Schrift *De occulta philosophia*[31], die er dem Trittenheimer zuschickte, an Pico und ebenso an Ficinos *De vita triplici* (1489) an. Das Manuskript befindet sich noch heute auf der Universitätsbibliothek in Würzburg.

Gewiß um die Praxis, aber mehr noch um die Prinzipien der Magie, die Magie als eine uralte, offiziell geächtete, verschüttete und in diesem Sinn okkulte, verborgene Philosophie, ging es Agrippa. Das magische Weltbild der *colligatio et continuitas naturae* wollte er wieder ans Licht ziehen und einem Kreis Erwählter bekanntmachen. Esoterisch soll diese Wissenschaft und Weisheit, scientia et sapientia, bleiben. Im Ton reihen sich die drei Bücher ‚De occulta philosophia' unter die philosophisch-rhetorischen Traktate der Humanisten. „Ihr aber, Söhne der Wissenschaft und Weisheit, forschet in diesem Buche ... Für euch allein ist es bestimmt, für euch, deren Gemüt unverdorben, deren Lebenswandel rechtschaffen, deren Sinn ..., deren Glaube ..., deren Hände ..., deren Sitten ... Ihr allein werdet die für euch bestimmte Unterweisung und die unter vielem Rätselhaften verhüllten Geheimnisse finden, die nur einer tiefen Einsicht sich erschließen; wenn ihr aber diese erlangt, so wird die magische Wissenschaft in ihrer ganzen Macht vor eure Augen treten und werden sich euch jene Kräfte zeigen, die einst Hermes, Zoroaster, Apollonius und die übrigen Wundertäter besaßen." Magiertum ist für Agrippa eine Höchstform des Menschentums. Insofern gehört die Beschäftigung mit der *occulta philosophia* zu den *studia humanitatis*.

Will der Trittenheimer in erster Linie zaubern, wofür er die schon von Johannes Hartlieb aufgeführte Literatur nutzt und auch Technik und Tricks nicht verschmäht, so schließt sich der Nettesheimer, seinem „faustischen" Erkenntnisdrang folgend, Reuchlin an und über ihn der Florentiner Akademie und jenem jüdischen Schrifttum, das man jetzt, wenn es nach Pfefferkorns Willen geht, in die Flammen des Scheiterhaufens werfen wird. Der Abt von St. Jakob rät deshalb, das Manuskript lieber nicht drucken zu lassen. Kaviar — das ißt man damals wohl noch nicht, so drückt sich der Abt anders aus: Zucker sei nur für die Singvögel, den Ochsen gäbe man Heu zu fressen. Erst 1531 überwand Agrippa die Bedenken, die gegen eine Veröffentlichung sprachen.

Nach PLOTINS Metaphysik läßt sich die Gottheit in ihrer Emanation stufen-
weise von Göttern, Dämonen, Gestirnen bis zu den Tieren, Pflanzen und Steinen
herab. Jede „Stufe" wirkt auf die nächsttiefere. Umgekehrt kann der Mensch in
seiner Kontemplation und in platonischem Eros diese „Stufen" bis zur Gottheit
emporsteigen oder auch — das ist Magie — den Prozeß des Aufeinander-Wirkens
rückläufig machen. Dem von Gansfort gebrauchten Bild einer *scala*, einer Treppe
mit ihren Stufen oder Leiter mit ihren Sprossen, zieht Agrippa das Bild der
catenae, verschiedener Ketten mit ihren Gliedern, vor. Die Glieder einer solchen
Kette gleichen einander — bei PROKLOS heißen die Ketten deshalb *seirai*, Serien, —
und leiten einen Strom pneumatischer Kräfte von oben nach unten wie von unten
nach oben. Die neuplatonische Metaphysik hat dabei nicht bloß spekulativen
Sinn, sondern soll einerseits der Kontemplation und andererseits der Magie
dienen: beides Möglichkeiten zur *vivescentia* des Menschen. Das gibt dem Neuplatonismus Agrippas den „Renaissance"-Charakter.

Der Magier sieht im bloß scheinbar Gleichen die Unterschiede und, was noch
wichtiger ist, im scheinbar Unterschiedlichen die Gleichheit. D. h. er kennt die
Ketten, in die jedes Ding gehört, die sympathetischen Reihen oder Serien, deren
jede ihre besonderen Kräfte hat, und er versteht, diese Kräfte zu konzentrieren,
indem er möglichst viele Dinge derselben Reihe zusammenbringt, störende aber
ausscheidet. So gehören nach Agrippa in die Reihe des Mars unter den Elementen
das Feuer, unter den Säften die Galle, unter den Metallen das Eisen, unter Pflanzen Knoblauch, Nieswurz, Rettich und alles, was giftig ist, sticht oder brennt,
Zwiebel, Senf und Nessel. Von den Tieren rechnet er dazu die kriegerischen,
räuberischen, kühnen wie Panther und Wolf, aber auch Flöhe, Mücken usw. Wer
hier möglichst viel miteinander kombiniert, kann beispielsweise anderen Menschen oder sich selbst etwa suggerieren (*ligatio*), er kann hypnotisieren (*fasci-
natio*) und vermag sogar Kriege zu entfachen und zu gewinnen. Ganz einfach ist
es dagegen, mit Hilfe der Venusreihe Liebe zu erwecken. Man nehme ein Tier,
das zu dieser Reihe gehört, Hirsch, Taube, Schwalbe oder Sperling, und schneide
ihm zur Zeit der Brunst das Herz, die Hoden oder die Gebärmutter aus, mische
damit die richtigen Pflanzen und Pflanzenteile in richtiger Zahl, vom richtigen
Ort, zu richtiger Zeit, so wird der Liebestrank seine Wirkung nicht verfehlen.

Im dritten und letzten Buch seiner ‚Occulta philosophia' läßt Agrippa die
magischen Praktiken hinter sich, um über *vates* und *vaticinium* zu orakeln. *Vaticinium*, Sehertum, ist der Gipfel der Weisheit, *sapientia*. Der Seher, *vates*, schaut
ins Wesen der Dinge, Raum und Zeit schwinden, das räumlich Fernste wie auch
Vergangenheit und Zukunft liegen seinem Auge offen. Agrippa erklärt das als
die Wirkung von Geistern, Göttern oder Dämonen, die in die Seele einfallen.
Vorausgesetzt wird eine völlige Leere der Seele, Gelassenheit im Sinne der Mystiker: Illapsiones vero eiusmodi ... non transeunt in animam nostram, quando illa
in aliud quiddam attentius inhians est occupata, sed transeunt, quando vacat.
Ohne *vacatio* kein *vaticinium*. Nur wo die Seele blank ist von allem, wecken die

375

Geister wahrheitkündende Träume, *somnia*, Verzückungen, *raptus*, erleuchtenden Wahnsinn, *furor*. Für Agrippa bedeutet *furor* eine Erleuchtung der Seele, *illustratio animae a diis vel a demonibus proveniens*. Unde Nasonis hoc carmen: *Est deus in nobis, sunt et commercia celi; sedibus etheriis spiritus ille venit*. Diese Ovidverse hatten es schon Celtis angetan, er zitierte sie in der Ode ‚Ad Sepulum disidaemonem‘. Nach Agrippa stiften den seherischen Wahnsinn Apollo oder die Musen, Dionysos, Venus oder Saturn. Im letztgenannten Fall, beim *influxus planetarum altissimi*, verbindet sich dem *furor* der *humor melancholicus*, weshalb die großen Männer, insonderheit Dichter und Künstler, zu allen Zeiten Melancholiker waren. Physiologisch gesehen, litten sie an schwarzer Galle. Agrippa beruft sich hier auf die Genielehre des Aristoteles, ‚Problemata physica‘ XXXI, 1. Sie dürfte ihm, wie schon vordem Wessel Gansfort, Celtis und namentlich Cuspinianus, vielleicht sogar Kaiser Maximilian, durch Ficinos *De vita triplici* vermittelt worden sein. Als Albrecht Dürer den schönen, rätselreichen Kupferstich *Melencolia I* schuf, kannte er wohl neben der Ficino-Übersetzung von Johann Adelphus Muling (1505) auch schon Agrippas ‚De occulta philosophia‘. Danach können die magischen Bilder, von denen Ficino spricht, durch Zahlenquadrate ersetzt werden, und ein solches Zahlenquadrat, nämlich für Jupiter, findet sich ja auf Dürers Kupferstich. Die Beschwörung von Jupiterkräften soll die Ausstrahlungen des Saturngestirns paralysieren, die mit Melancholie den Menschen schlagen. Wichtiger noch, zugleich heilsam und fruchtbar für den Menschen, ist die eigene Reaktion, das Umfunktionieren der Saturnschen Melancholie in schöpferische Leistung — Psychagogie. Wessel Gansfort hat das auf einer Rheinfahrt erprobt und so den „Dämon“ besiegt. In Aby Warburgs Interpretation der ‚Melencolia I‘ heißt es: „Bei Dürer wird also der Saturndämon unschädlich gemacht durch denkende Eigentätigkeit der angestrahlten Kreatur; das Planetenkind [neben der Melencolia] sucht sich durch eigene kontemplierende Tätigkeit dem mit der ‚unedelst complex‘ drohenden Fluch des dämonischen Gestirns zu entziehen“. Melanchthon führte nicht zufällig in ‚De anima‘ gerade Dürer unter den Melancholici, den Saturnmenschen, an; bei dem Künstler habe sich diese Nativität freilich anders ausgewirkt als bei Scipio oder Augustus. „Diese Auffassung von Dürers künstlerischem Genie könnte schlechthin als Unterschrift unter die ‚Melencolia I‘ gesetzt werden“[32]. —

Besinnen wir uns darauf, daß in der mittelalterlichen Morallehre ein gutes Stück Selbstverständnis und Selbstdeutung der Zeit steckt, so gibt sie uns eine Diagnose psychischer Defekte, die als mehr oder minder überindividuell angesehen wurden. Einen der Fixpunkte bildete das „Mönchslaster“, die trübsinnige Gleichgültigkeit, *acedia*; einen anderen die *curiositas*, die Wißbegier, „morbus Graecus“. Ihnen gesellte sich bei Petrarca aufs neue das „Rhetorenlaster“, *accidia* als eitle Redseligkeit, und bei Poggio die allgemeine Ungenügsamkeit, er nennt sie *perversitas*. Diese vier geistigen Gebresten verhindern die innere Sammlung und Ruhe des Menschen.

Im Gegensatz zu Augustin, um bloß den wichtigsten Namen anzugeben, werteten die Aristoteliker, das Wort in einem weiten Sinn genommen, die *voluntas sciendi* positiv. Cusanus verabsolutierte dann sogar den Prozeß des Erkennens. Hier machte sich die Hochschätzung des Lebens, zumal der inneren Lebendigkeit, geltend, die Cusanus mit den Humanisten teilte. Ziel der Psychagogie wurde anstelle der *quiescentia* die *vivificatio*.

Ficinos auf Aristoteles fußende Lehre über die Verkettung der Genialität mit der Melancholie stellt nun eine Synthese dar, im Zeichen der Astrologie, zwischen den beiden Grundkomplexen von *acedia* und positiv gewerteter *curiositas*. Für Agrippa erreicht die Genialität ihren Gipfel erst in der Magie. Sofern er danach trachtete, das magische Weltbild und zugleich das Magiertum wieder aufzufinden, verstieg sich Agrippa von Nettesheim weit über die Naturphilosophie von Celtis und Mutianus hinaus zu einer äußersten Möglichkeit der Humanistischen Renaissance. Johannes von Trittenheim blieb zurück bei seinen Zauberbüchern und Geschichtsfolianten.

Vadianus und sein Kreis; Laus stultitiae (1511)

Das Wiener Collegium poetarum et mathematicorum war von CELTIS testamentarisch liquidiert worden, das Katheder für Poesie und Beredsamkeit in Wien stand zumeist leer, da CUSPINIANUS vom Kaiser für diplomatische Missionen beansprucht wurde. So scharten sich die verwaisten Artisten um den 1484 in St. Gallen geborenen JOACHIM VON WATT-VADIANUS[33]. Wie in Erfurt können wir auch in Wien von einem Älteren und einem Jüngeren Humanistenkreis sprechen, während aber die literarische Bedeutung von Marscalcus zu Mutianus und jeweils ihren Jüngern steil ansteigt, fällt diese Kurve von Celtis zu Vadianus. Dessen Kreis tritt erstmals am *16. April 1511* mit einem Gedächtnisbüchlein für einen früh verstorbenen Freund hervor, einen ARBOGAST STRUB, der nur siebenundzwanzig Jahre alt geworden war: *Arbogasti Strub Glaronesii orationes duae, quas, dum in humanis fuit, habuit, deinde nonnulla mortuo ab doctis viris eulogia epitaphiaque pie posita. Carmen item de Morte per Joach. Vadianum*[34].

Das Bändchen wurde HULDRYCH ZWINGLI gewidmet, Leutpriester in Glarus, der 1500—1502 in Wien studiert und sich dabei seines Landsmanns Arbogast Strub besonders angenommen hatte. Strubs Gedichte zeigen wenig Originalität. Seine beiden Universitätsreden, mit rhetorischen Fragen, Hyperbaton und Litotes ausgeschmückt, gelten die eine der *Heiligen Ursula* als Patronin der Rheinischen Nation, zu der alle Studenten der westlichen Länder, einschließlich Spaniens, gehörten, die andere der *Heiligen Katharina*, die nach der Legende als achtzehnjährige Jungfrau die berühmtesten heidnischen Redner in der Diskussion besiegt und bekehrt hatte, weshalb man sie in Wien ebenso wie in Paris, Heidelberg, Wittenberg und andernorts als Schutzheilige der artes liberales verehrte; am

Katharinentag, dem 25. November, pflegten jene Disputationes de quolibet statt-zufinden, die einen Höhepunkt im akademischen Leben bildeten.

Natürlich wurde als erster CUSPINIANUS um einen Beitrag zu der Strub-Erin-nerungsschrift angegangen. Der Vielbeschäftigte zog sich geschickt aus der Affäre mit einem nichtssagenden *Epitaphium*, dessen Lettern er in der Form einer Sand-uhr anordnete.

Den Höhepunkt des Büchleins bildet ein sehr bewegtes und bewegendes Streit-gespräch in Elegienform zwischen *Vadianus* und *Mors*, quem *Pamphagum* nomi-nat. Obwohl es lange nicht an den ‚Ackermann aus Böhmen' oder Lochers ‚Concer-tatio Virtutis cum Voluptate' heranreicht, ist es wohl die gelungenste dichterische Leistung des VADIANUS. Der „Allesfresser" Tod schildert, wie er den Himmel nur von außen kennt:

> Ringsum blicken aus Spalten und Ritzen die Strahlen von Sonnen,
> Wohllaut von Melodien klingt aus den Sälen heraus.

Des weiteren beklagt sich der Tod, daß die Menschen ihn fürchten und hassen:

> ... Nirgends, ach, finde ich Ruh'.
> Wie eine Eule bin ich: rings krähen die kleinen, die großen
> Vögel mich an; bald fliehen, bald wieder picken sie mich.

Die Menschen verstehen den Tod nicht:

> Mutter ist mir das Leben. V(adianus): Das Leben dem Tode?
>   M(ors): So ist es,
> Wenn du das irdische meinst ...

Nur der Verschlafene, Feige, der Halblebendige zieht, vom Tod getroffen, ins Schattenreich ein, der wache Geist eilt zu den Sternen. Unter viel Beiwerk klingt der Glaube durch, daß wer lebte, auch leben wird: das Celtissche *Vivo*.

Ein Jahr zuvor war in München *Das büchel von dem aygen gericht des ster-benden menschen*[35] erschienen, eine sogen. Moralität, die u. a. ein Streitgespräch zwischen Tod und Jüngling enthält. Der Tod rechtfertigt sich: Du thust uns größ-lich unrecht, wir seinn auch nütz der welt, dann sollten wir alle lebendige ding haben lassen leben, vor klainen mugken möcht nyemant bleyben ... usw. Der jung gesell jedoch will der wellt freüd unnd wollust nach leben. Da erschießt ihn der Tod, und Gott verdammt ihn zur bittern hellen. — Die Weltlust, der JOHANN VON TEPL in seinem Streitgespräch und ebenso WOLKENSTEIN, auch WITTENWILER, Ausdruck gaben, ohne ihre Todesangst völlig völlig übertäuben zu können, sie kommt auch hier zu Wort, wird aber jetzt entschieden widerlegt — ganz im Gegen-satz zu dem Streitgespräch Vadians. Insofern markieren die beiden „büchel" von

1510 und *1511* eine Krisis: die vereinzelten Ansätze deutscher Eigenrenaissance — mehr hat es literarhistorisch nie gegeben — finden im 16. Jahrhundert keine Fortsetzung. Humanismus und bald auch Reformation fangen diese Impulse auf.

VADIANUS läßt in der Gedenkschrift für Strub seiner *Certatio* eine *Jubelode auf den Ostersonntag* folgen:

> Intonsi iuvenes, plaudite vocibus
> In caelosque manus tendite fervidi!
> surrexit siquidem victor ab inferis
> Christus sceptriger inclitus
>
> . . .
>
> Bezwungen liegt der trügerische Cerberus in den
> Ehernen Fesseln des Hercules, des lebendigen Christus,
> Und nicht mehr ist verschlossen der Himmel wie ehedem
>
> . . .
>
> O wunderbarer Tag, übervoll an Gnade,
> Sei gegrüßt!
>
> . . .
>
> Du gesellst uns den Chören der Engel bei.
> Von uns wird die vielfache Ordnung erkannt,
> Uns stehen die Sterne offen und die Tiefen.
> Wir sind das Ziel aller Dinge . . .
> *Nos finis sumus omnium . . .*

Das Büchlein schließt mit einem, wohl ebenfalls von Vadian verfaßten *Epitaph* auf den nörgelnden Leser, den Kritikaster: Die Götter sollen dich verdammen! *Dii, lector, te male perdant!*

Zwischen Cuspinianus, der mit seinem Bildgedicht den Anfang machte, und Vadianus kommen die Jungen zu Wort: der Baier GEORG TANSTETTER-COLLIMITIUS und Peter Eberbach, der sich PETREIUS APERBACCHUS nennt, ADRIAN WOLFHARD aus Klausenberg in Siebenbürgen, zwei Studgardini philosophi, SIMON LAZIUS und BERNHARD OTTO, MARCUS RUSTINIMICUS, zu deutsch „der Feind des geburenwesens", u. a. Meist wiederholen ihre Gedichte Celtis' Lehre: Sola virtus et poesis immortalitatem tribuit . . . Post mortem probitas scriptaque sola manent (Ep. V, 57 bzw. V, 60). Außer Horaz und Vergil haben dank Celtis besonders Apuleius und Pico, dazu Plinius d. J. die Wiener Schule beeinflußt. In drei Fällen wird in Versform über ein Zitat diskutiert, oder, anders ausgedrückt, ein vorgegebenes Thema von verschiedenen Poeten auf ihre Weise abgewandelt. Die Situation bringt es mit sich, daß alle drei Themen das Rätsel von Leben und Tod ansprechen, aber der Einklang im Tenor der gewählten Zitate und ebenso die Art ihrer Behandlung geben dem Kreis ein gewisses Profil. Ein Zitat in lateinischer Prosa, das VADIANUS und APERBACCHUS variieren, lautet auf Deutsch: „Unter Weinen werden wir geboren, unter Sorgen leben, unter Qualen verscheiden wir." Dann variieren VADIANUS und ADRIANUS ein Distichon, das Cornelius Gallus, dem Freunde Vergils, zugeschrieben wird:

> Alles strebt zu dem Ursprung hin und sucht seine Mutter,
> Und zu Nichts kehrt zurück, was einst gewesen ein Nichts.

Vadianus macht daraus ein Gedicht über den ständigen Kreislauf von Werden und Vergehen all dessen, was ist, mit der trostreichen Aussicht auf quies perennis.

Das dritte Zitat stammt von dem Bologneser Humanisten PHILIPPUS BEROALDUS D. J. und richtet sich an dessen Kollegen CODRUS URCEUS in Bologna, der auf Befragen erklärt hatte, was nach dem Tod mit uns Menschen — animo meo seu anima — geschehe, wisse man nicht, alles Reden über das Jenseits schrecke bloß alte Weiber.

> Codrus, was ist drunten? — Die Nacht. — Führt ein Weg zu den Sternen? —
> Nein. — Was ist Pluto, sprich! — Nichts als ein Menschengeschwätz!
> . . .
> Wie ist der Seele Wesen? — Dem Körper gleich, sie verschwindet,
> So wie der Körper vergeht, längerhin lebet sie nicht.
> Also erfreu' dich des Daseins, so lange du lebst, und genieße,
> Was sich genießen läßt! Alles entreißt ja der Tod[36].

COLLIMITIUS, VADIANUS und einige STRUB in den Mund gelegte Verse entgegnen dem *Omnia mors adimit* des Codrus: *mors neque cuncta rapit*. Das Schlußwort aber fällt Harpocrates zu, der nach Catull der Gott des Schweigens ist.

Schon für Celtis und manchen anderen schloß Redekunst, um nicht als Ketzerei angeprangert zu werden, die Kunst der Zweideutigkeit ein. Sie prägt auch das *Harpocrates*-Gedicht. Es scheint Cerberus und Eumeniden, Minos und Rhadamantus ins Reich der Fabel zu verweisen; aber wer hätte diese noch ernst genommen außer als Namen für christliche Jenseitsvorstellungen?

> Nam miseros faciet longa exspectatio poenae,
> Vel sit, vel non sit fabula vana hominum.

Lassen wir uns die Lebenslust nicht vergällen durch Sorge um ein Jenseits, von dem wir nichts wissen! Hier kommt offenbar mehr als Epikuräismus, nämlich echte Skepsis zu Wort, Pyrrhonismus, wie man ihn, dank Traversaris Übersetzung, aus dem 9. Buch der ,Vitae philosophorum' von Diogenes Laertios kannte[37]. Zur echten Glückseligkeit bedarf es der ἐποχή, der Zurückhaltung; jedes Urteil, das absolute Geltung beansprucht, ist zu meiden. So gilt auch nicht das skeptische Dogma, daß wahre Erkenntnis unmöglich sei, nur die skeptische Haltung: wir wissen selbst das nicht. Am Ende tritt hinter Apollo, dem Gott der Rede, den Celtis beschworen hatte, Harpocrates hervor und spricht wie Hamlet: Der Rest ist Schweigen.

‚Peri kosmou', fälschlich Aristoteles zugeschrieben und in der Paraphrase des Apuleius von Celtis nach seiner Ankunft in Wien 1497 neu herausgegeben, stößt im Vadian-Kreis mit der Skepsis eines Pyrrhon und Sextus Empiricus zusammen. Der Aristotelischen Anthropologie, gemäß dem 1. Satz in der ‚Metaphysik', wird nicht ihre Richtigkeit, aber ihre Verbindlichkeit bestritten. Statt dem eingeborenen Wunsch nach Erkenntnis nachzugeben, soll der Mensch das Unerkennbare, speziell die Zukunft, auf sich beruhen lassen und ohne Erwartung, sei es Furcht oder Hoffnung, der Gegenwart leben, dem Augenblick. Mag es gleich dem Urtrieb des Menschen, seinem Erkenntnistrieb, widersprechen, im reinen Dasein liegt das Glück beschlossen: ἀδοξάστως ἕπεσθαι τῷ βίῳ. Man meint fast, dem Pyrrhonismus des Vadiankreises den genius loci, die Atmosphäre Wiens, anzuspüren, so stark schon, wenn auch nicht voll und ganz, hat sich das Celtissche ‚vivo' am Stephansdom nach skeptisch resignierter „Leichtlebigkeit" hin verfärbt. Nichts liegt ihr ferner als mit Cusanus die Wahrheit ad infinitum zu suchen oder sie gar mit Agrippa in der occulta philosophia finden zu wollen. Eher noch verstünde man sich mit der „Weisheit" von Sebastian Brant.

Sowohl am ersten als auch am zweiten kleinen Variationen-Zyklus in memoriam Arbogasti hat sich PETREIUS APERBACCHUS beteiligt, nur beim dritten, relativ größten, fehlt er — falls nicht von ihm die *Harpocrates*-Verse stammen. Manches spricht für diese Vermutung. Die Verse passen zu den beiden anderen Zyklusgedichten Eberbachs, und dieser bringt in einem weiteren Beitrag, einem *Hendecasyllabus*, als einziger den Gedanken: Fürchte nicht des gefräßigen Orkus Dunkel!

Geboren 1480 als der Sohn eines Medizinprofessors in Erfurt, war Peter Eberbach eine Art Vierbändermann, der im Erfurter Marscalcus- und Mutianus-Kreis eine Rolle spielte, sich in Wien dem Vadianus-Kreis anschloß und auch Mitglied oder Gast der Akademie in Rom wurde. Des Eobanus 4. Ekloge zeigt ihn als Battus im Sängerwettstreit mit Tityrus, d. i. JUSTUS JONAS, vor Trasybulos-Mutianus. 1514/15 weilte Aperbacchus in Rom, wo sich nach dem Tode des Pomponius Laetus 1497 dessen Akademie aufgelöst hatte, dann aber durch ANGELO COLOCCI-COLOTIUS, der an der Kurie verschiedene hohe Ämter bekleidete, wiederhergestellt worden war. Als des Colotius rechte Hand fungierte der Apostolische Sekretär JOHANNES GORITZ-GORICIUS aus Luxemburg. Auch in diesem Kreis wurde wie einst auf dem Gütchen von Pomponius Laetus der 20. April als Geburtstag der Stadt Rom festlich begangen, ebenso freilich der Tag der Heiligen Anna. Goricius dürfte, solange er Supplikenrezipient war und alle Bittschriften an den Papst durch seine Hand gingen, manche Handsalbe bekommen haben, davon stiftete er in die Kirche auf seinem Grundstück eine Annenkapelle und ließ diese durch JACOPO SANSOVINO mit einer Statuengruppe der Anna selbdritt schmücken. Bei den Festen im Goritzschen Garten, nahe dem Tarpejischen Felsen — Gobineau läßt hier Bramante, Raffael und Michelangelo zusammentreffen — heftete man die Gedichte, die beim Gastmahl rezitiert worden waren, an Brunnen und Pinien oder an Sansovinos Marmorgruppe. Erst 1524 wurden sie als *Goriciana* gedruckt. Darunter finden sich Verse von Petreius Aperbacchus, Johannes Hadelius, Christoph von Suchten aus Danzig, dem Schlesier Georg von Logau und Ulrich von Hutten.

Erasmus, der natürlich des öfteren bei Goritz zu Gaste war und ihn als „Mann reinen Herzens" preist, hatte schon im *Sommer 1509* Rom verlassen und war über die Septimerstraße nach Chur und von Basel das Rheintal hinuntergezogen, um sich in Calais nach England einzuschiffen. Wie auf dem Hinweg das ‚Carmen alpestre seu De senectutis incommodis', konzipierte er jetzt das *Encomion morias seu Laus stultitiae*. Als Gast von Thomas Morus vollendete er das Werkchen in Chelsea und widmete es dem Freund am *9. Juli 1511*. Wenige Monate später begann er seine Lehrtätigkeit in Cambridge mit einer Erläuterung der griechischen Grammatik nach den *Erotemata Chrysolorae*.

Als Erasmus 1506 in Italien eingetroffen war, hatte er sich eben mit dem ‚Carmen alpestre' durch düstere Altersgefühle und Altersgedanken zu innerer Gefaßtheit durchgerungen, zur Freiheit im Glauben an eine höhere Macht, einen Gott der Liebe, dem er fortan sein Leben widmen wollte. Nun hörte er, wie man dem Stellvertreter Christi bei der Karfreitagspredigt als Blitze schleuderndem Jupiter und Herrscher dieser Welt huldigte. Jeden Tag fast stieß er auf Dinge, die seiner Vorstellung von Christentum stracks zuwiderliefen.

Wenn er sich auf dem Campo di Fiori in Rom bei Darbietungen von Gauklern unter die Zuschauer mischte oder in Siena einem Stierkampf beiwohnte, fühlte er sich auch da fremd. Und doch scheint es der italienische Menschenschlag dem ständig reflektierenden Nordländer angetan zu haben. Erasmus widerfuhr Ähnliches wie den Humanisten, die nach Wien kamen. Die entwaffnende Naivität und natürliche Heiterkeit, das unbeschwerte In-den-Tag-hinein-Leben der Italiener mag ihm liebens-, ja beneidenswert erschienen sein, wenn auch ein wenig töricht. Aber liegt vielleicht gerade in der Torheit der Reiz des Lebens? Das Lamentieren über Toren und Narren ist allmählich monoton geworden, sollte man nicht auch einmal die Torheit loben oder gar sich selbst loben lassen? Es gibt kaum ein dankbareres Thema zu geistreich-ironischem Spiel. Und hatte nicht Ficino in der Vorrede zu seiner Platon-Übersetzung erklärt: Interea Plato noster ... interdum iocari videtur et ludere. Verum Platonici ludi atque ioci multo graviores sunt quam seria Stoicorum? Erasmus kann sich überdies auf eine antike Tradition, Lukians ‚Lob der Fliege' u. ä., berufen.

Durch Morus war er auf Lukian hingewiesen worden. Deshalb hatte er zwei Jahre zuvor dessen *Gallus* übersetzt. Sic titillat (kitzelt er) allusionibus, sic seria nugis (Späße), nugas seriis miscet, sic ridens vera dicit, vera dicendo ridet, heißt es von Lukian im Vorwort. Das Mittelalter kannte wohl ein Nebeneinander, kaum aber ein ironisches Ineinander von Ernst und Scherz. Die ‚Laus stultitiae' ist seit dem Tod des griechisch schreibenden Syrers Lukian (180 n. Chr.) zum erstenmal wieder ein Werk echter Ironie. Insofern läßt sich die These vertreten, Erasmus habe für Europa *the Greek thing, Irony*, wiederentdeckt[38].

Erasmus spannt sein Trapez über dem Einfall, daß die Torheit sich selbst lobt; die Genitive im Titel, morias und stultitiae, sind zugleich genitivus subjectivus und genitivus objectivus. Daraus ergibt sich ständig eine ähnliche Zweideutigkeit, die umgekehrte, wie aus dem Delphischen Orakelspruch an Sokrates, er sei der Weiseste, weil er wisse, daß er nichts wisse. Die Versuche H. H. Hudsons[39] und Walter Kaisers[40], den Aufbau der Erasmischen Lobrede von den Regeln Quintilians bzw. vom Vorbild griechischer Enkomien her zu analysieren, wobei Kaiser sich an P. C. Burgess[41] anschließt, geben uns manchen treffenden Fingerzeig, haben mich aber nicht durchweg überzeugt.

Wie ein Gaukler des Campo di Fiori tritt die Torheit vor ihr Publikum oder besser: sie springt ihm sofort ins Gesicht und packt es mit den prahlerischen Worten: Mögen die Menschen von mir sagen, was sie wollen, es bleibt dabei, nur mir allein und meiner Kraft haben es Götter und Menschen zu danken, wenn sie heiter und froh sind. Ihr selbst beweist es: sowie ich kam, erhellten sich alle Gesichter, munter schnellten die Köpfe empor, und ungehemmtes Lachen erschallte ... Ein treffliches *exordium*.

In amüsantester Weise spricht dann die Torheit über ihre Herkunft von der Insel der Glückseligkeit, über ihre Verwandtschaft mit Pluto, dem Reichtum, und Hedone, dem Vergnügen, und über ihre eigenen Leistungen. Ohne sie gäbe es keine Liebe und keine Familie, keine Freundschaft und keinen Staat. Es gäbe keine Lust, das Leben wäre trübselig, langweilig und reizlos, unerträglich — das mag man zur *narratio* im Sinne Quintilians rechnen oder mit Kaiser bzw. Burgess als *genos* und *anatrophe* bezeichnen.

Das Schwergewicht fällt erst auf die rhetorische, nicht syllogistische, *argumentatio* und hier wieder auf die *probatio* (*confirmatio*) oder, wenn man so will, die *praxeis*. Nach stoischer Definition heißt Weisheit, sich vom Verstande leiten lassen — *duci ratione* —, Torheit aber, sich bewegen lassen durch die Macht der Affekte — *affectuum arbitrio moveri*. Damit legt Erasmus den entscheidenden Gegensatz zwischen *sapientia* und *stultitia* bloß. Auch der Stoiker aber sei sich bewußt, daß, wer weise heißen will und deshalb fühllos wird, im Grunde freudlos leben muß. *Affectibus movere* bzw. *affectibus moveri* lautet, wie wir wissen, die Maxime der Neuen Rhetorik: Indem sie von Erasmus der Torheit und von dieser dem stoischen Weisen in den Mund gelegt wird, also doppelt abgewertet zu sein scheint, läßt Erasmus den Leser selbst ihren Wert entdecken.

In anderem Kontext, etwa im ‚Enchiridion', unterscheidet Erasmus freilich zwischen affectus boni et mali, spirituales et carnales. Ein Brief zählt folgende Affekte oder Gemütsregungen, *animi motus*, auf: gaudium, dolor, spes, metus, amor, odium, ira, benevolentia, misericordia.

Von der Torheit hören wir, wer wie Seneca dem Menschen die Affekte austreibe, lasse überhaupt keinen Menschen übrig — *ne hominem quidem relinquit* —, sondern schaffe etwas wie einen neuen Gott, der nie existiert habe und nie existieren werde, errichte das Marmorbild eines Menschen, stumpf und bar alles menschlichen Gefühls — *marmoreum hominis simulacrum constituit, stupidum et ab omni prorsus humano sensu alienum*. Weisheit und Torheit hin oder her, Übermenschentum ist Unmenschentum, nicht Humanität; Stoizismus und Humanismus schließen sich gegenseitig aus[42].

Je weiter einer von mir weggeführt wird, erklärt die Torheit, Herrin der Affekte, um so weniger lebt er: *Quoque longius a me subducitur, hoc minus minusque vivit*. Er kann — so unser Kommentar — nicht mit Agricola und Celtis *vivo* sagen oder mit Mutian *sumus* und nicht des Cusanus *plus et plus vivere* beistimmen; wer sich dagegen zur Torheit hält, tritt in die *sodalitas vivescentiae* ein. Natürlich darf der Mensch, wenn er Mensch sein und als Mensch empfinden will, sich nicht überwältigen lassen von den Trieben wie das Vieh. Aber: *Non carere libidine, sed vincere libidinem, virtutis est*.

Die personifizierte *stultitia* spielt bei Erasmus ungefähr die gleiche Rolle wie bei Cusanus der *idiota*. Sie vertritt gegenüber dem Philosophen, hier besonders dem Stoiker, den natürlichen Menschen und ist der Anwalt des Lebens, der inneren Lebendigkeit. Mit ihrem Selbstlob bekennt sich Erasmus unpathetisch und nicht hundertprozentig, nicht vorbehaltlos, dabei mit einer gewissen Koketterie — das ist hier der Kern seiner Ironie — zum Standpunkt des „unphilosophischen" Menschen.

Im weiteren Fortgang wechselt die argumentatio von probatio über in *refutatio*, den praxeis folgt die *syncrisis*, von der ironisch als Un- oder Antiphilosophie vorgetragenen Lebensphilosophie kommt Erasmus zur Satire auf Jagdleidenschaft, Baufieber, Aberglauben, Nationalstolz usw., lauter Narrheiten, denen er nichts mehr abgewinnen kann. Wie vor ihm hundert andere, zuletzt Sebastian Brant und Jakob Locher, nur mit unendlich viel mehr Esprit, zieht Erasmus eine Narrenrevue auf. Schier am verächtlichsten erscheinen die Repräsentanten von Wissenschaft und Kirche, einschließlich der Päpste.

Aber, besinnt sich die Torheit, ich will ja nicht den Eindruck eines Satirikers statt eines Enkomiasten machen. So krönt sie, von der refutatio zur *probatio* zurückkehrend, ihre argumentatio in deren drittem und letztem Teil mit einer *theologia stultitiae*. „Die christliche Religion hat allem Anschein nach eine innige Verwandtschaft mit der Torheit und recht wenig mit der Weisheit gemeinsam." Paulus wird zitiert: „Was vor der Welt Torheit ist, hat Gott erwählt" — „Wir sind Toren um Christi willen" — „Wer sich unter euch weise dünkt, werde ein Tor, damit er weise ist". Christus bezeichnete seine Auserwählten als Schafe — „ein dümmeres Tier gibt es ja nicht" —, und sich selbst legte er gerne den Namen eines Lammes bei. Da er durch den Mund der Torheit redet, kann Erasmus tun, als wisse er nicht um die wahre Bedeutung dieser Bilder. Christus ist somit selbst ein

Tor geworden und wollte die Sünde nicht anders tilgen als durch die Torheit des Kreuzes — *stultitia crucis*. Das höchste Entzücken, das nun dem Christen im Diesseits gewährt wird und für das Jenseits zugesagt ist, man beschreibt es als Außersichsein, als Verrücktheit.

„Aber ich bin schon längst über das Ziel hinausgeschweift ... Ich sehe, ihr wartet auf ein Nachwort. Ihr seid nicht recht gescheit ... Lebt also wohl, klatscht Beifall, lebt und trinkt, ihr hochgepriesenen Mysten der Torheit!" — Nachdem sie die höchste irdische und überirdische Lust für sich reklamiert hat, bricht mit dieser *peroratio* — so kurz wie das exordium — die Torheit ihre Rede ab.

Die Erstlingsschrift des Erasmus, ‚De contemptu mundi', war aufgebaut gewesen auf dem Satz: Tota vitae nostrae ratio Epicurea est. Um der Analogie zur ‚Laus stultitiae' willen könnte man sie als ‚Laus voluptatis' bezeichnen. Der damals zwanzigjährige Autor sah in voluptas, der Lust, dem Vergnügen, das Ziel des Lebens, nur daß es verschiedene Arten und Grade, verschiedene Rangstufen der voluptas gibt; sie reichen bis zur Nachfolge Christi hinauf, denn Christus ist der größte Epikuräer. Seit der italienischen Reise zeigt sich bei dem nun vierzigjährigen Erasmus die Neigung, Leben mit Torheit, vita mit stultitia oder moria gleichzusetzen; und auch diese Torheit hat verschiedene Gestalten, die erhabenste im Gotteslamm. Nicht als ob Erasmus den Epikuräismus jetzt verleugnete. Daß Torheit die conditio sine qua non jeden Vergnügens, jeder Freude und Lust sei, das zieht sich von Anfang bis Ende wie ein roter Faden durch das ‚Enkomion'. Der Epikuräismus ist aber Antistoizismus geworden, weil sich der Begriff, die Vorstellung, das Gefühl des Lebens bei Erasmus vertieft haben. Leben, vita, vivere bedeuten fast Selbstzweck und Eigenwert. Wohl kann man *voluptas* als Ziel, *stultitia* als Voraussetzung deklarieren, aber eigentlich dienen beide bloß zur Umschreibung dessen, was Erasmus mit *vita* meint, als *vivescentia* erfuhr und anders nicht darzustellen vermochte.

JOHANN VON TEPL hatte schon dem neuen Gefühl für das Leben, dem Ja zu seinen Freuden und Leiden und letzlich um seiner selbst willen, Ausdruck gegeben, indem er es von der stoischen Weisheit des Todes abhob. Da der Herr weder dem Ackermann noch dem Tod ganz recht oder ganz unrecht gibt, bleibt die Entscheidung offen. Auch Erasmus wahrt eine gewisse Offenheit, indem er seine Rede für das Leben an die Torheit delegiert.

Wie roh ist dagegen die ungezügelte Vitalität der Bauern in WITTENWILERS *Ring*, wie plump, nicht nur das Nebeneinander von Belehrung und Erzählung, sondern auch das Durcheinander von Spaß und Widerwillen, Ja und Nein, das uns hier überkommt! Auch in ‚Dyl Ulenspiegel' vernahmen wir das Rauschen des Stromes, der unterirdisch die erstarrten Sinngebäude aushöhlt: Leben um des Lebens willen. SEBASTIAN BRANT sah schon die offene See, wo das Schiff mit den Schluraffen kentern würde, und kämpfte fast nur noch für Ordnung um der Ordnung willen. Er ist oder will sein der stoische Weise, der lebensfeindlich, die Affekte abtötend, in die Vernunft sich verkapselt, „rotund und gantz wie ein Ey". — Als das lucideste

Werk der Epoche erhellt das ‚Lob der Torheit' weithin die geistige Landschaft und läßt deren wesentliche Züge hervortreten.

Das Urteil, auch hier sei das meiste „angelesen", klänge den Ohren eines Humanisten eher schmeichelhaft als kränkend. Jede Rede bedarf der *amplificatio*, der Erweiterung und zugleich Erhöhung des Stoffs in gedanklicher wie formaler Hinsicht. Solche amplificatio geschieht durch *inventio*, das Finden von Gedanken — sie heißen *res* —, und durch *elocutio*, den sprachlichen Ausdruck, Worte und Stilfiguren — sie heißen insgesamt *verba*. Der Redner muß deshalb über einen Schatz von Denkmöglichkeiten und Ausdrucksmöglichkeiten, *copia rerum* und *copia verborum*, verfügen. Beide gewinnt er aus der methodischen Lektüre der *autores*. Insofern ist sein Werk notwendigerweise *imitatio*.

Erasmus legte das aufs neue dar in einem Sammelband vom *Juli 1512*. Die wichtigsten Teile sind eine stark erweiterte Neufassung der wohl schon 1497, ein Jahrzehnt nach Agricolas ‚De formando studio' entstandenen,1511 gedruckten Schrift *De ratione studii et instituendi pueros*[43] und eine zweite Lehrschrift, des Titels *De duplici copia rerum ac verborum*. Hatte Erasmus das ‚Lob der Torheit' 1511 Thomas Morus zugeeignet, so widmete er die Publikation von 1512 JOHN COLET. Sie wurde aber nicht nur an der von Colet bei St. Paul's in London gegründeten Schule, sondern bald auch in Canterbury und Eton benützt und maßgebend für die englische *grammar school*. T. W. Baldwin in seinem voluminösen Werk ‚William Shakespere's Small Latine and Lesse Greeke'[44] beginnt den Abschnitt ‚Evolution of the grammar school'[45] mit zwei Kapiteln, die überschrieben sind: ‚Erasmus laid the egg; De ratione studii' und ‚The egg which Erasmus laid at St. Paul's'. Der Name grammar school darf nicht irreführen. „The grammar school visualized by Erasmus and the 16th century was not merely grammar school, but also rhetorical and literary school ... Without Erasmus, we might have had the John Milton of popular concept, but not William Shakespeare"[46].

‚De ratione studii' handelt von den allgemeinen Voraussetzungen und grammatischen Grundlagen des Schulunterrichts, ‚De duplici copia rerum ac verborum' liefert den rhetorischen Überbau. Die Zweiteilung dieses Titels entspricht dem Satz in Quintilians *Institutio oratoria*: Omnis autem oratio constat ex iis quae significantur, aut ex iis quae significant, id est rebus et verbis.

Der erste Teil der Schrift — die Teile heißen commentarii — handelt vor allem von Stilfiguren wie synonyma, enallage, metaplasmus etc. Eine schier unabsehbare Fülle von Variationsmöglichkeiten — *rationes variandi* — wird auf diese Weise erschlossen. Um zu sagen „Dein Brief hat mir viel Vergnügen gemacht" oder „Ich denke, daß es Regen gibt", schlägt Erasmus rund fünfzig verschiedene Wendungen vor, in anderen Fällen noch mehr.

Der zweite Teil will mit zwanzig *loci* — Örtern, Fundörtern oder Fundstellen für Gedanken — der *inventio rerum* dienen. Dabei geht es Erasmus ebenso wie AGRICOLA weniger um eine Erkenntnismethode als vielmehr um die rhetorische

Praxis. Wie auf Apfelhurden legt er seine Lesefrüchte aus. Jede versieht er mit einer mehr oder minder ausführlichen Erläuterung, die auf Parallelstellen Bezug nimmt und vom Einzelfall Regeln abstrahiert. Das geschieht mit leichter Hand, ohne schulmeisterliche Pedanterie.

Die Tradition von CHRYSOLORAS, GUARINO, AGRICOLA fortsetzend, empfiehlt Erasmus den Schülern, eigene Collectaneen zu führen: „Wer sich also vorgenommen hat, die gesamte Literatur durchzulesen — und das muß jeder wenigstens einmal im Leben tun, der auf Gelehrsamkeit Anspruch machen will —, wird sich zunächst möglichst viele loci schaffen. Er kann sie nach Gutdünken von den Arten und Unterarten der Tugenden und Laster abnehmen oder von den wichtigsten Beziehungen des Lebens" oder kann sich an ein Vorbild wie Aristoteles, Cicero, Valerius Maximus, den Heiligen Thomas halten[47].

Wiederholt jedoch warnt Erasmus vor Affektiertheit. Übertreibung, allzu große Versiertheit, sowohl im Sprachlichen als auch im Gedanklichen, führt zur Sterilität. Das 6. Kapitel ist überschrieben ‚De Stulte affectantibus vel brevitatem vel copiam'. Damit klingt zugleich Sokrates' Wort über Gorgias und also auch die Grundthese des Galfrid von Vinsauf[48] an. Zum Schluß heißt es noch einmal: Admonendum hoc quoque, ne quovis in loco parem copiam affectemus. Sunt enim quaedam sterilia. Seit der Wiederentdeckung QUINTILIANS versteht sich das eigent- von selbst. Bei ihm las man Buch VIII, Kapitel 3, daß der schlimmste Fehler in der Eloquenz die *mala adfectatio* sei, d. h. *quidquid est ultra virtutem*: jede Übertreibung einer (stilistischen) Tugend.

Erasmus wäre kein echter Rhetoriker und nicht Erasmus, wenn er nicht mit der Sprache des Menschen zugleich diesen selbst nach den Prinzipien des, in seinem Fall christlichen, Humanismus hätte bilden wollen. Auch das bestimmt seine Auswahl der Texte und seine Glossen. Er will junge Menschen zu der *Christiana felicitas* führen, die nach seiner Meinung schon die Antike im Auge hatte.

Wir vermissen bei Erasmus, zumal wo es um eine Art Lehrbuch sich handelt, klare, strenge Systematik. Erasmus scheut davor zurück, weil er kein Schulmeister sein und nicht Schulmeister züchten will. Wer Jahrzehnte lang mit aufgeschlossenem Sinn den studia humanitatis obgelegen und Quintilians ‚Institutio oratoria' sich einverleibt hat, wird allergisch gegen die *supervacua operositas*; eine übertriebene Ausarbeitung empfindet er in allen Sparten der Literatur als Kunstfehler. Sein Ideal ist die urbane Lässigkeit, Baldassare Castiglione nennt sie *sprezzatura*[49]. Solche Lässigkeit, mag sie mitunter auch Mühe gekostet haben, macht den Charme des Erasmus als Schriftsteller aus, und etwas davon hat selbst ‚De duplici copia rerum ac verborum', seine ‚Institutio oratoria', sein ‚Handbuch der literarischen Rhetorik' abbekommen. Nachdrucke zählt man weit über hundert, Bearbeitungen und Auszüge an die zweihundert[50]. —

Seit langem konnten dank der Devotio moderna und ihrer Schulen die Niederlande als die Pädagogische Provinz Deutschlands gelten. Erasmus wahrte ihnen und steigerte diesen Ruf, desgleichen MURMELLIUS, der u. a. für den Anfangsunterricht ein lateinisch-niederländisches Gesprächsbüchlein schrieb, die schon genannte *Pappa puerorum* (Kinderbrei) von 1513[51]. Zwei weitere Proben daraus: Pauli soror adeo formosa est, ut nihil supra: Pawells suster is so seer suverlick, dat dair nicht boven en sy; Brevibus contionibus, at longis farciminibus gaudent rustici: Kurtze bredigen, aber lang brotwurst handt die puwern gern. Bis zur Jahrhundertwende soll das Büchlein in wenigstens 30 000 Exemplaren verbreitet worden sein. So hat Murmellius entscheidend mitgeholfen, das *Doctrinale Alexandri Galli* weiter an die Wand zu drängen, ja, „hem komt de eer toe, dat hij als een der eersten en besten door mittel van de school de nieuwe geestesrichting in den goeden zin des woords heeft gepopulariseerd"[52]. In Münster konnte Murmellius durchsetzen, daß zum *Spätsommer 1512* JOHANNES CAESARIUS aus Jülich berufen wurde, um Griechisch-Kurse zu halten, und man dafür sofort in Paris 300 Exemplare der *Erotemata Chrysolorae* bestellte.

Epigramme von ORTUINUS GRATIUS und HERMANNUS BUSCHIUS leiteten die ‚Pappa puerorum' ein. Beide Männer waren aus Schulen der Brüder vom gemeinsamen Leben hervorgegangen und nahmen an der Unterrichtsreform lebhaftes Interesse. BUSCHIUS schreibt einmal: „Es ist Wahrheit und Tatsache: die Lehrer an den Trivialschulen verwenden fast den ganzen Tag darauf, den Knaben die *Logik des Petrus Hispanus* vorzutragen". Zum Teil werden sie den Murnerschen Abriß von 1507 benutzt haben. „Sie hüllen die Knaben damit in einen dichten Nebel von Argumentationen, damit es nicht scheine, sie erteilten einen gehaltlosen Unterricht; allein die ihnen anvertrauten Schüler gehen darüber zugrunde!" Dann fährt Buschius fort: „Nicht die Logik, sondern die Buchstaben (Grammatik) müssen die Knaben kennenlernen. Haben sie diese richtig erfaßt und verstehen sie deren Anwendung, so können sie später an den Universitäten unter bedeutenderen Lehrern die Logik noch hinlänglich studieren. Aus der herkömmlichen, fehlerhaften Lehrmethode erwächst für die geistige Ausbildung gewiß kein geringer Nachteil. Denn indem die Lehrer besorgt sind, ihre Zöglinge nicht ohne Kenntnis der Logik an die Universität zu schicken, entlassen sie diese in Wahrheit meist in so großer Unwissenheit, daß sie noch nicht einmal das Alphabet kennen." Eine Schulreform, wie sie jetzt in England einsetzte, wäre in Deutschland nicht weniger notwendig gewesen, aber Buschius fühlte sich als Universitätsdozent nicht berufen, dafür wie Erasmus ein Programm aufzustellen. Wie die Dinge lagen, mußte eben, was die Schule versäumte, die Universität nachholen. Und so greift Buschius nolens volens zum lateinischen Elementarbuch, der *Ars minor Donati*. Wenn die Schulmeister vor lauter Hispanus den guten alten Donatus vergaßen, mußten ihn die Universitätsprofessoren wieder zu Ehren bringen. Buschius schrieb 1509 einen Kommentar zum Donatus und begann gleichzeitig Vorlesungen darüber zu halten. Das fand nun aber sein Kollege in der Kölner Artistenfakultät ORTWIN VAN GRAES doch unter der Würde der Universität, und so gerieten die beiden in eine heftige Fehde, die sich über Jahre hinzog. Ihre Folgen werden wir noch kennenlernen. Auch Ortuinus Gratius, das zeigen seine *Orationes quodlibitae 1508*, hielt nichts vom

Argumentieren à la Hispanus, nur sollte man deshalb nicht die Artistenfakultät zur Trivialschule degradieren und gleichsam Kinderbrei kochen. Buschius verteidigte sich in der Lautlehre — Abecedarium —, die er seiner Donat-Ausgabe von 1513 beigab; ihr entnahmen wir das obige Zitat. Neben dem neuen Hispanus von MURNER konnte man also jetzt den neuen Donatus von BUSCHIUS gebrauchen.

Gratius und Buschius stammten beide aus westfälischem Adel, das mag sein Teil beigetragen haben zu der Rivalität zwischen ihnen. Vielleicht war van Graes noch stolzer auf sein Westfalentum, jedenfalls hat er 1514 ein Buch De laude veteris Saxoniae nunc Westphaliae dictae ausgegraben, eine Stammesbeschreibung in gediegenem Latein, die 1478 der Kartäusermönch WERNER ROLEVINCK veröffentlicht hatte[53]. Was würde aus der Welt werden, wenn es einmal keine Westfalen mehr gäbe? fragt Rolevinck. Fürsten und Prälaten in Deutschland, Frankreich, Italien und wo immer sollen bloß nicht an der einfältigen Redeweise dieser Männer und am Geklapper ihrer eisenbeschlagenen Schuhe Anstoß nehmen, dann werden sie, wie die Erfahrung lehrt, allezeit wohl beraten und bedient sein. „Den Ruhm hatte dir, o Sachsenland, der allmächtige Gott vorbehalten, daß du von keinem andern überwunden werden konntest, von keinem anderen gereinigt, unterrichtet, erleuchtet" als von dem „herrlichsten Kaiser", Karl dem Großen, der um des Glaubens willen „beide Sachsen", Ost- und Westfalen, „dem Klerus unterwarf." — Die letzten Worte werden Buschius sehr gegen den Strich gegangen sein. Sicher, meint Rolevinck, war auch Wittekind — als Sachse — ein „vornehmer und tapferer Mann", der zu seinen Worten stand, doch huldigte er dem „tief gewurzelten Frevel des Götzendienstes", bis Gott ihn gnädig die Wahrheit sehen ließ. Fortan glich Wittekind „mehr einem Mönch als einem Herzog". Zu den Humanisten gehörte Rolevinck demnach nicht, und in den Augen von Buschius auch Gratius nicht.

Der Streit dieser beiden wird schließlich in den Reuchlinstreit einmünden. Daß REUCHLIN 1512 das hebräische Gedicht eines RABI JOSEPH HYSSOPAEUS PARPIANENSIS judaeorum poeta dulcissimus, ins Lateinische übersetzt, herausgab, fand kaum Beachtung. Aber im HERBST 1512 hatten die Dominikaner in der Kölner Theologischen Fakultät erreicht, daß durch kaiserlichen Erlaß Druck und Verkauf des Augenspiegels untersagt wurden. Das rief die Humanisten auf den Plan. Was Hutten von seinen ‚Querelae' sich versprochen hatte, daß die eigene Sache zur Sache der gesamten Sodalitas litteraria in Deutschland werde, trat nun im Falle Reuchlin ein.

ULRICH VON HUTTEN war nach dem Weggang aus Rostock über Wittenberg und Wien 1512 nach Italien gelangt und hatte hier, um sein Leben zu fristen, Werbegeld und Sold genommen. Trotzdem konnte er 1512 ein Gedicht in 48 Distichen, Outis-Nemo, zum Druck bringen, eine Satire, die, wenngleich sehr entfernt, an Erasmus erinnert. Schon im folgenden Jahr 1513 dichtete Hutten weitere Distichen hinzu, die Ausgabe von 1518 wird 78 zählen. Outis, Niemand, nennt sich bei Homer Odysseus den Kyklopen gegenüber, und so scheint auch im I. Teil von Huttens

Distichen *Nemo* der Name einer Person zu sein, von der die unglaublichsten Dinge ausgesagt werden. Nemo war da vor der Erschaffung der Welt, Nemo ist unsterblich und von Fehlern und Irrtümern frei, Nemo ist in der Liebe weise usw. Erst allmählich wird klar, daß mit Nemo nicht ein Fabelwesen gemeint ist, der Dichter vielmehr negative Aussagen macht über Jedermann. Im Ton wechselt er zwischen Witz, Ironie, Humor und Satire. Die aktuelle Tendenz tritt zutage, wenn es beispielsweise heißt: Nemo bringt alle Deutschen unter einen Hut, Nemo wagt es, die Üppigkeit und den Müßiggang der Geistlichen oder gar den Papst zu tadeln. Der zweite Teil der Distichen handelt nur noch von Nemo als einer stehenden Ausrede, besonders der Dienstboten. Wo ein Schuldiger gesucht wird, hat es Nemo getan. Diesen Niemand kannten die Volksliteratur und die Volkskunst schon lange. 1515 stellte ihn der siebzehnjährige HANS HOLBEIN auf einer Tischplatte dar.

Hutten schrieb in seiner Widmungsepistel an den Freund Crotus Rubianus, der ihn einst aus dem Kloster geholt hatte, er sei selbst in den Augen der Welt Nemo, habe in der Welt nur Nemo getroffen und wolle gerne Nemo bleiben, um sich manchmal über die Torheiten der Welt lustig zu machen, denn er habe kein Geltungsbedürfnis. — Das wird Nemo glauben, wurde doch Hutten mehr noch als andere Humanisten vom Geltungsbedürfnis geplagt. Wenn jemand, wollte er einen Namen sich schaffen.

Daß er jetzt allerdings Nemo war, bekam der Fünfundzwanzigjährige zu spüren, als er, nach Deutschland zurückgekehrt, 1513 auf der väterlichen Burg Steckelberg Unterschlupf suchen mußte. Ein Kalb hat man für den verlorenen Sohn hier nicht geschlachtet. Wer die großen Städte in Deutschland und Italien kennengelernt und an Symposien Pirckheimers teilgenommen hatte, wäre auch ohnedies auf einer Ritterburg nicht mehr heimisch geworden. Hutten schildert dieses Burgleben in einem Brief an Willibald Pirckheimer: „Ob unsere Behausung auf dem Berg oder in der Ebene liegt, sie ist nie zur Behaglichkeit, sondern nur zum Schutze erbaut, von Wall und Graben umgeben, innen ungeräumig mit Vieh- und Pferdeställen zusammengedrängt, daneben finstere Schuppen voller Kanonen, Pech und Schwefel und was sonst noch zur kriegerischen Ausrüstung an Waffen und Maschinen gehört. Überall der Gestank des Schießpulvers, dann die Hunde mit ihrem Unrat, das duftet lieblich und angenehm, sollte ich meinen. Reitersleute kommen und gehen, auch Raubgesindel, Diebe und Wegelagerer, denn gewöhnlich stehen unsere Häuser offen, und unsere Leute wissen selten, was einer ist, oder fragen nicht viel danach. Man hört das Blöken der Schafe, das Brüllen der Ochsen, das Bellen der Hunde, das Schreien der Feldarbeiter, das Rumpeln und Gerassel der Karren und Wagen, ja, in unserer Gegend, wo die Wälder nahe sind, auch das Heulen der Wölfe. Der ganze Tag ist mit Angst und Sorge um den nächsten, mit fortgesetzter Bewegung und dauerndem Sturm ausgefüllt"[54].

Wenig erfährt man auf Steckelberg von dem, was draußen in der Welt, zumal in der Gelehrtenwelt, vor sich geht. Hutten sucht sich nach Möglichkeit ins Bild zu setzen. Seit 1512 gab es zwei neue poetae laureati: einen Elsässer, Thomas Heinrich

Vogler, der sich wohl in der Regel THOMAS AUCUPARIUS, zur Abwechslung aber auch Diodymus, Didymus Ornitheras oder Myropola nannte[54a], und HENRICUS GLAREANUS, der uns schon als Bewunderer „Floras" begegnet ist. Auf dem Reichstag in Köln hat er sich am 15. *August 1512* mit einem *Panegyricon ad Maximilianum Romanorum imperatorem* den Lorbeerkranz ersungen. Das ‚Dodecachordon' des Glarners wird Hutten nicht mehr kennenlernen, dagegen erschien das ‚Panegyricon' 1515 zusammen mit anderen Arbeiten, unter denen eine geographisch-poetische *Helvetiae descriptio* am ansprechendsten ist. Im Nachhinein, wie so mancher, hat sich Glareanus den Lorbeer wirklich verdient. Die ‚Helvetiae descriptio' kann den Vergleich aufnehmen mit Celtis' ‚Norimberga' und ‚Germania generalis'.

THOMAS MURNER, poeta laureatus von 1505, war inzwischen Prediger in Frankfurt am Main geworden und gab hier 1512 seine beiden ersten in deutschen Reimpaarversen abgefaßten Moralsatiren, *Narrenbeschweerung* und *Der schelmen zunfft*, heraus, die natürlich nicht an das ‚Lob der Torheit' anschließen, sondern die Narrenschiff-Nachfolge eröffnen. Es fragt sich allerdings, ob der Begriff Satire bei Murner die Sache trifft. Sein eigener Terminus ist *schympff red*, was noch die Bedeutung von Scherz, Spaß, Kurzweil hat, aber auch schon die von Anklage, Schmähung und Kränkung. Keine Lehrdichtungen wie Sebastian Brant verfaßte Murner, sondern Kampfdichtungen. Während Brant die verblendeten Menschen zu Selbstbesinnung und Vernunft bringen und sie, wenn auch mit geringer Hoffnung auf Erfolg, retten wollte, sah Murner Narrheit als Schelmerei oder Bosheit an, als ein *schedlich dingk*, das vernichtet werden muß. Den Teufel, die Macht des Bösen, ließ Brant so wenig wie Erasmus gelten; zwar mied auch Murner die Worte Teufel und Sünde, aber wohl nur, weil sie allmählich ausgeleiert waren. Dafür personifizierte sich ihm die Narrheit in Dämonen. Die närrischen Menschen sind *mit narren bsessen*, deshalb werden sie mehr oder minder fratzenhaft dargestellt. Den Dämon, der vom menschlichen Willen Besitz ergriffen hat, sucht Murner durch „Narrenbeschwörung" auszutreiben. Die „Schelmenzunft" hat er offenbar bis zu den Deklassierten, Asozialen, Kriminellen hinab gut gekannt. Wo sich heute in den Städten allein die Heilsarmee hintraut, betätigten sich einst die Bettelorden. Der burleske Realismus von Murners Dialogen und Expektorationen läßt auf eine im Haß gründende Solidarität mit den Angeprangerten schließen. Murners Verhältnis zur *schelmenzunfft* steigert das Wittenwilers zum *geburenwesen* ins Fanatische.

Literarhistorisch könnte man als Bindeglied zwischen Brant und Murner den *Liber Vagatorum*[55] vom Anfang des Jahrhunderts einsetzen, der sich im Vorwort auf das ‚Narrenschiff' beruft. Nur daß dieses deutsch geschriebene Buch über die Sitten und Gebräuche der Vagabunden, die um 1500 manchenorts ein Drittel der Bevölkerung ausmachten, vornehmlich der Information des Establishments diente, Murner aber in Frankfurt nicht Soziologie trieb. Wie hätte er sich sonst seinen Aktivismus und gar seine sprachliche Potenz bewahrt? Die Sprache von Murners Schimpfreden reicht mitunter fast an die Invectiven Heimburgs und Huttens heran.

JAKOB LOCHER in Ingolstadt, poeta laureatus auch er, dankte sein weltweites Ansehen der Latinisierung des ‚Narrenschiffs'. Nun war die ‚Stultifera navis' durch das ‚Encomion morias' ausgestochen worden, so ließ Locher 1513 ein *Encomium paupertatis* vom Stapel gehen. Die Armut lobt sich selbst als Mutter aller Tugenden. Das ‚Lob der Torheit' hat Locher damit gewiß nicht eingeholt. Aber Lochers Druck von 1513 enthält außer dem ‚Encomium', einem *Carmen de pace* und verschiedenen *Elegien* und *Epigrammen* auch ein ironisches *Epiodion de morte Plutonis et Daemonum*, das nicht bloß durch brillante Verse sich auszeichnet, sondern überhaupt einen Treffer in der Satire der Epoche darstellt. Nachdem alle Menschen gut geworden sind, hat Pluto sein Reich geschlossen, es bedarf keines Cerberus mehr, und Charons Ruder liegt unbenützt auf dem Boden des Nachens. Die Mönche haben Schätze im Himmel gesammelt, der Weg zu den Sternen steht ihnen offen. Überall herrscht eitel Eintracht. Kriege gehören der Vergangenheit an. Und wie die Frauen durch keinen Edelstein, werden die Männer durch keinen Purpur mehr verlockt. In keuschen Herzen blüht Frömmigkeit wie die Rose im Garten.

Erlesen, im doppelten Sinn des Wortes, dennoch zwanglos wirken auch Wortwahl und syntaktisch-metrische Fügung von Lochers *Elegien*. Die Distichenform weiß er sinnvoll zur Geltung zu bringen.

> Sit mihi turpisono sine crimine vita fidesque
> Sit sincera mihi, sit moderatus honor . . .

Die Verse von CELTIS, Lochers Lehrer, sind meist sperriger in der Form, in der Aussage anspruchsvoller. Klar heben sich die beiden Stimmen voneinander ab, da im *Mai 1513* der erste deutsche poeta laureatus, fünf Jahre nach seinem Tod, mit den *Libri Odarum quatuor*[56], die THOMAS RESCH-VELOCIANUS zusammengestellt hatte, noch einmal selbst zu Worte kam. Resch, in Wien Domherr an St. Stephan und Professor der Theologie, war Celtis während seiner letzten Lebensjahre besonders nahegestanden; sowohl in der sodalitas Danubiana als auch im collegium poetarum hielt man große Stücke auf dieses Mitglied. In der Philosophie folgte Resch, der mehrmals das Rektorat bekleidete, natürlich der für Wien gültigen via moderna, dem Nominalismus. Die Geister schieden sich am deutlichsten — hie *via moderna*, hie *via antiqua* — bei der Frage, ob man im Philosophieunterricht die *Parva logicalia* des nominalistischen MARSILIUS VON INGHEN verwenden oder zu PETRUS HISPANUS zurückkehren solle[57]. Merkwürdigerweise lag Inghens Schrift noch nicht im Druck vor; deshalb drängte Resch die Artistenfakultät, sie für die Studenten drucken zu lassen. Das geschah endlich *1512*. Schwieriger war es mit CELTIS' *Oden*. Der Theologischen Fakultät erschien der Dichter nach wie vor suspekt, sie hätte gern das *Vivo* am Stephansdom Lügen gestraft und suchte Resch am Druck der Oden zu hindern. In Wien gelang es ihr, doch nahm schließlich die Schürersche Presse in Straßburg sich der nahezu 100 Oden und 17 Epoden an.

Wo hätte das neue Lebensgefühl so freudig-stolzen Ausdruck gefunden wie in der ersten dieser Oden?

> . . .
> Saltamus, canimus nec male pingimus
> Et chordas resonas pollice (mit dem Daumen) tangimus,
> Nil nobis peregre (aus der Fremde) est difficile
> . . . Dorica et Itala
> Miscentes pariter non sine gloria.
>
> . . .
> Hinc caelum omne patet terraque cognita est
> Et quid quadrifidis continet angulis . . .

Dem entgegnet eine andere Ode: Was die furchtbare Macht des verborgenen Schicksals sei, das mit sicherer Vernunft die Welt regiert, und was die trunkene Ordnung des Zufalls, dies Rätsel möge Apollo lösen!

Wir haben schon früher aus der Odensammlung zitiert und ebenso aus der beigefügten Biographie, *Conradi Celtis per sodalitatem Rhenanam vita*[58]. Mit dem Namen der Sodalitas Rhenana tarnte sich wahrscheinlich Resch als Verfasser der ,Vita' seiner Fakultät gegenüber. Celtis, wie ihn die ,Vita' schildert, war von mittelgroßer Statur, etwas dicklich, hatte ein klares, offenes Gesicht, strahlende Augen und einen schönen Mund; als das weiche, schwärzliche Haar nicht bloß vorzeitig ergraute, sondern auch früh sich lichtete, fiel die hohe Stirne auf. Im Ganzen wirkte Celtis gesetzt und kühl, war aber wohlwollend und freundschaftlich; wenn er jähzornig wurde, was nicht selten geschah, konnte man ihn schwer besänftigen. Celtis heißt der getreue Liebhaber, pertinax amator, der Sonne, der Wälder und Berge, des Wanderns, des Badens und Singens, der Musik und der Geselligkeit. Aus eigener Erinnerung und aus Erzählungen anderer Freunde des Dichters stellt Resch *dicta memorabilia* — Maximen und Reflexionen — von Celtis zusammen. Wenn das erste dictum lautet: *Neminem vivere, cui non pars stultitiae contingerit,* so ist *vivere* wohl emphatisch und *contingere* im philosophischen Sinne von Kontingenz gemeint: Keiner lebt, wenn ihm nicht ein Stück Torheit anhaftet: eine *laus stultitiae* in nuce. Ohne Kommentar gebe ich ein paar weitere Beispiele: Von den Göttern wird keiner geliebt, den die Menschen nicht lieben — Liebe und Neid im Menschen martern sich gegenseitig — Die Affekte sind schicksalhaft — Worin sich das Studium der Griechen und der Lateiner unterscheidet? Jene haben mehr Fülle der Sachen, diese mehr Fülle der Worte — Der Philosoph soll seine Verehrer zuerst Geduld lehren, und wenn sie der Leidenschaften ledig geworden sind, sie diesen zurückgeben . . .

Resch-Velocianus trug sich wohl mit der Absicht, auch die *Epigramme* des Celtis gesammelt zum Druck zu bringen. Warum daraus nichts wurde, wissen wir nicht. Jedenfalls konnte erst Karl Hartfelder 1881 nach einer Nürnberger Handschrift *Fünf Bücher Epigramme von Konrad Celtis* edieren.

Im Zenit: Der Weisskunig; Heldinnen- und Dunkelmännerbriefe; Novum Instrumentum (1516)

JULIUS II. hatte noch am *31. Oktober 1512* die Decke der Sixtinischen Kapelle feierlich enthüllt; das große Werk, zu dem er MICHELANGELO gezwungen hatte, war vollendet. Das Grabmal aber, das Michelangelo für ihn errichten sollte, blieb ein Torso, als Julius II. im *Februar 1513* starb. Die bitterböse Dialog-Satire *Julius exclusus e Coelis*, in der ihm der Eintritt in den Himmel verweigert wird, scheint, entgegen der Meinung Allens und Huizingas, nicht von ERASMUS, sondern von einem italienischen Humanisten zu stammen[59]. Nach Jacob Burckhardt war Julius II. „der Retter des Papsttums". Ohne die Machtstellung, die er ihm zurückgewann, hätte das Papsttum die Folgen des *31. Oktober 1517* schwerlich überstanden.

Das Konklave vom *März 1513* verließ GIOVANNI MEDICI als PAPST LEO X. Zu seinem Bruder, der ihn beglückwünschte, soll er gesagt haben: „Laß uns das Papsttum genießen, da Gott es uns verliehen hat". Wie der Bastard König Jakobs von Schottland Erzbischof, war der Sohn von Lorenzo il Magnifico mit vierzehn Jahren Kardinal geworden; die Priester- und Bischofsweihe wurde jetzt, anschließend an die Papstwahl, nachgeholt. Völlig verschieden von dem kriegerischen Herrscher Julius, ist Leo ein Ästhet und heiter gutmütiger Genießer. Wenn Erasmus den Heiland als den Größten der Epikuräer bezeichnete, warum sollte sein Stellvertreter auf Erden kein Epikuräer sein? Erasmus verstand dabei freilich etwas anderes unter Epikuräertum als Leo X., der einer unersättlichen Vergnügungssucht frönte. Aber für den Epikuräismus gehören ja alle Arten der *voluptas* auf eine Skala, und Unsittlichkeit hat man Leo nie vorwerfen können. Dagegen war er von rührender Hilfsbereitschaft. Selbst Luther griff ihn persönlich niemals an. In den 95 Thesen spricht er von Leo als *ille suavissimus homo*. Das Epitheton paßt besonders gut, da sich Leo, der zeitweilig Schüler des horapollokundigen Fra Urbano Valeriano gewesen war, das Joch zum persönlichen Sinnbild, zur Impresa, gewählt hatte, und zwar mit Bezug auf Christi Wort: Mein Joch ist sanft (suave), und meine Last ist leicht.

Des Erasmus ‚De contemptu mundi' kannte Leo wohl nicht, desto besser Lorenzo Vallas ‚De voluptate ac De vero bono' und Marsilio Ficinos ‚De voluptate sive immortalitate animae', denn gleich seinem Vater Lorenzo und seinem Urgroßvater Cosimo war der neue Papst ein Schüler von Ficino. Mit Nikolaus V. hatte 1447 erstmals ein Vertreter der studia humanitatis, wie sie im Kreis um Salutati in Florenz gepflegt wurden, die Führung der römisch-katholischen Kirche übernommen, jetzt zog in den Vatikan der Florentiner Neuplatonismus ein. Am anderen Ende Roms aber tagte, noch von Julius einberufen, das 5. Laterankonzil, wo der General der Augustiner-Eremiten, Aegidius von Viterbo, die gewichtigste Stimme besaß: auch er war ein Schüler des Ficino. So erklärte das 5. Laterankonzil am *19. Dezember 1513* erstmals die w e s e n s m ä ß i g e Unsterblichkeit der Seele zum offiziellen Dogma der Kirche: anima est per se et essentialiter humani corporis forma, immortalis et pro corporum, quibus infunditur, multitudine singulariter multiplicabilis, multiplicata et multiplicanda. Die *immortalitas animae* gehört zur *dignitas hominis*.

Derweilen kämpfte fern im Nordosten — in termino civilitatis — ein kleiner Theologe aus den Reihen der Augustiner-Eremiten mit seinen Zweifeln an jeglicher dignitas hominis gegenüber Gott — bis der Sinn der Bibelworte „der Gerechte wird seines Glaubens leben" sich ihm erschloß. Man pflegt hier von LUTHERS Turmerlebnis im Schwarzen Kloster zu Wittenberg zu sprechen und datiert es etwa auf *März 1513*. Das wäre derselbe Monat, da in Rom Leo X. „von Gott das Papsttum verliehen" bekam.

ERASMUS hat später Luther die Schuld gegeben, daß die Hoffnungen sich nicht erfüllten, die er auf das Pontifikat des Medici gesetzt hatte. In einem langen und mehr als devoten Brief (21. 5. 1515) huldigte er Leo X.: „Es besteht große Hoffnung, daß unser Zeitalter wahrhaftig das Goldene wird, wenn es je ein Goldenes gegeben hat. Da möchte ich sehen, wie unter Deinen so glücklichen Auspizien und Deiner allerheiligsten Förderung drei der wichtigsten Güter des Menschengeschlechts wiederhergestellt werden (*restituuntur*): die wahrhaft christliche Frömmigkeit, die auf vielerlei Art und Weise in Verfall geraten ist, die besten Studien (*optimae litterae*) ... und ... die Eintracht des christlichen Erdkreises, die für beide, Frömmigkeit wie Bildung, Quelle und Mutter ist." *Restitutio pietatis et eruditionis*, eines gibt es für Erasmus nicht ohne das andere; *restitutio doctae pietatis*: das stellt er sich als Reformation vor. Sein drittes Grundthema ist die Mahnung zu Eintracht und Frieden. Zwingli hat ihn deshalb den „Frieder" genannt.

Die Geschichte spielte die Partie anders, als Erasmus erwartet hatte, und zog zunächst mit einer neuen Figur. Neben die Medici stellte sie einen Hohenzollern, ALBRECHT, den zweiten Sohn des Kurfürsten Johann Cicero von Brandenburg. *1513* wurde der dreiundzwanzigjährige Prinz Erzbischof von Magdeburg und Bischof von Halberstadt, ein Jahr später auch noch Erzbischof von Mainz und damit Kurfürst, Primas der deutschen Kirche und Reichserzkanzler. Für die enorme Pfründenhäufung mußte er dem Papst eine stattliche „Komposition" zahlen, wozu er bei JAKOB FUGGER DEM REICHEN in Augsburg eine Anleihe, und zwar von dreißigtausend Gulden aufnahm. Die Hälfte der Komposition durfte er dann freilich von den Geldern wieder abzweigen, die in seinen Gebieten für den zum Bau der Peterskirche verkündeten Ablaß eingingen. Diesen teils für die Peterskirche, teils für Albrecht bestimmten Ablaß vertrieb JOHANN TETZEL; mit einem dritten Teil sollten die Spielschulden des Papstes beglichen werden. Als Tetzel 1517 in die Nähe Wittenbergs kam, schlug Luther an der Schloßkirche seine fünfundneunzig Thesen gegen den Ablaßhandel an und brachte damit eine Lawine ins Rollen.

ALBRECHT VON BRANDENBURG war gleich Leo X. ein gutmütiger Genießer. Den neuen Papst nahm sich der neue Kurfürst-Erzbischof deshalb zum Vorbild. Unter allen deutschen Fürsten, den Kaiser nicht ausgenommen, kam er den Fürsten und Päpsten der italienischen Renaissance am nächsten. Seine Residenzstadt Halle scheint dank der Bauten, die Albrecht aufführen ließ, zeitweilig die Renaissance-Stadt Deutschlands gewesen zu sein. Aber auch MATTHIAS GRÜNEWALD zog er an seinen Hof. Daß er dem Erschütternden in Grünewalds Gemälden sich öffnete, können wir nicht annehmen, eher daß er die Farbenakkorde genoß und das Interessante, Schockierende, was auf den Manierismus hindeutet, zu schätzen verstand. Wie Leo X. sich durch RAFFAEL porträtieren ließ, vielleicht ahnend, daß es mehr zu dessen als zu seinem Ruhm geschah, so hatten GRÜNEWALD, DÜRER und CRANACH das Bild Albrechts der Nachwelt zu überliefern. Das Gemälde von Grünewald, der ihn am besten kannte, zeigt ein hochmütiges, etwas schwammiges, verschlemmtes Gesicht. Bei den Reichstagen stach der geistliche Primas Germaniae jeden weltlichen Fürsten an Üppigkeit aus, erschien er doch mit einer Unzahl von Prunk-karossen und 600 Reitern, die seit seiner Ernennung zum Kardinal (1518) sämtlich in Scharlachrot gekleidet waren. In den Karossen führte er mehrere Damen mit sich, die anerkannten Mätressen, und ebenso eine Auswahl seiner großen, schließlich 600 Nummern zählenden Reliquiensammlung. Nur in puncto Reliquien konnte es der Kurfürst von Sachsen mit ihm aufnehmen, FRIEDRICH DER WEISE, der Beschützer Luthers. Daß Albrecht sich den Humanisten gegenüber als Mäzen erzeigte, dankten ihm diese mit überschwenglichen Reden, in denen sie ihn als „Abgott von Halle, die einzige Zierde Germaniens, Schmuck der Frömmigkeit und Schirm der Wissenschaft" priesen.

KAISER MAXIMILIAN, der alles selbst tun wollte, alles zu können meinte, unternahm es auch, mit eigener Feder sich ein literarisches Denkmal in deutscher Sprache zu schaffen. So war der Plan zu den beiden Versepen ‚Freydal' und ‚Theuerdank' entstanden, und seit etwa 1506 arbeitete Maximilian außerdem an einem Prosawerk, *Der Weisskunig*. Bei HANS BURGKMAIR u. a. gab er, teilweise im voraus, die Holzschnitte in Auftrag. Den Text half ihm sein Geheimschreiber MARKUS oder MARX TREITZ, genannt TREITZSAURWEIN, abzufassen.

Marx, der aus dem Dorf Mühlau bei Innsbruck stammte, dürfte ungefähr gleichalt mit Maximilian und Konrad Celtis gewesen sein. Der Vater übte in Mühlau das dort übliche Handwerk eines Plattners oder Harnischschlägers aus. Wie wichtig ein Harnisch war, zeigt uns die Tatsache, daß Maximilian sich nach dem blanken, weißen Harnisch, den er in Schlacht und Turnier mit Vorliebe trug, der Weisskunig nannte. Er hat dann in Mühlau auch eine Erzgießerei einrichten lassen zum Gießen der vierzig großen Erzstatuen für sein Grabmal. Freilich sah er sich bald zu Aufträgen nach auswärts gezwungen, so an PETER VISCHER in Nürnberg. Marx Treitz wird zum ersten Mal 1501 in Akten erwähnt und zwar bereits mit dem Beinamen Saurwein. Diesen typischen Höttinger Namen — er kommt von dem Wein an den Hängen nördlich von Innsbruck — trug eine im Inntal weitverbreitete und sehr angesehene Sippe. Treitz war stolz auf die Zugehörigkeit zu ihr. Im Vorbericht wie im Schlußwort des ‚Weisskunig' fügt er aber dem Namen Treitzsaurwein, als wäre er geadelt, „von Ehrentreitz" bei. So hat er offenbar sein über Mühlau gelegenes Schlößchen benannt. Er blickte von da auf Innsbruck, auf Schloß Ambras und ins Stubaital.

Seit 1511 scheint Wiener Neustadt der ständige Dienstsitz gewesen zu sein. In der Hofkanzlei, in der einst Enea Silvio tätig war, hatte Treitz mehr oder minder mechanische Schreibarbeit zu erledigen, daneben aber vertraute ihm der Kaiser die Sichtung, Ordnung, stilistische Bearbeitung des Materials zu ‚Theuderdank' und ‚Weisskunig' an. Die Endfassung des ersteren wurde dann dem akademisch gebildeten MELCHIOR PFINTZING in Nürnberg übertragen; Pfintzing war in Ingolstadt domicellus, Hausgenosse, bei Celtis gewesen.

Wenn Treitz die Weisskunig-Papiere gelegentlich heimnehmen durfte, um auf Schloß Ehrentreitz daran zu arbeiten, mochte es in der Stille ihn manchmal anrühren, als kämen über die Berge Figuren aus den jetzt hundertjährigen Fresken der Vintlerschen Burg Runkelstein herüber. Der Kaiser sprach gerne von ihnen und ließ die Bilder, da sie mehr und mehr verblaßten, auf seine Kosten ausbessern. Fremd erschienen die Figuren Treitz nicht, hat er doch, wo nicht die mittelalterlichen Ritterepen selbst, deren Umformung in den von Schöferlin so verachteten „Ritterbüchern" gekannt.

Auf Runkelstein saß jetzt (1513–1518) als Oberster Feldhauptmann von Tirol der „Führer und Vater der Landsknechte" GEORG VON FRUNDSBERG mit seiner Ehefrau, der Tochter eines Oswald von Schroffstein und einer Praxedis von Wolkenstein. Drunten in Bozen fertigte zwischen 1502 und 1515 HANS RIED, Zollmeister am Eisack, in Maximilians Auftrag eine Abschrift des alten *Kudrunlieds*. Allein durch die sogenannte *Ambraser Handschrift* blieb es uns erhalten. Sein Einfluß ist aber schon in einer der Vorlagen zu merken, die Treitz für den I. Teil des ‚Weisskunig' benutzte. Diese 1887 gedruckte Geschichte Philipps des Schönen will keine *cronica* sein, sondern eine *Histori der Lieb*[60]. Der an das Kudrunlied erinnernde Passus schildert einen Sturm: eine ungewöhnlich lebendige Szene, die zugleich Anschauung und Empfindung weckt und also miterleben läßt — ein kleines Stück Dichtung in deutscher Sprache.

Franz Pesendorfer[61] möchte annehmen, Maximilian sei selbst der Autor der ‚Histori der Lieb', die zwischen seinem einzigen, frühverstorbenen Sohn und der nachmals „wahnsinnigen" Juana sich abspielt. Vergleicht man die Sturmszene mit der oben (S. 294) zitierten Abschiedsszene in Maximilians lateinischer Autobiographie, so erscheint das nicht ganz unmöglich.

Weil der Kaiser wie der gemeine Mann die Ritterbücher mochte und weil ‚Der Weisskunig' dem Volk zugedacht war, griff Maximilian jetzt, anders als bei ‚Freydal' und ‚Theuerdank', nicht auf die Gattung des Versepos zurück, sondern versuchte es mit der neuen Gattung des Prosaromans. Das Beispiel der GRÄFIN ELISABETH VON NASSAU-SAARBRÜCKEN und seiner Tante, der einst zu Innsbruck residierenden HERZOGIN ELEONORE, hat ihn vielleicht darin bestärkt.

Welchen Teil der Arbeit Treitz zu übernehmen hatte und was der Kaiser selbst beisteuerte, kann an dieser Stelle nicht dargelegt werden. Die Sprachgebung war jedenfalls in erster Linie Treitz' Sache. Sie fiel sehr kanzleimäßig aus, rhetorisch nur im Sinne der *ars ornandi*, nicht der *ars movendi*. Auf eine pedantisch umständliche Weise bemühte sich Treitz um Klarheit und Genauigkeit. Mit der *amplificatio*, der variierenden Aufschwellung, als dem wichtigsten Mittel, der Rede oder Schreibe *color* zu geben, machte er sich's einfach. Nach dem Geschmack schon des 14. Jahrhunderts verwendet er zwei- und dreigliedrige Ausdrücke und bildet Wortreihen mehr oder minder synonymer Art: lernet und studiret — wo Got geert, gelobt und glorifiziert wird — sy theten als grob, untrew, neydig, plind und unverstend Leut. Dazu treten, abgesehen von zahllosen leeren Füllworten, lange Gebets- und Segensformeln, Ausrufe und Anreden an den Leser. Viel Raum wird mit der ausführlichen, aber eigentlich bloß aufzählenden Beschreibung von Festlichkeiten, Kleidern usw. gefüllt. Alles heißt zierlich, kostlich, kostperlich, wunderperlich usw.

Ein RITTER VON EYB, Neffe Albrechts von Eyb, sparte sich bei der Aufzeichnung der *Geschichten und Taten Wilwolfs von Schaumburg* (1507)[62] solche Floskeln, indem er beispielsweise zur Königswahl und Königskrönung Maximilians 1486 bemerkt, die Zeremonien seien ja jedesmal dieselben, „wolcher dan solich gebreng gern sehen wil, darf nit zu weit darnach ziehen, dan Frankfurt und Ach sein woll gelegen" (S. 70). Um so präziser schildert uns SCHAUENBURG (so nennt ihn die Handschrift zumeist) und sein Schwager Eyb, wie im gleichen Jahr 1486 Ernst von Sachsen, der Vater Friedrichs des Weisen, starb. Der Kurfürst erkrankte während eines Romzugs und glitt auf der Straße zwischen Trient und Bozen langsam aus dem Sattel. „Die seinen, in großer triebnus und schmerzen, sahen sich umb und Wilwold ersach einen pauern mit müst aus einem dorflein, das zu s. Lurn haist, farn. Dem gab er einen gülden, das er den müst ablüd und wider mit ime zu dorf für. Da entlehnet er von der wirtin zwai bet" und brachte den Kurfürsten ins Dorf. Wir wohnen dem langen Todeskampf bei, bis dem Kurfürsten „die sprach verlag. Aber Wilwolt von Schauburg (sic) mant in stets, in cristlichem glauben bestendig zu sein und bleiben, des er albegen [allerwegen] gern zu tun zaichen gab. Kurz darnach brach im das herz, das es einen großen schnalz ließ . . ." (S. 56 f.)

Was Schauenburgs eigenes Bild anlangt, geben die ‚Geschichten und Taten' gleichsam eine Vorder- und eine Seitenansicht von ähnlicher Diskrepanz, wie sie Maximilian kennzeichnet, weil Schauenburg, der einem fränkischen Reichsministerialengeschlecht entstammte, zwar schon als Landsknechtsführer und Artilleriefachmann sich betätigte, aber noch mit allen Fasern seines Herzens an den Bräuchen der „alten tafelrunder" hing. — Die von Eyb zu Papier gebrachten Erinnerungen Schauenburgs reichen übrigens nicht bis zu dessen Lebensende. In den Jahren, da Treitz am ‚Weisskunig' arbeitete, war Schauenburg Stadthauptmann in Meran.

Selten amplifizierte und kolorierte TREITZ, indem er seinen Vorlagen realistisch-anschauliche Züge einfügte. Das war offenbar mit die Schuld des Kaisers, denn bei den ersten Niederschriften meinen wir zuweilen, hinter dem Hofkanzlisten luge der urwüchsige Tiroler hervor, dem der Schalk in den Augen blitzt. Aber die Majestät fand das ungehörig und strich in den Korrekturen alle derartigen Stellen. Treitz vermied schon meist, Anstoß zu erregen, nur hie und da werden ihm die Kanzleischnörkel zu langweilig, dann sticht ihn der Hafer, und er kritzelt gleichsam an den Rand des Mansukripts ein Männchen, indem er wider alle Etikette den übergroßen Kopf eines französischen Prinzen und seine dünnen kurzen Beine erwähnt. Hier läßt sich Treitz von der gleichen Freude an den petits faits die Feder führen wie BURKHARD ZINK (1466), JOHANN VON SOEST (1504), BUTZBACH (1508) und EYB. Es ist der gemeinsame Stilzug all dieser „Autobiographien".

Im Wesen der Aufgabe lag es, daß Treitz zum Herold seines Herrn sich machte und nicht sparte mit den üblichen Topoi. Der Weisskunig alias Kaiser Maximilian soll mehr geleistet haben als Alexander der Große und Julius Caesar. Manchen Sätzen jedoch hört man an, sie kommen von Herzen. So wenn Treitz über Maximilian sagt: „Ains will ich offenbaren, nähmlich ... sein Antlitz anzusehen, war er der Guetigst, das doch an ainem Streitpern und an dem Allerstreitperisten sunderlichen zu sehen ist" (Kap. 14).

Zur gleichen Zeit schrieb MACHIAVELLI, 1513 aus Florenz verbannt, auf der Villa San Casciano in der Toscana sein Buch Il Principe, das den Bewunderer und Vertrauten CESARE BORGIAS zu erkennen gibt. Sicher stand Machiavelli dem Sohn Alexanders VI. viel näher als LORENZ BEHEIM. ‚Der Weisskunig' und ‚Il Principe' sind beide Fürstenspiegel, aber wie verschieden spiegelt sich die Gestalt des Herrschers diesseits und jenseits der Alpen! Machiavelli entwirft aus historischer Kenntnis der römischen Antike und aus politischer Erfahrung der Gegenwart, aufgrund der verità effettuale della cosa, zum ersten Mal das Bild eines modernen Staatsmanns, der nach der Eigengesetzlichkeit der Staatsraison handelt. ‚Der Weisskunig' dagegen zeichnet letztmals den Fürsten nach mittelalterlichem Muster, ausgerichtet auf êre und gotes hulde. Eine moderne Tönung empfängt dieses Bild nur vom Ideal des uomo universale.

Wenn dem König nachgesagt wird, er habe mit jedem Untertan, aus welchem seiner vielen Länder er auch stammte, in dessen eigener Sprache reden können, so erfüllt er eine Forderung, die ENEA SILVIO in seinem Traktat für Ladislaus an den rex iustus gestellt hatte. Dieser Traktat lieferte den Leitfaden für die Erziehung Maximilians.

Der Vergleich mit ‚Il Principe' macht jedoch evident, wie stark im ‚Weisskunig' alles Politische vom Heldischen und Höfischen überdeckt wird. Hier scheint es überhaupt keine, geschweige denn eine autonome politische Sphäre zu geben. Die Motive des Handelns liegen rein im Persönlichen. Das ist Stilisierung, Ritterromantik, denn derart naiv kann weder Treitz noch gar der Kaiser in die Welt geblickt haben.

Die von Treitzsaurwein 1514 abgeschlossene Handschrift war noch keineswegs druckreif. Jahrelang arbeiteten der Kaiser und sein Schreiber daran fort, ohne zu

Rande zu kommen. Erst 1775 — zwei Jahre nach Goethes ‚Götz', in einer Zeit, die aufs neue die Ritterbücher hervorholte, — wurde ‚Der Weisskunig' in der Fassung von 1514 gedruckt. Eine kritische Ausgabe veranstaltete Alwin Schultz im Jahrbuch der kunsthistorischen Sammlungen des Allerhöchsten Kaiserhauses, Wien 1887. Die Holzschnitte, häufig Vorlage für den Text und jedenfalls Krönung des Ganzen, entdecken uns ihre Schönheit erst in der Ausgabe der Max Kade-Foundation, 1956[63].

Nicht zuletzt als Denkmal für Maximilian war auch das literarische Lebenswerk des JOHANNES CUSPINIANUS gedacht, eine Geschichte der west- und oströmischen sowie deutschen Kaiser bis auf Maximilian I.: *De Caesaribus atque Imperatoribus Romanis.* Maximilian beanspruchte aber Cuspinians Zeit und Kraft in wachsendem Maße für diplomatische Missionen, so geriet seit 1512 die Arbeit an der Kaisergeschichte ins Stocken. Cuspinianus weilte längst nicht mehr unter den Lebenden, als das Werk 1540 publiziert und 1541 *durch Casparn Hedion in das Teütsch bracht* wurde. „Die Spannung von universaler Kaiseridee und deutscher Nation liegt hier sehr deutlich zutage. Sie sollte die Zukunft bestimmen" (Otto Brunner).

Seine Lehrverpflichtungen als Celtis' Nachfolger auf der ordentlichen Lektur für Poesie und Rhetorik vermochte Cuspinianus ab 1512 erst recht nicht mehr wahrzunehmen. Deshalb vertrat ihn hier JOACHIM VADIANUS, bis dieser 1516 selbst Inhaber der Lehrkanzel wurde. Der Kaiser hat Vadianus am 12. *März 1514* zum poeta laureatus gekrönt, als das Hoflager sich auf der Burg in Linz befand, wo dreizehn Jahre zuvor Longinus Eleutherius im Rahmen des Celtisschen ‚Ludus Dianae' Lorbeer und Ring empfing. Wie damals blühten an der Donau die Märzveilchen, aber den Lorbeer hatte man vergessen, der Kranz bestand aus Buchs. Vadianus tröstete sich damit, daß auch Buchs die Berge liebe und unverwelklich sei. Ebenso fehlte diesmal das Festspiel. *Joachimi Vadiani Helvetii mythicum syntagma, cui titulus Gallus pugnans* eignete sich nicht für eine solche Zeremonie. Seit *Januar 1514* lag es im Druck vor. Der *titulus* von Vadians „märchenhafter Komposition" wird besser noch als mit *Der Kampfhahn* mit *Der Hahnenkampf* übersetzt. Das war der scherzhafte Terminus für den Redekampf, der nach einer Promotion in der Aula stattzufinden pflegte[64]. Aus dem Doppelsinn des Wortes entwickelte Vadian Form und Inhalt seines „Märchenspiels". Hier müssen sich in einem akademischen „Hahnenkampf" Hähne im gewöhnlichen Sinn gegen die Hennen verteidigen, von denen sie wegen ihrer Hahnenkämpfe als Kampfhähne angeklagt wurden. Auch Vadian greift auf das alte Schema der Gerichtsverhandlung zurück, statt es aber zum Ludus einer Disceptatio nach der Art von Celtis, Locher oder auch Niavis zu stilisieren, wandelt er es ab in eine Parodie auf den „Hahnenkampf" der Gelehrten. Den glücklichen Einfall, Hähne und Hennen disputieren zu lassen, dankt Vadian dem Frosch-Mäuse-Krieg, der *Batrachomyomachia,* die er 1510 neu ediert hatte. Ebenso glücklich ist der Einfall, den Hahnenkampf zugleich als Thema für die Disputation zu wählen.

400

Eine dreiköpfige Abordnung der Hennen, angeführt von der Oberhenne *Quaquerra*, bestellt einen Menschen zum Anwalt ihrer Sache. Ebenso machen es die Hähne, *Giggulirus* an der Spitze. Die ständigen Kämpfe, heißt es in der Anklage, zerstören die Ordnung des Hühnerhofs. Die besiegten Hähne werden trübsinnig und vernachlässigen ihre Pflichten gegenüber dem anderen Geschlecht, die Sieger aber kennen kein Maß mehr in ihrer Zudringlichkeit. Das Plädoyer unterstellt den Hühnern blinde Eifersucht, sie sollten bedenken, daß ein Hahn nicht für e i n e Henne, sondern für viele da ist, und wie römische Matronen stolz auf den kriegerischen Geist der Männer sein. Natürlich läßt sich Vadianus die Assoziation von *gallus* zu St. Gallen, seiner Heimat, nicht entgehen. Wie die Advokaten zitieren auch die Hähne und Hühner klassische Autoren, Propheten und Kirchenväter; Vadianus weist die betreffende Stelle jeweils am Rande nach. Obwohl er die akademische, aus dem Geist der Scholastik stammende Disputation parodiert, will er die zahlreichen eingestreuten Sentenzen als eine Art *Margarita poetica* ernstgenommen wissen. Am Ende fällen die Kapaune, die als Kastrierte jenseits von Gut und Böse stehen, das Urteil zugunsten der Hähne und ermahnen beide Parteien, einander zu lieben. Nachdem die Sitzung aufgehoben ist, nimmt noch einer aus dem Publikum das Wort, *Parasitus Lichenor*, der gefräßige Schmarotzer — Nachfahre gleichsam des *Idiota*, des ungelehrten Laien, und der *Stultitia*, Vorfahre aber des *Hanswursts*, der gesunde Menschenverstand in Person. Seine Meinung ist, man möge doch das ganze Federvieh, die Kapaune eingeschlossen, zu Topf und Pfanne verurteilen und sich schmecken lassen. — Gleich ,Henno' und ,Sergius' alias ,Buttubatta' von Reuchlin hat auch Vadians ,Gallus pugnans' bis heute einen gewissen Reiz behalten.

REUCHLIN war es 1513/14 nicht mehr lachhaft zumute. Zwar konnte er im *Juni 1513* dem Kaiser in Geislingen seine *Defensio contra calumniatores Colonienses* überreichen, worauf Maximilian den Kampfhähnen beiderseits „ewiges Stillschweigen" gebot, doch traf das infolge eines Formfehlers im Edikt praktisch bloß Reuchlin. Im *Herbst 1513* wurde er von HOCHSTRATEN vor das Ketzergericht in Mainz zitiert. Der *Augenspiegel* sollte öffentlich verbrannt werden und jeder Zuschauer einen Ablaß von 300 Tagen erhalten. Schon war die Menge auf dem Marktplatz zusammengelaufen, da erschien im letzten Augenblick ein reitender Bote des Erzbischofs, noch nicht Albrechts von Brandenburg, sondern Uriels von Gemmingen, mit dem Befehl, das Verfahren einzustellen. Reuchlin gewann so die Frist zur Appellation an Papst Leo X., der seinen Fall dem Bischof von Speyer überwies. *Ende März 1514* gab dieser den ,Augenspiegel' frei. Im gleichen Monat konnte Reuchlin eine Sammlung *Clarorum virorum epistolae latinae graecae et hebraicae* veröffentlichen, worin sich die deutschen Humanisten von Rang nahezu einhellig zu ihm bekannten: eine gemeinsame öffentliche Demonstration des Humanismus, wie sie in Deutschland noch nie dagewesen war und sich auch nie wiederholte. Der junge Kölner Dompropst GRAF HERMANN VON NEUENAR — omnium aetatis suae in Germania nobilium doctissimus omniumque ibidem doctorum nobilissimus — konnte sich eine solche Harmonie der Geister nur als Auswirkung des platonisch-neuplatonischen Eros erklären, und Buschius stimmte seiner *Theoria* zu[65].

Das ist die Situation, die Erasmus im *Juni 1514* in Deutschland antraf. Nach fünfjährigem Aufenthalt hat er England verlassen, um bei Froben in Basel die Drucklegung der beiden großen Editionswerke, die auf der Insel quasi fertiggestellt worden waren, zu überwachen, die *Briefe des Hieronymus* und das *Griechische Neue Testament*. Hieronymus ist seit den Tagen Johanns von Neumarkt mehr und mehr zum Lieblingsheiligen der Humanisten aufgerückt; *1514* schuf Dürer seinen Kupferstich *Hieronymus im Gehäus*. Des Erasmus Reise rheinaufwärts gleicht jetzt einem Triumphzug. Die Städte, wo Humanisten mitzureden haben, überbieten sich in Huldigungen, feierlichen Empfängen und sogenannten Ehrenweinen für den berühmten Verfasser der ,Adagia', der ,Laus stultitiae', des ,Enchiridion militis Christiani' — das *decus Germaniae*. In keiner Herberge darf er selbst bezahlen. Voll stolzer Dankbarkeit spricht Erasmus in einem Brief an Wimpheling über *nostra Germania*. Wie Uhrzeiger, die sich mittags decken, zeigen die beiden Kundgebungen für Reuchlin und für Erasmus an, daß der deutsche Humanismus *1514* im Zenit steht.

Zu rechter Zeit erinnert Murmellius in seinem Kommentar zu des Boethius *De consolatione philosophiae 1514* an Rudolph Agricola, der *1474*, vor vierzig Jahren, den deutschen Hochhumanismus eingeleitet hatte. Murmellius erzählt, wie ihm als Zwanzigjährigem, der gerade nach Münster berufen worden war, Aufzeichnungen über das 1. Buch der ,Consolatio' in die Hände fielen, und er sie beglückt als ein Fragment Agricolas identifizierte. Kritisch überarbeitet, nahm er dieses nun in seinen Kommentar auf. Nach Agricola war Boethius weder Stoiker noch Epikuräer gewesen, vielmehr ein platonisch beeinflußter Christ. Bei allem Respekt vor dem großen Römer moniert Agricola, daß er zuviel *ex confessis* vorgehe statt *ex probatis* und auch seine Logik nicht immer stichhaltig sei. Über blinden Autoritätsglauben hatte sich schon Agricola hinweggesetzt.

Neben Reuchlin, Erasmus und Pirckheimer war jetzt wohl Mutianus Rufus in Gotha die bedeutendste Persönlichkeit unter den deutschen Humanisten, freier von Vorurteilen als jeder andere. Konnte man aber bei Agricola sagen, er habe weit mehr noch von Mensch zu Mensch als auf dem Umweg über die Literatur gewirkt, so scheute Mutian überhaupt jede Publikation, das Gespräch und allenfalls der Briefwechsel im Jüngerkreis, in der sodalitas, genügten ihm. Als der Meister die Arbeitsklause am Grimmenstein mit den Emblemen seiner berühmtesten Schüler ausmalen ließ, wählte er für Eobanus Hessus den von einem Lorbeerkranz zu den Wolken sich aufschwingenden Schwan, für den stachligen Euricius Cordus den Igel. Ebenso wie Mutianus hat später Lessing die *Epigramme*[66] des

Cordus geschätzt und auch einiges daraus übernommen. *Einem künftigen Lektor der ars memorandi'* schrieb Cordus ins Stammbuch:

> Daß du trefflich beherrschest die Kunst, das Gedächtnis zu stärken,
>   wie du versprochen hast, ist allgemein bestens bekannt,
> denn du erinnerst dich ja an jene Zeiten und Jahre,
>   da dein Fräulein Mama niemandes Gattin noch war[67].

Nun aber faßte Cordus zehn Eklogen zu einem Bucolicon zusammen — *Rici Cordi Simshusii Bucolicon per X eclogas iucundissime decantatum* — und trat so 1514 in Wettbewerb mit seinem Freund Eobanus. Dessen ,Bucolicon' von 1509 übertraf er durch Wirklichkeitsnähe, oder mindestens verstand er seine sangesfrohen Hirten besser zu maskieren. Cordus hat bei MANTUANUS, den er vielleicht sogar in Italien persönlich kennenlernte, für Themen- und Wortwahl, Syntax und Metrik Anleihen gemacht und kam auch hinter das eigentliche Werkstattgeheimnis des *orator et poeta celeberrimus*: einem abgeblaßten Hirtenbildchen durch ein paar geschickt aufgesetzte realistische Tupfen frische Leuchtkraft zu geben. In zwei seiner Eklogen jedoch (6 und 9) schildert Cordus, als hätte der hessische Bauernsohn auf einmal die kandierten Früchte satt bekommen, das harte Brot, das man auf dem Lande ißt, Armut und Rechtlosigkeit der Bauern[68]. Um so literarischer will die *3. Ekloge* verstanden sein. Sie handelt fast 200 Hexameter lang von der neuen Pfeife aus Holz, die Amynthas geschnitzt hat und Thyrsis von einem Freund zum Geschenk erhielt, der mit seinem Vieh auf die Felder Preußens zog. Die Pfeife versinnbildlicht die Hirtenpoesie. Aus Thyrsis redet Cordus selbst, und mit Amynthas dürfte nicht Mutianus, vielmehr Mantuanus gemeint sein. Der Dritte im Bunde, der Freund, ist EOBANUS HESSUS, der 1509 im Ordensland Preußen bei HIOB VON DOBENECK, Bischof von Pomesanien[69], Dienst genommen hatte.

Dank Hiobs Mäzenatentum bildete Schloß Riesenburg nahe der Weichsel eine der östlichsten und zugleich glanzvollsten Bastionen des Humanismus. In den hohen Hallen wurde bis tief in die Nacht pokuliert und diskutiert, wenn aber die Sonne über den weiten Wäldern aufging, ritt der Bischof an der Spitze seiner Akademie zur Jagd auf Bären und Elche. Das war ein anderer Lebenszuschnitt als in Erfurt oder Gotha, und Helius Eobanus machte im roten Talar des Hofmanns gute Figur neben dem Dichter TEMONIUS, ebenfalls aus Erfurt, dem Königsberger Gelehrten MIVITIUS, dem BURGGRAFEN PETER ZU DOHNA und HANS VON HÖFEN, dem bekanntesten unter ihnen, der sich nach seiner Heimatstadt JOHANNES DANTISCUS nannte. Theologe, Jurist, im Dienste der polnischen Könige Diplomat, zudem Philosoph und Poet, erklärte Dantiscus: „Wo Venus und Bacchus ihr köstliches Fest bereiteten, ließ ich gern mich nieder". Kaiser Maximilian wird ihn 1515, wenn er in Wien zum Dr. juris promoviert, auch gleich zum Ritter schlagen und mit dem Dichterlorbeer krönen. Am Ende sehen wir Dantiscus in Heilsberg den fürstbischöflichen Thron von Ermland besteigen, den Lukas Watzenrode und eine Zeitlang nominell Enea Silvio innegehabt hatten. Diesem auf dem Stuhl Petri zu folgen, gab es wohl keinerlei Chance, sonst wäre Dantiscus bestimmt auch noch Papst geworden.

Anlaß zum Festen bot sich auf Riesenburg, wenn in großer Kavalkade mit je zwei Dienern die Domherren von Frauenburg herübergeritten kamen, die fast ausschließlich dem Stadtpatriziat von Danzig und Thorn angehörten. Nur selten einmal war der Arzt, Verwaltungsbeamte und Politiker NICOLAUS COPERNICUS dabei. Die spärlichen Mußestunden widmete er meist in einem Turm der Domburg seinen astronomischen Studien. Doch wies er sich, ebenso wie Peuerbach und Regiomontanus, auch als Humanist aus mit einer lateinischen Übersetzung der *Briefe des Theophylaktos Symokattes, 1509.* Wahrscheinlich hatte er schon in Bologna bei Codrus Urceus Griechisch gelernt. *1510* faßte dann der Astronom seine neuen Thesen erstmals handschriftlich zusammen in einem *De Hypothesibus motuum coelestium a se constitutis commentariolus*[70]. Im gleichen Jahr veröffentlichte der Zwickauer Arzt und Bürgermeister ERASMUS STELLA einen Traktat *De antiquitatibus Borussiae*, zu dem Hiob von Dobeneck ihn angeregt hatte. Er prägte damit die Bezeichnungen *Borussia, Borussi*.

Daß man die sieben Oden in asklepiadeischem Versmaß, die unter dem Titel *Septem sidera* — Siebengestirn — das Leben Jesu besingen, Copernicus zuschreiben dürfe, muß wohl als widerlegt gelten. In das Westpreußen jener Tage passen sie durchaus, pflegte man doch hier einen entschieden christlichen Humanismus. Männer wie Dantiscus und Copernicus bekannten sich zu ihm[71]. So blieb selbst der Mutian-Schüler EOBANUS HESSUS nicht immun. Er begann in Riesenburg Liebesbriefe christlicher Heroinen zu schreiben, die, als der Krieg ihn *1513* vertrieb, in Frankfurt an der Oder und Leipzig vollendet wurden und hier *1514* unter dem Druckersignet Konrad Kachelofens, einer Kopie nach SCHONGAUERS *Wappen mit dem knienden Mann*, erschienen. Diese 22 in elegischem Versmaß abgefaßten *Heroidum Christianarum epistolae* sollten ein Gegenstück zu OVIDS heidnischen *Epistolae heroidum* darstellen. Die Humanisten, besonders in der sodalitas des Mutianus, brachen in Jubel aus, daß Deutschland, das in Konrad Celtis seinen Horaz besitze, nun auch seinen Ovid erhalten habe. Bei Mutianus ist das kaum verständlich, denn in seinem Vorwort wendet sich Eobanus schroff gegen die Vergöttlichung der Natur. Damit sei eine Pest ins Christentum eingedrungen. Eobanus zielte auf MICHAEL MARULLUS TARCHANIOTA, einen byzantinischen Emigranten aus der Generation, die schon im Kindesalter nach dem Westen gekommen war und es deshalb viel leichter hatte als die Väter, die Musurus-Generation, sich zu assimilieren. Marullus mußte zwar in Italien eine Zeit lang wie Hutten und Agrippa als Söldner, wohl in der griechischen Reitertruppe der stradioti, sein Leben fristen, aber mit lateinischen Gedichten machte er sich einen Namen und heiratete dann in Florenz die viel umschwärmte Alessandra Scala. BOTTICELLI hat ihn porträtiert. *1500* stürzte der Fünfzigjährige beim Durchreiten eines Flusses

vom Pferd und ertrank. Dieser Tod, das Thema für zahllose Nänien, auch eine von
ARIOSTO, besiegelte den Ruhm des Dichters Marullus[72].

Am merkwürdigsten sind seine vier Bücher *Hymni Naturales*, die samt den
Epigrammen seit *1490* wiederholt gedruckt wurden; *1519* wird auch BEATUS
RHENANUS eine Gesamtausgabe in Straßburg veranstalten. Wenn Marullus die
Götter der Antike oder die kosmischen Mächte anruft, steigert sich das Gedicht
fast zum Gebet. So bezeugen, scheint es, diese Hymnen zum letzten Mal, nicht
mehr in griechischer, aber in lateinischer Sprache, das Heidentum der Humanisten
von Byzanz. „Was Marullus versucht hat", meint Georg Luck[73], „ist die Begründung einer philosophisch-religiösen Koine für die Gebildeten". Helius Eobanus
erkannte das, und, solange er unter dem Riesenburger Einfluß stand, kämpfte er
gegen den Geist von Mistra an. Aber mußte nicht auch Mutian sich getroffen
fühlen? Er scheint darüber hinweggesehen zu haben, indem er die ‚Heroides
christianae' ästhetisch wertete. Wie so oft bei den Humanisten, wollte die linke
Hand nicht wissen, was die rechte in den Himmel hob. Eobanus hat später noch
LUTHER einen Heldinnenbrief gewidmet. Ihn schreibt die Kirche ihrem künftigen
Befreier: L'adaption ovidienne y est presque complète, c'est la lettre qu'Andromède
aurait pu écrire à son libérateur Persée[74].

Strengere Zeiten haben besonders die Einleitung der ‚Heroides christianae'
blasphemisch gefunden, einen Werbebrief Gottvaters, Emmanuels, an die Jungfrau Maria. Im 1. Heldinnenbrief gibt diese Antwort, wobei sie, statt mit dem
üblichen „vale", sinnvollerweise schließt: Non precor ut valeas, per quem valet
omne quod usquam est. Es folgen ein Liebesbrief der Maria Magdalena an den
auferstandenen Christus und später ein Brief der Gottesmutter nach Patmos, der
in wirklich rührender Weise schildert, wie Maria durch ein Fenster Verhör und
Geißelung des Sohnes schmerzvoll miterlebte. Elisabeth, die Mutter des Täufers,
die vor dem bethlehemitischen Kindermord geflohen ist, schreibt dem zurückgebliebenen Gatten Zacharias, dann schreiben Märtyrerinnen und Heilige wie Kunigunde, die Gemahlin Kaiser Heinrichs II.; das Tumbengrab der beiden im Bamberger Dom hatte TILMAN RIEMENSCHNEIDER *1513* vollendet. Den Abschluß von
Eobans Werk bildet, dem Anfang einigermaßen entsprechend, statt eines Frauen-
briefs ein Brief des Dichters an die launische Nachwelt, Posteritati, um deren
Gunst er buhlt, ohne sicher zu sein, daß sie ihn lieben und seinen Namen in Ehren
halten wird[75].

Schon der kurze Überblick läßt erkennen, wie anspruchsvoll ausgeklügelt das
Ganze ist; „ausgeklügelt" nannten wir auch die Komposition der ‚Amores' von
Celtis. Die rhetorisch gefügte Sprache erweckt manchmal den Eindruck, Eobanus
gefalle sich in bewußtem Verdunkeln, in Zwei- oder Mehrdeutigkeit. Bezeichnend
und in Briefen frommer Frauen ja nicht fehl am Platz sind die gefühlvollen Züge.
Diese christlichen Heldinnen haben viel zu klagen, viel zu weinen, und ihre Stim-
mung greift, oft recht reizvoll, auf die Natur über. Ausdrücklich wird gesagt, die
Briefe seien nicht bloß Schaustücke, sondern wollten den Adressaten rühren, den

Leser innerlich bewegen. Dazu diene auch Kraft und Anmut der Versform. Obwohl Eobanus im Vorwort das Heidentum abwehrt, mischen sich antike Reminiszenzen überall ein.

Italien kannte schon seit Petrarca die Heroide. Meist war sie politischer Art und zählte zu den *suasoriae*, die den Leser überreden, zur Aktion bewegen sollen. In Deutschland führte Eobanus die Gattung ein. Für die religiöse Heroide kann er überhaupt als Begründer gelten; hier zählt Jakob Bidermann unter seine Nachfolger. Daß auch die Manieristen des 17. Jahrhunderts die Gattung pflegten, wundert uns nicht. Am berühmtesten wurden die Helden- und Heldinnenbriefe Hofmanns von Hofmannswaldau.

Im *Herbst 1514* taucht Eobanus wieder in Erfurt auf. Die schönen Tage von Riesenburg sind nun vorbei. Eobanus heiratet, was ihm von seinen Freunden viel Spott einträgt. Der Kanonikus in Gotha schreibt, der gute Eobanus erkläre seine Frau für die schönste, begabteste, keuscheste — *sed ohe,* er allein spricht so von ihr. Sei's drum, sicher ist es besser, *gratis futuere* als eine Dirne oder Konkubine auszuhalten ... *futuat.* O, wir glücklichen Kleriker, was ist süßer als ein freies Bett! — Ein anderes Mal schreibt CROTUS RUBIANUS: „Hätte ich drei Blitze in der Hand, so würde ich den ersten auf das langnasige Ehegespons des Eobanus schleudern, den zweiten auf die Feinde Reuchlins, den dritten würde ich mir für eine passende Gelegenheit aufheben." Diese Ausfälle sind für die Laune der Erfurter und namentlich des Crotus Rubianus bezeichnend. Sie wird sich demnächst die Feinde Reuchlins vornehmen.

Abgesehen davon, daß in seinem Häuschen, seitdem sechs Kinder es bevölkerten, oft nichts mehr zum Nagen und Beißen sich fand, scheint Eobanus guter Dinge gewesen zu sein. Am Nötigsten fehlte es ihm ja nicht: die Trinkgelage außer Hause

Eobanus Hessus
(Zeichnung von Albrecht Dürer, 1526; London, Britisches Museum)

konnten die Junggesellen bezahlen. Erst *1517* setzte Mutianus durch, daß Eobanus einen neugegründeten Lehrstuhl an der Universität erhielt. Das Zechen gab er deshalb nicht auf, doch berichtet ein Student: „Wenn Eobanus nüchtern war, war *in vultu eius* eine herrliche *gravitas* und *modestia*, daß junge Leute, die zu ihm kamen, ihr Angesicht *submittieren und die erde ansehen mußten.*" Immer noch hat sich Hessus etwas von Helius oder Hyperion bewahrt. —

Die Verbindung ULRICHS VON HUTTEN zu Mutianus, Euricius Cordus, Eobanus war nahezu abgerissen. Man hörte nur, Hutten habe es auf der muffigen Burg der Familie nicht länger ausgehalten. Er suchte jetzt, bei ALBRECHT VON BRANDEN-BURG sein Glück zu machen. Als dieser am *8. November 1514* in seiner zweiten Residenzstadt Mainz Einzug hielt, ließ Hutten an die 1300 lateinische Hexameter mit allen Künsten der Rhetorik paradieren. Zum Teil entströmt der *Panegyricus* auf den neuen Erzbischof dem Munde des Vater Rhein, und ausführlich wird der Prunkmantel beschrieben, den er zu Albrechts Ehren angelegt hat. Nymphen sind eingewirkt, aber auch Bilder aus der deutschen Geschichte, und über sie kann sich Hutten nun des langen und breiten auslassen. Das Gedicht fand Anklang bei Albrecht, seine klingende Belohnung war fürstlich: 200 Goldgulden. Celtis hatte für seinen Panegyricus auf Nürnberg von den Stadtvätern erst 8, dann durch Pirckheimers Vermittlung 20 Gulden erhalten; Wyles Jahresgehalt als Stadtschreiber in Eßlingen betrug 50 Gulden. Aber was schlugen 200 schon zu Buch, wenn bei Fugger in Augsburg 30 000 auf des Zollern Debetseite standen! Obendrein winkte Hutten eine Anstellung im Goldenen Mainz, so daß er vorläufig blieb, und es genoß, nicht mehr *Nemo* zu sein, sondern seit dem Brandenburgischen Panegyricus unter die *clari viri* zu zählen.

Wir blenden derweilen wieder die Kaiserstadt Wien ein, wo sich zu Cuspinianus und Vadianus nunmehr BENEDICTUS CHELIDONIUS (Schwalber) gesellt. Ähnlich wie Hutten und erst recht Eobanus Hessus mit seinen ‚Heroiden' weist Chelidonius mit einem Hexameter-Ludus schon auf das Barock voraus. Chelidonius war Benediktinermönch und hatte lange Zeit in Nürnberg, vielleicht seiner Vaterstadt, im Kloster St. Ägidien gelebt. Pirckheimer schätzte ihn und ebenso DÜRER, für dessen *Marienleben* und *Große* und *Kleine Passion* (1510/11) er die Texte verfaßte. Später wurde Chelidonius nach Wien an das Kloster „Unser Lieben Frau zu den Schotten" versetzt; hier erhielt er 1518 die Abtsinful. Daß er nicht umsonst den Beinamen *Musophilos* führte, bewies die dreiaktige *Voluptas cum virtute disceptatio* in Hexametern, die am *20. Februar 1515* von den adligen Gymnasisten des Schottenklosters aufgeführt wurde[76]. Die Spieler wählte Chelidonius, laut Prolog, nicht bloß nach der Klugheit, sondern auch nach der „Anmut des Körpers" aus, hatten die Knaben doch neben Hercules den Cupido, die Amazone Hyppolita, Pallas und Venus darzustellen. Unverkennbar schließt sich das Stück in der Form an den ‚Ludus Dianae' von Celtis und an das ‚Judicium Paridis' von

Locher-Philomusus an. Es behandelt — wieder einmal — das gleiche Thema wie die ‚Concertatio virtutis cum voluptate' in der ‚Stultifera navis'.

Seit Joseph Grünpecks ‚Comedia utilissima' 1497 war in Augsburg 1512 ein Spiel *Virtus et Voluptas* von JOHANNES PINICIANUS erschienen, durch HANS BURGKMAIR mit Holzschnitten illustriert. SEBASTIAN BRANT führte zur selben Zeit in Straßburg ein Hercules-Spiel auf, das für verloren galt, bis Hans-Gert Roloff das 1554 von Johann Winkel herausgegebene *Tugent Spyl* entdeckte und 1968 durch einen Neudruck erstmals wieder bekannt machte[77]. Neben *Tugent* und *Wolust* kommen außer Hercules zahllose weitere Personen zu Wort: Policrates und sein Koch, Candaules und Giges, Laban und seine Töchter, Ulysses mit den Sirenen, Cyrus, Judith, Hector, Alexander der groß, Künig Artus, Gottfridt von Bulion usw. usw. Das Ganze ist eine „Montage" der allerverschiedensten Stoffe und Motive. *Die Histori des lebens sterbens und wunderwerck des Hochberümten Streitters: manlichen uberwinders Herculis* mit dem Untertitel *Der Traum des grosten Streitters Herculis, von dem gekrönten Poeten Gregorio Arvianotorfe, 1515,* wurde 1964 durch Dieter Wuttke neu ediert und zugleich kommentiert. Auch hier fordern zu Anfang *Virtus* und *Voluptas* Hercules auf, sich für eine von ihnen zu entscheiden. Übersetzer oder wohl eher Verfasser dieses stümperhaften Spiels war PANGRATZ BERNHAUBT GEN. SCHWENTER, der in Nürnberg, wo das zu den städtischen Ämtern gehörte, bei Hochzeiten die Gäste einzuladen hatte. PETER VISCHER D. J. und HERMANN VISCHER steuerten dem Druck zwei Federzeichnungen bei[78]. Nicht als Spiel, aber als umfangreiche Moralsatire in lateinischen Hexametern hatte 1508 HEINRICH BEBEL den Stoff gestaltet, sein Schüler JOHANNES ALTENSTAIG aus Mindelheim veröffentlichte dazu 1515 einen Kommentar. Alle Stände, voran die Bettelmönche, und mit ihnen die gesamte Kreatur helfen bei Bebel zum *Triumphus Veneris.* In PAMPHILUS GENGENBACHS revueartigem Spiel *Die zehen allter dieser wellt,* das vermutlich 1515 zur Herrenfastnacht „von etlichen ehrsamen und geschickten Bürgern einer löblichen Stadt Basel" aufgeführt wurde, gesteht noch der Achtzigjährige, daß ihn Johannistriebe plagen[79].

Wenn wir auf die künstlerische Leistung visieren, folgen sich über die anderen Stückeschreiber hinweg unmittelbar VADIANUS mit ‚Gallus pugnans' 1514 und CHELIDONIUS, gleichfalls Wahlwiener, mit seiner ‚Disceptatio' 1515. Hier verkörpern Venus als *Dea laeta* die Sinnenlust und Pallas die „heilige Tugend", Helfer sind auf der einen Seite vor allem Satan, der pfeileschießende Cupido und Epicur, der gottesleugnerische Schlemmer, auf der anderen Hercules und Preco im Zottelfell. Den Richter macht, nicht wie bei Grünpeck der Kaiser, sondern sein fünfzehnjähriger Enkel ERZHERZOG KARL, dargestellt von einem jungen Grafen Salm. Er entscheidet für Pallas und erhält zum Dank den Lorbeerkranz; Venus und ihr Gefolge werden den Flammen der Unterwelt ausgeliefert.

Jeden Akt eröffnet der Herold mit deutschen Jamben und beschließt der Chor, indem er auf Latein eine sapphische Ode vierstimmig singt. Dazwischen entfaltet sich eine glanzvolle Rhetorik in lateinischen Hexametern, aber auch ein turbulentes Bühnengeschehen. Satan und Preco raufen miteinander, Hercules kämpft gegen Giganten und Ungeheuer, und in ringender Umarmung läßt sich die Amazone Hyppolita Gurt und Rüstung von ihm rauben; seine Keuschheit weiß Hercules nur durch schleunige Flucht zu wahren. Dieser Ludus ist „schon das künftige Jesuitenspiel, wie es leibt und lebt". —

Eine zweite pädagogisch gemeinte Huldigung empfing „das Kind von Gent", Erzherzog Karl, der 1515 für volljährig erklärt wurde und somit in den Niederlanden und Burgund die Regierung antreten konnte, von

Erzherzog Karl
(Buntstatue; Brüssel, Kgl. Museum)

dem Niederländer MURMELLIUS. Dessen Odensammlung *Caroleia* hat man als einen lyrischen Fürstenspiegel bezeichnet, in dem Horazische Gelassenheit und strenge Disziplin der Stoa sich zusammenfinden[80].

ULRICH VON HUTTEN zehrte in Mainz von den 200 Goldgulden, mit denen Albrecht von Brandenburg seinen Panegyricus honoriert hatte. Ehe sie völlig verzehrt waren, begab sich Hutten, um seine Krankheit zu kurieren, im Frühling 1515 nach Bad Ems, und hier erreichte ihn eine Depesche, HERZOG ULRICH VON WIRTEMBERG habe am 7. *Mai 1515* eines Liebeshandels wegen seinen Stallmeister HANS VON HUTTEN auf der Jagd im Schönbuch erstochen. Die Huttensche Sippe forderte dafür des Herzogs Kopf. Das bot Gelegenheit, ihr zu zeigen, was die Feder Nemos wert war. In einem lateinischen Trauergedicht auf den ermordeten Vetter mahnte Hutten den deutschen Adel, den Adel Frankens insbesondere, Rache zu nehmen. Dann schleuderte er, gleichfalls in Latein, dem Herzog vier Reden entgegen, nach dem Vorbild der Catilinarischen Reden CICEROS abgefaßt, doch ganz von zorniger Leidenschaft durchglüht. Das waren nicht Blitze, wie man sich deren aus Erfurt versah, und Huttens ‚Querelae' erscheinen dagegen wie Knabenspielzeug, wie Vorübung für den Ernstfall. Einzig die Anwürfe Gregor Heimburgs wider den Papst, allenfalls noch die Schimpfreden Thomas Murners, zeugen von gleicher Wortgewalt. Künstlich überhitzt wirkt im Vergleich Jakob Lochers groteske ‚Appologia' von 1503.

Der Herzog „ist in die Grube gestürzt: decket ihn zu. In die Schlingen von Gesetz und Recht ist er verstrickt: haltet ihn fest, erwürget ihn. Lasset ihn nicht

Ulrich von Hutten
(Holzschnitt am Ende des gegen Herzog
Ulrich gerichteten ‚Phalarismus', 1517)

sich loswickeln. Gebet ihm nicht Zeit, aufzuatmen und sich zu sammeln". In seinem Innern ist er schon gerichtet. „Denn so schlau er es verbergen mag, führt er doch das allerunglückseligste Leben ... Er versteckt sich unter dem Hasse der Seinigen, und unter dem Unwillen aller tritt er hervor ... Vor seinen Augen schweben die Gestalten seiner Verbrechen. Er nagt sich im Innern, zagt nach außen. Andere verachten ihn, er selbst verzweifelt an sich. Umringt ist er von einem Heere von Schrecken, belagert von dem täglichen Andenken seiner Übeltaten. Die Wellen der Sorge treiben ihn um, die Brände seiner Schandtaten zehren ihn aus ..." Und an anderer Stelle: „Ich beneide dir deinen Nachruhm, du Henker, man wird ein Jahr nach dir benennen, wird deiner Untat einen Tag zueignen. Die Nachwelt wird lesen, es sei einer in dem Jahr geboren, in welchem du Deutschland mit unauslöschlicher Schmach befleckt hast. Du wirst in den Kalender kommen, Schurke. Du wirst die Geschichte bereichern. Deine Tat ist unsterblich, dein Name für alle Zeiten merkwürdig: du hast erreicht, was du wolltest" (Nach der Übersetzung von D. F. Strauß).

Mit unerschöpflicher Verbosität und ohne in seiner Vehemenz zu ermüden, fällt Hutten den Gegner immer aufs neue an. Dessen Verworfenheit mißt er an der Antike. Der Herzog wird als Herostrat in die Geschichte eingehen. „Er ist kein Fürst, kein Edler mehr, kein Deutscher und kein Christ. Ja, kein Mensch ist er mehr. Denn Sitte und Lebensart, nicht die Körpergestalt, machen den Menschen. Er hat die Menschlichkeit ausgezogen und Wildheit, Wut, Grausamkeit und Unmenschlichkeit angetan. Vom Menschen hat er nichts mehr als das Gesicht; doch auch das ist so grimmig und entsetzlich, daß es nicht für ein menschliches gelten kann. Alles übrige hat er mit der wildesten Bestie gemein ... Er werde zerrissen, zerstückt, zerschmettert, getötet, vernichtet!"

Eine Art Haß-Humanismus meinen wir zu vernehmen, eine Abart, eine Perversion des Humanismus, die weit seltener damals ist als ein Haß-Christentum. Und eine Haß-Rhetorik, die das *movere, permovere* auf die Spitze treibt, zur Perfektion bringt, die Hörer wie eine Meute auf das Opfer hetzt. Gattungsmäßig betrachtet, bilden Huttens *Invektiven* gegen Herzog Ulrich die Entsprechung zu seinem *Panegyricus* auf Albrecht von Brandenburg.

Ein leises Mitgefühl mit HERZOG ULRICH können wir im Rahmen der Literaturgeschichte nicht unterdrücken. Wir meinen, ganz das Scheusal, als das ihn Hutten brandmarkt, wird er nicht gewesen sein, kennen wir doch ein Lied Ulrichs von Wirtemberg, dessen Innigkeit uns

Herzog Ulrich von Wirtemberg
(Um 1530; Augsburg, Gemäldegalerie)

noch immer anrührt, weshalb Rudolf Borchardt es in den ,Ewigen Vorrat deutscher Poesie' aufgenommen hat: *Herzog Uzn don*:

> Ich schell min horn in jamers don
> Min freud ist mir verswunden . . .

Vielleicht wurde das Lied für Ursula, die Frau Hans von Huttens, gedichtet.

KAISER MAXIMILIAN lehnte es lange Zeit ab, gegen den Wirtemberger etwas zu unternehmen. Im Gegenteil lud er ihn zu Gast bei der großen Doppelhochzeit, die in Wien am 21. Juli 1515 stattfand. Unter den Klängen des *Tedeums*, komponiert und gespielt von PAUL HOFHAIMER, wurden im Stephansdom Maria von Österreich, die zehnjährige Enkelin des Kaisers, mit dem einzigen, noch etwas jüngeren Sohn König Wladislaws von Ungarn und Böhmen, dessen einzige Tochter aber mit dem Kaiser selbst — in Stellvertretung eines Enkels — getraut. Wie es bei solchen Vermählungen *per procuram* Brauch war, hatte sich der Kaiser dann am Abend gepanzert, nur das rechte Bein und den rechten Arm entblößt und durch ein blankes Schwert von der Braut getrennt, auf das Ehebett zu legen.

Sollte binnen Jahresfrist kein Enkel für ihn einspringen, so galt der bald sechzig-jährige Kaiser als Gatte der kindlichen Prinzessin. Dazu brauchte es nicht zu kommen, weil *1516*, vor Ablauf der Frist, der dreizehnjährige Erzherzog Ferdi-nand Ehegemahl der Jagellonin wurde. Und Habsburg hatte wieder einmal Glück mit seiner Heiratspolitik: noch 1516 starb König Wladislaw, zehn Jahre später fiel sein Sohn, ohne Kinder zu hinterlassen, in der Schlacht gegen die Türken bei Mohács. Die Hochzeit von 1515 begründete die österreichisch-ungarische Doppel-monarchie.

Die Verhandlungen dazu hatten zwei Humanisten geführt, Bürgersöhne aus Augsburg und Schweinfurt. Initiator des Ganzen war der großspurige, diploma-tisch außerordentlich gewiegte Matthäus Lang, der wie einst Enea Silvio seinen Aufstieg in der Kanzlei Kaiser Friedrichs nahm, unter Maximilian Bischof von Gurk, dann Kardinal und 1519 Erzbischof von Salzburg wurde: der letzte deutsche Bürgerssohn, der vor der Säkularisation 1803 die erzbischöfliche Würde erlangte und so unter die Reichsfürsten einrückte. *Fide et vide,* lautete sein Wahlspruch. Als Unterhändler in Ofen fungierte Johannes Cuspinianus, und ihm wird das Hauptverdienst am Zustandekommen der weltgeschichtlich so bedeutsamen Dop-pelhochzeit zugeschrieben. Freilich mischte noch ein zweiter Augsburger kräftig mit, Jakob Fugger, den Maximilian, was bei einem deutschen Kaufmann ohne Vorgang war, am 17. *Juli 1514* in den Reichsgrafenstand erhoben hatte — ein ähnlich spektakulärer Fall wie einst bei Kaspar Schlick.

Eine der im *Juli 1515* fälligen Reden vor dem Kaiser sollte Joachim Vadianus halten, doch fand Maximilian keine Zeit, sie anzuhören[81]. Ob er je die in deutsche Reimpaar-Verse gebrachte ‚Aeneis' las, die ihm Thomas Murner am 28. *August 1515* widmete:*Vergilij maronis dryzehen Aeneadische Bücher von Trojanischer zerstörung und uffgang des Römischen Reichs?* Der fünfundsechzigjährige Jakob Wimpheling wandte sich an Albrecht von Brandenburg, als er 1515 in Form einer Antwort auf Enea Silvios ‚Theutonia' von 1458 die gravamina Martin Mairs gegen die Kurie wiederholte: *Responsa et Replice ad Aeneam Silvium*[82].

Die *Epistolae obscurorum virorum ad venerabilem virum Magistrum Ortuinum Gratium,* die im *Oktober 1515* auf dem Büchermarkt erschienen, konnte man als Bestätigung nehmen für Enea Silvios Kritik an den Deutschen. Sogar jetzt herrschte ja noch die Barbarei in Deutschland. Nur daß inzwischen unter den Deutschen selbst eine starke Widerstandsgruppe sich gebildet hatte.

Die ‚Epistolae obscurorum virorum' sollten eine Parallelaktion zu den ‚Clarorum virorum epistolae' von 1514 darstellen. Hatte sich mit diesen eine Schar nam-hafter Gelehrter zu Reuchlin bekannt, als er von der Kölner Theologischen Fakul-tät angegriffen wurde, so bekunden 1515 Magistri und Baccalaurei, die mit den Humanisten insgesamt, mit Reuchlin insbesondere nichts zu schaffen haben wol-len, dem Professor der Theologie in Köln Ortuinus Gratius — Ortwin van Graes — ihre Sympathie. Weil sie nicht zu den „berühmten Männern", den von Reuchlin als solche gerühmten, sich rechnen können und wollen, nennen sie sich viri obscuri — so scheint es. Schnell aber wird deutlich, daß diese *Scherscleifferius, Mistladius, Fotzenhut, Bimperlenbumpun* etc. wirklich obskur sind, ja Obskurantisten, deutsch gesagt, Dunkelmänner. Unter den etwa vierzig Briefen finden wir auch einige Antworten des Gratius, doch alle zeigen dasselbe barbarische Küchenlatein; das in erster Linie macht ihre Komik aus. Die Unbildung, dazu die Dummheit und Engstirnigkeit, die Frömmelei, Scheinheiligkeit und Unmoral der Humanistengegner werden an den Pranger gestellt oder stellen sich — der Fiktion nach — selbst an den Pranger.

Der erste Brief will von Ortuinus die Streitfrage entschieden wissen, die sich neulich bei einem Aristotelesschmaus in Leipzig erhoben habe, ob ein angehender Magister als *noster magistrandus* oder *magister nostrandus*, ein angehender Doktor als *noster doctorandus* oder *doctor nostrandus* zu bezeichnen seien. Für beide Möglichkeiten werden Gründe angeführt, teils mehr, teils minder alberne. Erasmus hat sich über diesen Brief so amüsiert, daß er ihn schließlich auswendig zitieren konnte. Eine andere Streitfrage ist, ob man von einem Magister zurecht sage, er sei Mitglied (*membrum*) von zehn Universitäten, ob es nicht besser heiße, er sei Mitglieder (*membra*) von zehn Universitäten. Aber nicht allein „wissenschaftliche", ebenso Gewissensfragen werden Ortuinus vorgelegt. Macht man sich schuldig, wenn man am Fasttag ein Ei ißt mit einem schon beinahe ausgebrüteten Hühnchen darin? Das, meint ein Schlauberger, sei nicht anders, als wenn man am Fasttag den Käse mitsamt den Würmern verspeise; da werde doch auch nicht das Fastengebot übertreten. Das Gegenargument lautet, Würmer freilich gehörten der naturwissenschaftlichen Ordnung nach zu den Fischen und also zur Fastenspeise, aber ein halbfertiges Hühnchen könne nicht als Fisch gelten.

Der Ablaßhandel, damals ein besonders aktuelles Problem, kommt in den Briefen wiederholt zur Sprache, und durchs Ganze zieht sich fast wie ein roter Faden der Streit um Reuchlin. Die *poetae saeculares*, die Humanisten, werden mit den übelsten Schimpfnamen bedacht, vor allem weil sie als das Wichtigste für einen Christen den guten Lebenswandel ansehen. Weshalb die Briefschreiber hier allergisch sind, tritt eindeutig zutage. D. Fr. Strauß erinnert an Aristophanes und an Sancho Pansa- und Falstaff-Szenen, angemessener wäre der Vergleich mit ‚Jozef Filsers Briefwechsel‘ von Ludwig Thoma. Die Verfasser der Dunkelmännerbriefe wie ihre Zeitgenossen haben offensichtlich an diesen tölpelhaften Schreiben riesigen Spaß gehabt. Wir denken an Wittenwilers ‚Ring‘ und an des Erasmus freilich viel geistreichere ‚Laus stultitiae‘: Ja und Nein zur primitiven Vitalität schmelzen bei Wittenwiler im Grotesken, bei Erasmus in der Ironie, bei den Verfassern der ‚Epistolae‘ in der Komik zusammen. Dieser letzte Begriff ist abgeleitet von κῶμος — fröhliches Gelage — und trifft genau die Grundstimmung der ‚Epistolae‘, jedenfalls in den 41 Briefen von 1515. Trinkgelagen des Erfurt-Gothaer-Kreises um Mutianus Rufus könnten sie ihre Entstehung verdanken. Um dieselbe Zeit entstand hier eine Satire ‚Über die verschiedenen Arten

Trunkener', von EOBANUS, EURICIUS CORDUS u. a. mit Versen eingeleitet. Der Zweitdruck, *De generibus Ebriosorum et ebrietate vitanda*, ist *1516* datiert und bezeichnet sich als eine quaestio de quolibet Erphurdiensis Scolastico more explicata facetiarum et urbanitatis plena. Die „Urbanität" besteht in der Derbheit der Anekdoten und Wortwitze. Hauptredaktor der ‚Epistolae' war CROTUS RUBIANUS, der damals die Stiftsschule der Reichsabtei Fulda leitete. „Hätte ich Blitze in der Hand, ... den zweiten würde ich auf die Feinde Reuchlins werfen." Diesen Blitz hatte Crotus in der Hand, und er traf seine Opfer. Lachen tötet. Ein paar Schläge oder Stiche kamen wohl auch von MUTIANUS RUFUS, von EOBANUS HESSUS, HUTTEN und irgendwelchen unbekannten Erfurter Studenten. Ortwin van Graes zur Hauptfigur zu machen, dürfte der Einfall des HERMANNUS BUSCHIUS gewesen sein, der sich als Kollege in Köln mit ihm überworfen hatte.

Nachdem *1514* die ‚Clarorum virorum epistolae' an Reuchlin und ebenso die Rheinfahrt des Erasmus gezeigt hatten, wie groß in Deutschland allmählich die Anhängerschaft des Humanismus geworden war und wie geschlossen und selbstbewußt sie in Stunden der Gefahr oder bei festlicher Gelegenheit aufzutreten verstand, wurde *1515* an Cuspinianus und Ulrich von Hutten deutlich, was Freundschaft oder Feindschaft eines Humanisten selbst Fürsten bedeuten konnte. Im gleichen Augenblick spielen die Erfurter, voran Crotus Rubianus, den Gegnern des Humanismus den Streich, der sie allgemeinem Gelächter preisgibt. Sie haben sich von dieser Blamage nie wieder ganz erholt.

Und nun legt am *1. Februar 1516* ERASMUS die größte wissenschaftliche Leistung des deutschen Humanismus vor: das *Neue Testament* im griechischen Urtext samt einer Verbesserung der Vulgata und lateinischen Erklärungen. Dazu kommt seine Ausgabe der *Hieronymus-Briefe*; die Epistola Nuncupatoria ist auf *1. April 1516* datiert[83]. Um diese beiden Editionen zum Druck zu bringen, hatte Erasmus *1514* England verlassen und war das Rheintal hinauf nach Basel gereist. In fünf Monaten wurde das Neue Testament bei Froben gesetzt, korrigiert, gedruckt. Wahrscheinlich hat Erasmus vieles auch erst in dieser Zeit geschrieben — eine stupende Leistung.

Vorbild des Erasmus war Lorenzo Valla, der *1449* aufgrund der Kollation griechischer und lateinischer Handschriften die Vulgata textkritisch untersucht und ihr dabei Übersetzungsfehler nachgewiesen hatte. Valla wurde deshalb der Verunglimpfung des Heiligen Hieronymus bezichtigt, aber Kardinal Bessarion hatte ihn bei seiner Arbeit unterstützt, Kardinal Cusanus das Werk lebhaft begrüßt und Papst Nikolaus V. sich eine Abschrift geben lassen. Erasmus veröffentlichte das Werk *1505*. Es bildet den Ausgangspunkt seiner eigenen Textkritik.

Erasmus und Froben schien höchste Eile geboten, weil man wußte, daß in Spanien Kardinal Ximenes de Cisneros ebenfalls eine kritische Ausgabe des Neuen Testaments vorbereitete. Bei dieser Hast sind Erasmus allerhand Fehler unterlaufen. Die jeweils besten Handschriften konnten gar nicht so schnell beschafft werden. Für die Offenbarung Johannis stand nur eine schlechte Handschrift des 12. Jahrhunderts zur Verfügung, deren Schluß fehlte. In der Not fand Erasmus den Ausweg, hier die Vulgata ins Griechische rückzuübersetzen. Doch das ist ein krasser Sonderfall. Erasmus hatte die Absicht, in der zweiten Auflage die Flüchtigkeiten auszumerzen und vor allem der Apokalypse ihren echten Schluß zu geben. Dazu ist es wegen seiner Kränklichkeit nicht gekommen.

Uns interessieren besonders die beiden Einleitungen. In der *Paraclesis ad lectorem pium* — Ermahnung an den frommen Leser — versichert Erasmus: Wenn es nach mir ginge, sollte man die Evangelien und die Briefe des Paulus in allen Sprachen lesen können, nicht nur bei den Schotten und Iren, sondern sogar bei den Türken und Sarazenen. Der Bauer hinter dem Pflug sollte sie singen, der Weber am Webstuhl, sie passen ja so wunderbar ins tägliche Leben. — Das Ziel, das Erasmus hier vorschwebt, konnte er selbstverständlich mit seiner kritischen Ausgabe des Neuen Testaments im Urtext und in lateinischer Übersetzung nicht erreichen, aber diese sollte die Grundlage abgeben für volkssprachliche Übersetzungen. Und das hat sie getan. Wohl existierten längst beispielsweise deutsche Bibelübersetzungen, aber d i e Deutsche Bibel wird erst Martin Luther schaffen, wobei er für das Neue Testament die Ausgabe des Erasmus zugrunde legt.

Unter den Theologen, meint Erasmus, fänden sich nur allzu viele, die mit dem Neuen Testament nichts anzufangen wüßten. „Wer nach der Bergpredigt lebt, ist der wahre Theologe, und wäre er nur ein armer Bergmann oder Weber." Dergleichen klang als ernsthafter Unterton auch in den ‚Epistolae obscurorum virorum' an. Es gehörte zu den Tendenzen des Humanismus. Aber stärker noch spricht aus der ‚Paraclesis ad lectorem pium', ähnlich wie einst aus des Cusanus ‚De idiota', der Geist der Devotio moderna. Wenn auch seit Jahrhunderten, wo immer man religiöse Erneuerung suchte, Laienfrömmigkeit gegen scholastische Theologie ins Feld geführt wurde, am entschiedensten geschah das in der Devotio moderna. Sie trifft sich hier mit dem Humanismus, und beide gehen eine Strecke weit zusammen.

„Ob die Apostel die Feinheiten (*subtilitates*) unserer Scholastik gekannt haben, weiß ich nicht, gelehrt jedenfalls haben sie diese nicht. Wenn Fürsten, Bischöfe und vor allem die Lehrer der Jugend einmal eine Verschwörung miteinander machten (*conspirarent*), um auf die Einfachheit der Evangelien zurückzugehen, so würde man in wenigen Jahren eine große Wandlung erleben, und alle Ungläubigen würden sich schnell bekehren."

Statt von *imitatio Christi* wie Geert Groote spricht Erasmus mit AGRICOLA und HEGIUS von *philosophia Christi*: Quid autem aliud est Christi philosophia, quam ipse renascentiam vocat, quam instauratio bene conditae naturae[84]. Das A und O der philosophia Christi ist die *renascentia*, und zwar in sittlichem Sinne, als Wiederherstellung der Natur des Menschen. Nicht einzelne Gebote, die wir befolgen sollen, gibt die philosophia Christi, vielmehr zielt sie auf die Änderung unseres verkehrten Wesens. Wiedergeburt bedeutet Wiederherstellung der wahren

Menschlichkeit, der *humanitas*, und sie versteht Erasmus in erster Linie als *philanthropia*. Dazu braucht es weder philosophische noch theologische Subtilitäten. Hoc philosophiae genus in *affectibus* situm verius quam in *syllogismis*, *vita* magis est quam *disputatio*, *afflatus* potius quam *eruditio*, *transformatio* magis quam *ratio*[85].

Die zweite Einleitung, *Methodus*, später als *Ratio seu methodus compendio pervenendi ad veram theologiam*[86] erweitert, nennt es Hauptaufgabe des Theologen, die Schrift mit Einsicht (*sapienter*) nachzuerzählen, den Sinn gläubig (*de fide*), nicht von kniffligen Fragestellungen her (*de frivolibus quaestionibus*) zu erhellen und so eindringlich und wirkungsvoll (*graviter atque efficaciter*) darüber zu sprechen, daß er Tränen hervorruft und für das Göttliche entflammt. Ohne Kenntnis von Grammatik und Rhetorik, ja der gesamten antiken Bildung läßt sich das nicht durchführen. Eigens genannt wird von Erasmus die Affektenlehre, *quoniam professio theologica magis constat affectibus quam argutiis*.

An seiner Übersetzung weckte Ärgernis, daß er Johannes 1, 1 λόγος nicht wie die Vulgata mit *verbum*, sondern mit *sermo* wiedergegeben hatte. Die *Annotationes*[87] und eine *Apologia de In principio erat sermo*[88] rechtfertigen geistreich und mit zahllosen Zitaten diese Kühnheit. Christus heißt der *logos*, weil der Vater nur durch den Sohn zu den Menschen spricht. *Verbum* aber ist das einzelne Wort, so wäre *oratio*, Rede, die angemessenere Übersetzung. In Augustins ‚De cognitione verae vitae‘ hat *verbum* dreifache Bedeutung: die Stimme äußert es, nachdem es im Herzen gebildet und zuvor die Sache, die es meint, im Geist gedacht wurde. Gottes Wort ist also im Grunde Gottes schöpferischer Gedanke. Auch das träfe *oratio* besser als verbum, denn bei *oratio* klingt *ratio* mit. Doch wirkliches Äquivalent zu *logos*, behauptet Erasmus, ist *sermo*. Eine falsche Etymologie erlaubt ihm, darin die Einheit von Denken und Reden zu entdecken, auf die Augustin mit der Formulierung *cogitando dixit* hindeute: wer denkt, redet schon mit sich selbst, hält ein inneres Zwiegespräch, einen *sermo*. Für den Humanisten Erasmus gibt es kein Denken ohne Sprache. Denken identifiziert er mit Sprechen, genauer gesagt, mit Gespräch, d. h. es ist wesensmäßig dialogisch, nicht dialektisch. Indem Erasmus diese These auf die Trinitätslehre anwendet, erscheint Gottsohn als der *sermo* Gottvaters mit sich selbst von Ewigkeit in Ewigkeit. Erasmus zieht eine passende Stelle aus des Hilarius ‚Liber de trinitate‘ bei. Die metaphysische Logosspekulation, die im Neuplatonismus wurzelt, begreift er philologisch, nach Analogie der menschlichen Sprache bzw. nach dem Sprachgebrauch von *verbum*, *oratio*, *sermo*.

Erasmus kann aber nicht oft genug wiederholen, daß derartige Fragen allein vor das Forum der Theologen und Philologen gehörten, esoterischer Art seien. Wenn gewisse Leute sie unter die plebecula, Weber und Weiber, gebracht haben, war das *absurdum, etiamsi vera praedicarent*. Kirche und Schule müssen selbstverständlich die sakrosankte Übersetzung *In principio erat verbum* beibehalten. — Noch im gleichen Monat, *März 1516*, ließ Erasmus dem ‚Novum Testamentum‘ oder, wie er sich ausdrückt, ‚Novum Instrumentum‘ die *Institutio Principis Christiani* folgen, einen Fürstenspiegel, bestimmt für ERZHERZOG KARL, der soeben

König von Spanien geworden war und Erasmus zu seinem Rat ernannt hatte. Des ISOKRATES Schreiben *Ad Nicoclem regem de institutione principis* nimmt Erasmus als Vorlage, um in großer Breite die drei Grundthemen zu entwickeln, die er am bündigsten in seinem Brief an Papst Leo vom 21. Juni 1515[89] formulierte. Ein Fürst soll achthaben auf den Frieden im Innern des Staates wie mit den anderen Staaten, auf die Frömmigkeit seiner Untertanen und auf deren Bildung. Das bedeutet, Erasmus vertraut den christlichen Humanismus nun der Obhut der Fürsten an — seit seinem Traktat für den künftigen Kaiser Karl V. wird jenes Mißtrauen zwischen Humanismus und legitimer Herrschaft, das eine Folge von Kaiser Karls IV. Rückzug aus Rom 1355 gewesen war, in Deutschland endgültig überwunden. Kontrolle über das Bildungswesen gehört aber bereits zu den Konstituentien des modernen Staates[90].

Der Phantasie des Hohenzollern ALBRECHT VON BRANDENBURG blieb es vorbehalten, die Ehrungen, die Erasmus von den deutschen Humanisten und vom spanischen König zuteil wurden, weit zu übertrumpfen. Seine Residenzstadt Halle besaß zwar Gebeine des Hl. Mauritius oder Moritz und verehrte diesen Märtyrer aus Mohrenland als ihren Schutzpatron, als aber die Möglichkeit sich bot, in Oliva bei Danzig auch noch Gebeine des Hl. Erasmus zu kaufen, griff Albrecht zu. Reliquien waren sein faible, und wenngleich man von dem Hl. Erasmus recht wenig wußte, so trug er doch einen interessanten Namen. Das reizte Albrecht. Den großen Humanisten aus Rotterdam konnte er selbst als dreifacher Erzbischof nicht heiligsprechen, aber den obskuren Heiligen von der Ostsee an die Saale holen und ihm hier einen neuen Kult einrichten, bedeutete unmißverständlich eine Ovation für den prominenten Namensvetter und für den Humanismus insgesamt.

An *Ostern 1516* wurden die

Albrecht von Brandenburg als Erasmus
(Matthias Grünewald, ‚Erasmus und Mauritius',
ca. 1520, Teilaufnahme; München,
Alte Pinakothek)

aus Westpreußen überführten Reliquien mit allem erdenkbaren Pomp in Halle empfangen und zur Schloßkirche gebracht. Als dann jedoch MATTHIAS GRÜNEWALD, Albrechts Hofmaler, die Begegnung des Hl. Erasmus mit dem Hl. Mauritius auf einem Gemälde darstellte, porträtierte er im Neuankömmling nicht, wie man erwartet hatte, Erasmus von Rotterdam, sondern Albrecht von Brandenburg selbst. Das entsprach zweifellos dem Willen des Auftraggebers. Humanisten wie Heilige waren für den geistlichen Renaissancefürsten letzten Endes bloß Medien zur eigenen Glorifikation. Mit dem Umfunktionieren der Huldigung an Erasmus folgte der ‚Institutio Principis Christiani‘ der satirische Kommentar von seiten der Wirklichkeit.

Das Auftreten Martin Luthers (1516/17); Kabbalistik und Hieroglyphik

An die breite Öffentlichkeit wendet sich eine Edition, die noch ganz am Ende des Jahres 1516 herauskommt: *Ein geistlich edles Büchlein* ... Das Vorwort ist *Wittenberg, 14. Dezember 1516* datiert und trägt die Unterschrift MARTINUS LUDER. Damit tritt, eben als der Humanismus den Höhepunkt erreicht hat, MARTIN LUTHER vor die Augen der Welt. Kam Erasmus aus der Devotio moderna, so knüpft Luther jetzt an die Bewegung der Gottesfreunde wieder an, jedenfalls an den Deutschordenspriester in Sachsenhausen, den FRANCKFORTER. Dessen um 1400 entstandenen Traktat bringt er 1516 und 1518 zum Druck; ein Augsburger Nachdruck nennt sich *1518 Theologia Teütsch*[91]. Luther hatte hier eine Theologie entdeckt, die mit seinen eigenen Erfahrungen und Gedanken übereinstimmte. Wenn es bei dem Franckforter hieß „Wer im an Gott begnugen lat, der hat genung", sah Luther darin keine Bejahung des Wunsches nach innerer Genüge, d. h. Vergnügung der Seele, keinen sublimierten Epikuräismus, wie wir ihn bei Erasmus kennen lernten, vielmehr wurde dieser Epikuräismus gerade zurückgewiesen. Der Mensch soll sich genug sein lassen an Gott. Daß der Mensch überhaupt „ich" und „mein" sagt, daß er alles auf sich statt auf Gott bezieht, ist ja für den Franckforter die Ursünde. So fordert er nicht *renascentia*, Wiederherstellung der Natur des Menschen, sondern einen radikalen Bruch mit dieser Natur, eine *kehre*, wie er sagt. Gleich Christus, mit ihm und in ihm soll der Christ von sich selbst lassen und sich in Gottes Willen schicken, so vorbehaltlos, daß er auch noch einwilligt, falls Gott ihn seiner Unwürdigkeit wegen in die Hölle versetzt.

Das Büchlein lag für Luther auf einer Linie mit des JOHANN VON STAUPITZ *De imitanda morte Jesu Christi libellus, 1515*. In dessen 12. Kapitel war zu lesen: „Viele meinen, es sei etwas Großes, wenn einer äußere Gaben Gottes, Reichtümer, Wollüste, zeitliche Ehre und Gewalt lasse; die schärfer sehen, halten diese Dinge für nichts, achten allein für groß, sich selber zu lassen um Gottes willen; aber noch Gott, um des willen wir uns lassen, zu lassen, ist übermenschliche Gelassenheit". Staupitz bezeichnet es als die Hölle. „Dennoch ist sie aus dem

Eyn deutsch Theologia. das ist

Eyn edles Buchleyn/ von rechtem vorstand/ was
Adam vnd Christus sey/ vnd wie Adam yn
vns sterben/ vnd Christus ersteen sall.

Titelholzschnitt der ersten vollständigen, durch Luther besorgten Ausgabe;
Wittenberg 1518

vielliebenden Herzen Jesu geflossen, von dessen Liebe geschrieben steht ‚Die Liebe ist stark wie der Tod, hart wie die Hölle'. Laß dich, edle Seele, laß alle Dinge und laß selbst die Tugend, die Gnade, den sterbenden Christus, und wenn es Gott gefiele, laß auch Gott, so wirst du nimmer gelassen von ihm"[92].

Das ist die *kehre* nach dem Vorbild Christi, von der ‚Ein geistlich edles Büchlein' spricht. Luther legt zunächst den Akzent darauf, daß Christus das Verworfensein in aller Härte erfuhr. Die erste Vorlesung Luthers in Wittenberg, die er *1513/15* über die *Psalmen* hielt, sagt von Christus am Kreuz: „In der höchsten Erregung des Leidens schrie er: Warum hast du mich verlassen — und das heißt Verworfensein von Gott". Bilder, wie sie der mit Luther gleichaltrige, ebenfalls 1483 geborene *Raffael* malte, etwa die *Sixtinische Madonna* mit dem Christuskind, entstanden *1516*, konnten bei Papst Leo, dem vir suavissimus, und allenfalls bei Erasmus Bewunderung finden, Staupitz und Luther erschienen sie als Schönfärberei. Ihren Christus zeigt der *Isenheimer Altar*, den *1512/1516* MATTHIAS GRÜNEWALD schuf: Christus am Kreuz, mit verdrehten Füßen und verkrampften Händen, als habe er soeben geschrien: Gott, mein Gott, warum hast du mich verlassen, danach aber sich in den Willen Gottes ergeben. Auf diesen Christus zeigt Johannes, zeigen der Franckforter und Staupitz und ebenso Luther in seiner Psalmenvorlesung wie in der Vorlesung über den *Römerbrief*, die sich *November 1515* bis *September 1516* anschloß, also noch vor der Edition der ‚Theologia Teütsch' beendigt wurde.

Luther hat die Vorlesung über den Römerbrief nie veröffentlicht, obwohl nach dem Urteil der Theologen keines unter seinen späteren Büchern an Klarheit und Geschlossenheit mit ihr verglichen werden kann. Fast 300 Jahre blieb sie der Nachwelt unbekannt, bis man zu Anfang des 19. Jahrhunderts, und zwar in der Bibliothek des Vatikans, eine Abschrift entdeckte.

Schon als nach dem Sieg über das Basler Reformkonzil Papst Nikolaus V. mit dem Aufbau von Vatikanpalast und Bibliotheca Vaticana begann — zum Zeichen päpstlicher Herrschaft in der Kirche —, hatte des Kurienkardinals Nicolaus Cusanus Traktat ‚De Idiota' die Priesterkirche faktisch in Frage gestellt; erst recht galt das nun von der Wittenberger Vorlesung. Die Abschrift dürfte aus der Bibliothek Ulrich Fuggers in Augsburg, der größten Privatbibliothek des 16. Jahrhunderts, in die Bibliothek der pfälzischen Kurfürsten, die berühmte Palatina, gelangt sein, deren Schätze nach der Eroberung Heidelbergs im Dreißigjährigen Krieg der Kurfürst von Baiern dem Papst schenkte. Ganz kurz nach der Entdeckung der Abschrift in der Bibliotheca Vaticana fand sich dann in der Preußischen Staatsbibliothek in Berlin — in einem Schaukasten — auch das Originalmanuskript. Der Erstdruck erfolgte 1908. Seit 1927 besitzen wir eine Verdeutschung durch Eduard Ellwein.

Luther hat den Römerbrief selbst ins Lateinische übersetzt und Randglossen dazu gegeben sowie eine Exegese, die sogenannten *Scholien*, beides natürlich ebenfalls in Latein. Bei Römer 8,28 und 9,3 sprechen die Scholien von den Zeichen der

Erwählung, *tres gradus signorum electionis*. Das höchste Zeichen tragen die Menschen, die in der Todesstunde bereit sind, sich von Gott in die Hölle verdammen zu lassen: *qui se ipsos resignant ad infernum pro dei voluntate*. „Diese werden am vollkommensten vom eigenen Willen und von der Klugheit des Fleisches gereinigt. Sie wissen, was es heißt: die Liebe ist stark wie der Tod und ihr Eifer fest wie die Hölle ... Solche fügen sich freiwillig in jeglichen Willen Gottes, auch in die Hölle und in den ewigen Tod, wenn es Gott so wollte, nur damit sein Wille völlig geschehe. So sehr suchen sie nicht das Ihre."

Vorbild dieser willigen *resignatio ad infernum* ist Christus am Kreuz, denn „Christus ist verdammt und verlassen worden ... wirklich und wahrhaftig hat er sich Gott dem Vater uns zugute in die ewige Verdammnis dahingegeben ... wie ein Mensch, der auf ewig in die Hölle verdammt werden soll. Wegen dieser seiner Liebe zu Gott hat ihn auch Gott alsbald vom Tod und von der Hölle erweckt und hat so die Hölle zerrissen."

Die radikale Kehre, die vom Franckforter, die Nachfolge des willigen Sterbens Christi, die von Staupitz gefordert wird, bildet auch das Kernstück der Lutherschen *theologia crucis* von 1516. Johannes vor dem Gekreuzigten auf dem Isenheimer Altar, 1516 — der Vergleich läßt uns nicht los. Aber vielleicht übersehen wir das Entscheidende. Wir sehen allein den Gekreuzigten in seinen leiblichen Schmerzen und seiner inneren Qual, weil Gott ihn verlassen, verworfen hat. Auch noch, daß der Gekreuzigte sich ganz und gar in Gottes Willen fügt und seine *resignatio ad infernum* der höchste Beweis für die Liebe zu Gott ist — auch das können wir noch „sehen", begreifen. Es leuchtet sogar ein, daß, wer gleicher Liebe fähig ist, zu den Erwählten gehört. Aber das Entscheidende: Christi „Verdammnis" kommt „uns zugut" — das können wir nur glauben. Und wir sollen es nach Luther glauben. Darum zeigt er gleichsam mit ausgestrecktem Finger auf Christus am Kreuz.

In einem Tischgespräch 1532 erklärt Luther: *Ex Erasmo nihil habeo — Ich hab all mein ding von Doctor Staupiz*. Jahrelang hatte er bis zur Schwermut und Verzweiflung darunter gelitten, daß er sich von Gott verworfen fühlte. Selbst die Sakramente waren ihm keine Heilsgarantie. Staupitz sollte ihm wider diese Anfechtung helfen. Aber dürfen wir denn unser Sündenbewußtsein abschütteln? Wenn man in der imitatio Christi, der Nachfolge seines willigen Sterbens, die Verdammnis als Gottes Willen auf sich nahm, lag nicht darin das Heil verborgen? Staupitz konnte Luther auf den Weg helfen.

Gefunden hat er ihn doch offenbar beim eigenen Bibelstudium, als er an seiner Psalmenvorlesung arbeitete. Im Gang der Vorlesung verlagert sich der Akzent von der neuplatonisch und mystisch gefärbten Idee der Liebe, *caritas*, auf den Glauben ans Wort, *fides verbi*. Meint Luther auch mit dem *verbum dei* in erster Linie Christus als Logos, praktisch identifiziert er weithin *verbum aeternum* und *verbum temporale*, die Heilige Schrift. Später wird es heißen, Gott sei unsichtbar und könne bloß in seinem Wort gehört werden.

Daß unser Leben ein Ende hat, weiß jedermann, aber die bloße *notitia apprehensiva* trifft uns nicht. Das tut, secundum doctores devotarios[93], erst die *notitia tam intellectualis quam affectiva*, oder, anders formuliert, die *notitia adhaesiva cum affectu et sentimento*[94]. Die Unterscheidung zwischen der notitia apprehensiva und der notitia adhaesiva geht wohl auf GABRIEL BIELS *Epithoma* zurück. Sollten aber zu den doctores devotarii nicht auch die Vertreter der Mönchstheologie und ebenso der Devotio moderna zählen? Bernhard von Clairvaux und Johannes Gerson werden von Luther des öfteren angeführt. Darüber hinaus erinnern wir uns der Gegenüberstellung von Aristoteles und Cicero in PETRARCAS *De ignorantia*. Wenn Philosophie und Rhetorik um den Vorrang streiten, macht von jeher die letztere geltend, sie spreche zugleich Intellekt und Affekt an. „Luther", betont Reinhard Schwarz[95], „ist weit entfernt von der affektiv-ekstatischen Gotteserfahrung der Mystik." Sicher nicht weiter als Erasmus. Umso näher, scheint mir, und zwar nicht zuletzt aufgrund der zitierten Arbeit von Schwarz, liegt Luther wie Biel und Gansfort und wie Erasmus die affektiv-rhetorische Erfahrung. Auch auf ihn können wir den Begriff des *affective rhetoricism*[96] anwenden. Luther will nicht mit dem göttlichen Wesensgrund Eins werden und Gott nicht schauen, riechen, schmecken, aber Gottes Wort hören. Seine Gotteserfahrung ist die paulinische *fides in auditu*, auditus autem per verbum Christi (Römer 10,17). In der Psalmenvorlesung bekennt er: „Das halte ich für die vornehmste Gnade und für eine wunderbare Gunst Gottes, wenn es einem gegeben wird, die Worte der Schrift so zu lesen und zu hören, wie wenn er sie von Gott selbst hörte; wie sollte er dann nicht an Leib und Seele erzittern?" Und an anderer Stelle: „Niemand vermag über irgendeine Schriftstelle zu reden oder sie auch nur zu hören, wenn die Bewegung seines Gemütes nicht gleichförmig ist." Durch das Wort gewinnt Luther die notitia adhaesiva cum affectu et sentimento. Zumal, wenn die Stimme den affektiven Wert des Wortes artikuliert[97].

Nach antiker Tradition, die aus Ciceros ‚Tusculanae disputationes' und Vergils ‚Aeneis' (5,733) über Boethius ins Mittelalter einging, werden vier primäre *passiones* gezählt: Schmerz und Freude, Furcht und Hoffnung. Das *verbum Christi* spricht vor allem die beiden letzteren, auf die Zukunft sich beziehenden Affekte an. Es konfrontiert uns mit dem Tod, dem Jenseits, der Ewigkeit, weckt Furcht vor Gottes Gerechtigkeit, dem Gericht, in dem wir auf keinen Fall bestehen können, weckt aber zugleich die Hoffnung auf Gottes Barmherzigkeit und Gnade. So erfährt der Mensch in einer Koppelung der Affekte — *timor iudicii et spes misericordiae* — sich selbst: er ist *simul peccator et iustus*, peccator re vera, sed iustus ex reputatione et promissione Dei certa. Die Existenz auf dieses zweipolige, bis ans Zerreißen gespannte Selbstverständnis gründen, darauf leben und sterben, heißt, Gott die Ehre geben, Gottes Wort „glauben". Einzig solche Erkenntnis — *cognitio effectiva* —, solchen Glauben allein — *sola fides* — fordert der Herr von uns Menschen. Den Glauben aber wirkt das Wort: *verbum facit fidem*.

Reinhard Schwarz dürfte recht haben mit der Feststellung, kein Scholastiker bringe *fides* und *verbum* in unmittelbare Korrelation[98]. Dagegen berührt sich Luther, sofern er das rhetorische Moment — *verbum facit fidem* ist eine Formel der Rhetorik — in seine Theologie einbaut, mit der Mönchstheologie, speziell des Bernhard von Clairvaux. Erst recht natürlich stellt er dadurch seine Theologie — unter diesem Aspekt gesehen — an die Seite des Humanismus. Ich wiederhole die Worte Bernhards: Primum quidem sonans in auribus animae vox divina conturbat, terret, diiudicatque; sed continuo, si non avertis aurem, vivificat, liquefacit, calefacit, illuminat, mundat ... Si audieris vocem filii dei, vives[99]. Luther sagt: Sermo dei credentes facit vivos[100]. Bedarf es noch der Erinnerung an das *vivo* und *sumus* der Humanisten?

Luthers Fidesbegriff basiert auf dem Fidesbegriff von Rhetorik und Humanismus. Aber *fidem facere* mit *persuadere* gleichzusetzen und wie Aristoteles auf *verisimilitas* im Unterschied von *veritas* zu beziehen, wäre für Luther widersinnig gewesen. Vom Humanismus weicht er darin völlig ab, daß *fides* ihm nicht Zustimmung zu menschlichen Aussagen, sondern unbedingte Zuversicht auf das Versprechen Gottes bedeutet.

Erasmus will das antike Schrifttum ergänzt wissen durch die Evangelien und Paulusbriefe, die den Menschen für die *philosophia Christi*, seine Lehre der Nächstenliebe, gewinnen und auf diese Weise sittlich wandeln. Das Neue Testament lesen lernen und lesen lehren, ist der Gipfel der *studia humanitatis*. Für Luther handelt die Bibel nicht so sehr von der *philanthropia* des Menschen als vielmehr von der alles Menschenmaß übersteigenden *philanthropia* Gottes. Wer das intellektuell erkennt und zugleich, ja stärker noch, affektiv erfährt, in dem wirkt sie den Glauben.

Dieser Glaube muß immer neu entstehen. *Proficere est nihil aliud, nisi semper incipere*[101]. Das macht die innere Lebendigkeit, das Leben des Christenmenschen aus. „Einn Christen mensch, der in diser zuvorsicht gegen got lebt, weisz alle ding, vormag alle dingk, vormisset sich aller ding, was zu thun ist, und thuts alles frolich und frey, nit umb vil guter vordinst unnd werck zusamlen, szondern das yhm eine lust ist got alszo wolgefallen ..."[102]. Der „neue Mensch", den Luther ausruft, gibt sich hier nicht weniger frohgemut als der „neue Mensch" in Agricolas *Oratio in laudem philosophiae et reliquarium artium*, Ferrara 1476. Hatte Agricola seit 1474 innerhalb der Renaissance für Deutschland den Hochhumanismus eingeleitet, der jetzt die Stunde regiert, so erfährt Luther seit 1514, was er selbst seine *renascentia* nennt[103]: sie leitet für Deutschland innerhalb der Renaissance die Reformation ein. Das Erasmus-Jahr 1516 ist zugleich ein Luther-Jahr.

Am 8. April 1516 schreibt Luther an Georg Spenlein, die Eigenmächtigkeit sei die große Versuchung der Zeit, der besonders die erliegen, die sich mit allen Kräften bemühen, gerecht und gut zu sein. Weil sie nichts von der Gerechtigkeit Gottes wissen, die uns in Christus überschwenglich und umsonst geschenkt ist, suchen sie so lange Gutes zu wirken, bis sie mit Selbstvertrauen vor Gott hintreten können; das aber wird niemals der Fall sein. Mit diesen Worten zog Luther den Trennungsstrich zwischen Hochhumanismus und Reformation.

Die Gottesfreunde, einerlei ob sie mit der Bewegung, die von Rulman Merswin ausging, etwas zu tun hatten oder nicht, warteten nun seit mindestens eineinhalb Jahrhunderten auf eine religiöse Führung. In Richtung der ,Theologia Teütsch' und der ,Nachfolgung des willigen Sterbens Christi' suchten die Nürnberger Patrizier, die 1516 für die Adventszeit JOHANN VON STAUPITZ als Prediger einluden. Er sprach vornehmlich über die Prädestination. Allabendlich saßen unter der Kanzel der Augustinerkirche die Männer, die wir z. T. von Dürerschen Porträts kennen, der Kaufherr HIERONYMUS HOLZSCHUHER, drei Mitglieder der Familie TUCHER, CHRISTOPH und SIGMUND FÜRER VON HAIMENDORF, der Rechtskonsulent DR. CHRISTOPH SCHEURL und der Ratsschreiber LAZARUS SPENGLER, im Hintergrund neben vielen anderen ALBRECHT DÜRER selbst. Scheurl hat sich von Staupitz eine lateinische Zusammenfassung der Predigten geben lassen und sie erst im Original, dann in eigener Übersetzung als *Nutzbarliches büchlein von der entlichen volziehung ewiger fürsehung* veröffentlicht. Da heißt es, „das got ein gemeine, fürneme und aller nechste ursach ist eins iden dings, und ein würcker aller würckung, und darumb ob wol die würckung geteilt sein, so ist doch ein einiger got, der alle ding in allen dingen würcket; der gestalt ist warmmachen im fewer ein werck gots, also lacht er in den lachenden, weint in den weinnenden, rühelt oder wygerth im pferd, schreit im leben (Löwen)" usw.[104].

Solche Sätze konnten selbst WILLIBALD PIRCKHEIMER in seinem Neuplatonismus ansprechen, wenn ihn Frau Podagra einmal nicht allzu sehr molestierte, und er, von Dürer begleitet, zu den *Staupiciani* ging. Bald aber nahm der betriebsame SCHEURL die Sache in die Hand und gründete eine *sodalitas* oder *coena*, die sich außer in der Kirche auch am Biertisch und beim Karpfenessen traf, wo er als *architriclinus* das Präsidium führte. Da Pirckheimer es nicht verbergen konnte, daß er den Ratskonsulenten für einen aufgeblasenen Hampelmann hielt, und Scheurl seinerseits, geladen mit Ressentiment, Pirckheimer unausstehlich präpotent fand, blieb dieser abends lieber zu Hause, um auf der warmen Bank am Kachelofen seine Übersetzung vermeintlich platonischer Dialoge und Schriften zu fördern. Als er sie 1521 endlich fertig hat, scheinen die langen Winterabende vergessen zu sein; in dem schönen Begleitbrief an BERNHARD ADELMANN schildert Pirckheimer nur höchst anschaulich, wie er den Sommer auf Gut Neunhof zubringt, einem Besitztum seines Schwagers unmittelbar vor der Stadt. BERNHARD und KONRAD ADELMANN VON ADELMANNSFELDEN waren ein humanistisches Brüderpaar aus schwäbischer Adelsfamilie wie DIETRICH und JOHANN VON PLENINGEN; literarisch sind sie nicht besonders hervorgetreten[105]. Pirckheimer praktizierte, wenn er sich nach Neunhof zurückzog, jene Seelendiätetik, die Samuel Karochs Einführung in die Epistolographie (1479/80) empfohlen hatte, damit das *ingenium* sich erhole und neue Kraft sammle. Er kennt nur zu gut die heftigen Gemütsaufwallungen, von denen Karoch sagt, ein Schriftsteller müsse sie meiden wie einen tollen Hund, war er doch wegen seines Jähzorns 1507 sogar zu einer zweitägigen Turmstrafe verurteilt worden. Auf dem Landsitz findet er abgeschirmte Muße und Heiterkeit des Gemüts. „Wollte ich schreiben, wie mich dies freie Leben hier erquickt, wie mich diese Einsamkeit anheimelt, wie glücklich mir die Landleute erscheinen, wenn sie ihr eigenes Glück nur zu schätzen wüßten, ich müßte dir ein langes Liedlein singen . . .“ Pirckheimer besitzt das gleiche sentimentalische Verhältnis zum Landleben wie fast alle Humanisten seit Petrarca. Wenn er wirklich ein „Liedlein“ gesungen, d. h. seinen Brief in Versform gebracht hätte, so ließe sich die Idylle vom locus amoenus Neunhof den *Bucolica* des Eobanus Hessus und Euricius Cordus, enger noch Bebels Elegie aus dem Schmiechtal anreihen.

In der Adventszeit 1516 waren die pseudoplatonischen Dialoge nicht das einzige Werg an Pirckheimers Kunkel. Wohl schon damals beschäftigte ihn der Nürnberger Nachlaß des REGIOMONTANUS. Als dieser 1476 nicht mehr aus Rom zurückkehrte, fiel die gesamte Habe des Toten an seinen Gönner und Schüler BERNHARD WALTHER. Nach dessen Tod standen Instrumente und Bibliothek der beiden Gelehrten lange Zeit fast unbenützt herum, bis die Testamentsvollstrecker sie allmählich veräußerten. Die Hauptmasse an Büchern und Manuskripten kaufte 1514 Pirckheimer. Darunter befand sich in Abschrift die von einem Italiener stammende

lateinische Übersetzung der „Erdkunde“ des PTOLEMÄUS. Regiomontanus hatte sie nach griechischen Handschriften korrigiert, wahrscheinlich mit der Absicht, in gleicher Weise wie den *Almagest* auch die *Anleitung zur Erdbeschreibung* neu herauszugeben. Wer konnte sich jetzt dieser Aufgabe unterziehen? Der Mammon hatte Pirckheimer die Papiere zugespielt, verpflichtete ihn das, die geistige Erbschaft eines Regiomontanus anzutreten? Es reizte Pirckheimer, und im Lauf der Jahre reifte der Entschluß. Pirckheimer traute sich zu, eine bessere Übersetzung aus dem Griechischen ins Lateinische zustande zu bringen. Auch die nötigen Kenntnisse, vor allem in

Willibald Pirckheimer
(Kupferstich von Albrecht Dürer, 1524)

Kartographie und Mathematik, für den Kommentar glaubte er zu besitzen oder mit Hilfe seiner Freunde und zahllosen Korrespondenten erwerben zu können. In der Tat wurden die *Geographicae enarrationis libri octo* (1525) Pirckheimers bedeutendste Editionsleistung.

ERASMUS hat am Jahresende 1516 zwei große Editionen hinter sich gebracht. So folgt er dem Drängen des burgundischen Kanzlers, der bei seinen Friedensverhandlungen mit Frankreich immer hingehalten wird, und veröffentlicht, ihn zu unterstützen, 1517 eine *Querela pacis*[106]. Nur wer den Krieg nicht kennt, findet ihn schön: *Dulce bellum inexpertis*: die berühmte Nr. 4000 in der 3. Auflage der ‚Adagia‘, 1514 — durch sie vor allem war Erasmus Wortführer des Pazifismus geworden. Seine ‚Querela pacis‘ ist nach der äußeren Form ein Gegenstück zur ‚Laus stultitiae‘. Der Friede als allegorische Figur klagt, man habe sie — die *Pax* — aus der Welt verbannt, überall herrsche *Eris* — der Streit —, obwohl man doch „menschlich nennt, was auf gegenseitiges Wohlwollen sich bezieht". Ohne *mutua benevolentia* könne es keine *mores hominis naturae dignos* geben. Erasmus, wissen wir, versteht *humanitas* mehr im Sinne von *philanthropia* als von *paideia*. Das ist der christliche Humanismus, in dessen Dienst er sich als Rhetoriker stellt. Luthers erste Äußerung über Erasmus in einem Brief vom *1. März 1517* wirft ihm vor: *humana praevalent in eo plus quam divina*. Wäre sie Erasmus zugetragen worden, hätte er mit Worten der ‚Querela pacis‘ geantwortet: *Bonae litterae reddunt homines, philosophia plus quam homines, theologia reddit divos*: die Literatur macht Menschen, die Philosophie Übermenschen, die Theologie Götter. — Im *Mai 1517* malte QUINTEN MASSYS in Antwerpen das berühmte Doppelbildnis von Erasmus und Peter Gilles, das Thomas Morus erhalten sollte.

Der Prozeß gegen REUCHLIN war im *Sommer 1516* durch ein päpstliches Mandat niedergeschlagen worden, um einem Freispruch zuvorzukommen. Dagegen forderte ein Breve vom *15. März 1517* die Ablieferung und Verbrennung sämtlicher Exemplare der *Epistolae obscurorum virorum*; Zuwiderhandelnden wurde Exkommunikation angedroht. Inzwischen war im *Oktober 1516* eine Neuauflage erschienen, um 7 Briefe vermehrt, und im *Frühjahr 1517* ein zweiter Band mit 62 neuen Briefen. Dieser sticht durch seinen gehässigen Kampfton vom ersten Band ab. Anstelle des humorvollen Crotus Rubianus ist als Hauptverfasser ULRICH VON HUTTEN getreten, unterstützt vor allem durch HERMANNUS BUSCHIUS.

Reuchlin hatte mehr Freude an einem jungen Magister artium der Universität Wien, der ihn auf der Reise durch Süddeutschland — „um gelehrter Leute Kundschaft zu machen" — in Stuttgart aufsuchte und ihm bei dieser Gelegenheit seine erste Publikation überreichte, den beinahe noch feuchten Druck von drei *hymni heroici* des Pico della Mirandola sowie zwei selbstverfaßten *carmina* über den Ursprung der verschiedenen Religionen und über das Mysterium der Heiligsten Dreifaltigkeit. Der nach seiner Erzählung dreiundzwanzigjährige Breslauer hatte sich als AMBROSIUS MOIBANUS anmelden lassen, auf dem Titelblatt aber des im *März 1517* bei Vietor in Wien erschienenen Büchleins hieß der Herausgeber bzw.

Titelbild der zweiten Sammlung, 1517

Verfasser AMBROSIUS MECODIPHRUS WRATISLAVIENSIS. Wie reimte sich das zusammen? Selbst Reuchlin konnte nicht wissen, daß Moibanus eine Latinisierung des Namens Moywen war, der vom altschlesischen Wort Mowen = Mohnwagen hergeleitet und mit Maekodiphros ins Griechische übersetzt wurde. Die gemeinsame Bewunderung für Pico della Mirandola brachte Moywen alias Moibanus-Mecodiphrus und Reuchlin alias Capnion schnell einander nahe. Letzterer fand sicher Gefallen an dem carmen über die Unaussprechlichkeit des Mysteriums, das nur die Trinitätslehre anzudeuten vermöge. Wie aber nahm er das andere, sehr viel kühnere carmen *De origine diversarum relligionum* (sic) auf? Hier erklärte Mecodiphrus das Christentum für die Wiederherstellung der natürlichen Religion und ersetzte die biblische Lehre vom Sündenfall durch den antiken Mythos von Saturn und Jupiter. Solange Saturn regierte, glaubten die Menschen an den einen Gott. In paradiesischer Unschuld waren sie anspruchslos, gut und glücklich, bis Jupiter, selbst ein Verbrecher, auch sie zu Verbrechern machte, die Habsucht weckte und mit ihr Sorgen und Leidenschaften. Jetzt schufen die Menschen sich eine Vielheit neuer Götter. Aus dieser Verderbnis führen bloß die Propheten des Alten und Neuen Testaments — die *sacrae litterae*, dürfen wir sagen — zu den guten alten Zeiten Saturns zurück, nur durch sie kann, mit Erasmus zu reden, die *natura bene condita hominis* wiederhergestellt werden. Gleich so manchem deutschen Humanisten seit Eybs Gründonnerstagspredigt im Bamberger Dom *1452*, hat Moibanus *1517* noch einmal aus christlichem und antikem Ideengut seinen eigenen Geschichtsmythos zusammenfabuliert. Über ein kurzes wird er sich, statt den Florentinern, den Wittenbergern, Melanchthon und Luther, anschließen und in deren Sinne in seiner Heimatstadt Breslau für die Reformation wirken[107].

Als er in Stuttgart bei dem dreiundsechzigjährigen REUCHLIN vorsprach, war es diesem soeben geglückt, seine kabbalistischen Studien mit drei Büchern *De arte cabbalistica* zu krönen; der (S. 215) erwähnte Widmungsbrief an Leo X. ist auf *21. März 1517* datiert. Wie in ‚De verbo mirifico' bedient sich Reuchlin auch hier der Form eines Dreigesprächs. Diesmal findet es in Frankfurt am Main statt, das als Zentrum der Kabbalistik gepriesen wird. Teilnehmer sind der Frankfurter Jude *Simon ben Eliezer*, natürlich ein Kabbalist, der Thraker *Philolaus*, ein Pythagoräer, und der Mohammedaner *Marranus*. Der Christ fehlt dieses Mal. So ist denn auch nicht mehr die Rede vom Pentagramm. Was aber Reuchlin pythagoräisch nennt, ist eigentlich eine auf Platon bzw. dem Neuplatonismus fußende Gnostik christlicher Färbung. Die Kabbala kennt er nun weit besser als vor dreiundzwanzig Jahren, wenn er auch offenbar seine Kenntnis weniger aus dem *Buch Zorah* selbst als aus dem lateinischen Kommentar des MENACHEM VON RECANATI und besonders aus den *Schaare Ora*, Pforten des Lichts, von JOSEPH BEN ABRAHAM GIKATILJA (gest. 1305) schöpfte. Der Kommentar des Recanaten war schon PICOS Hauptquelle gewesen, mit dem weit ergiebigeren Gikatilja wurde Reuchlin durch den 1507 zum Christentum konvertierten Juden deutscher Herkunft Paulus Ricius oder PAOLO RICCI bekannt. Dieser übersetzte in vieljähriger Arbeit Gikatiljas Werk ins

Lateinische und versah es mit einer instruktiven Einleitung. Als *Portarum Lucis Epitome; haec est porta tetragrammaton, iusti intrabunt per eam*, ließ er es *1516* in Augsburg drucken. Reuchlin durfte schon das Manuskript lesen. Aus ihm unterrichtete er sich über die drei Methoden kabbalistischer Hermeneutik, die in der exoterischen Aussage der Heiligen Schriften deren esoterische Offenbarungen — das eigentliche Wort Gottes — aufdecken sollen. Da im Hebräischen die Buchstaben zugleich Zahlen sind, können ganz verschiedene Worte beim Addieren der Zahlenwerte jedes die selbe Summe ergeben; solche „gleichwertigen" Worte sinnvoll miteinander zu vertauschen, ist Sache der *Gematria* oder *Gionnatria*. Die Kunst *Notaricon* dagegen begreift alle Buchstaben eines gegebenen Wortes als Anfangsbuchstaben neuer Worte und verbindet diese zu einem Satz. Schließlich *Tmurá*: hier gibt es verschiedene Schlüssel, nach denen man bestimmte Buchstaben gegen andere auswechselt, etwa den zweiten im Alphabet gegen den vorletzten usw. Alle derartigen Operationen sollen uns geheime Zusammenhänge, höhere Weisheiten erschließen. Daß leicht ein geistreiches oder auch geistloses Spiel daraus wird, versteht sich von selbst. Gerade die von den Kabbalisten bevorzugte Gematria haben die mittelalterlichen Juden auch als bloßes Gesellschaftsspiel betrieben[108]. Andererseits operierten die Astrologen damit, beispielsweise in dem ca. *1512* gedruckten *Buch des Glücks der Kinder Adams*[109].

Die Momente individueller Mystik bei Reuchlin, Ricci, Gikatilja gehen nicht auf den ‚Zorah' zurück. Hier macht sich geltend, daß Gikatilja, ehe er in den Bann von Mosche de Leon geriet, Schüler von ABRAHAM BEN SAMUEL ABULAFIA gewesen war, auch dieser ein spanischer Jude wie Mosche de Leon und Joseph Gikatilja selbst. Im allgemeinen gilt, wie Joseph Leon Blau betont: Jewish mysticism is not mysticism of individual salvation; it is rooted not in the life-history of individuals, but in the world-history of the race[110]. Reuchlin sah natürlich in der Kabbala einen individuellen Heilsweg, eine Lehre vom Aufschwung der Seele zu Gott. Dessen höchste Wesenheit, sagt Simon in ‚De arte cabbalistica', sei über jedes menschliche Begreifen, umfasse „alles, was unsere Vernunft als einander gegensätzlich und widerstreitend ansehen mag" — *coincidentia oppositorum* habe es *Germanorum philosophissimus, archiflamen Dialis*, der philosophischste Deutsche, Erzpriester des Jupiter, KARDINAL CUSANUS genannt.

Reuchlins Philolaus, der Neupythagoräer, spricht u. a. von der Seelenwanderungslehre. Der Meister habe mit Bestimmtheit versichert, in ihm selbst lebe Euphorbus weiter, jener lanzenkundige Troer, der Patroklus verwundete und von Menelaus getötet wurde. Deshalb verspüre er, Pythagoras, obwohl Gesetzgeber des Friedens und Lehrer der stillen Beschaulichkeit, stets eine heimliche Sehnsucht nach dem Krieg. — Ob auch Reuchlin, ähnlich wie Celtis und wie Erasmus, der von Philolaus einmal als „die süße Sirene unseres Zeitalters" angeführt wird, um die innere Gespaltenheit des Menschen, um Verdrängungen wußte?

Sowohl in der *vita activa* als namentlich in der *vita contemplativa* strebt der Mensch nach Vollkommenheit, Vergöttlichung. Daß Kabbala und Neupythagoräertum samt Neuplatonismus und christlicher Gnostik, ja selbst der Islam hier einer Meinung sind, darauf läuft Reuchlins Dreigespräch hinaus. Es erweckte Staunen, aber wirklichen Anklang hat es weniger in der Gelehrtenwelt gefunden als in geheimnislüsternen Auch-„Akademien". Waren das nicht wieder Spekulationen und Subtilitäten, wie man sie aus dem humanistischen Lager immerfort den Scholastikern vorwarf?

Reuchlin widmete ‚De arte cabbalistica' dem vornehmsten Alumnen der Florentiner neuplatonischen Akademie, Leo X., von dem bekannt war, daß er sich den Reiz kabbalistischer Kunst so wenig wie andere Reize entgehen ließ. Das gleiche traf auf den Palaeologen-Sproß Guglielmo IX., Markgrafen von Monferrato (1494 bis 1518) zu, der in Casale seine eigene *Accademia degli Illustrati* unterhielt. Sofern man hier den Manen Ficinos und Picos huldigte, gehörte Schloß Casale zu den zahlreichen Dépendancen der Villa Careggi. Das kabbalistische Moment betonte vor allem der Hofastrologe Agostino Ricci, wohl ein Bruder Paolos, und er zog auch seinen Freund Agrippa von Nettesheim in diesen Kreis[111].

Agrippa war 1511, ähnlich wie Ulrich von Hutten, der kaiserlichen Werbetrommel folgend, nach Italien gekommen. Sobald jedoch der Kaiser von seinen Beziehungen zu hochgestellten italienischen „Okkultisten", speziell im Kardinalskollegium, erfuhr, wurde er vornehmlich als diplomatischer Agent eingesetzt. 1515 heiratete Agrippa eine Italienerin und suchte in Pavia Fuß zu fassen, wo bis 1514 Paolo Ricci gewirkt hatte. Er nahm wieder Vorlesungen an der Universität auf, nicht über die landläufigen *bonae litterae,* sondern über *arcanae litterae,* die Kabbala, wie einst in Dôle, und den sogenannten *Pimander.* In dieser Sammlung von vierzehn Diskursen und Dialogen hat angeblich Hermes Trismegistos, ein Ägypter, das geheime, arkane oder hermetische, Urwissen der Menschheit niedergelegt. Das Werk entstand frühestens im 3. nachchristlichen Jahrhundert und vermischt griechisches mit orientalischem Ideengut[112].

Auf Hermes Trismegistos, den „Dreimal größten Hermes", und sein angebliches Corpus Hermeticum, wozu ‚Pimander' gehört, hatte schon Gemistos Plethon hingewiesen. Der ‚Pimander' war dann 1463 von Marsilio Ficino aus dem Griechischen ins Lateinische übersetzt worden. Diese Übersetzung — ‚De potestate et sapientia' — brachte 1494 und ebenso 1505 Lefèvre d'Etaples, der große französische Humanist, in Paris zum Druck. Vos igitur illustrissimi candidissimique viri, redet Agrippas *Oratio in praelectione* die Hörer an, vos qui virtutem colitis, vos ad mea tantum dicta aures adhibite, animosque intendite vestros: Contra, qui sanctas leges contemnitis, hinc vos effugite, et procul hinc miseri, procul ite prophani! Es fehlte natürlich Agrippa nicht an Hörern, und besonders inter tot Germanos nostros tunc Papiae studentes archanarum litterarum fand Agrippa Beifall, wenn er vom *Pimander* eine Brücke zur *Kabbala* schlug, von Hermes Trismegistos zu Gikatilja. Wie Reuchlin muß auch Agrippa die *Portae lucis* schon vor ihrer Drucklegung 1516 gekannt haben, da er zwei auf Gikatilja verweisende Schriften offenbar 1516 abschloß und sie dem Markgrafen Guglielmo Palaelogo widmete. Das Herannahen der Franzosen nach dem Sieg bei Marignano im *September 1515* ließ es dann Agrippa ratsam erscheinen, mit seiner Familie aus Pavia an den Hof in Casale zu flüchten. Hier empfahl ihn besonders, daß er als Magier aufzutreten wußte und sich als Kenner des Hermes Trismegistos und Gikatiljas bzw. Ficinos und Paolo Riccis auswies, auch von dem ebenfalls durch Ficino übersetzten Pseudoareopagiten und vor allem natürlich von Pico della Mirandola, dem Erzkabbalisten des christlichen Abendlandes, Bescheid geben konnte.

Agrippas *Dialogus de homine*, nur in einer fragmentarischen Handschrift in der Stadtbibliothek in Lyon erhalten, wurde jüngst durch Paola Zambelli wiederentdeckt und 1958 veröffentlicht[113]. Die Widmungsepistel nimmt auf das angeblich über dem Tempel von Delphi eingemeißelte γνῶϑι σεαυτόν Bezug, um es dahin zu deuten, daß der Mensch *in seipso* ein Bild der gesamten Schöpfung und ihres Schöpfers trage, das intuitiv zu erkennen, *vera sapientia beatitudoque* sei.

Anders geht der Traktat *De triplici ratione cognoscendi Deum*[114] vor. Auch hier fragt Agrippa: Wie kann der Mensch seinen Durst nach Erkenntnis Gottes löschen, seine *curiositas* befriedigen? Der erste Weg führt über die Natur, die selbst Heiden gottesfürchtig und gerecht macht und sie vorbereitet auf den zweiten Weg, die Bücher Mose, die aber nicht im planen Wortsinn zu verstehen sind — nihil erit magis ridiculum —, sondern im Lichte der Kabbala. Alsdann münden sie nämlich in den dritten und höchsten Weg, die christliche Offenbarung. Diese läßt sich nur von den beiden anderen rationes her voll erfassen. *Omnium itaque rerum cognoscere et amare principium ... haec summa pietas, haec summa iustitia, haec summa sapientia summaque hominis felicitas*[115]. Wer so weit gelangt ist, wird Herr seines Leibes wie der Natur insgesamt, er vermag Wunder zu tun, weiße Magie auszuüben. Magnum certe miraculum est *homo Christianus*, qui in mundo constitutus, supra mundum dominatur, *operationesque similes efficit ipsi Creatori mundi*, quae opera vulgo miracula appellantur, quorum omnium radix et fundamentum *fides* est in Jesum Christum[116].

Auch in den *studia litterarum arcanarum* tauchen 1516/17 die Worte *fides* und *homo Christianus* auf. Trotzdem haben sie mit Lutherscher *theologia crucis* und Erasmischer *philosophia Christi* nicht viel mehr gemeinsam — und nicht viel weniger — als mit den *studia humanitatis*. Überall sucht man lebendiges Menschsein, *vivescentia*, glaubt, in der Literatur längst vergangener Zeiten, antiker, christlicher, hermetischer Literatur, ihm auf die Spur gekommen zu sein, und legt davon rhetorisches Zeugnis ab. Das gibt der Mannigfaltigkeit der Epoche die große Einheit. In der Einheit aber bleibt die Mannigfaltigkeit bewahrt. Selbst Luther und Agrippa — die Exzentrischsten und einander Konträrsten — fallen aus der *concordia discors* nicht heraus.

Mit Paolo Ricci ist Agrippa in Italien schwerlich mehr zusammengetroffen, da Ricci 1514 nach Augsburg übergesiedelt und 1516 Leibarzt des Kaisers geworden

war. Der konvertierte Jude Ricci gewann bei MAXIMILIAN dieselbe Vertrauens-
stellung, die bei Friedrich III. der Jude Loans besessen hatte. Maximilian, *semper
cupidissimus rerum novarum,* fragte ihn ohne Zweifel über die *Portae lucis* und
alles, was damit zusammenhing, aus, aber mehr als die Kabbalistik interessierte
den Kaiser die Hieroglyphik. Das zeigt am sinnfälligsten die dreifache *Porta
honoris,* die er sich in jenen Jahren anfertigen ließ: eine monströse Scheinarchitek-
tur aus Holz in über drei Meter Höhe und fast drei Meter Breite, bespannt mit
92 Holzschnitten, die großenteils ALBRECHT DÜRER zu entwerfen hatte. Drei Bögen,
als Pforte des Adels, Pforte der Ehren und der Macht und Pforte des Lobes bezeichnet, werden von einer Kuppel gekrönt, vor der wie in einem Tabernakel die
Figur des Kaisers thront. Besonders an dieser treibt die Hieroglyphik im Sinne des
HORAPOLLO NILOUS ihr Spiel. Von den *Hieroglyphica* sowie dem Aldinischen Druck
1505 war schon im Zusammenhang mit dem Aufenthalt des Erasmus in Venedig
die Rede[117]. KONRAD PEUTINGER hatte nun selbst in Griechenland eine Handschrift
gekauft, die BERNHARDUS TREBATIUS ins Lateinische übersetzte. Diese Übersetzung
erschien mit einer Widmung an Peutinger 1515, also fast gleichzeitig mit den
,Portae lucis', ebenfalls in Augsburg: die erste lateinische Horapollo-Ausgabe, die
gedruckt wurde. Mit gutem Grund widmete auch Andrea Alciati 1531 sein auf den

Hieroglyphenbild Kaiser Maximilians
(Holzschnitt von Albrecht Dürer an der
,Ehrenpforte', 1515).

,Hieroglyphica' fußendes ,Em-
blematum liber' dem Augsburger Kaiserlichen Rat. Doch
schon zwei Jahre ehe Trebatius
an die Öffentlichkeit trat, hatte
WILLIBALD PIRCKHEIMER in
Nürnberg eine eigene Übersetzung der ,Hieroglyphica', nach
der Aldinischen Ausgabe, dem
Kaiser zum Geschenk gemacht:
*Hori Apollinis Niliaci hierogly-
phica quae ipse lingua edidit
Aegyptiaca, Philippus autem in
Graecum transtulit idiomo*[118].
Die Handschrift, die nicht für
den Druck bestimmt war, hatte
Pirckheimer durch ALBRECHT
DÜRER mit 70 Zeichnungen
schmücken lassen, und hier fin-
det sich denn auch das genaue
Vorbild für die Kaiserfigur der
,Ehrenpforte'. Der Basilisk in
der Krone bedeutet nach Hor-
apollo unsterblichen Ruhm, das

Papyrusbündel, auf dem Maximilian sitzt, die alte Abstammung, der Hund mit Stola den guten Fürsten usw. Wo diese Zutaten nicht den ‚Hieroglyphica' entnommen sind, bildet FRA FRANCESCO COLONNAS *Hypnerotomachia Poliphili* 1499 den Fundort[119]. Eine rhetorische Epideixis in Bilderschrift sollte den turmartigen Mittelbau der ‚Porta honoris' nach oben abschließen. PIRCKHEIMER entwarf deshalb einen panegyrischen Titel für Maximilian und zeichnete in seinem Konzept auch gleich

Willibald Pirckheimers Entwurf zu einem panegyrischen Titel für Maximilian als Grundlage des Hieroglyphenbildes.

433

einige entsprechende Hieroglyphen ein. Colonnas Bildzeichen waren ihm offenbar geläufiger als die Horapollos. Durch Karl Giehlow wurde dieses Konzept erstmals veröffentlicht. Um die Reproduktion verständlich zu machen, gebe ich im folgenden für den Anfang des ersten Absatzes, für den vierten und für zwei Zwischenzeilen die Entzifferung Giehlows; die Deutung der Bildzeichen steht jeweils in Klammer:

Divi (Stern) Caesaris Maximiliani (Adler) multorum regisque (Erdkugel auf Zweig) potentissimi ac justissimi, fortissimi (Vorderteil eines Löwen), liberalissimi (offene Hand), victoriarum (zwei Palmzweige) laboriose (Stierschädel) conquisitarum … abundantissime (zwei Füllhörner) …

Die Zeile nach dem zweiten Absatz lautet: Semper Augustus zween ehren (= zwei Ähren). Das Zeichen soll zwei gekreuzte Kornähren darstellen und Augustus (als Monatsnamen) bedeuten. Nach dem dritten Absatz versinnbildlicht eine Lanze mit Schlange die Worte disciplina militari prudentia.

Letzter Absatz: victoriae (zwei Palmzweige) divi (Stern) Caesaris Maximiliani (Adler) herois (Keule mit Fell) regis animosissimi, vigilantissimi, fortissimi, justissimi (Waage), liberalissimi (offene Hand) quas multo sudore ac labore (Stierschädel) acquisivit.

Nicht genug damit, daß DÜRER die von Pirckheimer unbeholfen skizzierten Bildzeichen kunstvoll ausführte, fügte er sie auch zu einem Bildganzen zusammen, indem er sie an einer Kaiserfigur anbrachte bzw. um sie gruppierte. Das ist bei aller Verwandtschaft die Umkehrung der „computerhaften" Mnemotechnik, die einen einheitlichen Text in völlig disparate Bildzeichen auflöst. Das von Dürer im Bund mit Pirckheimer erfundene „Geheimbild" markiert die humanistische Etappe einer Entwicklung, die von der mittelalterlichen ars memorativa herkommt und über Andrea Alciati zur barocken Emblematik führen wird.

Peutinger und Pirckheimer kannten sicher den Ort der Initialzündung für die Hieroglyphenfreude: einen kurzen Passus in FICINOS Übersetzung der *Enneaden* (V, 8), wo PLOTIN auf die ägyptische Bilderschrift hinweist und Ficino zum Beleg „Horus" erwähnt[120]. Die wahre Erkenntnis, die nicht in diskursivem Denken, sondern in der Anschauung der Ideen gewonnen werde, suchten die ägyptischen Weisen, wie Plotin, selbst ja ein Ägypter, vermutet, bildlich darzustellen, denn begrifflich sei es nicht möglich. Damit gerät die Hieroglyphik oder Emblematik in einen ähnlichen Gegensatz zur Logik und Dialektik wie die Neue Rhetorik. Letztere findet hier gegen die Scholastik einen Bundesgenossen. Grund genug für die Humanisten in Florenz und Venedig, Augsburg und Nürnberg, sich mit der Hieroglyphik, trotz ihren „Subtilitäten", einzulassen und mit Horapollo, der scheinbar einen Schlüssel dazu lieferte.

Ein weiteres Spielfeld der Phantasie bot neben Kabbalistik und Hieroglyphik die Allegorik. Um dieselbe Zeit, da die Ehrenpforte entstand, beschäftigte sich der Kaiser mit dem *Theuerdank*, und *1517*, als in Augsburg des Ricius Gikatilja- und des Trebatius Horapollo-Übersetzung erschienen, ließ in Nürnberg Maximilian sein allegorisierend-autobiographisches Versepos drucken: folio, mit prächtigen Lettern und mit Holzschnitten von Hans Burgkmair d. Ä., Leonhard Beck und Hans Leonhard Schäuffelein. Das Buch gilt als der erste bibliophile Druck. Nur wenige Exemplare wurden unter der Hand ausgegeben, die übrigen bis nach dem Tod des Kaisers in Truhen verschlossen[121].

Es ist besonders Melchior Pfintzing zu danken, der 1514 Treitzsaurwein als Hauptredaktor abgelöst hatte, daß ‚Theuerdank‘ fertig wurde, während ‚Freydal‘ schon im Entwurf stecken blieb und auch ‚Der Weisskunig‘ nicht bis zu eigentlicher Druckreife gedieh. ‚Freydal‘ wie ‚Theuerdank‘ sollten in Versform die Minnefahrt Maximilians zu Maria von Burgund und seine Brautwerbung allegorisch darstellen; das eine Werk zielte, nach Georg Mischs Unterscheidung, auf eine *comedi*, das andere auf eine *tragedi*[122]. Bei ‚Freydal‘ ging es vornehmlich um Turniere, Ritterspiele und Mummereien, der Titelheld des ‚Theuerdank‘ dagegen richtet „von Jugent auf all seine Gedannckhen nach theuerlichen Sachen". *Theuer* und *theuerlich* sind Modeworte für den Ritter ohne Furcht und Tadel. Sie stammen nach Cuspinianus aus der *lingua gentilis*, dem Ritterjargon der Zeit. In einer französischen Übersetzung heißt Theuerdank *le chevalier du Grand-Penser*. Ehrenhold unterstützt den Hochgesinnten in seinem Kampf gegen Fürwittig, Unfalo und Neidelhard. Die Allegorie läßt, zum Teil willentlich, mehrere Deutungen zu. Obwohl Pfintzing dem Leser eine *Clavis* an die Hand gab, konnte später Sebastian Franck in ‚Teutscher Nation Chronik‘ eine eigene Entschlüsselung vornehmen. „Der Ernhold", heißt es bei Pfintzing, „bedeut das Gerucht und Gezeugnis, d'Wahrhait, so einem yeden Menschen bis in sein Gruoben nachvolgt, sy sein guot oder poesz. Darumb wirdet er bemeltem jungen Fürsten Tewerdanck für und für zuogesellt, sein Leben, Wesen und Getaten zuo offenwaren und zu bezeugen mit der Wahrhait." Fürwittig, Unfalo und Neidelhard, deren Namen nicht übel gewählt sind, scheinen für die Feinde Maximilians in den Niederlanden, Italien und Deutschland zu stehen. Zugleich aber verkörpern sie nach Pfintzing die Gefahren der drei Lebensalter — Fürwitzig ist der *curiosus* — und schließlich Maximilians widrige Gestirnkonstellation. Der Held besiegt sie mit Gottes Hilfe. Die Idee, die wir aus der lateinischen Autobiographie kennen, ist im ‚Theuerdank‘ zum Gestaltungsprinzip geworden. Offenbar lag sie Maximilian so am Herzen, daß er um ihretwillen von der pragmatischen zur poetischen Lebensbeschreibung überging.

Bei einer Folge von 80 Abenteuern ließen sich Wiederholungen kaum vermeiden. Und um den allegorischen Figuren Leben einzuhauchen, hätte es einer Schöpferkraft bedurft, die Melchior so wenig wie Maximilian besaß. Pfintzing gab sich viel Mühe mit den Versen, aber da ihm die Silbenzahl wichtiger war als die Betonung, sind sie für unser Ohr holperig geraten.

Seit bald zwei Jahrhunderten verlangten die Menschen nach „Erneuerung" von Frömmigkeit und Bildung, wie man sie in irgendeine Vergangenheit zurückprojizierte. Maximilian, so vielseitig sein Interesse war, gehörte im Grund seines Wesens zu denen, die weder an die Kirchenväter noch an die Autoren der griechisch-römischen Antike oder eine hermetische Tradition anknüpfen wollten, sondern eine Rückkehr zu den Werten der jüngstvergangenen Ritterzeit, *êre* und *gotes hulde*, proklamierten. Dabei bedeutete ihm gotes hulde nicht in gleicher Weise wie *êre* einen Wert, den es zu erlangen, ein Ziel, das es zu erreichen gilt, vielmehr Gnade, die dem Menschen zuteil wird, ihm bei seinem Kampf um *êre* hilft und ihm den Sieg schenkt. Um dies darzustellen, griff Maximilian die Form des Ritterepos wieder auf. Indem er die Handlung ins Allegorische wandte, machte er sie durchsichtig auf die Existenz des Menschen. Eine Notiz unter den Paralipomena zum ‚Theuerdank‘ lautet: „Dy Predig, warum Victory contra Furbittig, Unfalo, Neydelhart. In fine devocio mystica." Damit dürfte nichts anderes gemeint sein als das Vertrauen auf die *misericordia dei*, der Glaube an die Gnade. —

Unter denen, die ein Exemplar des ‚Theuerdank‘ zum Geschenk erhielten, war sicher JOHANN REICHSFREIHERR VON SCHWARZENBERG UND HOHENLANDSBERG. „Der starke Hans", von hünenhafter Gestalt, ganz anders als Uli von Hutten, hatte seine Heimat am Hang des Steigerwalds, begleitete aber als *vir clarus armis et belli arte primus* Maximilian auf beinahe sämtlichen Feldzügen, selbst nachdem ihn der Bischof von Bamberg 1501 zu seinem Landhofmeister, d. h. Ersten Minister gemacht hatte. In Bamberg reformierte Schwarzenberg 1507 die *Peinliche Halsgerichtsordnung* und schuf damit das Vorbild für die *Constitutio Criminalis Carolina* von 1532, das erste in ganz Deutschland, und zwar Jahrhunderte lang, gültige Strafgesetzbuch. Schwarzenberg besaß humanistische Neigungen. Ein „ghost-writer", sein Kaplan, lieferte ihm Übersetzungen *wort uz wort* von CICERO, die ihm LORENZ BEHEIM *sin uz sin* umformen half und er dann unter eigenem Namen veröffentlichte. Als ihm PIRCKHEIMER 1519 die Plutarch-Übersetzung *Wie einer von seinen Feinden Nutzbarkeit erlangen möge* widmete, bekannte sich dieser ebenfalls zu dem Grundsatz von Horaz: „thut aber noth einem jeglichen, der eine Sprach in die ander verkeren will, daß er allein den Sinn, unangesehen der Wort, in die Sprach, die er vor jhm hat, clar, lauter und der maß verendere, daß ein jeglicher, derselben Sprach verstendig, das, so verkeret ist, leichtlich verstehen möge". In deutschen Reimen dichtete Schwarzenberg 1502 einen *Trostspruch um abgestorbene Freunde*, den er 1534 etwas überarbeitet als *Kummertrost* in Druck gab. Hier berührt er sich mit der Welt des ‚Theuerdank‘. Parzivalerinnerungen klingen an, wenn Hans Ungemut auf einer Waldwiese dem Klausner Woltrost begegnet und nun die beiden über den Tod sprechen. Woltrost:

> Merck laub und gras durch winters pein
> Stirbt gentzlich vor den augen dein,
> Und heimlich bleib irs lebens crafft,
> Das wurckt des sumers eigenschafft . . .
> Sulchs all nit wurcket fleisch und plut,

Das bald erstirbt und faulen thut ...
Aus dem end sunst ein weisen weist
Unsterblich sein der menschen geist.
Vil heiden mit vernunft gezirt
Ein ewig leben han probirt.

Die Verse sind weit „besser" als im ‚Theuerdank'; Schwarzenberg bemühte sich um eine gewisse Regelmäßigkeit. Später hat der Reichsfreiherr, der zeitweilig in Abwesenheit Karls V. dessen Statthalter war, wie über Hutten auch über Luther seine schützende Hand gehalten. Und wenn er nicht vermeiden konnte, zur Messe zu gehen, las er dabei in der Lutherbibel, die er schon ihrer Sprache wegen liebte[123].

KAISER MAXIMILIAN hielt sich im *Sommer 1517* in Augsburg auf. Nirgends weilte er lieber, weshalb ihn Ludwigs XII. böse Zunge als Bürgermeister von Augsburg titulierte. JAKOB FUGGER DER REICHE konnte den Kaiser mit seinem Hofstaat großzügig beherbergen und kam dabei doch auf seine Rechnung, weil der Kaiser im Verschreiben von Rechten ebenso großzügig war. Die alte Römerstadt am Lech übertraf an Glanz nun selbst Nürnberg. Sie wirkte moderner mit ihren breiten Straßen und südlicher mit ihren Bogengängen, man atmete eine leichtere Luft als an der Pegnitz und lebte wohl auch mehr aus dem Vollen. In „venezianischem Kolorit" erstrahlte der Fuggersche Familienpalast am Weinmarkt, seit 1512 bis 1515 HANS BURGKMAIR und HANS HOLBEIN D. Ä. die Fassade ausgeschmückt

Jakob Fugger der Reiche in seinem Kontor

437

hatten. Mit der Grabkapelle der Medici zu San Lorenzo schien die neue Grabkapelle bei der Karmeliterkirche St. Anna wetteifern zu wollen, der erste Rundbau
der Renaissance auf deutschen Boden. Sie war von Jakob Fugger nicht aus Übermut 1509 begonnen worden, sondern in dem für die Firma gefährlichsten Augenblick, als Kardinal Melchior von Meggau plötzlich starb und Papst Julius II.
Anspruch auf seinen Nachlaß erhob. Das konnte den Konkurs der Firma zur Folge
haben. Bei dem Bau der Fuggerkapelle ging es deshalb in erster Linie um das
Geschäftsprestige. Als 1512 die Kapelle stand, war dank der Vermittlung des
Kaisers die Gefahr bereits überwunden. Auf der neuen Orgel sollte PAUL HOF-
HAIMER spielen, der zur kaiserlichen Kantorei gehörte; er stammte aus demselben
Jahrgang wie Maximilian, Fugger und auch Celtis. „Wer kann sorgfältiger als du
die Orgel schlagen?" schrieb ihm ein Venezianer, „man sagt, du füllest alle Tonarten so aus, daß du die großen erhaben, die weichen süß, die gemäßigten sanft
spielst" — die drei Stilarten! — „und mit wunderbarer Anmut den ganzen Lieder-
text mit dem Affekt zusammenschmelzen läßt ... Diese Leistungen machen dich
der Freundschaft der berühmtesten Könige würdig und sichern dir den angenehmen Verkehr mit Männern jedes Standes"[124].

Gelehrte traf Hofhaimer im Peutingerschen Haus, unmittelbar neben St. Anna.
Wie Cuspinianus schrieb auch PEUTINGER an einer Geschichte der Caesares. Von
Augustus, nach dem Augsburg benannt ist, sollte sie bis zu Augsburgs Ehren-
bürger Maximilian reichen. Aber trotz jahrzehntelanger Sammlung und Aufberei-
tung des urkundlichen, epigraphischen, numismatischen Materials gelang es Peutinger nicht, sein Werk so weit zu fördern, daß es wie Cuspinians Kaisergeschichte wenig-
stens postum hätte veröffentlicht werden können. Seine
Pflichten als *civis Augustanus*
im Amt des *Jurisconsultus*, das
von entscheidendem Einfluß auf
die reichsstädtische Politik war,
und als Kaiserlicher *Consiliarius*
nahmen ihn zu stark in Anspruch. Wenn ihn der Kaiser als
Geschichtsexperten zu sich rief,
war Peutinger selten um Rat
verlegen. Leicht brachte er da
für die kaiserlichen Feldge-
schütze hundert Namen be-
rühmter Frauen zusammen.

Konrad Peutinger
(Bronzemedaille; Berlin, Münzkabinett)

Die Vermutung oder auch eine Nachricht, Maximilian befinde sich in Augsburg, mag ULRICH VON HUTTEN nach der schwäbischen Reichsstadt gelockt haben. Bei dem, zumal gegenüber Humanisten, immer hilfsbereiten Peutinger fand er gastliche Aufnahme. Dem Drängen der Familie nachgebend, war Hutten 1515 zum Jurastudium aufs neue nach Italien gegangen. In Bologna entstanden die zweite und dritte Rede gegen Herzog Ulrich von Wirtemberg und ebenso 1515 ein Dialog mit dem Titel *Phalarismus*. Der Dialog wird seitdem die bevorzugte Form Huttens. Wie im ‚Phalarismus‘ hält er sich meist auch später an das Vorbild von Lukians ‚Totengesprächen‘. Phalaris, Tyrann von Agrigent im 6. Jahrhundert, galt als Prototyp des bösen Tyrannen, bei Hutten trifft er in der Unterwelt Herzog Ulrich und muß diesen als den Überlegenen, den noch schlimmeren Tyrannen anerkennen. Auf dem Titelblatt des ‚Phalarismus‘ lesen wir zum ersten Mal das Motto *Jacta est alea*, das fortan Huttens Wahlspruch sein wird, gelegentlich ins Deutsche übersetzt mit *Ich hab's gewagt*.

Peutinger ließ es für Hutten mit Kost und Logie nicht bewenden, sondern machte seinen Einfluß beim Kaiser geltend und erreichte so, daß Maximilian den Junker am 12. Juli 1517 zum Dichter krönte. 75 Jahre nachdem erstmals in Deutschland Enea Silvio in Frankfurt, 30 Jahre nachdem in Nürnberg Celtis als erster Deutscher Silberlorbeer und goldenen Ring empfangen hatte, fand in Augsburg diese letzte literaturhistorisch bemerkenswerte Dichterkrönung statt — ein Wendepunkt des deutschen Humanismus.

Kaiser Maximilian, wenn er an die Truhen mit den Theuerdank-Bänden dachte, mochte dergleichen ahnen. Jedenfalls gab er KONRAD PEUTINGER den Auftrag, mit MATTHÄUS LANG, seinem vornehmsten Ratgeber, und dem Ingolstädter Professor JOHANNES ECK über den Plan einer volkstümlichen Erörterung der Glaubenslehre zu konferieren.

Das geistige Deutschland besitze in Ulrich von Hutten einen Garanten der Zukunft, schrieb WILLIBALD PIRCKHEIMER in der Begleitepistel zu seiner Über-

Ulrichus ab Hutten Eques
(Titelbild der ‚Expostulatio cum Erasmo Roterodamo‘, 1523, Ausschnitt. Junker Hutten hat nie den Ritterschlag empfangen, war also von Geburt ritterlichen Standes, equestris ordinis, aber nicht Ritter, eques auratus)

setzung von LUKIANS ʿΑλιευς, η αναβιουντες: *Piscator seu reviviscentes philosophi* (Der Fischer oder die wiedererstandenen Philosophen). Diese Arbeit hat Pirckheimer im *August 1517* abgeschlossen und LORENZ BEHEIM zugeeignet als Dank für die reiche Belehrung in Astronomie und Mathematik, Geheimphilosophie, Medizin und Kriegswissenschaft. Die Titeleinfassung zeichnete ALBRECHT DÜRER. Eine unerwartet aktuelle Note bekam das Büchlein dadurch, daß Pirckheimer ihm eine *Defensio Reuchlini* beigab. Von Reuchlins Widersachern fordert er, sie sollten erst selbst einmal etwas schaffen wie ‚De verbo mirifico‘ oder ‚De arte cabbalistica‘. Stattdessen hätten sie den eifrigsten Anwalt des christlichen Glaubens und seiner Theologie als Halbjuden beschimpft: „ach, wenn ihr doch mehr Eifer für die milden Lehren Christi zeigtet!“ Nach Pirckheimers Überzeugung muß der wahre Theologe zugleich ein humanistischer, nicht ein scholastischer Gelehrter sein. Der Beispiel-Katalog ist sehr weitherzig abgefaßt: neben Dalberg, Wimpheling, Erasmus nennt er Geiler von Kaisersberg und Staupitz, aber auch Reuchlin mit den beiden Pico della Mirandola und andererseits Murner, Johannes Eck und Martin Luther vorbildliche Theologen. Daß Pirckheimer — wohlgemerkt im August 1517 — Luther so positiv bewertete, gab später seinen persönlichen Feinden die willkommene Möglichkeit, ihn als Alten Kämpfer zu denunzieren und seinen Namen 1520 zusammen mit dem Bernhard Adelmanns, Karlstadts und drei weiteren auf die Bannandrohungsbulle gegen Luther und Genossen zu setzen.

Der von Pirckheimer in der ‚Defensio Reuchlini‘ den scholastischen Theologen vorgehaltene Satz „Was hilft es, liebe Brüder, so jemand sagt, er habe den Glauben, und hat doch die Werke nicht?“ verrät gewiß keinen Lutheraner. Aber noch LUTHERS *98 Thesen* vom *September 1517* konnte man ja nicht als häretisch bezeichnen. Das Augenmerk Luthers war zunächst auf die Universitätsreform gerichtet, sogar nur auf eine Reform des theologischen Studiums an der Universität Wittenberg. Wie so und so viel andere vor und neben ihm, durchaus kirchentreue Männer, wollte er den Aristotelismus zugunsten der Bibelexegese und Lektüre von Kirchenvätern wie Hieronymus zurückdrängen. Unter Luthers Vorsitz diskutierte die Wittenberger Fakultät eine Reihe von Thesen und gab sie danach in Druck. Diese 98 Thesen tragen den Titel *Disputatio contra scholasticam theologiam*[125]. These 42 lautet: „Es ist ein Irrtum zu sagen, daß des Aristoteles *sententia de felicitate* der katholischen Lehre nicht widerspreche.“ Ganz zu schweigen, möchte man hinzufügen, vom Epikuräismus, nicht bloß des Lorenzo Valla, sondern auch des Erasmus. These 43: „Es ist ein Irrtum zu sagen, ohne Aristoteles könne man kein Theologe werden.“ These 44: „Vielmehr wird man nur dann Theologe, wenn man dem Aristoteles den Abschied gibt.“ 45: „Ein Theologe, der kein geschulter Logiker ist, fällt in ungeheuerliche Ketzerei — das ist eine ungeheuerliche und ketzerische Rede.“ Weitere Thesen gehen auf die Gnadenlehre ein, so These 64 und 65: „Geistlich erfüllt die Gebote, wer nicht zürnt und keine böse Begierde hat.“ — „Außer der Gnade Gottes aber ist es unmöglich, ohne Zorn und böse Begierde zu sein.“ Am zugespitztesten erklärt die 17. These, der Mensch könne nicht, wie Gabriel Biel behauptete, kraft seiner Natur wollen, daß Gott Gott ist, vielmehr wolle er selbst Gott sein: *Immo vellet se esse deum et deum non esse deum.*

Einen Monat später sprengt Luthers Reformeifer bereits den Rahmen der Universität und wendet sich gegen die Mißstände in der Kirche. Am *31. Oktober 1517,* kurz vor dem Mittagläuten, das einst Nikolaus V. als Mahnruf gegen die Türkengefahr eingeführt hatte, schlägt Martin Luther an der Tür der Schloßkirche in Wittenberg 95 handgeschriebene *Thesen* wider den Ablaßhandel an[126]. Die äußeren Umstände bei dem Ablaß, den Albrecht von Brandenburg durch Tetzel vertreiben ließ, wurden früher erwähnt. Luther wollte eine Disputation unter den Theologen provozieren, rechnete aber wohl auf Unterstützung durch jene respublica litteraria, die im Reuchlin-Streit ihre Macht bewiesen hatte. Das ungeheure Aufsehen, das die Thesen in der breitesten Öffentlichkeit hervorriefen, übertraf alle seine Erwartungen.

Als die von KAISER MAXIMILIAN befohlene Konferenz zwischen KONRAD PEUTINGER, MATTHÄUS LANG und JOHANNES ECK im *Dezember 1517* zustandekam, schrieb Eck wohl schon seine *Obelisci,* Spießchen, gegen die 95 Thesen Luthers. Über dem Sturm, der sich nun erhob, gerieten nicht bloß Philosophia occulta, Kabbalistik und Hieroglyphik, sondern auch Reuchlin-Streit und Reformationsprojekt des Kaisers schnell in Vergessenheit.

Ende eines Zeitalters; Philipp Melanchthon

Was der Kaiser anstrebte, traf sich weithin mit den Absichten der schon genannten[126a] *Ratio seu methodus compendio pervenendi ad veram theologiam,* die ERASMUS am *22. Dezember 1517* Albrecht von Brandenburg widmete. Hier wie dort ging es um Psychagogie, und Erasmus wußte über sie Bescheid. Als Musterbeispiel der Psychagogie erscheint ihm ein Passus im 8. Homilien-Kommentar des ORIGINES. Thema: Gott heißt Abraham seinen Sohn Isaak opfern. Um die Schwere des Konfliktes in Abraham zu betonen, wird einleitend von den Juden gesagt, daß „dieses Volk seine Kinder unvergleichlich liebe". Dann entfaltet sich die Geschichte wie ein Spiel auf der Bühne: die Vorbereitungen zum Opfer, die unschuldigen Fragen des Knaben, des Vaters Qual, unterstrichen durch die rhetorische Frage: „Wem würde die kindliche Einfalt nicht das Mitleid im Herzen bewegen?" Cui non commoveat miserationis affectum pueri ... simplicitas? Und schon „blitzt hocherhoben das Opfermesser über dem einzigen Sohn". Da tritt der Engel dazwischen. Die Geschichte, ein Exempel unerschütterlichen Glaubens, endet im Lob Gottes. Erasmus fügt hinzu, Origines habe sie noch wort- und kunstreicher, copiosius et elegantius, dargelegt, er selbst wisse nicht, was beim Leser überwiege, Lust oder Nutzen, voluptas an fructus. Wie Donat die Komödien des Terenz, so behandle Origines die libri divini. Allem nach ist für

Erasmus der *scopus praecipuus* der Theologie, die Heilige Schrift zu verlebendigen. Deshalb akzeptiert die *vera theologia* die rhetorische Methode der *studia humanitatis*. Den Menschen macht sie damit lebendig und verwirklicht so die *philosophia Christi* als, nach unserer Formulierung, *renascentia sive vivescentia in affectibus*[127].

Kurz zuvor hatte JOHANNES MURMELLIUS noch einmal aus über hundert Zitaten einen Besen — *Scoparius* — gebunden, um Kehraus mit der Barbarei zu machen und für das Studium der Schönen Literatur die Tenne sauber zu fegen. *Ende 1517* brachte er seine Streitschrift auf den Markt: *Scoparius in barbariaei propugnatores et osores humanitatis ex diversis illustrium virorum scriptis ad iuvanda politioris literaturae studia comparatus*[128]. Immer noch lag vor allem das leidige ‚Doctrinale‘ in den Schulstuben. Hört endlich auf, mahnte Murmellius, versifizierte Regeln auswendig lernen zu lassen, prägt lieber Stellen aus den *auctores* euren Schülern ins Gedächtnis — das alte Lied, frei nach Lorenzo Valla. Was ein guter Lehrer ist, erfahrt ihr von Quintilian, Hieronymus und Augustinus, Paolo Vergerio, Agricola, Reuchlin und aus des Erasmus ‚De ratione studii‘. Den Theologen hält Murmellius Pico della Mirandola, Baptista Mantuanus, die ‚Paraclesis‘ von Erasmus vor, den Juristen die ‚Laus stultitiae‘. Mit Mapheus Vegius rühmt er die Dichter, qui vel amores vel dolores ceterosque humanos affectus ac perturbationes ita effingere potuerunt, ut res agi magis, quam scribi videatur. Menschliche Affekte so zu vergegenwärtigen, als ob sie nicht beschrieben würden, vielmehr selbst sich äußerten, ist höchster Trumpf der Dichtung. Das Gleiche sagt Erasmus über die Theologie, und exemplifiziert er an Origines.

Ein Brief Picos della Mirandola vom 15. Mai 1492, den Murmellius zitiert, hat ihn wohl schon durch sein elegantes Latein bestrickt: Nihil deo gratius, nihil utilius facere potes, quam si non cessaveris literas sacras nocturna versare manu, versare diurna. Solche Schriften bergen gleichsam eine himmlische Kraft, *viva et efficax*, die den Geist des Lesers, wenn er sich rein und ehrfürchtig ihr öffnet, mit wunderbarer Gewalt der göttlichen Liebe einverwandelt. Platonischer Eros und Heiliger Geist, beide im Wort sich manifestierend, erscheinen wie austauschbar miteinander.

Der ‚Scoparius‘ wurde zum letzten Vermächtnis des Murmellius. Am 2. *Oktober 1517*, wenige Wochen vor Luthers Thesenanschlag, ist er, wie man munkelte, an Gift, gestorben.

Die Folgen jenes 31. Oktober 1517 schlugen mit ihrer Wucht nicht bloß den Besen der studia politioris literaturae den Leuten aus der Hand, sondern durchbrachen auch das *Vallum humanitatis*, den Schutzwall der studia humanitatis, den HERMANN BUSCHIUS am *12. April 1518* errichtet hatte, und vereitelten, daß JOACHIM VADIANUS mit seiner auf *23. Juni 1518* datierten Schrift *De poetica et carminis ratione* Gehör fand.

In der Stadtkirche zu Wesel hatte der Geistliche die Weihnachtspredigt 1517 zu Ausfällen sattsam bekannter Art gegen Dichter und Rhetoren benützt: sie machten bloß klingende Worte, und ihre Hauptsorge sei, daß einem keine Redewendung unterlaufe, die sich nicht bei Cicero belegen lasse. Der Prediger nannte sie deshalb Verführer der Jugend, ja er donnerte in den Kirchenraum: *porci*! Schweine! Das galt dem neuen Rektor der Stadtschule, HERMANN BUSCHIUS, der mit ein paar jungen Leuten an diesem Gottesdienst teilnahm. Buschius, die „Flora" von 1508, hatte soeben im zweiten Band der Dunkelmännerbriefe gezeigt, daß er auf einen groben Klotz recht wohl einen groben Keil setzen konnte, doch in dem ‚Vallum humanitatis‘, das er nach Weihnachten 1517 abfaßte, gab er sich überraschend maßvoll. Es wäre zu billig gewesen, das Echo in der Kirche zu fragen: Wie heißt der Pfarrer von Wesel?

Der Streit zwischen Scholastikern und Poeten erinnert Buschius an die Geschichte des Apuleius von Marsyas und Apollo. Marsyas ist stolz auf seine haarige Brust, seinen struppigen Bart und seine rohe Sprache und macht Apollo die Schönheit der Erscheinung und die Kunstfertigkeit zum Vorwurf — eine mythologische Variation des Dunkelmänner-Themas. Man brauche, meint Buschius, nur den Mund des Menschen nach seiner Form und seiner Lage am Körper zu betrachten, um dem Wunsch der Humanisten zuzustimmen, dieser Mund möge schön reden lernen. Aber das trockene ‚Doctrinale‘ nützt hier wenig. Nach Buschius kann eher ein Bimsstein Wasser spenden. Komme es doch nicht allein auf den Intellekt, sondern auch auf den Affekt an. — Eher, sagen wir unsererseits, kann Wasser einen Bimsstein auflösen, als daß ein Humanist es müde würde, diesen Fundamentaltopos der Rhetorik zu wiederholen.

Lassen wir Buschius das Wort: Selbst Moses und Jeremias, Hiob und Salomo haben — *divino afflati spiritu* — in poetischer Form gesprochen. In seinen erhabensten Augenblicken wird der Mensch zum Dichter. Und eine ungeheure Macht, die menschlichen Affekte zu packen und festzuhalten, liegt dann in Harmonie und Rhythmus seiner Sprache: et vis quaedam potentissima ad capiendos retinendosque hominum affectus inest in illo concentu numeroque poetico. Die Schutzschrift für die studia humanitatis gegen die Vorwürfe aus der Kirche erhebt das Lob der Dichtkunst als *ars movendi sacra*.

Denselben Ton wie Buschius in Wesel schlug VADIANUS in Wien mit *De poetica et carminis ratione* an[129]. Zu dieser Publikation hatte er, teilweise in Ciceronianischem Stil, die zweiunddreißigstündige Vorlesung überarbeitet, die er fünf Jahre früher als Vertreter Cuspinians den Studenten in die Feder diktierte. „Es ist die älteste akademische Vorlesung über Literaturwissenschaft und Literaturgeschichte, die wir kennen" (Nadler). Vadian selbst nimmt für sich in Anspruch, daß er zum ersten Mal nicht bloß, wie bisher üblich, Versmaße und Dichtungsgattungen aufzähle, sondern auch den geistigen Genuß — *delectatio* — m. a. W. den ästhetischen Reiz als das Wesen der Poesie im Auge habe. Dieser Gesichtspunkt geht ihm zwar immer wieder verloren, wird aber deutlich, wenn es beispielsweise heißt, die altdeutschen Heldenepen knüpften auf anmutige Weise an das Wahre erfundene Wunder an, um so das Dichterische in Erscheinung treten zu lassen — *ut poetica in aperto esset*.

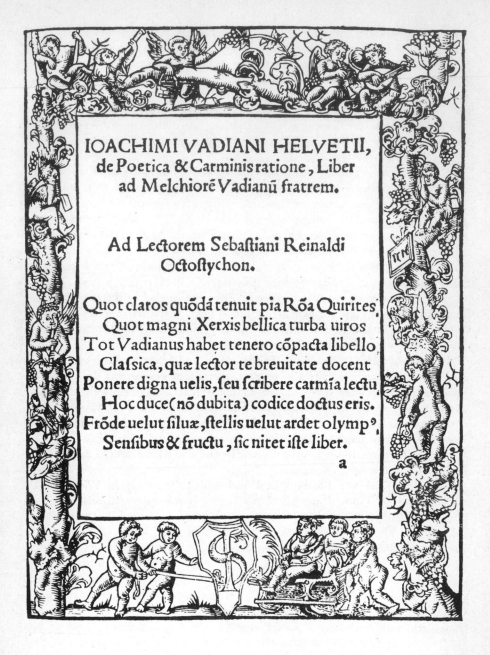

IOACHIMI VADIANI HELVETII,
de Poetica & Carminis ratione , Liber
ad Melchiorē Vadianū fratrem.

Ad Lectorem Sebaſtiani Reinaldi
Octoſtychon.

Quot claros quōdá tenuit pia Rōa Quirites,
 Quot magni Xerxis bellica turba uiros
Tot Vadianus habet tenero cōpacta libello
 Claſsica, quæ lector te breuitate docent
Ponere digna uelis,ſeu ſcribere carmía lectu,
 Hoc duce(nō dubita) codice doctus eris.
Frōde uelut ſiluæ,ſtellis uelut ardet olympꝰ,
 Senſibus & fructu , ſic nitet iſte liber.

                                        a

Titelblatt des Erstdrucks, Wien 1518

444

Auch anderen Völkern als nur denen, die hebräisch, griechisch und lateinisch reden, hat sich die Dichtkunst von Natur aufgedrängt und wurde bei ihnen unter die Genüsse des Lebens aufgenommen: *natura provocante suis insinuasse deliciis constat.* Als ich sah, fährt Vadianus fort, daß unser altdeutsches Schrifttum ebenfalls eine Art von Dichtung sei, ergriff mich feurigste Verehrung. Den Gebildeten, die über sie lachen, entgegnet der Schweizer mit Worten von *Persius* und *Ennius*: „Könnte das geschehen, wenn noch eine Spur von der Manneskraft der Väter in uns lebte?". „Ihr Jünglinge habt ja weibischen Sinn." Beim einfachen Volk blieb die Freude an früher Dichtung erhalten. Daß Vadianus ‚Herzog Ernst' und ‚Sigenot' nennt, läßt vermuten, schon seine „romantische" Begeisterung habe sich an den Volksbüchern entzündet.

Ein Schuß Ästhetik und ein Schuß Romantik sind in Vadians Poetik das Neuartige. Als Schüler von Celtis erweist sich Vadian, wo er dem Geheimnis der Zahl nachgeht. Im dichterischen Rhythmus hört er die Sphärenharmonie. Göttlichen Ursprung und Auftrag für die Dichtung zu beanspruchen, ist gewiß nicht neu, aber daß jetzt neben Murmellius auch Buschius und Vadianus das Religiöse so stark und so entschieden akzentuieren, fällt auf.

Unmittelbar nachdem sein Buch ausgeliefert war, verließ Vadianus Wien, um nach St. Gallen heimzukehren, wo er dann als Bürgermeister die Reformation durchführen wird. —

Fast zur selben Zeit wandte auch JOHANNES HADEKE Wien den Rücken. Hadeke? Den Humanisten sagte dieser Name nichts. Längst hatte ihn sein Träger abgestreift bzw. latinisiert, zunächst in HADUS und 1517, weil er in Stade geboren war, dem Lande Hadeln zuliebe, in HADELIUS. Aus dem Johannes wurde dabei ein JANUS[130]. Die zweite dieser Metamorphosen geschah, als Hadeke, der noch unter dem Namen Hadus in Greifswald, Rostock und Krakau die humaniora dozierte, beim Vadian-Kreis landete, und dank der Fürsprache Cuspinians den Dichterlorbeer empfing. An die „heilige Poesie", auf die Murmellius, Buschius und Vadianus schwören, will Hadelius nicht recht glauben. Mag Buschius den Topos vom Anhauch göttlichen Geistes, *afflatus divini spiritus*, in sein ‚Vallum humanitatis' einbauen! Janus Hadelius zieht den Topos vom Anhauch, *aspiratio*, durch Venus und Amor, den bogenschießenden Knaben, vor. In den Parolen des 18. Jahrhunderts: „hie Klopstock" — „hie Anakreontik" ist uns diese Alternative am vertrautesten. Hadelius:

> Ah frustra sacris aspirat Apollo poetis,
> Ni Venus aspiret arcitenensque puer.

Ungestillte Triebe rauben Hadelius den Schlaf:

> Nunc latus in dextrum, nunc me converto sinistrum,
> Sumque vigil dexter, sumque sinister ego.

Eine der „besten Leistungen der humanistisch-neulateinischen Poesie" nennt
Georg Ellinger[131] schon des Hadus *Elegie* auf die Pest in Frankfurt an der Oder und
Breslau. Sie ist nicht unebenbürtig DÜRERS Federzeichnung *Reiter, vom Tod
überfallen* (1497; im Städelschen Kunstinstitut in Frankfurt am Main). Ellinger
paraphrasiert: „Mit dem Fuhrwerk hat der Dichter als einziger Passagier Frankfurt
verlassen; da scheuen die Pferde und wollen nicht vorwärts. Die Ursache wird
bald offenbar: eine furchtbare Stimme ertönt, ohne daß der Sprechende sichtbar
wird; es ist der Tod; er fordert, daß man ihn mitnehme."

> Ire veto, frustra conaris pergere, vector
>   Hinc nisi vobiscum me quoque ferre velis.
> Opto vehi gratis, quia sum sine pondere corpus,
>   Si corpus nervos ossaque nuda vocas.
> Ut videas nostram ne poscas opto figuram,
>   Si cupis ex isto salvus abire loco.
> Qui me cumque videt, nil amplius ille videbit,
>   Cum videor, subito quod Basiliscus ago.

„Dem Fuhrmann und Hadus, dem er sein künftiges Geschick andeutet, verheißt
der Tod Schonung, aber die Stadt Breslau will er mit schrecklicher Geißel heim-
suchen. Und schaudernd, die Blicke nach vorn gerichtet, während das Gerippe
hinten aufsitzt, fahren Hadus und der Wagenlenker nach Breslau, wo der Tod
absteigt, um sein grauses Geschäft zu beginnen."

Als die *Elegien*-Sammlung des Hadelius *1518* erschien, gehörte der Dichter
bereits mit Goricius, Beroaldus, Aperbacchus, Mellinus, und wie sie alle heißen,
zur Akademie in Rom. Beroaldus, obwohl ein Freund der Deutschen — „O Germania gloriosa salve!" —, griff damals in einer Ode Martin Luther an, und
PETRUS MELLINUS als Italiener wunderte sich wenig später über das Doppelgesicht,
das Deutschland der Welt zeige: auf der einen Seite Goricius, auf der anderen
Luther:

> O quam diversos peperit Germania mores,
>   Orta uno pietas impietasque loco est[131a]. —

Nach dem Abgang von Vadianus und Janus Hadelius begann der Glanz der
Alma mater Viennensis mehr und mehr zu verblassen. Dafür trat jetzt Wittenberg
ins Licht. Kurfürst FRIEDRICH DER WEISE war sich mit Vadianus in der Bewunderung von PLINIUS' *Naturalis historia* einig. *1517* errichtete er an seiner Landesuniversität sogar eine eigene Professur dafür. Die scholastisch-aristotelische Naturwissenschaft sollte durch *eruditio Pliniana* verdrängt werden. Vadianus wäre der
beste Mann für den neuen Lehrstuhl gewesen; da er nicht zur Verfügung stand,
berief der Kurfürst den zweitbesten, Celtis' Freund JOHANNES RHAGIUS AESTICAM-
PIANUS, der 1508 einen Kommentar zum I. Buch der ‚Naturalis historia' veröffent-

licht hatte. Die vom Kurfürsten geplante Reform der Naturwissenschaft kam jedoch in Wittenberg neben der theologischen Reformation nicht mehr zum Zug, und als Rhagius nach drei Jahren starb, wurde die Professur wieder aufgehoben.

Sogar AGRIPPA VON NETTESHEIM vertauschte jetzt die *literae arcanae* mit den *literae sacrae*. Ein Brief, den er am *6. Februar 1518* (oder *1519*) an Theodoricus, Bischof von Cyrene, schrieb, nimmt fast schon Goethes ersten Faustmonolog „Habe nun, ach . . ." vorweg: „Tandem (ut verum fatear) consumpto multo tempore, . . . tantas humanarum scientiarum vanitates aliquando reconoscens, post utriusque iuris et medicinae . . . acceptis scholastico more tiaris et annullis — ad sacras literas quamvis sero toto me studio contuli"[132]. Als Agrippa dann 1531 endlich ‚De occulta philosophia' an die Öffentlichkeit gab, leistete er sich kurioserweise selbst Widerpart mit einer gleichzeitig gedruckten Schrift *De incertitudine et vanitate scientiarum et artium atque excellentia verbi Dei declamatio*[133]. Agrippa sympathisierte seit langem, wie schon Celtis und Rhagius als Vertraute von Callimachus Experiens, besonders aber die Freunde Arbogast Strubs in Wien, mit den Skeptikern PYRRHON und SEXTUS EMPIRIKUS. Den zehn *Skeptischen Tropen*, die bei DIOGENES LAERTIOS überliefert sind, fügte er fünf weitere hinzu. Doch seine Grundhaltung ist nichts anderes als augustinische Abkehr von der *curiositas*. Die sämtlichen Wissenschaften und Künste, wodurch der Mensch wissend oder gar weise zu werden hofft, nimmt Agrippa vor und bricht über sie den Stab. So auch über die Ethik, die ein für alle Mal gültige Doktrinen, abstrakte Prinzipien aufstellt. Diese nennt er *figmenta cogitationum* — Ideologie — und appelliert dagegen an die *probitas*, die Redlichkeit: im Herzen ist der Sitz der Wahrheit (Kap. 53). Schon das 1. Kapitel erklärt, nicht Intelligenz, nur der gute Wille verbinde die Menschen mit Gott; später (Kap. 55) heißt es, daß die öffentlichen Dinge gut verwaltet werden, gewährleiste keine Philosophie, keine Kunst und keine Wissenschaft, nur die Redlichkeit der Regierenden, *probitas rectorum*. Von daher ist die erste Hälfte im Titel von Agrippas ‚Declamatio' zu verstehen. Den Philosophen, alten wie neuen, macht Agrippa den Vorwurf, sie trauten bloß ihren eigenen Kräften, dem eigenen Geist — *proprio ingenio* —, und ließen keine Wahrheit gelten, die nicht rational bewiesen werden kann (Kap. 101). Als ob das Menschliche nicht ohne Ausnahme der Zeit, dem Vergessen, dem Tod unterliege. Ewige Gültigkeit hat allein das *verbum Dei*, d. h. Christus mit seiner Lehre und seinem Vorbild. Dazu muß der Mensch das rechte Verhältnis — *recta fides* — gewinnen und jeweils dann aus der konkreten Situation heraus handeln. Für ihn gilt ja nun: *in corde veritatis sedes est.*

Natürlich verlangt der Mensch nach Glückseligkeit, aber wer mit Christus lebt, sucht sie nicht wie die Philosophen in Lust oder Klugheit oder Unempfindlichkeit, auch nicht in Ruhm oder Reichtum, vielmehr in Hunger und Durst, Verfolgung, Demut und Niedrigkeit. Audistis enim quomodo felicitatem seu beatitudinem philosophorum alii ponunt in voluptate, sed Christus in fame et siti . . . (Kap. 54). Ausgerechnet Agrippa von Nettesheim — oft genug ein „Wirrkopf" — drängt auf saubere Scheidung zwischen *beatitudo* und *voluptas*.

Schon ‚De occulta philosophia‘ war nicht das Werk eines Mannes, der besonderes Vertrauen in Verstand und Vernunft gesetzt hätte. Ganz im Gegenteil[134]. Christopher Marlows Dr. Faustus nennt ausdrücklich und mit gutem Grund Agrippa sein Vorbild, wenn er Szene II, Verse 104/116 für menschliches Wissen die Magie eintauscht. Goethe berichtet in ‚Dichtung und Wahrheit‘ I. Teil, Buch 4, daß er einst durch ‚De vanitate‘ in eine skeptische Krisis geworfen worden sei, und zweifellos ist auch für seinen Faust, als dieser sich der Magie ergibt, Agrippa das Vorbild.

In ‚De vanitate‘ bricht die Skepsis des Agrippa sogar noch mit der Magie. Das Motto lautet: *Nihil scire foelicissima vita*. Ihm zufolge würde es um eine andere ‚Laus stultitiae‘ sich handeln. Agrippas *Apologia adversus calumnias* gibt freilich das Ganze für eine Deklamation aus, die nicht ernst zu nehmen sei. Trotzdem stützt sie das Motto durch Berufung auf AUGUSTINUS, CUSANUS u. a. Eine französische Übersetzung von ‚De vanitate‘ 1582 führt den Untertitel: ‚Oeuvre . . . qui apporte merveilleux contentement à ceux qui fréquent les cours de grands seigneurs, et qui veulent apprendre à discourir d'une infinité de choses *contre la commune opinion*‘. Sicher spielt das eine gewisse Rolle bei Agrippa. Aber andererseits hat ja nicht nur Giordano Bruno, sondern selbst Montaigne manches aus ‚De vanitate‘ entnommen.

Das vorletzte Kapitel, *Ad encomium asini disgressio*, erinnert an den Schlußteil von Erasmus‘ ‚Encomion morias‘. Nach Agrippa hat Christus zwar nicht die Schafe, aber die Esel auserwählt. Zeuge ist der seit Philo — bis zu Tolstoj — so beliebte asinus Balaams: „Denn als der Prophet und Gelehrte Balaam auszog, das Volk Israel zu verfluchen, sah er den Engel des Herrn nicht, aber sein Esel sah ihn und redete mit menschlicher Stimme zu dem Reiter Balaam. So sieht oft ein schlichter und roher Tor — *simplex et rudis idiota* —, was der Doctor der Scholastik, durch menschliche Wissenschaften verdorben, nicht sehen kann." Balaams Esel ist das As gegen jedes JA zu Aristoteles und seinem „Omnes homines naturaliter scire desiderant", gegen die *curiositas*.

Im *Januar 1518* hat Agrippa Italien endgültig verlassen. Metz bot ihm die Stellung eines Anwalts der Reichsstadt. Von hier schrieb er den zitierten Brief an Theodoricus von Cyrene und wenig später den Traktat *De originali peccato*. Die Geschichte vom Sündenfall deutet Agrippa allegorisch. Die Schlange als die sinnliche Erfahrung verführt Eva als die Vernunft, und diese bringt Adam, den Glauben, zu Fall. Dialektik und Philosophie, argumentiert Agrippa, können Gott nicht erkennen. *Sola enim fides instrumentum est et medium, qua sola possumus Deum cognoscere*. Der Glaube hält sich bei Agrippa wie bei Erasmus und Luther an die Bibel.

LUTHER hat im *Februar 1518* das Wesentliche seiner 95 Thesen zu einem *Sermon von Ablaß und Gnade* zusammengefaßt. Diese deutsche Flugschrift wurde noch vor Ende des Jahres dreizehn Mal gedruckt. Einstweilen trug Luther am 22. *April 1518* — wenige Tage nach dem Erscheinen von Buschius' ‚Vallum humanitatis' — bei einer Disputation, die im Ordenskapitel der Augustiner in Heidelberg stattfand, eine dritte Serie von *Thesen* vor. Nr. 29 lautete: Wer ohne Gefahr mit Aristoteles philosophieren will, muß vorher ein rechter Tor in Christo geworden sein, und Nr. 30: Wie bloß der Verheiratete das Übel der Begierde zum Guten nutzt, so philosophiert bloß der Tor gut, d. i. der Christ — *stultus id est Christianus.* Obwohl sich Luther natürlich unmittelbar auf Paulus bezieht, wird auch er wie Agrippa den Schluß der ‚Laus stultitiae' von Erasmus gekannt haben. Der Vergleich der Philosophie mit der sexuellen Begierde setzt die Lehre des Aristoteles vom *naturale sciendi desiderium* voraus. Ihr gegenüber tritt Luther als Augustiner höchst prononciert, in Form einer *laus stultitiae,* für die *pietas indocta* ein, um die es schon in den Gesprächen zwischen Heinrich Eger und Geert Groote über den *homo devotus* gegangen war.

Wichtiger noch als die *laus stultitiae* ist Luther die *laus humilitatis.* Der Mensch, der um das Gute strebend sich bemüht, erreicht niemals das Ziel: für Augustin und alle ethischen Rigoristen Grund zur Demut. Luther motiviert diese anders. Der Mensch hat seine Haltung an Gott auszurichten, dem es gefiel, sich selbst zu erniedrigen, indem er den eigenen Sohn Mensch werden und am Kreuz sterben ließ. Luther weiß nichts, will nichts wissen von unendlichem Höherstreben zu Gott, dem summum bonum, zur beata vita, sondern sieht nur, daß Gott seinerseits sich zu uns herabläßt, sich erniedrigt. Wie sollten da nicht auch wir in Demut uns erniedrigen?

Rechnet man des Cusanus Neue Theologie der „Deutschen Eigenrenaissance" zu, so hatte diese ihre große Stunde, als der Fischerssohn von der Mosel sich auf die göttliche Vernunft als das wahre Selbst des Menschen berief; dieser brauche keine Sittengebote, weil er die *nobilitas* Gottes erkenne und sie gar nicht anders als mit *nobilitas* zu erwidern vermöge. So Cusanus in ‚De concordantia seu pace fidei', 1454. — Um dieselbe Zeit ging in Deutschland die Saat des Enea Silvio auf, die „Humanistische Renaissance", deren Vorläufer schon ‚Der Ackermann aus Böhmen' gewesen war; neben ihrem Wachstum verkümmerte die Eigenrenaissance. Als aber ein Thüringer Bergmannssohn die *humilitas* Gottes erkennt, die nicht anders als mit *humilitas* zu erwidern sei, sammeln sich die vielerlei religiösen Reformbestrebungen des 14. und 15. Jahrhunderts in einer dritten großen Form von Renaissance, der „Deutschen Reformation".

Um das Theologiestudium in Wittenberg im Sinne der 98 Thesen vom September 1517 zu reformieren, bedurfte es eines eigenen Lehrstuhls für Griechisch und Hebräisch. Kurfürst FRIEDRICH DER WEISE genehmigte ihn ebenso wie kurz vorher den Lehrstuhl für eruditio Pliniana und holte wegen der Besetzung den Rat REUCHLINS ein, der seinen einundzwanzigjährigen Großneffen, Magister artium PHILIPP SCHWARZERDT aus Bretten empfahl. Als Lateinschüler in Pforzheim hatte der Zehnjährige mit Kameraden zusammen den berühmten Onkel durch eine Aufführung des ‚Henno' erheitert und zum Dank einen Humanistennamen, MELANCHTHON, verliehen bekommen. So stellte sich 1517 der Zwanzigjährige mit einer *De artibus liberalibus Oratio a Philippo Melanchthone Tübingae habita* der Gelehrtenwelt vor[135]. Im *Mai 1518* folgte eine *Griechische Grammatik*, in deren Einleitung die stereotype Klage zu lesen war, daß die Germani homines noch immer die bonae artes vernachlässigten. Deshalb lebe auch die theologia im Exil, die wahre Weisheit, die uns vom Himmel gegeben sei, die Affekte der Menschen richtig zu lenken: *quae est vera sapientia et ad componendos hominum affectus coelo demissa*. Die wichtigste Aufgabe der Rhetorik — *compositio affectuum* — überträgt Melanchthon der Theologie, gründet diese aber damit zugleich auf die *bonae artes*. Das erinnert an die *reductio artium ad theologiam* durch Bonaventura. Eine augustiniana hieronymianaque reformatio poetarum bleibt außer Betracht, Murners Effekthascherei liegt Melanchthon fern. Viel eher harmoniert er mit den jüngsten Schriften von Murmellius, Buschius, Vadianus und besonders mit Erasmus. Der junge Mann, offenkundig nicht bloß Reuchlins Neffe, schien für den Wittenberger Lehrstuhl der Richtige zu sein.

Im *Juni 1518*, als Vadian seinen Lehrstuhl in Wien aufgab, begannen die Berufungsverhandlungen mit Melanchthon. Ehe er zusagte, erkundigte sich dieser u. a. bei CHRISTOPH SCHEURL nach den Wittenberger Verhältnissen. Die Antwort konnte nicht positiver sein. Scheurl versicherte in seinem hyperbolischen Stil, er liebe die Wittenberger wie Blutsverwandte und sei fest überzeugt, daß „Gott für sich, seine Mutter, die Heiligen und alle Musen Wittenberg zum Lieblingssitz erkoren" habe[136]. Am *29. August 1518* hielt Melanchthon die Antrittsrede in Wittenberg: *De corrigendis adolescentiae studiis*. Grundlage aller Wissenschaften, namentlich der Theologie, führte Melanchthon aus, müsse das Sprachstudium sein, damit die akademische Jugend nicht im Wust der Kommentare ersticke, sondern die Texte lesen und so zur alten Frömmigkeit zurückfinden könne. *Remeatio ad purum priscumque iubar*: PETRARCAS Wunschbild, das nach dem Romzug Karls IV. durch SALUTATI und BRUNI auf *reparatio studiorum humanitatis* eingeengt und so auch in Deutschland zum Vorbild geworden war, hat ERASMUS, gewiß nicht zuerst und nicht allein, aber auf die lucideste Weise für die Theologie fruchtbar gemacht. Der neue Wittenberger Professor erweist sich als Schüler des Erasmus, wenn er *bonae literae* und *pura priscaque pietas* in engste Wechselbeziehung bringt. Laut Melanchthon konnte in früheren Zeiten eine unverdorbene Kirche die literarischen Wissenschaften im Sturz immer wieder aufrichten — *lapsantes literas instaurare* —, und umgekehrt war es den literarischen Wissenschaften — *bonis literis* —, wenn sie heil blieben, möglich, die Sittenverderbnis in der Kirche zu bessern — *ruinosos Ecclesiae mores corrigere*. Seit nunmehr dreihundert Jahren aber gerieten beide in Verfall. So müssen wir erst einmal die *bonae literae*, die Schönen Wissenschaften, restaurieren, damit der Weg zur *pura priscaque pietas* frei wird.

Erasmus fand Melanchthons Rede und namentlich das Vorwort, das er dem Druck beigab, „energisch und geistdurchglüht, wie es für einen jungen Mann und Deutschen sich ziemt". Aber auch Luther stimmte zu.

Der *29. August 1518* war ein großer Tag für Wittenberg, ja für die deutsche Geistesgeschichte. Zweiundvierzig Jahre hielt Melanchthon Wittenberg die Treue, und während dieser Zeit schuf er als *praeceptor Germaniae* den neuen Schul- und Hochschultyp in Deutschland, der sich erst nach 450 Jahren überlebt hat.

Im *Januar 1519* erschienen *Philippi Melanchthoni de Rhetorica libri tres.* Diese nehmen auf des ERASMUS ‚De duplici copia verborum ac rerum' (1513), mehr aber noch auf AGRICOLAS ‚De inventione dialectica' (1484, gedruckt 1515) Bezug. Wie schon für Agricola gehören für Melanchthon Rhetorik und Dialektik als die beiden Teile der Redekunst zusammen. Dialektik auf das *docere*, Rhetorik auf das *movere* zielend. Ohne ihre Verbindung kommt nur eine *oratio inefficax* zustande.

Besonders wichtig nimmt Melanchthon die *loci communes* als Fixierung allgemeiner, natürlicher Gesichtspunkte, unter denen das menschliche Leben abläuft oder geregelt wird. Er spricht einerseits von *formae rerum* und andererseits — darauf liegt der Nachdruck — von *regulae quaedam vivendi generales*, natura hominibus persuasae, quas non temere *leges naturae* vocaverim. Als Beispiele für loci communes im letzteren Sinn führt er an: „Wohltat ist mit Wohltat zu erwidern", „die Eltern muß man achten", ebenso „Tugenden pflegen", „Niederträchtigkeit bessern" ... et similia horum alia. Solche loci stammen aus dem Naturrecht und sind Regulative der menschlichen Gesellschaft. In Agricolas ‚Dialektik' fand Melanchthon darüber nichts. Weil aber diese loci communes den Hörer am zwingendsten überzeugen und lenken, verdienen sie im Rahmen der ars oratoria eigens herausgestellt zu werden.

Wie üblich erklärt Melanchthon: Is profecto persuadet qui optime affecerit animum audientis ... Plurimum valet in affectibus vis proprietasque et splendor verborum.

Im großen und ganzen dürfte Melanchthons ‚Rhetorik' vor seiner Wittenberger Zeit entworfen und niedergeschrieben sein. Sie ist ein Endglied der humanistischen Tradition[137].

LUTHER hatte inzwischen, *Anfang August 1518*, die Zitation nach Rom erhalten, die später auf Augsburg umgeändert wurde, wo KARDINAL CAJETAN dem Reichstag beiwohnte. „Während der Reise", erzählt Luther in den Tischreden, „war mein Gefühl: nun muß ich sterben! Und ich stellte mir den gerüsteten Scheiterhaufen vor Augen und sagte oft: Ach, welche Schande werde ich meinen Eltern machen!" Am *7. Oktober* traf er in Augsburg ein, am 9. speiste er bei Konrad Peutinger, der ihm sehr wohl gesonnen war, am *12. Oktober 1518* steht Luther dann im Fuggerhaus vor Cajetan. Dieser will ihn zum Widerruf bewegen, aber Luther bleibt fest. Einige Tage später schafften ihn Freunde heimlich aus der Stadt. Über Nürnberg, wo er von Pirckheimer mit großen Ehren bewirtet wurde und Albrecht Dürer kennen lernte, ritt er nach Kursachsen zurück.

Kurz nachdem Luther die Stadt verlassen hatte, schrieb HUTTEN am 25. *Oktober 1518* aus Augsburg an Willibald Pirckheimer die berühmten Sätze: *O seculum: o literae! iuvat vivere etsi quiescere nondum iuvat, Bilibalde. Vigent studia, florent ingenia* ... Das heißt doch wohl: Wenn wir auch noch nicht reif sind für das höchste Gut, die abgeklärte Ruhe, so haben wir dafür Freude am Leben, an den studia humanitatis. *Et nos felices, qui studemus literas* ... klingt es aus dem „anderen Mittelalter" herüber. Nachdem sich des Cusanus *plus et plus vivere* dazugesellt hatte, prägten Agricola und Mutianus ihr emphatisch-lakonisches *vivo* und *nos qui sumus*. Hutten in seinen Jubelworten paraphrasiert noch einmal das Ganze.

Dem Kaiser ist Luther in Augsburg nicht begegnet. Für MAXIMILIAN war der Zweck des Reichstags erreicht, als die Majorität der Kurfürsten, unter ihnen der zum Kardinal erhobene Albrecht von Brandenburg, sich auf seinen Enkel KARL als künftigen Nachfolger einigte. Das geschah erst, nachdem Jakob Fugger eine

persönliche Bürgschaft übernommen hatte, daß die finanziellen Ansprüche der Kurfürsten gegebenenfalls erfüllt würden; 850 000 Dukaten versprach er, in Frankfurt am Main zu hinterlegen. Maximilian stand jetzt im sechzigsten Lebensjahr, ein kranker Mann, der seit langem überall seinen Sarg mitführen ließ. Wenige Monate nach dem Augsburger Reichstag ist er auf Burg Wels in Tirol am 12. *Januar 1519* gestorben. LUDWIG SENFL komponierte die Trauerode: *Quis dabit oculis nostris fontem lacrymarum* ...

Kaiser Maximilian während des Augsburger Reichstags 1518
(Kohlezeichnung von Albrecht Dürer, zu der Maximilian in Augsburg am 28. Juni 1518 ihm saß; Wien, Albertina. Nach dieser Zeichnung fertigte Dürer das Gemälde von 1519. Dort hält Maximilian einen Granatapfel in der Hand: seine Impresa: kostbare Körner in schlichter Schale.)

Kaiser Maximilian auf dem Totenbett, 1519
(Alter Kupferstich)

Patroni Libertatis
(Titelholzschnitt der ‚History Von den fier ketzeren Prediger ordens',
Straßburg 1521; wohl die einzige authentische Darstellung Reuchlins)

Der greise DIETRICH VON PLENINGEN, der seit 1474 einer der engsten Freunde Rudolf Agricolas gewesen war und zu dessen ‚Inventio dialectica' die Anregung gegeben hatte, beendete die Reihe seiner Übersetzungen mit der *Loblichen trostung Senece die Er geschrieben hat Zu der Irrleuchten frawen und Römerin Martia*; am 20. Februar 1519 widmete Pleningen dieses Buch der Schwester des toten Kaisers Maximilian, Herzoginwitwe Kunigunde von Baiern.

Mit KARL V., der am 28. Juni 1519 zum König gewählt wurde, öffnete sich ein neues Zeitalter. Den jungen König begrüßte Pleningens Landsmann JAKOB LOCHER-PHILOMUSUS:

> Veni, rex desiderate,
> Multis votis exoptate,
> Veni, coronaberis.
> > Io, io.
> Te iuventus nunc armata,
> Te senectus et togata
> Praestolatur avide.
> > Io, io.
> Aetas omnis gratulatur,
> Omnis sexus iucundatur
> Solo tuo nomine.
> > Io, io.

Einen Tag, ehe die Kurfürsten in der Kapelle des Bartholomäusdomes in Frankfurt am Main die Wahl vornahmen, hatten auf der Pleissenburg in Leipzig drei Professoren eine öffentliche Disputation begonnen. Die Namen JOHANNES ECK, MARTIN LUTHER und ANDREAS KARLSTADT waren seit einiger Zeit in vieler Leute Mund, aber während nun alle Welt nach Frankfurt blickte und auf das dortige Wahlergebnis fieberte, erregte ein Professorentreffen wenig Aufsehen. Dennoch fiel hier am 4. Juli 1519 eine Entscheidung von größerer Tragweite noch als bei den Kurfürsten. Der grobe und verschmitzte Polterer Eck, ein Schwabe vom unguten Schlag, traute sich zu, mit seinem Kollegen Luther besser fertig zu werden als Kardinal Cajetan in Augsburg. Er wollte seinen Trotz schon brechen. Mehr und mehr setzte er Luther zu, bis dieser ein paar Nelken, an denen er während Ecks Tiraden ab und zu gerochen hatte, beiseite legte und mit klarer, fester Stimme erklärte, Kirche sei, wo Gottes Wort gepredigt und geglaubt werde, Papst wie Konzilien aber könnten irren. Damit war de facto Luthers Bruch mit Rom vollzogen.

Selbst Eck schien einen Augenblick sprachlos zu sein, und in die Stille klang wohl vom Paulinerhaus das Läuten der Totenglocke herüber: dort war am gleichen Tag Johannes Tetzel gestorben.

Wer dachte jetzt noch an die Reformationspläne Kaiser Maximilians? Am wenigsten Eck, obwohl er dabei mitgewirkt hatte. Nur soweit sie sich deckten mit den Ideen in des ERASMUS ‚Methodus', fanden sie in dessen *Bibel-Paraphrasen* eine Fortsetzung. Die Reformkonzilien des vergangenen Jahrhunderts hatten gezeigt, daß nicht einmal der deutsche König und Kaiser eine Reformation der Kirche durchsetzen konnte. Viel-

Erasmus von Rotterdam beim Schreiben der Markus-Paraphrase für König Franz I.
(Gemälde von Hans Holbein, 1523, Ausschnitt; Basel, Öffentl. Kunstsammlung)

leicht mußte man erst alle Herrscher Europas dafür gewinnen. Die Rolle Dietrichs von Niem und Nachfolge des Nicolaus Cusanus fiel dann Erasmus von Rotterdam zu, dessen Wort in der geistigen Welt des Abendlandes jetzt mehr galt als das jedes anderen. Erasmus mag sich an den Brief erinnert haben, den 1461 Enea Silvio als Pius II. dem „Kalifen von Bagdad" schrieb. Jedenfalls ist es eine ähnlich großartige Geste und drückt ebenso das ungemessene Vertrauen in die Macht des Wortes, die eigene rhetorische Meisterschaft aus, daß Erasmus 1522/23, „um die evangelische Lehre wieder zur Blüte zu bringen", seine Paraphrase des Matthäus-Evangeliums dem ERWÄHLTEN RÖMISCHEN KAISER KARL V., die übrigen Paraphrasen KÖNIG HEINRICH VIII. von England, KÖNIG FRANZ I. von Frankreich und ERZHERZOG FERDINAND von Österreich widmete.

Die Geschichte hatte bereits gegen Erasmus entschieden. Die lebendigen Kräfte, mindestens in Deutschland, engagierten sich auf lutherischer oder auf römisch-kirchlicher Seite. Der deutsche Humanismus versandete schnell im schulmäßigen Literaturbetrieb des Neulateinertums. Mit dem *Sommer 1519,* dem *28. Juni* und *4. Juli,* beginnt das Zeitalter der Reformation. Im Hinblick auf die Literatur ist es unserem heutigen Bewußtsein viel weniger entrückt als die beiden Jahrhunderte vorher. Den Reiz, auf der Fährte weniger Pfadfinder eine terra incognita zu durchstreifen, gibt es hier schon lange nicht mehr. Wir überschreiten die Grenzscheide nur, um die angedeuteten Linien im Bild LUTHERS und MELANCHTHONS notdürftig auszuziehen.

Die im *Herbst 1519* veröffentlichte *Theologica Institutio* zeigt erstmals die Wirkung Luthers auf MELANCHTHON. Dieser fügte seiner humanistisch-rhetorischen Vorstellungswelt jetzt die reformatorischen Gedanken über das Verhältnis von Gesetz und Gnade ein. Das Gesetz, *lex*, heißt ihm *sententia inefficax*, weil es zu dem, was es befiehlt, nicht auch selbst hilft. Es veranlaßt bloß *cogitatio — affectus autem est vita animae adeo ut lege vinci aut expelli non possit.* So bedürfen wir der Gnade: *gratia, quam et spiritum vocat Paulus, est spiritus, quo illustramur, purgamur, impellimur ad bona*[1]. Auf ähnliche Weise hatte Gabriel Biel im Prolog seiner ‚Epithoma' Altes und Neues Testament unterschieden. Letzteres allein vermag die Seele zur Liebe anzureizen, *excitare*, und lebendig zu machen, *vivificare*[2]. Ich warf seinerzeit die Frage auf, ob man bei Biel nicht statt von *affective mysticism* besser von *affective rhetoricism* spreche, und suchte von da aus die *ars movendi rhetorica* auch als eine unverwechselbar eigene Form der Frömmigkeit zu begreifen. Durch Melanchthon erhält nun, was ich die Magna Charta des Humanismus nannte, PETRARCAS Traktat ‚De sui ipsius et multorum aliorum ignorantia' von 1362 eine neue Version. Bloßes Wissen, hatte es dort geheißen, nützt nichts zum seligen

Philipp Melanchthon
(Zeichnung von Hans Holbein, Windsor Castle)

Leben; gewiß, „Aristoteles lehrt uns, was Tugend ist, aber jene überzeugenden Worte, die uns zur Liebe der Tugend und zum Haß des Lasters bewegen, durch die der Geist entzündet und angefeuert wird, kennt er nicht oder doch nur selten. Wie häufig können wir sie dagegen bei den Unsrigen finden ... besonders bei Cicero." Anstelle von Aristoteles und Cicero treten bei Melanchthon das Gesetz und die Gnade, „die Paulus auch Geist nennt". Doch wirkt dieser Heilige Geist auf uns durch die Heilige Schrift, die *sacrae literae*, und weckt damit unseren Glauben, *fidem facit*[3].

Sowenig wie Erasmus beabsichtigten Luther und Melanchthon, die *studia humanitatis* oder *studia bonarum literarum* auszutilgen. Diese bilden vielmehr die Voraussetzung für die *studia sacrarum literarum* und finden darin ihre Krönung. Nur daß die Wittenberger den ungeheuren Abstand zwischen menschlichem und göttlichem Wort nicht verwischten.

Melanchthon wollte zu methodischem Studium der Heiligen Schrift anleiten und stellte dafür 1521 drei *Loci communes rerum theologicarum seu hypotyposes theologicae* auf: *lex — peccatum — gratia*. LUTHER dagegen begann im *Dezember 1521* die Bibel auf echt rhetorische Weise — Rhetorik als *ars movendi* verstanden — ins Deutsche zu übersetzen. Er kannte die beiden Übersetzungsmethoden: *wort uz wort* oder *sin uz sin*, legte sich aber nicht eindeutig fest, sondern erklärte, „das wir zuweilen die wort steiff behalten, zu weilen allein den sin gegeben haben"[4]. Letzten Endes übersetzt Luther *stym uz stym*. Das Evangelium ist „eygentlich nicht das, das ynn büchern stehet und ynn buchstaben verfaßt wirtt, sondern mehr eyn mundliche predig und lebendig wort, und *ein stym*, die da ynn die gantz wellt erschallet"[5]. So vom Gotteswort angesprochen, spricht Luther auf Deutsch seine „lieben Deutschen" an.

Während er die Bibel verdeutschte, hat er sich die Sätze immer wieder laut vorgesprochen und sie mit sicherem rhythmischen und melodischen Gefühl auf ihre Akzente, auf Kadenzen und Fermaten, auf die Vokal- und Konsonantenfolge hin überprüft. Dadurch konnte er, besonders in den Psalmen oder im I. Korintherbrief, eine Fülle des Wohllauts erreichen — mit Petrarcas Lobpreis auf Cicero zu reden: *verborum dulcedo et sonoritas* — wie seit der Stauferzeit die deutsche Sprache sie nicht mehr gekannt hatte. Aber Luther kam es nicht auf den Wohlklang um seiner selbst willen an. Wichtig ist ihm vielmehr, daß, wie es im *Sendbrief vom Dolmetschen* heißt, „das Wort dringe und klinge ynns hertz durch alle sinne" oder, an anderer Stelle, „daß man dy wort recht faßt und den affect und vuls ym hertzen"[6]. So hat Luther selbst die Worte gehört, und so gibt er sie weiter. Wenn man Sprachgeschichte nicht nur als Linguistik nimmt, sondern auf die Sprachkunst — *ars movendi* — abhebt, hat Erasmus Alberus nahezu recht:

Lutherus linguae Germanicae parens, sicut Cicero Latinae.

Aus dem Titelblatt der Lutherschen Übersetzung
des Neuen Testaments, Wittenberg 1522.

458

ANMERKUNGEN

I. NEUE LAIENBILDUNG UND NEUE LAIENFRÖMMIGKEIT IM 14. JAHRHUNDERT

1 An Luca de Penna in Avignon, 27. 4. 1374 (Epp. sen. XV, 1). Von dieser Briefstelle geht aus: WALTER RÜEGG, Cicero und der Humanismus, Formale Untersuchungen über Petrarca und Erasmus, Zürich 1946; vgl. dort Zitat und Übersetzung auf S. 7—10. Opere di Francesco Petrarca, A cura di EMILIO BIGI, Commento di GIOVANNI PONTE, Milano 1963.

2 An Francesco Dionigi von Borgo San Sepolcro in Paris, 26. 4. 1336 (Epp. fam. IV, 1).

3 KONRAD BURDACH, Sinn und Ursprung der Worte Renaissance und Reformation, Sitzungsberichte der Kgl. Preuß. Akad. d. Wissenschaften, Phil.-hist. kl. 1910.

4 Johannis Vitodurani Chronicon a Friderico II. Imp. ad annum MCCCXLVIII procedens, enthalten in dem schön gedruckten Sammelband: Thesaurus historiae Helveticae, Tiguri (Zürich) 1735; Zitat auf S. 85 f.; Krit. Ausgabe: Die Chronik Johanns von Winterthur, in Verbindung mit C. BRUN hg. von F. BAETHGEN, MGH Script. Rer. Germ. Nova Series, Tomus III, 1924.

5 ARTHUR HÜBNER, Die deutschen Geisslerlieder, Studien zum geistl. Volksliede des Ma, 1931.

6 DOM URSMER BERLIÈRE, Un ami de Pétrarque, Louis Sanctus de Beeringhen, Roma 1905; HENRY COCHIN, Sur le „Socrate" de Pétrarque, Le musicien flamand Ludovicus Sanctus de Beeringhen, in: Mélanges d'archéologie et d'histoire de l'Ecole française de Rome 37 (1918/19), S. 3—32.

7 An Giovanni Colonna, 30. 9. 1341. Dazu THEODOR A. MOMMSEN, Petrarch's Conception of the „Dark Ages", in: Speculum 17 (Cambridge/Mass. 1942), S. 226 ff.

8 ERWIN PANOFSKY, Renaissance and Renascences in Western Europe, Stockholm 1960, S. 11.

9 Sie beginnen mit dem Buch: GERHARD ROHLFS, Griechen und Romanen in Unteritalien, Genf 1924 und gipfeln in den Sitzungsberichten der Bayer. Akad. d. Wissenschaften, Phil.-hist. Kl. 1944—49.

10 KENNETH M. SETTON, The Byzantine Background to the Italian Renaissance, Proceedings of the American Philosophical Society 100, Philadelphia 1956, S. 1—76, hier S. 13.

11 SILVANO BORSARY e MARCELLO GIGANTE, Poeti bizantini di Terra d'Otranto nel Secolo XIII, in: La Parola del Passato VI, Napoli 1951.

12 Vgl. außer K. M. SETTON und der von ihm angegebenen Literatur: I. MEYENDORFF, Un mauvais théologien de l'unitée: Barlaam le Calabrais, in: L'Église et les Églises, II, Chevetogne 1955, S. 46 ff.; HANS-GEORG BECK, Humanismus und Palamismus, in: Actes du XIIe Congrès International d'Études Byzantines, Beograd 1963, I, S. 63 ff.

13 K. M. SETTON, aaO, S. 42.

14 FRANCO SIMONE, La coscienza della Rinascità negli umanisti, in: La Rinascità 2 (1939) und 3 (1940); hier 2 (1939), S. 850.

15 PAUL LEHMANN, Mittelalter und Küchenlatein, in: Hist. Ztschr. 137 (1927), wieder abgedruckt in: P. L., Erforschung des Mittelalters, Ausgewählte Abhandlungen und Aufsätze 1, ²1959, S. 46 ff.

16 FRANCO SIMONE, aaO, 2 (1939), S. 845.

17 JOHAN HUIZINGA, Wege der Kulturgeschichte, 1930, S. 101.

18 E. PANOFSKY (Anm. 8), S. 5.

19 Ausgabe von K. PFISTERER und W. BULS, Editiones Heidelbergenses 16 (1950); Kaiser Karls IV. Jugendleben und St. Wenzelslegende, übersetzt und erläutert von ANTON BLASCHKA, 1956.

20 Heinrich von Mügeln, der meide kranz, hg. u. eingeleitet v. WILLI JAHR, Diss. Leipzig 1908; Die kleineren Dichtungen Heinrichs von Mügeln, 3 Bde., hg. von KARL STACK-MANN, 1959; KARL STACKMANN, Der Spruchdichter Heinrich von Mügeln, Vorstudien zur Erkenntnis seiner Individualität, 1958; JOHANNES KIBELKA, der ware meister, Denkstile und Bauformen in der Dichtung Heinrichs von Mügeln, 1963.

21 Zu den Begriffen „Gottesfreund" und „Oberland" vgl. ARCHER TAYLOR, Problems in German Literary History of the Fifteeenth and Sixteenth Centuries, New York/London 1939, S. 16 ff.

22 Briefwechsel des Cola di Rienzo, hg. von KONRAD BURDACH und PAUL PIUR. Teil I: Rienzo und die geistige Wandlung seiner Zeit, 1913—28; II: Kritische Darstellung der Quellen zur Geschichte Rienzos, 1928; III: Kritischer Text, Lesarten und Anmerkungen, 1912; IV: Anhang, 1912; V: Nachlese, 1929. In: Vom Mittelalter zur Reformation, Forschungen zur Geschichte der deutschen Bildung, hg. von KONRAD BURDACH, Bd. 2. — HANS RUPPRICH, Die Frühzeit des Humanismus und der Renaissance in Deutschland (Deutsche Literatur in Entwicklungsreihen, hg. von HEINZ KINDERMANN, Reihe Humanismus und Renaissance, Bd. 1), 1938, S. 49—73.

23 Schriften Johanns von Neumarkt, unter Mitwirkung K. BURDACHS hg. von JOSEPH KLAPPER, Teil I: Buch der Liebkosung, in: K. BURDACH, aaO, 6. Band, 1930; Petrarcas Briefwechsel mit deutschen Zeitgenossen, ibd., 7. Band, 1933; Briefe Johanns von Neumarkt, ibd., 8. Band, 1937; J. KLAPPER, Johann von Neumarkt, Lpz. 1969.

24 JOSEPH KLAPPER, Aus der Frühzeit des deutschen Humanismus: Dichtungen zu Ehren des hl. Hieronymus, in: Bausteine, Festschrift für Max Koch, 1926.

25 Vgl. RUDOLF SCHÜTZEICHEL, Zur Entstehung der neuhochdeutschen Schriftsprache, in: Nassauische Annalen 78 (1967), S. 75—92.

26 ALFRED BERGELER, Das deutsche Bibelwerk Heinrichs von Mügeln, 1938; dazu J. KLAPPER in: Anzeiger f. dt. Altertum u. dt. Lit. 57 (1938), S. 98 ff.

27 Deutsche Übersetzung von WALTER HASENCLEVER in: HANS JOACHIM STÖRIG, Das Problem des Übersetzens (Wege der Forschung, Bd. 7), 1963, S. 1—13; vgl. W. SCHWARZ, Translations into German in the Fifteenth Century, in: MLR 39 (1944), S. 368 ff.

28 Petrarca, Briefe und Gespräche, übers. u. eingel. von HERMANN HEFELE, 1910, S. 125 bis 197.

29 HANS BLUMENBERG, Die Legitimität der Neuzeit, 1966, S. 214 ff.

30 ANDRÉ LABHARDT, Curiositas, Notes sur l'histoire d'un mot et d'une notion, in: Museum Helveticum 17 (1960), S. 204/226.

31 CHARLES HOMER HASKINS, The Renaissance of the Twelfth Century, Cambridge 1927; vgl. AUGUST BUCK, Gab es einen mittelalterlichen Humanismus? in: A. B., Die humanistische Tradition in der Romania, 1968, S. 36/55.

32 F. SIMONE (Anm. 14), 3 (1940), S. 168, Anm. 1.

33 DOM JEAN LECLERCQ (Bénédictin de Clervaux), L'Amour des Lettres et le Désir de Dieu, Paris 1957; deutschsprach. Ausgabe: Wissenschaft und Gottverlangen, 1963; DERS., Etudes sur le vocabulaire monastique du moyen âge, Roma 1961 (Studia Anselmiana 48).

34 M. HUBERT, Aspects du latin philosophique aux XIIe et XIIIe siècles, in: Revue des Études Latines 27 (1949); TH. M. CHARLAND OP., Artes Praedicandi, contribution à l'histoire de la rhétorique au moyen âge, Paris-Ottawa 1936.

35 Patrologia Latina, Tomus 183, Sp. 604 f.

36 Ibd., Sp. 891 f.; J. LECLERCQ, aaO, S. 204 f.

37 J. LECLERCQ, aaO, S. 188; vgl. GEORG MISCH, Studien z. Gesch. der Autobiographie, V. Johann von Salisbury u. d. Problem des mittelalterl. Humanismus, Nachrichten der Akad. d. Wissensch. in Göttingen, Phil.-hist. Kl. 1960.

38 MICHAEL SEIDLMAYER, Wege und Wandlungen des Humanismus, 1965, S. 109 f.

39 K. M. Setton (Anm. 10), S. 39; R. R. Bolgar, The Classical Heritage and its Beneficiaries, Cambridge 1958, S. 181, 412.
40 Eugene F. Rice Jr., The Renaissance Idea of Wisdom, Cambridge/Mass. 1958, S. 2,15.
41 Richard McKeon, Rhetoric in the Middle Ages, in: Speculum 17 (Cambridge/Mass. 1942), S. 24, Anm. 2.
42 Grundlegend: Paul Mestwerdt, Die Anfänge des Erasmus, Humanismus und ‚Devotio moderna‘, 1917; vgl. Albert Hyma, The Brethren of the Common Life, Grand Rapids/Mich. 1950; Ernst Hoffmann, Anfänge des christl. Humanismus in Dtld., Schriften der Univ. Heidelberg 2, 1947.
43 H. Blumenberg (Anm. 29), S. 323 ff.
44 Wolfgang Oeser, Die Brüder des gemeinsamen Lebens in Münster als Bücherschreiber, in: Börsenblatt f. d. dt. Buchhandel, Frankfurter Ausgabe, Nr. 42a (1962), S. 979—1079; M. van Woerkum SJ., Het Libellus „Omnes, inquit artes", een rapiarium van Florentius Radewijns, in: Ons Geestelijk Erf 25 (1951), S. 131 ff., 225 ff.
45 P. Heinrich Denifle OP., Die Dichtungen des Gottesfreundes im Oberlande, in: ZfdA 24 (1880), S. 200—219, 280—324, 463—540 und 25 (1881), S. 101—122.
46 Karl Rieder, Der Gottesfreund aus Oberland, 1905.
47 Vgl. Magnus Ditsche, Zur Herkunft und Bedeutung des Begriffes Devotio moderna, in: Hist. Jb. 79 (1960), S. 124 ff.
48 L. M. J. Delaisse, Le manuscrit autographe de Thomas a Kempis et „l'Imitation de Jésus-Christ", 1956; Thomas von Kempen, De imitatione Christi — Nachfolge Christi und vier andere Schriften, Lateinisch und deutsch, hg., eingel. u. übers. von Friedrich Eichler, 1966.
49 Diese These hat zuerst aufgestellt: J. van Ginneken SJ., Het auteurschap van de Imitatio Christi van Thomas a Kempis, 1925.
50 Die Nachfolge Christi oder das Buch vom inneren Trost, von Gerrit Grote, in dem Text vom Jahre 1384 tunlichst wiederhergestellt, verdeutscht und erklärt durch Fritz Kern, 1947; Fritz und Liselotte Kern, Die Thomas-a-Kempis-Frage, in: Theol. Zeitschrift hg. von der Theol. Fakultät der Univ. Basel, 1949; Maria Alberta Lücker, Meister Eckhart und die Devotio moderna, Leiden 1950.
51 AaO, S. 12.
52 Das dt. Kirchenlied von der ältesten Zeit bis zum Anfang des 17. Jhs., hg. von Philipp Wackernagel, Bd. 2, 1867. Die Mondsee-Wiener Liederhandschrift u. der Mönch von Salzburg, hg. v. F. Arnold Meyer u. Heinrich Rietsch, 1896.
53 Josef Ampferer, Der Mönch v. Salzburg, in: Programm des K. K. Staats-Gymn. in Salzburg 14 (1864), S. 1—32. Romuald Bauerreiss, Wer ist der „Mönch von Salzburg"? in: Studien und Mitteilungen z. Gesch. des Benediktinerordens 52 (1934), S. 204 bis 220.
54 Herta Noack, Der Mönch von Salzburg, Diss. Breslau 1941; Friedrich Ranke, Von der ritterlichen zur bürgerlichen Dichtung 1230—1430, in: Annalen der deutschen Literatur, hg. v. Heinz Otto Burger, 1952, ²1962, S. 236 f.
55 AaO, S. 131, 250.
56 Vgl. Wilhelm Pinder, Die dichter. Wurzel der Pietà, in: Repertorium f. Kunstwissenschaft 42 (1920), S. 145 ff. Dazu Julius Schwietering, Mittelalterl. Dichtung und bildende Kunst, in: ZfdA 60 (1924), S. 113 ff.
57 Allzu entschieden spricht sich gegen die Thesen H. Noacks Franz Viktor Spechtler aus: Der Mönch von Salzburg, Untersuchungen über Hss., Gesch., Gestalt und Werk des Dichters und Komponisten als Grundlegung einer textkrit. Ausg., Diss. Innsbruck 1963.
58 Die Gedichte Oswalds von Wolkenstein, hg. von Josef Schatz, ²1904; Die Lieder Oswalds von Wolkenstein, hg. von Karl Kurt Klein, 1962.

59 NORBERT MAYR, Die Reiselieder und Reisen Oswalds von Wolkenstein, Innsbruck 1961. Vgl. auch SIEGFRIED BEYSCHLAG, Zu den mehrstimmigen Liedern Oswalds von Wolkenstein, Fuga und Duett, in: Literatur und Geistesgesch., Festgabe f. Heinz Otto Burger, hg. v. REINHOLD GRIMM und CONRAD WIEDEMANN 1968, S. 50—69.

Bei der letzten Korrektur kann ich bloß hier noch auf eine Neuerscheinung hinweisen: Handbuch der deutschen Literaturgeschichte, Abteilung Bibliographien, Bd. 4: JAMES E. ENGEL, Zeitalter der Renaissance, des Humanismus und der Reformation, Bern und München 1969. Engel beschränkt sich im Wesentlichen auf Publikationen der Jahre 1950 bis 1965; meist ergänzen sich für diesen Zeitraum seine und meine Angaben gegenseitig.

II. ERSTHUMANISMUS UND EIGENRENAISSANCE NACH 1400

1 GERHARD RITTER, Romantische und revolutionäre Elemente in der deutschen Theologie am Vorabend der Reformation, in: DVjs 5 (1927), S. 354 f.; DERS., Die Heidelberger Universität, Bd. I, 1936, S. 271 ff.; JOHANNES HALLER, Papsttum und Kirchenreform, Bd. I, 1903, S. 497 f.

2 Abdruck der beiden ‚Dialogi‘ mit it. Übersetzung bei EUGENIO GARIN, Prosatori latini del Quattrocento, Milano-Napoli 1952, S. 44 ff.; ALFRED VON MARTIN, Coluccio Salutati u. d. humanistische Lebensideal, 1916; G. M. SCIACCA, La visione della vita nell' umanesimo e Coluccio Salutati, Palermo 1954; HANS BARON, Leonardo Bruni Aretino, Humanistisch-philosophische Schriften, mit einer Chronologie seiner Werke und Briefe, 1928; DERS., Humanistic and political literature in Florence and Venice, Cambridge/Mass. 1955; EUGENIO GARIN, L'Educazione in Europa 1400—1600, Problemi e Programmi, Bari 1957. — Während man früher beide Dialogi Brunis auf 1401 datierte, hat HANS BARON in The Crisis of the Early Italian Renaissance, Princeton 1955, S. 190 ff. nachgewiesen, daß der zweite Dialogus erst zwischen 1403 und 1405 entstanden ist.

3 LECLERCQ (Anm. I, 33), S. 115, 240.

4 K. M. SETTON (Anm. I, 10), S. 50.

5 Das Werk ist erst in der 2. Aufl. von 1880 völlig ausgereift; 3. Aufl. 1893; 4. Aufl. 1960. Vgl. auch KARL BRANDI, Das Werden der Renaissance, Göttinger Kaisergeburtstagsrede, 1906, mit Anmerkungen von WALTHER BRECHT; RICHARD REITZENSTEIN, Werden und Wesen der Humanität im Altertum, Straßburger Kaisergeburtstagsrede, 1907; WALTER RÜEGG (Anm. I, 1), S. 2 ff., 128 ff.

6 PAUL OSKAR KRISTELLER, The Classics and Renaissance Thought, Cambridge/Mass. 1955, S. 9.

7 JOSEPH FERDINAND RÜEGG, Heinrich Gundelfingen, Freiburg/Schw. 1910, S. 35.

8 R. R. BOLGAR (Anm. I, 39), S. 478; vgl. GIUSEPPE CAMMELLI, I dotti bizantini e le origini dell'umanesimo, I. Manuele Crisolora, Firenze 1941. Chrysoloras begann seine Vorlesungen in Florenz am 2. Februar 1397: „ein Schlüsseldatum der westlichen Geistesgeschichte."

9 Vgl. Jacob Burckhardt and the Renaissance 100 Years After, Papers on the great historian read at the meeting of the Central Renaissance Conference celebrating the centenary of the publication of ‚Die Cultur der Renaissance in Italien‘, The University of Kansas, Lawrence 1960.

10 Der 1. Band (1917) enthält den Kritischen Text, besorgt von ALOIS BERNT. Die jüngste und beste Ausgabe — Johannes von Tepl, der ackermann, hg. v. WILLY KROGMANN, 1954 — gibt S. 249/264 eine Bibliographie, die wohl bis 1953 vollständig ist. Über die Ackermann-Forschung: Der Ackermann aus Böhmen des Johann von Tepl und seine Zeit, hg. v. ERNST SCHWARZ (Wege der Forschung, Bd. 143), 1968.

11 Abdruck des Briefes bei W. KROGMANN, S. 9 f. und mit Übersetzung bei H. RUPPRICH (Anm. I, 22), S. 310 ff. Zur Datierung und zur Biographie vgl. W. Krogmanns Einleitung, bes. S. 38/41: — ANTON BLASCHKA referiert in den Abhandlungen der Sächs. Akad. d. Wiss. zu Leipzig, Phil.-hist. Kl., Bd. 57, H. 2, Berlin 1965, S. 45/62 einen Aufsatz von KAREL DOSKOČIL in Sbornik historicky 8 (1961), S. 67/102: danach wäre der Ackermann-Dichter als Sohn eines Pfarrers Henslin in dem tschechischen Dorf Sitbor zur Welt gekommen und hätte in der Klosterschule von Tepl Deutsch und Lateinisch gelernt. Diesem Johannes von Sitbor schreibt Doskočil auch den tschechischen *Tkadlec* (W. Krogmann, S. 76 ff., 263 f.) zu. Außerdem verweist er auf einen

Codex der Prager Kapitularbibliothek aus dem Besitz Johanns. Dieser enthält u. a. einen anonymen *Tractatus de crudelitate mortis* in lateinischen Versen (bei Blaschka wiederabgedruckt und übersetzt), der sich in der Grundanschauung und in einzelnen Formulierungen mit dem besonders wichtigen 8. Kapitel des ‚Ackermann‘ berührt und als Quelle dafür gelten kann.

12 Ungedruckt; vgl. J. KIBELKA (Anm. I, 20), S. 240 f.

13 ARTHUR HÜBNER, Kleine Schriften zur deutschen Philologie, 1940, S. 198 ff.

14 Vgl. auch MAX ITTENBACH, Ein Spruchdichter-Zitat im Ackermann aus Böhmen, in: ZfdPh 63 (1938), S. 396 f.; FRANZ H. BÄUML, Rhetorical Devices and Structure in the Ackermann aus Böhmen, University of California Press 1960.

15 K. BURDACH (Anm. I, 22), Bd. 3, Teil I, 1926, S. 219 f.

16 GERHARD HAHN, Die Einheit des Ackermann aus Böhmen, 1963, S. 31.

17 WILHELM PINDER, Die Kunst der ersten Bürgerzeit bis zur Mitte des 15. Jhs, 1937, S. 169 f.

18 Gedruckt 1500, Neuausgabe von TH. MERZDORF, 1867.

19 ERICH SCHEUNEMANN, Mai und Beaflor u. d. Königstochter von Frankreich, Diss. Breslau 1934; FRIEDRICH RANKE (Anm. I, 54), S. 246; PAUL-GERHARD VÖLKER in: NDB 7, 1966, S. 624 f.

20 WILLIAM M. LANDEEN, The Beginnings of the Devotio Moderna in Germany, in: Research Studies of the State College of Washington 19 (1951), S. 162 ff., 221 ff.; 21 (1953), S. 275 ff.; 22 (1954), S. 57 ff.

21 Vgl. WERNER JAEGER, Humanism and Theology, Milwaukee 1943, S. 13 ff.

22 J. LECLERCQ, (Anm. I, 33), S. 34 f.

23 GEORG BARING, Bibliographie der Ausgaben der ‚Theologia Deutsch‘ (1516—1961), 1963. — Wichtigste Ausgaben: WILLI UHL, Der Franckforter, 1912, ²1926 (nach der ältesten Hs. von 1497); G. BARING, aaO, Faksimileabdruck der Lutherausgabe von 1516 samt Titelholzschnitt; GOTTLOB SIDEL, Theologia Deutsch, 1929 (nach dem Lutherdruck von 1518). — Vgl. EDWARD SCHRÖDER in: Nachrichten von der Gesellsch. d. Wissenschaften zu Göttingen, 1937; G. BARING in: Archiv f. Reformationsgesch., 1957; MAX PAHNKE und KURT RUH in: ZfdA 89 (1958/59), S. 275/287.

24 Ausgabe von HERMANN HEIMPEL, 1953.

25 IGNAZ VINZENZ ZINGERLE, Fresken-Zyklus des Schlosses Runkelstein bei Bozen, hg. vom Ferdinandeum in Innsbruck, 1861.

26 Ausgabe: IGNAZ VINZENZ ZINGERLE, Aeltere Tirolische Dichter, Bd. 1, 1874.

27 Sebastian Brant, Das Narrenschiff, hg. von FRIEDRICH ZARNCKE, 1854, Neudruck 1961; drei Holzschnitte im Anhang.

28 Von Ulrichs von Pottenstein ‚Spiegel der Weisheit‘ sind 12 Hss. bekannt: vgl. G. SCHARF, Proben eines kritischen Textes der deutschen Cyrillusfabeln des U. v. P., in: ZfdPh 59 (1934), S. 147/88; DERS., Die hs. Überlieferung der deutschen Cyrillusfabeln des U. v. P., Diss. Breslau 1935; FRIEDRICH RANKE in: Die dt. Lit. des Ma., Verfasserlexikon, III, 1943, Sp. 918 ff.

29 Johannes Rothe, Ritterspiegel, 1415/16, hg. v. HANS NEUMANN, Altdeutsche Textbibl. 38, 1936; vgl. JULIUS PETERSEN, Das Rittertum in der Darstellung des Johannes Rothe, Straßburg 1909.

30 FRITZ WIELANDT, Der ‚Ring‘ und Meister Heinrich von Wittenwil, in: Bodenseebuch 21 (1934), S. 19 ff.

31 Die heute maßgebliche Ausgabe in: Dt. Lit. in Entwicklungsreihen, Reihe: Realistik des Spätma., Bd. 3 (1931), ²1964, stammt von EDMUND WIESSNER, der ihr 1936 noch einen ausführlichen Kommentar folgen ließ. Vgl. auch FRITZ MARTINI, H. Wittenwilers ‚Ring‘, in: DVjs 20 (1942). Die neueste Publikation über Wittenwiler: ULRICH GAIER, Satire, Studien zu Neidhart, Wittenwiler, Brant und zur satirischen Schreibart, 1967, enthält eine ausführliche Bibliographie zum ‚Ring‘: S. 455 ff.

32 Erstdruck mit zahlreichen Holzschnitten 1483, Faksimile 1883; Ausgabe: Ulrichs von Richenthal Chronik d. Constanzer Conzils 1414—1418, hg. von M. R. Buck, Litt. Verein Stuttgart 1882, Hildesheim 1962.

33 Sister Mary Catherine O'Connor, The Art of Dying, New York 1942.

34 Hermann Keussen, Der Dominikaner Matthäus Grabow u. d. Brüder vom gemeinsamen Leben, in: Mitt. aus d. Stadtarchiv von Köln 13 (1887), S. 29 ff.

35 Lieder Muskatbluets, hg. v. E. v. Groote, 1852.

36 John Neville Figgis, Studies of Political Thought from Gerson to Grootius, 1414—1625, Cambridge ²1931, S. 31.

37 Krit. Ausg. von A. Gnesotto in: Atti e Memorie della R. Acc. di Scienze, Lettere e Arti, N. S. vol. 34, Padova 1918; Auszug mit it. Übersetzung: Il pensiero pedagogico dello Umanesimo, a cura di Eugenio Garin, Firenze 1958, S. 127—137.

38 M. Fabii Quintiliani Institutionis oratoriae libri XII ... rec. Ed. Bornell, Lipsiae 1907; ed. Radermacher et Buchheit, Leipzig 1959.

39 Poggi, Epistolae, ed. T. Tonelli, Florentiae 1832 ff., Bd. 1, S. 1—11.

40 Max Herrmann, Die letzte Fahrt Oswalds von Wolkenstein, in: VjSchr. f. Litgesch. 3 (1890), S. 602 ff.

III. EPOCHE DER KONZILE IN BASEL UND FERRARA / FLORENZ, RUND 1430—1450

1 ANTON UHL, Peter von Schaumberg, Kardinal und Bischof von Augsburg, 1388—1469, Diss. München 1940.
2 PAUL JOACHIMSOHN, Gregor Heimburg, 1891.
3 Nicolai de Cusa Opera omnia, iussu et auctoritate academiae litt. Heidelbergensis ad codd. fidem edita, ERNST HOFFMANN, 1932 ff.; Schriften des Nikolaus von Cues, im Auftrag der Heidelberger Akad. d. Wissensch. in dt. Übersetzung hg. von E. HOFF-MANN, 1936 ff.; eine Auswahl auf Deutsch besorgte HANS BLUMENBERG unter dem Titel: Nikolaus von Cues, Die Kunst der Vermutung, Sammlung Dieterich, Bd. 128, 1957. — EDMOND VANSTEENBERGHE, Le cardinal Nicolas de Cues (1401—1464): l'action — la pensèe, Paris 1920; Nachdruck: Minerva GmbH Frankfurt/M. 1963; MAURICE DE GANDILLAC, Nicolaus von Cues, Studien zu seiner Philosophie und philosophischen Weltanschauung, 1953; K. H. VOLKMANN-SCHLUCK, Nicolaus Cusanus, Die Philosophie im Übergang vom Mittelalter zur Neuzeit, 1957; RUDOLF STADELMANN, Vom Geist des ausgehenden Mittelalters, Studien zur Geschichte der Weltanschauung von Nicolaus Cusanus bis Sebastian Franck, 1929.
4 PAUL E. SIGMUND JR., The influence of Marsilius of Padua on XVth-Century Conciliarism, in: Journal of the History of Ideas 23 (New York 1962), S. 392 ff.; MORE-MICHI WATANABE, The Political Ideas of Nicholas of Cusa with special reference to his De Concordia Catholica, Genéve 1963.
5 Vom Auftrag, den Cusanus mitbekam, handelt ERICH MEUTHEN, Das Trierer Schisma von 1430 auf dem Basler Konzil, 1964.
6 HEINRICH KOLLER, Eine neue Fassung der Reformatio Sigismundi, in: Mitt. d. Inst. f. österr. Geschichtsforschung 60 (1952) und Dt. Archiv 13/15 (1957/59).
7 LOTHAR GRAF ZU DOHNA, Reformatio Sigismundi, Veröffentlichungen des Max-Planck-Instituts f. Geschichte 4, 1960.
8 Ibd., S. 59.
9 Ibd., S. 197/202.
10 MAX HERRMANN, Die Reception des Humanismus in Nürnberg, 1898, S. 11.
11 P. JOACHIMSOHN (Anm. 2), S. 19 ff.
12 Ausgabe von PHILIPP STRAUCH, Altdt. Textbibl. 29, 1931; FRIEDRICH EICHLER, Studien über den Nürnberger Karthäuser Erhart Groß, Diss. Greifswald 1935; Käthe Laserstein, Der Griseldisstoff in der Weltliteratur, 1926.
13 WERNER SCHULTHEISS, Nürnberger Gestalten aus neun Jahrhunderten, 1950, S. 16—20.
14 Gedruckt wurde bisher nur: Konrad Bitschin's Pädagogik, Das IV. Buch des enzyklopädischen Werkes De vita conjugali, hg. v. R. GALLE, 1905; HEINRICH ZIESEMER in: Die dt. Lit. des Ma's, Verfasserlexikon, I, 1933, Sp. 240/42.
15 RUDOLF WOLKAN, Der Briefwechsel des Eneas Silvius Piccolomini, Fontes rerum Austriacarum 61/62 (Wien 1909), 67/68 (1912, 1918); eine Auswahl der Briefe übersetzte MAX MELL 1911 für Eugen Diederichs; sie wurde wieder abgedruckt in: Briefe und Dichtungen, hg. von GERHART BÜRCK, 1966. GEORG VOIGT, Enea Silvio, als Papst Pius II., 3 Bde., 1856—1863; G. PAPARELLI, Enea Silvio Piccolomini, Bari 1950; GERHART BÜRCK, Selbstdarstellung u. Personenbildnis bei E. S. P., 1956.
16 ERWIN PANOFSKY (Anm. I, 8), S. 26 ff.
17 JOHN R. SPENCER, Ut Rhetorica Pictura, in: Journal of the Warburg and Courtauld Institutes 20 (London 1957), S. 26 ff.
18 Concilium Basiliense, Bd. 5, hg. von G. BECKMANN, Basel 1904, S. 151.

468

19 WALTHER MÜLLER, Deutsches Volk, deutsches Land im späteren Mittelalter, Ein Beitrag zur Geschichte des nationalen Namens, in: Hist. Zs. 132 (1925), S. 450 ff.

20 Ausgabe von W. ALTMANN, 1893.

21 ALFRED VON MARTIN, Soziologie der Renaissance, Zur Physiologie u. Rhythmik bürgerlicher Kultur, 1932, S. 120.

22 Von ‚Hugo Scheppel' hat nach der Prachthandschrift, die sich auf der Hamburger Stadtbibliothek befindet, 1905 HERMANN URTEL eine schöne, format- und zeilengerechte Neuausgabe veranstaltet. Den ersten Volksbuchdruck, ‚Hug Schapler', aus dem Jahr 1500 gibt die Deutsche Literatur in Entwicklungsreihen wieder, Reihe: Volks- und Schwankbücher, Bd. 1: Volksbücher vom sterbenden Rittertum, hg. von HEINZ KINDERMANN, 1928, ²1942. Das Volksbuch stellt die Kürzung der ersten Fassung Elisabeths dar, die Prachthandschrift eine zweite Fassung, für die Elisabeth eine spätere Redaktion ihrer Quelle benützte. ‚Herpin': ibd., Bd. 2: Volksbücher von Weltweite und Abenteuerlust, 1932. Während ‚Loher und Maller' wenigstens als Volksbuchdruck (1514) und in der sprachlichen „Erneuerung" durch KARL SIMROCK (1868) vorliegt, wartet ‚Sibille' in der Hamburger Handschrift noch immer des Erstdrucks, der vor mehr als 60 Jahren angekündigt wurde. Dabei soll sie nach Liepe besonders gelungen sein. WOLFGANG LIEPES Dissertation, Elisabeth von Nassau-Saarbrücken, Entstehung und Anfänge des Prosaromans in Deutschland, 1920, hat die Wissenschaft überhaupt erst über die Fragen um Elisabeth aufgeklärt. Zur Ergänzung kann die Bonner Dissertation von HELMUT ENNINGHORST dienen: Die Zeitgestaltung in den Prosaromanen der Elisabeth von Nassau-Saarbrücken, Diss. masch. 1957; KARL SUDHOFF in: Die dt. Lit. d. Ma's, Verfasserlexikon, V, Sp. 194/199; W. THEODOR ELWERT in: NDB 4, 1959, S. 445 f.

23 Gemistos Pléthon, Traité des Lois, ed. C. ALEXANDRE, Paris 1858; nach den Hss. neu ediert bei LUDWIG MOHLER, Aus Bessarions Gelehrtenkreis, 1942, S. 468 f., FRANÇOIS MASAI, Pléthon et le Platonisme de Mistra, Paris 1956. Auszüge in deutscher Übersetzung aus Plethons Werken in: Byzantinische Geisteswelt von Konstantin d. Gr. bis zum Fall Konstantinopels, hg. v. HERBERT HUNGER, 1958, S. 75 ff.

24 JOSEPH BIDEZ et FRANZ CUMONT, Les Mages Hellénisés, Paris 1938, I, S. 158—163, II, S. 251—260.

25 Anm. I, 10; LUDWIG MOHLER, Kardinal Bessarion als Theologe, Humanist und Staatsmann, 1923; DERS., Bessarions In Calumn. Plat. libri IV, griech.-lat. Ausg. 1927; OSKAR HALECKI, Rome et Byzance au temps du Grand Schism d'Occident, in: Collectanea Theologica, Lwów 1937; JOSEPH GILL SJ., The Council of Florence, Cambridge ²1961.

26 Nach H. BLUMENBERG (Anm. 3), S. 366 ff.

27 PAUL WILPERT, Das Problem der coincidentia oppositorum in der Philosophie des Nicolaus von Cues, in: Humanismus, Mystik und Kunst in der Welt des Mittelalters, hg. von JOSEF KOCH, 1943. — Eine ausführliche Interpretation der zweiten Schrift gibt JOSEF KOCH: Die Ars coniecturalis des Nikolaus von Kues, Arbeitsgemeinschaft f. Forschung d. Landes Nordrhein-Westf., Geisteswiss., Heft 16, 1956.

28 Aristoteles, Nic. Eth. 1177 a. 26; S. Thomae Expositio in X libros Ethicorum Aristotelis ad Nicomachum, ed. PIROTTA, Torino 1934, I, lect. X, 119—129; Seneca, 88. Lucilius-Brief.

29 A. RICHTER, Zur Kritik humanistischer Briefschreibung, in: Zs. f. vgl. Litgesch. N. F. 7 (1894), S. 129 ff.

30 G. BÜRCK (Anm. 15), S. 85—104.

31 Ibd., S. 104 ff.

32 Literaturangaben bei WOLFRAM SCHMITT in: NDB 7, 1966, S. 722 f.; vgl. auch HANS JOACHIM METTE, Doktor Faustus und Alexander, in: DVjs 25 (1951), S. 27 ff.

33 BALTHASAR REBER, Felix Hemmerlin von Zürich, Zürich 1856 (mit zahlreichen Text-proben in Übersetzung); ALBERT WERMINGHOFF, Felix Hemmerli, in: Neue Jb. f. d. klass. Altertum, Gesch. u. dt. Lit. 7 (1904), S. 592 ff.; PAUL BÄNZIGER, Beiträge zur Gesch. der Spätscholastik u. des Frühhumanismus in der Schweiz, Zürich 1945, S. 37—55.

34 Aeneas Silvius Piccolomini, Chrysis, Bruxelles 1939; G. BÜRCK (Anm. 15), S. 301 bis 335; M. NIEDERMANN, Deux éditions récentes de la comédie Chrysis d' E. S. Picco-lomini, in: Humanitas, Bd. 2 (Coimbra 1948), S. 93—115.

35 G. BÜRCK, aaO, S. 152—193.

36 Ibd., S. 243—299.

37 F. I. CLEMENS, Giordano Bruno und Nicolaus von Cusa, 1847, S. 98 f.; E. HOFFMANN, Das Universum des Nikolaus von Cues, S. B. Akad. Heidelb., Phil.-hist. Kl. 1929/30, S. 44 f.

38 A. KOYRÉ, From the Closed World to the Infinite Universe, Baltimore 1957, S. 15 f.

39 H. BLUMENBERG (Anm. 3), S. 469 ff.

40 WALTER PABST, Novellentheorie und Novellendichtung, Zur Geschichte ihrer Anti-nomie in den romanischen Literaturen, 1953, S. 47/54.

41 RICHARD BENZ, Geschichte und Ästhetik d. dt. Volksbuchs, 1924, S. 40 f.

42 Vespasiano da Bisticci, Vite di Uomini Illustri del secolo XV, Milano 1951, S. 269.

43 Tractatus de liberorum educatione, Text: R. WOLKAN (Anm. 15), II, S. 103—158 und mit it. Übersetzung: EUGENIO GARIN (Anm. II, 37), S. 198—295.

44 Decamerone VI, 5.

45 R. WOLKAN, aaO, III, 1, S. 100. Anlaß zu seinen Ausführungen gab Enea die Doppel-begabung Wyles, von dem er ein Gemälde des Hl. Michael gesehen hatte: laudo te, quem pictura summum, eloquentia mediocrem habet et hortor, ut qualis es pictor, talem te velis oratorem praestare. Vgl. EUGENIO GARIN, Il Rinascimento Italiano, Milano 1941, S. 94, ERWIN PANOFSKY (Anm. I, 8), S. 11/16.

46 GERHARD RITTER, Studien zur Spätscholastik, Bd. 2: Via antiqua und via moderna auf den deutschen Universitäten des 15. Jahrhunderts, S. B. Akad. Heidelb., Philos.-hist. Kl. 1922.

47 HEINRICH HERMELINK, Die religiösen Reformbestrebungen des deutschen Humanis-mus, 1907.

48 Anm. I, 42.

49 Text: EDMOND VANSTEENBERGHE, Le De Ignota Litteratura de Jean Wenck de Herren-berg conte Nicolaus de Cusa, Text inédit et Étude, Beiträge zur Gesch. d. Philosophie des Ma., Bd. 8, H. 6, 1910.

50 Der Laie über den Geist, hg. von MARTIN HONECKER und HILDEGUND MENZEL-ROGNER, Philosophische Bibl. Bd. 228, 1949.

51 J. LECLERCQ (Anm. I, 33), S. 67 f., 215 f.

IV. FRÜHHUMANISMUS, ERSTE PHASE, 1450—1464

1 MAX HERRMANN, Albrecht von Eyb und die Frühzeit des deutschen Humanismus, 1893; HEINRICH GRIMM in: NDB 4, 1959, S. 705 f.

2 GEORG VOIGT, Die Wiederbelebung des classischen Alterthums oder das erste Jahrhundert des Humanismus, ³1893, I, S. 553 f.

3 Der Brief ist abgedruckt bei ARNOLD REIMANN, Die älteren Pirckheimer, Geschichte eines Nürnberger Patriziergeschlechts im Zeitalter des Frühhumanismus, 1944, S. 236 ff.; für Hans Pirckheimer vgl. S. 103/120. Über die philologische Gewissenhaftigkeit Lamolas s. HORST RÜDIGER, Geschichte der Textüberlieferung der antiken und mittelalterlichen Literatur, Bd. 1, Zürich 1961, S. 552 f.

4 Vgl. HEINZ OTTO BURGER, Ästhetische Religion in deutscher Klassik und Romantik, in: H. O. B., ,Dasein heißt eine Rolle spielen', Studien zur deutschen Literaturgeschichte, 1963, S. 233 ff.

5 MAX HERRMANN, Die Reception des Humanismus in Nürnberg, 1898, S. 16 ff.; DERS., Albrecht von Eyb (Anm. 1), S. 109; vgl. zur Geschichte des Städtelobs: ARCHER TAYLOR (Anm. I, 21), S. 60, 121 f., 163 f.

6 PHILIPP STRAUCH, Pfalzgräfin Mechthild in ihren literarischen Beziehungen, 1883.

7 DIETRICH HUSCHENBETT, Hermann von Sachsenheim, 1962.

8 Text: hg. von ERNST MARTIN, Bibl. d. Litt. Vereins Stuttgart, Bd. 137, 1878.

9 Text: Liederbuch der Clara Hätzlerin (Anm. V, 18), S. 279/283.

10 Text: hg. v. LUDWIG HOLLAND, Bibl. d. Litt. Vereins Stuttgart, Bd. 21, 1850.

11 Text: Literatur in Entwicklungsreihen, Reihe: Volks- und Schwankbücher, Bd. 1: Volksbücher vom sterbenden Rittertum, hg. v. HEINZ KINDERMANN, ²1942, S. 152—277.

12 EDMOND VANSTEENBERGHE, Autor de la docte ignorance, Une controverse sur la théologie mystique au XVe siècle, Münster 1915, S. 111 f.; ERNST CASSIRER, Individuum und Kosmos, 1927, S. 13 f., 76. — P. VIRGIL REDLICH OSB., Tegernsee und die deutsche Geistesgeschichte im 15. Jahrhundert, 1931.

13 Sapientia mihi videtur esse rerum humanarum et divinarum, quae ad beatam vitam pertineant, non scientia solum, sed etiam diligens inquisitio. quam descriptionem si partiri velis, prima pars, quae scientiam tenet dei est, haec autem, quae inquisitione contenta est, hominis. illa igitur deus, hac autem homo beatus est; nach E. F. RICE (Anm. I, 40), S. 5.

14 E. GARIN, Prosatori latini (Anm. II, 2), S. 144.

15 Hg. v. FRIEDERIKE CHRIST-KUTTER, Altdt. Übungstexte 18, Bern 1963.

16 M. DE GANDILLAC (Anm. III, 3), S. 284 bzw. ERWIN METZKE, Nicolaus von Cues und Hegel, in: E. M., Coincidentia oppositorum, Ges. Studien zur Philosophiegesch., 1961, S. 241/263.

17 Vgl. F. MASAI (Anm. III, 23), S. 307 ff.

18 Das Doctrinale des Alexander de Villa-Dei, Krit.-exeget. Ausgabe, hg. v. D. REICHLIN, Monumenta Germaniae Paedagogica Bd. 12, 1893.

19 EDUARD NORDEN, Die antike Kunstprosa vom VI. Jahrhundert v. Chr. bis in die Zeit der Renaissance, 1898; Nachdruck: Darmstadt 1958, S. 712 ff.

20 ROCHUS VON LILIENCRON, Über den Inhalt der allgemeinen Bildung in der Zeit der Scholastik, Festrede d. K. B. Akad. d. Wiss. zu München, 1876, S. 47; The Battle of the Seven Arts, A French poem by Henri d'Andeli ... ed. and transl., with introduction and notes by L. I. PAETOW, Berkeley 1914.

21 KARL GROSSMANN, Die Frühzeit des Humanismus in Wien bis zu Celtis' Berufung 1497, in: Jahrb. f. Landeskunde v. Niederösterr. N. F. 22 (Wien 1929), S. 150/325;

B. ČERNIK, Die Anfänge des Humanismus im Chorherrenstift Kloster Neuburg, in: Jahrb. d. Stiftes Klosterneuburg 1, 1908. JÜRGEN VON STACKELBERG, Das Bienengleichnis, Ein Beitrag z. Gesch. der lat. Imitatio, in: Roman. Forsch. 68 (1956), S. 271 ff.

22 K. GROSSMANN, aaO, S. 228; José RUYSSCHAERT, L. G. Traversagni di Savone (1425 bis 1503), in: Archivum Franciscanum Historicum 46, Florentiae 1953, S. 195/210.

23 Die eindringliche Analyse von ‚De remediis utriusque fortunae', die HANS HEITMANN unter dem Titel ‚Fortuna und Virtus, eine Studie zu Petrarcas Lebensweisheit' 1958 vorlegte, zeigt, wie PETRARCA zwischen stoischer und platonisch-peripatetischer Verhaltenslehre den Affekten gegenüber schwankte. Obwohl er in seinem Traktat Augustin zum Stoiker verfälschte, sympathisierte er weit mehr mit dem wahren AUGUSTIN, der in ‚De civ. Dei' gleich PLATON, aber aus christlicher Überzeugung von *apatheia* nichts wissen will: „Wer hielte solche Stumpfheit (*stupor*) nicht für schlimmer als alle Laster?" (XIV, 9). Nach LACTANTIUS (Inst. IV, 14) zielen die Stoiker auf Kastrierung des Menschen; am entrüstetsten aber weist HIERONYMUS (P. L. 22, 1148 f.) die stoische Doktrin von der *impassibilitas* zurück: ihr Sinn sei, *hominem ex homine tollere*. Insofern stimmen die Humanisten mit den Kirchenvätern überein.

24 RUDOLF STADELMANN (Anm. III, 3) wollte den ‚Ackermann aus Böhmen' als Ausdruck einer Mentalität verstehen, die er nach NIETZSCHES ‚Willen zur Macht' (§ 512) kennzeichnete, und meinte, auf diese Weise „einen inneren Ausgangspunkt für den geistigen Habitus des 15. Jahrhunderts zu finden" (S. 26 f.). Weder auf den ‚Ackermann' noch auf sein Jahrhundert passen die Sätze Nietzsches, am ehesten können sie uns vielleicht Gregor Heimburg näherbringen: „Wir sind feindselig gegen Rührungen ... Unsre moralistische Reizbarkeit ... ist wie erlöst ... im Anblick der großartigen Indifferenz der Natur gegen Gut und Böse. Keine Gerechtigkeit in der Geschichte, keine Güte in der Natur: deshalb geht der Pessimist ... dorthin in historicis, wo die Absenz der Gerechtigkeit selber noch mit großartiger Naivität sich zeigt ... (Er) verrät sich im Wollen und Bevorzugen der zynischen Geschichte ..."

25 Die Briefe, die hier keineswegs ausgeschöpft werden können, finden sich teilweise abgedruckt bei H. RUPPRICH (Anm. I, 22), S. 275—289. Vgl. PAUL JOACHIMSOHN, Frühhumanismus in Schwaben, in: Württ. Vierteljahreshefte f. Landesgesch. 5 (1896), S. 79 f.

26 HELLMUT ROSENFELD in: NDB 2, 1955, S. 6 f.

27 Text: H. RUPPRICH (Anm. I, 22), S. 182—197.

28 Vgl. PAUL LEHMANN, Dr. Johannes Tröster, ein humanistisch gesinnter Wohltäter bayerischer Büchersammlungen, in: P. L., Erforschung ... (Anm. I, 15), 4, 1961, S. 336/352.

29 WILHELM WATTENBACH, Peter Luder, der erste humanistische Lehrer in Heidelberg, Erfurt, Leipzig, Basel, in: Zs. f. d. Gesch. d. Oberrheins 22 (1868), Sonderdruck 1869. FRANK E. BARON, The Beginnings of German Humanism: The Life and Work of the Wandering Humanist Peter Luder, University Microfilms inc. Ann Arbor, Michigan 1967.

30 GERHARD RITTER, Aus dem Kreise der Hofpoeten Pfalzgraf Friedrichs I., in: Zs. f. d. Gesch. d. Oberrheins N. F. 38 (1923), S. 114. Vgl. JOSEF HERGENROETHER, Leonis regesta VII—VIII, Nr. 16, 627, 25. Juli 1515.

31 GERHARD RITTER, Die Heidelberger Universität, Ein Stück dt. Geschichte, Bd. 1, 1936, S. 455, 518 f.

32 LUDWIG BERTALOT, Humanist. Vorlesungsankündigungen in Deutschland im 15. Jh., in: Ztschr. f. Gesch. d. Erziehung u. d. Unterrichts 5 (1915), S. 1—24; ERICH KÖNIG, „Studia humanitatis" und verwandte Ausdrücke bei den deutschen Frühhumanisten, in: Beiträge z. Gesch. d. Renaissance u. Reformation, Joseph Schlecht zum 60. Geburtstag, 1917, S. 202/207.

33 Text bei W. WATTENBACH, (Anm. 29), Anhang bzw. S. 67/70.

34 FRANK E. BARON, (Anm. 29), S. 63/66, 186 f.

35 Thüring von Ringoltingen, Melusine, nach den Hss. krit. hg. v. KARIN SCHNEIDER, 1958; HANS-GERT ROLOFF, Untersuchungen zur Melusinenprosa des Thüring von Ringoltingen, Diss. F. U. Berlin 1965.

36 Pontus und Sidonia in der Verdeutschung eines Ungenannten aus dem 15. Jh., krit. hg. v. KARIN SCHNEIDER, 1961.

37 Fastnachtsspiele aus dem 15. Jh., hg. v. ADALBERT VON KELLER, Bibl. d. Litt. Vereins Stuttgart, Bd. 28, 1853, Nr. 39.

38 Für die Fastnachtsspieldichtung, auf die hier nicht eingegangen wird, sei verwiesen auf ECKEHARD CATHOLY, Das Fastnachtspiel des Spätmittelalters, Gestalt und Funktion, 1961; DERS., Fastnachtspiel, 1966 (Sammlung Metzler).

39 Aeneas Silvius, Germania, hg. v. ADOLF SCHMIDT, 1962; Enea Silvio Piccolomini, Deutschland, übers. u. erl. v. ADOLF SCHMIDT, 1962.

40 ROCHUS VON LILIENCRON, Die historischen Volkslieder der Deutschen, 1865, Bd. 1, S. 415; FRITZ SCHNELL, Zur Gesch. d. Augsburger Meistersingerschule, Diss. Erlangen 1956, S. 9 f.; BERT NAGEL, Meistersang, 1962 (Sammlung Metzler).

41 FRIEDRICH ZOEPFL, Der Humanismus am Hof der Fürstbischöfe von Augsburg, in: Hist. Jb. 62 (1949), S. 671 ff.; WILHELM WATTENBACH, Sigismund Gossembrot als Vorkämpfer der Humanisten und seine Gegner, in: Zs. f. d. Gesch. d. Oberrheins, Bd. 25, 1873; KARL SCHÄDLE, Sigmund Gossembrot, Ein Augsburger Kaufmann, Patrizier und Frühhumanist, Diss. München 1938; HEINZ OTTO BURGER, Orthodoxae fidei viro venerabili et perperito . . . Ein Humanistenbrief, in: Festschrift Gottfried Weber, Frankfurter Beiträge zur Germanistik, Bd. 1, 1967, S. 145 ff.

42 Auszugsweise abgedruckt bei W. WATTENBACH, aaO, S. 38/43.

43 Abgedruckt bei H. RUPPRICH (Anm. I, 22), S. 197/210.

44 ERNST ROBERT CURTIUS, Europäische Literatur und lateinisches Mittelalter, 1948, ³1961, S. 447 ff.; Isidori Hispalensis Etymologiarum vel Originum libri XX, recogn. W. M. LINDSAY, Oxford 1911, ²1957, VIII, 7.

45 K. GROSSMANN (Anm. 21), S. 249 ff.

46 Die Tarocchi, Zwei it. Kupferstichfolgen aus dem XV. Jh., Graph. Gesellsch. Berlin, 1910, Einführung von PAUL KRISTELLER; H. BROCKHAUS, Ein edles Geduldspiel . . . die sogen. Tarocchi Mantegnas vom Jahre 1459—60, in: Miscellanea di storia dell' arte in onore di I. B. Supino, Firenze 1933, S. 397 ff.; ABY WARBURG, Über Planetengötterbilder im Niederdeutschen Kalender von 1519, in: A. W., Ges. Schriften, 1932, II, S. 483 ff.; JEAN SEZNEC, La survivance des dieux antiques, Studies of the Warburg Institute, Bd. 11, London 1940, amerik. Ausg.: The Survival of the Pagan Gods, Bollingen Series, Bd. 38, N. Y. 1953, S. 137 ff., 200 ff.

47 Text bei F. E. BARON (Anm. 29), S. 207/211.

48 Faksimile-Ausgabe, bes. v. KONRAD AMEEN, Wölbing-Verlag Berlin 1925; Das Lochheimer Liederbuch, aus den Urschriften krit. bearbeitet v. FRIEDRICH WILHELM ARNOLD, 1926; FRIEDRICH RANKE, Zum Formwillen und Lebensgefühl in der deutschen Dichtung des Spätmittelalters, in: DtVjschr 18 (1940), S. 307—327.

49 Hg. v. ADALBERT VON KELLER, Bibl. d. Litt. Vereins Stuttgart, Bd. 51, 1860; KARL DRESCHER, Arigo, der Übersetzer des ,Decamerone' und der ,Fiori di Virtù', 1900.

50 HERMANN WUNDERLICH, Steinhövel und das Dekameron, in: Herrigs Archiv 83 (1889), S. 167 ff. und 84 (1890), S. 244 ff.

51 A. v. KELLER und K. DRESCHER (aaO); Richtigstellung durch GEORG BAESECKE in: Anzeiger f. dt. Altertum 28 (1902), S. 241 ff. und ZsfdA 47 (1904), S. 191.

52 C. SCHRÖDER hat sie 1873 nach den Hss. ediert; LUTZ MACKENSEN, Die deutschen Volksbücher, 1927, S. 45.

53 S. o. S. 31, 42.

54 S. o. S. 20; vgl. FRANCESCO LO PARCO, Niccolō da Reggio, in: Atti R. Accademia arch. lett. belle arti di Napoli, 1910, S. 268 ff.; LUDWIG BERTALOT, Cincius Romanus und seine Briefe, in: Quellen u. Forschungen aus italienischen Archiven 21, 1929/30, S. 210 f.; H. RÜDIGER (Anm. 3), Bd. 1, S. 568.

55 Steinhöwel könnte den „spruch Oracij", dem er „nachvolget", im Vorwort zu Petrarcas ‚De obedientia ac fide uxoria mythologia' (Griseldis) gefunden haben.

56 Grundlegend bleibt das Buch von PAUL HANKAMER, Die Sprache, Ihr Begriff und ihre Deutung im sechzehnten und siebzehnten Jahrhundert, 1927.

57 BRUNO STRAUSS, Der Übersetzer Niclas von Wyle, Palaestra 118, 1912.

58 WALTHER BORVITZ, Die Übersetzungstechnik H. Steinhöwels, 1914.

59 W. SCHWARZ (Anm. I, 27), S. 372 f.

60 Zitiert bei FRIEDRICH KLUGE, Von Luther zu Lessing, ⁵1918, S. 53.

61 S. o. S. 113 und Anm. III, 45.

62 Grabmal des Trierer Erzbischofs Jakob von Sirck, dem Enea Silvio seine Dichterkrönung verdankte.

63 Text: H. RUPPRICH (Anm. I, 22), S. 290 ff.

64 KARL JASPERS, Nikolaus Cusanus, 1964, S. 260 ff.

65 GUSTAV HÖLSCHER, Nikolaus von Cues und der Islam, in: Zs. f. Philosophische Forschung 2 (1947), S. 259 ff.

66 Das schließt nicht aus, daß Luther auf dem Weg über die Psalmen- und Paulus-Kommentare des Faber Stapulensis Anregungen durch cusanisches Gedankengut erhielt: REINHOLD WEIER, Das Thema vom verborgenen Gott von Nikolaus von Kues bis Martin Luther, 1967 (Diss. Mainz 1964); vgl. auch ERWIN METZKE, Nicolaus von Cues und Martin Luther, aaO (Anm. 16), S. 205/240.

67 Vgl. G. TOFFANIN, Lettera a Maometta II ... di Pio II, L'idea umanistica nella sua sintesi più alta, Napoli 1953.

68 ERNST ZINNER, Leben und Wirken des J. Müller von Königsberg, gen. Regiomontanus, 1938.

69 BERTOLT BRECHT, Ges. Werke, Werkausgabe edition suhrkamp, 1967, Bd. 17, S. 1108 f.

70 ENZO CARLI, Pienza, Die Umgestaltung Corsignanos durch den Bauherrn Pius II. (deutsch von BERTHE WIDMER), Vorträge der Aeneas-Silvius-Stiftung an der Univ. Basel III, Basel und Stuttgart 1965.

71 CORRADO RICCI, Il tempio Malatestiano, Milano 1925.

V. FRÜHHUMANISMUS, ZWEITE PHASE, 1464—1474

1 Veröffentlicht von W. WATTENBACH, Sonderdruck (Anm. IV, 29), S. 92/122.

2 Ibd., S. 122 f.

3 Hermann Schedels Briefwechsel, hg. von PAUL JOACHIMSOHN, Bibl. Litt. Verein Stuttgart, Bd. 196, 1893, S. 82 f.

4 Vgl. JOHANNES BOLTE in: Zs. f. Vgl. Littgesch. und Renaissance-Litt., N. F. 1 (1887/8), S. 77 ff.

5 HEINZ ENTNER, Samuel Karoch von Lichtenberg im deutschen Frühhumanismus, Diss. masch. Humboldt-Universität Berlin 1963. Inzwischen als Buch erschienen: Frühhumanismus und Schultradition in Leben und Werk des Wanderpoeten Samuel Karoch von Lichtenberg, Biograph.-literarhist. Studie mit einem Anhang unbekannter Texte, Akademie Verlag Berlin 1968.

6 Teildruck bei THEODOR MUTHER, Aus dem Universitäts- und Gelehrtenleben im Zeitalter der Reformation, 1866, S. 7 ff. — Beani oder Bejani bzw. Bejauni ist von französisch Bec jaune (Gelbschnabel) abgeleitet. In Prag fand jeweils im August für die Neuimmatrikulierten eine Art Fuchsentaufe, das „Beanium", statt: O. TEUBER, Geschichte des Prager Theaters, 2 Bde, Prag 1883, S. 5 f., nach HEINZ KINDERMANN, Theatergeschichte Europas, Bd. 2, Salzburg 1959, S. 383. Ob es nicht auch bei Karoch sich darum handelte? Mit einem Aristotelesschmaus beginnen fünfzig Jahre später die ‚Epistolae obscurorum virorum'.

7 Hermann Schedels Briefwechsel (Anm. 3), S. 19 f.

8 Text: Humanismus und Renaissance in den deutschen Städten und an den Universitäten, hg. von HANS RUPPRICH, in: Dt. Lit. in Entwicklungsreihen, Reihe: Humanismus und Renaissance, Bd. 2, 1933, S. 93—100; vgl. H. O. BURGER (Anm. IV, 41).

9 S. o. S. 148.

10 S. Anm. IV, 22.

11 E. R. CURTIUS (Anm. IV, 44), S. 481 ff.

12 Ibd., S. 74.

13 J. LECLERCQ (Anm. I, 33), S. 72.

14 HEIKO AUGUSTINUS OBERMAN, The Harvest of the Medieval Theology, Gabriel Biel and Late Nominalism, Cambridge/Mass. 1963.

15 Appendix zu WILLIAM M. LANDEEN, Gabriel Biel and the Devotio moderna in Germany, in: Research Studies of the Washington State University 28 (1960), S. 61 ff.

16 Ed. R. B. BURKE, University of Pennsylvania Press, Philadelphia 1930.

17 Die Chroniken der deutschen Städte vom 14. bis ins 16. Jh., Bd. 5; ARTHUR M. MILLER, Burkard Zink, Der Augsburger Chronist, Sein Leben und sein Werk, 1947.

18 Liederbuch der Clara Hätzlerin, hg. von CARL HALTAUS, 1840; Neudruck mit Nachwort von HANNS FISCHER, 1966; EDUARD GEBELE, Clara Hätzlerin, in: Lebensbilder aus dem bayerischen Schwaben, hg. von GÖTZ FRHR. VON PÖLNITZ, Bd. 6, 1958, S. 26 bis 38.

19 Die Entdeckung eines äußeren und inneren Ordnungsprinzips, die HORST DIETER SCHLOSSER (Untersuchungen zum sogenannten lyrischen Stil des Liederbuchs der Klara Hätzlerin, Diss. Hamburg 1965) gemacht zu haben meint, hat mich nicht überzeugt.

20 Hg. von FRIEDRICH VOGT, in: Zs. f. dt. Phil. 28 (1896), S. 448 ff.

21 DIETER WUTTKE, Methodisch-Kritisches zu Forschungen über Peter Vischer d. Ä. und seine Söhne, Kunstgeschichte und Philologie, in: Archiv f. Kulturgesch. 49 (1967), S. 208/261, hier S. 256/260.

22 H. A. Gentsch, Die Anlage der ältesten Sammlung von Briefen E. S. Piccolominis, in: Mitt. d. öst. Inst. f. Geschichtsforschung 46 (1932), S. 372 ff.

23 Abgedruckt in: Carl Prantl, Gesch. d. Ludwig-Maximilians-Universität, 1872, S. 7/10; vgl. Bruno Bauch, Die Anfänge des Humanismus in Ingolstadt, 1901.

24 F. E. Baron (Anm. IV, 29), S. 164, 206.

25 Hg. von Wilhelm Wattenbach, in: Germania, Vjschr. f. deutsche Altertumskunde 19 (1874), S. 72/77.

26 Vgl. O. Vasella, Über das Konkubinat des Klerus im Spätmittelalter, in: Mélanges Chr. Gillard, Lausanne 1944, S. 269/283. Zu H. Gundelfingen: J. F. Rüegg (Anm. II, 7), P. Bänziger (Anm. III, 33), S. 90 ff., Albert Bruckner in: NDB 7, 1966, S. 313 f.

27 Georg Voigt (Anm. IV, 2), Bd. 2, S. 308 ff.; vgl. Peter Amelung, Das Bild der Deutschen in der Lit. der it. Ren. (1400—1559), 1964.

28 Deutsche Schriften des Albrecht von Eyb, hg. v. Max Herrmann, I, 1890; Otto Behaghel, Deutsche Syntax, IV, 1932, S. 186 ff. zieht einen Vergleich zwischen Eybs und Luthers Sprache; dazu Charles T. Carr in: The Modern Language Review 28 (1933), S. 465 ff.; Henriette Schöne, Der Stil des Albrecht von Eyb, Diss. masch. Greifswald 1945. Für das Schrifttum über die Ehe vgl. Archer Taylor (Anm. I, 21), S. 129/135, 165/172.

29 Max Herrmann, Die lateinische ,Marina', in: Vierteljahrsschrift f. Litgesch. 3 (1890), S. 1/27.

30 Wimpheling hat sie 1507 zusammen mit dem Konstanzer Domherrn Johann von Botzheim ediert.

31 Steinhöwels Äsop, hg. v. Hermann Österley, Bibl. des Litt. Vereins Stuttgart, Bd. 117, 1873; Hermann Knust, Steinhöwels Äsopus, in: Zs. f. dt. Phil. 19 (1887), S. 190 f.; Carl Franke stellt in PBB. 41 (1916), S. 48 ff. an ihren Äsop-Übersetzungen sprachliche Nähe zwischen Steinhöwel und Luther fest; dasselbe Ergebnis hat ein Vergleich der jeweils übersetzten Bibelsprüche durch W. Borvitz (Anm. IV, 58); R. F. Lennaghan, Steinhöwels Esopus and early humanism, in: Monatshefte f. dt. Unterr., dt. Sprache und Lit. 60 (Madison/Wisc. 1968), S. 1 ff.

32 Vgl. Wilhelm Vöge, Jörg Syrlin der Ältere und seine Bildwerke, Band 2: Stoffkreis und Gestaltung, 1950; M. Georg Veesenmeyer, De schola latina ulmana, Ulmae 1817.

33 Translationen von Niclas von Wyle, hg. v. Adalbert von Keller, Bibl. des Litt. Vereins Stuttgart, Bd. 57, 1861.

34 Ibd., S. 10.

35 Hg. v. L. W. Holland, 1880; Faksimiledruck hg. v. R. Payer von Thurn, 1925; F. Geissler, Anton von Pforr, der Übersetzer des ,Buches der Beispiele', in: Zschr. f. württemb. Landesgesch. 23 (1964), S. 141/156.

36 Hg. v. A. Peter, 1885.

37 Die Gralepen in Ulrich Füetrers Bearbeitung (Buch der Abenteuer), hg. v. K. Nyholm, 1964.

38 Die Bordesholmer Marienklage, hg. u. eingel. von G. Rühl, in: Nd. Jb 24 (1898), S. 1—75.

39 Anna Amalie Abert, Das Nachleben des Minnesangs im liturgischen Spiel, in: Die Musikforschung 1 (1948), S. 95—105.

VI. ZWISCHEN FRÜH- UND HOCHHUMANISMUS, 1474—1485

1 Karl Morneweg, Johann von Dalberg, 1887.
2 Rodolphi Agricolae opera omnia, cum notis et cura Alardi, Coloniae 1539. — Friedrich von Bezold, Rudolf Agricola, ein deutscher Vertreter der italienischen Renaissance, 1884; Georg Ihm, Der Humanist Rudolf Agricola, Sein Leben und seine Schriften, 1893; Lewis W. Spitz, Agricola — Father of Humanism, in: L. W. S., The Religious Renaissance of the German Humanists, Cambridge/Mass. 1963 (mit Bibliographie), S. 20/40.
3 Text mit Einleitung: Ludwig Bertalot, Rudolf Agricolas Lobrede auf Petrarca, in: La Bibliofilia 30 (1928), S. 382 ff.; Theodor E. Mommsen, Rudolph Agricola's Life of Petrarch, in: Traditio 8 (New York 1952), S. 367 ff.
4 Abgedruckt von Franz Pfeifer in: Serapeum 10 (1849), S. 97 ff., hier S. 106.
5 Johannes Reuchlin, De verbo mirifico 1494 und De arte cabbalistica 1517, Faks. Neudruck in einem Band, Stuttgart-Bad Cannstatt 1964; Johann Reuchlins Briefwechsel, hg. v. Ludwig Geiger, 1875, Hildesheim 1962; Ludwig Geiger, Johann Reuchlin, Sein Leben und seine Werke, 1871, Nieuwkoop 1964; L. W. Spitz, Reuchlin — Pythagoras Reborn, aaO (Anm. 2), S. 61/80; Max Brod, Johannes Reuchlin und sein Kampf, 1965.
6 Die Amerbachkorrespondenz, hg. v. A. Hartmann, 5 Bde, Basel 1942—1958.
7 Text: H. Rupprich (Anm. V, 8), S. 164—183; übersetzt bei G. Ihm (Anm. 2), S. 31—51.
8 Wessel Gansfort, Opera, Groningen 1614. Faksimile: Monumenta Humanistica Belgica, Bd. 1, Nieuwkoop 1966. — M. van Rhijn, Wessel Gansfort, 's Gravenhage 1917; Edward Waite Miller, Wessel Gansfort, 2 Bde., New York und London 1917 (enthält englische Übersetzung von Briefen, von ‚De sacramento eucharistiae' und ‚Farrago'); M. van Rhijn, Studiën over Wessel Gansfort en zijn tijd, Utrecht 1933.
9 Opera, S. 216 f.; die Überschrift lautet: Ponitur exemplum, quomodo ex attenta consideratione et scrutatione possit homo passiones sedare et cuiuslibet passiones gaudendi et laetandi in Domino in se excitare.
10 Remigio Sabbadini, Il metodo degli Umanisti, Firenze 1922, S. 43 ff.
11 Karl Otto Apel, Die Idee der Sprache in der Tradition des Humanismus von Dante bis Vico, Archiv f. Begriffsgesch. Bd. 8, 1963, S. 146.
12 Ibd., S. 155.
13 H. A. Oberman (Anm. V, 14), S. 331 ff.
14 Ibd., S. 336.
15 Ibd., S. 349, Anm. 80.
16 Ibd., S. 357, Anm. 105.
17 Ibd., S. 352.
18 Joseph Knepper, Jakob Wimpfeling (1450—1528), Sein Leben und seine Werke, 1902; Richard Newald, Probleme und Gestalten des deutschen Humanismus, 1963, S. 346/ 368 (Erstdruck 1946); L. W. Spitz, Wimpfeling — Sacerdotal Humanist, aaO (Anm. 2), S. 41/60.
19 Zitiert bei H. A. Oberman (Anm. V, 14), S. 409, Anm. 144 (lateinisch). Über Römer 3, 28 handelt ‚De magnitudine Dominicae passionis', Kap. 45 (Opera, S. 550 ff.). Luthers Empfehlungsbrief: Opera, S. 854.
20 W. A. 44, 246 (lateinisch).
21 Bericht von Albert Hardenberg bei E. W. Miller (Anm. 8), Bd. 2, S. 334 ff. Der Brief an eine soror sanctimonialis: Opera, S. 656 f.
22 M. van Rhijn, Studiën ... (Anm. 8), S. 43.

23 So Melanchthon: I. LINDEBOOM, Het Bijbelsch Humanisme in Nederland, Leiden 1913, S. 46 ff.

24 Opera, S. 6 und S. 213; R. STADELMANN (Anm. III, 3), S. 123 ff.

25 R. KESTENBERG-GLADSTEIN, The „Third Reich", in: Journal of the Warburg and Courtauld Institutes 18 (1955), S. 259.

26 E. GARIN (Anm. II, 37), S. 473 ff.

27 Mir liegt eine Straßburger Ausgabe von 1535 vor. PAUL JOACHIMSEN, Loci communes, Eine Untersuchung zur Geistesgeschichte des Humanismus und der Reformation, in: Luther-Jahrbuch 8, 1926, S. 27—97; WALTER J. ONG SJ., Ramus, Method, and the Decay of Dialogue, Cambridge/Mass. 1958, S 92—130; NEAL W. GILBERT, Renaissance Concepts of Method, New York 1960.

28 W. J. ONG, aaO, S. 55. Letzter Hispanus-Druck 1639, Neuausgabe: JOSEPH P. MULLALLY, The Summulae Logicales of Peter of Spain, Notre Dame / Indiana 1945.

29 HERMANN GUMBEL, Deutsche Kultur vom Zeitalter der Mystik bis zur Reformation, 1936, S. 148.

30 W. J. ONG, aaO, S. 133.

31 Lib. I, cap. 1; Straßburger Druck 1535, S. 12.

32 K. O. APEL (Anm. 11), S. 152.

33 Ibd.

34 Lib. I, cap. 2; Straßburger Druck 1535, S. 24.

35 Lib. I, cap. 28; ibd. S. 244 ff.

36 Codex 640; H. ENTNER, Diss. (Anm. V, 5), S. 84 ff.

37 H. ENTNER, ibd., S. 107: Ingenio autem subtili omnis grossicies omnisque immodicies magnopere discongruit: Oportet ergo rhetorem ornatissimo in loco versari, in quo suavis odor predulcisque aeris temperancia vigeat. Debet rhetor esse iucundus, hilaris atque agilis; absque omni perturbancia, preter denique impedimenta, ut ingenii eius virtus unica maneat. Nemo enim bene dictare potest, cuius sensualitas facile dispergitur, cum unum mente concipitur, aliud illud ipsum conceptum obtrudit et removet. Rhetor itaque omnem furoris impetum veluti rabidum canem fugiat. Verba solaciosa nonnumquam advehat, cordarum resonanciis persepe sese oblectet. Resonancia scilicet cordarum ingenium instaurat, cor letificat demonesque fugit.

38 Text: HUGO HOLSTEIN, Jacobus Wimphelingius, Stylpho, 1892.

39 Text: Nr. 111 bei A. VON KELLER, aaO (Anm. IV, 37).

40 DIETER WUTTKE (Anm. V, 21), S. 254 f.

41 H. ENTNER, aaO, S. 113 ff.

42 W. S. HECKSCHER, Sixtus IIII Aeneas insignes statuas Romano populo restituendas censuit, 's Gravenhage o. J.

43 ALOYS BOEMER, Alexander Hegius, in: Westfälische Lebensbilder, Bd. 3, 1934.

44 P. MESTWERT (Anm. I, 42), S. 155 f.

45 Text: JOSEPH HAUSER, Quintilian und Rudolf Agricola, Eine pädagogische Studie, in: Programm d. K. humanistischen Gymnasiums zu Günzburg, 1910, S. 48 ff.

46 Text mit italienischer Übersetzung: E. GARIN (Anm. II, 37), S. 434/471.

47 Ibd. S. 380 ff.; R. R. BOLGAR (Anm. I, 39), S. 86 ff., 403 f. und 265/275 ("The Popularisation of a new method of study"); AUGUST BUCK, Die „studia humanitatis" und ihre Methode, aaO (Anm. I, 31), S. 132/150; R. SABBADINI (Anm. 10).

48 P. JOACHIMSEN (Anm. 27), S. 35.

VII. HOCHHUMANISMUS, ERSTE ZWÖLFJAHRESPHASE, 1486—1497

1 Fünf Bücher Epigramme von K. Celtis, hg. v. K. HARTFELDER, 1881, Hildesheim 1962; C. C. Protucius, Quattuor libri amorum secundum quattuor latera Germaniae, Germania generalis, ed. FELICITAS PINDTER, 1934; C. C. P., Libri odarum quattuor, Liber Epodon, Carmen Saeculare, ed. FELICITAS PINDTER, 1937; C. C. P., Ludi Scaenici (Ludus Dianae — Rhapsodia), ed. FELICITAS PINDTER, Budapest 1945; C. C., Opuscula, ed. KURT ADEL, 1966; Der Briefwechsel des Konrad Celtis, hg. v. HANS RUPPRICH, 1934. — Selections from Conrad Celtis, ed. with translation and commentary by LEONARD FORSTER, Cambridge 1948 (enthält auch ausgewählte Bibliographie); Konrad Celtis, Poeta laureatus, Ausgew., übers. u. eingel. v. KURT ADEL, Stiasny-Bücherei 62, Wien-Graz 1960. — FRIEDRICH VON BEZOLD, Konrad Celtis, der deutsche Erzhumanist, in: Hist. Zs. 49, 1883, Abdruck in: F. v. B., Aus Mittelalter u. Ren., 1918, Neudruck: Darmstadt 1959; L. W. SPITZ, Celtis — the Arch-Humanist, in: The Religious Ren. (Anm. VI, 2), S. 81—109.
2 Schon 1474 war zusammen mit einer ‚Grammatica‘ von Bernhard Perger auch ein ‚Tractatulus prosodie et artis metrice‘ von Wimpheling gedruckt worden, doch scheint dieser erst in einem Sonderdruck von 1505 Beachtung gefunden zu haben; vgl. HUGO HOLSTEIN, Zur Biographie Jakob Wimpfelings, in: Zs. f. vgl. Litgesch. N. F. 4 (1891), S. 227/252.
3 K. A. BARACK, Hans Böhm und die Wallfahrt nach Niklashausen im Jahre 1476, in: Archiv d. histor. Vereins f. Unterfranken 14 (1858), H. 3, S. 1—108; WILL-ERICH PEUCKERT, Die große Wende, 1948, S. 263—296.
4 KURT LEOPOLD PREISS, Konrad Celtis und der italienische Humanismus, Diss. masch. Wien 1951, S. 4, 23—28.
5 Lateinische Gedichte deutscher Humanisten, Lateinisch und Deutsch, Ausgew., übers. u. erl. v. HARRY C. SCHNUR, 1967, S. 54 f.
6 PAUL KALKOFF, Friedrich der Weise und Luther, in: Hist. Zs. 132 (1925), S. 36.
7 Die Einleitung zu den Seneca-Dramen findet sich abgedruckt bei FRANZ FRIEDRICH LEITSCHUH, Studien u. Quellen z. Kunstgesch. d. XV. u. XVI. Jahrhunderts, Freiburg/Schweiz 1912, S. 139 ff. — Für die ‚Renaissancelyrik deutscher Musiker‘, die um 1485 einsetzt, müssen die Anregungen von HANS JOACHIM MOSER in DVjs 5 (1927), S. 381—412 aufgenommen werden; vgl. dazu HAROLD JANTZ (Anm. IX, 121).
8 Vgl. KARL OETTINGER, Zu Dürers Beginn, in: Zs. f. Kunstwiss. 8 (1954), S. 153 ff.
9 Zum Datierungsproblem vgl. K. L. PREISS, aaO, S. 57—70; Preiss nimmt eine Reisedauer von ca. 19 Monaten an.
10 HUGO FRIEDRICH, Epochen der italienischen Lyrik, 1964, S. 281 ff.
11 Text und Übersetzung: H. C. SCHNUR, aaO, S. 40 f.
12 Vgl. die Abbildung: Zeitgenössische italienische Zeichnung, darüber Schluß eines Briefes von Barthol. Fontius. Aus dem Besitz von Prof. Bernard Ashmole, reproduziert durch FRITZ SAXL in: German Journal of the Warburg Institutes 4 (1940/41) und bei L. FORSTER (Anm. 1), S. 94.
13 Text und Übersetzung: H. C. SCHNUR, aaO, S. 42 f.
14 Epigramme (Anm. 1) IV, 89.
15 VITTORIO ROSSI, Storia Letteraria d'Italia, Quattrocento, Milano 1933, S. 316.
16 EMIL REICKE, Der Bamberger Kanonikus Lorenz Beheim, Pirckheimers Freund, in: Forschungen z. Gesch. Bayerns 14 (1906), S. 1 ff.; CHRISTA SCHAPER, Lorenz und Georg Beheim, Freunde Willibald Pirckheimers, in: Mitt. d. Vereins f. Gesch. d. Stadt Nürnberg 50 (1960), S. 120 ff.

479

17 Paul Joachimsen, Geschichtsauffassung u. Geschichtsschreibung in Dtld. unter dem Einfluß des Humanismus, 1910, S. 112.
18 So neuerlich wieder Margret Dietrich, in: Maske und Kothurn 3 (1957), S. 245 ff.
19 Text und Übersetzung: H. C. Schnur (Anm. 5), S. 42 f.
20 Epigramme I, 65.
21 Ibd. I, 67. — Heinrich Zeissberg, Die polnische Geschichtsschreibung des Mittelalters, Preisschriften der Fürstl. Jablonowski'schen Gesellsch. zu Leipzig, 17, 1873, Kap. 10: Der Humanismus in Polen ... Callimachus, S. 349/410.
22 Heinrich Grimm in: NDB 1, 1953, S. 92 f.; Ders. in: Ulrich von Hutten (Anm. IX, 28), S. 84, 119, 127.
23 Briefwechsel des K. Celtis (Anm. 1), S. 356. — Gleich Ursinus (ca. 1495) wird auch Aesticampianus (1513) in Krakau einen ,Modus epistolandi' veröffentlichen. Die ältere der beiden Musterbrief-Sammlungen ist Callimachus gewidmet, unter den von Aesticampianus erdachten Briefen finden sich — neben ,Cicero an Curio', ,Piramus an Thisbe' etc. — solche an und über Callimachus: H. Zeissberg, aaO, S. 106/107.
24 Vladimiro Zabughin, Giulio Pomponio Leto, 3 Bde., Roma 1909/1912, Bd. 1, S. 185 f.
25 Lawrence S. Thompson, German Translations of the Classics between 1450 and 1550, in: The Journal of English and Germanic Philology 42 (1943), S. 343 ff., hier S. 355 f.
26 Epigramme V, 30.
27 Deutsch: J. Aschbach, Die früheren Wanderjahre des Conrad Celtes und die Anfänge der von ihm errichteten gelehrten Sodalitäten, Wien 1869 (Sb. der phil.-hist. Cl. der Kais. Akad. d. Wiss., Bd. 60), S. 144 ff. und: Briefwechsel des K. Celtis, S. 434 f. In unserem Text leicht geändert.
28 Text und Übersetzung: H. C. Schnur, S. 40 f.
29 Ernst-Wilhelm Kohls, Das Geburtsjahr des Erasmus, in: Theolog. Zschr. 22 (1966), S. 96—121.
30 Desiderii Erasmi Roterodami Opera omnia et auctoria, 11 Bde., ed. J. Clericus, Lugduni Batavorum (Leiden) 1703/06; Fotomechan. Nachdruck: London-Hildesheim 1962; Desiderius Erasmus Roterodamus, Ausgewählte Werke, in Gemeinschaft mit Annemarie Holborn hg. von Hajo Holborn 1933, ²1964; The Poems of Desiderius Erasmus, introd. and ed. by Cornelis Reedijk, Leiden 1956; Opus Epistolarum, ed. by Percy Stafford Allen, H. M. Allen and H. W. Garrod, 12 Bde., Oxford 1906—58. Übersetzungen: Desiderius Erasmus, Ein Lebensbild in Auszügen aus seinen Werken, hg. von Walther Köhler, 1917; Anton Gail, Erasmus, Auswahl aus seinen Schriften, 1948; H. Schiel, Erasmus, Vertraute Gespräche, 1947; A. Hartmann, Das Lob der Torheit, 1929, ²1950; A. von Arx, Klage des Friedens, 1945; Erasmus von Rotterdam, Briefe (verdeutscht u. hg. v. Walther Köhler), 1938, Erweiterte Neuausgabe von Andreas Flitner, 1956. Monographien von J. Huizinga, dt. von Werner Kaegi, 1928, 1951; Karl August Meissinger, 1942, 1948; Richard Newald, 1947.
Rudolf Pfeiffer, Humanitas Erasmiana, Studien der Bibl. Warburg, Bd. 22, 1931; Otto Schottenloher, Erasmus im Ringen um die humanistische Bildungsform, 1933. J.-Cl. Margolin, Douze années de la bibliographie érasmienne, Paris 1963, führt allein für die Jahre 1950—1961 mehr als 500 Titel auf.
31 P. S. Allen, aaO, I, S. 80, 82, 86, 115.
32 O. Schottenloher, aaO, S. 66 ff.
33 Opera, Bd. 5, Sp. 1239—1260. Eingehende Analyse bei Ernst-Wilhelm Kohls, Die Theologie des Erasmus, Basel 1966, S. 19/34.
34 Johannes Veghe, Ein dt. Prediger des 15. Jh's, hg. v. Franz Jostes, 1883; H. Triloff, Die Traktate und Predigten Veghes untersucht auf Grund des lectulus floridus, 1904; P. Heinrich Rademacher, Mystik und Humanismus der Devotio Moderna in den

Predigten und Traktaten des Johanes Veghe, 1935; HERMANN KUNISCH, Johannes Veghe und die oberdt. Mystik des 15. Jh's, in: Zs. f. dt. Altert. u. dt. Lit. 75 (1938), S. 141—171.

35 C. WALTHER, Status mundi, in: Jb. d. Vereins f. niederdt. Sprachforschung 9 (1883), S. 104 ff.

36 Briefwechsel des K. Celtis, S. 32 ff.

37 Neuausgabe von HANS RUPPRICH, 1932; Text auch aaO (Anm. V, 8), S. 226/238.

38 Oden I, 11; H. C. SCHNUR (Anm. 5), S. 46—51.

39 Allein von den beiden Wiegendrucken 1499 sind rund 50 Exemplare auf uns gekommen; eins befindet sich in Frankfurt/Main; DORIS SCHMID, Die ‚Declamatio Ebriosi, Scortatoris et Aleatoris de Vitiositate Disceptantium' von Philippus Beroaldus und ihr Einfluß auf das dt. Fastnachtsspiel, Diss. Freiburg/Schweiz 1947.

40 Vgl. E. F. RICE (Anm. I, 40), S. 95—105; das Kapitel 'The Wisdom of Prometheus' handelt von Celtis.

41 HEINRICH GRIMM, Deutsche Druckersignete des XVI. Jh's, 1965, S. 89.

42 P. JOACHIMSOHN (Anm. IV, 25), S. 92—109; ALFRED GÖTZE, Frühneuhochdeutsches Lesebuch ⁴1958, hg. v. HANS VOLZ, S. 63 ff.; RENATE HILDEBRANDT-GÜNTHER, Antike Rhetorik und deutsche literarische Theorie im 17. Jh., 1966, S. 18—20 und S. 143—146 (Inhaltsübersicht des ‚Spiegels').

43 HELGA HAJDU, Das mnemotechnische Schrifttum des Mittelalters, in: Jb. d. Dt. Institutes der Kgl. Ungar. Péter Pázmány Univ. Budapest 1 (1936), S. 408—537; hier S. 495—500. — Der Kolumnentitel S. 243 wurde R. R. BOLGAR (Anm. I, 39), S. 274, entnommen.

44 Faksimile: Dr. Benno Filser Verlag, Augsburg 1925.

45 Ungedruckt; lange Auszüge bei PAOLO ROSSI, Clavis Universalis, Arti mnemoniche e logica combinatoria da Lullo a Leibniz, Milano-Napoli 1960, S. 19—26.

46 Vgl. WILHELM FRAENGER, Altdt. Bilderbuch, Hans Weiditz und Sebastian Brant, 1930; THEODOR MUSPER, Die Holzschnitte des Petrarcameisters, 1927.

47 THEODOR MUTHER, Ausgang des Petrus Ravennas, in: TH. M., aaO (Anm. V, 6), S. 95—128; ADB 25 (1887), S. 529—539; PAOLO ROSSI, Studi sul Lullismo e sull'Arte della Memoria nel Rinascimento, in: Rivista critica di Storia della Philosophia 13, (Firenze 1958), S. 148 ff., 243 ff.

48 Diarium Friderici IV. imperatoris manu sua scriptum, in: I. CHMEL, Gesch. Kaiser Friedrichs IV., 1840, I, S. 576—593.

49 KONRAD SCHIFFMANN, Johannes Reuchlin in Linz, Linz 1929.

50 HANS ANKWICZ VON KLEEHOVEN, Johannes Cuspinianus, Briefwechsel, 1933; HANS ANKWICZ-KLEEHOVEN, Der Wiener Humanist Johannes Cuspinian, Graz-Köln 1959.

51 Text: H. RUPPRICH (Anm. V, 8), S. 268 ff.

52 FRITZ HEHLE, Der schwäbische Humanist Jakob Locher Philomusus (1471—1528), Programm des Kgl. Gymn. in Ehingen 1873/74/75; I. SCHLECHT, Jakob Locher, in: Festgabe f. K. Th. v. Heigel, 1903; MARTHA LETHNER, Jacob Locher, Diss. Wien 1952.

53 Jacobus Canter Frisius, Rosa Rosensis, ed. BOHUMIL RYBA, Bibliotheca Scriptorum Medii Recentisque Aevorum, Budapest 1938. Canter galt als homo notae impietatis atque omnis religionis derisor (ibd. S. 5).

54 F. HEHLE, aaO, I, S. 13.

55 Briefwechsel des K. Celtis, S. 347; M. LETHNER, aaO, S. 3, 5; F. HEHLE, aaO, I, S. 14.

56 Vgl. WOLFGANG F. MICHAEL, Die Anfänge des Theaters in Freiburg im Breisgau, Diss. München, Freiburg 1934, S. 48 f.

57 Sebastian Brant, Das Narrenschiff, hg. v. FRIEDRICH ZARNCKE, 1854; Nachdruck: Hildesheim 1961. — BARBARA KÖNNEKER, Eyn wis man sich do heym behalt, Zur Interpretation von Sebastian Brants ‚Narrenschiff', in: GRM 1964, S. 46—77; DIES., Wesen

und Wandlung der Narrenidee im Zeitalter des Humanismus, Brant — Murner — Erasmus, 1966; Joël Lefebvre, Les Foles et la Folie, Etude sur les genres du comique et la création littéraire en Allemagne pendant la Renaissance, Paris 1968.

58 Ulrich Gaier, Studien zu Sebastian Brants Narrenschiff, 1966; vgl. Anm. II, 31. Nach Gaier folgen auf das prooemium (vorred) in Kap. 2—66 narratio, 67—98 probatio, 99 refutatio, 100—112 peroratio.

59 H. Blumenberg (Anm. I, 29), S. 240 f., 258 f., 333 ff. Die theologische Symboltradition erörtert Rainer Gruenter, Das Schiff, in: Tradition und Ursprünglichkeit, Akten des III. Internat. Germanistenkongresses 1965, hg. von W. Kohlschmidt u. H. Meyer, Bern-München 1966, S. 86—101. Vgl. auch Edwin H. Zeydel, S. Brant and the Discovery of America, in: The Journal of English and Germanic Philology 42 (1943), S. 410 f.

60 Text: H. Rupprich (Anm. V, 8), S. 239 ff.; vgl. Paulus Niavis, Judicium Jovis oder Das Gericht der Götter über den Bergbau, übers. und bearb. v. Dr. Paul Krenkel, Freiberger Forschungen D 3, 1953.

61 Texte: Friedrich Zarncke, Die deutschen Universitäten im Ma. I, 1857; Aloys Bömer, Die lateinischen Schülergespräche der Humanisten, Kehrbachs Texte und Forschungen z. Gesch. d. Erziehung u. d. Unterr. I, 1897/99. Vgl. Gerhard Ritter, Über den Quellenwert und Verfasser des sogen. „Heidelberger Gesprächsbüchleins für Studenten", in: Zs. f. Gesch. d. Oberrheins N. F. 38 (1923), S. 4—37.

62 S. Anm. VI, 5.

63 F. Simone (Anm. I, 14), 1940, S. 172.

64 Avery Dulles, Princeps Concordiae, Pico della Mirandola and the Scholastic Tradition, Cambridge/Mass. 1941.

65 Gershom Scholem, Major Trends in Jewish Mysticism, Jerusalem 1941, Kap. 4 u. 6; Übersetzung: Die jüdische Mystik in ihren Hauptströmungen, 1957.

66 Opera, Bd. 5; Rudolf Pfeiffer, Die Wandlungen der ‚Antibarbari', in: R. P., Ausgew. Schriften, 1960, S. 188 ff.; E.-W. Kohls (Anm. 33), S. 35/68.

67 Guilhelmi Hermanni Goudensis, Sylva Odarum, Paris 1947, nach O. Schottenloher (Anm. 30), S. 83.

68 Ludwig Grote, Die Vorder-Stube des Sebald Schreyer, Ein Beitrag zur Rezeption der Renaissance in Nürnberg, in: Anzeiger des German. National-Museums 1954—59, S. 43 ff.; enthält Übersetzungen und Anmerkungen von Friedrich Bock.

69 W. Höpfner, Die Nürnberger Ärzte des 15. Jahrhunderts Dr. Hermann und Hartmann Schedel, 1915; R. Stauber, Die Schedelsche Bibliothek, Beitrag zur Geschichte der Ausbreitung der italienischen Renaissance, des deutschen Humanismus und der medizinischen Literatur, 1908; Joseph Sprengler, Hartmann Schedels Weltchronik, 1905; H. L. Bullen, The Nuremberg Chronicle, San Franzisko 1930.

70 Wolfgang Stammler, Die Prosa der deutschen Gotik, 1933, Nr. 71; Richard Newald in Verf.-Lexikon III, 1943, Sp. 275/77; F. Weitenkampf, ‚Der Ritter vom Turn' and the dawn of the Renaissance in the book illustration, in: Bullet. of the New York Public Library 35 (1931), S. 611 ff.

71 Sie finden sich im Briefwechsel S. 148 ff.

72 Bilibaldi Pirckheimeri Opera Politica, Historica, Philologica et epistolica, coll. rec. ac dig. Melchiore Goldasto Heiminsfeldio, Frankoforti 1610; Nachdruck angekündigt bei Georg Olms, Hildesheim; Willibald Pirckheimers Briefwechsel, hg. v. Emil Reicke, I, 1940, II, 1956; Hans Rupprich, Wilibald Pirckheimer und die erste Reise Dürers nach Italien, Wien 1930; ders., Willibald Pirckheimer, Beiträge zu seiner Wesensverfassung, in: Schweizer Beiträge zur Allgem. Gesch. 15 (1957), S. 64/110; L. W. Spitz, Pirckheimer — Speculative Patrician, aaO (Anm. VI, 2), S. 155/96, 325/33.

73 Krit. Ausg. mit Paralleldruck der Fassungen von 1495 und des Drucks von 1502, Textgesch. u. sachl. Erl.: ALBERT WERMINGHOFF, Conrad Celtis und sein Buch über Nürnberg, 1921. Celtis' Briefwechsel lag Werminghoff noch nicht vor; dort auch das Begleitschreiben zur Überreichung: S. 154 ff.

74 Ibd. S. 495 ff.

75 Text: J. LEFEBVRE (Anm. 57), S. 391—401; dazu S. 64—68 mit dem Hinweis auf JOANNES BOHEMUS AUBANUS, Omnium gentium mores, 1520; H. HEIDENHEIMER, Ein Mainzer Humanist über den Karneval, in: Zs. f. Kulturgesch. ..., N. F. 4 (1896), S. 21 ff.; HEINRICH GRIMM in: NDB 7, 1966, S. 48 f.

76 HANS ROST, Die Bibel im Mittelalter, 1939, gibt S. 364 an, daß 1489 für ein Exemplar der 1466 gedruckten Mentel-Bibel 9 Gulden bezahlt worden seien, das habe dem Preis von 3 fetten Ochsen entsprochen.

77 Das Datum der Gründung ist kontrovers: vgl. K. L. PREISS (Anm. 4), S. 297/301. Die Anwesenheit von Cuspinianus läßt sich nur vermuten: H. ANKWICZ-KLEEHOVEN (Anm. 50), S. 16. Jedenfalls darf Spießheimer-Cuspinianus nicht mit Heinrich Spieß-Cuspidianus, einem späteren Mitglied der sodalitas Rhenana, verwechselt werden.

78 GEORG ELLINGER, Geschichte der neulateinischen Literatur Deutschlands im sechzehnten Jahrhundert, I, 1929, S. 339 f.

79 Briefe vom 17. 10., bzw. 7. 10. 1496, Briefwechsel (Anm. 1), S. 214 ff.

80 Text bei E. BUSSE, Augustin von Hammerstetten, Ein Beitrag z. Gesch. d. dt. Lit. im Ausgang des Mittelalters, 1902.

81 Text: HUGO HOLSTEIN, Johann Reuchlins Komödien, Ein Beitrag z. Gesch. d. lat. Schuldramas, 1888.

82 Text: W. SCHULZE in: Archiv f. Lit.gesch. 11 (1883), S. 328 ff.; für 1969 hat der de Gruyter-Verlag eine Neuausgabe von LOTHAR MUNDT angekündigt.

83 Vgl. Anm. 81 und Henno, Bauernkomödie, lateinisch von Johannes Reuchlin, deutsch von Hans Sachs, hg. v. KARL PREISENDANZ, 1922.

84 Priscianus Grammaticus Caesariensis, Praeexercitamina, Text in: HEINRICH KEIL, Grammatici Latini III, 1859, Hildesheim 1961.

85 H. KINDERMANN (Anm. V, 6), S. 249 f.

86 ALBIN CZERNY, Der Humanist und Historiograph Kaiser Maximilians I. Joseph Grünpeck, in: Archiv f. österr. Gesch. 73, II, S. 315 ff. und Sonderdruck, Wien 1888; DIETER WUTTKE in: NDB 7, 1966, S. 202 f.

87 S. o. S. 255 f.

88 WILHELM VILMAR, Dietrich von Pleningen, Ein Übersetzer aus dem Heidelberger Humanistenkreis, Diss. Marburg 1896.

VIII. HOCHHUMANISMUS, ZWEITE ZWÖLFJAHRESPHASE, 1497—1508

1 Briefwechsel des K. Celtis (Anm. VII, 1), S. 286 f.
2 Hans Ankwicz von Kleehoven in: Alt-Wiener Kalender auf das Jahr 1924.
3 Opuscula (Anm. VII, 1), S. 1/16.
4 Briefwechsel des K. Celtis, S. 295 f.; deutsche Übersetzung bei K. Adel (Anm. VII, 1), S. 64 f.
5 H. Ankwicz von Kleehoven (Anm. VII, 50), S. 90 f. Eine ausführliche Inhaltsangabe des 1493 in Venedig erschienenen Dialogus gibt Karl Wotke, Augustinus Olomucensis (Augustinus Käsenbrot von Wssehrd), in: Zs. d. Vereins f. d. Gesch. Mährens u. Schlesiens 2 (1898), S. 47/71, hier S. 49/56. Die Einleitung ist an Johann Rot in Breslau (S. o. S. 138) gerichtet. Käsenbrots Definition der Poesie: *poetica est fictae veraeque narrationis congruenti rhytmo vel pede composita metrica structura ad utilitatem voluptatemque accomodata*. In freimaurerischem Sinn deutete die Goldschale Johann Gotlob Boehmii ... de Augustino Olomucensi et Patera Eius Aurea in nummophylacio ... Dresdae adversata Commentariolus ... Dresdae et Lipsiae 1758.
6 Erwin Panofsky, Herkules am Scheideweg, Studien der Bibl. Warburg, Bd. 18, 1930.
7 Briefe, hg. v. W. Köhler u. A. Flitner (Anm. VII, 30), S. 23 f.
8 Olof Schwencke, Ein Kreis spätmittelalterlicher Erbauungsschriftsteller in Lübeck, in: Niederdt. Jahrb. 88 (1965), S. 20/58.
9 Clemens Bauer, C. Peutingers Gutachten zur Monopolfrage, Zur Wandlung der Wirtschaftsanschauungen, in: Archiv f. Ref.-Gesch. 45 (1954), S. 1/43, 145/195.
10 Charles Guillaume Adolphe Schmidt, Histoire littéraire de l'Alsace à la fin du XVe et au commencement du XVIe siècle, Paris 1879, Nieuwkoop 1966, I, S. 265 f.
11 H. C. Schnur (Anm. VII, 5), S. 16 ff.
12 Briefe, hg. v. Köhler-Flitner, S. 43 ff.
13 Horst Rüdiger, Curiositas und Magie, Apuleius und Lucius als literarische Archetypen der Faust-Gestalt, in: Wort und Text, Festschrift f. Fritz Schalk, 1963.
14 Deutsche Übersetzung: Schriften des Nikolaus von Cues, Vom Nichtanderen, hg. v. Paul Wilpert, 1952, S. 87/95.
15 Text: F. Pindter (Anm. VII, 1).
16 Text: ibd.
17 Text und engl. Übersetzung: F. S. Marsh, The Book of the Holy Hierotheos, London 1927; Celtis' Zitat auf S. 238.
18 Vgl. Hugo Kuhn, Aspekte des dreizehnten Jahrhunderts in der deutschen Literatur, Bayer. Akad. der Wissenschaften, Philos.-histor. Kl., Sitzungsberichte 1967, 3.
19 Gustav Bauch, Laurentius Corvinus, Der Breslauer Stadtschreiber und Humanist, in: Zs. d. Ver. f. Gesch. u. Altertumsk. Schlesiens 17 (1883), S. 230 f. und 32 (1898), S. 390 f.
20 Ernst Erich Biedlingsmaier, Die Terenz-Übersetzung des Neidhart, Diss. Greifswald, Tübingen 1930; Wolfgang Stammler, Von der Mystik zum Barock, ²1950, S. 46 f.
21 Hans Rupprich in: Wiener Renaissance, hg. v. Otto Rommel, Wien—Zürich 1947, S. 264; H. Kindermann (Anm. V, 6), S. 244 f.
22 R. R. Bolgar (Anm. I, 39), S. 297 ff., 440; Margaret M. Phillips, The Adages of Erasmus, A Study with translation, Cambridge 1964.
23 Peter Schott, Works, ed. by Murray A. and Marian L. Cowie, Introduction and Text, Chapel Hill 1963 (dazu Otto Herding, in: Archiv f. Kirchengesch. 46 (1964), S. 113/126).

24 RICHARD NEWALD, Probleme und Gestalten des deutschen Humanismus, 1963, S. 387 ff.

25 W. J. ONG (Anm. VI, 27), S. 85 ff.

26 Abgedruckt: CARL PRANTL, Geschichte der Logik im Abendland, Ausg. 1955, Bd. 3, S. 294.

27 Spätere Übersetzung: Tutschland Jacob Wimpflingers von Slettstatt ... Jetzo nach 147 Jahren zum Truck gegeben von HANSS MICHEL MOSCHEROSCH, Straßburg 1648: H. RUPPRICH (Anm. V, 8), S. 69/76; PAUL JOACHIMSEN, Geschichtsauffassung und Geschichtsschreibung in Deutschland unter dem Einfluß des Humanismus, 1910, S. 64 ff.; EMIL VON BORRIES, Wimpheling und Murner im Kampf um die ältere Geschichte des Elsasses, 1926.

28 GERHARD RITTER, Die geschichtliche Bedeutung des deutschen Humanismus, in: Hist. Zs. 31 (1923), S. 450.

29 WILHELM BETHKE, Die dramatische Dichtung Pommerns im 16. und 17. Jahrhundert, Diss. Berlin, Stettin 1938, S. 36 ff.

30 Text: F. PINDTER (Anm. VII, 1); Text samt Übersetzung: ALFRED SCHÜTZ, Die Dramen des Konrad Celtis, Diss. masch. Wien 1948, S. 17 ff. und K. ADEL (Anm. VII, 1).

31 A. SCHÜTZ, aaO, S. 147 ff.

32 GUSTAV BEBERMEYER, Tübinger Dichterhumanisten, Bebel-Frischlin-Flayder, 1927; JOHANNES HALLER, Die Anfänge der Universität Tübingen, 1927, S. 212 ff.

33 S. o. S. 83.

34 Text und Übersetzung: A. SCHÜTZ, aaO, S. 50 ff.; Auszug und Übersetzung: K. ADEL, aaO, S. 110 ff.

35 MARTHA LETHNER, Das ,Iudicium Paridis de Pomo aureo' des Jacobus Locher Philomusus, Diss. masch. Wien 1951: Krit. Text des Augsburger Drucks von 1502, metrische Übersetzung, Beschreibung der Drucke.

36 Text: F. PINDTER (Anm. VII, 1).

37 Briefwechsel des K. Celtis (Anm. VII, 1), S. 473.

38 Ibd., S. 495 ff.

39 Ibd. S. 475/493, 526/529; DR. GERTA KRAPPEL, Caritas Pirckheimer, 1939; DR. JOHANNES KIST, Charitas Pirckheimer, 1948.

40 FRIEDRICH WINKLER, Hans von Kulmbach, Leben und Werk eines fränkischen Künstlers der Dürer-Zeit, 1959, S. 37, 99.

41 Gedichte, hg. von KARL HARTFELDER und WILHELM PORST, in: Zs. f. Gesch. des Oberrheins 33 (1880), N. F. 41 (1927/28), 45 (1932).

42 FELICITAS PINDTER, Die Lyrik des Conrad Celtis, Diss. masch. Wien 1930, S. 247, auch S. 128.

43 S. o. S. 154

44 Vgl. außer dem genannten Katalog besonders HERMANN VOSS, Der Ursprung des Donaustils, 1907; H. ANKWICZ-KLEEHOVEN (Anm. VII, 50), S. 29/34; ALFRED STANGE, Malerei der Donauschule, 1964.

45 Übersetzt von FRANZ WELLNER, in: Wiener Renaissance (Anm. 21), S. 258 ff.

46 HERMANN JOSEPH LIESSEM, Hermann van dem Busche, Sein Leben und seine Schriften, in: Programm des Kaiser Wilhelm-Gymnasiums, Köln 1884/89, 1905/09, Nieuwkoop 1965; ALOYS BÖMER in: Westfälische Lebensbilder, Bd. 1, 1930, S. 50 ff.

47 H. GRIMM (Anm. VII, 41), S. 201 ff.

48 HORST RUDOLF ABE, Der Erfurter Humanismus und seine Zeit, Diss. masch. Jena 1953, S. 170 ff.; IRMGARD HÖSS, Georg Spalatin (1484—1545), 1956.

49 P. ALBERT, Konrad Koch gen. Wimpina, 1931; ROLF BACHEM, Dichtung als verborgene Theologie, 1956, S. 22 ff.; E. R. CURTIUS (Anm. IV, 44), S. 222 ff.

50 H. J. LIESSEM, aaO, S. 9 f.

51 Neuausgabe: H. HOLBORN (Anm. VII, 30), S. 22—136; Übersetzungen: W. KÖHLER (ibd.), HUBERT SCHIEL (Auswahl), 1952 und WERNER WELZIG, Graz-Köln 1961; vgl. E.-W. KOHLS (Anm. VII, 33), S. 69/190.

52 OTTO SCHOTTENLOHER, Erasmus, Johann Poppenruyter und die Entstehung des Enchiridion militis christiani, in: Archiv f. Reformationsgeschichte 45 (1954), S. 109 ff.

53 D. REICHLIN, Johannes Murmellius, Sein Leben und seine Werke, 1880; Ausgew. Werke des Münsterischen Humanisten J. M., hg. von ALOYS BÖMER, 1895; Des J. M. Pädagogische Schriften, übers. von JOSEPH FREUNDGEN, 1894; Lobgedicht auf die Stadt Münster, in: Westfäl. Zschr. 111 (1962), S. 51 ff.

54 H. GRIMM, Hutten (Anm. IX, 28), S. 130.

55 Konrad Peutingers Briefwechsel, hg. von ERICH KÖNIG, 1923; A. LUTZ, C. P., Beiträge zu einer polit. Biographie, 1958; RUDOLF PFEIFFER, C. P. u. die humanistische Welt, in: R. P., Ausgew. Schriften, 1960.

56 ALWIN SCHULTZ, Johannes Butzbachs ‚Liber de praeclaris picture professoribus' aus der Bonnenser Handschrift veröffentlicht, in: Jahrbücher für Kunstwissenschaft 2 (1869), S. 60/72.

57 WILHELM GRAF, Christoph Scheurl von Nürnberg (Diss. Leipzig 1928), Beiträge zur Kulturgeschichte des Mittelalters und der Renaissance 43, 1930; Christoph Scheurls Briefbuch, hg. von FRANZ FRHR. VON SODEN und I. K. F. KNAAKE, 2 Bde., 1867/72; BRUNO BAUCH, Zu Chr. Scheurls Briefbuch, in: Neue Mitteilungen aus dem Gebiet historisch-antiquarischer Forschungen 19 (1895), S. 400/456.

58 Briefbuch, Bd. 1, S. 44.

59 Vgl. L. S. THOMPSON (Anm. VII, 25).

60 WOLFGANG STAMMLER, Kleine Schriften zur Sprachgeschichte, 1954, S. 31.

61 Die beiden Streitschriften Lochers und Wimphelings sind jetzt abgedruckt bei J. LEFEBVRE (Anm. VII, 57), S. 402/426.

62 Text und Übersetzung bei H. C. SCHNUR (Anm. VII, 5), S. 334/37.

63 P. S. ALLEN (Anm. VII, 30), I, Nr. 208.

64 Text im Auszug mit Übersetzung bei H. C. SCHNUR, aaO, S. 112/121; vgl. FERDINAND WECKERLE, Carmen alpestre, Ein Gespräch um den alternden Erasmus, in: Festschrift Eugen Stollreither, 1950, S. 367 ff.

65 GENO J. GENEAKOPLOS, Greek Scholars in Venice, Studies in the Dissimination of Greek Learning from Byzantium to Western Europe, Cambridge/Mass. 1962, bes. Kap. 9: Desiderius Erasmus Associate of the Greek Scholars of Aldus Academy. Jüngst ergänzt durch denselben Verfasser: Byzantine East and Latin West: Two Worlds of Christendom in Middle Ages and Renaissance, New York 1966, Kap. 4: The Greco-Byzantine Colony in Venice and its significance in the Renaissance.

66 The Hieroglyphics of Horapollo, Translated by GEORGE BOAS, Bollingen Series, Bd. 23, New York 1950.

67 INGRAM BYWATER, The Erasmian pronunciation of Greek and its precursors Jerome Aleander and Aldus Manutius, London 1908; AUGUSTIN RENAUDET, Érasme et la prononciation des langues antiques, in: Bibliothèque d'Humanisme et Renaissance 18 (1956), S. 190 ff.

68 Prag 1348, Wien 1384, Heidelberg 1386, Köln 1388, Erfurt 1392, Leipzig 1409, Rostock 1419, Greifswald 1456, Freiburg i. Br. 1457, Basel 1460, Ingolstadt 1472, Tübingen und Mainz 1477, Wittenberg 1502.

69 GUSTAV BAUCH, Johannes Rhagius Aesticampianus in Krakau, seine erste Reise nach Italien, sein Aufenthalt in Mainz, in: Archiv f. Literaturgesch. 1884, S. 330 ff. — Eine Parallele: Mutianus schreibt im Juli 1515 an Urban: Erasmus surgit supra hominis vires, divinus est et venerandus religiose, pie tanquam numen.

70 H. GRIMM, Hutten (Anm. IX, 28), S. 120 ff.

71 Briefwechsel des K. Celtis (Anm. VII, 1), S. 403.
72 S. o. S. 313; CHARLES H. HERFORD, Studies in the Literary Relations of England and Germany in the Sixteenth Century, Cambridge 1886, S. 79 f., 403 f.; F. SPENGLER, Kilian Reuter aus Mellrichstadt, in: Rudolf Heinzel-Festschrift 1898; E. H. ZEYDEL, The Reception of Hrotsvitha by the German Humanists after 1493, in: Journal of English and Germanic Philology 44 (1945), S. 239 ff.
73 F. PINDTER (Anm. VII, 1), S. 216. Von den beiden Holzschnitten findet sich der eine bei F. WINKLER (Anm. 40), S. 30, der andere bei L. FORSTER (Anm. VII, 1), S. 66. — ERNST ZINN, Der Wortakzent in den lyrischen Versen des Horaz, Diss. München 1940, S. 88 ff. Zinn geht aus von ROCHUS VON LILIENCRON, Die horazischen Metren in deutschen Compositionen des XVI. Jahrhunderts, Mit Notenbeilagen (Originalpartitur nebst Übertragung in moderne Notenschrift), 1887 (noch nicht vergriffen). — Vgl. oben S. 25.
74 JOHANN CHRISTIAN SIEBENKEES, Materialien zur Nürnbergischen Geschichte I, 1792, S. 262; nach ERNST ZINNER (Anm. IV, 68), S. 191.
75 F. PINDTER (Anm. 42), S. 138 f.
76 ERWIN PANOFSKY, Conrad Celtes and Kunz von der Rosen: Two Problems in Portrait Identification, in: The Art Bulletin New York 24 (1942), S. 39 ff.

IX. HOCHHUMANISMUS, DRITTE ZWÖLFJAHRESPHASE, 1508—1519

1 Briefwechsel des K. Celtis (Anm. VII, 1), S. 179; L. CROMVELL, Beziehung zwischen Mystik und Frühhumanismus bei J. Trithemius (Diss. München 1920), 1925.
2 OTTO HERDING, Probleme des frühen Humanismus, in: Archiv f. Kulturgesch. 38 (1956), S. 380 f.
3 GERHARD RITTER (Anm. IV, 30), S. 478.
4 HEINZ OTTO BURGER, Der Weisskunig, aaO (Anm. IV, 4), S. 43 ff.
5 Flora Hermanni Buschii Pansiphili: H. RUPPRICH (Anm. V, 8), S. 140/149.
6 H. J. LIESSEM (Anm. VIII, 46), S. 27 ff.
7 Briefe, hg. v. KÖHLER-FLITNER (Anm. VII, 30), S. 139; vgl. dort auch S. 136 f., 396.
8 1557 erschien in Freiburg i. Br. eine deutsche Übersetzung: Uß Glareani Musick ein ußcug; moderne Übersetzung von E. BOHN in: Publ. d. Ges. f. Musikforsch. 16, 1888/90; B. MEIER, H. L. Glareanus als Musiktheoretiker, in: Beiträge f. Freiburger Wissenschafts- u. Universitätsgesch. 22 (1960), S. 65/112; HEINRICH GRIMM in NDB 6, 1964, S. 425 f.
9 Hist.-krit. Ausgabe von GUSTAV BEBERMEYER, 1931; Übersetzung von A. WESSELSKI, 1907.
10 J. KNEPPER, Beiträge zur Würdigung des elsässischen Humanisten Adelphus Muling, in: Alemannia 30 (1903), S. 143/192.
11 Text: G. BEBERMEYER (Anm. VIII, 32), S. 32/35.
12 Ibd. S. 21/25.
13 Briefe, hg. v. KÖHLER-FLITNER, S. 42.
14 RICHARD NEWALD, Erasmus Roterodamus, 1947, S. 100.
15 Neudruck bei A. BÖMER (Anm. VIII, 46).
16 G. MANACORDA, Della Poesia Latina in Germania durante il Rinascimento, in: Atti della R. Accademia dei Lincei, Serie Quinta, vol. 12, Roma 1906, S. 244 ff. und G. ELLINGER (Anm. VII, 78), S. 397/400.
17 Letzte Ausgabe der Werke: Operum farragines duae, Schwäb. Hall 1539, ²1564; Helii Eobani Hessi . . . et Amicorum ipsius Epistolarum familiarium libri XII, Marpurgi Hessorum 1543; KARL KRAUSE, H. E. Hessus, Sein Leben und seine Werke, 2 Bde., 1879, Nieuwkoop 1963.
18 The Eclogues of Baptista Mantuanus, ed. with introduction and notes by WILFRED P. MUSTARD, Baltimore 1911; W. LEONARD GRANT, Literature and the Pastoral, Chapel Hill 1965.
19 Der Briefwechsel des Mutianus Rufus, hg. v. KARL KRAUSE, 1885; KARL GILLERT, Der Briefwechsel des Conradus Mutianus, 1890; FRITZ HALBAUER, Mutianus Rufus und seine geistesgeschichtliche Stellung, Beiträge zur Kulturgesch. des Mittelalters u. der Renaissance, Bd. 38, 1929; L. W. SPITZ, Mutian — Intellectual Canon, aaO (Anm. VI, 2), S. 130/154, 320/325.
20 F. W. KAMPSCHULTE, Die Universität Erfurt in ihrem Verhältnisse zu dem Humanismus und zu der Reformation, 2 Bde., 1858/60; vgl. Anm. VIII, 48.
21 HEINRICH GRIMM in: NDB 3, 1957, S. 424 f.
22 HERBERT SCHÖFFLER, Die Reformation, o. J. (1936), wiederabgedruckt in: H. Sch., Wirkungen der Reformation, 1960, S. 105/188.
23 Briefbuch (Anm. VIII, 57), Bd. 1, Nr. 55, S. 179.
24 Ibd. Nr. 56, S. 81 bzw. Nr. 92, S. 41.
25 O. HERDING (S. o. S. 301), S. 41 f.

26 Text im Auszug: J. LEFEBVRE (Anm. VII, 57), S. 430/436; PAUL SCHERRER, Thomas Murners Verhältnis zum Humanismus, untersucht auf Grund seiner ‚Reformatio Poetarum (Diss. München 1927), 1929.

27 Thomas Murner, Von den fier ketzeren, hg. v. E. FUCHS, 1929; enthält u. a. Vergleich mit der lat. Fassung; K. GUGGISBERG, Bernische Kirchengesch., 1958, S. 38 ff., 742.

28 Ulrichi Hutteni Equitis Germani Opera, ed. EDUARDUS BOECKING, 7 Bde., 1859/64. — DAVID FRIEDRICH STRAUSS, Ulrich von Hutten, 1857, ²1871 u. ö.; HAJO HOLBORN, U. v. Hutten, 1929, 1960; HEINRICH GRIMM, Ulrichs von Hutten Lehrjahre an der Universität Frankfurt (Oder) und seine Jugenddichtungen, 1938; L. W. SPITZ, Hutten — Militant Critic, aaO (Anm. VI, 2), S. 110/129, 316/320.

29 H. GRIMM, aaO, S. 80/84.

30 OSKAR HASE, Die Koberger, Nürnberger Buchhändlersfamilie, 1869, S. 68 f.

31 Opera, 2 Bde., Lyon 1600; Agrippa von Nettesheim, Magische Werke (Neudruck alter Übersetzungen), 1921; S. Anm. IX, 111, 132, 133, 134.

32 ABY WARBURG, Erneuerung der heidnischen Antike, in: Ges. Schriften, hg. v. d. Bibl. Warburg, Bd. 2, 1932, bes. S. 526 ff.; CARL GIEHLOW, Dürers Werk Melencolia I und der Maximilianische Humanistenkreis, in: Mitt. d. Ges. f. vervielfältigende Kunst 1903, S. 29/41 und 1904, S. 6/18, 57/78; RAYMOND KLIBANSKY, ERWIN PANOFSKY, FRITZ SAXL, Saturn and Melancholy, London 1964, bes. S. 350/365.

33 WERNER NÄF, Vadian und seine Stadt St. Gallen, Bd. 1 (bis 1518, Humanist in Wien), St. Gallen 1944; FRIEDRICH STEINBOCK, Das lyrische Werk des Joachim von Watt, Diss. masch. Wien 1950.

34 Arbogast Strub (Biographie und literarhistorische Würdigung von ELISABETH BRAND-STÄTTER), Gedächtnisbüchlein, hg., übers. u. komm. v. HANS TRÜMPY, Vadian-Studien 5, St. Gallen 1955; Text und Übersetzung der Beiträge von Vadian auch bei F. STEINBOCK, aaO.

35 Drei Schauspiele vom sterbenden Menschen, hg. v. JOHANNES BOLTE, Bibl. d. Lit. Vereins Stuttgart, Bd. 269/70, 1927, speziell S. 13/19; W. KROGMANN (Anm. II, 10), S. 78 f.; R. STADELMANN (Anm. III, 3), S. 20.

36 Übersetzung von H. TRÜMPY, aaO; vgl. Celtis, Amores III, 12.

37 H. BLUMENBERG (Anm. I, 29), S. 247 ff.; MAX HOSSENFELDER, Ungewißheit und Seelenruhe, Die Funktion der Skepsis im Pyrrhonismus, Diss. Gießen 1964.

38 I. A. K. THOMSON, Irony, London 1926.

39 H. H. HUDSON, The Praise of Folly by Desiderius Erasmus, Princeton 1941, S. 129/142.

40 WALTER KAISER, Praisers of Folly, Erasmus — Rabelais — Shakespeare, Cambridge / Mass. 1963, S. 39/50; vgl. auch BARBARA SWAIN, Fools and folly during the Middle Ages and the Renaissance, N. Y. 1932, sowie B. KÖNNEKER und J. LEFEBVRE (Anm. VII, 57).

41 P. C. BURGESS, Epideictic Literature, University of Chicago Studies in Classical Philology 3, 1902, S. 157/166.

42 Vgl. das Hieronymus-Zitat in Anm. IV, 23.

43 S. o. S. 289.

44 T. W. BALDWIN, William Shakespere's Small Latine and Lesse Greeke, 2 Bde., Urbana/Illinois 1944.

45 Ibd. Bd. 1, S. 75 ff.

46 Ibd. S. 116 f.

47 P. JOACHIMSEN (Anm. VI, 27), S. 54 ff.

48 S. o. S. 173.

49 HEINZ OTTO BURGER, Europäisches Adelsideal u. dt. Klassik, aaO (Anm. IV, 4), S. 220 ff.

50 I. K. SOWARDS, Erasmus and the apologetic textbook, A study of the De duplici copia verborum ac rerum, in: Studies of Philology 55 (1958), S. 122 ff.

51 S. o. S. 359, Neudruck bei A. BÖMER (Anm. VIII, 46).

52 J. LINDEBOOM (Anm. VI, 23), S. 87.

53 L. TROSS, Werner Rolevinck, De laude veteris Saxoniae nunc Westphaliae dictae, Text und Übersetzung, 1865; H. BÜCKER, Werner Rolewinck, 1953.

54 Nach CARL J. BURCKHARDT, Gestalten und Mächte, 1941, S. 62 f.

54a HARRY GERBER in: NDB 1, 1953, S. 428.

55 Vgl. J. LEFEBVRE (Anm. VII, 57), S. 203 ff. samt den Literaturangaben.

56 Neudruck: F. PINDTER, 1937 (Anm. VII, 1).

57 S. o. S. 205 f.

58 Briefwechsel, S. 609/614.

59 KARL AUGUST MEISSINGER, Erasmus von Rotterdam, Wien 1942, S. 392 ff.

60 Abgedruckt bei PEZ, Scriptores rerum Austriacarum II, Lipsiae 1725, S. 569 ff.

61 FRANZ PESENDORFER, Der Weißkunig Kaiser Maximilians I., Diss. masch. Wien 1931.

62 Die Geschichten und Taten Wilwolts von Schaumburg, hg. v. ADALBERT VON KELLER, Bibl. d. Litt. Vereins Stuttgart, Bd. 50, 1859. GUSTAV FREYTAG hat für den 2. Band seiner ‚Bilder aus der deutschen Vergangenheit' lange Partien ausgehoben und sprachlich modernisiert.

63 Kaiser Maximilians I. Weisskunig, in Lichtdruck-Faksimiles nach Frühdrucken mit Hilfe der Max-Kade-Foundation Inc. New York für den Stuttgarter Galerie-Verein hg. von H. TH. MUSPER in Verbindung mit RUDOLF BUCHNER, HEINZ OTTO BURGER und ERWIN PETERMANN, 2 Bde., 1956. Außer einem Aufsatz ‚Der Weisskunig als Literaturdenkmal' habe ich dem Text nach Alwin Schultz auf Wunsch Max Kades eine „Übersetzung" beigegeben, die besonders auch die ständigen Wiederholungen streicht. Nichts, was heute nur den geringsten erzählerischen Reiz besitzt, sollte wegfallen. Der Kaiser allerdings wird sich im Grabe umgedreht haben, denn für sein aus mittelalterlicher Tradition stammendes historiographisches Stilideal kam es auf die stereotype Wiederholung entscheidend an.

64 G. RITTER (Anm. IV, 30), S. 204 ff.; BRUNO ZIMMEL, Der ‚Gallus pugnans' des Joachim von Watt, Diss. masch. Wien 1946.

65 H. I. LIESSEM (Anm. VIII, 46), S. 61.

66 Euricii Cordii Epigrammata (1520), hg. v. KARL KRAUSE, 1892; letzte Gesamtausgabe: Euricii Cordii Simesusii Hessi Opera poetica ... denuo luci data, cura HENRICI MEIBOMII ..., Helmaestadii 1614; KARL KRAUSE, E. C., Eine biographische Skizze, Diss. Marburg 1863.

67 Text und Übersetzung: H. C. SCHNUR (Anm. VII, 5), S.60 f.

68 Nr. 6, ibd., S. 68/87.

69 KURT FORSTREUTER in: NDB 4, 1959, S. 4 f.

70 Erst 1873 wurde ein Exemplar aufgefunden; Dt. Übersetzung v. F. ROSSMANN 1948.

71 Des Ermländischen Bischofs Johannes Dantiscus und seines Freundes Nikolaus Copernikus geistliche Gedichte, hg. u. übers. v. F. HIPLER, 1857; für die dt. wie die zahlreiche polnische Lit. über J. D. s. ANNELIESE TRILLER in: NDB 3, 1957, S. 512 f.

72 Ausgabe v. ALESSANDRO TAROSA, Thesaurus Mundi, 1951; P. L. CICERI, Michele Marullo e i suoi ‚Hymni naturales', in: Giornale stor. lett. ital. 64 (1914), S. 29 ff.; BENEDETTO CROCE, Poeti e scrittori del pieno e del tardo Rinascimento, Bd. 2, Bari 1945, S. 3/53 ff.; hier sind auch einige Gedichte ins Italienische übersetzt.

73 GEORG LUCK, Marullus und sein dichterisches Werk, in: arcadia 1 (1966), S. 31 ff.

74 HEINRICH DÖRRIE, L'épître héroïque dans les littératures modernes, in: Revue de la Littérature comparée 1966, S. 48 ff.; DERS., Der heroische Brief, Bestandsaufnahme, Geschichte, Kritik einer humanistisch-barocken Literaturgattung, 1968.

75 Text und Übersetzung: H. C. SCHNUR (Anm. VII, 5), S. 210/219.

76 Das Stück hat sich nur in einem einzigen Exemplar erhalten, das die Österr. Nationalbibl. besitzt. Ich folge hauptsächlich H. KINDERMANN (Anm. V, 6), S. 254 ff.

77 Sebastian Brant, Tugent Spyl, Nach der Ausgabe des Magister Johann Winkel von Straßburg (1554), hg. v. HANS-GERT ROLOFF, 1968.

78 DIETER WUTTKE, Die Histori Herculis des Nürnberger Humanisten und Freundes der Gebrüder Vischer Pangratz Bernhaubt, gen. Schwenter, Köln-Graz 1964.

79 Erstdruck 1516: vgl. FERDINAND BARON VON NEUFFORGE, Über den Versuch einer deutschen Bibliothek als Spiegel deutscher Kulturgeschichte, o. J., S. 113; MAX HERRMANN, Forschungen zur deutschen Theatergeschichte des Mittelalters und der Renaissance, 1914, S. 419 ff.

80 GÜNTHER MÜLLER, Geschichte des deutschen Liedes, 1925, S. 18 f.

81 Vgl. Joachim Vadian, Lateinische Reden, hg. (mit Übersetzung) v. MATTHÄUS GABATHULER, St. Gallen 1953.

82 Abgedruckt und übersetzt bei A. SCHMIDT (Anm. IV, 39).

83 Für die neunbändige Ausgabe Omnium Operum Divi Eusebii Hieronymi Stridonensis, die von Bruno Amerbach und Johann Cono aus Nürnberg vorbereitet worden war, besorgte Erasmus die ersten vier Bände mit den Briefen. Nach Richard Newald verließ der zweite Band — obwohl datiert Basileae M. D. XVI — erst im März 1517 die Presse, Bd. 1 mit der Widmung an Guilelmo Varamo (Basileae, Anno salutis MDXVI Kalen. April.) folgte mit den Bänden drei und vier zusammen 1518; vgl. R. NEWALD (Anm. 14), S. 122 f.

84 Ed. H. HOLBORN (Anm. VII, 30), S. 145.

85 Ibd. S. 144 f.

86 Opera VI, S. 335 ff.

87 Opera IX, S. 112 ff.

88 C. A. L. JARROT, Erasmus' In principio erat sermo: a controversial translation, in: Studies in Philology 61 (1964), S. 35 ff.

89 S. o. S. 395.

90 Erasmus von Rotterdam, ‚Fürstenerziehung', Einführung, Übersetzung und Bearbeitung von ANTON J. GAIL, 1968; OTTO HERDING, Isokrates, Erasmus und die Institutio Principis Christiani, in: Dauer und Wandel der Geschichte, Festgabe f. Kurt von Raumer, hg. v. RUDOLF VIERHAUS u. MANFRED BOTZENHART, 1966, S. 101/143; WILHELM MAURER, Das Verhältnis des Staates zur Kirche nach humanistischer Auffassung, vornehmlich bei Erasmus, 1930.

91 S. o. S. 55/57.

92 Vgl. Johann von Staupitzens sämmtliche Werke, hg. v. J. K. F. KNAAKE, 1. Bd.: Deutsche Schriften, 1867, S. 81.

93 W. A. 3, 149, 33 f.

94 W. A. 3, 222, 39 ff.

95 REINHARD SCHWARZ, Fides, Spes und Caritas beim jungen Luther, 1962, S. 143, Anm. 205.

96 S. o. S. 200, 209 f.

97 W. A. 4, 140, 31 ff.; R. SCHWARZ, aaO, S. 133, Anm. 168.

98 R. SCHWARZ, aaO, S. 422.

99 De div. serm. 24 n 2; R. SCHWARZ, aaO, S. 302, Anm. 151.

100 Ibd.

101 W. A. 4, 350, 14; vgl. WILHELM LINK, Das Ringen Luthers um die Freiheit der Theologie von der Philosophie, 1955, S. 350 ff..

102 W. A. 6, 207, 26 ff.

103 Hic me proporsus renatus esse sensi: Vorrede zum I. Bd. der latein. Schriften, 1545. W. A. 54, 185.

104 J. K. F. KNAAKE, aaO, S. 146.

105 FRANZ XAVER THURNHOFER, Bernhard Adelmann von Adelmannsfelden, 1900; JULIUS ZELLER in: Ellwanger Jb. 1922/23, S. 75 ff.

106 Neudruck: FERDINAND GELDNER, Quellen zur Geschichte des Humanismus und der Reformation in Faksimile-Ausgabe, hg. v. BERNHARD WENDT, Bd. 1, München o. J.; Übersetzungen: A. v. ARSE (Anm. VII, 30), KURT VON RAUMER, Ewiger Friede, Friedensrufe und Friedenspläne seit der Renaissance, 1953, S. 211/248.

107 P. KONRAD, Dr. Ambrosius Moibanus, 1891.

108 ISRAEL ABRAHAM, Jewish life in the Middle Ages, Philadelphia 1896, S. 183 f.

109 F. v. NEUFFORGE (Anm. 79), S. 60, 453.

110 JOSEPH LEON BLAU, The Christian Interpretation of the Cabala in the Renaissance, New York 1944, S. 74.

111 CHARLES G. Nauert IR., Agrippa in Renaissance Italy: the Esoteric Tradition, in: Studies in the Renaissance, Publications of the Renaissance Society of America, 6, New York 1959, S. 195 ff.

112 Vgl. RICHARD REITZENSTEIN, Poimandros, Studien zur griechisch-ägyptischen und frühchristlichen Literatur 1904; PAULY-WISSOWA 15, Sp. 792 ff.

113 Rivista critica di storia della filosofia XIII, 1958.

114 Opera, Lyon 1600, Bd. 2.

115 Ibd., S. 482.

116 Ibd., S. 439.

117 S. o. S. 341.

118 Abdruck bei KARL GIEHLOW, Die Hieroglyphenkunde des Humanismus in der Allegorie der Renaissance, besonders der Ehrenpforte Kaiser Maximilians I., in: Jb. d. Kunsthist. Sammlungen d. Allerh. Kaiserhauses, Bd. 32, Wien 1915.

119 LUDWIG VOLKMANN, Bilderschriften der Renaissance, Hieroglyphik und Emblematik in ihren Beziehungen und Fortwirkungen, 1923, Neudruck Nieuwkoop 1962, bes. S. 81/95; HELLMUT ROSENFELD, Das deutsche Bildgedicht, Seine antiken Vorbilder und seine Entwicklung bis zur Gegenwart, Palaestra 199, 1935.

120 G. BOAS (Anm. VIII, 66), S. 22, 28, 47 f.

121 Faksimile-Ausgabe von SIMON LASCHITZER im Jb. der kunsthistor. Sammlungen, Bd. 8, Wien 1888; Kaiser Maximilian I., Teuerdank, hg. v. HELGA UNGER, 1969 (Kurztext, 20 Holzschnitte); HAROLD JANTZ, German Renaissance Literature, in: Modern Language Notes 81 (1966), S. 398 ff., hier S. 411/414.

122 GEORG MISCH, Die Stilisierung im Ruhmeswerk Kaiser Maximilians, in: Nachrichten von der Gesellschaft der Wissenschaften zu Göttingen, Phil.-hist. Kl. 1930.

123 Trostspruch um abgestorbene Freunde, Neuausgabe von W. SCHEEL, 1907; Das Büchlein vom Zutrinken, Neuausgabe von W. SCHEEL, 1900; GUSTAV RADBRUCH, „Aus Lib der Gerechtigkeit und umb des gemeinen Nutzens willen", Eine Formel des Johann von Schwarzenberg, in: Schweizerische Zeitschrift für Strafrecht 55 (1941); DERS., Verdeutschter Cicero, Zu J. v. Schwarzenbergs Officienübersetzung, in: Archiv f. Rechts- und Sozialphilosophie 35 (1942); ERIK WOLFF, Große Rechtsdenker der deutschen Geistesgeschichte, ²1944; EBERHARD SCHMIDT, Einführung in die Geschichte der deutschen Strafrechtspflege, ²1951.

124 HANS JOACHIM MOSER, Paul Hofhaimer, Ein Lied- und Orgelmeister des deutschen Humanismus, 1929, S. 40 f.

125 Text: ERICH VOGELSANG, Der junge Luther, 1933; vgl. L. GRANE, Contra Gabrielem, Luthers Auseinandersetzung mit Gabriel Biel in der Disputatio contra Scholasticam Theologiam 1517, Acta Theologica Danica IV, Gyldendal 1962.

126 Diskussion über den Thesenanschlag: Gesch. in Wiss. und Unterricht 16 (1965), S. 661/699.

126a S. o. S. 416.

127 Erich Auerbach, Mimesis, Bern 1946 geht von einem Vergleich zwischen Eurykleias Erkennen des Odysseus bei Homer und Isaaks Opferung beim Elohisten aus; was Schiller (im BW. mit Goethe, April 1797) „dem tragischen Dichter vorbehalten wollte — uns unsere Gemütsfreiheit zu rauben, unsere inneren Kräfte nach einer einzigen Seite zu richten und zu konzentrieren — das wird in dieser biblischen Geschichte, die man doch wohl episch nennen muß, geleistet" (S. 15).

128 Neudruck bei A. Bömer (Anm. VIII, 46); Übersetzung bei J. Freundgen (ibd.). Zu dem zitierten Satz von Mapheus Vegius vgl. Celtis, oben S. 228.

129 Auszüge: H. Rupprich (Anm. V, 8), S. 299/309; Auszüge in Übersetzung: O. Rommel (Anm. VIII, 21), S. 296/306. — Hermann Menhardt, Altdeutsche Dichtung in den Wiener Vorlesungen des Vadianus, in: Zs. f. dt. Altertum 75 (1938), S. 39 ff.; Josef Nadler, Joachim von Watt, De poetica et carminis ratione, in: Anzeiger der phil.-hist. Klasse der Österr. Akademie der Wissenschaften 1949, S. 279/306.

130 Heinrich Grimm in: NDB 7, 1966, S. 418 f.

131 G. Ellinger (Anm. VII, 78), S. 499 f.

131a Ibd. S. 344 f.

132 Charles G. Nauert Jr., Magic and Scepticism in Agrippa's Thought, in: Journal of the History of Ideas 18 (New York 1957), S. 166 ff.; Zitat auf S. 170, Anm. 26.

133 Agrippa von Nettesheim, Die Eitelkeit und Unsicherheit der Wissenschaften und die Verteidigungsschrift, hg. v. Fritz Mauthner, 2 Bde., 1913; vgl. R. Stadelmann, Zweifel und Verzweiflung bei Agrippa von Nettesheim, aaO (Anm. III, 3), S. 79/86; St. betont den Zusammenhang mit Cusanus, wie er das ganze II. Kapitel (S. 30/97) „Skepsis — Abwandlungen der Idee der Docta Ignorantia" überschreibt; dazu Erwin Metzke, Die „Skepsis" des Agrippa von Nettesheim, in: DtVjschr. 13 (1935), wieder abgedruckt aaO (Anm. IV, 16), S. 7/19.

134 Auf den skeptischen Hintergrund schon von ‚De occulta philosophia' machte als erster Christoph Sigwart aufmerksam in: Kleine Schriften, 1889, Bd. 1, S. 1/5, danach Ernst Cassirer, Das Erkenntnisproblem, 1906/07, Bd. 1, S. 162, 181 und am entschiedensten Hiram Haydn, The Counter-Renaissance, New York 1950 (dazu P. O. Kristeller in: Journal of the History of Ideas 12, 1951).

135 Wilhelm Maurer, Der junge Melanchthon, Band 1: Der Humanist, 1967.

136 Briefbuch (Anm. VIII, 57), Bd. 2, Nr. 173, S. 54/55.

137 Adolf Sperl, Melanchthon zwischen Humanismus und Reformation, 1959.

X. ÜBERGANG INS ZEITALTER DER REFORMATION

1 A. SPERL (Anm. IX, 137), S. 104.
2 W. M. LANDEEN (Anm. V, 15), S. 71, Anm. 47.
3 Es ist mir nicht deutlich geworden, wieso A. SPERL nach den ersten hundert Seiten seiner Arbeit auf S. 100 ff. Melanchthons Einsicht in die Macht der Affekte als dessen „reformatorische Entdeckung", ein „radikal Neues", einen „Bruch in Melanchthons Denken" bezeichnen kann. Ich stimme durchaus dem Satz in der ungedruckten Dissertation von W. NEUSER (Der Ansatz der Theologie Ph. Melanchthons, Göttingen 1950, S. 46) zu: „Das Hervortreten der Willensaffekte beweist humanistisches Denken", auch wenn Sperl diesen Satz höchlich beanstandet — und Neuser selbst ihn für den Druck (1957) gestrichen hat. In einen ähnlichen Widerspruch wie Sperl gerät WILHELM MAURER (Gedenkschrift f. Wilhelm Elert, 1955, S. 179 f.), wenn er die ‚Theologica Institutio' auf Herbst 1519 datiert, aber fast im gleichen Atem sagt, die Affektenlehre werde erst seit 1520 für Melanchthon bedeutsam.
Als Melanchthon im Alter (1558) in einem fiktiven Brief an Pico della Mirandola (Corpus Reformatorum, ed. CAROLUS GOTTLIEB BRETSCHNEIDER, 9, 1842, Sp. 687/703) noch einmal gegen die Philosophie, vornehmlich die scholastisch betriebene, für die Rhetorik Partei ergreift, kommt es ihm darauf an, daß in der Sprache das Wesen der Sache klar ausgedrückt werde. Die Wirkung des Wortes auf die Affekte bleibt jetzt außer Betracht. Vorbild der Redekunst soll der „Apelles unserer Zeit", ALBRECHT DÜRER, sein (Sp. 694). Dieser habe Melanchthon erzählt, daß er in seiner Jugend sich in allerlei Künsteleien gefallen hätte et quem sibi postea scopum artis proposuisset: consulere naturam, in hanc intueri, ut eam proxime et propriissime exprimeret. Vgl. QUIRINUS BREEN, The subordination of philosophy to rhetoric in Melanchthon, in: Archiv f. Reformationsgesch., 1952, S. 13/28; DERS., G. Pico della Mirandola on the conflict of philosophy and rhetoric, in: Journal of the History of Ideas, 1952, S. 384/412; DERS., Melanchthon's reply to G. Pico della Mirandola, ibd., S. 413/426.
4 W. A. 38, 17.
5 W. A. 12, 259.
6 W. A. 12, 444; vgl. HEINZ OTTO BURGER, Luther als Ereignis der Literaturgeschichte, aaO (Anm. IV, 4), S. 56/74, 281 f. und in: Martin Luther, 450 Jahre Reformation, Inter Nationes 1967, S. 123/138.

ANMERKUNGEN ZU DEN BILDERN

S. 7 — Aus: HANS ANKWICZ-KLEEHOVEN, Der Wiener Humanist Johannes Cuspinian, Graz-Köln 1959; vgl. dort S. 34 f. und ebenso KURT RATHE, Die Impresa eines Wiener Humanisten, in: La Bibliofilia 42 (1940), S. 54 ff.

S. 47 — Aus: Il pensiero pedagogico dello Umanesimo, a cura di EUGENIO GARIN, Coedizioni Giuntine e Sansoni, Firenze 1958.

S. 87 — Aufnahme: H. BOOCKMANN, Kunsthistor. Institut der Universität des Saarlandes.

S. 123 — Vgl. OTTO SCHMITT, Die Grabfigur der Gräfin Mechthild von Württemberg in Tübingen, in: Zs. d. Dt. Vereins f. Kunstwiss. 8 (1941), S. 179 ff.

S. 135 — Wie S. 47.

S. 188 — Aus: GERO VON WILPERT, Deutsche Literatur in Bildern, 1957.

S. 218 — Aus: ERNST BUCHNER, Das deutsche Bildnis der Spätgotik und der frühen Dürerzeit, 1953.

S. 227 — Nach KARL OETTINGER, Zu Dürers Beginn, in: Zs. f. Kunstwiss. 8 (1954), S. 153 ff.

S. 230 — Über der Zeichnung steht der Schluß eines Briefes von Barthol. Fontius. Besitzer: Prof. Bernhard Ashmole. Reproduziert von FRITZ SAXL in: German Journal of the Warburg Institutes 4, 1940/41.

S. 247 — Nach dem Neudruck Dr. Benno Filser Verlag, Augsburg 1925.

S. 286 — Aus: JOACHIM MENZHAUSEN, Das Grüne Gewölbe (Fotos von Gerhard Reinhold), Berlin, Rembrandtverlag 1968.

S. 304 — Vgl. WALTER I. ONG SJ., Ramus, Method, and the Decay of Dialogue, Cambridge/Mass., 1958, S. 84 ff.

S. 437 — Aus: HORST WAGENFÜHR, Handelsfürsten der Renaissance, 1957.

S. 454 — Der Neudruck 1521 schiebt vor den letzten drei Zeilen ca. 100 Verse ein, überschrieben ‚Unbillicher handel der münch Hochstrats, doctor ihesus, Murnars und ir anhenger etc.'. Vgl. die Ausgabe von EDUARD FUCHS 1929, S. CVI — CXXII, ferner KURT HANNEMANN, Das Bildnis Reuchlins, in: Johannes Reuchlin, 1455 bis 1522, hg. von MANFRED KREBS, 1955, S. 173—196.

495

PERSONENREGISTER

Podiebrad, Georg — König von Böhmen 180
Poggio Bracciolini, Gian Francesco 68 *70 71* 72 96 121 139 144 146 174 182 183 187 203 214 258 260 263 296 323 326 355 376
Polich, Martin (von Mellerstadt) 323 325 326 327 335 354
Poliziano, Angelo 225
Pollajuolo, Antonio del 215 289
Pomponius Laetus s. Laetus, P.
Pontano, Giovanni 226 311 318
Priscianus 136 277
Prodikos 288
Proklos 375
Properz 112 154
Psellos, Michael 20 21 205 324
Ptolemaios 21 154 166 187 314 425
Publicius, Jacobus 248 249 251
Püterich von Reichertshausen, Jakob 126 *160* 161 189
Pyra, Immanuel 358
Pyrrhon 235 381 447
Pythagoras 92 115 244 266 342

Quintilian 70 83 113 121 141 183 187 191 193 197 207 208 209 210 247 258 268 280 329 336 369 386 387 442
Quirinus, Laurentius 131

Radewijns, Florentius 39 40 54
Radolt, Eckard 248
Raffael 189 339 382 396 420
Ragone, Jacopo 249
Rasinus, Balthasar 123
Reborch, Johannes 189
‚Reformatio Sigismundi' 78 ff. 222
Rees, Hendrik van 202
Regiomontanus — Johannes Müller aus Königsberg 21 154 165 *166* 168 *182 183* 187 216 221 274 283 337 404 425
Reinhart, Oscar 319
René, der Gute — Graf der Provence, König von Jerusalem 87
René II. — Herzog von Lothringen 337
Resch, Thomas — Velocianus 392 393
Reuchlin, Johannes 193 *194* 195 200 215 216 221 238 255 262 265 *266 267* 268 *276 277 278* 279 280 296 307 334 *338 342* 364 *372* 373 374 389 *401* 402 406 412 413 417 426 *428 429* 430 440 442 449 454

Reuter, Kilian — Chilianus Millerstatinus 345
Rhagius Aesticampianus — Rack, Johannes 235 *343 344* 371 446 447
Rhenanus, Beatus 172 405
Rhijn, M. van 202
Ricci, Agostino 430
Ricci, Paolo — Paulus Ricius 428 429 430 431 432 434
Richard von St. Victor 34
Ried, Hans 397
Rieder, Karl 39
Riederer, Friedrich 246 *247* 258
Riemenschneider, Tilmann 221 405
Ries, Joachim — Gioacchino de Gigantibus 95
Ringmann, Matthias — Philesius Vogesigena 335 *336 337* 368
Ringoltingen, Thüring von 143
Rinuccio di Castiglione 186
Ritter, Gerhard 45 114 264 305 352
Robbia, Luca della 83 215
Robert, der Gute — König von Neapel 21 31
Rodemachern, Margarethe von 87
Rodriguez de la Cámara, Juan 185
Roggenburg, Jörg 178 179
Rohlfs, Gerhard 20
Rolevinck, Werner 389
Rolin, Nicolas 86
Roloff, Hans-Gert 408
Rosenplüt, Hans 122 *143 179* 180 214
Rossess, Johann von 42 158 159 172
Rot, Johann 138 *139* 324
Rotenpeck, Hieronymus 171
Rothe, Johannes (von Crozceborg) *61* 63 67
Ruprecht von der Pfalz — deutscher König 45 57 58 87
Ruskin, John 22
Ruysbroek 199
Rzytonic, Hasilina von 236 313 315 317 318

Sachs, Hans 157 183 245 277
Sachsenheim, Hermann von *124 125 126* 128 156 160 178 275
Säldner, Konrad *146* 147 148 149 174
Salutati, Lino Coluccio 45 46 68 110 119 120 450
Sansovino, Jacopo 381 382